U0103280

中國現代史書籍論文資料舉要

(二)

胡平生　編著

臺灣　學生書局

第二冊目次

編述説明

編 述 説 明

　　中國現代史是以中華民國及中華人民共和國為主的一部歷史，由於臺灣海峽兩岸的歷史學者對於中國現代史的起點有著不同的看法，臺灣方面多主張以1911年為起點（以1894年興中會成立及其後十七年的革命運動為其序幕、背景）；中國大陸方面多主張以1919年（五四運動）為起點（其以前為中國近代史，日本史學界大致持同樣的看法），本書係以前者為準（至於歐美史學界所謂Modern Chinese History，是指中國近代史或現代史而言，Contemporary Chinese History，則為當代中國史，多指1949年以後的中華人民共和國史而言）。所收錄的書籍論文資料是以1996年12月及其以前出版者為限，此外，尚有如下幾個通則：

一、本書所列舉者，以專書、資料集、論文集、論文（含一般性的文章，本書中所謂的論文，即是指載於期刊上，論文集等中的單篇論文、文章而言）為主。散篇的資料、文稿（如中國大陸出版的全國各級《文史資料選輯》、《近代史資料》等所刊載者；且李永璞主編有《全國各級政協文史資料篇目索引（1960-1990）》，北京，中國文史出版社，1992；共五大冊，足資參閱）及報紙上的文章，因數量太多，過於瑣細，原則上不予舉述。又各種人物傳記專書（含辭典）中的個人專傳及書評（Book Review）亦同此，原則上也不予舉述。

二、本書所列舉者，以中、日、英文之出版品為限。

三、本書所列舉者，其出版年份，凡1949年及其以前之中國大陸
　　及其以後臺灣之出版品，一律用民國紀年。凡中國以外國
　　家、地區和1950年及其以後之中國大陸出版品，一律用西元
　　紀年，俾易於辨識其為中華民國或中華人民共和國之出版
　　品。

四、名稱過長者，當酌情簡稱之，如「中國人民政治協商會議全
　　國委員會文史資料研究委員會」簡稱為「全國政協文史資料
　　研究委員會」，「中國國民黨中央委員會黨史史料編纂委員
　　會」簡稱為「國民黨黨史會」，「華東師範大學學報」簡稱
　　為「華東師大學報」，「國立臺灣大學歷史學系學報」簡稱
　　為「臺大歷史學系學報」等。

五、本書所列舉1950年及其以後中國大陸出版之各大學學報，均
　　係其哲學社會科學版，而非其自然科學版；列舉時，不再註
　　明其版別。又各專書其出版年份之後未特別註明者，均為初
　　版或一版。

六、本書所列舉之國內外博、碩士論文，均以專書視之，以別於
　　載於期刊、雜誌、學報上之論文。符號之使用，以《　》代表
　　書名，以〈　〉代表論文篇名，其出處、出版年月，概用括號
　　說明之。

七、國內外學術會議上宣讀的各論文，如未彙集成冊且正式出版
　　者，原則上均不予舉述。

八、歐美作者的英文姓名，其姓氏一律置於其名字之後（凡華人
　　有英文名字者亦同此），中、日作者的英文譯姓名，則其姓
　　氏一律置於名字之前，以尊重其習慣，並求其統一。

三、軍閥政治（1916-1928）

　　主要概括民國五年至十七年（1916-1928）北洋軍閥統治時期中央（北京政府）和地方（各省區）的動向，以及軍閥的興衰演變。這方面的重要研究成果多為英、日文的論著；至於中文著述，早年泰半為掌故性或通俗性的。近二十年來，中國大陸以地利之便，致力於此，大量出版有關的專書、資料集，並發表了不少有關的論文，論成績已相當可觀，港臺地區對這方面研究成果則為數不多，惟其中不乏結構嚴謹、論析精闢的佳作。此外近十餘年來，臺灣以民國時期軍閥為研究對相撰成的博、碩士論文，其數和量均較前大為增加。

㈠通　　論

　　Lucian W. Pye, Warlord Politics: Conflict and Coalition in the Modernization of Republican China.（New York: Praeger Publishers, 1971），該書原為1951年作者在耶魯大學（Yale University）之博士論文—The Politics of Tuchunism in North China, 1920-1927: An Aspect of Political and Social Change in Modern China，雖至1971年才出版，但因係對軍閥制度的整體研究，對研究民初軍閥仍有開創之功。Ch'i Hsi-sheng（齊錫生），Warlord Politics in China, 1916-1928.（Stanford: Stanford University Press, 1976，臺北，虹橋書店翻印，民65；其中譯本為楊雲、蕭延中譯《中國的軍閥政治（1916-1928）》，北京，中國人民大學出版社，1991），原為作者1969年芝加哥大學之博士論文，全書主要在探

討軍閥派系的形成、組合，軍隊的徵募、訓練、武器與戰術，以及軍人政治的規範等。Andrew J. Nathan, Peking Politics, 1918-1923: Factionalism and the Failure of Constitutionalism. （Berkeley: University of California Press, 1976），為作者在哈佛大學之博士論文（Factionalism in Early Republican China: The Politics of Peking Government, 1918-1920）加以改寫而成，全書在探討1918至1923年間，皖直兩軍系政權交替的經過，及利用新舊國會之情形。陳志讓《軍紳政權─近代中國的軍閥時期》（香港，三聯書店香港分店，1979），係作者（Jerome Chen）The Military-Gentry Coalition: China Under the Warlords（Toronto: University of Toronto-York University Joint Center on Modern East Asia, 1979）一書的中文版，為解釋性的論著，論析政治的離心力，南北分裂、聯省自治、派系、財政等。張玉法主編《中國現代史論集·第5輯：軍閥政治》（臺北，聯經出版公司，民69），則為論文集性質。波多野善大《中國近代軍閥の研究》（東京，河出書房新社，1973）是收集作者1958至1972年間所發表的8篇論文，再加上概述〈中國近代軍閥的形成和沒落〉而成；為日文此類論著中的代表作。林明德譯著《中國近代軍閥之研究》（臺北，金禾出版社，民83），係主要譯自波多野善大《中國近代軍閥の研究》，但略有增刪。李文《中國近代軍閥的興亡》（西安，陝西人民出版社，1989）、鄒孟賢等編著《中國近現代軍閥簡史》（武昌，華中師大出版社，1989）、王永貞《中國近代軍閥史》（鄭州，中州古籍出版社，1991）、葉曙明《軍閥》（廣州，花城出版社，1987）、David Bonavia, China's Warlords（Hong Kong: Oxford University Press,

1995）、中村治兵衛〈中國の軍閥〉（《世界史講座》第5卷，東京，
東亞經濟新報社，1954）、陳德來《軍閥傳奇故事》（臺北，林鬱文
化公司，民83）。

　　以北洋軍閥或北洋派為題的通論性著作有陶菊隱《北洋軍閥
統治時期史話》（共8冊，北京，三聯書店，1957-1959；臺北，蒲公英
出版社翻印，民78），探討1895至1928年間的政治史，並不專言軍
閥，作者曾任上海《新聞報》駐漢口記者多年，亦曾為天津《大
公報》撰寫通訊稿，熟稔北洋軍閥統治時期之民國史事，該書雖
為掌故性的著作，但大體上尚能忠於史實，其敘事生動，筆法細
膩，可讀性高，因而流傳亦廣。來新夏《北洋軍閥史略》（武
漢，湖北人民出版社，1957）、來新夏主編《北洋軍閥史稿》（同
上，1983），係以前書（《史略》）為基礎，加以增補修訂而
成，其附錄有大事年表及北洋軍閥人物小志。上海人民出版社中
國近代史叢書編寫組《北洋軍閥》（上海人民出版社，1973）、朱
仲玉編著、張路繪《北洋軍閥的統治》（北京，通俗讀物出版社，
1956）、謝本書《北洋軍閥》（北京，中華書局，1974）及《說話北
洋軍閥》（北京，中國少年兒童出版社，1979）、唐人〈北洋軍閥演
義〉第1、2卷（長沙，湖南人民出版社，1985）、章回《北洋軍閥》
（北京，中華書局，1962）、胡波《北洋軍閥的故事》（上海，上海
人民出版社，1959）、章伯鋒、李宗一主編、中國史學會、中國社
會科學院近代史研究所編《北洋軍閥（1912-1928）》（共6冊，武
漢，武漢出版社，1990），其第1卷（冊）內容為北洋軍閥與北京政
府，第2卷為袁世凱的獨裁統治，第3卷為皖系軍閥與日本，第4
卷為直系軍閥的興衰，第5卷為北洋軍閥的覆滅，第6卷為北洋軍

閥大事要錄、北洋軍閥人物簡志、北洋軍閥時期圖書目錄，甚有
參考價值。德杰《龍爭虎爭：北洋軍閥秘錄》（北京，團結出版
社，1995）、劉厂、周帆《官場百丑圖：北洋軍閥秘錄》（長沙，
湖南出版社，1992），田布衣（丁中江）《北洋軍閥史話》（4冊，
臺北，春秋雜誌社，民62），該書係以陶菊隱之《北洋軍閥統治時
期史話》為主要依據，再綜合陶氏其他著作（如《六君子傳》、
《吳佩孚將軍傳》、《督軍團傳》等）而成。陳錫璋《細說北洋》（2
冊，臺北，傳記文學出版社，民60），係以北洋政府歷任總統為經，
史事為緯，撰寫而成，全書引用不少資料，且有注釋，非一般通
俗性的讀物可比。陳氏另撰有《北洋滄桑史話》（臺南，撰者印
行，民56）、陳卓凡等編《北洋軍閥與南京統治的前途》（華商出
版社，1949）。馬伯援《北洋派之起源及其崩壞》（上海，商業公司
出版部，民21）、吳虬《北洋派之起源及其崩潰》（上海，海天出版
社，民26）。他如田布衣等《閒話軍閥》（臺北，春秋雜誌社，民
56）、羅雨田編《軍閥軼聞》（琥珀出版社，民65）、李川編《民
國軍閥趣聞》（現代出版公司，民57）、華粹出版社編印《軍閥現
形記》（臺北，民65）、暢盦編《民六後之財政與軍閥》（北京，
文林書局）、辛培林《軍閥列傳》（哈爾濱，黑龍江人民出版社，
1993）及《中國近代の軍閥列傳》（東京，學陽書房，1990）。

　　資料集則有杜春和、林斌生、丘權政編《北洋軍閥史料選
輯》（2冊，北京，中國社會科學出版社，1981）、天津市歷史博物館
館藏北洋軍閥史料編輯委員會編《天津市歷史博物館館藏北洋軍
閥史料（第1-4卷）》（共33冊，天津，天津古籍出版社，1996）、來
新夏主編《北洋軍閥》（共5冊，上海，上海人民出版社，中國近代史

資料叢刊，1988，及1993）、李宗一、章伯鋒主編《北洋軍閥統治時期資料》（北京，中國社會科學院近代史研究所，1988）。工具書則有田子渝等主編《中國近代軍閥辭典》（北京，檔案出版社，1989）、王新生、孫啟泰主編《中國軍閥史詞典》（北京，國防大學出版社，1992）。其他相關性的論著有文公直《最近三十年中國軍事史》（上海，太平洋書店，民19）、丁文江《民國軍事近紀（上編）》（北京，商務印書館，民15）、姜克夫編著《民國軍事史略稿（3冊，北京，中華書局，1987）其第1冊為「北洋軍閥和國民革命」、James E. Sheridan, China in Disintegration: The Republican Era in Chinese History, 1912-1949（New York: The Free Press, 1975），全書共9章，其中第3章論述1916年至1928年之軍閥，第6章則論述南京國民政府主政期間（1928-1937）的軍閥主義，全書較注重史實的敘述，藉以說明民國政局的分與合。

(二)釋義及散論

李新〈軍閥論〉（《史學月刊》1985年1期）、天野元之助〈軍閥時代〉（《中國研究》11號，1956）、山田辰雄〈橘樸の中國軍閥論〉（《法學研究》68卷5號，1995）、來新夏〈論近代軍閥的定義〉（《社會科學戰線》1993年2期）、宋海常、趙建強〈關於軍閥定義之管見〉（《軍事史林》1988年2期）、趙學聰〈近代中國軍閥政治的形成及其影響〉（《重慶師院學報》1995年3期）、謝本書〈論近代中國軍閥的形成及其特點〉（《研究集刊》1987年1期）、James E. Sheridan, "Chinese Warlords: Tigers or Pussycats?"（Republican China, Vol. 10, No.2, 1985）、Harlod Z. Schiffrin "Mili-

tary and Politics in China: Is the Warlord Model Pertinent?"
（Asian Quarterly: A Journal from Europe, No.3, 1975）、Stephen R.
Mackinnon, "The Peiyang Army: Yuan Shin-K'ai and the
Origins of Modern Chinese Warlordism."（The Journal of Asian
Studies, Vol.32, No.3, May 1973）、劉曉〈近代軍閥政治的起源〉
（《學術研究》1990年6期）、波多野善大〈民國軍閥の歷史背景—
比較史の素描〉（載《中國中世史研究—六朝隋唐の社會と文化》，東
京，東海大學出版會，1970）及〈民國軍閥の形成過程〉（《名古屋
大學文學部研究論集》50號—史學17，1970年3月）、波多野善大著、
任恒俊譯〈中國近代軍閥的形成〉（《承德民族師專學報》1993年1
期）、張鳴《武夫專制夢—中國軍閥勢力的形成及其作用》（北
京，國際文化出版公司，1989）、陸水明〈兵為私有：近代中國軍閥
產生的主要根源〉（《大學文學園地》1988年3期）、任恒俊〈新軍
差異與南北軍閥的形成〉（《文史哲》1990年4期）、王繼平〈論湘
軍與近代軍閥的關係〉（《史學月刊》1989年2期）、Hans J. Van
de Ven, "Public Finance and the Rise of Warlordism."（Modern
Asian Studies, Vol. 30, Part 4, October 1996）、渡邊龍策〈中國軍閥
に關すの一考察—近代中國軍閥政治史序説〉（《中京大學論叢
（教養篇）》第2號，1961）、劉江船〈論民初軍閥割據的文化原
因〉（《民國檔案》1994年3期）、李新〈論軍閥的分化及結局〉
（《歷史研究》1990年1期）、Jerome Ch'en（陳志讓），
"Difining Chinese Warlords and Thier Factions"（Bulletin of
the School of Oriental and African Studies, Vol.31, Part 3, 1968），其中
譯文為陳家秀譯〈中國軍閥派系詮釋〉（載張玉法主編《中國現代

史論集》第5輯，臺北，聯經出版公司，民69）、謝文孫〈軍閥的經濟解釋〉（同上）、郭劍林〈中國近代軍閥與中國近代化進程〉（《學術研究》1991年3期）、謝本書〈近代中國軍閥史與軍事史〉（《軍事史林》1988年2期）、唐德剛〈民國史軍閥篇四圓四方圖解—海外教授民國史經驗淺介之一〉（《傳記文學》65卷5期，民83年11月）、寺廣映雄〈民國軍閥時期における中國統一策について〉（《歷史研究（大阪教育大學）》17、19號，1980）、Edward A. McCord, "Warlords Against Warlordism: The Politics of Anti-Militarism in Early Twentieth-Century China." （Modern Asian Studies, Vol. 30, Part4, October 1996）及 "Warlordism at Bay：Civil Alternatives to Military Rule in Early Republican China." （Republican China, Vol.17, No.1, November 1991）、愛德華·麥科德（Edward A · McCord）著、周秋光譯〈20世紀初中國的內戰與軍閥主義的出現〉（《國外中國近代史研究》25輯，1994年10月）、Arthur Waldron，"Warlordism Versus Federalism: The Revival of a Debate？"（The China Quarterly, No.121, 1990）、Shelly Yomano，"Reintegration in China Under the Warlords, 1916-1927"（Republic China, Vol. 12, No.2, April 1987）、劉秉榮《軍閥與迷信》（北京，華文出版社，1993）、鄒孟賢〈中國近代軍閥的封建迷信意識〉（《華中師大學報》1992年6期）及〈略述中國近代軍閥的封建迷信思想及其原因〉（《荊門大學學報》1991年1期）、楊立強〈論近代中國軍閥官僚集團組織構成的特點〉（《軍事歷史研究》1989年1期）、B. B.茹可夫著、夏祖恩譯〈1916至1928年中國軍閥制度演變的主要階段〉（《國外中國近代史研究》10輯，1988年4

月）、唐學鋒〈試論軍閥割據的社會基礎〉（《西南民族學院學報》1990年4期）、渡邊龍策〈中國鄉村の統治構造—清末民初の軍閥基盤に關連して〉（《中京商學論叢》8卷3、4號，1962年3月）、渡邊惇〈民國初期軍閥政權の經濟的基礎〉（《歷史教育》13卷1號，1965年1月）、高城博昭〈民國初期軍閥政權の經濟的側面〉（《吳工業高專研究報告》8卷1號，1972年11月，11卷1號，1975年9月）、平野和由〈軍閥政權の經濟基盤〉（收入《講座中國近現代史》第4冊，東京，東京大學出版會，1978）、徐桂梅〈軍閥統治的特點及其對中國社會的危害〉（《河北師大學報》1988年2期）、馮祖貽〈辛亥革命與近代軍閥的產生—關於近代軍閥的產生原因的一點探索〉（《西南軍閥史研究叢刊》第2輯，1983）、陳旭麓〈軍閥與近代中國社會〉（同上）、謝本書〈略論南北軍閥之異同（同上）、蕭瑞林〈中國近代軍閥尋求制度化權力論析〉（《江西社會科學》1993年3期）、蔡澤軍、張紅〈近代軍閥私人投資是官僚資本嗎？〉（《學術研究》1993年5期）、佐伯有一〈軍閥と買弁〉（載《中國文化叢書·第8卷·文化史》，東京，大修館書店，1968）、季雲飛〈北洋政府時期軍閥混戰原因新探〉（《爭鳴》1993年3期）、波多野善大〈軍閥混戰の底にあらもの—中國農村社會の把握と關連して〉（《歷史教育》11卷1號，1963）、高會宗、張茂才〈略論近現代史上新舊軍閥的失敗與私有制度的關係〉（《晉陽學刊》1991年6期）、吳慧敏〈辛亥革命後軍閥地主的形成及其特徵〉（《經濟研究》1980年9期）、段雲章、邱捷《孫中山與中國近代軍閥》（成都，四川人民出版社，1990）、郭劍林《孫中山與軍閥—兼答胡顯中同志》（《學術月刊》1988年10期）、劉富書〈孫中山與軍閥〉（《民國檔案》1994年4期）。

　　孫思白〈北洋軍閥統治史提綱（1912-1928）〉（《齊魯學刊》1983年5、6期）、朱振國〈北洋軍閥的統治始于何時？〉（《史學月刊》1987年5期）、來新夏〈北洋軍閥統治時期〉（《歷史教學》1952年8-10期）、祝偉坡〈北洋軍閥各派統治的更替（1912-1928）〉（《河北師大學報》1987年2期）、彭明〈北洋軍閥（研究網要）〉（《教學與研究》1980年5、6期）、樓明杰〈論北洋軍閥〉（《學習月報》1975年2期）、榮孟源〈北洋軍閥的來歷〉（《歷史教學》1956年4期）、來新夏〈北洋軍閥的來歷〉（《文史知識》1983年1期）、波多野善大〈北洋軍閥の成立過程〉（《名古屋大學文學部研究論集》第5號，1953）、任恆俊〈北洋軍閥成因淺探〉（《河北師院學報》1985年4期）、張玉雄〈簡述北洋軍閥的興起〉（《歷史教學問題》1988年3期）、李新〈北洋軍閥的興亡〉（《史學月刊》1985年3期）、董崧生〈閒話北洋軍閥興亡〉（《中外雜誌》48卷1期，民79年7月）、黃紹海〈〞北洋軍閥〞述要〉（《文科月刊》1983年4期）、于良、許孟飛〈北洋軍閥的統治〉（《實踐》1983年10期）、榮孟源〈北洋軍閥的各派系及其覆滅〉（《學習》5卷1期，1951）、黃志仁〈北洋軍閥對資產階級民主制的摧殘〉（《廈門大學學報》1979年1期）及〈北洋軍閥破壞中國走現代化道路史實〉（《中國經濟問題》1980年5期）、來新夏〈北洋軍閥對內搜刮的幾種方式〉（《史學月刊》1957年3期）、吳永明〈北洋軍閥武器裝備問題初探〉（《江西師大學報》1994年2期）、江地〈關於〞北洋軍閥〞和〞皖系軍閥〞〉（《山西師院學報》1983年2期）、清根

〈辛亥革命與北洋軍閥〉（《歷史教學問題》1984年1期）、朱秉
常、聶皖輝《北洋軍閥與民國將領》（安慶，安徽人民出版社，
1983）、徐景星〈袁世凱與北洋軍閥集團〉（《文史參考資料匯編》
1983年6期）、謝本書《袁世凱與北洋軍閥》（上海，上海人民出版
社，1984）、中國第二歷史檔案館編《中國近代珍藏圖片庫：袁
世凱與北洋軍閥》（香港，商務印書館，1994）、婁向哲〈北洋軍
閥與日本關係述論〉（《南開學報》1993年5期）及《北洋軍閥與日
本》（天津，天津人民出版社，1994）、姜克夫《民國軍事史略稿
㈠—北洋軍閥和國民革命軍》（北京，中華書局，1987）、中國第
二歷史檔案館編《北洋軍閥統治時期的兵變》（南京，江蘇人民出
版社，1982）、劉平、李衛平〈試析北洋時期的兵變〉（《江海學
刊》1990年2期）、方慶秋〈關於北洋軍閥統治時期兵變的幾個問
題〉（《歷史檔案》1982年1期）、蔡少卿、杜景珍〈論北洋軍閥統
治時期的〝兵匪〞〉（《南京大學學報》1989年2期）、王建華〈北
洋軍閥時期的帥、大帥和老帥〉（《民國春秋》1993年3期）、天津
市檔案館編《北洋軍閥天津檔案資料選編》（天津，天津古籍出版
社，1990）、婁向哲〈淺論北洋軍閥統治的經濟基礎〉（《南開經
濟研究所季刊》1988年1期）、高城博昭〈北洋軍閥と金融資本〉
（《史學研究五十周年記念論叢世界編》，東京，福武書店，1980）、魏
明〈論北洋軍閥官僚的私人資本主義經濟活動〉（《近代史研究》
1985年2期）、彭明〈五四前夕封建軍閥掠奪土地的狀況〉（《歷
史教學》1979年2期）、繆新權、李懷信、吳選勝《北洋軍閥軍事
經濟史》（北京，黃河出版社，1992）、王躍〈北洋軍閥統治時期
社會意識變遷的趨勢〉（《近代史研究》1987年3期）、張靜如、劉

志強〈北洋軍閥統治時期的社會和革命〉（《教學與研究》1986年6期）、張靜如、劉志強主編《北洋軍閥統治時期中國社會之變遷》（北京，中國人民大學出版社，1992）、何一成〈北洋軍閥統治與新舊民主革命的轉變〉（《求索》1989年1期）、勞紹華、席香根〈略論北洋軍閥統治時期的官僚資產階級〉（《江西師大學報》1989年3期）、曹裕文〈從北洋軍閥內爭看總統的更迭〉（《社會科學探索》1989年3期）、陳長河〈從檔案看北洋軍閥統治時期的陸軍及其軍費〉（《歷史教學》1983年8期）、倪忠文主編《北洋軍閥統治湖北史》（武漢，湖北人民出版社，1989）、廖信春〈北洋軍閥在江西的統治及其覆滅〉（《爭鳴》1988年1期）、安徽省政協文史資料研究委員會編《軍閥禍皖》（合肥，安徽人民出版社，1987）。其他尚有Yip Ka-che（葉嘉熾），"Warlordism and Educational Finances, 1916-1927"（In William T. Rowe, ed., Prospectives on a Changing China, Boulder, Colorado, 1979）、Edward A. McCord, The Power of the Gun: The Emergence of Modern Chinese Warlordism.（Berkeley: University of California Press, 1993）、張俠、孫寶銘、陳長河編《北洋陸軍史料（1912-1916）》（天津，天津人民出版社，1987）、Chan Ming K.（陳明銶）& David Strand, "Militarism and Militarization in Modern Chinese History"（Trends in History, Vol.2, No.2, 1981）、Diana Lary, Warlord Soldiers: Chinese Common Soldiers, 1911-1937.（Cambridge: Cambridge University Press, 1985；臺北，南天書局翻印，民78）及"Bad Iron: Some Aspects of the Chinese Common Soldier in the Warlord Period."（載《中華民國初期歷史研討會論文集，1912-

1927》上冊，臺北，中央研究院近代史研究所，民73年4月）、中國第二歷史檔案館編著《北洋軍閥統治時期的黨派》（北京，檔案出版社，1993）、羅嗣炬、王鵬〈北洋軍閥統治時期新知識分子政治文化初探〉（《江西社會科學》1996年8期）、Larry N. Shyu, "Chinese Intellectuals and Warlords in the Early Years of the Republic, 1912-1927." （載張憲文主編《民國研究》第2輯，南京大學出版社，1995）、Hans Van de Ven, "Public Finance and the Rise of Warlordism." （同上，第1輯，1994）。

(三)研究述評

　　來新夏〈關於軍閥史的研究〉（《西南軍閥史研究叢刊》第3輯，1986）及〈略論民國軍閥史的研究〉（《學術月刊》1985年1期）、韓劍夫〈中國近代軍閥史研究中的幾個問題〉（《廣東社會科學》1988年3期）、孫思白〈試論軍閥史的研究及相關的幾個問題〉（《貴州社會科學》1982年6期；亦載《西南軍閥史研究叢刊》第2輯，1983）、麥科德（Edward McCord）〈中西學者研究中國近代軍閥史之比較〉（《湖南師大學報》1993年3期）、周子峰〈中國大陸及西方的中國近代軍閥研究述評〉（《香港中國近代史學會會刊》第8期，1996年12月）、Diana Lary, "Warlord Studies." （Modern China, Vol.6, No.4, October 1980；其中譯文為李恩民譯、關文斌校〈軍閥研究〉，載《南開史學》1986年1期），為西方第一篇有系統地探討西方之研究近代中國軍閥史狀況的文章，其論析頗有創見；Edward A. McCord, "Recent Progress in Warlord Studies in the PRC." （Republican China, Vol.9, NO.2 April 1984）、曉頌

〈近代軍閥史研究的新成果〉（《雲南省歷史研究所研究集刊》1984
年2期）、塚本元〈アナリカにおける「軍閥」研究をめぐつ
て〉（《近きに在りて》13號，1988年5月；其中譯文〈近30年來美國學者
關於近代中國"軍閥"的研究〉，載《國外中國近代史研究》第24輯，
1994）及〈「中國近代軍閥」研究の現狀と課題—概況と展望〉
（《中國—社會と文化》第4號，1989年6月）。來新夏〈北洋軍閥史
研究四十年〉（《歷史教學》1991年8期）、王玉華、許寧、宋秋
容、劉毛雅、寧敬人〈近幾年來北洋軍閥統治時期史研究述評〉
（《南開史學》1988年2期）、孫占元〈十年來北洋軍閥史重點問題
研究概述〉（《歷史教學》1992年6期）、章伯鋒〈談談北洋軍閥史
研究的幾個問題—《北洋軍閥（1912-1928）》前言〉（《近代史
研究》1990年4期）、婁向哲〈中國における北洋軍閥研究の動向
と今後の課題〉（《立命館法學》185號，1986年9月）、焦靜宜〈北
洋軍閥史研究述評〉（載鄭會欣、陳興唐、張憲文編《民國檔案與民國
史學術討論會論文集》，北京，檔案出版社，1988）及〈北洋軍閥史研
究的回顧與展望〉（載曾景忠編《中華民國史研究述略》，北京，社會
科學出版社，1990）、來新夏、郭劍林、焦靜宜〈略論北洋軍閥史
研究中的幾個問題〉（《學術月刊》1982年4期）、汪之瀚〈北洋軍
閥史研究中的幾個問題〉（《合肥教育學院學報》1988年1期）、居閱
時〈北洋軍閥史研究的新趨向〉（《史學月刊》1996年5期）及〈北
洋軍閥時期史研究的新觸角和新局面〉（《社會科學（上海）》
1996年7期）、來新夏〈北洋軍閥史文獻述略〉（《民國檔案》1995
年4期）、來新夏、焦靜宜〈關於北洋軍閥史的文獻〉（《中學歷
史》1982年2期）、焦靜宜〈近年來北洋軍閥和地方軍閥史的研

究 〉（《西南軍閥史研究叢刊》第2輯，1983）、來新夏〈北洋軍閥史
研究札記三題 〉（《民國檔案》1985年2期）、Ｂ·茹科夫著、王永
祥譯〈前蘇聯學術界的北洋軍閥史研究 〉（《歷史教學》1992年3
期）、趙清〈重視袍哥、土匪和軍閥史的研究 〉（《四川大學學
報》1990年2期）、來新夏〈北洋軍閥和反北洋軍閥鬥爭 〉（載《一
九八〇年中國歷史學年鑑》，北京，人民出版社，1980）。其他相關者
有張玉法〈民初軍系史研究（1916-1928）〉（載《六十年來的中國
近代史研究》下冊，臺北，中央研究院近代史研究所，民78）、劉鳳翰
〈中國近代軍事史資料與研究 〉（同上）等。

㈣軍政派系

1.皖系

　　以皖系軍閥為題的有莫建來〈試論皖系軍閥的形成 〉（《民
國檔案》1992年1期）及〈皖系軍閥的特點及其評價 〉（《江海學刊》
1992年1期）、單寶〈皖系軍閥的興衰和特點 〉（《歷史教學》1984年
4期）、彭明〈皖系軍閥的反動統治（1916-1920）〉（《軍事史林》
1988年2期）、周俊旗〈試論皖系軍閥控制中央政權的原因及其政
權的特點 〉（《安徽史學》1989年3期）、〈試論皖系軍閥的武力統
一政策 〉（《歷史教學》1989年12期）及〈試論皖系軍閥的對日政
策 〉（《南開史學》1988年2期）、章伯鋒《皖系軍閥與日本》（成
都，四川人民出版社，1988）及〈皖系軍閥與日本帝國主義 〉（《歷
史研究》1982年2期）、江地〈關於北洋軍閥和皖系軍閥 〉（《山西
師院學報》1983年2期）、篠原謙《北洋軍閥と安徽派》（立正大學

文學部史學科畢業論文，1972年度）、莫建來〈皖系軍閥與研究系關係探析〉（《上海社會科學院學術季刊》1992年1期）、邱捷〈孫中山晚年與皖系軍閥的合作和鬥爭〉（《孫中山研究論叢》第1集，1983）、張一麐〈直皖秘史〉（收入榮孟源、章伯鋒主編《近代稗海》第4輯內，四川人民出版社，1985）、劉鳳翰〈直皖兩系兵力的消長〉（《中華民國初期歷史研討會論文集》上冊，臺北，中央研究院近代史研究所，民73）。

關於皖系首領段祺瑞有胡曉〈段祺瑞及北洋皖系研究述評〉（《安徽史學》1996年4期）、張超〈皖系軍閥頭子—段祺瑞〉（《唐山教育學院學報》1986年4期）、黃征、陳長河、馬烈《段祺瑞與皖系軍閥》（鄭州，河南人民出版社，1990）、莫建來〈段祺瑞攫取統治權與皖系軍閥的發展〉（《江海學刊》1990年3期）、費敬仲（原題沃丘仲子）《段祺瑞》（上海，世界書局，民9；臺北，文海出版社影印，民62）、競智圖書館主編《北洋人物史料三種（其中之一為「段祺瑞秘史」）》（臺北，文海出版社影印，民62）、吳廷燮編《合肥執政年譜》（臺北，文星書店影印，民51）、Shao Hsi-ping, Tuan Ch'i-jui, 1912-1918: A Case Study of the Military Influence of the Chinese Political Development（Ph. D. Dissertation, University of Pennsylvania, 1976）、沈雲龍〈北洋之虎—段祺瑞〉（《傳記文學》28卷6期，民65年6月）及〈段祺瑞之一生〉（《新中國評論》32卷6期-35卷2期，民56年6月-57年8月）、（徐）一士〈談段祺瑞〉（《越風半月刊》19、20、及23、24期合刊，民25年9、10、12月）、溫世霖《段氏賣國記》（民8年自印；上海，泰東書局，民9年再版）及《段氏賣國秘史》（中興書局，民9）、章君穀《段祺瑞傳》（臺北，中外圖書公司，民62）、季宇《段祺瑞傳》（合肥，安徽人民出版社，1992）、余非〈北洋人物志㈢—段祺瑞傳·李純傳〉（《新知雜誌》第2年5期，民61年10月）、藍守仁〈北洋之虎段祺瑞〉（《中外雜誌》10卷5期，民60年11月）、丁賢俊〈北洋之虎—段祺瑞〉（《文史知識》1984年9期，亦收入《中華人物志》，北京，中華書局，1986）、陳舜臣〈中國近代史ノート⑼：二流軍閥の誕生と沒落＝段祺瑞〉（《朝日アジアレビュー》5卷5號，1975年9月）、李守孔〈段祺瑞（1865-1936）〉（載《中華民國名人傳》第2冊，臺北，近代中國出版社，民75）、李宗一〈段祺瑞〉（載《民國人物傳》第1卷，北京，中華書局，1978）、楊際泰〈段祺瑞二三事〉（《中外雜誌》35卷2期，民73年2月）、王楚卿〈段祺瑞的生與死〉（同上，48卷2期，民79年8月）、莫建來〈試論段祺瑞在北洋建軍中的作用〉（《歷史檔案》1991年1期）及〈評辛亥革命中的段祺瑞〉（同上，1993年2期）、李守孔〈段祺瑞與辛亥革命〉（《中國歷史學會史學集刊》第6期，民63年5月）、（徐）一士〈辛亥革命與馮（國璋）段（祺瑞）〉（《越風半月刊》20期，民25年10月）、莫建來〈段祺瑞領銜通電主張君憲反對共和考辨〉（《安徽史學》1992年1期）、李守孔〈段祺瑞與民初政局〉（《東海大學歷史學報》第2期，民67年7月）、李慶西《段祺瑞與民初政局（民國5年至9年）》（臺灣師範大學歷史研究所碩士論文，民66年7月）及〈段祺瑞與民初政局〉（載《臺灣省第一屆教育學術論文發表會論文集》下冊，臺灣省教育廳，民80年6月）、徐炳憲《段祺瑞與民國初年的內閣》（臺北，傳賢文化公司，民73）及〈段祺瑞的三次組閣〉（《政治大學學報》35期，民66年5月）、單寶〈段祺瑞〝三造共和〞平議〉

（《安徽史學》1984年3期）、李開弟〈段祺瑞〝三造共和〞述評〉（同上，1986年1期）、徐衛東〈段祺瑞〝三造共和〞之真相〉（《復旦學報》1987年3期）、丁賢俊〈論段祺瑞三定共和〉（《歷史檔案》1988年3期）、波多野善大〈袁世凱の帝制と段祺瑞・馮國璋〉（《名古屋大學文學部二十周年紀念論集》，1968）、張谷〈段祺瑞、徐樹錚與孫洪伊〉（《中外雜誌》7卷4-6期，民59年4-6月）、潘榮〈黎段府院之爭初探〉（《南開史學》1986年1期）、桂崇基〈張勳復辟與段祺瑞〉（《東方雜誌》復刊8卷4期，民63年10月）、周俊旗〈小議段祺瑞在平定張勳復辟事件中的作用〉（《南開史學》1991年1期）、楊德才〈段祺瑞與中國參戰新探〉（《學術月刊》1993年4期）、彭先進《段祺瑞與中國參加歐戰的研究》（臺灣大學歷史研究所碩士論文，民59年6月）、陳鳴鐘〈段祺瑞賣國投日和五四愛國運動的爆發〉（《歷史檔案》1981年2期）、馬烈〈段祺瑞怎樣從抗日派轉變為親日派〉（《民國春秋》1992年1期）、莊鴻鑄〈試論段祺瑞與日本帝國主義的勾結〉（《新疆大學學報》1983年4期）、婁向哲〈日本寺內內閣與段祺瑞〉（《學術月刊》1987年7期）、韓世宏《段祺瑞內閣時期之中日外交關係》（中國文化大學政治研究所碩士論文，民71年7月）、馬烈〈直皖戰後至臨時執政前的段祺瑞〉（《江蘇教育學院學報》1988年2期）、陳鳴鐘〈段祺瑞出任臨時執政的幾個小片斷〉（《歷史檔案》1982年2期）、伊原澤周〈臨時執政政府與段祺瑞〉（載《第二屆國際漢學會議論文集》，臺北，民78年6月）、楊德才〈1924年段祺瑞出山的主要原因〉（《安徽史學》1993年1期）、吳元康〈段祺瑞對待孫中山北上的態度〉（同上，1996年4期）、沈雲龍〈段祺瑞與善後會議〉（《傳記文學》46卷2期，民74年2月）、華友根〈略論段祺瑞的《善後會議條例》與《國民代表會議條例》的紛爭〉（《安徽史學》1990年2期）、張愛平〈段祺瑞給蔣介石的一封密信〉（《檔案與史學》1996年1期）、張若華〈段祺瑞與吳清源－圍棋掌故軼聞〉（《中外雜誌》49卷3期，民80年3月）、馬烈〈段祺瑞的二妻五妾－「民國人物的三妻四妾」之六〉（《傳記文學》57卷4期，民79年10月）。

其他的皖系要人有韓靖宇《徐樹錚與皖系政權》（臺灣師範大學歷史研究所碩士論文，民75年6月）、廖大偉、奚鵬彪〈徐樹錚與皖系軍閥的興衰〉（《史林》1994年1期）、王彥民〈徐樹錚與1919年南北議和〉（《安徽史學》1992年2期）、陳長河〈徐樹錚自日本駐華使館出逃的前後〉（同上）、陳思和〈徐樹錚與新文化運動－讀書札記二則〉（《中國現代文學研究叢刊》1996年3期）、呂茂兵〈徐樹錚與安福俱樂部〉（《安徽史學》1996年4期）、中國科學院近代史研究所近代史資料編輯組編《徐樹錚電稿》（北京，中華書局，1963）、徐樹錚《建國銓真》（臺北，文海出版社影印，民57）、徐樹錚著、徐道鄰編著《徐樹錚先生文集年譜合刊》（臺北，臺灣商務印書館，民51）、董堯《北洋軍師：天梟徐樹錚》（北京，團結出版社1995）、觀奕散人《徐樹錚秘史》（上海，世界圖書局，民9）中央新聞社編印《徐樹錚秘史》（民9年出版）、中央國史編輯社編《徐樹錚正傳》（上海，神州書店，民9；臺北，文海出版社影印，民76）、徐櫻〈徐樹錚將軍生平概略及其電稿所揭示的史實〉（《傳記文學》45卷3期，民73年9月）、李宗一〈徐樹錚〉（載《民國人物傳》第1卷，北京，中華書局，1978）、邵鏡人〈徐樹錚新傳〉（《中外雜誌》21卷4期，民66年4月）、王成聖〈北洋猛士徐樹錚〉（同上，11卷4期-12卷1期，民61年4-7月）、張谷〈段祺瑞、徐樹錚與孫洪伊〉（同上，7卷4期，民59年4月）、馬烈〈北洋〝怪傑〞徐樹錚〉（《民國春秋》1988年2期）、林光灝〈民初霸才徐樹錚〉（《中外雜誌》17卷3期，民64年3月）、味根〈民初風雲人物徐樹錚〉（《江蘇文物》3卷9期，民69）、劉蘭昌〈徐樹錚西北籌邊與軍閥的派系政治〉（《煙臺師院學報》1991年1期）、楊德才、胡石清〈徐樹錚與皖奉聯盟〉（《史學月刊》1992年6期）、林松友〈徐樹錚與外蒙撤治〉（《美和護專學報》第4期，民69年12月）、呂秋文〈徐樹錚介入外蒙撤治功過之研究〉（載《中華民國蒙藏學術會議論文集》，臺北，民77）、〈徐樹錚之武力撤消外蒙自治〉（載《近代中國歷史人物論文集》，臺北，中央研究近近代史研究所，民82）及〈徐樹錚對外蒙改治之功過〉（收於《趙鐵寒先生紀念論文集》，臺北，文海出版社，民67）、關德懋〈徐樹錚與「冷血團」的正志中學〉（《傳記文學》35卷4期，民68年10月）、王覺源〈徐樹錚與徐道鄰父子〉（《中外雜誌》41卷1-2期，民76年1-2期）、王彥民〈徐樹錚與孫中山〉（《安徽史學》1986年4期）及〈徐樹錚與張謇〉（同上，1987年2期）、吳國柄〈徐樹錚與我—陪徐專使考察歐美日本各國記〉（《中外雜誌》23卷5期、24卷1-6期，民67年5、7-12月）及〈徐樹錚遇害秘辛—徐樹錚與我終篇〉（同上，25卷1期，民68年1月）、蔡金玉〈徐樹錚之死〉（《縱橫》1985年4期）。競智圖書館編輯《盧永祥全傳》（上海，編輯者印行，民13）、虞建新〈淞滬護軍使盧永祥〉（載楊浩、葉覽編《舊上海風雲人物》，上海人民出版社，1989）、郭劍林、王華斌〈盧永祥督浙史考察〉（《杭州師院學報》1988年1期）、成壽焜〈皖系軍閥張敬堯督湘與湖南人民的

〝驅張〞運動〉(《西南軍閥研究叢刊》第1輯,1982);《張敬堯在湖南的罪惡》(長沙,湖南人民出版社,1979)、丁燕公〈張敬堯為害三湘〉(《春秋》9卷3期,民57年9月)、陳長河〈直皖戰爭中的曲同豐〉(《歷史教學》1984年11期)、〈皖系幹將曲同豐被俘投降真相〉(《北京檔案史料》1996年5期)、〈皖系幹將曲同豐是怎樣被俘的〉(《學術月刊》1984年9期)。

2.直系

公孫訇《直系軍閥始末》(石家莊,河北省政協文史資料研究委員會,1987)、Odoric Y. K. Wou (吳應銑), "A Chinese 'Warlord' Faction: The Chihli Clique, 1918-1924" (In Andrew Cordier, ed., Columbia Essays in International Affairs, Vol.3, the Dean's Papers, 1967, New York: Columbia University Press, 1968)、毛金陵《北洋直系軍隊之研究(民國六年～十六年)》(中國文化大學史學研究所碩士論文,民76年6月)、婁向哲〈直系軍閥政權與英美關係初探〉(《天津師大學報》1986年1期)、〈日本と直系軍閥集團〉(《立命館法學》188、189、190合刊號,1986)及〈直系軍閥政權的財政破產及其傾覆〉(《學術月刊》1984年2期)、劉鳳翰〈直皖兩系兵力的消長〉(《中華民國初期歷史研討會論文集》上冊,民73)、朱丹、田子渝〈直系軍閥在湖北的經濟搜刮〉(《湖北社會科學》1988年12期)。關於直系首領馮國璋有呂俊偉、王德剛《馮國璋與直系軍閥》(鄭州,河南人民出版社,1993)、吉迪〈大樹堂來鴻集—馮國璋所藏信札〉(《近代史資料》1982年4期)、高九成〈馮國璋史料七則〉(《渤海學刊》1986年3期)、韓仲義《馮國璋》（北京，北方文藝出版社，1995）、沈雲龍〈北洋之狗—馮國璋〉（《傳記文學》28卷5期，民65年3期）、公孫訇〈北洋三傑之狗—馮國璋〉（《渤海學刊》1987年1期）、劉鳳翰〈馮國璋（1859-1919）〉（載《中華民國名人傳》第4冊，臺北，近代中國出版社，民75）、張一麐〈馮國璋事狀〉（收入榮孟源、章伯鋒主編《近代稗海》第5輯內，四川人民出版社，1985）、公孫訇《馮國璋年譜》（石家莊，河北人民出版社，1989）、〈馮國璋與中國近代軍事教育〉（《軍事歷史研究》1989年2期）及〈馮國璋反對帝制維護共和的貢獻〉（《河北學刊》1989年2期）、魏振民〈馮國璋生年正誤辨〉（《歷史檔案》1982年1期）、丁進軍編選〈馮國璋早年履歷〉（同上，1995年1期）、鄭健宰〈馮國璋と"南京會議"〉（《近きに在りて》21號，1992）、（徐）一士〈辛亥革命與馮（國璋）段（祺瑞）〉（《越風半月刊》20期，民25年10月）、波多野善大〈袁世凱の帝制と段祺瑞·馮國璋〉（《名古屋大學文學部二十周年紀念論集》，1968）、二陵〈袁世凱稱帝與馮國璋〉（《越風》2卷1期，民26年1月）、胡毅華〈試論洪憲帝制前後馮國璋與袁世凱的關係〉（《近代中國》第5輯，1995）、丁長清〈1917-1918年的馮段之爭並非直皖之爭〉（《河北學刊》1994年2期）。

關於曹錕有余非〈北洋人物志㈡—曹錕傳〉（《新佑雜誌》第2年4期，民61年8月）、李守孔〈曹錕（1862-1939）〉（載《中華民國名人傳》第3冊，臺北，近代中國出版社，民75）、張振鶴〈曹錕〉（載《民國人物傳》第1卷，北京，中華書局，1978）、鄭亞非〈曹錕其人〉（《縱橫》1986年5期）、新新書社編輯《曹錕》（編輯者印行，民12）、競智圖書館編印《曹錕歷史》（上海，民12）、遼鶴《曹錕張作霖軼事》（振民通信社，民11）、趙晉源編《曹錕罪惡史—
曹錕二十大罪狀》（上海，淞滬通訊社，民12）、壯游〈曹錕—北
洋軍閥政權的首腦人物〉（《人物》1984年4期）、方惠芳《曹錕賄
選之研究》（臺北，臺灣大學出版委員會，民72）、鄭志廷〈試論曹
錕賄選〉（《河北大學學報》1982年1期）、沈雲龍〈曹錕賄選與豬
仔議員〉（《傳記文學》38卷3、4期，民70年3、4月）、蘇虹〈七十
年前北京演出曹錕賄選鬧劇浙江籍議員鐵骨仗義群起抨擊反對〉
（《浙江月刊》27卷3期，民84年3月）、松尾洋二〈曹錕、吳佩孚集
團の興亡〉（《東洋史研究》47卷1號，1988年6月）、經鴻盛〈曹
錕、吳佩孚晚年拒當漢奸〉（《歷史月刊》94期，民84年11月）。

　　關於吳佩孚有中央國史編輯社編《吳佩孚正傳》（民9年初
版，臺北，文海出版社影印，民60））、改造湖北同志會《民國十年
之吳佩孚》（民10年初版，臺北，成文出版社影印，民59）、得一齋主
人《吳佩孚戰史》（民11年初版；臺北，成文出版社影印，民59）、趙
恒惕等編《吳佩孚先生集》（民47年初版；臺北，文海出版社影印，
民60）、中央新聞社編輯《吳佩孚政書》（上海，世界書局，民
1）、競智圖書館編《吳佩孚書牘全編》（上海，編者印行，民15再
反）、東魯逸民編述《吳佩孚歷史》（上海，光華社，民9；上海，
新民圖書館，民9年再版）、廣文書局編輯所編輯《吳佩孚全傳》
（上海，世界書局，民10）、中外新聞社編輯《吳佩孚全史》（同
上，民11）、無聊子《英雄再出吳佩孚》（上海，共和書局，民14）
及《現在之吳佩孚》（同上，民13）、吳英威編《吳佩孚將軍生平
傳》（上海，智識書店，民25）、柴紹武編《吳佩孚的真面目》
（紹興，抗戰建國社，民28）、痴公編《吳孚威傳》（鴻閣拔萃社，

出版時地不詳，按：吳孚威即吳佩孚，因吳曾被任命爲孚威將軍）、蘇開來《吳佩孚之死》（北平，北平新報社，民35）、陳廷杰《吳上將軍殉國記》（民35年6月出版）、陶季玉著、廖啟東譯《吳佩孚將軍生平傳》（臺南，王家出版社，民71）、拓荒《吳佩孚將軍》（上海，明社，民29）、武德報社編《吳佩孚》（北京，編者印行，民29）、陶菊隱《吳佩孚將軍傳》（上海，中華書局，民30；臺北，臺灣中華書局重印，名爲《吳佩孚傳》，民46）、章君穀《吳佩孚傳》（2冊；臺北，傳記文學出版社，民57）、陳倫慶《吳佩孚將軍傳》（香港，馬崑傑文化事業公司，1971）、陳春美《吳佩孚的崛起與挫敗（民國9-13年）》（政治大學歷史研究所碩士論文，民70）、岡田增次郎《吳佩孚》（山梨，大日本精神修道場萬聖閣，1939）、Odoric Y. K. Wou （吳應銧），Militarism in Modern China: The Career of Wu P'ei-fu, 1916-1939. （Folkestone, Kent, England: Dawson & Sons: also Canberra: Australian National University Press 1978）、Richard P. Soter, Wu P'ei-fu: Case Study of a Chinese Warlord. （Ph. D. Dissertation, Harvard University, 1959）、黃國平、任雪芬《秀才軍閥吳佩孚》（鄭州，河南人民出版社，1988）、蔣自強、余福美編《吳佩孚》（濟南，山東人民出版社，1985）、何士夫《儒梟吳佩孚》（成都，四川人民出版社，1995）、董堯《北洋軍閥：吳佩孚》（北京，團結出版社，1995）、郭劍林《一代梟雄：吳佩孚大傳》（2冊，天津，天津大學出版社，1991）；余非〈北洋人物志㈤一吳佩孚〉（《新知雜誌》第3年2期，民62年4月）、陶菊隱〈軍閥吳佩孚（1-9）〉（《集萃》1982年1期-1983年3期）、紀云〈吳佩孚其人其事〉（《人物》1980年1期）、何德騫等〈吳佩孚其人〉（《人與法》1985年2期）、章君毅〈又談吳佩孚〉（《中外雜誌》2卷1期，民56年7月）、孫運開〈吳佩孚的一生〉（同上，22卷5、6期、23卷1期，民66年11、12月、67年1月）、中國第一歷史檔案館〈吳佩孚早期履歷〉（《歷史檔案》1990年2期）、杜春和〈吳佩孚其人〉（《文物天地》1983年1期）、曹雲文〈吳佩孚新傳〉（收入氏著《民國人物新傳》內，臺北，聖文書局，民75）、胡兆和〈吳佩孚的人格與詩格〉（《中外雜誌》26卷1期，民68年7月）、周良彥 "The Britain's Attitude Towards Warlord Wu P'ei-fu, 1917-1927"（《政治學報》第5期，民65年12月）、郭劍林、蘇全有〈吳佩孚是〝英美代理人〞嗎？〉（《河南師大學報》1994年6期）、譚融〈五四時期的吳佩孚〉（《天津師大學報》1988年5期）、郭劍林〈吳佩孚與五四運動〉（《河北學刊》1993年5期）及〈五四時期的吳佩孚〉（《學術月刊》1985年11期）、于凌波〈吳佩孚開府洛陽記—八方風雨會中州〉（《中外雜誌》39卷3-5期，民75年3-5月）、趙介民〈吳秀才與河南王〉（《中原文獻》9卷7期，民66）、黃國雄〈試探中共在創立時期接近、利用吳佩孚的政策〉（《黨史研究與教學》1989年6期）、劉德喜〈蘇俄、共產國際聯合吳佩孚政策的發生和發展〉（《近代史研究》1986年4期）、李生校〈蘇俄、共產國際聯合吳佩孚策略淺論〉（《紹興師專學報》1988年2期）、徐有禮〈吳佩孚〝保護勞工〞通電之考辨兼論李大釗1922年7月洛陽行〉（《北京黨史研究》1995年2期）、王天從〈維護古蹟通電戰—吳佩孚通電維護清宮三殿〉（《中外雜誌》38卷6期，民74年12月）、蔣自強〈從第一次直奉戰爭吳佩孚的軍事謀略〉（《軍事歷史研究》1987年4期）、李吉奎〈1922至1923年〝孫吳合作〞探微〉

（《中山社會科學學報》8卷3期，民83年9月）、馬陵合〈吳佩孚的籌
餉與其浮沉〉（《安徽師大學報》1994年1期）、謝本書〈吳佩孚與
西南軍閥的勾結〉（《貴州社會科學》1983年5期）、郭劍林、郝慶
元〈吳佩孚與西南軍閥〉（《西南軍閥史研究叢刊》第5輯，1986年10
月）、章君穀〈吳佩孚榆關喪師記〉（《中外雜誌》4卷3-6期，民57
年9-12月）、宋鏡明〈吳佩孚的再起與直奉聯合對國民軍的進
攻〉（《武漢大學學報》1986年1期）、李寰〈吳佩孚兵敗入川記〉
（《中外雜誌》1卷4期，民56年4月）、楊森〈吳玉帥遊川〉（同上，2
卷4期，民56年10月）及〈吳子玉先生遊川回憶錄〉（《傳記文學》8
卷4期，民55年4月）、郭劍林〈抗戰時期的吳佩孚〉（《學術月刊》
1984年9期）、郭劍林、王杰〈吳佩孚與抗日戰爭〉（《社會科學戰
線》1992年2期）、王振中〈吳佩孚失勢以後〉（《民國春秋》1989年
1期）、吳根梁〈吳佩孚的晚年〉（《人物》1982年1期）、張明凱
〈吳佩孚的晚年〉（《中外雜誌》19卷6期，民65年6月）、張樹昌
〈記國家危亡之際的吳佩孚〉（《炎黃春秋》1995年1期）、郭劍林
〈吳佩孚與日本〉（載中日關係史研究編輯組編《中日關係史研究》第
3輯，1984）、周文娟〈日偽對舊軍閥吳佩孚的誘降〉（《洛陽師專
學報》1989年3期）、劉松茂〈論抗戰時期〝汪吳合作〞的醞釀及
破產的原因〉（《北京師大學報》1993年訪問學者專輯）及〈論汪精
衛與吳佩孚對日寇誘降的不同態度及其原因〉（《湘潭大學學報》
1994年1期）、吳根梁〈日本土肥原機關的〝吳佩孚工作〞及其破
產〉（《近代史研究》1982年3期）、悅健〈一生反革命唯不當漢
奸：吳佩孚拒絕當漢奸前後紀實〉（《福建黨史月刊》1995年6
期）、重慶市檔案館藏、胡懿選編〈日、汪、蔣拉攏爭取吳佩孚

情報一束（1939）〉（《檔案史料與研究》1995年3期）、王士元〈吳佩孚將軍軼事一則〉（《山東文獻》2卷1期，民65年6月）、延伯龍〈吳佩孚五十壽聯瑣談〉（同上，8卷4期，民72年3月）、涂傳篤〈吳佩孚登崑崙詩〉（《中外雜誌》36卷5期，民73年11月）、梁榮春〈“吳佩孚拒當漢奸保晚節”異議〉（《學術論壇》1984年2期）、吳相湘〈吳佩孚保全晚節〉（《傳記文學》42卷6期，民72年6月）、郭榮生〈孔祥熙營葬吳佩孚〉（《山西文獻》42期，民82年7月）；郭劍林〈吳佩孚軍事思想簡介〉（收於《中國近代軍事史論文集》，北京，1987）、姜文華、張紅軍〈吳佩孚愛國主義思想芻議〉（《煙臺師院學報》1990年3期）、章君毅〈吳佩孚受知於曹錕的經過〉（《傳記文學》9卷5期，民55年11月）、郭劍林〈孫中山與吳佩孚〉（《學術月刊》1987年5期）、竹內弘行〈康有為と吳佩孚〉（載狹間直樹編《中國國民革命の研究》，京都，京都大學人文科學研究所，1992，其中譯文為翁敏華譯、馬洪林校〈康有為與吳佩孚〉載《國外中國近代史研究》25輯，1994年10月）、郭劍林〈張作霖與吳佩孚〉（《東北地方研究》1986年2期）、何武公〈吳佩孚與張其鍠〉（《反攻》84期，民42）、張森〈吳佩孚的患難之交—吳佩孚與張其鍠〉（《中外雜誌》3卷2期，民57年2月）、褚問鵑〈吳佩孚與楊雲史—《憶楊雲史》讀後〉（同上，35卷1期，民73年1月）、楊紀元〈關於李大釗和吳佩孚關係問題的探討〉（《黨史資料通訊》1987年4期）、范任宇〈楊森與吳佩孚〉（《中外雜誌》35卷6期，民73年6月）、楊森〈吳玉帥與我〉（同上，7卷4、5期，民59年4、5月）、華生〈吳佩孚與四川〉（《四川文獻》179期，民70年7月）、方洪疇〈洛陽西工與吳佩孚〉（《中原文獻》7卷8期，民64）、史人〈吳佩孚與〝亢龍有悔〞〉（《集萃》1983年2期）、馬芳蹤〈吳佩孚死因又一說〉（《傳記文學》67卷5期，民84年11月）、王邢華等〈吳佩孚的四房妻妾—「民國人物的三妻四妾」之七〉（同上，57卷5期，民79年11月）、黃祿〈吳佩孚四妻記〉（《中外雜誌》53卷6期，民82年6月）。

其他的直系要人有隱蘆《李純》（上海，國民圖書館，民9）、趙仁卿《李純全傳》（上海，宏文圖書館，民9）及《李純軼事》（同上，民9年再版）、吳下琴鶴仙館編《為國為民之李純》（上海，民強書局，民9）、萌花館主編輯《李純歷史》（大中華圖書公司，民9）、宦海歸來客編《李純之歷史》（上海，新民圖書館，民9）、競智圖書館等編《李純全史》（臺北，文海出版社影印，民60）、吳虞公、張雲石編輯《李純歷史軼事合刻》（上海，廣益書局，民14）、張振鶴〈李純〉（載《民國人物傳》第1卷，北京，中華書局，1978）、余非〈北洋人物志㈢—段祺瑞傳、李純傳〉（《新知雜誌》第2年5期，民61年10月）；章伯鋒〈陸建章之死與直皖矛盾〉（《民國春秋》1989年4期）、王彥民〈陸建章案初探〉（《安徽史學》1990年1期）；李崇義〈王占元督鄂與驅王運動〉（《湖北大學學報》1989年7期）、黃鶴樓游客《王占元》（上海，文華圖書館，民10）、倪志文〈驅王自治運動始末（1920年至1921年）〉（《江漢論壇》1985年5期）、歐陽植梁〈王占元禍鄂記〉（《武漢春秋》1983年6期）、程世同〈一生投機的北洋軍閥王占元〉（《名人傳記》1993年7期）、郝夢候〈陳光遠是怎樣發財的？〉（《南開史學》1988年1期），田子渝〈軍閥蕭耀南論略〉（《湖北大學學報》1985年3期）、姚漢青〈孫中山與蕭耀南〉（《東西風》3卷1期，1973年9

月）；競智圖書館編印《齊燮元全傳》（上海，民14）、黃英士〈齊燮元謀殺李純—洪憲要人懺悔道出真相〉（《中外雜誌》38卷6期，民74年12月）、侯鴻緒〈齊燮元偽造李純遺書真相〉（《文史通訊》1989年1期）、陳桂根〈北洋軍閥汪偽漢奸齊燮元印象補述〉（《傳記文學》69卷5期，民85年11月）；楊同慧《孫傳芳與五省聯軍》（政治大學歷史研究所碩士論文，民74年6月）、張鵬揚〈孫傳芳與「五省聯軍」〉（《中外雜誌》28卷4、5期，民69年10、11月）、張樸民〈「五省聯帥」孫傳芳〉（同上，8卷1期，民59年7月）、劉鳳翰〈孫傳芳（1885-1935）〉（載《中華民國名人傳》第4冊，臺北，近代中國出版社，民75）、張振鶴〈孫傳芳〉（載《民國人物傳》第1卷，北京，中華書局，1978）、高登雲〈孫傳芳·陳儀與夏超—「浙江省長」夏超慘死真相〉（《中外雜誌》20卷1期，民65年7月）、莊心田〈直奉二次戰爭與孫傳芳開府金陵〉（《浙江月刊》18卷8期，民75年8月）、經盛鴻〈孫傳芳與浙奉戰爭〉（《江蘇社會科學》1992年4期）、大野三德〈國民革命期における江浙地區の軍閥反動—軍閥孫傳芳と「大上海計劃」〉（《名古屋大學東洋史研究報告》第6號，1980年8月）及〈江浙地域にみる國民革命の展開過程—軍閥孫傳芳の支配の崩壞〉（《信大史學》第6號，1982年1月）、王安華、王學峰〈東南五省聯軍述略〉（《民國檔案》1990年3期）、楊天石〈報國危曾捋虎鬚—記三省聯合會跟孫傳芳的廣告戰〉（《民國春秋》1989年6期）、林德政〈北伐初期國民革命軍與孫傳芳之間的和與戰〉（《成功大學歷史學報》17期，民80年6月）、王曉華〈孫傳芳在伐戰爭中失敗原因初探〉（《浙江學刊》1988年6期）、經盛鴻〈試論國共兩黨在對待孫傳芳問題上的合作〉（《史學月刊》1992年6期）、艾群〈刺殺孫傳芳始末〉（《中國老年》1984年7、8期）、封大中、王二川〈孫傳芳命喪處—天津居士林〉（《歷史月刊》105期，民85年10月）；林全民〈洛派軍閥官僚集團的形成〉（《軍事歷史研究》1994年4期）。

3.奉系

　　以奉系軍閥為題的有遼寧省檔案館編《奉系軍閥檔案史料彙編》（12冊，南京，江蘇古籍出版社，1990）、《奉系軍閥密信》（北京，中華書局，1985）及《奉系軍閥密電》（6冊，同上）、潘榮〈論奉系軍閥的形成〉（《天津教育學院學報》1988年3期）、王鴻賓〈論奉系軍閥的興衰及歷史地位〉（《北方論叢》1989年2期）、劉玉歧等〈試論奉系軍閥是否屬於北洋派〉（《東北地方史研究》1992年2、3期）、杜尚俠〈談奉系軍閥的派系之爭〉（《遼寧廣播電視大學學報》1987年1期）、劉迎紅〈奉系軍閥關內擴張簡析〉（《求是學刊》1991年5期）、莫建來〈奉系軍閥與直皖戰爭〉（《學術月刊》1989年9期）、婁向哲〈粵奉皖〝三角同盟〞淺析〉（《天津師大學報》1984年2期）及〈不存在奉、皖、孫〝三公子會議〞（1924年）〉（《南開學報》1985年3期）、蘇全有、郭劍林〈孫中山與粵皖奉三角聯盟辨析〉（《辛亥革命研究動態》1996年3期）、顧耕野〈奉軍二次入關〉（《東北文獻》10卷2期，民68年11月）、滿鐵庶務部調查課《民國14年度に於ける奉天派入關小史》（大連，1926）及《入關後における奉天派》（大連，1928）、楊大辛〈奉系直魯聯軍禍津始末〉（《天津史志》1988年1期）、習五一〈孫中山與奉系軍閥〉（《近代史研究》1986年6期）、趙中孚

〈北洋時期奉系領導階層的變化〉（《國際漢學會議論文集》，臺北，民70）、江夏由樹〈奉天地方官僚集團の形成〉（《經濟學研究（一橋大學）》31號，1990）、Ronald Suleski, "Regional Development in Manchuria: Immigrant Laborers and Provincial Official in the 1920s." （Modern China, Vol.4, No.4, October 1978）、Lee Chong-sik, Revolutionary Struggle in Manchuria: Chinese Communism and Soviet Interest, 1922-1945. （Berkeley: University of California Press, 1983）、謝碧珠〈1920年代における東三省と日本〉（《お茶の水史學》32號，1989）、今井清一〈1924年の東三省〉（《中國》24號，1965年11月）、Ronald、Suleski, "The Rise and Fall of the Fengtien Dollar, 1917-1928: Curreney Reform in Warlord China." （Modern Asian Studies, Vol.13, Part 4, October 1979），其中譯文為沈祖詒譯〈奉票的盛衰（1917-1928）：中國軍閥時代的幣制改革〉（載《國外中國近代史研究》第3輯，1982年6月）、村田真昭〈奉天票暴落問題と日本〉（《國學院雜誌》97卷9號，1996年9月）、張志強〈奉系軍事工業建立與發展〉（《東北地方史研究》1990年3期）、趙中孚〈奉系的軍事現代化〉（載《史政學術講演專輯㈢》，臺北，國防部史政編譯局，民78）、陳崇橋〈奉系軍閥與知識分子〉（《遼寧大學學報》1986年3期）、小林英夫著、熊達雲譯〈奉天軍閥的經濟基礎、經濟特徵及其崩潰的過程〉（《國外中國近代史研究》第8輯，1985年12月）、傅笑楓〈關於奉系軍閥官僚資本〉（《東北地方史研究》1987年1期）、孔經緯、傅笑楓《奉系軍閥官僚資本》（長春，吉林大學出版社，1989）、傅笑楓〈論"九一八"前東北的張氏軍閥官僚資本〉（《吉林大學研究生論文集刊（社會科學）》1987年1期）、曼列未茨〈奉系軍閥與帝俄白衛軍的勾結〉（《國外中國近代史研究》第7輯，1985）、趙長璧、郭君〈奉系軍閥統治時期遼寧人民反日鬥爭〉（《社會科學輯刊》1987年1期）、尹俊春〈北伐時期奉系軍閥與日本〉（《思與言》28卷4期，民79年12月）、水野明《東北軍閥政權の研究─張作霖、張學良の對外抵抗と對內統一の軌跡》（東京，國書刊行會，1994）、李明〈東北軍閥政權史の研究─張作霖、張學良の對外抵抗と對內統一の軌迹〉（《社會科學研究（中京大學社會科學研究所）》13卷1號，1993年1月）、澁谷由里〈張作霖政權下の奉天省民政と社會─王永江を中心として〉（《東洋史研究》52卷1號，1993年6月）、倉橋正直〈張作霖政權の阿片解禁政策（1927年）〉（《愛知縣立大學文學部論集（一般教養編）》44號，1996年2月）、常家樹〈略述張作霖奉系軍閥集團用人之道〉（《東北地方史研究》1992年2-3期）、王鐵漢《東北軍事史略》（臺北，傳記文學出版社，民62）、莊明坤〈東北軍小史〉（《民國春秋》1987年5期）、杜連慶等〈東北軍述略〉（《遼寧師大學報》1985年2期）、張德良、周毅主編《東北軍史》（瀋陽，遼寧大學出版社，1987）、張建基〈東北軍始末〉（《軍事歷史研究》1996年2、4期）、阮家新〈民國軍隊派系追蹤─東北軍〉（《軍事史林》1996年9期）、丁治〈奉軍與旗產〉（《察哈爾省文獻》36期，民85年8月）、宮力〈東北軍研究中的幾個史實問〉（《黨史研究資料》1987年9期）、楊大辛〈奉系直魯聯軍禍津始末〉（《天津史志》1988年1期）、陸軍、杜連慶〈東北軍空軍始末〉（《社會科學戰線》1988年1期）及〈東北軍海軍始末〉（《吉林大學學報》1985年3期）、趙守仁〈民國時期東北海防

艦隊始末〉(《遼寧師大學報》1990年3期) 及〈民國時期東北江防
艦隊始末〉(同上，1989年3期)、劉鳳翰〈九一八事變前後的東
北軍 (1928年11月30日至1933年3月12日)〉(《中國現代史專題研
究報告》15輯，民82)、陸軍、杜連慶〈抗日戰爭中的東北軍〉
(《遼寧師大學報》1988年4期)、周毅〈走向抗戰的東北軍〉(《社
會科學戰線》1986年4期)。

　　關於奉系首領張作霖的有王鴻賓主編《張作霖和奉系軍閥》
(鄭州，河南人民出版社，1989)、董堅志《張作霖》(上海，新華書
局，民10)、中央新聞社編《張作霖全史》(上海，中國第一書局，
民11)、競智圖書館編印《張作霖歷史》(上海，民12)、遼鶴
《曹錕、張作霖軼事》(振民通信社，民11)、共和書局編印《現
代之張作霖》(上海，民13)、園田一龜《怪傑張作霖》(東京，
中華堂，1922；中譯本為胡毓崢譯，瀋陽，遼寧大學歷史系，1981)、白
雲莊主人《張作霖》(東京，昭和出版社，1928：東京，中央公論社，
1990)、淺野虎三郎 (淺野犀涯)《大元帥張作霖》(大連，日本
實業社，1928)、董堯《北洋梟雄：張作霖》(北京，團結出版社，
1995)、常城主編《張作霖》(瀋陽，遼寧人民出版社，1980)、徐
立亭《張作霖大傳》(哈爾濱，哈爾濱出版社，1994)、郁明《張作
霖外傳》(香港，宇宙出版社，1965)、瀋陽市政協文史資料研究
委員會編印《瀋陽文史資料第12輯—張作霖史料專輯》(瀋陽，
1986年8月)、趙高山編《張作霖野史》(2冊，臺北，天工書局，民
85)、金鴻文《張作霖生平之研究》(臺灣大學歷史研究所碩士論
文，民76年6月)、陳崇橋等編著《從草莽英雄到大元帥—張作
霖》(張氏父子與奉系歷史研究叢書，瀋陽，遼寧人民出版社，1991)、

楊小紅《張作霖和他身邊的女性》（瀋陽，遼瀋書社，1993）、大
江志乃夫《張作霖爆殺》（東京，中央公論社，1989）、河本大作
等著、陳鴻仁譯《我殺死了張作霖》（臺北，聚珍書屋出版社，民
71；長春，吉林文史出版社，1986）、郭桐《前事新評—張作霖、西
安事變及其他》（香港，七十年代雜誌社，1977）、司馬桑敦等《張
老帥與張少帥》（臺北，傳記文學出版社，民73）、町野武馬著、陳
鵬仁譯《張作霖與日本》（臺北，水牛出版社，民76）、龔德柏
《日本人謀殺張作霖》（瀋陽，長城書局，民18）；《張大元帥哀
輓錄》（共4冊，民17年鉛印本）、Gavan McComark, Chang Tso-
lin in the Northeast China, 1911-1928: China, Japan and the
Manchurian Idea（Stanford: the Board of Trustees of the Leland
Stanford Junior University, 1977：臺北，虹橋書店翻印之；其中譯本爲畢
萬聞譯《張作霖在東北》，長春，吉林文史出版社，1988）、Masaaki
Seki, Militarist Power in Early Republican China: The Case of
Chang Tso-lin.（Ph. D. Dissertation, University of Washington,
1982）、Ronald Stanley Suleski, Manchuria Under Chang Tso-
lin.（Ph. D. Dissertation, University of Michigan-Ann Arbor, 1974）；喬
培華、江沛〈近年來關於張作霖研究的綜述〉（《社會科學述評
（鄭州）》1991年4、5期合刊）、劉玉歧〈對張作霖研究中幾個問題
的辨析〉（《歷史檔案》1987年4期）、陳崇橋〈關於張作霖的評價
問題〉（《社會科學戰線》1988年4期）、丁雍年〈對張作霖的評價
亦應實事求是〉（《求是學刊》1982年5期）、沈嘉榮〈論張作霖〉
（《南京社聯學刊》1989年2-3期）、亦云〈張作霖評傳〉（《暢流》
37卷5-6期，民57年4-5月）、王雅文〈一代梟雄張作霖〉（《人物》

1994年3期）、田胡甫〈張作霖傳略〉（《遼寧大學學報》1980年3-4
期）、季慶雲〈張作霖興亡記〉（《中外雜誌》31卷2-4期，民71年2-4
月）、郎萬法〈張作霖新傳〉（同上，56卷3-5期，民83年9-11月）、
周燕謀〈張作霖興亡史〉（《現代國家》95-102期，民61年12月-62年7
月）、余非〈北洋人物志㈣—張作霖傳〉（《新知雜誌》第2年6
期，民61年12月）、陳舜臣〈中國近代史ノート⑽：乘フ取リ屋一
代＝張作霖〉（《朝日アジアレビュー》5卷6號，1975年12月）、趙中
孚〈張作霖（1875-1928）〉（載《中華民國名人傳》第2冊，民
75）、黎光、孫繼武〈張作霖〉（載《民國人物傳》第1卷，北京，中
華書局，1978）、常城〈張作霖的一生〉（《南開史學》1990年1
期）、王鐵漢〈張作霖先生的生平事蹟補述〉（《傳記文學》8卷2
期，民66年11月）、顧耕野〈張作霖的虎嘯龍飛〉（《東北文獻》8卷
2、3期，民66年11月、67年1月）、繆澂流〈我所知道的張大元帥事
蹟〉（《傳記文學》31卷4期，民66年10月）、魏明〈張作霖出生日期
小考〉（《天津社會科學》1984年3期）、唐德剛〈從北京政變到皇
姑屯期間的奉張父子—為紀念＂九一八＂六十周年國際學術討論
會而作（民國史導論之5）〉（《傳記文學》59卷3期，民80年9
月）、寧承恩〈張作霖軼事〉（同上，57卷5期，民79年11月）、王盛
傳〈張作霖軼事〉（《東北文獻》9卷2期，民67年11月）、高登雲
〈張作霖的故事〉（《中外雜誌》20卷5-6期，民65年11-12月）、陳嘉
驥〈張作霖父子是非功過〉（同上，21卷6期，民66年6月）及〈東北
風雲錄—張學良、張作霖傳奇〉（共24篇，載《中外雜誌》49卷4-6
期、50卷1-6期、51卷1-6期、52卷1-6期及53卷1-3期，民80年4-12月、81年1-
12月及82年1-3月）、司馬桑敦〈張老帥與張少帥〉（《傳記文學》40

卷1-3期，民71年1-3月）、西村成雄〈20世紀中國東北地域史と個人史—張作霖・張學良をめぐる政治家群像〉（《アジア學論叢（大阪外國語大學）》第1號，1991年3月）、林正和〈張作霖軍閥の形成過程と日本の對應〉（《日本外交史研究—外交與世論》，東京，日本，國際政治學會，1970）、曹德宣〈我所知道的張作霖〉（《傳記文學》5卷6期，6卷1期，民53年12月，54年1月）、劉百非〈張大帥的真面目—我所知道的張作霖先生〉（《中外雜誌》41卷6期、42卷1期，民76年6、7月）、沈雲龍〈從歷史觀點看張作霖的成敗得失〉（《傳記文學》31卷4期，民66年10月）及〈有關張作霖的史料〉（同上）、王光逖（司馬桑敦）〈有關張作霖的日文資料〉（《傳記文學》32卷6期，民67年6月）、王鐵漢〈張雨亭先生的初年〉（同上，5卷6期，民53年12月）、馮庸〈真忠真誠的張雨帥〉（同上，31卷4期，民66年10月）、郭德權〈略談張雨帥生平及為人治事〉（同上）、張式綸〈論張大元帥雨亭先生〉（同上）、陸雲山〈簡述張雨帥之事蹟〉（同上）、張瑞忠〈閒話張作霖〉（《中外雜誌》39卷1期，民75年1月）、何秀閣〈張雨亭將軍草莽軼聞〉（《傳記文學》32卷6期，民67年6月）、吳相湘〈東三省馬軍與張作霖〉（同上，32卷1期，民67年1月）、張日安〈張作霖青年時在大高坎鎮的活動〉（《東北地方史研究》1989年1期）、潘喜廷〈張作霖在遼西的發跡〉（同上，1985年1期）、寧武〈張作霖與東北綠林〉（《縱橫》1994年3期）、石鵬〈關於張作霖受撫的幾個問題〉（《歷史檔案》1983年1期）、敬知本、張本政〈辛亥革命時期的張作霖〉（《學術研究》1984年4期）、敬知本〈辛亥革命時期張作霖其人〉（《歷史教學》1983年6期）、郭建平〈辛亥革命張作霖進駐奉天新

論〉(《歷史檔案》1995年1期)、王秀華〈張作霖與二十一條交
涉〉(《社會科學輯刊》1995年4期)、朱虹〈張作霖與蒙古叛匪〉
(《遼寧師大學報》1994年3期)及〈張作霖征剿日本支持的蒙古叛
匪始末〉(《遼寧教育學院學報》1994年2期)、田志和〈張作霖時
代東三省的剿匪〉(《民國春秋》1993年4期)、車維漢〈張作霖與
鄭家屯事件〉(《近代史研究》1992年5期)、郭建平〈張作霖與鄭
家屯事件〉(《東北地方史研究》1991年1期)、陳瑞雲〈寬城子事
件─與張作霖稱霸東北〉(《史學集刊》1986年1期)、里蓉〈寬城
子事件始末〉(《東北地方史研究》1992年2、3期)、辛培林、任玲
〈論張作霖稱霸東北〉(《學習與探索》1985年1期)、常城〈張作
霖是怎樣在東北稱王稱霸的〉(《吉林師大學報》1980年1期)、孔
德明〈張作霖獨霸東北〉(《社會科學探索》1995年4期)、王鐵漢
〈張雨亭先生掌握東三省軍政權的經過〉(《傳記文學》5卷3期,
民53年9月)、李明〈所謂「滿蒙懸案交涉」と張作霖の對應〉
(《名古屋大學東洋史研究報告》第9號,1984年5月)、松重充浩〈張
作霖による在地懸案解決策と吉林省督軍孟恩遠の驅逐〉(載橫
山英等編《中國近代化と政治的統合》,1992)、〈張作霖權力による
奉天市制施行に關するノート〉(《Monsoon(廣島大學文學部アジ
ア史研究所)》第2號,1989年10月)、〈張作霖による奉天省權力の
掌握とその支持基盤〉(《史學研究》192號,1991年6月)及〈「保
境安民」期における張作霖地域權力の地域統合策〉(同上,186
號,1990年3月)、魏福祥、王玉〈張作霖統治初期對奉票的改革
與整頓〉(《東北地方史研究》1989年1期)、江平〈淺析張作霖援
鄂與奉吳聯盟〉(《社會科學輯刊》1992年6期)、伊原澤周〈張作

霖〝討赤〞與田中內閣〉（《歷史研究》1992年5期）、習五一〈天津會議與安國軍的成立〉（《東北地方史研究》1986年3期）、魏明〈張作霖經濟活動評述〉（《社會科學戰線》1986年3期）、王秉忠〈張作霖與東北中日〝合辦〞企業〉（《東北地方史研究》1986年2期）、魏福祥等〈張作霖查封天合盛商號一案〉（《遼寧大學學報》1986年4期）、劉志超〈張作霖也知道重視教育〉（同上，1995年2期）、寧恩承〈張作霖奉天興學〉（《傳記文學》59卷3期，民80年9月）、卞直甫〈論張作霖的軍事改革〉（《社會科學輯刊》1991年5期）、常城〈略論張作霖對國民黨的策略〉（同上，1991年3期）、郭建平、里蓉〈張作霖的用人權術〉（《民國春秋》1993年4期）、魏福祥〈張作霖與東三省鄉耆會議〉（《東北地方史研究》1992年2-3期）、王貴忠〈張作霖與東北鐵路〉（《遼寧文史資料》22輯）、馬玉良、鴻賓〈論張作霖興盛世才〉（《社會科學輯刊》1988年4期）、劉貴福〈論孫中山與張作霖之關係〉（《遼寧師大學報》1996年5期）、寧武〈孫中山與張作霖聯合反直紀要〉（《文史精華》1996年9期）、長山〈國父孫中山與張作霖〉（《東北文獻》11卷4期，民70年5月）、王鐵漢〈張作霖先生與孫蔣兩公關係及他人的評論〉（《傳記文學》31卷4期，民66年10月）、徐萬民〈張作霖與孫中山先生〉（《東北地方史研究》1988年1期）、魏福祥〈張作霖與末代皇帝溥儀〉（同上，1990年4期）、陳嘉驥〈傀儡帝與東北王—溥儀與奉張之間〉（《中外雜誌》22卷2期，民66年8月）、郭劍林〈張作霖與吳佩孚〉（《東北地方史研究》1986年2期）、松本鎗吉〈蔣介石と張作霖〉（《外交時報》559號，1928）、吳相湘〈孟祿博士與張作霖〉（收入氏著《民國史縱橫談》，臺北，時報文化出版公司，民69）、張澤深〈東北張作霖廣東李福林兩將軍各有異曲同工之妙〉（《廣東文獻》14卷3期，民73年9月）；馬平安、楚雙志〈張作霖時期東北與俄蘇關係述略〉（《海陽師院學報》1996年1期）、格·斯·卡列季娜〈張作霖在國內戰爭和帝國主義列強干涉遠東年代與俄國反革命的聯繫〉（《國外中國近代史研究》11輯，1988）、李明〈張作霖とリヴエトとの關係について〉（《名古屋大學東洋史研究報告》第6號，1980年8月）、Tang Chi-hu（唐啟華），"Britain and the Raid on the Soviet Embassy by Chang Tso-lin, 1927"（《文史學報（中興大學）》22期，民81年3月）及"Britain and Warlordism in China; Relations with Chang Tso-lin, 1926-1928"（《興大歷史學報》第2期，民81年3月）、John W. Young, "The Hara Cabinet and Chang Tso-lin, 1920-1."（Monumenta Nipponica, No.27, Pt.2, Summer 1972）、齊世英〈我對張雨亭先生的看法及有關日本的兩件事〉（《傳記文學》31卷4期，民66年10月）、黎光、孫繼武〈張作霖和日本〉（《學術研究》1980年2期）、潘喜廷〈張作霖與日本的關係〉（《學習與探索》1980年2期）、陳崇橋、胡玉海〈張作霖與日本〉（《日本研究》1990年1期）、陳哲〈淺析張作霖與日本的關係〉（《撫順社會科學》1988年5期）、吳相湘〈張作霖與日本關係微妙〉（《傳記文學》44卷6期，民73年6月）、林正知〈張作霖軍閥の形成と日本的對應〉（《日本外交史研究》，1970）、水野明〈所謂「滿蒙縣案交涉」と張作霖の對應〉（載鄭樑生主編《第二屆中外關係史國際學術研討會論文集》，臺北，淡江大學歷史系，民81）、任松〈張作霖與日本〝滿蒙鐵路交涉〞問題考略〉（《遼寧大學學報》1982年3期）、及〈從

〝滿蒙鐵路交涉〞看日奉關係〉（《近代史研究》1994年5期）、半賓〈北伐時日本對張作霖的威脅利誘〉（《歷史月刊》24期，民79年1月）及〈炸死張作霖，警告張學良—簡談日本侵華外交之五〉（同上，25期，民79年2月）、王奉瑞〈張雨亭對日強硬外交與被炸實況〉（《傳記文學》31卷4期，民66年10月）、服部龍二〈張作霖爆殺事件における關東軍上層部—「河本大作供述書」（1935年4月21日）を中心として）〉（《六甲臺論集（法學政治學篇）》43卷2號，1996）、修黍〈日本人為什麼炸死張作霖？〉（《外國史知識》1984年10期）、穆超〈張作霖被日本暗殺的原因及其始末〉（《東北文獻》25卷1期，民83年9月）、魏福祥〈日本天皇與炸死張作霖〉（《東北地方史研究》1988年1期）、水野明〈張作霖爆殺と日本軍事顧問—町野武馬政治談話錄を中心に〉（《東洋史論集（東北大學）》第5號，1992年1月）、森義彪著、陳鵬仁譯〈炸死張作霖與町野武馬〉（《東北文獻》25卷1期，民83年9月）、徐玲〈從町野回憶錄看張作霖之死〉（《東北師大學報》1985年1期）、山根幸夫〈町野武馬と張作霖〉（載氏著《近代中國のなガの日本人》，東京，研文出版，1994）、森島守人〈張作霖爆死事件—滿州外交秘錄〉（《世界文化》4卷1號，1949年1月）、島田俊彥〈張作霖爆殺事件〉（《軍事史學》第2號，1965年8月）、岡田啟介撰、陳鵬仁譯〈炸死張作霖事件〉（《世界華學季刊》5卷4期，民73年12月）、齋藤良衛〈張作霖爆死の前後(1)〉（《倉津短期大學學報》第4號，1954年12月）及〈張作霖の死〉（同上，第5號，1955年12月）、寒光〈張作霖之死—皇姑屯炸車事件〉（《歷史知識》1980年1期）、大江志乃夫《張作霖爆殺》（東京，中央公論社，1989）、李貌華

〈張作霖被炸事件的日本新史料—牧野伸顯日記與奈良五次日記〉(《歷史月刊》34期,民79年11月)、青地晨〈張作霖爆殺事件〉(《知性》3卷2號,1956年2月)、井星英〈張作霖爆殺事件の真相〉(《藝林》31卷1、2、3號,1982年3、6、9月)、王大任〈張作霖被炸實錄〉(《中外雜誌》35卷3期,民73年3月)、沈覲鼎〈張作霖被炸案補遺〉(同上,36卷1期,民73年7月)、王大任〈張大元帥被炸真相〉(《東北文獻》1卷2期,民59年10月)、顧耕野〈張作霖皇姑屯被炸經緯〉(同上,4卷2、3期,民62年11月、63年2月)、高陽〈關於張作霖之死的一些補充〉(《傳記文學》42卷3期,民72年3月)、鄭學稼〈張作霖橫死的內幕〉(《中央週刊》9卷47期,民36年11月)、大石智郎〈張作霖被炸事件的斷片—一個日本報人的回憶談〉(《華文國際》1卷15期,民37年5月)、馬場明〈田中外交と張作霖爆殺事件〉(《歷史教育》8卷2號,1960年2月)、森島守人〈張作霖、楊宇霆の暗殺—「日本外交の回想㈠」〉(《世界》45號,1949年9月)、Paul S. Dull, "The Assassination of Chang Tso-lin." (The Far Eastern Quarterly.)、習五一〈皇姑屯事件前後〉(《歷史研究》1990年2期);邢安臣〈皇姑屯事件始末〉(《歷史教學》1982年6期)、季慶雲〈皇姑屯事件始末—張作霖興亡記之四〉(《中外雜誌》31卷5期,民71年5月)、周大文〈皇姑屯事件親歷記〉(《大成》164期,民76);楊小紅〈論皇姑屯炸車案與"九一八"事變的因果關係〉(《社會科學輯刊》1994年3期)、魏福祥、潘喜廷《張作霖被炸事件真相》(瀋陽,遼瀋書社,1994)、王大任〈張作霖的感情世界〉(《中外雜誌》36卷2期,民73年8月)、李祖厚〈關於張作霖的妻妾子女〉(《傳記文學》43卷1期，民72年7月）、蔣永敬〈胡適日記中的張作霖張學良父子〉（《傳記文學》60卷3期，民81年3月）。至於有關張學良的論著資料，容後在西安事變中再行舉述。

其他的奉系要人有劉曉暉等《偽國務總理大臣張景惠》（長春，吉林文史出版社，1991）、山本實彥〈張景惠の半面〉（《改造》23卷21號，1941）、錫光〈張景惠其人其事〉（《社會科學戰線》1987年1期）、錢公來〈吳俊陞將軍風雲際會〉（《東北文獻》4卷3期，民63年2月）、趙長碧、王鴻賓〈吳俊陞與日本帝國主義〉（《北方論叢》1984年1期）、寶應泰〈吳俊陞怎樣成為張作霖的殉葬人〉（《民國春秋》1995年5期）、早川正雄《吳俊陞の面影》（大連，大阪屋號書店，1930）、陳崇橋〈應該怎樣評價楊宇霆〉（《遼寧大學學報》1988年5期）、潘喜廷〈楊宇霆其人其事〉（《東北地方史研究》1986年1期）、常城〈奉系軍閥的＂智囊＂楊宇霆〉（《社會科學戰線》1984年1期）、王韋〈楊宇霆其人其事〉（《人物》1996年2期）、篠園〈記楊宇霆（1-7）〉（《國聞週報》14卷10-20期，民26）、陳嘉驥〈張作霖父子與楊宇霆〉（《中外雜誌》23卷2期，民67年3月；亦載《掌故集粹》，臺北，中外雜誌社，民67）、高陽〈張作霖之死與楊宇霆〉（《傳記文學》42卷1期，民72年1月）、金長振〈張學良、楊宇霆與少帥傳奇〉（《明報》19卷5期，1984）、遼寧省檔案館〈楊宇霆為破壞曹錕賄選與各方來往信函〉（《歷史檔案》1982年2期）、寒光〈張學良槍斃楊宇霆—楊常事件真相〉（《知識》1980年3期）、森島守人〈楊宇霆暗殺事件—滿洲外交秘錄〉（《世界文化》4卷2號，1949年2月）、何秀閣〈楊宇霆氏之禍變始末〉（《東北文獻》4卷2期，民62年11月）、趙全璧〈楊宇

霆之存亡與東北軍之興衰〉（同上，19卷1期，民79年9月）、吳相湘
〈楊宇霆之死是否〝端納告密〞？〉（《傳記文學》42卷6期，民72
年6月）、周谷〈東北易幟前後風雲—談楊宇霆常蔭槐之死〉
（《中外雜誌》37卷1期，民74年1月）、季慶雲〈楊宇霆、常蔭槐被
殺內幕—張作霖興亡記之三〉（同上，31卷4期，民71年4月）、趙全
璧口述、劉百非筆記〈少師剪除老帥愛將—楊宇霆、常蔭槐被殺
內幕〉（同上，43卷1期，民77年1月）、陳崇橋〈試論〝楊常事
件〞〉（《近代史研究》1986年2期）及〈楊、常與日本〉（《日本研
究》1986年3期）、常城〈略論東北〝易幟〞與〝槍斃楊常〞〉
（《社會科學戰線》1982年3期）及〈再論〝槍斃楊常〞〉（《社會科
學輯刊》1986年3期）、陳崇橋、王貴忠〈常蔭槐事跡與其評價〉
（《北方論叢》1990年1期）、王慶吉〈常蔭槐二三事〉（《東北文
獻》2卷4期，民61年5月）、夏侯敍五〈奉軍輔帥張作相晚年逸事〉
（《民國春秋》1995年3期）；魏福祥〈王永江傳略〉（《東北地方史
研究》1985年2期）、貞石〈王永江事略〉（《遼寧師院學報》1982年4
期）、錢公來遺作〈王永江其人其事〉（《東北文獻》4卷4期，民63
年5月）、王慶吉〈「東北的蕭何」王永江軼事〉（同上，2卷3期，
民61年2月）、湯蘭升〈評王永江及其《鐵龕詩存》〉（《東北地方
史研究》1992年2、3期）、周邦道〈王永江·王賓章·張雪門—當
代教育先進傳之十一〉（《中外雜誌》21卷3期，民66年3月）、楊小
紅、陳崇橋〈王永江與日本〉（《日本研究》1993年2期）、趙守仁
〈王永江與東北大學〉（《遼寧師大學報》1986年3期）、陳嘉驥
〈張作霖與王永江〉（《中外雜誌》22卷5期，民66年11月）、澁谷由
里〈張作霖政權下の奉天省民政と社會—王永江を中心として〉

（《東洋史研究》52卷1號，1993年6月）、耿麗華〈忠貞耿介‧勵精圖治－王永江記事〉（《人物》1996年5期）、余陽〈王永江創辦奉天稅務講習所〉（《東北地方史研究》1989年3期）、劉志超、耿麗華〈試論王永江的理財思想〉（《遼寧大學學報》1989年5期）；董文芳〈瞿文選與奉天鹽業〉（《東北地方史研究》1988年1期）；邵桂花〈姜登選其人其事〉（《東北地方史研究》1989年1期）、喻鵬秋等〈湯玉麟其人〉（同上，1984年1期）、王雲鵬〈關於湯玉麟家鄉身世的考察〉（《東北地方史研究》1990年2期）、栗直〈萬福麟將軍傳〉（《東北文獻》3卷4期，民62年5月）、李四林〈從行伍將軍萬福麟說起－東北易幟前後暨相繼內外重大事件搜秘〉（《傳記文學》21卷4、5期，民61年10、11月）；曾金蘭《沈鴻烈與東北海軍（1923-1933）》（東海大學歷史研究所碩士論文，民81年1月）及〈沈鴻烈與東北海軍之建立〉（《國史館館刊》復刊15期，民82年12月）、譚柏齡〈沈鴻烈對東北江海防務之貢獻〉（《傳記文學》50卷6期，民76年6月）、劉兆璸〈追念沈鴻烈先生〉（同上，20卷6期，民61年6月）、許正直〈懷念沈鴻烈先生〉（《中外雜誌》28卷4期，民69年10月）、劉道平〈沈鴻烈與山東〉（《湖北文獻》13期，民58年10月）、楊元忠〈國士沈鴻烈先生〉（同上，80期，民75年7月）；呂偉俊《張宗昌》（濟南，山東人民出版社，1989）、崔葦、原郁文《混世魔王張宗昌》（濟南，山東文藝出版社，1985）、山東省政協文史資料研究委員會《土匪軍閥張宗昌》編審組編輯《土匪軍閥張宗昌》（北京，中國文史出版社，1991）、張士寶〈張宗昌其人－兼評民國人物傳《張宗昌》〉（《東岳論叢》1989年5期）、劉培卿〈山東軍閥張宗昌〉（《文史哲》1983年4期）、余非〈北洋人物志㈣—張宗昌傳〉（《新知雜誌》第3年6期，民62年12月）、戚宜君〈張宗昌外傳〉（《中外雜誌》34卷4-6期、35卷1-6期、36卷1-2期，民72年10-12月、73年1-6月、7-8月）、萬墨林〈張宗昌下江南〉（同上，17卷2、3期，民64年2、3月）、唐志學〈張宗昌的故事〉（同上，14卷2-5期，民62年8-11月）、何秀閣〈張宗昌的真面貌〉（同上，24卷2期，民67年8月）、周遵時〈張宗昌的發跡及趣聞〉（《傳記文學》7卷3期，民54年3月）、張立華〈張宗昌韓復榘比較〉（《石油大學學報》1989年4期）、劉培卿〈從張宗昌的興衰看軍閥特點〉（《齊魯學刊》1982年5期）、劉慶旻、白淑蘭選編〈奉系軍閥張宗昌禍魯之罪狀〉（《北京檔案史料》1988年3期）、中直〈張宗昌禍魯記（上）〉（《逸經》第6期，民25年5月）、永樂〈張宗昌禍魯記（中）〉（同上，及第7期，民25年5、6月）、匯稿〈張宗昌禍魯記（下）〉（同上，第7期，民25年6月）、褚承志〈張宗昌的亞力山大與山東六專門的結束〉（《山東文獻》2卷4期，民66年3月）、朱連熙、孟珉〈張宗昌與山東省銀行鈔票〉（《中國錢幣》1992年1期）、趙健修〈張宗昌鑄造金幣〉（《山東文獻》8卷3期，民71年12月）、丁龍塏〈張宗昌兩段真事情〉（同上，9卷2期，民72年9月）、鄭繼成〈我殺死張宗昌之經過詳情〉（同上）、魯逸士〈張宗昌死有餘辜〉（同上）、馬馳原〈張宗昌被殺真相〉（《中外雜誌》58卷3期，民84年9月）、李溫祖靜〈也談張宗昌被刺〉（《中外雜誌》25卷6期，民68年6月）。趙友三〈東北軍將領鄒作華—兼評《郭松齡將軍》一書所記之誤〉（《東北地方史研究》1988年1期）、張玉芬〈王以哲將軍聯共抗日思想的形成〉（《遼寧師大學報》1987年3期）、武育文〈民族干城王以哲將軍〉

（《社會科學輯刊》1985年6期）、向學仁〈西安事變前後的王以哲將軍〉（《軍事歷史》1992年1期）、夏侯敍五〈奉軍輔帥張作相晚年逸事〉（《民國春秋》1995年3期）。

4.國民軍系（馮系）

馮玉祥原為北洋派直系軍人，其後於民國十三年（1924）十月發動「北京政變」另組中華民國國民軍，從此脫離直系陣營。由於馮曾任西北邊防督辦，所部國民軍主力又於民國十五年（1926）四月退往西北各地，國民軍遂亦被人稱為西北軍。馮因響應國民革命軍北伐有功，在國民政府時期歷任軍政要職，顯赫一時，又因其獨特的行事風格，反覆的政治立場，一生的評價頗具爭議性，故有關國民軍系及馮氏的資料和著述非常之多，馮氏本人撰有《我的生活》（3冊，其第1冊為桂林，三戶圖書社，民32，第2、3冊為作家書屋，民32出版；天津民國日報社，民35；上海，教育書店，民36；香港，波文書局，1974；哈爾濱，黑龍江人民出版社，1981）、《我的讀書生活》（2冊，上冊為作家書屋，民32，下冊為三戶圖書社出版，民36）、（余華心整理）《馮玉祥自傳》（北京，軍事科學出版社，1989）、《我的童年》（重慶，文風書局，民32）、《馮玉祥日記（第1、2編）》（2冊，民國史料編輯社，民19；東方學社，民21）、（中國第二歷史檔案館編）《馮玉祥日記》（5冊，南京，江蘇古籍出版社，1992）係重新整理、校勘、標點；（中國革命博物館整理）《我的抗戰生活》（哈爾濱，黑龍江人民出版社，1987）；《馮玉祥讀春秋札記》（上海，軍學社，民23）、《馮玉祥回憶錄》（上海，文化出版社，1949）、《馮煥章先生演講集（第1

冊）》（張家口，西北邊防督辦署，民14）、《馮玉祥在南京第一年》（2冊，桂林，三戶圖書社，民26）、《馮玉祥在南京第二年》（同上）、（陳季編）《馮玉祥詩歌選集》（上海，新文藝出版社，1954）、《馮玉祥抗戰詩歌選》（上海，怒吼出版社，民27）、《馮玉祥詩集》（民20年出版）、（弗伐、洪志編）《馮玉祥詩歌選》（哈爾濱，黑龍江人民出版社，1982）、（于舟選編）《馮玉祥詩選》（成都，四川人民出版社，1983）、（馮玉祥選集編輯委員會編）《馮玉祥選集》（2冊，北京，人民出版社，1985）、《心範》（國民革命軍第二集團軍總司令部編，民17）、《我所認識的蔣介石》（上海，文化出版社，民38）等。他人對馮氏的著述（或所編的資料集）專書方面有中國國民黨革命委員會編《馮玉祥將軍紀念冊》（民37初版；香港，嘉華印刷公司，1959）、安徽省政協文史資料研究委員會等合編《馮玉祥將軍》（安徽壽縣印刷，1978）、安徽省政協文史資料研究委員會、河南新鄉市文史研究委員會、國民黨革命委員會河南省新鄉市委員會編《馮玉祥逸史》（新鄉，編者印行，1988）、馮洪達、余華心《馮玉祥將軍魂歸中華》（北京，文史資料出版社，1981）、馮理達《我的父親馮玉祥將軍》（成都，四川人民出版社，1984）、王華岑、牛耕同《馮玉祥將軍傳奇》（哈爾濱，黑龍江人民出版社，1983）、胡佳作《馮玉祥的故事》（石家莊，河北人民出版社，1985）、佟亦非、熊先煜《馮玉祥的故事》（重慶，重慶出版社，1986）、曹啟文、陳惠芳選編《馮玉祥傳說故事》（杭州，浙江文藝出版社，1986）、馮桂榮《馮玉祥傳說故事》（北京，中國民間文藝出版社，1985）、春明逐客《馮玉祥全史》（中國第一書店，民13）、三民公司編輯刊行《馮玉祥革命史》（上海，民17）、競智圖書館編印《馮玉祥全傳》（上海，民11）、簡又文《馮玉祥傳》（2冊，臺北，傳記文學出版社，民71）及《馮玉祥傳記》（上海，三民公司，民17）、孫嘉會編著《馮玉祥小傳》（北平，戊辰學社，民21）、高興亞《馮玉祥將軍》（北京，北京出版社，1982）、佟飛、石火《東方怪傑馮玉祥》（鄭州，河南人民出版社，1987）、郭緒印、陳興唐《愛國將軍馮玉祥》（同上）、張家昀《模範軍閥馮玉祥》（臺北，久大出版公司，民81）、林貞惠《馮玉祥與北伐前後的中國政局（民國13-17年）》（政治大學歷史研究所碩士論文，民69年6月）、王廣仁《民國風雲人物馮玉祥傳奇》（臺北，新衛文化出版社，民84）、龐齊主編《馮玉祥在陝西》（西安，陝西人民出版社，1989）、河北省政協文史資料研究委員會編《馮玉祥與抗日同盟軍》（石家莊，河北人民出版社，1985）、劉彰編《由峪道河到泰山》（出版時地不詳）、韓尚義、卓忠信《馮玉祥在泰山》（濟南，山東人民出版社，1988）、張功常《馮玉祥膠東遊記》（軍功出版社，民23）、曹弘忻《馮在南京：為民眾的怒吼》（民19初版；南京，政治研究社，民24再版）、邢福增《基督教救國—徐謙·馮玉祥·張之江》（香港中文大學文史研究所博士論文，1995）、許唯編、趙飛攝影《馮玉祥之過去及現在》（上海，中國科學公司，民24）；《新的馮玉祥》（民22年出版）；《由泰山到張家口》（同上）、張奮啟《馮總司令治軍記》（上海，三民圖書公司，民17）、王朝柱《馮玉祥和蔣介石》（北京，中國青年出版社，1994）、周玉和《蔣介石與馮玉祥》（長春，吉林文史出版社，1994）、閻稚新《李大釗和馮玉祥》（北京，解放軍出版社，1987）、河南省文聯圖書館編輯部編《馮玉祥政變

記》（北京，中國文聯出版社，1985）、普里馬科夫著、曾憲權譯
《馮玉祥與國民軍—一個志願兵的札記（1925-1926）》（北京，
中國社會科學出版社，1982）、內蒙古政協文史資料研究委員會編
輯《內蒙古文史資料·24輯—馮玉祥與五原誓師》（呼和浩特，
內蒙古人民出版社，1986年12月）、喬希章《三角鬥爭：蔣介石、馮
玉祥、閻錫山的恩怨情仇》（臺北，新新聞文化公司，民81）、丘權
政編《回憶馮玉祥將軍》（太原，北岳文藝出版社，1990）、王贊亭
《跟隨馮玉祥二十餘年》（濟南，山東人民出版社，1983）、馮紀法
口述、侯鴻緒整理、龐齊審校《在馮玉祥將軍身邊十五年：隨從
參謀馮紀法回憶錄》（西安，陝西人民出版社，1989）。布施勝治
《支那國民革命と馮玉祥》（東京，大阪屋號書店，1929）為早年的
日文著作、James E. Sheridan, Chinese Warlord：The Career of
Feng Yü-hsiang（Stanford：Stanford University Press, 1966；中譯本為
丘權政、陳昌光、符致興譯《馮玉祥的一生》，杭州，浙江教育出版社，
1988）則為此類英文論著中的代表作，全書共分12章，其結論肯
定馮為道德的軍閥；Marcus Cheng（陳崇桂），Marshal
Feng：The Man and His Work（Shang Hai，1925），作者為馮軍
中之牧師，本書為宣傳馮氏之報導性著述；杜英穆編《韓復榘、
汪精衛、馮玉祥》（臺北，名望出版社，民77）。

有關馮氏的論文（含單篇的資料）方面有劉敬忠〈馮玉祥評
傳〉（《河北大學學報》1984年3期）、余非〈馮玉祥傳〉（《新知雜
誌》第4年4期，民63年8月）、王覺源〈馮玉祥新傳〉（《中外雜誌》
39卷4-5期，民75年4-5月）、沙明遠〈馮玉祥將軍事略〉（《京報西
北周刊》14-16期，民14年5月）、張德元〈熱愛中華，追求光明—馮

玉祥將軍議〉（《遼寧大學學報》1986年1期）、朱來常〈馮玉祥述略〉（《江淮論壇》1981年1期）、車福〈馮玉祥一個側面〉（《人物》1981年1期）、劉鳳翰〈馮玉祥〉（載《中華民國名人傳》第4冊，臺北，民74）、朱來常〈馮玉祥述略〉（《江淮論壇》1981年1期）、于志恭〈馮玉祥將軍〉（《文物天地》1982年3、4期）、李梅山〈馮玉祥外傳〉（《中外雜誌》48卷4期，民79年10月）、張國柱〈馮玉祥傳真〉（同上，40卷1-2期，民75年7-8月）、傅瑞瑗〈我所認識的馮玉祥〉（同上，31卷2期，民71年2月）、黎東方〈憶馮玉祥〉（同上，49卷6期，民80年6月）、關書敏〈馮玉祥將軍二三事〉（《文史雜誌》1986年4期）、賈莉敏〈平民將軍馮玉祥〉（《泰安師專學報》1996年4期）、李國華〈試析馮系軍人的倒戈〉（同上）、章君毅〈〝倒戈將軍〞馮玉祥〉（《中外雜誌》7卷2-3期，民59年2-3月）、劉汝曾〈我所見的馮玉祥〉（同上，25卷4期，民68年4月）、張或弛〈也談馮玉祥〉（同上，25卷1-3期，民68年1-3月）、馮洪達〈紀念父親馮玉祥將軍〉（《文史通訊》1981年1期）、陳興雨、劉子美〈馮玉祥先生二三事〉（《江淮論壇》1982年3期）、馬若〈馮玉祥先生二三事〉（《新月》1983年4期）、王成君〈馮玉祥將軍軼事〉（《民間文學》1985年2期）、鄒孟賢〈馮玉祥生平活動簡譜（1882-1948）〉（《華中師院學報》1983年3期）。張連紅〈馮玉祥研究的回顧與評估〉（《南京師大學報》1995年1期）、熊呂茂、譚獻民〈近十年馮玉祥研究綜述〉（《湖南師大社會科學學報》1994年2期）、張連紅〈港臺及海外馮玉祥研究評介〉（《安徽史學》1992年1期）、曹治平〈馮玉祥軍事集團的興衰〉（《荊門大學學報》1988年1期）、雙木〈論灤州起義前後的馮玉祥〉（同上，1988年2

期）、陳建林〈馮玉祥與灤州起義〉（《華中師大學報》1988年3
期）、冷家煜、李宏生〈馮玉祥與灤州起義〉（《泰安師專學報》
1996年4期）、樊建瑩〈〝洪憲改制〞中馮、袁關係探微〉（《許
昌師專學報》1993年2期）、何宗軍〈護國戰爭時期的馮玉祥〉
（《阜陽師院學報》1984年3期）、陳長河〈馮玉祥屯兵浦口與武穴
主和〉（《歷史檔案》1989年3期）及〈馮玉祥武穴主和通電辨誤〉
（《安徽史學》1990年2期）、中國人民革命軍事博物館〈馮玉祥駐
兵常德史料選輯〉（《歷史檔案》1990年3期）、胡元利〈〝五四〞
運動中的馮玉祥〉（《歷史教學》1992年7期）、鄒孟賢〈五四運動
與馮玉祥〉（《歷史教學》1992年7期）、王其〈馮玉祥將軍在黃
陂〉（《武漢春秋》1995年6期）、趙同信〈馮玉祥在河南〉（《中
外雜誌》39卷6期，民75年6月）及〈馮玉祥在豫二三事〉（同上，40
卷6期，民75年12月）、張書中〈馮玉祥將軍在信陽〉（《名人傳
記》1985年5期）、韓德三〈馮玉祥與開封〉（《今昔談》1982年4
期）、劉西淼〈馮玉祥將軍豫中軼事〉（《許昌師專學報》1990年2
期）、劉耀德〈馮玉祥治豫施政措施〉（《中州今古》1989年5
期）、胡贊揚〈馮玉祥將軍在舞陽〉（同上，1986年6期）、劉金城
〈馮玉祥在百泉〉（《河南青年》1984年8期）、袁振武〈馮玉祥在
陝活動述評〉（《唐都學刊》1994年3期）、劉敬忠〈馮玉祥與曹錕
賄選〉（《河北大學學報》1990年1期）、金聲〈第二次直奉戰爭中
馮、王密議倒直的時和地〉（《歷史檔案》1982年1期）、謝正清
〈北京政變前後的馮玉祥新論〉（《益陽師專學報》1991年6期）、
金保華〈馮玉祥與北京政變〉（《歷史教學》1983年12期）、秦衛華
〈馮玉祥北京政變的原因及其歷史作用〉（《史學月刊》1985年2

期）、姜恒雄〈馮玉祥與〝北京政變〞〉（《中學歷史》1983年5期）、謝本書〈談談馮玉祥北京政變及其評價〉（《歷史知識》1982年3期）、袁成亮〈試論孫中山與馮玉祥北京政變〉（《蘇州大學學報》1992年1期）、趙曉天〈馮玉祥北京政變新探〉（《西北大學學報》1988年3期）、劉敬忠〈馮玉祥北京政變初探〉（《河北大學學報》1986年3期）、周玉和〈試論北京政變時期的馮玉祥〉（《檔案史料與研究》1995年2期）、經盛鴻、封榮生〈馮玉祥北京捉曹錕〉（《南京史志》1993年5期）、徐錫祺〈馮玉祥何時電邀孫中山北上〉（《黨史研究資料》1983年3期）、喻大華〈重評1924年馮玉祥驅逐溥儀出宮事件〉（《學術月刊》1993年11期）、王念康〈馮玉祥逼宮〝劫寶〞內幕〉（《中外雜誌》27卷2、3期，民69年2、3月）、張守初〈馮玉祥槍斃李彥青〉（同上，36卷6期，民73年12月）、劉敬忠〈馮玉祥國民軍與段祺瑞執政政府〉（《河北大學學報》1992年4期）、李光一、吉新報〈五卅運動中的馮玉祥〉（《河南大學學報》1985年4期）、郭緒印〈馮玉祥在五卅運動中的愛國表現〉（《江海學刊》1986年3期）、丘權政、符致興〈五卅運動與馮玉祥的思想演變〉（《民國檔案》1985年2期）、熊建華〈從《民報》看馮玉祥對五卅運動的態度〉（《近代史研究》1986年5期）、陝西省檔案館〈馮玉祥對西北開發的史料〉（《歷史檔案》1990年1期）、謝正清〈馮玉祥開發西北邊疆述略〉（《益陽師專學報》1988年4期）、內蒙古自治區檔案館〈馮玉祥在綏遠史料11件〉（《民國檔案》1990年2期）、高德福等〈馮玉祥與國民軍〉（《南開學報》1982年2期）、王禹廷〈馮玉祥與西北軍─西北軍事史話之七〉（《中外雜誌》20卷2期-24卷6期，民65年8月-67年12月）、

劉敬忠〈馮玉祥與南口大戰〉(《歷史教學》1984年3期)、王禹廷
〈馮玉祥遊俄—馮玉祥與西北軍之十六〉(《中外雜誌》23卷1期,
民67年1月)、王靜〈馮玉祥斯大林會見辨〉(《爭鳴》1991年1
期)、馬文彥〈李大釗敦促馮玉祥回國策應北伐的經過〉(《黨
史資料通訊》1982年9期)、趙曉天〈李大釗與國民軍五原誓師〉
(《西北大學學報》1990年1期)、李志新〈試論馮玉祥五原誓師〉
(《陰山學刊》1992年4期)、吳連書〈馮玉祥將軍與〝五原誓
師〞〉(《內蒙古大學學報》1985年1期)、丘權政〈從五原誓師至
中原大戰的馮玉祥〉(《荊門大學學報》1990年3期)、王松麟〈西
北銀行鈔票上的馮玉祥將軍〝五原誓師圖〞〉(《中國錢幣》1983
年創刊號)、劉曼容〈試論五原誓師的歷史意義〉(《武漢大學學
報》1987年1期)及〈試論馮玉祥由北洋軍閥參加國民革命的轉
變〉(同上,1988年2期)、海振忠、井振武〈從基督將軍到三民
主義信徒:馮玉祥在大革命時期的歷史轉變〉(《北方論叢》1989
年1期)、張珉〈論馮玉祥的轉變〉(《松遼學刊》1990年4期)、郭
緒印〈評大革命時期的馮玉祥〉(《齊魯學刊》1984年4期)、董鈞
〈應當正確評價大革命時期的馮玉祥〉(《黨史通訊》1985年7
期)、波多野善大〈國民革命期における馮玉祥とソ連の關係に
ついて〉(《名古屋大學文學部研究論集》47號—史學16,1968年3
月)、黃東蘭〈論二十年代蘇聯與馮玉祥的合作〉(《學術界》
1989年5期)、喬家才〈馮玉祥入蘇俄轂中〉(《中外雜誌》40卷3
期,民75年9月)、查時傑〈北伐時期前後的「基督將軍」—馮玉
祥〉(《國父建黨革命一百週年學術討論集》第2冊,民84)、鄒孟賢
〈第一次國內革命戰爭時期的馮玉祥〉(《華中師院學報》1984年3

期）、單寶〈馮玉祥與北伐戰爭〉（《中學歷史教學》1987年3
期）、李復民、李敦送〈共產黨推動馮玉祥參加北伐〉（《歷史
知識》1986年1期）、王培軍〈〝四一二〞至〝九一八〞的馮玉
祥〉（《臺州師專學報》1987年2期）、陳哲三〈鄭州會議與徐州會
議：馮玉祥在兩次會議所扮演的角色〉（《傳記文學》45卷4期，民
73年10月）、王禹廷〈鄭州會議與徐州會議－馮玉祥與西北軍之
二十六〉（《中外雜誌》24卷6期，民67年12月）、李良玉〈馮玉祥敦
促武漢分共〝馬電〞有關鄭州會議內容考釋〉（《學術界》1996年
5期）、徐肇辛〈論馮玉祥徐州會議後清黨反共的原因〉（《蘭州
學刊》1987年5期）、孫澤學〈大革命後期馮玉祥聯蔣清共的原因
剖析〉（《華中師大學報》1994年4期）、陳澤華〈寧漢合流前後的
馮玉祥〉（《江漢論壇》1986年2期）、郭緒印〈第二次國內革命戰
爭時期的馮玉祥〉（《齊魯學刊》1982年6期）、李和幹〈淺析蔣介
石與馮玉祥在中原大戰前的爭端〉（《寧德師專學報》1995年1
期）、蕭菊華、徐小林〈中原大戰前後的馮玉祥〉（《武漢黨史通
訊》1989年1期）、中國第二歷史檔案館〈中原大戰前夕馮玉祥日
記選〉（《民國檔案》1992年1期）、李靜之〈試論蔣馮閻中原大
戰〉（《近代史研究》1984年1期）、郭緒印〈評中原大戰中馮玉祥
的決策〉（《軍事歷史研究》1990年3期）、中國第二歷史檔案館
〈中原大戰後馮玉祥策動石友三繼續反張倒蔣史料〉（《民國檔
案》1994年4期）、潘緝賢、陳興唐〈馮玉祥策動石友三反張倒蔣
再探〉（《東北地方史研究》1990年4期）、陳興唐等〈馮玉祥與甘
肅〝雷馬事變〞〉（《民國檔案》1986年3期）及〈〝九一八〞前後
的馮玉祥〉（《歷史檔案》1982年3期）、王續添〈馮玉祥收復東北

的主張和活動述評〉(《社會科學輯刊》1992年4期)、張家來、焦德忠、李廣法〈馮玉祥〝隱居〞泰山探源〉(《棗庄師專學報》1994年1期)、李雲漢〈馮玉祥察省抗日事件始末〉(《中央研究院近代史研究所集刊》第2期,民60年6月)、印興娣〈馮玉祥與察綏抗日同盟軍〉(《徐州師院學報》1989年1期)、徐思賢〈張家口歷險記一憶説馮玉祥所謂抗日同盟軍〉(《中外雜誌》20卷1期,民65年7月)、宋連生〈馮玉祥解散民眾抗日同盟軍原因初探〉(《河北師院學報》1988年4期)、陳漢孝〈馮玉祥與兩廣事變的和平解決〉(載《近代中國人物》第3輯,重慶出版社,1986)、中國第二歷史檔案館〈馮玉祥為營救〝七君子〞與蔣介石往來密電〉(《歷史檔案》1981年1期)、李信〈西安事變時的馮玉祥〉(《北京檔案史料》1996年3期)、陳漢孝〈西安事變中的馮玉祥〉(《近代史研究》1988年2期)、苗建寅、奚義生〈馮玉祥與西安事變的和平解決〉(《陝西師大學報》1989年2期)、陳興唐等〈從有關馮玉祥檔案中看國民黨政府對西安事變的對策〉(《歷史檔案》1985年2期)、蔣鐵生〈論〝七·七事變前馮玉祥將軍的抗日活動〉(《泰安師專學報》1996年4期)、郭緒印〈第二次國內革命戰爭時期的馮玉祥〉(《齊魯學刊》1982年6期)及〈〝八·一三〞抗戰中的馮玉祥〉(《學術月刊》1987年10期)、何華國〈愛國將軍馮玉祥在抗日時期的政治主張〉(《湘潭大學學報》1988年2期)、崔石崗〈馮玉祥在抗戰時期的文化、文學活動述略〉(《重慶師院學報》1983年2期)、中國第二歷史檔案館〈馮玉祥為加強生產增強抗戰力量致蔣介石代電及實業部辦理情形〉(《民國檔案》1994年4期)、仿宗軍〈抗日戰爭時期的馮玉祥〉(《朝陽師院學報》1984年3期)、王

光遠〈抗戰時期的馮玉祥將軍〉（《北京檔案史料》1995年3期）、
李曉紅〈〝抗戰中流砥柱〞馮玉祥〉（《史學月刊》1995年5期）、
劉以順〈愛國將軍馮玉祥對抗日戰爭的貢獻〉（《安徽史學》1996
年2期）、郭緒印、潘輯賢〈抗戰時期馮玉祥貫徹了孫中山〝三
大政策〞的精神〉（載《民國檔案與民國史學術討論會論文集》，北
京，檔案出版社，1988）、陳長河〈馮玉祥在抗戰中後期的抗日救
國活動〉（《歷史教學》1989年2期）、張中微〈馮玉祥與四川獻金
運動〉（《文化雜誌》1987年4期）、陳然〈馮玉祥將軍主持自貢鹽
場節約獻金救國運動紀實〉（《井鹽史通訊》1985年2期）、于志恭
〈馮玉祥在重慶〉（《江准文史》1995年2期）、何世君、李惕生
〈馮玉祥在獨山〉（《貴州文史叢刊》1983年1期）、章元羲〈記馮
玉祥在美國的那一年〉（《傳記文學》33卷3-5期，民67年9-11月）、
李和協〈馮玉祥將軍與美國醫生羅根一家〉（《人物》1983年1
期）、梁克隆〈走向新中國─記馮玉祥將軍晚年的反蔣愛國鬥
爭〉（《傳記文學》創刊號，1984）、熊呂茂〈論解放戰爭時期的馮
玉祥〉（《嶺南學刊》1992年1期）、余華心〈馮玉祥將軍黑海殉難
記〉（《艦船知識》1986年1、2期）、馮洪達〈鬥爭·遺志·哀思─
為紀念馮玉祥而作〉（《百科知識》1981年3期）、馮玉祥〈馮玉祥
的遺囑〉（《集萃》1981年4期）。海振忠、井振武〈略論馮玉祥反
帝愛國思想〉（《北方論叢》1990年5期）、謝正清〈馮玉祥的愛民
思想〉（《益陽師專學報》1988年1期）、黎峙宏〈論馮玉祥的政治
思想〉（《重慶教育學院學報》1990年3期）、佟玉蘭〈試論馮玉祥
一生政治思想的轉變及其原因〉（《北京鋼鐵學院學報》1988年1
期）、張同新〈馮玉祥政治思想演變初探〉（《天津社會科學》

1986年1期)、門秀芳〈馮玉祥1928年上半年政治思想透視〉(《安徽史學》1996年2期)、任榮民、徐威〈論馮玉祥將軍的〝民本〞思想〉(《泰安師專學報》1996年4期)、趙武〈試論馮玉祥國民革命思想形成的原因〉(《河南師大學報》1990年4期)、陳漢孝〈孫中山親書《建國大綱》對馮玉祥思想的影響〉(《人物》1985年6月)、張連紅〈略論馮玉祥的經濟思想〉(《學術界》1993年5期)、劉其奎〈試論馮玉祥治軍思想的演變〉(《安徽史學》1990年3期)、聶立中、李厚銀〈淺析馮玉祥將軍的教育思想〉(《泰安師專學報》1996年4期)、王明欽〈馮玉祥的若干廉政主張〉(《史學月刊》1990年3期)、鍾艷攸〈北伐時期馮玉祥對宗教的態度(1926-1928)〉(《史耘》第1期,民84年10月)、任振河〈馮玉祥的愛國道路〉(《晉陽學刊》1985年5期)、路運洪〈馮玉祥軍中愛國文化教育述略〉(《許昌師專學報》1987年1期)、高敦復〈馮玉祥與軍閥集團〉(《中國社會科學院研究生學院學報》1985年6期)、李明山〈反對神學迷信的〝基督將軍〞馮玉祥〉(《河南大學學報》1988年4期)、劉敬忠〈馮玉祥與基督教〉(《文史哲》1991年2期)、莫志斌〈馮玉祥與基督教問題新析〉(《湖南師大學報》1995年5期)、稚心〈馮玉祥與孫中山〉(《遼寧大學學報》1988年1期)、石學勝〈孫中山與馮玉祥〉(《傳記文學》69卷5期,民85年11月)、陳儀孝原著〈孫中山書贈馮玉祥〝建國大綱〞及其影響〉(同上)、祁州〈馮玉祥與孫中山的交往〉(《北京檔案史料》1995年1期)、郭緒印〈孫中山對馮玉祥的影響〉(《檔案與歷史》1988年1期)、曹立前〈孫中山會見馮玉祥質疑〉(《山東師大學報》1993年2期)、莊政〈馮玉祥孫中山緣慳一面〉(《傳記文學》64卷6期，民83年6月）、張連紅〈馮玉祥與孫中山北京會晤真偽辨〉（《文教資料》1994年1期）及〈孫中山爭取馮玉祥加入國民革命的內幕〉（《民國春秋》1995年1期）、王占連〈李大釗與馮玉祥〉（《唐山師專學報》1985年3、4期）、楊榮華〈李大釗與馮玉祥〉（《安徽師大學報》1982年2期）、左寶〈李大釗與馮玉祥的交往〉（《黨史博采》1995年1期）、陝西省檔案館〈馮玉祥對李大釗遇害事所發文電〉（《歷史檔案》1987年4期）、閻稚新〈李大釗、鄧小平與馮玉祥—記大革命時期北京戰場及國民黨政治工作〉（《黨史通訊》1985年4期）、丘權政〈馮玉祥在潼關銬押的不是鄧小平〉（《荊門大學學報》1994年3期）、劉學使〈鮑羅廷與馮玉祥〉（《安徽史學》1992年1期）、王禹廷〈馮玉祥和鮑羅廷〉（《中外雜誌》24卷3期，民67年9月）、李凱鴻〈馮玉祥的日籍軍事顧問松室孝良〉（《民國春秋》1993年6期）、王光遠〈馮玉祥跟汪精衛的交往和決裂〉（《民國春秋》1995年5期）、鄧嘯林〈魯迅與馮玉祥〉（《江淮論壇》1983年5期）、崔石崗〈在〝文協〞的旗幟下—馮玉祥與老舍交往片斷〉（《阜陽師院學報》1984年1、2期合刊）、于志恭〈記彭德懷與馮玉祥的一次會晤〉（《文物天地》1985年4期）、魏奕雄〈郭沫若與馮玉祥〉（《郭沫若研究學會會刊》1985年5期）、楊仲子〈李烈鈞筆下的馮玉祥〉（《人物》1985年1期）、杜越、杜國士〈馮玉祥與蔣介石〉（《陰山學刊》1991年3期）、董長貴、韓廣富〈結為金蘭終分道揚鑣—蔣介石與馮玉祥〉（程舒偉、雷慶主編《蔣介石的人際世界》，長春，吉林人民出版社，1994）、鍾一蓓〈馮玉祥教訓蔣介石軼事〉（《重慶師院學報》1983年2期）、張泰山〈大革命時期徐謙對馮玉祥的影響〉（《湖

北師院學報》1996年2期）、牛之營、宋元明、吳緒倫〈馮玉祥與范
明樞〉（《泰安師專學報》1996年4期）、羅紹文〈楊增新、馮玉祥
之間的矛盾和新疆〝三七〞政變〉（《西北史地》1995年4期）、徐
象平〈馮玉祥與西北諸馬結盟始末〉（《西北史地》1994年1期）、
李白虹〈政壇秘辛錄：張厲生綏服馮玉祥〉（《中外雜誌》54卷5
期，民82年11月）、翟耀〈馮玉祥和他的共產黨副官〉（《傳記文
學》66卷6期，民84年6月）、朱錫城〈論馮玉祥與中國共產黨合作
關係的變化〉（《湖北大學學報》1989年3期）、鄒孟賢〈馮玉祥和
中國共產黨的關係〉（《華中師院學報》1982年3期）、郭緒印〈重
評馮玉祥與中共的關係〉（《學術月刊》1989年7期）、丘權政〈察
哈爾抗日前三年間馮玉祥與中國共產黨的關係〉（《民國檔案》
1990年1期）、祁州〈抗戰時期馮玉祥與共產黨的交往〉（《黨史博
采》1995年8、9期）、王光遠〈馮玉祥與中國共產黨的再次合作〉
（同上，1995年5期）、沈謙芳〈馮玉祥執行三大政策的動機〉
（《社會科學（甘肅）》1989年6期）、林文煥〈共產國際和蘇維埃
推動馮玉祥加入國共統一戰線〉（《黨史研究與教學》1990年5
期）、羅禮太〈馮玉祥與抗日民族統一戰線的建立〉（《廈門大學
學報》1996年1期）、張家來、焦德忠、李廣德〈馮玉祥對抗日民
族統一戰線的重大貢獻〉（《山東社會科學》1995年5期）、王作坤
〈馮玉祥對第二次國共合作的貢獻〉（《齊魯學刊》1989年3期）、
Richard Stremki, "Britain and Warlordism in China: Relations
With Feng Yü-hsiang, 1921-1928" （Journal of Oriental Studies, Vol.
16, No.1, January, 1973）其中譯文為史特賴姆斯基著、林貞惠譯
〈馮玉祥與英國的關係（1921-1928）〉（載張玉法主編《中國現代

史論集》第5輯：《軍閥政治》，臺北，聯經出版公司，民69）、于志恭〈馮玉祥先生與文藝界〉（《新文學史料》1983年2期）、周志征等〈馮玉祥與〝還我河山〞〉（《四川文物》1984年2期）、蔣萬錫、秦曉〈馮玉祥將軍倡導〝利他社〞始末〉（《檔案史料與研究》1990年2期）、丁涪海〈自稱小伙子，實乃老少年—採訪將軍、詩人馮玉祥〉（《新聞研究資料》13輯，1982）、李安本〈不斷從黑暗走向光明的馮玉祥將軍〉（《泰安師專學報》1996年4期）、張守初〈鮮為人知的馮玉祥軼事〉（《中外雜誌》29卷3期，民70年3月）、王華岑等〈馮玉祥將軍軼事〉（《北疆》1981年創刊號—1982年4期）、田烱錦〈我對汪精衛馮玉祥的印象〉（《中外雜誌》10卷4期，民59年10月）、馮理達〈先父馮玉祥的一段往事〉（《中國老年》1984年5期）、石磊〈重視軍歌的馮玉祥將軍〉（《人民音樂》1984年8期）、黃天祥〈馮玉祥將軍教學二三事〉（《年輕人》1983年2期）、張宣武〈馮玉祥二三事〉（《柳泉》1980年2期）、馮文中〈馮玉祥將軍軼事〉（《龍門陣》1982年6期）、趙同信〈雜記馮玉祥〉（《中外雜誌》27卷4期，民69年4月）、侯鴻緒〈關於馮玉祥將軍史料的幾點考辨〉（《安徽史志通訊》1984年2期）、杜重劃〈回憶在馮玉祥先生身邊的日子〉（《龍門陣》1984年3期）及〈我所知道的馮玉祥將軍—紀念馮將軍誕生一百周年〉（《中國建設》1982年12期）、趙一誠〈北洋頭頭也有人物—為馮玉祥韓復榘說句公道話〉（《中外雜誌》41卷4期，民76年1月）、王一沙〈馮玉祥將軍軼事〉（《百科知識》1985年8期）、金學史〈馮玉祥和金城銀行的部隊儲蓄〉（《上海金融》1985年8期）、王倬如〈馮玉祥與三戶書社〉（《春秋》1985年4期）、盧應〈馮玉祥的〝三忘〞和〝三法＂〉（《文物天地》1984年6期）、黃季耕〈馮玉祥的求知精神〉（《安徽教育學院學報》1996年2期）、雷嘯岑〈馮玉祥治軍伎倆〉（《中外雜誌》7卷4期，民59年4月）、江山〈怪傑馮玉祥〉（同上，48卷2期，民79年8月）、許良廷〈漫談馮玉祥的＂怪＂〉（《安徽史學》1990年4期）、佟玉蘭〈馮玉祥的人生＂之＂字路〉（《北京檔案史料》1996年2期）、李維民〈馮玉祥一家〉（《新觀察》1980年10期）、張澧〈馮玉祥將軍佚墨《小詩前言》引端〉（《許昌師專學報》1985年2期）、向亦農〈救國興民，高風高節─讀新發現的馮玉祥將軍的一封信和一首詩〉（同上）、龔濟民〈淺論馮玉祥的丘八詩〉（《華東師大學報》1983年2期）、李保均〈論馮玉祥的抗戰詩歌〉（《四川大學學報》1982年1期）、上海檔案館〈包世杰錄注馮玉祥日記選〉（《檔案與歷史》1989年4期）、陝西檔案館〈馮玉祥手稿兩件〉（《民國檔案》1988年2期）、徐慶貴〈在抗日戰爭的烽火歲月裏─馮玉祥留在長江中上游的石刻詩〉（《黨史天地》1994年12期）、何玉菲選編〈馮玉祥致全國同胞書（1947年7月17日）〉（《雲南檔案史料》1993年1期）；又由中國近代史料學會和泰安師專政史系、泰安市（中共）黨史資料徵集研究辦公室等聯合主辦的＂首屆馮玉祥學術研討會＂，於1996年8月20日至24日在山東省泰安市舉行，共有30位學者與會，會議收到論文16篇，音像資料2件，文字資料6種，會中並提出擬於1998年召開＂國際馮玉祥學術研討會＂。

關於國民軍（西北軍）有李泰棻《國民軍史稿》（序於民19；臺北，文海出版社影印，民60）、王宗華、劉曼容《國民軍史》（武昌，武漢大學出版社，1996）、李泰棻、宋哲元《西北軍紀實：

1924-1930》（香港，大東圖書公司，1978）、阮家新〈民國軍隊派系追蹤—西北軍系〉（《軍事史林》1995年11期）、陳森甫《西北建軍史》（臺北，撰者印行，民64）及《細說西北軍》（臺北，德華出版社，民66）、張連紅〈西北軍興亡述略〉（《歷史教學》1989年9期）、陳森甫〈西北軍興亡之經緯〉（《春秋》20卷3期，民63年3月）、王淑良〈西北軍的創建和瓦解〉（《民國春秋》1988年6期）、高敦復〈論原西北軍在抗日戰爭中的分化〉（《清華大學學報》1995年3期）、顧關林〈論西北軍的瓦解〉（《近代史研究》1990年2期）、宋哲元述、兆庚記〈西北軍志略〉（《近代史資料》1963年4期）、馬先陣主編《西北軍將領》（鄭州，河南人民出版社，1989）、馬伯援《我所知道的國民軍和國民黨合作史》（上海，上海商業公司出版部，民21；臺北，文海出版社影印，民74）、康民〈國民軍平定甘肅的戰役與北伐戰爭〉（《甘肅社會科學》1993年3期）、王禹廷〈由閉塞到開放—西北軍進出甘肅及其影響〉（《甘肅文獻》第2期，民62年9月）及〈西北軍事史話〉（《中外雜誌》18卷5期、19卷1、2期，民64年11月、民65年1、2月）、任效中〈國民軍劉郁芬部進軍並底定甘肅述略〉（《西北師院學報》1986年4期）及〈大革命時期國民軍在甘肅的活動述評〉（同上，1987年2期）、趙一匡〈國民軍在蘭州（1926-1931年）〉（《蘭州學刊》1988年4期）、劉曼容〈試論1925年國民軍的反奉戰爭〉（《江漢論壇》1990年3期）、徐有禮〈蘇聯顧問與國民二軍關係初探〉（《河南黨史研究》1989年1期）、黎世紅〈蘇聯對馮玉祥國民軍的援助〉（《四川大學學報叢刊》48輯，1989年9月）、趙國章〈國民二軍對河南革命運動的影響〉（《河南大學學報》1988年1期）及〈試論國民二軍的失敗〉（《近代史研究》1993年4期）、李善雨〈〝三一八〞運動與國民軍〉（《河北學刊》1986年2期）、王善中〈三一八慘案與國民軍〉（《北京史苑》1986年3輯）、郭緒印〈馮玉祥部國民軍在南口防禦戰及其意義〉（《軍事歷史研究》1988年2期）、王禹廷〈南口戰守與北伐軍事－馮玉祥與西北軍之十四〉（《中外雜誌》22卷4期，民66年10月）、〈馮玉祥與西北軍（十五）－南口戰役紀實〉（同上，22卷6期，民66年12月）、〈西北軍整訓內幕－馮玉祥與西北軍之二十〉（同上，24卷1期，民67年7月）及〈三路並進會師中原－馮玉祥與西北軍之二十五〉（同上，24卷5期，民67年11月）、劉曼容〈略論北伐前夕國民軍與奉直軍聯盟的戰爭〉（《史學集刊》1989年2期）及〈國奉關係與北伐前夕中國政局〉（《近代史研究》1990年6期）、王宗華〈中國共產黨與國民聯軍的成立〉（《江漢論壇》1981年7期）及〈論國民軍在北伐戰爭期間的歷史作用〉（《武漢大學學報》1987年1期）、王宗華〈國民軍與北伐戰爭〉（《湖北黨史通訊》1986年4期）、范忠誠〈國民軍與北伐〉（《益陽師專學報》1989年1期）、趙曉天等〈北伐戰爭時期馮玉祥率領的國民軍〉（《西北大學學報》1982年1期）、王禹廷〈北伐經緯－馮玉祥與西北軍之二十三〉（《中外雜誌》24卷4期，民67年10月）、楊凡〈北伐時期中國共產黨與國民軍的政治工作〉（《華中師大學報》1987年增刊）、鄒孟賢〈中國共產黨與馮玉祥的國民軍〉（《華中師大學報》1987年4期）、劉曼容〈北伐時期的國民軍北方戰場〉（《近代史研究》1989年6期）、侯且岸〈北伐戰爭時期我黨對馮玉祥國民軍的統戰工作〉（《北京檔案史料》1986年3期）、王承璞〈共產國際和中國共產黨對國民軍的政策〉（《北京師大學報》1987年4期）、康民〈國民軍北伐入甘與甘肅國共合作〉（《天水學刊》1993年3期）、張久令〈國民聯軍駐陝總部概況〉（《黨史研究》1986年2期）、魏新生〈國民聯軍與陝西大革命高潮〉（《寶雞師院學報》1987年3期）、菊池一隆〈陝西省に於ける國民軍と農民協會運動〉（《近代中國》22號，1991年7月）、王勁、楊榮〈于右任與國民軍〉（《西北史地》1995年4期）；至於馮玉祥與國民軍、五原誓師等書、文，已在有關馮玉祥之資料、論著中列舉，此處不再贅述。

其他的國民軍將領則有王建軍〈愛國名將胡景翼〉（《革命英烈》1989年1期）、王振中〈國民軍驍將胡景翼〉（《縱橫》1989年2期）、章炳麟〈胡景翼傳〉（《國學商兌》1卷1期，民22年6月）、胡上將追悼會編《胡上將北京追悼大會特刊》（北京，編者印行，民14），追悼胡景翼，內容有哀啟、誄文、挽詩及生平事略等；中國社會科學院近代史研究所編《胡景翼日記》（南京，江蘇古籍出版社，1993）、王禹廷〈胡景翼與國民二軍—西北軍事史話之六〉（《中外雜誌》19卷6期、20卷1期，民65年6、7月）、吳相湘〈張之江與西北軍〉（載氏著《民國百人傳》第3冊，臺北，傳記文學出版社，民60）、于翔麟〈西北軍五虎將之一鹿鍾麟〉（《傳記文學》37卷2期，民69年8月）、鄭仁佳〈西北軍不倒翁鹿鍾麟〉（同上，47卷3期，民74年9月）、劉維開〈鹿鍾麟傳〉（《近代中國》89期，民81年6月）及〈鹿鍾麟〉（載《中華民國名人傳》12冊，臺北，近代中國出版社，民81）、姚凌九〈國民軍入甘及劉郁芬在甘肅的軍事活動〉（《甘肅文史資料選輯》第9輯，1983）、張壽齡〈國民軍第二師入甘和劉郁芬在甘肅的統治〉（同上）、任效中〈國民軍劉郁芬

部進軍並底定甘肅述略〉（《西北師院學報》1986年4期）、宋故上
將哲元將軍遺集編委會編《宋故上將哲元將軍遺集》（臺北，傳
記文學出版社，民74）、陳世松主編《宋哲元研究》（成都，四川省
社會科學院出版社，1987）及《宋哲元傳》（長春，吉林文史出版社，
1992）、呂偉俊主編《宋哲元》（濟南，山東大學出版社，1989）、
安井三吉〈宋哲元・冀察政權をめぐる若干の問題—盧溝橋事件
前史〉（《神戶大學史學年報》第6號，1991年5月）、李雲漢《宋哲元
與七七抗戰》（臺北，傳記文學出版社，民62）、〈冀察政務委員會
成立前後的宋哲元〉（《傳記文學》19卷1期，民60年7月）、〈抗戰
前支持華北危局的宋哲元〉（《中國現代史專題研究報告》第1輯，民
60）及〈對宋明軒將軍生平事蹟的幾點補充〉（《傳記文學》31卷1
期，民66年7月）、毛承豪〈宋哲元簡歷〉（《北京檔案史料》1987年
2期）、趙京、遆國英〈盧溝橋事變中的宋哲元將軍〉（《山西師
大學報》1987年2期）、張放《盧溝風雲—宋哲元傳》（臺北，近代
中國出版社，民72）、王覺源〈華北風雲中的宋哲元〉（《中外雜
誌》3卷5期，民74年11月）、劉建武〈宋哲元與抗戰前的華北政
局〉（《東北師大學報》1988年5期）、張季春〈宋哲元將軍主察政
績及對日堅強態度〉（《傳記文學》31卷1期，民66年7月）、庹平
〈從冀察政務委員會與〝七七事變〞的發生—兼論宋哲元在冀察
政委會期間的舉措〉（《歷史教學》1995年1期）、鄭志廷〈宋哲元
與七七抗戰〉（《河北學刊》1990年5期）、徐山平等〈〝七七事
變〞至平津淪陷前的宋哲元〉（《中州學刊》1990年5期）、蕭立輝
〈盧溝橋事件初期宋哲元和談述評〉（《晉陽學刊》1996年5期）、
陳曉清〈試析宋哲元與南京政府之關係〉（《史學月刊》1990年1

期）、許維西〈抗日英雄宋哲元將軍〉（《陸軍學術月刊》14卷152
期，民67年5月）、張志鈞〈抗日愛國名將宋哲元〉（《綿陽師專教
學與研究》1985年1期）、胡先國〈宋哲元與綿陽〉（同上）、方敏
〈〞七七事變〞後宋哲元態度游移的原因〉（《首都師大學報》
1995年1期）、明道廣〈日本離間宋哲元與張自忠的陰謀─為紀念
七七對日抗戰五十八週年而作〉（《傳記文學》67卷1期，民84年7
月）、劉汝珍〈我對宋哲元將軍的印象與觀感〉（《傳記文學》31
卷1期，民66年7月）、宣介溪〈宋哲元與特殊的二十九軍〉（同
上）、劉振三〈從二十九軍的起源說到宋明軒先生的為人〉（同
上）、陳嘉驥〈宋哲元與二十九軍〉（《中外雜誌》38卷3期，民74
年9月）、朱丕生〈二十九軍與察哈爾省〉（《察哈爾省文獻》第9-11
期，民71-72）、陶希聖〈平津學生界與二十九軍〉（《傳記文學》
31卷1期，民66年7月）、宣介溪〈宋哲元將軍的遺憾〉（同上）、沈
雲龍〈宋哲元將軍與曾慕韓先生的交往〉（同上）。孫仿魯先生
古稀華誕籌備委員會編印《孫連仲回憶錄》（臺北，民51）、羅毓
鳳（孫連仲之妻）《我與孫連仲將軍》（臺北，撰者印行，民
56）、費雲〈西北名將孫連仲〉（《中外雜誌》54卷6期─55卷3期，
民82年12月─83年3月）、劉鳳翰編著《孫連仲先生年譜長編》（6
冊，臺北，國史館，民82）、〈孫連仲〉（載《中華民國名人傳》12
冊，臺北，民81）及〈孫連仲傳〉（《近代中國》93期，民82年2
月）、馬世宏〈孫連仲將軍與青海〉（同上）、劉鳳翰提供〈孫
連仲將軍史料選輯〉（同上）、馬世宏〈孫連仲與青海〉（《中外
雜誌》34卷6期，民72年12月）、鄭仁佳〈抗日名將孫連仲將軍〉
（《傳記文學》57卷3期，民79年9月）、王禹廷〈敬悼孫仿魯將軍〉

（同上）、劉鳳翰〈我與孫長官（連仲）的三段緣份〉（《近代中國》93期，民82年2月）及〈《孫連仲先生年譜長編》導言〉（《傳記文學》63卷1期，民82年7月）。王復興、張增林〈倒戈將軍石友三〉（《史學月刊》1989年1期）、董天備、崔金釗〈倒戈將軍石友三〉（《中州今古》1995年1期）、顧關林〈石友三背叛馮玉祥經過〉（《民國春秋》1989年6期）、王鐵漢〈關於石友三在中原大戰前後的反覆經過〉（《傳記文學》51卷5期，民76年11月）、潘緝賢、陳興唐〈馮玉祥策動石友三反張倒蔣再探〉（《東北地方史研究》1990年4期）、俞歌春〈抗戰時期黨對石友三鬥爭策略論析〉（《福建師大學報》1992年1期）、胡士芳〈石友三之死〉（《東北文獻》7卷4期，民66年5月；亦載《察哈爾省文獻》19期，民75年8月）。全國政協文史資料研究委員會等編《一代梟雄韓復榘》（北京，中國文史出版社，1988）、呂偉俊《韓復榘》（濟南，山東人民出版社，1985）、王健元編《魯將韓復榘》（長春，吉林文史出版社，1985）、陳立宗《韓復榘傳》（臺北，國際文化事業公司，民77）、羨韶〈韓復榘〉（《正風半月刊》4卷1期，民26年2月）、艾牧〈一個多種色彩的軍閥韓復榘〉（《縱橫》1984年2期）、冀光第〈傳奇人物韓復榘〉（《中外雜誌》19卷1期，民65年1月）、孫思白〈怎樣認識韓復榘〉（《文史哲》1985年4期）、韓子華〈記亡父韓復榘先生〉（《傳記文學》61卷3期，民81年9月）、任君默〈從幾個側面看韓復榘其人其事〉（《齊魯學刊》1988年2期）、胡坊〈雜記韓復榘〉（《山東文獻》3卷4期，民67年3月）、劉昭晴〈談韓復榘〉（同上，2卷1期，民66年6月）、路協普〈也談韓復榘〉（同上，3卷4期，民67年3月）、岑樓〈韓復榘三鬥徐龍章〉（《春秋》10卷1期，民58年1月）、張立華〈張宗昌韓復榘比較〉（《石油大學學報》1989年4期）、王念康〈韓復榘與馮玉祥〉（《中外雜誌》27卷6期，28卷1期，民69年6、7月）、張守初〈韓復榘、馮玉祥恩仇記〉（同上，31卷4期，民71年4月）、張葛天〈怕死兩死將－韓復榘、張治中無獨有偶〉（同上，38卷6期，民74年12月）、盧立人等〈韓復榘與蔣介石的勾結、矛盾和激化〉（《青島師專學報》1987年1期）、孫福鑫〈先被利用後遭槍斃－蔣介石與韓復榘〉（程舒偉、雷慶主編《蔣介石的人際世界》，長春，吉林人民出版社，1994）、王星華〈怪人怪事－韓復榘〉（《中外雜誌》16卷3期，民63年9月）、仙之〈韓復榘笑話〉（同上，2卷5期，民56年11月）、張家昀〈韓復榘的一生〉（《世界華學季刊》4卷3期，民72年9月）、何理路〈韓復榘統治山東的幾件事〉（《山東文獻》18卷4期，民82年3月）、孟憲薀〈韓復榘主魯趣聞數則〉（同上，12卷4期，民76年3月）、趙建修〈韓復榘之面面觀〉（同上，3卷4期，民67年3月）、楚雲深〈韓復榘點點滴滴〉（同上，6卷3期，民69年12月）、宗潤華〈我對韓復榘的觀感〉（《山東文獻》4卷2期，民67年9月）、柳西銘〈韓復榘的怪誕不經〉（同上，3卷1期，民66年6月）、德亮〈韓復榘以儉防貧〉（同上，1卷2期，民64年9月）、趙醒民〈北伐時韓復榘先進入北京〉（同上，13卷1期，民76年6月）、王履冰《如此的韓青天（又名：槍斃韓復榘）》（民27年出版）、葛子明〈韓復榘、孫桐萱與三路軍〉（《中外雜誌》33卷5期，民72年5月）、劉昭晴〈也談韓復榘與周佛海〉（《中外雜誌》37卷6期，民74年6月）、江抗美〈韓復榘被處決之緣由經過〉（《歷史知識》1985年6期）、林風《韓復榘伏法前後》（上海，金湯書店，民27）、榮民〈韓復榘之死〉（《山東文獻》3卷4期，民67年3月）。

穆欣《吉鴻昌將軍》（北京，人民出版社，1979）、石英《吉鴻昌》（天津，天津人民出版社，1978）、周驥良《吉鴻昌》（2冊，鄭州，河南人民出版社，1979及1981）及〈吉鴻昌烈士大事年表〉（《天津師院學報》1980年3期）、天津市黨史資料徵集委員會編《吉鴻昌將軍犧牲五十周年紀念輯》（鄭州，河南人民出版社，1984）、胡洪霞《吉鴻昌就義前後》（北京，人民出版社，1971）、吉祥芝、鄭慈雲《吉鴻昌》（北京，中國青年出版社，1994）、海振忠、井振武〈吉鴻昌入黨時間考〉（《北方論叢》1991年1期）、胡華〈不朽的民族英雄吉鴻昌—紀念吉鴻昌烈士犧牲五十周年〉（《河南大學學報》1985年1期）、王志昂〈試探吉鴻昌籌組民眾抗日同盟軍的原因〉（《殷都學刊》1985年4期）、呂品等〈抗日民族英雄吉鴻昌〉（《文物天地》1981年1期）、宋洪飛等〈吉鴻昌傳略〉（《中州今古》1983年2期）、張學新〈吉鴻昌烈士的一生〉（《文稿與資料》1983年4期）、吉瑞芝〈回憶父親吉鴻昌〉（《民族團結》1980年10期）、王崇仁〈宣俠父與吉鴻昌〉（《革命英烈》1985年3期）、李牧可、何新宇〈吉鴻昌在寧夏〉（《文物天地》1985年6期）、徐文伯〈吉鴻昌將軍到鄂豫皖蘇區的情況〉（《黨史研究資料》1983年4期）、陳長河、丁思澤〈吉鴻昌與察哈爾民眾抗日同盟軍〉（《歷史檔案》1984年4期）、石英〈紅樓春秋—吉鴻昌烈士在天津革命活動點滴〉（《革命接班人》1978年11期）、楊福乾〈吉鴻昌將軍辦學重武軼事〉（《體育文史》1983年3期）。于翔麟〈孫良誠其人其事〉（《傳記文學》54卷1期，民78年1月）。熊光煜、張承鈞主編《佟麟閣將軍》（北京，北京出版社，1990）、劉鳳翰〈佟麟閣〉（載《中華民國名人傳》13冊，臺北，近代中國出版社，民82）、常林〈抗日名將佟麟閣〉（《滿族研究》1994年4期）、鄭仁佳〈佟麟閣上將生於一八九二年〉（《傳記文學》50卷6期及51卷1期，民76年6月及7月）。張承鈞、趙學芬主編《趙登禹將軍》（北京，北京出版社，1992）、歐安欣〈抗日名將趙登禹〉（《山東師大學報》1995年增刊）、李雲漢〈趙登禹將軍事略〉（《山東文獻》3卷1期，民66年6月）、劉鳳翰〈趙登禹〉（載《中華民國名人傳》13冊，臺北，民82）。張自忠將軍史料徵集出版工作委員會編輯《盡忠報國－張自忠將軍史料專輯》（北京，中國文史出版社，1991）、林治波〈抗戰軍人之魂：張自忠將軍傳〉（南寧，廣西人民出版社，1993）、祝康《英烈千秋－張自忠傳》（臺北，近代中國出版社，民71）、國民出版社編輯《民族英雄張自忠將軍》（金華，國民出版社，民29）、吳組湘著、汪刃鋒作畫《張自忠的故事》（上海，張上將自忠傳記編纂委員會，民37）、張上將自忠傳記編纂委員會編《張上將自忠畫傳》（同上，民36）及《張上將自忠紀念集》（同上，民37）、全國政協文史資料研究委員會、山東省政協文史資料研究委員會編《抗日名將張自忠》（北京，文史資料出版社，1987）、張秋華《抗日名將張自忠》（北京，百花文藝出版社，1995）、仁南等《魂撼天地：抗戰中的張自忠將軍》（北京，中共中央黨校出版社，1995）、林治波〈〝七七事變〞後張自忠留守北平的真相〉（《史學月刊》1992年5期）、劉建武〈關於張自忠在七七事變前後的幾個問題〉（《湘潭師院學院學報》1991年2期）、張傳華〈國殤－張自忠將軍殉國紀實〉（《黨史天地》1995年6、7期）、朱蘭霞〈將軍決戰在沙場：記抗日英雄張自忠〉（《民國春秋》1995年5期）、黃雍廉〈點亮軍魂火把的張自忠〉（《近代中國》77期，民79年6

月）、劉汝明〈憶藎忱老友（張自忠）〉（同上）、徐文繡〈為
流言所困的張自忠將軍—為紀念張自忠將軍殉國50周年而作〉
（《山東文獻》16卷1期，民79年6月）、侯善才等〈抗日名將張自
忠〉（《史學月刊》1986年3期）、李雲漢〈英烈千秋—張自忠傳〉
（《近代中國》60期，民76年8月）、謝應芬〈張自忠英烈千秋〉
（《中外雜誌》21卷5、6期，民66年5、6月）、魯榮林〈關於張自忠
的一段公案〉（《史學月刊》1990年6期）、唐士文〈張自忠〉
（《民國檔案》1986年1期）、Athur Waldron，"China's New
Remembering of World War II: The Case of Zhang Zizhong."
（Modern Asian Studies, Vol.30, No.4, 1996）、劉振三〈細說張自忠
將軍的一生〉（《傳記文學》31卷3期，民66年9月）、宣介溪〈談張
自忠將軍三四事〉（同上）、李雲漢〈張自忠赴日考察經緯〉
（同上）、孟達〈張故上將自忠家世及故里臨清〉（《傳記文學》
31卷3期，民66年9月）、李毓萬〈我對張自忠將軍的認識〉（同
上）、譚世麟〈張將軍的生前與死後〉（同上）、尹殿甲〈我所
知道的張藎公的點滴事蹟〉（《傳記文學》31卷3期，民66年9月）、
劉振三〈張上將殉國經過及其家庭二三事〉（同上）、劉昭晴
〈張自忠家世與臨清補述〉（《山東文獻》3卷2期，民66年9月）、
劉其奎〈抗日軍人之魂張自忠〉（《軍事歷史研究》1988年2期）、
陸治〈抗戰軍人之魂〔張自忠〕〉（《大江南北》1995年4期）、許
維西〈抗日殉國英雄張自忠上將〉（《陸軍學術月刊》14卷150期，
民67年3月）、孫祥徵〈漢水東流逝不還，將軍忠勇震瀛寰—緬懷
抗日英雄張自忠將軍〉（《武漢大學學報》1985年4期）、中國第二
歷史檔案館〈馮玉祥著《痛悼張自忠將軍》〉（《民國檔案》1995

年3期）、殷廉〈盧溝橋事變與張自忠〉（同上，1990年2期）、翟昌明〈張自忠與臨沂大捷〉（《天津師大學報》1990年4期）、陳長河〈張自忠與臨沂保衛戰〉（《檔案史料與研究》1995年4期）、郭學虞〈張自忠、李宗仁與臺兒莊大捷〉（《傳記文學》31卷5期，民66年11月）、周振剛〈襄東戰役與張自忠殉國〉（《近代史研究》1990年4期）、張傳華〈國殤—張自忠將軍殉國紀實〉（《黨史天地》1995年6-9期）、張國柱〈張自忠戎服輝煌赴死記〉（《中外雜誌》43卷2期，民77年2月）。王勁〈鄧寶珊與國民軍〉（《西北大學學報》1984年2期）、全國政協文史資料研究委員會、甘肅省政協文史資料研究委員會等合編《鄧寶珊將軍》（北京，文史資料出版社，1985）、王勁《鄧寶珊傳》（蘭州，蘭州大學出版社，1988）、梁星亮〈鄧寶珊與陝甘寧邊區〉（《理論導刊》1988年6期）、關志昌〈勸降傅作義的鄧寶珊〉（《傳記文學》51卷2期，民76年8月）、王禹廷〈鄧寶珊推波助瀾〉（同上，39卷2-4期，民70年8-10月）、孫琴安〈鄧寶珊與中共高層的微妙關係〉（《炎黃春秋》1995年1期）。劉汝明《劉汝明回憶錄》（臺北，傳記文學出版社，民55）、趙治國、董熙〈兩地談：劉汝明其人其事〉（《中外雜誌》59卷2期，民85年2月）、董熙〈西北軍傳奇：我所認知的劉汝明〉（同上，55卷5期，民83年5月）。秦德純《海澨談往》（臺北，撰者印行，民51）及《秦德純回憶錄》（臺北，傳記文學出版社，民56）、王國璋〈儒將秦德純〉（《中外雜誌》54卷6期，民82年12月）、秦故上將逝世周年紀念籌備會編輯《秦德純將軍紀念集》（臺北，編輯者印行，民53）、顧黃健華〈略談秦德純先生二三事〉（《山東文獻》3卷4期，民67年3月）。羨韶〈馮治安〉（《正風半月刊》4卷6期，民26年5

月）、于翔麟〈西北軍的過之翰、過之綱與劉驥〉（《傳記文學》
56卷6期，民79年6月）。

5.晉系（閻系）

　　有關閻錫山的史料，以現藏於臺北中華民國國史館的《閻故
資政錫山遺存檔案》最為豐富，極其珍貴，曾華璧曾撰有〈評介
閻錫山檔案〉一文，發表於《國史館館刊》復刊第6期（臺北，民
78年6月），詳為介紹之，此處不再贅述。閻本人的著述有《閻錫
山早年回憶錄》（臺北，傳記文學出版社，民57）、《閻伯川先生言
論類編》（9卷，山西，民28）、《閻百川先生言論輯要》（6冊，
太原，晉新書社）、（閻伯川先生文獻編輯會編印）《閻伯川先生
言論集》（臺北，民46）、《閻伯川先生最近言論集》（2冊，臺
北，復興出版社，民41）、張錦富編《閻伯川先生嘉言選錄》（臺
北，編者印行，民78）、閻伯川先生紀念會編印《閻伯川先生要電
錄》（臺北，民85）、閻伯川先生紀念集編輯委員會編輯《閻伯
川先生紀念集》（臺北，編輯者印行，民52）等。關於閻氏或晉系
的專書以閻伯川先生紀念會編《民國閻伯川先生錫山年譜長編初
稿》（6冊，臺北，臺灣商務印書館，民77）最為詳盡；吳文蔚《閻
錫山傳》（臺中，撰者印行，民71）、艾斐、占魁《閻錫山》（石家
莊，河北人民出版社，1984）、蔣順興、李良玉主編《山西王閻錫
山》（鄭州，河南人民出版社，1990）、中共中央黨校《閻錫山評
傳》編寫組編《閻錫山評傳》（北京，中共中央黨校出版社，
1991）、喬希章《閻錫山》（北京，華藝出版社，1992）、上海誅孽
社編《閻錫山》（編者印行，民5）、山西省政協文史資料研究委

員會編《閻錫山統治山西史實》（太原，山西人民出版社，1984）、
郭榮生《閻錫山先生年譜》（臺北，撰者印行，民73）、曾華璧
《民初時期的閻錫山（民國元年至十六年）》（原名《閻錫山與民
初政局》，係作者臺灣大學歷史研究所碩士論文；臺北，臺灣大學出版委
員會，民70）；《閻錫山之真面目》（約刊於民19年，內收〈蔣主席揭
穿閻錫山漾電之內幕〉、〈胡漢民先生剖析閻錫山走上死路的原因〉等文
章18篇）、陳曉慧《閻錫山與抗戰》（政治大學歷史研究所碩士論
文，民78年6月）、陳美惠《閻錫山與山西村政（1917-1937）》
（中國文化大學史學研究所碩士論文，民80年6月）、山西省政協文史
資料研究委員會編《山西文史資料・67輯－閻錫山與家鄉》（太
原，編者印行，1990）、中國人民銀行山西分行、山西省財經學院
金融史編寫組《閻錫山和山西省銀行》（北京，中國社會科學出版
社，1980）、景占魁《閻錫山與西北實業公司》（太原，山西經濟出
版社，1991）、陳少校《閻錫山之興滅》（香港，致誠出版社，
1972）、劉存善等《閻錫山的經濟謀略與訣竅》（太原，山西經濟
出版社，1994）、山西文史資料編輯部編《閻錫山壟斷經濟》（太
原，山西高校聯合出版社，1992）、《閻錫山其人其事》（同上）及
《閻錫山特務組織內幕》（同上）、閻伯川先生紀念集編輯委員
會編《閻伯川先生紀念集》（臺北，編者印行，民52）、閻伯川先
生紀念會編印《閻伯川先生百年誕辰紀念文集－道範流長》（臺
北，民71）及《閻伯川先生百年晉十誕辰紀念文集－高山仰止》
（臺北，民81）、喬希章《大三角中的閻錫山：蔣馮閻角逐實錄》
（濟南，濟南出版社，1991）及《徐向前與閻錫山》（北京，中國青年
出版社，1991）、方彥光《閻伯川先生與山西政治的客觀記述》

（南京，現代化編譯社，民35）、陳伯達《土皇帝閻錫山》（新中國出版社，民35）、李江《閻百川先生政治思想之體系》（民族革命理論社，民28）、杜太為《閻百川先生之新社會思想及其制度》（太原，覺民書報社，民25）、華北問題研究會編《閻錫山先生學說的研究》、劉克《抗戰中的閻百川將軍》（太原，學習社，民34）、陳伯達等《閻錫山批判》（張家口，新華書店，民34；太岳，新華書店，民35）、華北新華書店編輯部編《閻錫山罪行拾錄》（民34）、交通大學山西同學會等編《閻錫山治晉暴行實錄》（民35）、山西文史資料編輯部編《閻日勾結真相》（太原，山西高校聯合出版社，1992）、郭彬蔚《日閻勾結實錄》（北京，人民出版社，1983）、陳少校《軍閥別傳》（香港，致誠出版社，1966）、李茂盛《閻錫山晚年》（合肥，安徽人民出版社，1995）；英文著作則以Donald G. Gillin, Warlord: Yen Hsi-shan in Shansi Province, 1911-1949（Princeton N. J.: Princeton University Press, 1967；中譯本爲牛長夢等譯《閻錫山研究—一個美國人筆下的閻錫山》，哈爾濱，黑龍江教育出版社，1989）一書最爲有名，作者對閻氏在山西的建設頗多推崇。

論文方面有葉昌綱、劉書禮〈四十年來閻錫山研究概觀〉（《山西大學學報》1994年2期）、忻劍飛、方松華〈閻錫山〉（《探索與爭鳴》1988年1期）于翔麟〈閻錫山一生重要的經歷〉（《傳記文學》38卷2期，民70年2月）、張守初〈閻錫山這個人〉（《中外雜誌》30卷2期，民70年8月）、韓克溫〈也談閻錫山〉（同上，30卷4期，民70年10月）、劉杰〈閻伯川先生的素養、待人、理事與思想〉（《傳記文學》31卷5期，民66年11月）、郭澄〈懷念閻伯川先生〉（同上）、張子揚〈我所認識的閻伯川先生〉（同上）、倪炯聲〈閻伯川先生二三事〉（《傳記文學》31卷5期，民66年11月）、武誓彭〈憶閻伯川〉（同上）、朱點〈閻伯川先生的治事與用人〉（同上）、鄭彥榮〈我對閻伯川先生的認識〉（《山西文獻》22期，民72）及〈憶說閻錫山〉（《中外雜誌》47卷2期，民79年2月）、郭榮生〈山西大家長：閻錫山特立獨行〉（同上，56卷5期，民83年11月）及〈閻錫山：不為利誘不為勢惑的熱血男子〉（《山西文獻》36期，民79年7月）、方聞之〈閻伯川先生是個什麼家〉（同上，40期，民81年7月）、鄧勵豪〈中本位的理性實踐主義者－閻伯川先生〉（《傳記文學》31卷5期，民66年11月）、曾華璧〈閻錫山與民初政局（民國元年至16年）〉（《史原》10期，民69年10月）、傅尚文〈清末山西編練新軍及辛亥革命時期閻錫山充任晉省都督紀實〉（《河北大學學報》1979年1期）、智效民〈閻錫山與辛亥革命的幾個問題〉（《晉陽學刊》1992年1期）、景占魁〈應當肯定閻錫山在辛亥革命中的作用〉（同上，1986年6期）、繆玉青〈閻錫山與孫中山－兼述辛亥山西光復經過〉（《山西文獻》39期，民81年1月）、葉昌綱〈《孫中山評閻錫山》質疑〉（《晉陽學刊》1989年1期）、Donald G. Gillin, "Portrait of a Warlord: Yen Hsi-Shan in Shansi Province ,1911-1930" (The Journal of Asian Studies, Vol. 19, No.3, May 1960)、潘榮〈閻錫山與晉系的形成〉（《歷史教學》1984年11期）、劉書禮、張生〈略論閻錫山與晉系軍閥的崛起〉（《山西大學學報》1995年1期）、陳存恭〈閻錫山與晉軍的興衰〉（載《中華民國史專題論文集：第二屆討論會》，臺北，國史館，民82）、郭榮生〈晉綏軍史稿〉（《山西文獻》10期，民66）、阮家新

〈民國軍隊派系追蹤—晉綏軍系〉(《軍事史林》1996年1期)、楊
溫如〈閻錫山的王牌軍—〝親訓師〞〉(《縱橫》1996年6期)、魏
汝霖〈我與山西軍〉(《中外雜誌》30卷4期,民70年10月)、張鐵綱
〈閻錫山與袁世凱〉(《山西地方志通訊》1986年6期)、邁國英
〈略談閻錫山在山西的統治〉(《山西師大學報》1994年3期)、李
淑華〈〝六政三事〞述論—閻錫山初任山西省長時推行的國民政
治的核心內容〉(《山西大學學報》1994年2期)、園田次郎〈山西
の閻錫山氏と語る〉(《支那》18卷8號,1927年8月)、楊天石〈論
1927年閻錫山易幟〉(《民國檔案》1993年4期)、張菊香〈閻錫山
反蔣始末〉(《北京科技大學學報》1988年2期)、魯輝〈論閻錫山
與蔣介石的政治關係〉(《晉陽學刊》1992年5期)、范力〈閻錫山
與中原大戰〉(《歷史教學》1993年4期)、李靜之〈試論蔣馮閻中
原大戰〉(《近代史研究》1984年1期)、韓信夫〈閻錫山的黨統主
張與北平擴大會議〉(《民國檔案》1994年2期)、曾景忠〈九一八
事變後閻錫山的擁蔣統一立場—對閻錫山與蔣介石關係的一段側
面觀察〉(《山西師大學報》1994年4期)、李代玲、李吉〈閻錫山
與華北事變〉(《學術論叢》1994年2期)、王靜〈閻錫山與西安事
變〉(《晉陽學刊》1994年2期)及〈試論閻錫山在西安事變中的作
用〉(《北京黨史研究》1994年1期)、陳曉慧〈閻錫山與西安事變
史料選輯〉(《國史館館刊》復刊10期,民80年6月)及〈抗戰時期閻
錫山與日本〝合作〞的真相〉(同上,第9期,民79年12月)、李代
玲〈閻錫山與西安事變〉(《山西大學學報》1986年4期)、張魁堂
〈閻錫山—西安事變中的不倒翁〉(《人物》1994年1期)、智效民
〈抗戰前閻錫山同蔣介石的關係〉(《晉陽學刊》1995年4期)、內

田知行〈閻錫山の民眾統制と抗日民族統一戰線〉(《中國史における社會と民眾：增淵龍夫先生退官記念論集》東京，汲古書院，1983)、王秀鑫〈山西十二月事變前後我黨對閻錫山的政策〉(《黨史研究》，1985年1期)、王雙梅〈中國共產黨與閻錫山抗日統一戰線的建立及其在抗戰初期的特點〉(同上，1987年4期)、宮永康、楊洪範〈我黨同閻錫山的抗日統一戰線初探〉(《遼寧師大學報》1985年6期)、劉信君〈淺析抗戰爆發前後閻錫山與蔣、共、日的關係〉(《社會科學戰線》1992年2期)、魯輝〈關於閻錫山對日、蔣、共的政治策略及其運動規律的歷史考察〉(《學術論叢》1994年5期)、王貴安〈閻錫山守土抗戰原因探析〉(《山西師大學報》1995年2期)、雒春普〈評閻錫山的〝守土抗戰〞〉(《晉陽學刊》1993年6期)及〈閻錫山與第二戰區的〝冬季攻勢〞〉(《抗日戰爭研究》1994年2期)、劉信君、欒同〈淺析閻錫山的〝抗日和日〞策略〉(《文史研究》1990年1期)、盧學禮〈閻伯川先生在抗日戰爭時期謀略戰的運用〉(《山西文獻》22期，民72年7月)、暢引婷〈論閻錫山抗戰時期對日態度的轉變〉(《山西師大學報》1989年2期)、藤井志津枝〈日本對閻錫山的誘和活動〉(《國史館館刊》復刊14期，民82年6月)、張穎、王振坤〈抗戰時期閻錫山與日本的秘密勾結〉(《歷史教學》1987年5期)、景占魁〈簡評抗戰時期的閻錫山〉(同上，1989年5期)、何理譯〈抗戰時期閻錫山通敵史實─日軍戰史摘譯〉(《黨史研究資料》1982年6期)、高培英〈閻錫山抗戰時期的山西統一戰線〉(《理論探索》1995年5期)、宋存戈〈閻錫山〝聯共抗日〞的一段歷史〉(《民國春秋》1989年3期)、吳文蔚〈閻錫山先生的反共哲學〉

（《文藝復興》109期，民69年1月）、李鈞〈閻錫山抗戰紀略〉
（《中國現代史學會通訊》1983年3期）、吳文蔚〈紀念五百完人追思
閻百川先生〉（《政治評論》38卷3期，民69）、張元慶〈〝廚子將
軍〞閻錫山〉（《中外雜誌》33卷3期，民72年3月）、喬家才〈閻錫
山的豪情〉（同上，37卷2期，民74年2月）、宇贊〈閻伯川先生的
思想精義〉（《山西文獻》23期，民73年1月）、鄧勵豪〈闡述閻伯
川先生之政哲理念〉（《山西文獻》39期，民81年1月）、張萬學
〈論閻錫山的政治思想〉（《山西師大學報》1986年1期）、景占魁
〈閻錫山經濟思想簡論〉（《晉陽學刊》1991年5期）、李紹嶸〈閻
錫山的社會思想〉（《中國一周》816期，民54）、李茂盛〈評閻
錫山的〝社會主義〞思想〉（《晉陽學刊》1994年3期）、景占魁
〈閻錫山的教育思想〉（同上，1993年2期）、成新文〈評閻錫山
〝中〞的哲學〉（《晉陽學刊》1992年6期）、方聞〈閻百川先生的
宇宙觀、人生觀、政治主張〉（《中國一周》579期，民50）、吳文
蔚〈閻伯川（錫山）先生的哲學思想〉（《山西文獻》38期，民80
年7月）、李鳳行〈閻伯川先生哲學思想及其他〉（同上，33期，民
78年1月）、江燦騰〈閻錫山的「喇嘛稱」哲學〉（同上）、葉世
昌〈閻錫山的物產證券論和公冶方對它的批評〉（《復旦學報》
1994年1期）、郝建貴〈淺析閻錫山的〝物產證券論〞〉（《文史研
究》1988年1期）、郭學旺〈閻錫山與傳統儒學〉（《晉陽學刊》1994
年4期）、張全盛、徐婕〈評閻錫山的《軍國主義譚》〉（同上，
1994年3期）、田酉如〈閻錫山與日本軍國主義的關係〉（同上，
1993年5期）、葉昌綱、黃仁杰〈閻錫山與日本的前期關係〉
（《晉陽學刊》1984年5期）及〈閻錫山與日本關係初探〉（載《中日

關係史論集》，長春，吉林人民出版社，1989）、葉昌綱〈閻錫山的日本觀〉（《山西大學學報》1993年4期）、蔣維喬〈閻錫山督軍治晉記〉（《教育雜誌》11卷2號）、活利‧佛里貝爾易〈試探閻錫山的〝民主建設〞〉（《晉陽學刊》1994年1期）、Philip A. Kuhn〈閻錫山與政治的現代化〉（載《中華民國初期歷史研討會論文集》上冊，臺北，民73）、陳淑銖〈閻錫山「土地村公有制」政策始末〉（《國史館館刊》復刊第8期，民79年6月）、盧學禮〈閻錫山先生土地改革的歷程〉（《山西文獻》45期，民84年1月）、智效民〈閻錫山的〝六政三事〞與〝民用政治〞—民國初年山西新政初探〉（《晉陽學刊》1996年6期）、李淑蘋〈〝六政三事〞述論〉（《山西大學學報》1994年2期）、成新文〈評閻錫山的村鎮建設〉（同上，1995年1期）、曾華璧〈政治性的村治—閻錫山與山西村治研究（民國元年至16年）〉（《思與言》19卷4期，民70年11月）、內田知行〈閻錫山政權と1930年代山西省における經濟變動〉（《現代中國》58號，民73年4月）、景占魁〈簡論閻錫山在山西的經濟建設〉（《晉陽學刊》1994年3期）、盧學禮〈閻錫山先生經濟改革的理念與實踐〉（《山西文獻》43期，民83年1月）、孔祥毅〈閻錫山早期的銀行資本—山西官錢局和晉勝銀行〉（《山西財院學報》1980年1期）、尚作湖〈閻錫山強占津海關始末〉（《天津史志》1989年2期）、內田知行〈閻錫山の財政整理事業：1930年代中國における軍閥地方割據についての一考察〉（《一橋論叢》91卷6號，1984）、〈1930年代における閻錫山政權の財政政策〉（《アジア經濟》25卷7號，1984年7月）及〈1930年代閻錫山政權の對外貿易政策〉（《中國研究月報》548號，1993年10月）、盧學禮〈閻錫山與山

西全省民營事業〉(《山西大學學報》1996年2期)、劉建生、劉鵬
生〈閻錫山與山西商業貿易〉(《晉陽學刊》1996年2期)、郭學旺
〈閻錫山的企業活動〉(《文史研究》1991年3期)、李三謀〈閻錫
山在山西施行的水政〉(《中國經濟史研究》1991年3期)、林秋敏
〈閻錫山與山西天足運動〉(《國史館館刊》復刊18期,民84年6
月)、楊懷豐〈閻錫山與民族革命同志會〉(《文史研究》1988年1
期)、王金香〈閻錫山禁煙述評〉(《晉陽學刊》1995年2期)、劉
存善〈閻錫山三次封閉國民黨省黨部〉(《縱橫》1993年1期)、劉
展〈閻錫山晉西監獄之見聞〉(《文史研究》1988年1期)、楊玉文
〈閻錫山與山西軍火工業〉(《縱橫》1985年5期)、閻鐘、劉書禮
〈略論閻錫山與山西的軍事工業〉(《山西大學學報》1996年6
期)、Donald G. Gillin, "China's First Five-year Plan: Industr
alization under the Warlords as Reflected in the Policies of Yen
Hsi-Shan in Shangsi Province, 1930-1937." (The Journal of Asian
Studies, Vol. 24, No.2, February 1965)、山西政協供稿〈閻錫山在山
西〉(《近代史資料》1982年3期)、鄧勵豪〈閻錫山苦心孤詣保存
政府統緒〉(《山西文獻》42期,民82年7月)、鄧啟〈憶閻張賈三
公領導作風〉(同上)、王明星〈閻錫山修建同蒲窄軌鐵路述
評〉(《山西師大學報》1996年3期)、景占魁〈簡論閻錫山對技術
人才的發掘〉(《教學與管理》1985年2期)、成新文〈評閻錫山的
〝人論〞〉(《晉陽學刊》1996年2期)、劉吉人〈閻錫山和他的家
族〉(《縱橫》1983年2期)、繆玉青〈閻錫山與孫中山先生〉
(《山西文獻》39期,民81年1月)、鄧勵豪〈閻錫山與國父孫中山
先生〉(《廣東文獻》25卷1期,民84年3月)、趙啟重、曾永玲〈明

爭暗鬥幾十載—蔣介石與閻錫山〉（程舒偉、雷慶主編《蔣介石的人際世界》，長春，吉林人民出版社，1994）、鄧啟〈閻錫山與蔣介石〉（《中外雜誌》53卷2期，民82年2月）、原馥庭〈閻錫山與蔡鍔及李敏〉（《雲南文獻》25期，民84年12月）、任振河〈張學良五訪閻錫山〉（《近代史研究》1994年2期）、梁正〈〝趕驢上山〞毛澤東與抗戰初期的閻錫山的交往〉（《黨史縱橫》1994年3期）、陳之芬〈孔庚與閻錫山〉（《湖北文獻》106期，民82年1月）、喬家才〈閻錫山與戴笠〉（《中外雜誌》48卷3期，民79年9月）、岑瑞祺〈閻錫山與穆光政事件及其他〉（《中外雜誌》31卷1期，民71年1月）。

至於晉系其他人物要以傅作義和徐永昌的論著及資料為最多，編者六、七年前開始蒐集有關傅氏的論著和資料，準備研究其人其事，當時已出版的專書或資料集僅有全國政協文史資料研究委員會編《傅作義生平》（北京，文史資料出版社，1985：其後1995年北京之中國文史出版社再行出版，易名為《傅作義將軍》）、樊真《抗日戰爭中的傅作義》（太原，山西人民出版社，1985）及蔣曙晨《傅作義傳略》（北京，中國青年出版社，1990）三本而已；其後中國大陸又陸續出版了王宗仁、史慶冉《傅作義將軍與北平和談》（北京，華藝出版社，1991）、陳立華《上將的抉擇：傅作義背叛蔣介石的內幕紀實》（三環出版社，1992）、師東兵《傅作義血戰涿州城》（成都，四川人民出版社，1995）、張新吾《傅作義之一生》（北京，群眾出版社，1995），多非嚴謹的學術研究成果，師東兵氏之書且為長篇紀實文學。論文或文章約二、三十篇，散見於各學報、雜誌、地方文獻之中，散篇的資料多載於各級文史資料選輯（如《文史資料選輯》、《山西文史資料》、《內蒙古文史資料選輯》《河北文史資料選輯》等）內，相較之下，臺港地區及日、英文的論著資料，要少得多。關於徐永昌，重要的有《徐永昌日記》（12冊，臺北，中央研究院近代史研究所，民79-80）、《徐永昌將軍求己齋回憶錄》（臺北，傳記文學出版社，民78）、趙正楷、陳存恭合編《徐永昌先生函電言論集》（臺北，中央研究院近代史研究所，民85）、徐永昌先生紀念集編輯小組編印《徐永昌將軍紀念集》（臺北，民51）、趙正楷《徐永昌傳》（臺北，山西文獻社，民78）、吳相湘〈東京灣受降的徐永昌〉（《傳記文學》7卷3期，民54年9月）、張錦富〈徐永昌米蘇里艦受降日記〉（《中外雜誌》12卷4期，民61年10月）、陳存恭〈現代專業軍人典範—徐永昌〉（載《近代中國歷史人物論文集》，臺北，中央研究院近代史研究所，民82）、徐士瑚〈徐永昌先生從孤兒到將軍〉（《山西文獻》47、48期，民85年1、7月）、趙正楷〈「少言勿怒—徐永昌先生的修養及其事功〉（同上，39期，民81年1月）、王成聖〈徐永昌協調南北〉（《中外雜誌》13卷5、6期，民62年5、6月）、張錦富〈徐永昌勳名有自〉（同上，25卷6期、26卷2期，民68年6、8月）、喬家才〈徐永昌將軍的傳奇〉（同上，40卷2期，民75年8月）等。至於商震、趙戴文、楊愛源、張蔭梧、王靖國等晉系要人的論著及資料則較少。他如李毓澍訪問、陳存恭紀錄〈晉閻的司庫李鴻文訪問紀錄〉（載《口述歷史》第2期，民80年2月）。

6.滇系

以Donald S. Sutton, Provincial Militarism and the Chinese

Republic: The Yunnan Army, 1905-1925（Ann Arbor: University of Michigan Press, 1980）一書最為有名，該書原為1970年作者在英國劍橋大學之博士論文（The Rise and Decline of the Yunnan Army, 1909-1925），全書共分12章，不僅縷述滇軍的由來、發展及雲南省軍政的演變，對於滇軍在四川、廣東境內的動向，亦有頗多的論述，其部分章節有中譯文，如曹維瓊譯、馬沈龍校〈從地方割據到衰敗：滇軍在廣東和雲南（1916-1922）〉（《研究集刊》，原名《雲南省歷史研究所研究集刊》，1985年1期起改名《研究集刊》，1987年2期）為該書之第11章；荊德新譯，趙鴻昌校〈1916年至1920年滇軍在四川的統治〉（同上，1987年1期）為第10章；孫代興譯、趙鴻昌校〈雲南軍閥主義和國民黨〉（同上，1986年2期）則為第12章。楊維真〈雲南軍閥與北伐戰爭〉（載《中國現代史專題研究報告》18輯，民85）。謝本書《唐繼堯評傳》（鄭州，河南教育出版社，1985），楊維真《唐繼堯與西南政局》（臺北，臺灣學生書局，民83），均為同類中文論著中的代表作，後者原為民國78年作者在政治大學歷史研究所之碩士論文。民國初期印行有關唐繼堯的專書有東南編譯社編述《唐繼堯》（震亞圖書局發行，民14；臺北，文海出版社影印，民56），該書書後附有唐氏所撰之〈東大陸主人誌錄〉；庾恩暘《再造共和唐會澤大事記》（昆明，雲南圖書館，民6）、魏家猷《唐會澤言行錄》（昆明，雲南官印局印刷，民12）、唐繼堯《唐繼堯日記》（抄本，1冊）、《唐會澤遺墨》（民17年影印本）、《會澤筆記》（與《會澤四秩榮慶錄》合為一冊，臺北，文海出版社影印，民61）、《會澤首義文牘》（2卷，雲南圖書館排印本，民6）、《會澤督黔文牘》（6卷，同上，民9）及《會

澤靖國文牘》（7卷，民初排印本）、庾恩暘《中華護國三傑傳》
（雲南圖書館印行，民6）、龍雲等《雲南省政府總裁唐公行狀》
（個人刊行，内收唐繼堯行狀碑表）、庾楓漁《雲南首義主義英杰會
澤唐公史略》（雲南開智公司，爲《擁護共和義聲日報》週年紀念贈
品，有圖像）；《會澤四秩榮慶錄》（民11年7月出版，有圖像，分爲
壽文、壽詩、壽對、壽額四部分）。論文方面有謝本書〈論唐繼堯〉
（《近代史研究》1981年2期）、〈再論唐繼堯〉（《曲靖師專學報》
1987年1期）、〈唐繼堯的發跡和敗亡〉（《民國春秋》1987年3期）
及〈三論唐繼堯〉（《雲南檔案史料》1992年1期）、何宇白〈唐繼
堯傳〉（《中外雜誌》28卷4期，民69年10月）、鈴木健一〈唐繼堯と
雲南政權─辛亥革命後の地方軍閥の動を〉（載《木村正雄先生退
官記念東洋史論集》，東京，1976）、馬仲明〈也談唐繼堯的歷史功
過〉（《研究集刊》1987年2期）、顧大全〈試評唐繼堯入據貴州〉
（《貴州文史叢刊》1981年3期）、譚家祿〈唐繼堯主滇史述〉（《雲
南文獻》21期，民80年12月）、孫代興〈試評唐繼堯在護國運動中的
態度和作用〉（《雲南省歷史研究所研究集刊》1980年1期）、高建國
〈試論唐繼堯在護國運動中的作用〉（《雲南師大學報》1988年3
期）、楊維真〈唐繼堯與護國之役〉（《雲南文獻》18期，民77年12
月）、朱曉紅〈唐繼堯與護國戰爭的發動〉（《文史雜誌》1993年3
期）、張貢新〈論唐繼堯的護國革命思想及其對護國運動的特殊
貢獻〉（《民族文化》1983年3期）、鄒明德〈1915年唐繼堯任可澄
致袁世凱漾電的考證〉（《學術月刊》1980年11期）、王善中〈護國
戰爭第一通電報〉（《雲南社會科學》1982年3期）、中國第二歷史
檔案館〈護國運動期間唐繼堯等文電一組〉（《歷史檔案》1981年4

期）、王一景、陳正卿〈護國戰爭後期唐繼堯、繆嘉壽等來往密電及有關佚文〉（《檔案與歷史》1987年4期）、后希鎧〈政海秘聞㈦：英雄無用武之地—唐繼堯與護國軍興衰〉（《中外雜誌》45卷6期，民78年6月）、沈雲龍〈雲南起義與護國三傑（蔡鍔、李烈鈞、唐繼堯）：紀念雲南護國軍起義七十周年〉（《雲南文獻》16期，民75年12月）、后希鎧〈唐繼堯與蔡鍔：紀念「雲南起義」七十周年並試釋唐蔡「爭功」公案〉（《傳記文學》47卷6期，48卷1期，民74年12月，75年1月）、李天健〈唐繼堯與蔡鍔〉（《雲南文獻》25期，民84年12月）、楊維真〈論蔡鍔與唐繼堯〉（《政大歷史學報》13期，民85年4月）、謝本書〈蔡（鍔）、唐（繼堯）、龍（雲）、盧（漢）之比較〉（《雲南方志》1989年3期）、李侃、李占領〈護國時期的唐繼堯與孫中山、梁啟超〉（《民國檔案》1995年3期）、何玉菲〈談護法中的唐繼堯〉（《雲南檔案史料》17期，1987年9月）、荊德新〈唐繼堯與昆明的五四運動〉（《雲南社會科學》1988年2期）、〈評唐繼堯的〝聯省自治〞〉（《西南軍閥史研究》第1輯，1982）、〈唐繼堯與顧品珍對雲南統治權的爭奪〉（《研究集刊》1986年2期）、〈論〝二·六〞政變〉（《西南軍閥史研究》第3輯，1986）及〈唐繼堯的入桂圖粵〉（《研究集刊》1987年2期）、曹維瓊〈孫中山與唐繼堯—兼論孫中山對軍閥的認識〉（同上，1986年2期）、徐萬齡〈孫中山與唐繼堯的聯合和鬥爭〉（《文史哲》1956年12期）、謝本書〈陸榮廷與唐繼堯〉（《雲南師大學報》1996年1期）、梁志強〈唐繼堯破壞北伐拉隊回滇之經過〉（《廣西軍事通訊》1989年1期）、王一景、陳正卿選編〈唐繼堯等關於向日本借款購買軍火密電稿〉（《檔案與史學》1994年3期）、李珪〈唐繼堯統治時期的雲南地方官僚資本概述〉（《經濟問題探索》1983年7期）、溫梁華〈唐繼堯與雲南高等教育〉（《雲南社會科學》1986年6期）。以滇系為題的有滇軍史編輯部〈滇軍史·人物篇〉（《雲南文史叢刊》1995年1-3期）、黃茂槐〈唐繼堯與東南亞華僑〉（《雲南文獻》25期，民84年12月）、后希鎧〈從唐繼堯到龍雲〉（同上，18期，民77年12月）及〈政海秘聞—從唐繼堯到龍雲〉（《中外雜誌》44卷5、6期，45卷1-3期，民77年11、12月、78年1-3月）。孫代興〈滇系軍閥始末簡述〉（《西南軍閥史研究叢刊》第1輯，1982）、林荃〈評滇軍辛亥入黔〉（《昆明師院學報》1983年2期）、華生〈民六成都滇川軍之戰〉（《四川文獻》93期，民59年5月）、佚名《丁巳滇川軍閥紀錄》（臺北，文海出版社影印，民56）、荊德新〈1920年川滇黔在四川的戰爭〉（雲南省歷史研究所《研究集刊》1985年1期）、胡以欽〈護法時期的駐粵滇軍〉（《雲南文史叢刊》1985年3期）、孫代興〈論駐粵滇軍〉（《研究集刊》1986年1期）、孫代興〈滇軍第二次入黔淺析〉（《西南軍閥史研究叢刊》第1輯，1982）、李志高〈滇軍第二次侵黔時黃果樹之戰日期〉（《貴州文史叢刊》1993年4期）、吳寶璋、范建華〈第一次滇桂戰爭的性質及影響〉（《雲南師大學報》1985年5期）、孫代興〈滇系軍閥的發展變化與國民黨新軍閥混戰的關係〉（《雲南省歷史研究所研究集刊》1984年1期）及〈國民黨新軍閥混戰與滇系軍閥的演變〉（《雲南師大學報》1985年4期）、蕭本元等〈唐繼堯被推翻後滇軍內部的三年混戰〉（《雲南文史叢刊》1986年2期）、張家德〈論1935年滇軍兩次入黔〉（《昆明師院學報》1984年1期）、謝本書〈1937-1945年的雲南與滇軍抗戰〉（《研究集刊》1987年2

期）、曹維瓊〈滇越鐵路與滇系軍閥〉（同上，1988年1期）、張笑春〈近代雲南的軍閥統治與鴉片〉（《雲南教育學院學報》1988年1期）、李明〈民國期間雲南的軍隊和軍事機關〉（《雲南檔案史料》1990年4期）、王國平〈論雲南護國軍政府的戰前動員〉（《研究集刊》1990年合刊本）。

其他的滇系要人有謝本書《龍雲傳》（成都，四川民族出版社，1988）、江南《龍雲傳》（臺北，天元出版社，民76；北京，中國友誼出版社，1989）、馬子華《龍雲——一個幕僚眼中的雲南王》（昆明，雲南美術出版社，1994）、萬揆一〈龍雲與雲南四次政變〉（《雲南文獻》23期，民82年12月）、譚家祿〈龍雲在滇史跡〉（同上，24期，民83年12月）、廖位育〈有關保儸軍閥龍雲南種種〉（《傳記文學》43卷6期、44卷1期，民72年12月、73年1月）、趙振鑾〈龍雲和蔣介石的合與分之我見〉（《雲南省歷史研究所研究集刊》1983年2期）、謝本書〈龍雲與昆明的民主運動〉（《研究集刊》1986年1期）、雲南省檔案館〈粵桂〝六一〞反蔣事變中的龍雲〉（《雲南檔案史料》1984年6期）、胡以欽整理〈龍雲主持雲南時期的滇軍〉（《雲南文史叢刊》1993年2期）、菊池一隆〈雲南省の戰時經濟建設：軍閥龍雲と蔣介石〉（收於野口鐵郎編《中國史における中央政治と地方社會》科研報告書，1986）、后希鎧〈龍雲如何發跡〉（《傳記文學》46卷4期，民74年4月）、張增智〈龍雲如何走上反蔣擁共的道路〉（《雲南現代史料叢刊》第4輯，1985）、于翔麟〈關於《龍雲如何發跡》幾點補正〉（《傳記文學》46卷5期，民74年5月）、后希鎧〈龍雲主滇漫談〉（同上，51卷6期，民76年12月）、〈龍雲新傳㈠—唐繼堯養虎貽患〉（《中外雜誌》46卷2期，民78年8月）、〈認真建設雲南—龍雲新傳之二〉（同上，46卷4期，民78年10月）、〈雲南王傳奇—龍雲新傳之三〉（同上，46卷5期，民78年11月）、〈我們是愛國的—龍雲新傳之四〉（同上，48卷4期，民79年10月）及〈龍雲的傳奇〉（《雲南文獻》19期，民78年12月）、林興智〈龍雲省主席效命中央的幾項勞績〉（同上，20期，民79年12月）、馬履諾〈龍雲殺張汝驥〉（《中外雜誌》15卷6期，民63年6月）、張巨成、黃學昌〈龍雲與民盟關係論略〉（《雲南學術探索》1995年1期）、蔡德金〈汪精衛叛逃與龍雲〉（《檔案與歷史》1988年1期）、潘先林〈滇西抗戰中的龍雲與蔣介石〉（《雲南大學哲學社會科學學報》1995年4期）、萬辭輝〈龍雲調離昆明經過〉（《傳記文學》39卷6期，民70年12月）、萬揆一〈杜聿明逼走龍雲的來龍去脈〉（《民國春秋》1995年2期）及〈蔣介石與龍雲最初幾次會面〉（同上，1994年2期）、卜桂林〈龍雲與蔣介石關係的演變〉（《上海師大學報》1990年4期）、趙啟重、曾永玲〈蔣的眼中釘「雲南王」—蔣介石與龍雲〉（程舒偉、雷慶主編《蔣介石的人際世界》，長春，吉林人民出版社，1994）、姚仁雋、孫璞方〈解放戰爭時期起義的部分原國民黨知名將領簡介：龍雲〉（《人物》1985年3期）、廖位育〈為拙作《保儷軍閥龍雲》一文答江南先生〉（《傳記文學》46卷4期，民74年4月）、黃永金〈黨的抗日民族統一戰線工作與龍雲的思想轉化〉（《雲南師大學報》1987年6期）、方辭輝〈龍雲調離昆明經過〉（《傳記文學》39卷6期，民70年12月）、力文〈蔣介石策動的雲南倒龍事變〉（《民國春秋》1989年6期）、胡春惠、楊維真〈勝利前後龍雲與中央的關係〉（《國父建黨革命一百周年學術討論會論文集》第3冊，民84）、李師弼〈龍雲南京虎口脫臉記〉(《文史通訊》1981年2期)、陳香梅〈陳納德協助龍雲逃港的一段往事〉(《傳記文學》67卷3期,民84年9月)。顧品珍《護國靖國函稿》(4冊)、李志正等〈楊希閔滇軍始末〉(《雲南文史叢刊》1986年4期)、荊德新〈馬驥及其雲南自治討賊軍〉(《雲南師大學報》1988年3期)、吳寶璋、饒昆生〈范石生傳略〉(同上,1987年4期)、李殿元〈論〝商團事件〞中的范石生〉(《民國檔案》1992年3期)、劉學民〈朱德與范石生的統一戰線〉(《黨史研究》1986年3期)、姚仁雋、孫璞方〈解放戰爭時期起義的部分原國民黨知名將領簡介:盧漢傳〉(《人物》1985年3期)、謝本書等《盧漢傳》(成都,四川民族出版社,1990)、張葛天〈盧漢這個人〉(《中外雜誌》40卷5期,民75年11月)、譚家祿〈盧漢在滇崛起事跡〉(《雲南文獻》25期,民84年12月)、謝本書〈盧漢巧與蔣介石周旋—昆明起義前的一場尖銳鬥爭〉(《民國春秋》1993年1期)、李玉等編《西南義舉:盧漢、劉文輝起義紀實》(成都,四川人民出版社,1988)。其他相關的論著有徐繼濤主編《雲南近現代風雲人物錄》(昆明,雲南美術出版社,1994)、馬繼孔、陸復初、王海濤《雲南陸軍講武堂史》(昆明,雲南民族出版社,1993)、John C. S. Hall, The Yunnan Provincial Faction, 1927-1937.(Canberra: Austrian National University, 1976)。

7.桂系

此處祇列舉舊桂系(以陸榮廷為首的軍閥集團)的資料、論著,至於新桂系(李宗仁、黃紹竑、白崇禧等人)因崛起較晚,其作風與舊桂系迥異,且與國民革命關係密切,在日後國民政府時期多為軍政要人，故新桂系的資料、論著容後在「十年建國」
中再行列舉。關於舊桂系軍閥的資料、論著並不多見。僅有陸君
田、蘇書選《陸榮廷傳》（南寧，廣西民族出版社，1987）、黎國
璞、陸君田《亂世梟雄─陸榮廷傳奇》（桂林，灕江出版社，
1986）、黃益謙《陸榮廷與廣西》（政治大學歷史研究所碩士論文，
民75年6月）、黃碧琴〈舊桂系軍閥頭子陸榮廷〉（《廣西民族學院
學報》1979年3期）、韋瑞霖〈桂系軍閥陸榮廷傳記〉（《西南軍閥
史研究》第1輯，1982）、陳壽民〈兩廣巡閱使陸榮廷評傳〉（《廣
西文獻》31期，民74年1月）、范同壽〈陸榮廷散論〉（《貴州社會科
學》1996年2期）、蘇書選、陸君田〈陸榮廷生平簡表〉（《玉林師
專學報》1985年1-3期）、李魄〈陸榮廷數事補紋〉（《廣西文獻》第6
期，民68年10月）、莫世祥〈歷史的嚴竣與寬容：陸榮廷評價縱橫
談〉（《廣西民族研究》1996年1期）、彭大雍〈重評陸榮廷〉（《廣
西民族學院學報》1996年1期）、饒任坤〈從大處評價陸榮廷的功過
是非〉（《學術論壇》1996年1期）、廖大偉〈從行乞孤兒到桂系首
領─試析陸榮廷發跡的原因〉（《史林》1996年1期）、莫杰〈陸榮
廷上臺和舊桂系軍閥的特點〉（《玉林師專學報》1980年1期）、仲
一〈對於陸榮廷參加同盟會問題的質疑〉（《學術論壇》1979年3-4
期）、李壽華〈淺談陸榮廷在辛亥革命中的複雜性〉（《玉林師專
學報》1996年4期）、李魄〈陸榮廷與辛亥革命、討袁、護法及其
失敗〉（《廣西文獻》第4期，民68年4月）、林茂高〈陸榮廷與護國
運動〉（《廣西師院學報》1983年4期）、高光漢〈陸榮廷與討袁護
國戰爭〉（《雲南教育學院學報》1986年1期）、丁長青〈陸榮廷附幟
討袁史略〉（《史志文萃》1989年1期）、黃成授〈論護法運動中陸

榮廷與孫中山的關係〉（《廣西民族學院學報》1996年2期）、李寧、李鳳飛〈試論陸榮廷參加討袁護國戰爭的主要原因及其歷史作用〉（《松遼學刊（四平師院學報）》1996年1期）、梁志強〈陸榮廷在柳州通電反袁之因果〉（《廣西軍事志通訊》1987年2期）、陸炬烈〈陸榮廷建省會於南寧試析〉（《廣西民族學院學報》1996年2期）、莫杰〈陸榮廷軍閥政權的出現和覆滅〉（《學術論壇》1980年4期）及〈論陸榮廷軍閥政權〉（《西南軍閥史研究叢刊》第1輯，1982）、蘇書選〈略談陸榮廷的治桂權術〉（同上，第2輯，1983）、羅重實〈簡論陸榮廷向外擴張及其社會後果〉（《玉林師專學報》1985年1期）、莫家仁〈陸榮廷統治廣西的經濟措施〉（《廣西民族研究》1996年1期）、羅重實〈淺論陸榮廷二次興兵圖粵〉（同上，1985年3期）及〈淺談陸榮廷二次興兵圖粵與孫中山援桂討陸之戰〉（《玉林師專學報》1996年1期）、梁學乾〈陸譚兩次重要粵桂之戰〉（《廣西文獻》40期，民77年4月）及〈陸榮廷再起再落〉（同上，41期，民77年7月）、黃崑山〈陸榮廷與譚浩明〉（同上，26期，民73年10月）、莫濟杰〈孫中山和陸榮廷〉（載《辛亥革命論文集》，廣州，廣東人民出版社，1982）、謝本書〈陸榮廷與唐繼堯〉（《雲南師大學報》1996年1期）；1995年10月9日至12日，陸榮廷學術討論會在陸氏之家鄉廣西武鳴縣舉行，共有115人參加，會中宣讀論文多篇。黃宗炎〈桂系軍閥史研究綜述〉（《學術研究動態》1991年10期）、黃宗炎〈護國運動與舊桂系的興亡〉（《學術論壇》1988年3期）、郭洛〈論舊桂系在護國運動中的作用〉（《廣西黨校學報》1989年1期）、李澄〈舊桂系軍閥的崛起〉（《唐山師專唐山教育書院學報》1990年2期）、高紅霞〈略論舊桂系

集團的特點〉(《學術論壇》1995年6期)、李培生《桂系據粵之由
來及其經過》(廣州,民10;臺北,文海出版社影印,民60)、熊宗仁
〈也論桂系據粵由來〉(《廣州研究》1986年7期)、謝蕙風〈桂系
與廣州軍政府(1917-1920)〉(《聯合學報》第7期,民79年11月)、
夏琢瓊、鍾維珍〈舊桂系軍閥在廣東〉(《西南軍閥軍研究叢刊》
第2輯,1983)、黃宗炎〈腐朽反動勢力逃脫不了失敗的命運—舊
桂系軍閥在廣東被逐經過〉(《玉林師專學報》1985年2期)、莫濟
杰〈軍閥的基本特徵和新舊桂系的比較研究〉(《學術論壇》1985
年2期)及〈關於新舊桂系軍閥的幾個問題〉(《廣西地方志》1987
年2期)、阮家新〈民國軍隊派系追蹤—桂系〉(《軍事史林》1996
年6期)。廣西師範學院歷史系《桂系軍閥》資料室〈沈鴻英傳
略〉(《西南軍閥史研究叢刊》第1輯,1982)。

8.川、黔、湘、粵各系

在北洋軍閥統治時期,雲南、廣西、四川、貴州、湖南、廣
東,一般稱之為西南六省(或各省),這六省的軍人(或軍
閥),均非屬北洋派系統,1950年以後的三十年間,史學界對西
南軍閥史的研究並不重視,1980年4月,西南軍閥史研究會在成
都成立,日後並發行《西南軍閥史研究叢刊》專事刊載西南軍閥
史及與其相關的論文,使西南軍閥史的研究,向前邁進了一大
步。以整個西南軍閥為題的專書有謝本書主編《西南軍閥》(上
海,上海人民出版社,1993)及《西南十軍閥》(上海,上海人民出版
社,1993),十軍閥為「唐繼堯」(謝本書撰)、「陸榮廷」
(黃宗炎撰)、「劉湘」(馬宣偉撰)、「劉顯世」(熊宗仁

撰）、「陳炯明」（丁身尊撰）、「趙恒惕」（歐金林撰）、
「陳濟棠」（孫國權撰）、「何鍵」（李炳圭撰）、「楊森」
（吳嘉陵撰）、「龍濟光」（孫代興撰），另附「袁祖銘」（馮
祖貽、劉毅翔撰）、謝本書、馮祖貽主編；范同壽等著《西南軍
閥史》第1-3卷（貴陽，貴州人民出版社，1991，1994）。以整個西南
軍閥為題的論文有謝本書〈論西南軍閥〉（《雲南省歷史研究所研
究集刊》1985年1期）及〈簡論西南軍閥〉（《歷史教學》1987年7
期）、〈西南軍閥形成的重要標志〉（《西南軍閥史研究叢刊》第3
輯，1986）及〈關於西南軍閥史研究中的若干問題〉（《江海學
刊》1984年6期）、孫代興〈西南軍閥史研究述評〉（載張憲文等編
《民國檔案與民國史學術討論會論文集》，北京，檔案出版社，1988）、
謝本書、王永康〈西南軍閥史研究中的的幾個問題〉（《西南軍
閥史研究叢刊》第1輯，1982）、榮孟源〈要重視西南軍閥史的研
究〉（同上，第2輯，1983）、楊維駿〈西南軍閥史的上限〉（同
上，第1輯，1982）、楊學東〈試論鴉片與西南軍閥割據的關係—
探索西南軍閥經濟特點之一〉（《湘潭大學學報》1987年增刊）、高
言弘〈西南軍閥與鴉片貿易〉（《學術論壇》1982年2期；亦載《西南
軍閥史研究叢刊》第2輯，1983）、段雲章〈1917-1918年的護法運動
和西南軍閥〉（《西南軍閥史研究叢刊》第1輯，1982）、范同壽〈西
南軍閥與五四運動〉（同上，第5輯，1986）、夏石斌〈從1919年
〝南北和議〞看西南軍閥〉（《吉首大學學報》1989年4期）、丁思
澤、陳長河〈西南軍閥與直皖戰爭〉（《江海學刊》1986年1期）、
范忠程〈北伐前夕西南軍閥的矛盾和衝突〉（《湖南師大學報》
1985年3期）、謝本書〈孫中山與西南軍閥〉（《雲南社會科學》1985

年3期)、張克漢〈國民革命軍與西南軍閥〉(《西南軍閥史研究叢刊》第3輯,1985)、胡漢生〈西南軍閥割據時期之兵源考〉(同上,第2輯,1983)、任建樹〈陳獨秀與西南軍閥〉(《史林》1988年2期)、宋銳喬、倪少玉〈陳獨秀與西南軍閥及其聯省自治〉(《安慶師院學報》1994年1期)、陳正卿〈"五四"運動前後日本拉攏西南軍閥述論〉(《檔案與史學》1994年3期)、常樹華〈試論西南地區軍閥割據時期混亂的貨幣〉(《貴州財經學院學報》1984年4期)、謝本書、牛鴻賓〈蔣介石和西南地方實力派〉(鄭州,河南人民出版社,1990)。以西南川、滇、黔三省軍閥或軍隊為題的有寇偉義《川滇黔軍政之中央化》(臺灣大學歷史研究所碩士論文,民59年9月)、鍾長永、宗良曦〈川、滇、黔軍閥對自貢鹽業的劫掠和控制〉(《西南軍閥史研究叢刊》第2輯,1983)、林建曾〈試論鹽務與川、滇、黔軍閥形成發展的關係〉(同上)、馬宣偉〈川、滇、黔軍在成都巷戰始末〉(同上)、李雙璧〈試論1917年的川、滇、黔軍閥混戰〉(《貴州文史叢刊》1984年2期)、荊德新〈1920年川、滇、黔在四川的戰爭〉(《雲南省歷史研究所研究集刊》1985年1期)、張惠昌、陳祖武〈護法之役川滇黔軍閥進行的權力鬥爭〉(《西南軍閥史研究叢刊》第1輯,1982)、馬宣偉〈孫中山與川、滇、黔軍之戰〉(《貴州社會科學》1987年2期)、彭國亮《西南三省(川、滇、黔)煙毒與禁煙之研究(1911-1940)》(政治大學歷史研究所碩士論文,民70年6月)。

關於川系,以Robert A. Kapp, Szechwan and the Chinese Republic: Provincial Militarism and Central Power, 1911-1938. (New Haven: Yale University Press, 1973:係作者1970年在Yale大學的博

士論文：Szechwanese Provincial Militarism and Central Power in Republican China，經過修改而出版，其中譯本爲殷鍾崍、李惟健譯《四川軍閥與國民政府》，成都，四川人民出版社，1985）一書最有名，該書一方面論述四川的軍事主義與分裂主義，對四川的統治者劉湘、劉文輝、鄧錫侯、田頌堯、楊森，有所探討，一方面論述中央政府對統一四川的努力過程，至抗戰初期國民政府遷至重慶爲止。Kapp尚撰有 "Provincial Independence Vs. National Rule: A Case Study of Szechwan in the 1920's and 1930's." （The Journal of Asian Studies, Vol. 30, No.3, May 1971），爲其博士論文之一部分。四川省文史研究所編《四川軍閥史料》（第1-5輯，成都，四川人民出版社，1981-1988）、匡珊吉、楊光彥主編《四川軍閥史》（成都，四川人民出版社，1991）、蕭波、馬宣偉《四川軍閥混戰（1917-1926年）》（成都，四川省社會科學院出版社，1986）及《四川軍閥混戰（1927-1934年）》（同上，1984）、Michael Paul Phillsbury, Environment and Power: Warlord Strategic Behavior in Szechwan, Manchuria and the Yangtze Delta. （Ph. D. Dissertation, Columbia University, 1980）、四川軍閥史研究會〈研究四川軍閥史的一些基本問題〉（《西南軍閥史研究叢刊》第1輯，1982）、廢止內戰大同盟會〈四川內戰詳記〉（收入章伯鋒主編《近代稗海》第8輯，四川人民出版社，1986）、涂鳴皋〈關於四川軍閥割據混戰的幾個問題〉（《西南師院學報》1980年1期）、傅曾陽〈試析四川軍閥長期混戰之因〉（《四川師大學報》1989年6期）、唐學鋒〈四川軍閥混戰頻繁之原因〉（《西南師大學報》1990年2期）、元江〈關於川軍多是〝雙槍兵〞的質疑〉（《近代史研究》1986年2

期）、匡珊吉、王建軍〈四川軍閥的橫徵暴斂及其社會後果〉
（《西南軍閥史研究叢刊》第2輯，1983）、匡珊吉〈四川軍閥統治下
的田賦附加和預徵〉（同上，第1輯，1982）、黃淑君〈軍閥割據混
戰與四川農民〉（同上）、張瑾〈四川軍閥與封建土地關係〉
（《四川大學學報叢刊》45輯，1989年5月）、S. A. M. Adshead,
" Salt and Warlordism in Szechuan, 1914-1922, " （Modern Asian
Studies, Vol.24, Part.4, October 1990）、四川省政協文史資料研究委
員會等編《川軍抗戰親歷記》（成都，四川人民出版社，1985）、周
錫銀〈軍閥割據下的四川農村經濟〉（《四川師院學報》1984年2
月）、今井駿〈四川軍閥統治下における租稅の構成・分配につ
いての一考察―1934年前後の犍為縣を實例に〉（《人文論集（靜
岡大學人文社會科學人文學科）》39號，1989年1月）及〈四川軍閥統治
下における田賦の「重さ」について〉（《近きに在りて》16號，
1989年11月）、龍岱〈四川軍閥時期的烟禍〉（《西南民族學院學
報》1986年歷史研究專輯）、林壽榮、龍岱〈四川軍閥與鴉片烟〉
（《四川大學學報》1984年3期）、匡珊吉、羊淑蓉〈四川軍閥與鴉
片〉（《西南軍閥史研究叢刊》第3輯，1985年）、宋良曦〈從四川鹽
務稽檢所看軍閥與帝國主義的關係〉（同上）、曹德明〈從劉文
采家族的暴發看四川軍閥的封建性和掠奪性〉（同上）、馬宣偉
〈試論四川軍閥的防區制〉（《新時代論壇》1990年1期）、孫震
〈靖川之役始末記〉（臺北，四川文獻研究社，民68）、華生〈倒熊
與驅滇―民國9年之川中戰事〉（《四川文獻》129期，民62年5
月）、〈四川自治之役―民國10年至12年之川局〉（同上，141期，
民63年5月）及〈民國12年之川戰〉（同上，130、131期，民62年7、8

月）、周開慶（華生）〈川軍受編國民革命軍經過〉（《四川文獻》160期，民65年9月）、張惠昌、陳祖武〈護法之役川、黔軍閥進行的權力鬥爭〉（《西南軍閥史研究叢刊》第1輯，1982）、今井駿〈四川軍閥の啟蒙·宣傳工作—國民革命軍第29軍の場合と實例として〉（《近きに在りて》28號，1995年11月）、馬宣偉、溫賢美《川軍出川抗戰紀事》（成都，四川省社會科學院出版社，1986）、楊光彥、潘洵〈愛國主義傳統與四川軍閥的兩次轉變〉（《西南師大學報》1996年1期）。周開慶編《劉湘先生年譜》（臺北，四川文獻研究社，民64）、楊續雲、喬誠《劉湘》（北京，華夏出版社，1987）、陳秋舫《劉湘專集》（北平實報出版部，民23）、沈默士《劉湘統一四川內幕》（香港，東南亞研究所，1968）、卜桂林〈論劉湘的轉變〉（《民國檔案》1991年2期）、唐學鋒〈劉湘與四川空軍〉（《文史雜誌》1993年3期）、華生〈劉湘傳〉（《四川文獻》11期，民52）及〈劉湘出任第七戰區長官經過〉（同上，67期，民57）、劉航琛〈西安事變中之劉湘─讀「傳記文學」載李金洲著《西安事變親歷記》書後〉（同上，134期，1973年10月）及〈追懷劉湘先生〉（《中外雜誌》19卷6期，民65年6月）、雷嘯岑〈劉湘與王陵基〉（同上，5卷4期，民58年4月；《傳記文學》22卷4期，民62年4月）、李文田〈西安事變與劉湘〉（《中外雜誌》42卷4期，民76年10月）、黎民〈軍閥劉湘的財政搜括〉（《西南軍閥史研究叢刊》第1輯，1982）、袁宙宗〈西南王劉湘別傳〉（《中外雜誌》48卷1期，民79年7月）、王培堯〈劉湘的毀譽〉（同上，41卷1-4期，民76年1-4月）、呂實強〈平心論劉湘〉（同上，48卷2、4、5期，民79年8、10、11月）、費雲文〈劉湘傳奇〉（《中外雜誌》49卷3-5期，民80年3-

5月）、今井駿〈「神仙」劉從雲と軍閥劉湘その「荒唐無稽」な關係についての一考察〉（《靜岡大學人文學部人文論集》40號，1990年1月）、溫賢美〈劉湘率軍出川抗戰經過及其作用和影響〉（《社會科學研究》1994年2期）、戴高翔〈劉湘出川抗戰記〉（《中外雜誌》38卷4期，民74年10月）、羅澤霖〈劉湘出川抗戰秘聞〉（同上，39卷4期，民75年4月）、費雲文〈領軍出川抗戰一劉湘傳奇之四〉（同上，49卷6期，民80年6月）、馬宣偉、溫賢美〈劉湘之死及其喪葬經過〉（《四川文物》1986年1期）、唐潤明〈劉湘對抗戰的積極態度〉（《民國春秋》1995年4期）、韓廣富〈勾結爭鬥死方休一蔣介石與劉湘〉（程舒偉、雷慶主編《蔣介石的人際世界》，長春，吉林人民出版社，1994）、屈小強〈試論二劉相爭的歷史影響〉（《民國檔案》1993年6期）。彭迪先主編、舒國藩、王維明編纂《劉文輝史話（1895-1976）》（成都，四川大學出版社，1990）、劉文輝《走到人民陣營的歷史道路》（北京，三聯書店，1979）、馬五先生（雷嘯岑）、朱德、劉文輝〉（《大成》33期，民65）、馬世弘〈變色龍劉文輝〉（《中外雜誌》50卷2期，民80年8月）、姚仁雋、孫璞方〈解放戰爭時期起義的部分原國民黨知名將領簡介：劉文輝〉（《人物》1985年3期）、楊家楨〈最後決裂一劉文輝起義前後〉（《龍門陣》第6輯，1985）、巴山〈西南風雲錄一戲說劉文輝（之一至八）〉（《中外雜誌》54卷4-6期，55卷1-5期，民82年10-12月，83年1-5月）、李殿元〈略論劉文輝研究中的幾個問題〉（《天府新論》1994年3期）、張國星〈劉文輝的消極避戰與紅軍搶渡大渡河〉（《黨史研究資料》1992年11期）、陳亦榮〈抗戰時期劉文輝治康初探〉（《中華民國史專題論文集：第三屆討論會》，臺北，國史館，民85）、李殿元〈論劉文輝反蔣〉（《社會科學研究》1994年1期）、江崇林〈劉文輝失足恨〉（《中外雜誌》44卷1期，民77年7月）。楊森〈楊森回憶錄〉（《中外雜誌》13卷4-6期、14卷1-4期，民62年4-10月）及〈鐵馬金戈大西南〉（同上，11卷3-6期、12卷1-6期及13卷1-3期，民61年3-12月、62年1-3月）、昌溪、澤霖編《東戰場的楊森將軍》（上海，金局書店，民27）、楊森將軍紀念冊編輯小組編印《楊森將軍紀念冊》（臺北，民68）、馬宣偉、蕭波《四川軍閥楊森》（成都，四川人民出版社，1983）、陳存恭〈楊森〉（載《中華民國名人傳》第5冊，臺北，近代中國出版社，民75）、汪石江〈楊森的故事〉（《中外雜誌》22卷1期，民66年7月）、王成聖等〈自強不息話楊森〉（《海外文摘》336期，民66）、王成聖〈忠義雄傑話楊森〉（《中外雜誌》22卷1期，民66年7月）、楊森《九十憶往》（臺北，龍文出版社，民79）、楊萬運〈悼念父親〉（《中外雜誌》25卷5期，民68年5月）、王聯奎〈馬前卒憶老將軍—追隨楊公子惠五十八年往事〉（同上）、劉智〈永懷楊森將軍〉（同上，26卷4期，民68年10月）、劉昌博〈蓋世雄風憶楊森〉（《中外雜誌》25卷5期，民68年5月）、吳熙祖〈楊森將軍在重慶〉（同上，26卷1期，民68年7月）、何輯五〈我對楊森將軍的認識〉（同上，27卷4、5期，民69年4、5月）、陳翰珍〈愛國老人楊森先生〉（《中外雜誌》27卷5期，民69年5月）、范任宇〈楊森與吳佩孚〉（同上，35卷6期，民73年6月）、杜之祥〈軍閥楊森、王陵基在萬縣屠殺共產黨員的罪行〉（《重慶黨史研究資料》1983年1-2期）、萬揆一〈楊森〝榮返〞雲南安寧〉（《民國春秋》1995年1期）、馬宣偉〈楊森的夫人和子女們〉（《中外雜誌》57卷1期，民84年1月）、羅才榮〈望將軍早日「開車」―紀念楊森將軍〉（同上，22卷1期，民66年7月）、汪清澄〈楊森與全國體協會〉（同上，25卷5期，民68年5月）。周富道、馬宣偉《熊克武傳》（重慶出版社，1989）、馬宣偉〈熊克武與建國聯軍川軍〉（《社會科學研究》1986年2期）；華生〈劉成勳傳〉（《四川文獻》129期，民62年5月）、焦宏毅〈戲說劉文輝外一章―唐式遵傳真〉（《中外雜誌》56卷1期，民83年7月）。其他相關的論著有周開慶《民國川事紀要》（臺北，四川文獻研究社，民63）、《民國四川人物傳記》（臺北，臺灣商務印書館，民55）及〈民初四十年之四川〉（《四川文獻》164期，民66年9月）、孫震《八十年國事川事見聞錄》（臺北，四川文獻研究社，民68）、存萃學社編《民國以來四川動亂史料匯輯》（香港，大東圖書公司，1977）、徐志道〈川軍將領形形色色―七十雜憶之七〉（《中外雜誌》11卷2期，民61年2月）及〈四川政要及憲五團―七十雜憶之六〉（同上，11卷1期，民61年1月）等。

關於黔系專書有貴州軍閥史研究會、貴州省社會科學院歷史研究所編《貴州軍閥史》（貴陽，貴州人民出版社，1987）。論文方面多刊載於《貴州文史叢刊》（貴州省文史研究館主辦）、《貴州史學叢刊》（貴州省社會科學院歷史研究所主辦）、《西南軍閥史研究叢刊》等刊物上，重要的有熊啟達〈南北抗爭中的貴州軍閥〉（《安順師專學報》1983年1期）、馮祖貽〈貴州軍閥史研究的幾個問題〉（《貴州社科通訊》1987年4期）、廣川〈關於貴州軍閥史的幾個問題〉（《貴陽師院學報》1983年2期）、馮祖貽〈論貴州辛亥革命的失敗―貴州軍閥統治的序幕〉（《貴州社會科學》1985年1期）、馬鳳程〈貴州軍閥與鴉片〉（《西南軍閥史研究叢刊》第2

輯，1983）、范同壽〈民國前期的貴州軍事與黔軍之興衰〉（《貴州大學學報》1987年2期）、熊宗仁〈貴州軍閥史話；孫劍鋒邀功獻人頭禮，劉顯世貪生借王母情〉（《貴州社會科學》1985年5期）及〈論貴州軍閥的開山祖劉顯世〉（《貴州文史叢刊》1987年2期）、張鏡影〈劉顯世任貴州督軍始末〉（《中外雜誌》20卷5期，民65年11月）、何輯五〈貴州都督劉顯世〉（同上，30卷6期，民70年12月）、李德芳〈劉顯世〉（《貴州社會科學》1980年1期）、張鏡影〈劉顯世〉（《貴州文獻》復刊11期，民75）、杜文鐸〈貴州軍閥劉顯世的興起及其特點〉（《西南軍閥史研究叢刊》第2輯，1983）、顧大全〈劉顯世與袁世凱—評劉顯世參加護國運動〉（同上，第1輯，1982）、曾業英〈劉顯世與護國戰爭〉（《近代史研究》1988年3期）、袁昌隆〈從劉顯世家族的發展看貴州近代社會的變化〉（《貴州史學叢刊》1986年4期）、李雙璧〈貴州興義軍閥的形成及其社會基礎（1912-1926）〉（《貴州文史叢刊》1983年2期）、馮祖貽〈興義劉氏家族與近代貴州政治〉（同上，1984年4期）、愛德華·麥科德（Edward A. McCord）著、周秋光譯〈地方的軍事力量與權貴的形成：貴州興義的劉氏家族〉（《國外中國近代史研究》25輯，1994年10月）、熊宗仁〈貴州軍閥興義系〝新派〞的崛起及其與〝舊派〞的鬥爭〉（《西南軍閥史研究叢刊》第2輯，1983）、范同壽〈貴州軍閥的後期與桐梓系集團的內部紛爭〉（同上）、〈淺談貴州桐梓系軍閥的實力擴充〉（《貴州文史叢刊》1984年3期）、〈民國前期的貴州軍事與黔軍之興衰〉（《貴州大學學報》1987年2期）及〈評貴州軍閥史上的最後一場大戰〉（《貴州文學叢刊》1988年2期）、熊啟達〈貴州軍政府〝聯合內

閣〞的設置〉(《安順師專學報》1984年2期)、熊宗仁〈評貴州
〞民八事變〞〉(《貴州文史叢刊》1984年4期)、〈評貴州〞民九
事變〞〉(同上，1982年4期) 及〈評1921年的黔軍〞援桂〞〉
(《貴州文史叢刊》1986年3期)、吳敦俊〈評貴州軍閥參加國民革
命軍北伐〉(《貴州史學叢刊》1985年2期)、劉鳳翰〈黔軍與北
伐〉(載《中國現代史專題研究報告》18輯，民85)、程昭星〈九、十
兩軍應列入北伐軍序列〉(《貴州文史叢刊》1991年2期)、胡克敏
〈貴州軍閥統治時期的社會經濟概況〉(《西南軍閥史研究叢刊》
第1輯，1982)、〈貴州軍閥統治時期的土地兼併問題〉(同上，第
2輯，1983)、〈貴州軍閥統治時期的農業〉(《貴陽師院學報》1983
年3期)、〈貴州軍閥統治時期的資本主義工業 (1912年-1935
年)〉(同上，1984年3期) 及〈貴州軍閥統治時期的商業概況〉
(同上，1982年3期)、藍天〈從貴陽永豐紙廠的創建與發展看貴
州軍閥對民族資本的掠奪〉(《貴州史學叢刊》1985年2期)。程昭
星〈周西成其人其事〉(《貴州文史叢刊》1986年1期)、丁慰慈
〈傳奇人物周西成〉(《中外雜誌》37卷1、2期，民74年1、2月)、劉
健群〈貴州怪軍人周西成〉(《傳記文學》2卷4、5期，民52年4、5
月)、楊森〈也談周西成〉(同上，9卷6期，民55年12月)、張鏡影
〈周西成傳初稿〉(《貴州文獻》復刊第5期，民67年2月)、范同壽
〈試論周西成及其對貴州的統治〉(《西南軍閥史研究叢刊》第1
輯，1982)、荊德新〈周西成圖滇與龍、李倒周—1927年到1929年
雲貴軍閥間的幾次戰爭〉(同上，第2輯，1983)、周訓國〈正確評
價周西成〉(《貴州師大學報》1991年4期)、李兆杰〈淺議周西成
之得人心〉(《貴州文獻》20期，民84年1月)、范同壽〈周西成主

黔時期的財政整頓〉（《貴州文史叢刊》1987年1期）、楊希平〈周西成鑄幣的故事〉（《中外雜誌》37卷1期，民74年1月）、顧大全〈試論癸丑四川起義與黔軍入川〉（《貴州史學叢刊》1985年1期）、林建曾〈1928-1929年貴州軍閥周西成、李燊之戰〉（《貴州社會科學》1981年6期）、羅馬〈周西成與〝密電碼〞〉（《貴州文史叢刊》1986年1期）、龍尚學等〈袁祖銘家族百年史〉（同上，1982年1期）、馮正儀〈黔軍猛將袁祖銘〉（《中外雜誌》41卷4期，民76年4月）、劉鳳翔〈袁祖銘與吳佩孚的關係〉（《西南軍閥史研究叢刊》第2輯，1983）、龍澤白〈剪除國民革命軍大內奸袁祖銘及其意義〉（《常德師專學報》1987年2期）、王亞明〈如煙往事憶李燊〉（《貴州文獻》復刊第6期，民69年2月）、范同壽〈試論李燊及其在貴州的短暫政權〉（《貴州社會科學》1987年2期）。

關於湘系，有胡耐安（遯叟）《新湘軍志》（臺北，志傳書屋，民58）及《民初三湘人物》（臺北，中外圖書出版社，民63），作者曾任（臺灣）政治大學邊政系教授，熟稔湘系人物史事，上述二書為掌故性的著述，非為學術性的研究論著，可讀性高，甚具參考價值，書中對湘系人物譚延闓、趙恒惕、程潛、宋鶴庚、謝國光、吳劍學、賀耀祖、蔡鉅猷、陳嘉祐、唐生智等人都有深入、生動的述評。胡氏另撰有《賢不肖列傳》（臺北，文星書店，民58）及《六十年來人物識小錄》（臺北，臺灣商務印書館，民66），其中部分涉及湘系人物。成曉軍〈湖南軍閥形成時期的特點〉（《西南軍閥史研究叢刊》第3輯，1985）、曾異三〈從張敬堯督湘至北伐初期湘軍之回顧〉（《湖南文獻》8卷4期，民69年10月）、蔣崇偉〈1923年譚趙戰爭的性質及其意義〉（《湖南師大學報》

1986年3期）。譚延闓《慈衞室詩草》、《粵行集》、《訒菴詩稿》及《譚延闓手札》（均係臺北，文海出版社影印，民59及60）、國民黨黨史會編印《譚祖安先生手寫詩冊》及《譚祖安先生年譜》（均爲臺北，民68）、成曉軍《譚延闓評傳》（長沙，岳麓書社，1993）、〈關於譚延闓研究中的幾個問題〉（《江海學刊》1991年6期）及〈譚延闓與孫中山關係述論〉（載《孫中山研究論叢》第4集，1986）、劉鵬佛〈譚延闓與辛亥革命〉（《近代中國》23期，民70；亦載《湖南文獻》10卷3期，民71年4月）及《譚延闓與民初政局》（中國文化學院史學研究所碩士論文，民68年6月）、王培堯〈一代儒將譚延闓〉（《中外雜誌》59卷4-5期，民85年4-5月）、應未遲《嶽峙淵淳—譚延闓傳》（臺北，近代中國出版社，民77）、劉大剛〈前國民政府主席譚祖安年譜〉（《湖南文獻》7卷3期，民68年7月）、蕭繼宗〈譚延闓先生傳〉（同上，17卷4期，民78年10月）、吳燦禎〈一個平淡的偉大人物—譚延闓先生別記〉（同上，19卷4期，民80年10月）、朱玖瑩等〈譚延闓先生生平〉（《中國現代史專題研究報告》第9輯，民68）、胡耐安〈雍容豫悦譚組庵—《新湘軍志》人物小傳〉（《傳記文學》13卷2、3期，民57年7、8月）、〈首任行政院長譚延闓〉（《中外雜誌》18卷1期，民64年7月）、〈再談譚延闓〉（同上，18卷2期，民64年8月）、〈胡漢民與譚延闓〉（同上，7卷5期，民59年5月）及〈譚延闓與張其鍠〉（同上，8卷1期，民59年7月）、張達人〈王湘綺與譚畏公〉（《湖南文獻》8卷4期，民69年10月）、沈雲龍〈譚組庵與羅峙雲〉（《春秋》2卷1期，民54）、章君穀〈譚延闓通而有節〉（《中外雜誌》10卷4-6期，民60年9-12月）、蔣君章〈休休有容譚延闓〉（同上，18卷5、6期，民64年11-12月）、吳燦禎〈譚延闓的生平〉（同上，24卷6期，民67年12月）、周世輔〈譚延闓父子軼事〉（同上，25卷3-5期，民68年3-5月）、〈我所崇敬的譚祖安先生〉（《近代中國》第9期，民68）及〈公誼鄉情談畏公〉（《湖南文獻》7卷1期，民68）、鄧文華〈懷仰鄉賢譚組庵先生〉（同上）、朱玖瑩〈茶陵譚先生遺聞逸事〉（同上）、黃少谷〈譚組安先生的勳業與風範〉（《湖南文獻》7卷2期，民68）、王恢〈譚延闓的修養與勳業〉（同上，19卷1期，民80年1月）、黃中〈調和鼎鼐的譚延闓先生〉（同上，13卷4期，民74年10月）、周世輔〈評組安先生的道家風範〉（《湖南文獻》8卷2期，民69年4月）、龍詠君〈評組安先生的詩與其襟懷〉（同上，9卷1期，民70年1月）、阮文達〈「民國一代完人」譚延闓〉（同上，4卷3期，民65年7月）、張玉法〈革命洪流中的地方士紳：民國建立前後的譚延闓（1909-1913）〉（載《中國現代史專題研究報告》14輯，民81）、許順富〈民國時期的譚延闓〉（《文史雜誌》1990年1期）、（美）麥科德〈譚延闓湖南裁軍新說〉（《湖南師大社會科學學報》1995年3期）、許順富〈武漢國民政府時期的譚延闓〉（《史學月刊》1996年4期）、杜邁之〈譚延闓與湖南軍閥〉（《西南軍閥史研究》第1輯，1982）、蔣崇偉〈譚延闓與南北軍閥戰爭〉（同上，第2輯，1983）、劉泱泱〈論焦陳被殺與譚延闓上臺〉（《求索》1987年4期）、石彥陶〈辛亥譚延闓〝因利乘便〞督湘初探〉（《史學月刊》1993年6期）、楊鵬程〈試析辛亥革命時期的譚延闓政權〉（《近代史研究》1985年2期）、程為坤〈民初湖南下層革命黨人反對譚延闓政權的鬥爭〉（《求索》1989年5期）、范忠程〈論第一次國共合作時期的譚延闓〉（載張憲文主編《民國研究》第3輯，南京大

學出版社，1996）、蕭贊育〈我能夠說的譚組安先生〉（《建設》27
卷10期，民68）、吳伯卿〈總統蔣公與譚延闓先生之交誼〉（《近
代中國》第9期，民68）、塚本元《「中國における國家建設の試
み—湖南1919-1921」をめぐつて》（東京，東京大學出版會，
1994），全書共分四章，由五四運動起，論述驅張（敬堯）運
動、第三次譚延闓政權至趙恒惕政權為止，為研究北洋政府時期
湖南政治、軍事的重要著作。其他相關的論著有笹川裕史〈1920
年代湖南省の政治變革と地方議會〉（《史學研究》171號，
1986）、金勝一〈軍閥統治時期の湖南農民社會經濟の地域史的
研究〉（《東洋史論集（九州大學）》17號，1989）、Edward A.
McCord, "Militia and Local Militarization in Late Qing and
Early Republican China, the Case of Hunan" (Modern China,
Vol.14, No.2 1988) 及 The Emergence of Modern Chinese
Warlordism: Military Power and Politics in Hunan and Hubei.
(Ph. D. Dissertation, University of Michigan-Ann Arbor, 1985)。蘇墱
基《趙恒惕與湖南省自治（1921-1926）》（中國文化學院史學研究
所碩士論文，民61年6月）、郭廷以、沈雲龍校閱、謝文孫紀錄〈聯
省自治前後—湖南參議會趙恒惕議長訪問記錄〉（《口述歷史》第
1期，民79年10月）、趙恒惕〈夷午九十自述〉（《湖南文獻》創刊
號，民59年4月）、胡春惠〈三湘耆宿趙恒惕先生傳〉（同上，18卷2
期，民79年4月）、萬驪〈湖南民主的里程碑：三湘元老趙恒惕先
生蟬連十年湘省議長紀實〉（同上，24卷3期，民85年7月）、周德
偉〈趙恒惕世家、世國、世天下〉（《湖南文獻》7卷2期，民68年4
月）、趙佛重〈夷午老人主湘時對共黨的制裁—從史料中看毛澤

東、劉少奇在湘滋事與被逐的經過〉（《傳記文學》30卷4期，民66年4月）、吳相湘〈趙炎午先生的手翰〉（收入氏著《民國史縱橫談》，臺北，時報文化出版公司，民69），陳利民《程潛傳》（北京，解放軍出版社，1992）、朱季強〈程潛失足恨〉（《中外雜誌》40卷4期，民75年10月）、吳相湘〈程潛晚節不堅〉（載氏著《民國百人傳》第3冊，臺北，傳記文學出版社，民60）、阮觀榮等編《林修梅將軍》（長沙，湖南人民出版社，1988）、劉鳳翰〈何鍵與湖南軍事演變——個軍事集團的形成與發展〉（載《近代中國歷史人物論文集》，臺北，民82）及〈何鍵〉（載《中華民國名人傳》13冊，臺北，近代中國出版社，民82）、周琦〈淺析何鍵長期統治湖南的原因〉（《湘潭大學學報》1991年1期）、馬光亞〈何鍵將軍主湘治績及其風範〉（《湖南文獻》24卷2期，民85年4月）、易恕孜〈湘人長憶何芸公〉（《中外雜誌》11卷2期，民61年2月）、吳相湘〈何鍵實行剿共〉（載氏著《民國百人傳》第3冊，臺北，傳記文學出版社，民60）、賴景瑚〈何鍵和張治中〉（《湖南文獻》9卷1期，民70年1月）。

關於粵系，有廣東省政協文史資料研究委員會編《粵軍史實紀要》（廣州，廣東人民出版社，1990），其附錄有「粵軍將領小傳」及「粵軍旅長（支隊司令）以上主官姓名錄」；廣東省政協文史資料研究委員會編《粵系軍事史大事記（廣東文史資料第49輯）》（廣州，廣東人民出版社；1986）及《廣東軍閥大事記》（同上，1984）、李鑄靈〈粵軍第一師滄桑〉（《廣東文獻》23卷3期，民82年9月）、韓劍夫〈論粵系軍閥的特點〉（《廣州研究》1986年7期）、倪俊明〈龍濟光在粵軍閥統治述略〉（同上，1984年6期）、柯劭忞〈故龍威上將軍龍公墓志銘〉（民16年拓本）、顧大全〈廣東二次革命與龍濟光禍粵〉(《貴州史學叢刊》1985年1期)、余炎光、陳福霖主編《南粵割據—從龍濟光到陳濟棠》(廣州,廣東人民出版社,1989)、廣州市政協文史資料研究委員會編《南天歲月—陳濟棠主粵時期見聞實錄》(同上,1987)、李揚程、姚史清編選《陳濟棠研究史料(1928-1936)》(廣州,廣東省檔案館,1985),其附錄有「陳濟棠簡介」及「陳濟棠統治廣東始末」;陳濟棠《陳濟棠自傳稿》(臺北,傳記文學出版社,民63)及《陳伯南先生詩稿》(香港,文教書局,1959)、林華平《陳濟棠傳》(臺北,聖文書局發行,民85)、陳濟棠先生治喪委員會編印《陳伯南(濟棠)先生榮哀錄》(臺北,民43)、陳濟棠先生追悼大會籌備處編印《陳濟棠先生追悼大會特刊》(同上)、何紹瓊等《陳濟棠先生紀念集》(香港,大漢書局,民46)、德明行政管理專科學校編印《陳伯南先生年譜》(臺北,民61)、陳濟棠先生逝世週年紀念會籌備處編《陳伯南先生逝世二十週年紀念集》(臺北,編者印行,民63)、李芳清〈陳濟棠治粵建樹論初論〉(《廣州教育學院廣州師專學報》1994年3期)、沙東迅〈試論陳濟棠〉(《廣西社會科學》1988年4期)及〈南天王陳濟棠〉(《嶺南文史》1994年3期)、林華平〈南天王陳濟棠〉(《中外雜誌》33卷6期,民72年6月)、商山一皓〈三濟稱雄話南天—陳濟棠外傳〉(《春秋》212-218期)、林華平〈嶺南人傑陳濟棠〉(《中外雜誌》38卷3期,民74年9月)、陳琦芳〈陳濟棠軍政生涯略述〉(《學術論壇》1988年3期)、林華平〈南天王陳濟棠的早年〉(《中外雜誌》60卷3-5期,民85年9-11月)、李揚敬〈陳濟棠將軍的懷憶〉(《廣東文獻》4卷4期,民63年12月)、杜如明〈南國一傑—陳濟棠將軍〉(同上,2卷4

期，民61年12月）、馮永材〈陳濟棠受命艱危〉（《中外雜誌》12卷5期，民61年11月）、林光灝〈陳濟棠的故事〉（同上，31卷3期，民71年3月）、劉克熹〈獨立殘夢成追憶－記陳濟棠在廣東〉（同上，50卷3期，民80年9月）及〈陳濟棠在海南〉（同上，50卷5期，民80年11月）、沙東迅〈陳濟棠治粵八年確有建樹〉（《學術研究》1986年1期）、黃繼祥、李正棠整理〈紅軍長征前與陳濟棠的秘密軍事談判〉（《中共黨史文摘年刊（1986年）》，北京，中共黨史出版社，1988）、施家順〈陳濟棠對剿共態度之研究〉（《中國歷史學會史學集刊》28期，民85年9月）、姜捹亞〈1930年代廣東陳濟棠政權の製糖業建設〉（《近きに在りて》30號，1996年11月）、邱俊〈陳濟棠主粵前後之統計事業〉（《廣東史志》1995年1、2期合刊）、元邦建〈論陳濟棠在廣東的經濟建設〉（載《近代中國人物》第3輯，重慶出版社，1986）、吳志輝〈陳濟棠時期廣東的經濟布局〉（《廣州研究》1985年3期）、鄭俊琰〈試析西南反蔣時期廣東軍事集團的財經措施〉（《中國社會經濟史研究》1988年4期）、何蘇照〈陳濟棠時期的廣東教育〉（《廣州研究》1985年3期）、周惠民〈合步樓（HAPRO）公司與廣東軍火貿易〉（《政大歷史學報》12期，民84年5月）、John Fitzgerald，" Increased Disunity: The Politics and Finance of Guangdong Separtism, 1926-1936. "（Modern Asian Studies, Vol.24, No.4, 1990）、許正直〈陳濟棠・沈鴻烈・盛世才〉（《中外雜誌》35卷2期，民73年2月）、梁廣裁〈論陳濟棠與蔣介石的矛盾鬥爭〉（《民國檔案》1991年3期）、杜如明〈南天四傑－陳濟棠、張發奎、薛岳、余漢謀〉（《廣東文獻》18卷2期，民77年6月）、于翔麟〈最近逝世的四位國軍高級將領〉（《傳記文

學》53卷4期，民77年10月）、黃仲文編《余漢謀先生年譜初編》
（臺北，編者印行，民68）、李毓澍訪問、周道瞻紀錄〈余漢謀先
生訪問紀錄〉（《口述歷史·第7期：軍系與民國政局》，民85年6
月）、賴景瑚〈戰功彪炳氣度恢弘的余漢謀將軍〉（《傳記文學》
40卷3期，民71年3月）、劉鳳翰〈余漢謀〉（載《中華民國名人傳》第
8冊，臺北，民77）、鄭彥棻〈懷念余漢謀將軍〉（《中外雜誌》32
卷6期，民71年12月）、關志昌〈李漢魂的一生〉（《傳記文學》51卷3
期，民76年9月）、朱振聲（戎馬書生）編纂《李漢魂將軍日記》
（2冊，香港，聯藝印刷公司，1975）、沙東迅〈抗日戰爭時期的李
漢魂〉（《學術研究》1995年1期）、關志昌〈李漢魂的一生〉
（《傳記文學》51卷3期，民76年9月）、廣東省政協文史資料研究委
員會等編《莫雄回憶錄》（廣州，廣東人民出版社，1991）。其他粵
系要人陳炯明、許崇智等，則容後在「護法與北伐」中再行舉
述；陳銘樞、張發奎等人，則在「十年建國」中舉述。

9.西北軍閥

　　一如西南軍閥，西北軍閥並非一個軍閥派別；而是基於地
理、方位所得的籠統稱謂。在民國軍閥史的研究中，西北軍閥史
的研究起步較晚，研究成果亦較少。關於西北回族軍閥（即所謂
西北馬家、或西北諸馬、群馬、馬家軍等），有吳忠禮、劉欽斌
主編《西北五馬》（鄭州，河南人民出版社，1993）、王勁、蘇培新
〈試論西北諸馬軍閥的幾個特點〉（《蘇州大學學報》1995年4
期）、水渺摘〈董福祥與西北馬家集團的孕育與形成〉（《社會
科學（甘肅）》1990年2期）、劉鳳翰〈董福祥與甘軍〉（《中國歷史

學會史學集刊》13期，民70年5月）、吳忠禮〈甘寧青回族軍閥述略〉（《寧夏大學學報》1982年4期）、吳忠禮等〈論西北回族軍閥產生的社會歷史條件〉（《寧夏社會科學》1988年4期）、中田吉信〈西北回民軍閥抬頭過程〉（《史學論集（就實女子大學）》第9號，1994年12月）、周立人〈〞三馬〞軍閥集團的形成及其統治特點〉（《溫州師專學報》1986年2期）、杜達山〈〞西北四馬〞軍閥割據形成的社會原因探析〉（《中南民族學院學報》1993年5期）、田烱錦〈隴上群豪及馬家軍源流概述〉（《傳記文學》17卷4期，民59年10月）及〈記西北馬家〉（同上，16卷3期，民59年3月）、馬世宏〈西北回漢豪族：馬家軍傳奇〉（《中外雜誌》51卷6期，52卷1期，民81年6月、7月）、甘肅省文史研究館編印《甘肅文史·1985年5期：西北馬家軍閥史略》、寺島英明〈甘肅回族軍閥の支配と實態〉（《東洋史論》第8號，1992年10月）、張嘉選〈三十年代寧夏〞四馬拒孫〞歷史真相芻議〉（《青海民族學院學報》1990年1期）、劉景華〈抗戰時期的西北諸馬〉（《青海社會科學》1995年增刊）、高屹〈蔣介石政府與〞西北四馬〞〉（《戰略與管理》1994年4期）及《蔣介石與西北四馬》（北京，警官教育出版社，1993）；〈「五馬聯盟」に就て〉（《回教事情》1卷1號，1939）、徐象平〈馮玉祥與西北諸馬結盟始末〉（《西北史地》1994年1期）。趙頌堯〈馬安良其人與民初甘肅政爭〉（《西北民族學院學報》1989年2期）。青馬有江源〈馬家軍閥事業的奠基人—馬麒〉（《青海社會科學》1982年5期）、劉喜堂〈簡論民國初年馬麒在青海的經濟革新〉（同上，1995年1期）、高文遠〈青海首次建省者—馬麒〉（《西北雜誌》21期、22期、23、24期合刊，民78年12月、79年6月及12月）、楊作山〈馬麒對藏政策述論〉（《回族研究》1996年4期）、張學忠〈關於馬麒父子用兵果洛的若干問題〉（《青海民族學院學報》1989年1期）、青海省政協文史資料研究委員會《青海三馬》編輯組編《青海三馬》（北京，中國文史出版社，1988）、高文遠〈回教風雲人物：西北豪傑馬麟〉（《中外雜誌》59卷2-4期，民85年2-4期）、程虎《青海王傳奇：馬步芳祖孫三代盛衰記》（重慶，重慶出版社，1993）、楊效平編著《馬步芳家族興衰》（西寧，青海民族出版社，1986）、陳秉淵《馬步芳家族統治青海四十年》（修訂本，西寧，青海人民出版社，1986）、Merrill Ruth Hunsberger，Ma Pu-fang in Chinghai Province, 1931-1949. (Ph. D. Dissertation, Temple University, 1978：其中譯本為崔永紅譯《馬步芳在青海（1931-1949）》，西寧，青海人民出版社，1994）、谷風《西北王：馬步芳和他的家族》（北京，中國文聯出版社，1989）、謝一彪〈試述馬步芳的〝新政〞〉（《青海師大學報》1992年1期）、芊一之〈論馬步芳家族地方政權的性質〉（《青海民族研究》1990年1期）、馬世弘〈馬步芳與青海〉（《中外雜誌》39卷2-3期，民75年2-3月）、甘草〈二馬〝西北王〞之爭〉（《縱橫》1987年5期）、蔡孟堅〈馬步芳馬鴻逵馬步青三傑－戰後西北回軍〝三馬〞由分崩而人亡的史實〉（《傳記文學》69卷5期，民85年11月）、李郁塘〈陶峙岳威脅馬步芳－堯樂博士傳之三十八〉（《中外雜誌》40卷5期，民75年11月）、孟威〈青年將星馬繼援〉（《西北通訊》2卷10期，民37年6月）、甘肅省政協文史資料研究委員會編《甘肅文史資料選輯·第24輯－馬仲英史料專輯》（蘭州，甘肅人民出版社，1986）、野原四郎〈快傑馬仲英の履歷〉（《回教圈》1卷4號，1939）、馬世宏

〈馬仲英的傳奇故事〉（《西北雜誌》29期，民81年7月）、スヴエ
ン・ヘチイン著、小野忍譯《馬仲英の逃亡》（東京，改造社，
1938）、吳忠禮〈外國人筆下的尕司令馬仲英—《馬仲英逃亡
記》評介〉（《寧夏史志研究》1990年2期）、吳忠禮〈馬仲英與
〝河湟事變〞述評〉（《寧夏社會科學》1984年1期）、董漢河〈馬
仲英與河州事變〉（《西北史地》1985年3期）、李郁塘〈新疆變亂
中的人與事：馬仲英誤上賊船—史達林侵新三部曲之二〉（《中
外雜誌》26卷4期，民68年10月）、〈馬仲英、盛世騏慘死內幕—史
達林侵新三部曲之四〉（同上，28卷2期，民69年8月）及〈馬仲英
魂斷莫斯科—堯樂博士傳之二十〉（同上，36卷6期，民73年12
月）。至於寧馬有寧夏回族自治區政協文史資料研究委員會主編
《寧夏三馬》（北京，中國文史出版社，1988）、劉繼雲〈寧夏三馬
政權始末〉（《寧夏社會科學》1987年1期）、張維〈故國民政府委
員蒙藏委員會委員長馬公雲亭紀念碑〉（《國史館館刊》復刊1卷4
期，民37年11月）、王樹枬〈馬振威將軍神道碑銘〉（載馬福祥等修
《朔方道志》，民15年鉛印本，臺北，成文出版社，民57臺一版）、丁明
俊〈馬福祥民族思想探析〉（《回族研究》1996年3期）、馬福祥
《磨盾餘墨》（1卷，民13年排印）、馬世弘〈寧夏王馬鴻賓〉
（《中外雜誌》47卷6期，民79年6月）、高樹榆《馬鴻逵演義》（銀
川，寧夏人民出版社，1983）、馬鴻逵《馬少雲回憶錄》（香港，文
藝書屋，1984）、John Themis Topping, Chinese Muslim Militar-
ist: Ma Hongkui in Ningxia （Ph. D. Dissertation, University of
Michigan-Ann Arbor, 1983）、三橋宮治男〈西北回教問題における
馬鴻逵の地位〉（《回教圈》6卷5號，1942）、國民黨黨史會編

《革命人物志》第10集有〈馬鴻逵將軍事略〉，王中〈馬鴻逵的
〝官鹽代運所〞〉（《縱橫》1993年1期）、丁明俊〈日本在西北建
立〝回回國〞陰謀的失敗—兼論寧馬綏西抗戰〉（《回族研究》
1995年3期）、劉繼雲〈爭取寧夏馬家軍起義紀實〉（《文史精華》
1996年2期）、郭全忠〈芻議馬鴻逵為何自取滅亡〉（《寧夏大學學
報》1994年2期）、韓廣富〈「歲寒知松柏，板蕩識忠臣」—蔣介
石與馬鴻逵〉（程舒偉、雷慶主編《蔣介石的人際世界》，長春，吉林
人民出版社，1994）、寺島英明〈近代寧夏の回族社會〉（載《中國
近現代史論集》，東京，汲古書院，1985）及〈近代回族の民族問
題—寧夏を中心に〉（載《社會と文化》，東京，1984）。

　　關於新疆楊增新等有李信成《楊增新在新疆（民國元年—民
國十七年）》（臺北，國史館，民82）、原為作者在政治大學民族
研究所之碩士論文，為研究楊增新論著中的代表作，作者曾引用
楊增新所撰之《補過齋文牘》（32卷，民10年刊本；收錄於李毓澍主
編《中國邊疆叢書》第1輯，第14種，臺北，文海出版社影印，民54）、
《補過齋文牘續編》（14卷，民15年刊本）、《補過齋日記》（30
卷，民10年刊本）、《補過齋讀西銘日記》（1卷，民16年刊本）及
《補過齋讀老子日記》（6卷，民15年刊本；臺北，成文出版社影印，
民72）等資料多種、Yu Sau Ping, The Governorship of Yang
Zengxin in Xinjiang, 1912-1928. (Master's Thesis, Hong Kong Univer-
sity, 1988)、；陳寧生〈楊增新評傳〉（《新疆社會科學》1983年1
期）、江東山〈楊增新〉（《逸經》26期，民26年3月）、中田吉信
〈新疆都督楊增新〉（載《江上波夫教授古稀記念論文集（歷史
篇）》，1976年5月）、朱允興、劉喜堂〈楊增新在甘肅〉（《甘肅

社會科學》1994年4期）、王夏剛〈楊增新在甘肅〉（《西北史地》
1994年2期）、陳慧生〈楊增新在辛亥革命時期的政治態度〉
（《新疆社會科學》1982年1期；亦收入《辛亥革命七十周年學術討論會論
文集》中冊，北京，中華書局，1983）、袁澍〈辛亥新疆起義與楊增
新政權的建立〉（《新疆師大學報》1981年2期）、彭武麟〈評楊增
新主政新疆17年〉（《近代史研究》1989年2期；按作者1986年之中央民
族學院碩士論文亦與此同名）、朱允興、王夏剛〈楊增新治新十七
年內政簡述〉（《西北史地》1993年3期）、袁澍〈楊增新治新事
略〉（《新疆師大學報》1983年1期）、李清如〈新疆風雲人物志之
一：楊增新才大識遠〉（《中外雜誌》33卷3、4期，民72年3、4月；
《雲南文獻》13期，民72）、戴剛正〈楊增新二三事〉（《中外雜
誌》38卷2期，民74年8月）及〈又談楊增新〉（同上，39卷4期，民75
年4月）、楊定名、何玉疇〈評楊增新在辛亥革命時期的對俄政
策〉（《蘭州大學學報》1983年2期）、朱允興〈楊增新督新時期的
一些問題〉（《新疆社會科學》1982年2期）及〈論督新初期（1912-
1916）的楊增新〉（《蘭州大學學報》1980年1期）、陳慧生〈試論楊
增新閉關自守和愚民政策的實質〉（《新疆大學學報》1987年3
期）、陳延琪〈楊增新是如何緩解新疆財政危機的〉（《新疆社會
科學》1989年1期）、羅紹文〈楊增新發展新疆牧業生產的主要措
施〉（《西域史研究》1993年1期）、陳慧生〈略論楊增新倡導開渠
墾荒〉（《新疆史研究》1985年4期）及〈楊增新主新期間的對外貿
易〉（《新疆社會科學》1988年2期）、張中復〈楊增新統治時期新
疆與蘇俄貿易關係之研究（西元1917年至1928年）〉（《國史館館
刊》復刊13期，民81年12月）、羅紹文〈楊增新時期的新疆教育〉

（《西北史地》1993年2期）、彭武麟〈論楊增新的民族宗教政策〉
（載和冀、張山編《中國民族歷史與文化》，北京，中央民族學院出版
社，1988）、馬明達、王繼光〈試論楊增新督新的伊斯蘭教政
策〉（《西北史地》1982年3期）、魏長洪〈楊增新與新疆伊斯蘭
教〉（《世界宗教研究》1985年2期）、陳慧生〈楊增新和新疆伊斯
蘭教〉（收於甘肅省民族研究所編《伊斯蘭教在中國》，銀川，寧夏人民
出版社，1982）、王耘莊〈楊增新贊成袁氏稱帝之新證〉（《瀚海
潮》1卷4-5期）、王智娟〈蘇維埃俄國與新疆關係建立和發展
（1918-1921年）〉（《新疆師大學報》1990年3期）、劉存寬〈新疆
地區中蘇關係史的一頁—論十月革命後楊增新的對蘇政策〉
（《近代史研究》1986年6期）、蘇北海〈論楊增新在新疆收回沙俄
侵略利權的鬥爭〉（《新疆大學學報》1984年4期）、羅紹文〈楊增
新、馮玉祥之間的矛盾和新疆〝三七〞政變〉（《西北史地》1995
年4期）、陳言〈民國以來統治新疆之三人物〉（《西北論衡》5卷5
期，民22年11月）；又村井友秀〈中國における邊境統治政策—20
世紀初頭における新疆漢人社會〉（載高木誠一郎、石井明編《中國
の政治と國際關係》，東京大學出版會，1984）一文，對楊增新多所論
述，甚有參考價值。張秋霞〈金樹仁與哈密事變〉（《西北史
地》1995年3期）、郝文海譯、許靜校〈金樹仁政權與蘇聯的關
係〉（《殷都學刊》1994年3期）、黃建華〈金樹仁案探析〉（《喀
什師院學報》1994年4期）、李清如〈金樹仁詭譎不仁—新疆風雲人
物誌之二〉（《中外雜誌》33卷6期，民72年6月）。盛世才〈牧邊瑣
憶—從南京到新疆〉（《春秋雜誌》4卷6期，民55年6月；亦載《傳記
文學》17卷2期，民59年8月）、〈牧邊瑣憶—乏馬塘戰役〉（《春秋

雜誌》5卷1期，民55年7月）、〈牧邊瑣憶—我怎樣被選為新疆臨時督辦（檢討彭紹賢先生十大錯誤）〉（同上，5卷3期，民55年9月）及〈牧邊瑣憶—再檢討彭紹賢先生十大錯誤〉（同上，5卷4期，民55年10月）、張大軍〈蓋棺論盛世才(1)-(11)〉（《傳記文學》19卷6期、20卷1、3、4、5、6期、21卷1、2、4期，民60年12月、61年1-8月、10月）、Allen S. Whiting, General Sheng Shih-ts'ai, Sinkiang: Power or Pivot?（East Lansing: Michigan State University, 1958）、李嘉谷〈盛世才與新疆〉（《近代史研究》1996年6期）、F.（Fook-lam）Gilbert Chan（陳福霖），The Road to Power: Sheng Shih-ts'ai's Early Year in Sinkiang, 1930-1934.（Center of Asian Studies Reprint Series No.12, University of Hong Kong；其中譯文〈通往權力之路：盛世才在新疆的最初幾年（1930-1934），載《國外中國近代史研究》24輯，1993）、"Sheng Shih-ts'ai's Reform Programs in Sinkiang: Idealism or Opportunism?"（《中央研究院近代史研究所集刊》12期，民72年12月；其中譯文〈盛世才在新疆的改革綱領：理想主義還是機會主義？〉，文載《國外中國近代史研究》23輯，1993）及 Sinkiang Under Sheng Shih-ts' ai（1933-1944 A. D.）（Hong Kong: University of Hong Kong, 1954）、杜重遠《盛世才與新新疆》（漢口，生活書局，民27）、魏中天《盛世才如何統治新疆》（香港，海外通訊社，1947）、廣祿等《盛世才怎樣統治新疆》（臺北，中國邊政協會，民43）、李郁塘〈盛世才與新疆風雲—史達林侵新三部曲之三〉（《中外雜誌》27卷2期，民69年2月）、高素蘭《盛世才與國民政府關係之研究（1993-1944）》（政治大學民族研究所碩士論文，民83年1月）、倪淡卿《盛世才與莫斯科關係之研究》（中

國文化大學民族與華僑研究所碩士論文，民70年12月）、金光耀〈盛世才的〞親蘇〞和反蘇〉（《民國春秋》1994年1期）、丁慰慈〈新疆督辦盛世才聯俄始末〉（《歷史月刊》59期，民81年12月）、李郁塘〈盛世才勾搭史達林─堯樂博士傳之十七〉（《中外雜誌》36卷3期，民73年9月）、許海生〈簡論軍閥盛世才〉（《新疆大學學報》1985年4期）、宋念慈〈我所認識的盛世才〉（《傳記文學》55卷2-6期，民78年8-12月）、張駿〈我所認識的盛世才和林繼庸〉（《東北文獻》15卷4期，民74年5月）、張大軍〈新疆亂平後收拾殘局㈠─「盛世才在新疆」之一〉（《東北文獻》5卷1期，民63年8月）及〈新疆亂平後之盛世才〉（同上，5卷2、3期，民63年11月、64年2月）、金東〈盛世才統治新疆評說〉（《西北民族學院學報》1985年增刊第1期）、張大軍〈蓋棺論盛世才〉（《傳記文學》19卷4期，民60年10月）、〈盛世才早年的憂患歲月─「蓋棺論盛世才」之二〉（同上，19卷6期，民60年12月）、〈從寄人籬下到前敵總指揮─「蓋棺論盛世才」之三〉（同上，20卷1期，民61年1月）、〈時來運轉巧遇政變喜劇─「蓋棺論盛世才」之四〉（同上，20卷2期，民61年2月）、〈南柯一夢登上督辦寶座─「蓋棺論盛世才」之五〉（同上，20卷3期，民61年3月）、〈盛世才與黃慕松鬥法─「蓋棺論盛世才」之六〉（同上，20卷4期，民61年4月）、〈刀光劍影粉碎「三角同盟」─「蓋棺論盛世才」之七〉（同上，20卷5期，民61年5月）、〈逼走羅文榦同室又操戈─「蓋棺論盛世才」之八〉（同上，20卷6期，民61年6月）、〈囚禁劉文龍向俄共乞援─「蓋棺論盛世才」之九〉（同上，21卷1期，民61年7月）、〈蘇俄紅軍在新疆的血手─「蓋棺論盛世才」之十〉（同上，21卷2期，民61

年8月）及〈馬仲英逃俄之謎—「蓋棺論盛世才」之十一〉（同上，21卷4期，民61年10月）、林廣淵〈盛世才與〝六大政策〞〉（《新疆師大學報》1988年2期）、林正言〈盛世才簡傳〉（《傳記文學》53卷2期，民77年8月）、朱培民〈再論中共與盛世才的關係〉（《新疆烈士傳通訊》1990年1期）及〈論蘇聯、共產國際與盛世才的關係〉（同上，1989年1期）、周文琪〈析蘇聯對盛世才的政策〉（《中共黨史研究》1989年6期）、馬玉良、鴻賓〈論張作霖與盛世才〉（《社會科學輯刊》1988年4期）、堯樂博士〈盛世才與馬仲英—堯樂博士回憶錄之一〉（《中外雜誌》5卷5期，民58年5月）、李郁塘〈盛世才·羅文榦·馬仲英—堯樂博士傳之十五〉（同上，36卷1期，民73年7月）、洪濤〈論張培元反盛世才及其失敗之原因〉（《伊犁師院學報》1982年1期）、趙明〈盛世才投靠蔣介石內幕〉（《新疆社會科學》1985年3期）、韓廣富、鄭瑞鋒〈明爭暗鬥十五載—蔣介石與盛世才〉（程舒偉、雷慶主編《蔣介石的人際世界》，長春，吉林人民出版社，1994）、李郁塘〈盛世才軟禁黃慕松—堯樂博士傳之十四〉（《中外雜誌》35卷6期，民73年6月）、王日蔚〈盛世才借蘇聯紅軍剷除異己真象〉（《天山月刊》1卷3期，民23年12月）、李郁塘〈盛世才引狼入室—堯樂博士傳之十九〉（《中外雜誌》36卷5期，民73年11月）、陳紀瀅〈憶迪化—從三渡天山談到與盛世才會晤經過〉（《傳記文學》19卷2期，民60年8月）、張志安〈試論我黨與盛世才統戰關係的破裂及其原因〉（《實事求是》1987年3期）、馬玉良、鴻憲〈論張作霖與盛世才〉（《社會科學輯刊》1988年4期）、安志潔（原名盛世同）〈盛世才迫害妹夫俞秀松經過〉（《傳記文學》53卷2期，民77年8月）、小田英郎〈新疆をめぐる中ソ關係─盛世才の時期を中心として〉（《法學研究（慶應大學）》34卷6號，1961年6月）、伊原吉之助〈盛世才の新疆支配と毛澤民の死─抗日戰期中ソ關係の一齣〉（載竹内實編《轉型期の中國》，京都大學人文科學研究所，1988）；〈三一九槍聲（盛世才槍殺親弟盛世騏）〉（《新疆青年》1981年10期）、陳榮德〈杜重遠與盛世才〉（《貴州文史天地》1996年5期）、趙明〈盛世才與國民黨〉（《新疆烈士傳通訊》1987年1期）、〈盛世才與中國共產黨〉（同上，1988年2期）及〈盛世才與蘇聯〉（同上，1987年4期）、楊芊〈盛世才是革命者嗎？〉（同上，1988年3期）、香島明雄〈新疆政變─國民政府的對策（1942-1943年）〉（《京都產業大學論集》12卷1號，1982年11月）、李郁塘〈盛世才、張治中與伊犁動亂─史達林侵新三部曲之五〉（《中外雜誌》28卷3期，民69年9月）、李郁塘〈盛世才歸順中央經緯─堯樂博士傳之二十六〉（同上，37卷6期，民74年6月）、劉效藜《十年邊政之剖析》（迪化，新疆人社發行，民37）。Andrew D. W. Forbes, Warlords and Muslims in Chinese Central Asia: A Political History of Republican Sinkiang, 1911-1949. (Cambridge: Cambridge University Press, 1986)、張大軍《新疆風暴七十年》（12冊，臺北，蘭溪出版公司，民69）及《四十年動亂新疆》（香港，亞洲出版社，1956）、新免康〈新疆コムルのムスリム反亂（1931-32年）について〉（《東洋學報》70卷3、4號，1989年3月）、奧・布克施泰因著、吳永清譯、林成蔭校〈蘇聯與新疆省的貿易（1913-1926年）〉（《國外中國近代史研究》第8輯，1985年12月）、張愛民〈1933-1943年間新疆局勢的演變與蘇聯的關係〉（《新疆師大學報》1994年1期）。

其他尚有王勁、黃明〈北洋軍閥統治甘寧青歷史概述〉（《西北史地》1996年4期）、鍾彤、澐編《陸肅武（洪濤）將軍年譜》（2卷，民19年刻本）、趙一匡〈陸洪濤在蘭州（1921-1925年）〉（《蘭州學刊》1988年3期）及〈辛亥以後中小軍閥輪流統治蘭州的時期（1912-1931年）〉（同上，1987年6期）、王禹廷〈由革故到鼎新－民國初年之甘肅情勢〉（《甘肅文獻》第3期，民63年7月）、〈由閉塞到開放－西北軍進出甘肅及其影響〉（同上，第2期，民62年9月）及〈由紛擾到安定－民國二十年前後的甘肅局面〉（同上，第1期，民62年2月）、慕壽祺《甘寧青史略》（10冊，臺北，廣文書局影印，民61）、菊池一隆〈陝西省における軍閥統治と「交農」運動-1920年代前期を中心に〉（《近代中國》23卷，1993年1月）、劉鳳翰〈劉鎮華與陝西〉（《陝西文獻》32期，民67年11月）、王禹廷〈西北軍事史話〉（同上，24-28期，民65年4、7、10月、66年1月）。

10.交通系

有賈熟村《北洋軍閥時期的交通系》（鄭州，河南人民出版社，1993）、魏明〈交通系概述〉（《南開學報》1987年4期）、劉桂五〈〝交通系〞述論〉（《社會科學戰線》1982年3期）、彭明〈〝五四〞前後的交通系〉（《歷史教學》1964年2期）、黃萍蓀〈交通系與民國政局〉（《藍都》1989年2期）、范國輝〈北洋軍閥政權に於ける交通系の役割（1912-1922）〉（《本鄉法政紀要》第2號，1994年2月）、平野和由〈軍閥政權の經濟基盤－交通系・交通銀行の動向〉（載《講座中國近現代史4：五四運動》，1978）、庸菴〈交通系與民初政局〉（《子曰叢刊》第6輯，民38年4月）、許鼎彥〈交通系與民初的內國公債（1914-1916）〉（《中國歷史學會史學集刊》28期，民85年9月）、毛知礪〈梁士詒與交通系的形成與發展〉（《政大歷史學報》第2期，民73年3月）、張蘭馨〈梁士詒和北洋政府交通系〉（《民國春秋》1987年3期）、Stephen R. Mackinnon, "Liang Shih-i and the Communications Clique." (The Journal of Asian Studies, Vol. 29, No.1, May 1970；其中譯文爲劉正芬譯〈梁士詒與交通系〉，載張玉法主編《中國現代史論集》第5輯，臺北，聯經出版事業公司，民69）、陳奮主編《北洋政府國務總理梁士詒史料集》（北京，中國文史出版社，1991）、鳳岡及門弟子（岑學呂）編《三水梁燕孫先生年譜》（民28年初版；臺北，文星書店影印，民51）、梁劍《梁士詒研究》（香港大學碩士論士，1980）、毛知礪《梁士詒與民初政局（1911-1918）》（政治大學歷史研究所碩士論文，民69年6月）及〈梁士詒與皖系政權（1916-1920）〉（《政大歷史學報》第8期，民80年1月）、楊松容〈梁士詒與洪憲帝制運動〉（《讀史箚記（南洋大學歷史系）》第3期，1969年6月）、許鼎彥〈梁士詒與洪憲帝制時期的外交〉（《國史館館刊》復刊19期，民84年12月）、陶季邑〈洪憲時梁士詒密電簽名是他人所爲〉（《學術研究》1990年2期）、城北〈財神梁士詒（中興與洋務之五）〉（《知識與生活》第6期，民36年7月）、徐建生〈〝財神〞梁士詒〉（《歷史教學》1989年2期）及〈一生沉浮的〝財神〞梁士詒〉（《南開史學》1990年1期）、耘農（沈雲龍）〈談梁士詒〉（《新中國評論》13卷4-6期、14卷1-4期，民46年10-12月、47年1-4月）、劉淑杰〈梁士詒與〝洪憲帝制〞〉（《大慶高等專校學報》1994年2期）、張富強〈梁士詒功過評說紛紜〉（《學術研究》1990年2期）、吳相湘〈「五路財神」與「二總統」梁士詒〉（《傳記文學》44卷4期，民73年4月）、林家有〈孫中山與梁士詒〉（《近代史研究》1990年3期）、陳長河〈梁士詒與公民黨〉（《歷史檔案》1992年3期）、河村一夫〈中國幣制改革をめぐつての阪谷芳郎・梁士詒會談について〉（《政治經濟史學》157號，1979年6月）、葉遐菴述、俞誠之錄《太平洋會議與梁士詒》（臺北，文海出版社影印，民63）、凌鴻勛〈清末民初交通界領導者─葉恭綽〉（《傳記文學》32卷3、4期，民67年3、4月）、王樹槐〈葉恭綽的文化活動〉（《近代中國歷史人物學術論文集》，臺北，中央研究院近代史研究所，民82年6月）。至於新交通系的曹汝霖則撰有《一生之回憶》（香港，春秋雜誌社，1966）、賈熟村《曹汝霖傳》（杭州，浙江教育出版社，1988）、戚世皓〈曹汝霖與日本〉（《輔仁學誌─文學院之部》15期，民75）、王撫洲〈曹汝霖與五四運動─「曹汝霖一生之回憶」讀後平議〉（《傳記文學》17卷1期，民59年7月）、Madeleine Chi（戚世皓），"Bureaucratic Capitalists in Operation: Ts'ao Ju-lin and His New Commumications Clique, 1916-1919."（The Journal of Asian studies, Vol.34, No.3, May 1975；其中譯文為馮鵬江譯〈官僚資本家的活動─曹汝霖與他的新交通系（1916-1919）〉，載張玉法主編《中國現代史論集》第5輯，臺北，聯經出版事業公司，民69）及〝Ts'ao Ju-lin（1876-1966）: His Japanese Connections."（In Akira Iriye, ed., The Chinese and Japanese: Essays in Political and Cultural Interactions, Princeton University Press, 1980）。

11.其他派系及軍政人物

安福系有彭明〈五四前後的安福系〉(《歷史教學》1964年3期)、南海胤子《安福痛史》(北京，民15)及《安福禍國記》(神州國會社，民9)、林熙〈安福俱樂部簡史〉(《大成》75期，民69年2月)、鴻隱生《安福趣史》(上海，宏文圖書館，民9)、李南海《安福國會之研究》(東海大學歷史研究所碩士論文，民70)、張玉芳〈安福系〝財神〞王郅隆〉(《民國春秋》1994年1期)、呂茂兵〈徐樹錚與安福俱樂部〉(《安徽史學》1996年4期)、柴田敬《安福俱樂部と段祺瑞》(關西大學史學·地理科畢業論文，1994年度)。研究系有彭明〈五四前後的研究系〉(《歷史教學》1964年1期)、李書源〈研究系述略〉(《吉林大學社會科學學報》1991年3期)、金珍煥《五四時期研究系的政治主張》(臺灣大學政治研究所博士論文，民85年5月)及〈「研究系」憲政體制論之探討〉(《政治學報》27期，民85年12月)、洪峻峰〈五四時期研究系的〝社會主義研究〞評析〉(《廈門大學學報》1990年1期)、莫建來〈皖系軍閥與研究系關係探析〉(《上海社會科學院學術季刊》1992年11期)。

黎元洪有易國幹編《黎副總統政書》(臺北，文海出版社影印，民51)、會文堂編輯所編輯《黎大總統文牘類編》(上海，會文堂書局，民20年15版)、全國政協文史資料研究委員會等編《民國大總統黎元洪》(北京，中國文史出版社，1991)、劉振嵐、張樹勇《傀儡總統黎元洪》(鄭州，河南人民出版社，1990)、沈雲龍《黎元洪評傳》(臺北，中央研究院近代史研究所，民52)、章君毅《大總統黎元洪傳》(香港，馬崑傑文化事業公司)及《黎元洪傳》（臺北，中外圖書出版社，民60）、內藤順太郎《大總統黎元洪：支那革命史》（東京，議會春秋社，1917）、蜑蔭館主編輯、鍾覺民校《黎元洪近事記》（上海，新華印書社，民11）、黃少芹《黎黃陂軼事》（上海，翼文編譯社，民5）、鄂中武士稿《黎元洪小史》（排印本1冊）、薛民見《黎元洪年譜資料》（江蘇無錫薛民見1961年油印本）、耘農（沈雲龍）〈談黎元洪〉（《新中國評論》15卷5期—17卷6期，民47年11月-48年12月）、壯游〈黎元洪—北洋軍閥政權的首腦人物〉（《人物》1984年4期）、劉振嵐、張樹勇〈黎元洪的祖籍、家世及青少年時代〉（《天津社會科學》1988年6期）、蕭致治〈黎元洪的祖籍和姓氏再議〉（《江漢論壇》1982年10期）及〈記述黎元洪家世的《黎氏族譜》簡介〉（《辛亥革命史研究會通訊（湖北）》1984年19期）、郭彥〈大悟發現黎元洪族譜〉（《江漢考古》1984年4期）、嘯嵐〈"為善無能、為惡無力"的黎元洪〉（《春秋》1985年3期）、劉重來〈淺議黎元洪的歷史功績〉（《歷史知識》1985年4期）、李書源〈關於黎元洪評價問題〉（《長白學刊》1996年1期）、張守初〈清末民初兩梟雄—袁世凱與黎元洪的真面目〉（《中外雜誌》36卷5期，民73年10月）、中國第一歷史檔案館〈黎元洪早期履歷〉（《歷史檔案》1989年3期）、朱先華〈關於黎元洪前期經歷的考索與商榷〉（《湖北方志通訊》1983年3期）、蕭致治〈黎元洪投海考—章太炎《大總統黎公碑》等辨誤〉（《江漢論壇》1990年9期）、聞少華等〈試論辛亥革命時期的黎元洪〉（《河北大學學報》1981年3期）、楚任〈試論辛亥革命時期的黎元洪〉（《北京大學學報》1981年3期）、馮兆基〈黎元洪與辛亥革命〉（《辛亥革命史研究會通訊（湖北）》1983年15期）、雍叔〈黎

元洪與辛亥革命〉（《湖北文獻》61期，民70）、沈雲龍〈黎元洪
與武昌起義〉（《文星》8卷6期，民50）、林增平〈黎元洪與武昌
首義〉（《江漢論壇》1981年4期）、陳家義等〈武昌首義時之黎元
洪〉（《廣州師院學報》1981年4期）、李恩星〈試論武昌首義中的
黎元洪〉（《山西大學學報》1986年4期）、中村義〈黎元洪－武昌
蜂起前後〉（《歷史學研究》258號，1961年10月）、皮明麻〈黎元洪
與武昌起義〉（《黃石師院學報》1981年3期）、李小文〈論武昌首
義中的黎元洪〉（《廣西師大學報》1992年3期）、沈雲龍〈辛亥武
昌新軍起義與黎元洪〉（《傳記文學》36卷4期，民69年10月）、張知
本〈劉公‧黎元洪－辛亥首義之憶〉（《中外雜誌》12卷4期，民61
年10月）、蘇貴慶〈怎樣正確評價辛亥首義都督黎元洪〉（《鹽城
師專學報》1996年1期）、皮明麻〈黎元洪是怎樣被擁立為都督
的？〉（《歷史研究》1981年1期）、李建國〈湖北革命黨人的內爭
與黎元洪的上臺〉（《西北師院學報》1988年增刊）、皮明麻〈黎元
洪出任湖北都督史實考析〉（載《辛亥革命與近代思想》，陝西師大
出版社，1986）及〈武昌首義後的反黎風潮〉（同上）、石芳勤
〈黃興"登臺拜將"與黎元洪的陰謀〉（《歷史研究》1981年10
期）、蕭致治、任澤全〈黎元洪在辛亥革命後的轉變初探〉
（《武漢大學學報》1981年5期）、劉振嵐〈拆臺與投靠－黎元洪及
武昌官僚集團對南京臨時政府和袁世凱的不同態度〉（《北京師
院學報》1991年5期）、劉以城《黎元洪與民初政局》（中國文化學院
史學研究所碩士論文，民53年5月）及〈民國初年的黎元洪〉（《幼獅
學誌》7卷3、4期，民57年11、12月）、劉雲波〈論南北議和期間的黎
元洪〉（《江漢論壇》1993年12期）、楊西木〈黎元洪冬電真偽辨〉

（《歷史教學》1993年8期）、蕭致治〈孫、黎交往與民初政局〉（《中南民族學院學報》1996年5期）、蕭致治、梁開平〈黎元洪與護國運動〉（《江漢論壇》1985年10期）、瞿兌之〈黎元洪復任總統記〉（《子曰叢刊》第4輯，民37年9月）、張梓生〈黎元洪復職記〉（《東方雜誌》19卷12號，民11年9月）、徐世敏〈黎元洪與天津〉（《傳記文學》65卷6期，民83年12月）、張樹勇〈黎元洪的經濟活動〉（《南開經濟研究》1991年4期）、蕭致治〈辛亥革命後黎元洪的實業活動〉（《江漢論壇》1981年5期）、李學智〈章太炎、黎元洪關係述論〉（《史學月刊》1996年4期）。

　　徐世昌有徐所撰《退耕堂政書》（5冊，民3年印，臺北，成文出版社影印，民57）、《海西草堂集》（27卷，共6冊，民21年天津徐氏刊本）、《藤墅儷言》（30卷，共6冊，民25年退耕堂鉛印本）、《水竹邨人集》（12卷，民7）、《歸雲樓題畫詩》（2卷，民13年景印）、《將吏法言》（臺北，文海出版社影印，民64）、《歐戰後之中國》（同上，民56）、《水竹邨人詩集》（同上，民60）及《東三省政略》（12冊同上，民54）、沃丘仲子（費行簡）《徐世昌》（上海，崇文書局，民8年3版）、警民《徐世昌》（臺北，文海出版社影印，民56）、競智圖書館主編《北洋人物史料三種（其中之一為「徐世昌全傳」）》（同上，民60）、沈雲龍《徐世昌評傳》（臺北，傳記文學出版社，民68；該書原載《傳記文學》13卷1期至15卷6期，民57年7月至58年12月）；林桶法《徐世昌與南北議和》（政治大學歷史研究所碩士論文，民73年6月）、施一鳴《徐世昌退位記》（上海，公平書局，民11石印本）、黃山民《徐世昌之秘密》（新學印書局，民11）、徐一士〈談徐世昌〉（《越風》第4-8期，民24-25

年）、黃林〈晚清重臣徐世昌略論〉（《史學月刊》1992年5期）、
賀培新輯〈徐世昌年譜〉（《近代史資料》69、70號，1988年8、9
月）、壯游〈徐世昌─北洋軍閥政權的首腦人物〉（《人物》1984
年4期）、鄧之誠〈徐世昌〉（《北京文史資料選編》22輯）、劉鳳
翰〈徐世昌〉（載《中華民國名人傳》第4冊，臺北，民74）、寄齋
〈中華民國與徐東海〉（《新東方（上海）》1卷3期，民29年4月）、
徐玉琢口述、李兆青整理〈徐世昌的晚年生活〉（《江蘇文史資料
選輯》第10輯）、蘇全有〈徐世昌與中國軍警近代化〉（《福建論
壇》1996年3期）、康沛竹〈徐世昌在東北活動述略〉（《求是學
刊》1990年5期）、傅貴九〈徐世昌與近代中國郵政〉（《學術月
刊》1990年11期）、郭劍林〈徐世昌與小站練兵〉（《歷史教學》
1995年9期）、Livingston T. Merchant, The Mandarin President:
Xu Shichang and the Militarization of Chinese Politics（Ph. D.
Dissertation, Brown University, 1983）及 "Hsu Shih-Chang, the Man-
darin President of China: A Civilian Response to the Rise of
Warlordism, 1916-1919"（載《中華民國初期歷史研討會論文集》上
冊，臺北，民73）、郭劍林〈徐世昌與東北近代化〉（《中國社會科
學戰線》1995年1期）、羅志和、袁德〈徐世昌與中國經濟近代化〉
（《河南師大學報》1995年6期）、梁溪人〈徐世昌怎樣成了〝推翻
舊時代的先行者？〞〉（《高校理論戰線》1996年7期）、徐玉琢
〈民國大總統徐世昌的晚年〉（《縱橫》1996年11期）、王成聖
〈北洋首要零簡─袁世凱徐世昌手札〉（《中外雜誌》21卷3期，民
66年3月）。

其他尚有沈雲龍〈北洋之龍─王士珍〉（《傳記文學》28卷4

期，民65年4月）、劉鳳翰〈王士珍〉（載《中華民國名人傳》第4冊，臺北，近代中國出版社，民74）、楊曉梅〈簡評王士珍〉（《北方論叢》1992年2期）；呂恒沛主編《陳宦研究資料》（湖北安陸市印刊，1989）、陳長河＜陳宦入川及其〝清鄉〞活動＞（《學術月刊》1989年12月）、馬功成＜略談陳宦為袁世凱圖川＞（《西南軍閥史研究叢刊》第2輯，1983）、孫毅＜護國戰爭期間的四川將軍陳宦＞（《歷史教學》1987年7期）、耿心〈陳二庵先生其人其事〉（《湖北文獻》35、36期，民64年6、7月）及〈是非功過說陳宦〉（同上，57期，民69年10月：《中外雜誌》27卷4期，民67年4月）；羅光《陸徵祥傳》（香港，香港真理學會，1949）、陳三井＜陸徵祥與巴黎和會＞（《歷史學報（臺灣師大）》第2期，民63年3月）、沈雲龍＜從陸徵祥到翁文灝＞（《傳記文學》45卷1期，民73年7月）、鄭揆一〈追憶陸徵祥神父〉（同上，47卷6期，民74年12月）、伍廷光《伍廷芳歷史》（上海，國民圖書局，民11）、陳此生〈伍廷芳軼事〉（上海，宏文圖書館，民13：大東圖書局，民24）、伍朝木《伍秩庸博士哀思錄》（民11年）；《伍廷芳奉安實錄》（武漢圖書館藏）、張雲樵《伍廷芳與清末政治改革》（臺北，聯經出版公司，民76）、梁碧瑩〈伍廷芳與中美僑務交涉（1897-1902）〉（《學術研究》1996年9期）、張存武〈伍廷芳使美時的言論〉（《食貨月刊》復刊5卷2期，民64）〈伍廷芳與辛亥革命〉（《中國現代史專題研究報告》第6輯，民65）及〈開國元勳伍廷芳的器識〉（載《中國現代史專題研究報告》14輯，民81）、鍾正岩〈伍廷芳先生〉（《廣東文獻》5卷3期，民64年9月）、王紹通〈伍廷芳先生事略〉（同上，13卷3期，民72年9月）、洪進田〈伍廷芳的故事〉（《中外雜誌》39卷1

期，民75年1月）、張晉藩〈伍廷芳的法律思想〉（《西南政法學院學報》1981年4期）、吳相湘〈伍廷芳倡導新政〉（《傳記文學》49卷2期，民73年2月）、耕農（沈雲龍）〈論伍廷芳〉（《民主潮》8卷18期，民47）、胡光麃〈早期的路政人物：伍廷芳〉（《傳記文學》28卷2期，民65年2月）、李忠興〈伍廷芳─晚清政壇上的〝新型官僚〞〉（《檔案與史學》1996年6期）、林光灝〈伍廷芳與陳其美〉（《中外雜誌》50卷1期，民80年7月）、羅香林〈傅秉常所受伍廷芳的影響〉（同上，19卷1期，民60年7月）、陸永光等〈法界前輩伍廷芳〉（《廣州研究》1987年3期）、Linda Pomerantz Shin, China in Transition: The Role of Wu Ting-fang（1842-1922）. (Ph. D. Dissertation, University of California-Los Angeles, 1970)、Louis T. Sigel, T'ang Shao-yi（1860-1938）: The Diplomacy of Chinese Nationalism. （Ph. D. Dissertation, Harvard University, 1972)、李恩涵〈唐紹儀與晚清外交〉（《中央研究院近代史研究所集刊》第4期上冊，民62年5月）、大中華國民編《章宗祥》（上海，愛國社，民5年4版）、顧維鈞著、中國社會科學院近代史研究所譯《顧維鈞回憶錄》（2冊，北京，中華書局，1983）、鄧野〈從《顧維鈞回憶錄》看顧氏其人〉（《近代史研究》1996年6期）、金光耀〈顧維鈞與中美關於〝二十一條〞的外交活動〉（《復旦學報》）、王鳳真《顧維鈞與巴黎和會》（東海大學歷史研究所碩士論文，民70年6月）及〈顧維鈞與巴黎和會─民國八年以前的顧維鈞〉（《實中學刊》第2期，民76年6月）、張春蘭〈顧維鈞的和會外交─以收回山東利權為中心〉（《中央研究院近代史研究所集刊》23期上冊，民83年6月）、袁道豐《顧維鈞其人其事》（臺北，臺灣商務印書館，民77）、顧毓瑞〈顧維鈞博士生平重要事蹟〉（《傳記文學》47卷6期，民74年12月）、關國瑄〈顧維鈞博士的一生〉（同上）、王之珍〈顧少川先生與王亮老〉（同上）、顧毓琇〈記顧維鈞先生二三事〉（《傳記文學》66卷1期，民84年1月）、王澤遠〈顧維鈞婚姻傳奇〉（《中外雜誌》59卷5期，民85年5月）、袁道豐〈與顧少川大使談外交〉（《東方雜誌》復刊2卷5期，民57年11月）及〈顧維鈞對世界風雲人物回憶記〉（同上，12卷1期，民67年7月）、鄧野〈顧維鈞與巴黎和會〉（《人物》1985年6期）、袁道豐〈顧維鈞與巴黎和會〉（《綜合月刊》152-154期，民70年7-9月）、李雲漢〈顧維鈞與九一八事變之中日交涉〉（載《中國現代史專題研究報告》15輯，民82），李氏另有一篇同名之論文，發表於《近代中國》85期（民80年10月）、董霖《顧維鈞與戰時外交》（臺北，傳記文學出版社，民67）、高克〈青年時代の顧維鈞－バリ講和會議に登場するまで〉（《大東法政論集》第1號，1993年3月）、黃天邁〈追憶顧維鈞先生〉（《中外雜誌》39卷1期，民75年1月）、Chu Pao-Chin, V. K. Wellington Koo: A Ca. Study of China Diplomat and Diplomacy of Nationalism, 1912-1966. （Hong Kong: Chinese University Press, 1981）；係其1970年在賓州大學（University of Pennsylvania）之博士論文V. K. Wellington Koo: A Study of the Diplomat and Diplomacy of World China, During His Early Career, 1919-1924.加以增訂而成、蔣永敬〈顧維鈞訴諸國聯的外交活動〉（《抗日戰爭史研究》1992年1期）、黃武智《顧維鈞任職國際法庭法官期間（1957-67）對其參與審理案件之意見研究》（政治大學外交研究所碩士論文，民61）、石源華、錢玉莉〈著名的外交家顧維鈞〉（《上海研究叢刊》1989年2期）、董霖〈敬悼外交耆宿顧維鈞博士〉（《傳記文學》47卷6期，民74年12月）、唐德剛〈廣陵散從此絕矣—敬悼顧維鈞先生〉（同上）、傳記文學社編者〈敬悼顧維鈞博士〉（同上）、蔣永敬〈顧維鈞與"九一八"事變〉（《政大歷史學報》第9期，民81年1月）。顏惠慶著、姚崧齡譯《顏惠慶自傳》（臺北，傳記文學出版社，民62）、顏惠慶著、上海市檔案館譯《顏惠慶日記》（3冊，北京，中國檔案出版社，1996）、李健民〈顏惠慶與停止舊俄使領待遇〉（《中央研究院近代史研究所集刊》第6期，民66年6月）、吳相湘〈顏惠慶力倡主動外交〉（《傳記文學》48卷3期，民75年3月）、黃天邁〈顏惠慶·朱兆莘·李石曾—民國風雲人物印象記之三〉（《中外雜誌》31卷6期，民71年6月）、余偉雄《王寵惠與近代中國》（臺北，文史哲出版社，民76）、蔣永敬〈王寵惠與好人內閣〉（《中外雜誌》53卷3期，民82年3月）、趙同信〈傳奇人物趙偶〉（同上，36卷2期，民73年8月）、劉鳳翰〈劉鎮華與鎮嵩軍〉（同上，6卷2期，民54年2月）、王禹廷〈劉鎮華與鎮嵩軍—西北軍事史話之四〉（《中外雜誌》19卷3期，民65年3月）、王瘦梅〈鎮嵩軍統帥劉鎮華其人〉（《洛陽師專學報》1989年3期）、全建勛〈鎮嵩軍大事記（1912-1927）〉（同上，1990年1期）、王天從〈劉鎮華將軍與辛亥革命〉（《藝文誌》67期，民60年4月）、郭子彬〈追憶劉鎮華將軍剿匪政績〉（《中原文獻》5卷5期，民62年5月）、劉鳳翰〈劉鎮華與陝西〉（《陝西文獻》32期，民67年11月）、郭潤宇〈郭堅被殺罪名考〉（《近代史研究》1996年1期）、于凌波〈中州豪俠張鈁〉（《中外雜誌》34卷1-4期，民72年7-10月）、孟昭瓚〈中州豪俠與我—懷念張鈁先生〉（同上，36卷5期，民73年11月）、陳貞壽、劉傳標〈劉冠雄評略〉（《福建論壇》1996年4期）、安徽省政協文史資料研究委員會等編《許世英》（北京，文史出版社，1989）、吳相湘〈許世英的一生〉（《傳記文學》5卷5期，民53年11月）、中人《王揖唐》（上海，文藝編譯社，民9）、王覺源〈王揖唐與王克敏〉（《中外雜誌》43卷1期，民77年1月）、伍世珙〈談王揖唐與王克敏〉（同上，55卷3期，民83年3月）、燕北閒人編著《人妖李彥青》（警世社書局，民14年再版）、洪書〈李思浩其人其事〉（《傳記文學》68卷6期，民85年6月）、朱海北〈先父朱啟鈐與風雲變幻的北戴河〉（同上，68卷1期，民85年1月）、沈雲龍〈北洋「小諸葛」言敦源〉（《傳記文學》26卷4期，民64年4月）、胡光麃〈南北兩「小諸葛」軼事—言敦源與白崇禧〉（同上，27卷5期，民64年11月）、王毓超《北洋人士話滄桑》（北京，中國文史出版社，1993）、唐德剛〈政學系探源〉（《傳記文學》63卷6期，民82年12月）、荐萃學社編集《政學系與李根源》（香港，大東圖書公司，1980）、雷嘯岑〈湯薌銘叛黨禍國殃民記〉（《傳記文學》21卷4期，民61年10月）、顧大全〈湯薌銘在湘統治與湖南人民的反抗〉（《貴州社會科學》1987年5期）、童軒蓀〈北洋殘照與沒落的後人—藝文生活片斷回憶之六〉（《傳記文學》17卷5期，民59年11月）、沈雲龍〈國府對北洋軍系巨頭的襃揚〉（同上，38卷5、6期，民70年5、6月）、正群社輯纂《北京官僚罪惡史》（民11年由該社印行；收入榮孟源，章伯鋒主編《近代稗海》第3輯內，四川人民出版社，1985）。

(五)政治與軍事

1.民國五、六年之政局

　　有潘榮〈黎段府院之爭初探〉(《南開史學》1990年1期)、吳瑞〈第一次世界大戰期間的中國〝參戰之爭〞〉(《蘇州大學學報》1990年2期)、陶菊隱《督軍團傳》(上海，中華書局，民37；臺北，文海出版社影印，民60)、李守孔〈民六政潮與南北分裂〉(《史學彙刊》第7期，民65年7月)、白蕉〈宣統復辟〉(《人文月刊》6卷9期，民24年11月)、劉望齡《辛亥革命後帝制復辟和反復辟鬥爭》(北京，人民出版社，1975)、支那研究會編印《復辟始末記》(北京，1918)及《政變關係文書彙存》(同上)、張慤盦《復辟詳志》(北京，民6年初版；臺北，文海出版社影印，民62)、文藝編譯社編《復辟始末記》(上海，民6)、翹生《復辟紀實》(鉛印本，民6年10月)、蘇午溪《復辟真相始末記》(線裝本，未註明出版時地)、張一厂編《復辟飲恨記》(上海，新申報館，民6)、許指嚴《復辟半月記》(上海，交通圖書館，民6)、天懺生《復辟之黑幕》(上海，文藝編譯社，民6)，與前列許指嚴書均收入榮孟源、章伯鋒主編《近代稗海》第4輯內(四川人民出版社，1985)、王健元編《八日兒皇帝－張勳復辟醜史》(長春，吉林文史出版社，1986)、存萃學社編集《1917年丁巳清帝復辟史料彙輯》(香港，大東圖書公司，1977)、胡平生《民國初期的復辟派》(臺北，臺灣學生書局，民74)、〈民初之復辟派〉(《食貨月刊》復刊6卷7期，民65年10月)、〈復辟派的背景及其初期活動(1912-1915)〉(《臺灣大學歷史學系學報》第7期，民69年11月)、〈丁巳復辟的醞釀〉(同上，第9期，民71年12月)及〈丁巳復辟的開場與收場〉（同上，第9、10期合刊，民73年12月）、胡平生編《復辟運動史料》（臺北，正中書局，民81）、張或弛〈溥儀三度登基—歷盡桑滄一廢皇〉（《中外雜誌》13卷2期，民62年2月）及〈剪辮皇帝復辟記〉（同上，13卷5期、14卷1期，民62年5、7月）、映雪〈是〝張勳復辟〞還是〝宣統復辟〞？〉（《史學月刊》1988年5期）、高城博昭〈張勳軍閥の研究(3)—復辟事件。軍閥と民黨關係を中心として〉（《吳工業高等專門學校研究報告》3卷1號，1967年12月）及〈丁巳復辟真因〉（同上，7卷1號，1971年11月）、劉望齡〈張勳與「丁巳復辟」〉（《歷史教學》1964年6期）、焦靜宜〈論張勳復辟〉（《學術月刊》1984年6期）、河瀨憲司《民國初期の軍閥の動きと張勳の復辟》（關西大學史學·地理學科畢業論文，1988年度）、張揚、黃清根〈丁巳復辟與日本〉（《華東師大學報》1989年4期）、潘榮〈日本內閣有關張勳復辟的對策〉（《南開學報》1992年4期）、葉千榮〈〝張勳〞の復辟における寺內內閣と段祺瑞及び張勳の秘密交涉の內幕の檢證〉（《學苑》63號，1992年5月）、臼井勝美〈張勳復辟と日本側の接觸〉（《歷史教育》14卷1號，1966）、章開沅、劉望齡〈論張勳復辟的歷史機緣和失敗的必然性〉（《新建設》65卷3期，1965年3月）、唐永幹〈〝張勳復辟〞時進京的〝辮子軍〞是5000人，還是3000人〉（《揚州師院學報》1991年2期）、孤竹里奴編《張勳穢史》（民6年出版：臺北，文海出版社影印，民76）、文長宗《張勳醜史》（北京，中華書局，1980）、呂雲松、朱水鑫編寫《〝辮帥〞張勳外傳》（南昌，江西人民出版社，1987）、聶冷《辮子大帥張勳》（北京，中國青年出版社，1994）、廖作琦〈復辟主謀〝辮帥〞張勳的一生〉（《傳記文

學》63卷4期，民82年10月）、丁龍塏〈辮帥張勳與直督褚玉璞〉
（《春秋》7卷5期，民56年11月）、王賓〈張勳在徐州策劃復辟活動
紀略〉（《徐州師院學報》1987年1期）、樊建瑩〈民國初年 " 癸丑
復辟" 述略〉（《駐馬店師專學報》1993年1期）、橋木正博〈清朝
廢帝溥儀擁立問題〉（《花園史學》14號，1993年11月）、吳翎君
〈康有為與復辟運動（1912-1927）〉（《史原》15期，民75年4
月）、康同環〈保皇復辟真相—先父（康有為）晚年的政治主
張〉（《中外雜誌》23卷3期，民67年3月）、羅繼祖〈康有為、沈曾
植參預 " 丁巳復辟" 〉（《史學集刊》1986年2期）、林克光〈丁巳
後康有為的復辟活動〉（《歷史教學》1990年11期）、桂崇基〈張勳
復辟與段祺瑞〉（《東方雜誌》復刊8卷4期，民63年10月）、周俊旗
〈小議段祺瑞在平定張勳復辟事件中的作用〉（《南開史學》1991
年1期）、單寶〈段祺瑞 " 三造共和" 平議〉（《安徽史學》1984年3
期）、李開弟〈段祺瑞 " 三造共和" 述評〉（同上，1986年1期）、
徐衛東〈段祺瑞 " 三造共和" 之真相〉（《復旦學報》1987年3
期）、丁賢俊〈論段祺瑞三定共和〉（《歷史檔案》1988年3期）、
永井算巳〈丁巳復辟事件と梁啟超〉（《信州大學人文學部人文科
學論集》13、15、16號，1979年3月、1981年3月、1982年3月）、邢克斌
〈民國初年梁啟超反對帝制復辟的鬥爭〉（《近代史研究》1983年4
期）。蕭良章〈論湖南換督引起之南北戰爭〉（《國史館館刊》復
刊21期，民85年12月）。其他相關者有安德魯·J·內森（Andrew
J. Nathan）〈立憲共和國：北京政府（1916-1928）〉（係費正清
主編、章建剛等譯《劍橋中華民國史》第一部之第5章，上海人民出版社，
1991）、詹姆斯·E·謝里登（James E. Sheridan）〈軍閥時代：

北京政府的政治與軍人專制（1916-1928）〉（同上之第6章）。

2.民國八年之南北議和

　　有林桶法《民國八年之南北議和》（臺北，南天書局，民79）、中國社會科學院近代史研究所《1919年南北議和資料》（北京，中華書局，1962）、段雲章〈論1919年南北議和〉（《近代史研究》1984年1期）、范同壽〈1919年南北議和的前前後後〉（《檔案史料與研究》1993年1期）及〈1919年的南北議和與南北勾結〉（《社會科學家》1987年3期）、王樹槐〈國會問題與南北和會〉（載《民國初期歷史討論會論文集》上冊，民72）、林明德〈日本與1919年的南北議和〉（《歷史學報（臺灣師大）》第4期，民65年4月）、陳正卿〈1919年"南北和議"前後西南內部的鬥爭〉（《民國檔案》1990年4期）。

3.聯省自治運動

　　有胡春惠《民初的地方主義與聯省自治》（臺北，正中書局，民72）、李達嘉《民國初年的聯省自治運動》（臺北，弘文館，民75）及〈民初聯省自治運動的發展及其侷限〉（《食貨月刊》復刊14卷1、2期，民74年3月）、王聿均〈民初聯省自治之理論與實際〉（載胡春惠主編《中國的過去、現在與未來—國際學術討論會文集》，香港，珠海書院亞洲研究中心，1994）、謝諾（Jean Chesneaux），"The Federalist Movement in China, 1920-1923." （In Jack Gray, ed., Modern China's Search for a Political Form, London, New York and Toronto: Oxford University Press, 1969），其中譯文為張瑞德譯〈聯省自治運動（1920-1923）〉（收於張玉法主編《中國現代史論集》第5輯，民69）、席福群、岳梁〈〝聯省自治〞淺析〉（《商丘師專學報》1989年4期）、鄒小孟〈〝聯省自治〞淺析（1920-1923）〉（《四川大學學報》1982年4期）、戴緒恭〈1920-1923年間地方軍閥的〝聯省自治〞〉（《江漢學報》1964年8期）、胡適〈聯省自治與軍閥割據〉（《努力週報》19期，民11年9月）、汪朝光〈〝聯省自治〞性質論〉（《南京大學學報》1991年3期）、丁旭光〈本世紀20年代〝聯省自治〞說的提出及其危害〉（《華南師大學報》1987年2期）、史月廷〈也評資產階級聯省自治思潮〉（《杭州大學學報》1987年2期）、謝俊美〈略論聯邦制和聯省自治運動〉（《華東師大學報》1995年5期）、味岡徹〈最近の自治・連省自治運動研究〉（《東方》48號，1985）及〈南北對立と連省自治運動〉（載《五四運動史像の角檢討》，中央大學出版部，1986）、李蓓之〈略論20年代初〝聯省自治〞運動〉（《上海大學學報》1996年3期）、任建樹〈關於聯省自治問題及其論戰〉（《齊魯學刊》1985年3期）、鄭永福〈〝聯治〞思潮與軍閥〝聯省自治〞評析〉（《史學月刊》1985年3期）、趙錫榮、李緒基〈〝聯省自治〞政治思想剖析〉（《聊城師院學報》1984年3期）、春宮千鐵〈聯省自治運動の憲法學的考察〉（《支那研究》51號，1939）、金子肇〈1920年代前半北京政府の「地方自治」政策と省自治風潮〉（載橫山英、曾田三郎編《中國の近代化と政治的統合》東京，溪水社，1992）、橫山宏章〈中國の地方分權論—「大一統」と「聯省自治」の確執〉（《明治大學論叢》548號，1994年11月）、武堉幹〈聯省自治與職業主義〉（《太平洋》3卷7期，民11年9月）、寺廣映雄〈民國軍閥における中國統一策について㈠—廢督裁兵・連省自治・湖南自治運動〉(《歷史研究（大阪教育大學）》17號，1979年11月)、郭劍林〈略論西南各省〝自治〞潮流和〝廢督裁兵〞的呼聲〉(《西南軍閥史研究叢刊》第3輯，1985)、劉鵬佛〈湖南與聯省自治運動〉(《簡牘學報》第8期，民68年11月)、熊杏林〈湖南自治運動述評—兼論湖南自治運動的性質〉(《近代史研究》1990年3期)、王無為《湖南自治運動史（上篇）》(上海，泰東書局，民9)、王永康〈湖南的聯省自治述評〉(《湖南師院學報》1981年3期)、田永秀〈試論毛澤東發起湖南自治運動的原因〉(《四川大學學報》1993年2期)、李吉、王興國〈從湖南自治運動看青年毛澤東世界觀的轉變〉(《求索》1981年2期)、蘇燈基《趙恒惕與湖南自治運動（1921-1926）》(中國文化學院史學研究所碩士論文，民61年6月)、笹川裕史〈湖南省における省自治運動と省憲法構想〉(《廣島大學東洋史研究室報告》第5號，1983)及〈1920年代前半の湖南省政民主化運動—省憲構想をめぐつて〉(載橫山英《中國の近代化と地方政治》，東京，勁草書房，1985)、張朋園〈湖南省憲之制定與運作（1920-1925）〉(載《中華民國建國史討論集》第2冊—開國護法史組，臺北，民70)、李子文〈論湖南省憲運動〉(《史學集刊》1985年2期)、郭劍林〈湖南省憲運動之考察〉(《南開史學》1984年2期)、文淮《湖南省憲運動及其影響》(中國文化大學史學研究所碩士論文，民82年12月)、笹川裕史〈國民革命期における湖南省各級人民會議構想〉(《史學研究》168號，1985)、Angus W. McDonald, Jr. "Mao Tse-tung and the Hunan Self-government Movement, 1920." (The China Quarterly, No. 68, February 1976)、

興梠一郎〈毛澤東と湖南自治運動〉(《中國研究月報》564號,
1995年2月)、王宣仁〈青年毛澤東的〝湖南自治〞思想淺析〉
(《湘潭大學學報》1987年增刊)、中前吾郎〈初期毛澤東の自治運
動論—その論理と心理上と倫理〉(《筑波法政》18卷2號,1995年3
月)、田子渝〈湖北自治運動述論〉(《湖北大學學報》1995年6
期)、蘇雲峰〈聯省自治聲中的「鄂人治鄂運動」:兼論省籍意
識之形成及其作用,1920-1926〉(載《認同與國家:近代中西歷史的
比較」論文集》,臺北,中央研究院近代史研究所,民83)、倪忠文
〈〝驅王自治運動〞始末〉(《江漢論壇》1985年5期)、陶水木
〈浙江省憲自治運動述論〉(《杭州大學學報》1994年2期)、R.
Keith Schoppa, "Province and Nation: The Chekiang Provincial
Autonomy Movement, 1917-1927." (The Journal of Asian Studie,
Vol. 36, No.4, August 1977;其中譯文爲劉汝錫譯〈省與國:浙江省的自治
運動(1917-1927)〉,載張玉法主編《中國現代史論集·第5輯:軍閥政
治》,臺北,聯經出版事業公司,民69)、阮毅成〈讀浙江制憲史〉
(《勝流半月刊》4卷10期,民35年11月;亦收入張玉法主編《中國現代史
論集》第5輯,臺北,民69)、周鯁生〈讀廣東省憲法草案〉(《東
方雜誌》19卷6期,民11年3月)、熊宗仁〈聯省自治中的貴州〉
(《貴州社會科學》1987年10期)。其他相關的有李繼盛〈分合之
際:二十年代初省憲運動的背景分析〉(《民國檔案》1996年3
期)、胡春惠〈民初的地方分權主義〉(《中山學術文化集刊》28、
29集,民71年3月、72年3月)及〈聯邦主義與民國初年的分與合〉
(載《中國歷史上的分與合學術討論會論文集》,臺北,聯合報基金會,
民84)、秦惠萍《民初地方主義之研究—元年至五年間中央與地

方權力之衝突》(政治大學歷史研究所碩士論文，民72年6月)、石川忠雄〈清末及び民國初年における連邦論と省制論〉(《法學研究》24卷9、10號，1951年10月)、Arthur Waldron, "Warlordism Versus Federalism: the Revival of a Debate?" (China Quarterly, Vol. 121, 1990)、Philip A. Kuhn, "Local Self-Government Under the Republic: Problems of Control, Autonomy, and Mobilization." (In Frederic Wakeman, Jr. and Carolyn Grant, eds., Conflict and Control in Late Imperial China, Berkeley and Los Angeles: University of California Press, 1975)。

4.北洋軍閥間的內戰

民國九年（1920）的直皖戰爭有中國第二歷史檔案館編《直皖戰爭》(鎮江，江蘇人民出版社，1980)、存萃學社編集《直皖戰爭》(香港，崇文書店，1973)、范同壽〈試論直皖戰爭前的政局演變〉(《貴州文史叢刊》1989年4期)、郭劍林、王華斌〈直皖戰爭的社會歷史背景〉(《杭州師院學報》1986年3期)、馬鐵雄《論直皖戰爭》(香港大學碩士論文，1983)、王立〈直皖矛盾和直皖戰爭〉(《史學月刊》1986年2期)、瀨江濁物編輯〈直皖戰爭始末記〉(《近代史資料》1962年2期)、賴力群輯〈直皖戰爭文牘〉(同上)，汪德壽〈直皖戰爭記〉(同上)、苗培時〈直皖之戰—舊中國軍閥混戰（上）〉(《中國青年》1981年5期)、王華斌〈論直皖戰爭直勝皖敗的原因及其後果〉(《學術月刊》1986年1期)、汪德壽〈直皖奉大戰實紀〉(為未刊稿本，收入榮孟源、章伯鋒主編《近代稗海》第4輯內，四川人民出版社，1985)、丁思澤、陳長河

〈西南軍閥與直皖戰爭〉(《江海學刊》1986年1期)、章伯鋒〈直皖戰爭與日本〉(《近代史研究》1987年6期)、藤井昇三〈1920年安直戰爭をめぐる日中關係の一考察—邊防問題を中心として〉(載日本國際政治學會編《日本外交史研究—日中關係の展開》,東京,有斐閣,1961),其中譯文為鄭基譯、傅中午校〈1920年的直皖戰爭與日本對華政策—以邊防軍問題為中心課題〉(載《國外中國近代史研究》10輯,1988年4月)、莫建來〈奉系軍閥與直皖戰爭〉(《學術月刊》1989年9期)。

民國十年(1921)的援鄂戰爭有國史編輯社《湘軍援鄂戰史》(民10年初版,臺北,文海出版社影印,民60)、鄧野〈援鄂戰爭之史的考察(1921年7月至10月)〉(《近代史研究》1984年2期)、彭洪鑄〈湘鄂川鄂戰爭紀略〉(收入榮孟源、章伯鋒主編《近代稗海》第7輯,四川人民出版社,1986)。民國十一年(1922)及十三年(1924)的兩次直奉戰爭有郭劍林〈兩次直奉戰爭之比較〉(《歷史檔案》1987年3期)、叢曙光〈兩次直奉戰爭結果迥異之剖析〉(《遼寧大學學報》1994年4期)、競智圖書館編輯《直奉大戰史》(上海,編輯者印行,民11)、張梓生編《奉直戰爭紀事》(臺北,文海出版社影印,民56)、陳冠雄〈奉直戰雲〉(原係單行本,天津,新民意報社,民11年印行;收入榮孟源、章伯鋒等主編《近代稗海》第5輯內,四川人民出版社,1985)、宏文圖書館編著《奉直戰史》(2冊,上海,編著者印行,民11)、池井優〈第一次直奉戰爭と日本〉(載《外史及び國際政治の諸問題》,東京,慶應通信,1962)、蘇全有、孫宏雲〈論第一次直奉戰爭直勝奉敗的原因〉(《社會科學戰線》1994年5期)、蔣自強〈從第一次直奉戰爭看吳佩孚的軍事謀略〉（《軍事歷史研究》1987年4期）、蘇全有、李紅旗〈1922年直豫鄭州大戰〉（《中州今古》1993年5期）、寄塵居士編著、靜心道人校閱《奉直大戰史》（上海，唯一圖書館，民11）、民強書局編輯《奉直二次新戰史》（上海，編輯者印行，民15年再版）、宏文圖書館編輯《甲子奉直戰史》（上海，編輯者印行，民13年11月）、佚名《甲子奉直戰史》（臺北，文海出版社影印，民60）、秦皇島市政協文史資料研究委員會編《直奉大戰》（北京，社會科學文獻出版社，1993）、無聊子編輯《第二次直奉大戰記》（上海，共和書局，民13）、婁向哲《論第二次直奉戰爭》（南京大學碩士論文，1985）、苗時培〈直奉之戰－舊中國軍閥混戰（下）〉（《中國青年》1981年7期）、張安慶〈淺析直奉戰爭〉（《武漢大學學報》1986年4期）、婁向哲〈論第二次直奉戰爭〉（《史林》1987年4期）及〈第二次直奉戰爭與日本的關係〉（《南開史學》1984年1期）、池井優〈第二次直奉戰爭と日本〉（《法學研究（慶應大學）》37卷3號，1964年3月）、俞辛焞〈日本對直奉戰爭的雙重外交〉（《南開史學》1982年4期）、關靜雄〈幣原外交と第二次直奉戰爭〉（《帝塚山大學教養學部紀要》44號，1995年12月）、李軍〈第二次直奉戰爭中直系失敗的原因〉（《近代史研究》1985年2期）、王貴安〈第二次直奉戰爭直系失敗原因之管見〉（《山西師大學報》1991年4期）、郁慕湛〈第二次直奉戰爭直系失敗的政治因素〉（《河北學刊》1987年2期）、莊心田〈直奉二次戰爭與孫傳芳開府金陵〉（《浙江月刊》18卷8期，民75年8月）、中國社會科學院近代史研究所〈第二次直奉戰爭時直系函電選〉（《歷史檔案》1990年3期）、小杉修二〈第二次奉直戰爭と國民會

議運動について〉（《史潮》110、111號，1972年12月）、稻葉正夫〈第二次奉直戰關係資料(1)(2)〉（《軍事史學》12、13號，1968年2、5月）。

民國十三年的江浙戰爭有鄭祖安〈江浙戰爭〉（《辛亥革命資料（上海）》1986年1期）、陳長河、殷華〈從檔案看1924年的江浙戰爭〉（《歷史檔案》1995年2期）、吳首天〈淺談〝江浙戰爭〞的爆發〉（《江海學刊》1983年5期）、莊心田〈江浙戰爭—齊盧之戰〉（《浙江月刊》18卷1期，75年1月）、宏文圖書館編輯《江浙戰史》（上海，編輯者印行，民13）、林光灝〈閒話江浙戰爭—記民國十三年齊燮元與盧永祥之戰〉（《中外雜誌》19卷1期，民65年1月）、笠原十九司〈江浙戰爭と上海自治運動〉（載野澤豐編《中國國民革命史の研究》，東京，青木書店，1974）、張秉均〈軍閥內訌之我見：江浙戰爭—第二次直奉戰爭〉（《三軍聯合月刊》11卷11期，民63年1月）。

其他民國十四至十六年間的內戰有陳長河〈1925年的〝胡憨之戰〞〉（《史學月刊》1985年6期）、張安慶〈浙奉戰爭淺探〉（《武漢大學學報》1985年5期）及〈淺析國奉戰爭〉（同上，1986年4期）、劉曼容〈試論1925年國民軍的反奉戰爭〉（《江漢論壇》1990年3期）及〈略論北伐前夕國民軍與奉直軍聯盟的戰爭〉（《史學集刊》1989年2期）、宋鏡明〈吳佩孚的再起與直奉聯合對國民軍的進攻〉（《武漢大學學報》1986年1期）、趙國章〈1926年南口戰役略論〉（《天津師大學報》1987年1期）、郭緒印〈馮玉祥部國民軍在南口防禦戰及其意義〉（《軍事歷史研究》1988年2期）。趙曉天〈1926年陝軍堅守西安勝利的原因及其意義淺析〉

（《陝西地方志通訊》1986年6期）、張廣效〈1926年西安圍城簡
述〉（同上，1986年4期）、袁武振〈試析1926年的西安反圍城鬥
爭〉（《黨史研究資料》1990年1期）、王禹廷〈西安八月之圍：楊
虎城苦戰劉鎮華－西北軍事史話之五〉（《中外雜誌》19卷5期，民
65年5月）、習五一〈論1927年奉吳河南戰爭〉（《歷史檔案》1988
年4期）、古蔚孫〈乙丑軍閥變亂紀實〉（收入榮孟源、章伯鋒主編
《近代稗海》第5輯，四川人民出版社，1985）。此外，Arthur
Waldron（Brown大學美國海軍戰爭學院教授），From War to
Nationalism: China's Turning Point, 1924-1925.（Cambridge Uni-
versity Press, 1995）著重於民國十三、四年發生的江浙戰爭、第二
次直奉戰爭、以及五卅愛國運動，全書參考中、日、英文論著和
資料多達六百餘種，書中並有不少的附圖、照片和漫畫，來加強
史事的說明，為研究北洋軍閥統治末期歷史的代表之作。坂野良
吉〈國民革命の展開とワシントン體制の變質－反奉戰爭の前後
を中心として〉（《歷史學研究》別冊，1983年11月）、Arthur
Walarom另撰有The Chinese Civil Wars 1911-1949.（New York: St.
Martin's Press, 1995）一書，論述整個民國內戰史。劉家麟〈民國
史上五次圍城戰〉（《中外雜誌》10卷2期，民60年8月）。

5.北京政變（首都革命）

　　民國十三年（1924）十月，直系將領馮玉祥在第二次直奉戰
爭中自熱河暗中班師回北京，自此掌控北京政府（至15年4
月），對中國政局影響至鉅，這方面的論著·資料有王宗華〈試
論1924年北京政變〉（《武漢大學學報》1983年6期）、王紅勇〈北

京政變性質與原因新探〉（《學術月刊》1986年7期）、公展〈北京政變記〉（《國聞週報》1卷4期，民13年11月2日）、無聊子〈北京政變記〉（原爲單行本小冊子，上海共和書局，民13年印行；收入榮孟源、章伯鋒主編《近代稗海》第5輯內，成都，四川人民出版社，1985）、姜恒雄〈馮玉祥與〝北京政變〞〉（《中國歷史》1983年5期）、劉敬忠〈馮玉祥北京政變初探〉（《河北大學學報》1986年3期）、河南省文聯圖書館編輯部編《馮玉祥政變記》（北京，中國文聯出版社，1985）、盧志強、李紅娟〈試論馮玉祥北京政變〉（《陰山學刊》1993年4期）、金保華〈馮玉祥與北京政變〉（《歷史教學》1983年12期）、謝本書〈談談馮玉祥北京政變及其評價〉（《歷史知識》1982年3期）、趙曉天〈馮玉祥與北京政變新析〉（《西北大學學報》1988年3期）、袁成亮〈試論孫中山與馮玉祥北京政變〉（《西北大學學報》1992年1期）、謝正清〈北京政變前後的馮玉祥新論〉（《益陽師專學報》1991年3期）、金聲〈第二次直奉戰爭中馮王密議倒直的時和地〉（《歷史檔案》1982年1期）、經盛鴻、封榮生〈馮玉祥北京捉曹錕〉（《南京史志》1993年5期）、許放〈國共兩黨與北京政變〉（《北京檔案史料》1995年1期）、蔡靜儀〈北京政變的前前後後〉（《南開學報》1894年3期）、梁柱〈首都革命始末〉（《黨史研究資料》1988年3期）、莊有為等〈1925年首都革命述略〉（《上海師大學報》1988年1期）、王光遠〈1925年的首都革命〉（《北京檔案史料》1988年2期）。沈雲龍〈黃郛攝閣的前後〉（載《中國現代史叢刊》第2冊，臺北，正中書局，民49）、張洪祥〈攝政內閣黃郛〉（《南開史學》1990年1期）、沈雲龍《黃膺白先生年譜長編》（2冊，臺北，聯經出版事業公司，民65）及〈黃膺白

（郛）先生的生平及其識見〉（《中國現代史專題研究報告》第5
輯，民65）、金問泗等《黃膺白故舊感憶錄》（臺北，文星書店影
印，民51）、楊師宏《黃膺白對中國現代政治的影響》（臺灣大學
三民主義研究所碩士論文，民71年6月）、石川順〈黃郛の夢〉（《中
國文化》第3號，1948年4月）、沈亦雲《亦雲回憶》（2冊，臺北，傳
記文學出版社，民57）、劉曼容〈試論北京政變後的直奉合作關係
與國內政局〉（《廣東社會科學》1989年2期）、無明〈北京政局的
變化〉（《東方雜誌》21卷20號、21號，民13年10月、11月）、政之〈北
京政變後之時局〉（《國聞週報》1卷14期，民13年11月2日）、一得
〈國民軍遷移清帝〉（同上，1卷16期，民13年11月16日）、周世文編
輯《國民軍包圍禁宮宣統皇秘史》（上海，中華社，民14）、喻
大華〈重評1924年馮玉祥驅逐溥儀出宮事件〉（《學術月刊》1993
年11期）、朔一〈清帝出宮與優待條件的修改〉（《東方雜誌》21卷
22號，民13年11月25日）、喻大華〈《清室優待條件》新論一兼探
溥儀潛往東北的一個原因〉（《近代史研究》1993年1期）、周鯁生
〈清室優待條件〉（《現代評論》1卷1期，民13年12月）、王世杰
〈清室優待條件的法律性質〉（同上，1卷2期，民13年12月）、寧協
萬〈清室優待條件是否國際條約〉（《東方雜誌》22卷2號，民14年1
月）、佚名《鹿鍾麟驅逐溥儀出宮始末記》（複寫本，臺北，中央
研究院史語所藏）、徐彬彬〈清室事件之澈底批評〉（《國聞週報》
2卷5期，民14年2月）、羅澍偉〈辛亥革命時期優待清室條件的產
生及其評價〉（《天津社會科學》1985年4期）、那志良〈宣統皇帝
出宮前後〉（《傳記文學》36卷1期，民69年1月）。其他如古蘅孫
〈甲子內亂始末紀實〉（收入榮孟源、章伯鋒主編《近代稗海》第5

輯，四川人民出版社，1985）、佚名《甲子清室密謀復辟文證》（故
宮叢刊之二，北京，故宮博物院，民18年再版刊行）。

6.郭松齡事件

　　民國十三年（1924）的北京政變，係直系內部的「倒戈」事
件，民國十四年的郭松齡事件，則係奉系內部的「倒戈」事件；
後者對政局的影響雖不如前者之大，但亦有其不容忽視的作用。
專書方面有遼寧省政協文史資料研究委員會編《郭松齡反奉》
（即《遼寧文史資料·16輯》，瀋陽，遼寧人民出版社，1986）、任松、
武育文《郭松齡將軍》（瀋陽，遼寧人民出版社，1985）、滿鐵北京
公所研究室《民國十四年反奉戰亂誌》（北京，1926），書後附：
「奉郭戰事と日本」；鐵仮面《郭松齡の叛亂と今後の東三省》
（1926出版）、滿鐵庶務部調查課《奉郭戰爭重要日誌》（大連，
1926；該書之中譯文，為王貴忠譯，載《近代史資料》總第81號，1992年1
月）。論文方面有趙中孚〈郭松齡事件及其影響〉（載《中華民國
初期歷史研討會論文集》上冊，臺北，中央研究院近代史研究所，民
73）、任松〈試論郭松齡反奉〉（《社會科學輯刊》1979年5期）、
張安慶〈郭松齡倒戈反奉事件初探〉（《武漢大學學報》1983年3
期）、郎萬法〈郭松齡倒戈─張作霖新傳外一章〉（《中外雜誌》
56卷6期，民83年12月）、陳嘉驥〈郭松齡倒張作霖〉（同上，22卷6
期，民66年12月）、丁沛濤〈郭松齡倒張作霖真相─陳嘉驥《東北
壯遊》讀後〉（同上，29卷4期，民70年4月）、金廉德譯、郭錦泰
校〈郭松齡倒戈事件〉（《東北地方史研究》1988年1期）、杜尚俠
〈試談郭松齡反奉的性質〉（同上，1985年3期）、徐興穩〈也談

郭松齡及其反奉戰爭〉（同上，1987年1期）、田樹柏〈論郭松齡反奉事變的性質及歷史地位〉（《阜新社會科學》1995年6期）、丘權政〈郭松齡聯合馮玉祥倒戈反奉及其失敗〉（《軍事歷史研究》1989年2期）、毛履平、王關興〈論郭松齡事變的性質及其失敗的原因〉（《學術月刊》1982年5期）、高紅霞〈郭松齡倒戈失敗剖析〉（同上，1987年12期）、婁向哲〈日本在郭松齡反奉事件中的作用〉（《南開學報》1987年6期）、呂明軍〈郭松齡反奉與日本〉（《東北地方史研究》1987年4期）、顧明義〈也談郭松齡倒戈事件中日本對張作霖的支持〉（《日本研究》1986年4期）、江口圭一著、曲建文譯〈郭松齡事件與日本帝國主義〉（《國外中國近代史研究》17輯，1990年10月；其日文原文載《人文學報（京都大學）》17號，1962年11月）、臼井勝美著、陳鵬仁譯〈日本幣原外交對郭松齡事件的影響及其他〉（《傳記文學》46卷4期，民74年4月）、林正和〈郭松齡事件と一日本人一守田福松醫師の手記「郭ヲ諫ナテ」について〉（《駿臺史學》37號，1975年9月）、胡國順、陳立英〈倒戈火焰之一例—郭松齡反奉與中國共產黨〉（《黨史縱橫（瀋陽）》1994年1期）、張連生〈郭松齡反奉戰爭中的巨流河之戰〉（《東北地方史研究》1985年1期）。武育文〈郭松齡的歷史評價〉（載《近代中國人物》第3集，重慶出版社，1986）、郭大鳴〈先兄郭松齡將軍傳〉（《傳記文學》16卷2期，民59年2月）、金毓黻〈郭松齡別傳〉（《吉林文史資料選輯》第4輯，1983）、武育文〈郭松齡將軍傳略〉（《瀋陽文史資料》第10輯，1985）、吳佩明〈郭松齡將軍傳略〉（《東北文獻》10卷2期，民68年11月）、馬伯援〈民初人物印象記—郭松齡〉（《傳記文學》44卷5期，民73年5月）、陳崇橋、車維漢〈關於郭松齡評價的幾個問題〉（《東北地方史研究》1990年3期）、稻葉正夫〈張郭戰爭資料〉（《軍事史學》14號，1968年8月）、王化一〈張作霖與郭松齡〉（《文史集萃》第1輯）、陳嘉驥〈我所知道的張作霖─郭松齡倒戈前後〉（《傳記文學》5卷6期，民53年12月）、王雅文〈郭松齡與張氏父子〉（《遼寧大學學報》1995年5期）及〈張學良與郭松齡之關係述論〉（《北京檔案史料》1994年3期）、杜尚俠〈略論張學良與郭松齡的關係〉（《遼寧廣播電視大學學報》1988年2期）、梁敬錞〈林宗孟與郭松齡〉（《傳記文學》15卷5期，民58年11月）、土田哲夫〈郭松齡と國民革命〉（《近きに在りて》第4號，1983年9月）、尹德文〈關於郭松齡之死〉（《近代史研究》1986年1期）。

7.五卅運動（五卅慘案）

民國十四年（1925）五月之反帝國主義運動─五卅運動，其專書有上海社會科學院歷史研究所編《五卅運動史料》第1、2卷（上海，上海人民出版社，1981、1986）、上海市檔案館編《五卅運動》（3輯，上海人民出版社，1991）、傅道慧《五卅運動》（上海，復旦大學出版社，1985）、許世華、強重華編《五卅運動》（北京，工人出版社，1956）、梁曉民編《五卅運動》（北京，通俗讀物出版社，1956）、任建樹、張銓《五卅運動簡史》（上海，上海人民出版社，1985）、丁應求《1925年上海五卅運動的研究─以中日關係為主》（臺灣師範大學歷史研究所碩士論文，民75年9月）、章回《五卅運動故事》（上海，上海人民出版社，1964）、晨報編輯處、清華學生會合編《五卅痛史》（北京，晨報出版部，民14）、民憤社編

輯部編印《五卅血史》（民14年出版）、阮淵澄編著《五卅慘案》
（上海，大成出版公司，民37）、上海學生聯合會《五卅紀念特
刊》（上海，民15，即《上海學生》19期）、獨立評論社《五卅紀念
特刊》（上海，民15，即《獨立評論》10期）、南方大學學生會《五
卅紀念特刊》（民15）、惠靈學校學生會《五卅紀念刊》（民
15）、廣東大學秘書處出版部《五卅紀念號》（廣州，民15）、中
華民國學生聯合會總會《五卅週年紀念特刊》（上海，民15，即
《中國學生》29期）、孔另境《五卅外交史》（上海，永祥印書館，
民35）、相瑞花、白去濤編著《南京路上的血泊：上海五卅慘
案》（北京，中國華僑出版社，1993）、李健民《五卅慘案後的反英
宣傳》（臺北，中央研究院近代史研究所，民70）、中國第二歷史檔
案館編《五卅運動和省港罷工》（南京，江蘇古籍出版社，1985）、
曹平《五卅運動和省港大罷工》（哈爾濱，黑龍江人民出版社，
1985）、中共河南省委黨史資料徵編委員會《五卅運動在河南》
（中共河南黨史資料叢書，鄭州，河南人民出版社，1985）、龐守信
《五卅運動在河南》（河南史志資料之5，同上，1986）、上海市總
工會、上海工人運動史料委員會編《五卅運動六十周年紀念集》
（上海市印刷六場印刷，1985）、上海醒獅社編《五卅烈士事略》
（上海，編者印行）、中共武漢市委黨史辦公室編《五卅運動在武
漢》（武漢，武漢出版社，1988）、中共天津市委黨史資料徵集委
員會等編《五卅運動在天津》（北京，中共黨史資料出版社，
1987）、上海日本商業會議所《邦人紡績罷業事件と五卅事件及
各地の動搖》第1輯（上海，1925）、橫濱正金銀行調查課《五卅
事件と排貨運動》（即《通報號外》24號，1925）、滿鐵庶務部調查

課《上海事件に關する報告》（大連，1925）、向山寬夫《中國における反帝國主義勞働運動：五・三〇事件と廣東對香港ボイコット》（2冊，東京，《國學院法學》6卷1、2號拔刷，1968）、Richard W. Rigby, The May 30 Movement: Events and Themes.（Canberra: Australian National University Press, 1980）及The May Thirtieth Movement: An Outline.（Ph. D. Dissertation, Australian National University, 1975）、張耀民《論五卅運動中民族資產階級的歷史地位和作用》（吉林大學歷史學碩士論文，1986年6月）、何毅亭《五卅運動中的上海民族資產階級》（北京師大歷史學碩士論文，1986年6月）、近藤文理《上海租界史における日本—五・三〇事件を中心に》（關西大學史學・地理學科畢業論文，1987年度）、藤田理《五・三〇運動に關する一考察—在華紡勞働者の闘いを中心として》（同上，1981年度）。

期刊論文有李守孔〈民國十四年五卅慘案與國民救國運動〉（《國際漢學會議論文集》，臺北，民70）、施樂伯（Robert A. Scalapino）、于子橋〈「五卅事件」再探〉（載《中華民國建國八十年學術討論集》第1冊，臺北，民80）、史乃展〈五卅運動的歷史根源及其意義〉（《群眾週刊》4卷15期，民29年5月）、吳克堅〈〝五卅〞教訓與抗戰〉（同上，3卷2期，民28年5月）、齊武〈五卅運動的歷史意義和經驗教訓〉（《歷史研究》1965年3期）、祁龍威〈五卅愛國運動的經過〉（《大公報史學周刊》1952年5月29日）、野史氏〈五卅慘案的前夜〉（《中國公論》3卷6期，民29年9月）、楊之華〈回憶〝五卅〞運動〉（《中國青年》1951年66期）、小杉修二〈五三〇運動の一考察〉（載野澤豐編《中國國民革命史の研究》，東京，

1974)、許興華〈五卅運動〉（《人民中國通訊》1956年11期）、彭明
〈從五卅運動中我們學習些什麼？〉（《教學與研究》1957年2
期）、陳伯達〈＂五卅＂血案十三週年〉（《解放》40期，民27年5
月）、上海工人運動史科研小組〈黨所領導下的＂五卅＂運動—
紀念＂五卅＂運動35周年〉（《復旦學報》1960年5期）、上海革命
歷史紀念館籌備處五卅專題小組〈五卅運動是黨的群眾路線的偉
大勝利〉（《學術月刊》1960年5期）、姜沛南〈評＂四人幫＂極左
路線的產物—《五卅運動》〉（《社會科學（上海）》1979年4
期）、愉之〈五卅事件紀實〉（載《東方雜誌》22卷五卅事件臨時增
刊，民14年7月）、張耀民〈＂五卅運動＂何時提出〉（《史學集
刊》1984年3期）、陳企蔭〈五卅運動片斷〉（《黨史資料叢刊》1980
年2期）、卞杏英〈五卅運動大事記〉（《上海師院學報》1980年2
期）、陸立之〈五卅慘案見聞〉（《黨史研究資料》1983年2期）、
俞昌時〈親歷五卅運動紀實〉（《上海青運史資料》1983年2期）及
〈親歷五卅運動〉（《上海工運史資料》1984年4期）、任建樹〈五
卅運動的興起〉（《社會科學（上海）》1985年5期）、馬鍾獄〈五
卅運動簡介〉（《工運史研究資料》1985年2期）、祁瑞清〈簡論五
卅運動的歷史地位及其歷史經驗〉（《牡丹江師院學報》1985年3
期）、何一成〈五卅運動是舊民主革命到民主革命轉變基本完成
的標志〉（《長沙水電師院學報》1988年2期）、井貫軍二〈五·三
〇事件研究ノート〉（《兵庫縣歷史學會會誌》第2號，1957年5月）、
方沖之〈五卅血案〉（《上海工運史》1985年1期）、姜維新〈回憶
五卅運動前後〉（同上）、傅道慧等〈五卅怒潮〉（《上海青運史
資料》1984年1輯）、盧文迪〈五卅前後〉（《新中華》19卷10期，

1951)、連若雪〈一份絕好的反面教材一讀《五卅凶手之供狀》〉（《書林》1984年2期）、紀萬春〈鄧中夏論五卅運動〉（《瀋陽師院學報》1985年3期）、倩之〈從五九到五卅〉（《師大月刊》1卷9期，民26）、顧家熙〈五卅運動中的〝熱血日報〞和〝上大五卅特刊〞〉（《學術月刊》1958年5期）、何毅亭〈怎樣評價五卅運動中的13條〉（《江海學刊》1987年3期）、李光一〈關於〝五卅運動〞的〝四提案〞〉（《史學月刊》1957年3期）、張瑋瑛〈五卅運動中全國人民反帝鬥爭的概況〉（《大公報史學園刊》1952年5月29日）、李星、劉共、姚河〈高舉反帝旗幟的五卅運動〉（《新建設》1965年5期）、李光一〈段祺瑞〝執政府〞在五卅運動中的賣國外交〉（《史學月刊》1957年4期）、臼井勝美〈五‧三〇事件と日本〉（《アジア研究》4卷2號，1957年10月）、中村隆英〈五‧三〇事件と在華紡〉（《近代中國研究》第6卷，近代中國研究委員會，1964年5月）、單冠初〈五卅運動中的岡村寧次〉（《檔案與歷史》1988年2期）、項立嶺〈美帝國主義是鎮壓五卅運動的重要凶手〉（《學術月刊》1965年5期）、鄭雲山〈美帝國主義在五卅運動中的反革命兩手〉（《歷史教學》1965年7期）、倪幽年〈揭露帝國主義在五卅運動中玩弄〝六國調查〞和〝上海談判〞的騙局〉（《學術月刊》1965年5期）、馮伯樂〈〝五卅〞運動中帝國主義造謠破壞的罪證〉（《近代史資料》1958年1期）、魏楚雄、潘光〈試論五卅運動期間美、英對華外交之異同〉（《社會科學（上海）》1985年5期）、沈予〈五卅運動與日本對華政策〉（《檔案與歷史》1988年4期）、曹力鐵《國民黨在五卅運動中的作用》（《近代史研究》1989年3期）、葉至善〈五卅運動中的《公理日報》〉

（《新文學史料》1982年3期）、張義漁〈五卅運動中的中國共產黨和上海民族資產階級〉（《上海黨史研究》1995年3期）、劉炳福、姚天佑〈〝現代評論派〞在五卅運動中的破壞活動〉（《學術月刊》1965年5期）、張耀民〈論民族資產階級在五卅運動中的歷史地位和作用〉（《史學集刊》1988年2期）、黃逸峰〈五卅運動中的大資產階級〉（《歷史研究》1965年3期）、鄧中夏遺著〈五卅運動中的資產階級與小資產階級〉（《新華文摘》3卷3、4期，民37年5月）、汪紹麟〈五卅運動中的上海民族資產階級〉（《學術月刊》1960年5期）、徐鼎新等〈五卅運動與上海的資產階級〉（《上海社會科學院學術季刊》1985年2期）、李季玉〈五卅運動中的上海資產階級〉（《學習月刊》1986年12期）、何毅亭等〈評五卅運動上海資產階級的募捐活動〉（《上海社會科學院學術季刊》1987年3期）、馬洪林〈五卅運動前夜上海工人階級狀況〉（《歷史教學問題》1985年5期）、上海工人運動史料委員會〈工人階級：五卅運動的主力軍〉（《上海工運史資料》1985年2期）、新村泰〈中國勞工階級の成長過程と五卅運動〉（《歷史評論》243號，1970）、邵雍〈五卅運動中的工人幫會問題〉（《黨史研究與教學》1993年1期）、王關昶〈紀念五卅，發揚工人階級光榮傳統〉（《上海黨校學報》1985年3期）、耿衛東〈上海日本紗廠工人在〝五卅〞反帝運動中的英勇鬥爭〉（《歷史教學》1981年3期）、黃杜〈上海日本紗廠工人1925年2月大罷工〉（《復旦學報》1960年5期）、周文琪〈日本工人階級關於五卅運動的聲明書〉（《革命文物》1980年3期）、張銓〈〝五卅〞運動中的上海工人運動〉（《史林》1988年2期）、William Ayers, "Shanghai Labor and the May 30th.

Movement"（Papers on China, No. 5, 1952）、江田憲治〈上海五三
〇運動と勞働運動〉（《東洋史研究》40卷2號，1981年9月：中譯文爲
張軍民等譯〈上海的〝五卅〞運動和工人運動〉，《工運史研究資料》
1984年2期）、王玉平〈五卅運動中上海總工會組織發展述略〉
（《史學月刊》1986年2期）、龐松〈試析五卅運動中兩大反帝罷工
之不同發展〉（《黨史通訊》1985年5期）、何毅亭〈五卅運動中的
上海總商會〉（《歷史研究》1989年1期）、錢宏〈五卅運動中的上
海總商會〉（《大公報史學周刊》1952年7月18日）、李達嘉〈上海商
人與五卅運動〉（《大陸雜誌》79卷1期，民78年7月）、張注洪〈五
卅運動與海外愛國僑胞〉（《歷史檔案》1990年4期）、楊美琳〈五
卅運動與愛國華僑〉（《廣西師院學報》1982年2期）、沈立新〈華
僑與五卅運動〉（《華僑歷史學會通訊》1985年2期）及〈海外華僑
與〝五卅〞運動〉（《社會科學（上海）》1985年4期）、郭景榮
〈愛國華僑對五卅運動和省港罷工的經濟支持〉（《學術研究》
1985年3期）、王槐昌〈上海學生在五卅運動中的先鋒作用〉
（《上海青運史資料》1983年第2輯）、俞樂濱〈兵分八路，奔赴外
地—記上海學生五卅外埠演講隊〉（同上）、Thomas Creamer,
"Hseh-Yün": Shanghaiś Students and the May Thirtieth
Movement.（Master's Thesis, University of Virginia, 1975）、謝聖
智、劉渭先〈〝五卅〞運動中的上海學生〉（《運城師專學報》
1984年2期）、張超〈上海學生〝五卅〞奮鬥記〉（《青運史研究》
1983年1期）、馬凌山〈五卅運動中的上海大學學生〉（《黨史資料
叢刊》1982年4輯）、劉功成〈〝五卅慘案〞與大連的學生運動〉
（《遼寧師院學報》1983年1期）、劉正英〈〝五卅〞慘案與廈門學

運〉（《黨史資料與研究》1987年3期）、李路等〈五卅運動中的東南大學〉（《南京大學學報》1982年1期）、吳竟〈五卅運動在東吳大學〉（《蘇州大學學報》1990年3期）、張銓〈論中國共產黨對五卅運動的領導〉（《黨史研究》1986年6期）、史月廷等〈試論中國共產黨在〝五卅〞運動中的統一戰線策略〉（《杭州大學學報》15卷3期，1985）、張培德〈五卅運動對中國共產黨發展的影響〉（《史林》1986年1期）、劉以順〈共產國際與五卅運動〉（《國際共運》1985年2期）、傅道慧〈五卅運動中的愛國知識份子〉（《史林》1986年2期）、張有年〈五卅運動中知識分子對工人鬥爭的支援〉（《黨史研究》1985年3期）、李強〈五卅運動與青運史研究〉（《青運史研究》1983年5期）、范崇山〈南通青年在〝五卅〞愛國運動中〉（《揚州師院學報》1983年3期）。傅道慧〈五卅運動中的思想文化界的一場論戰〉（《社會科學（上海）》1982年5期）、許豪炯〈〝五卅〞運動與中國現代文學〉（《延邊大學學報》1994年4期）、張仲禮〈五卅時期抵貨鬥爭與民族工業的發展〉（《檔案與歷史》1985年1期）、李德芳、曾慶均〈略論五卅運動對我國民族工業的影響〉（《歷史教學》1988年11期）、劉楓〈五卅愛國運動的興起及其歷史作用〉（《上海經濟研究》1985年3期）、繆楚黃〈應當汲取五卅運動中處理民族鬥爭和階級鬥爭關係的經驗教訓〉（《黨史通訊》1985年5期）。何毅亭、柳丁〈五卅運動中上海的罷市鬥爭〉（《歷史教學》1987年12期）、天野元之助〈五卅事件の上海〉（《社會經濟史學》39卷5號，1974年1月）、Ku Hung-ting（古鴻廷），"Urban Mass Movement: The May Thirtieth Movement in Shanghai."（Modern Asian Studies, Vol.13, Part 2, April

1979)、高綱博文〈上海公共租界と五·三〇慘案〉（《櫻信論叢（日本大學）》第3號，1984年3月）、張家昀〈五卅慘案對上海租界之影響〉（《簡牘學報》12期，民75年9月）、鄭祖安〈五卅運動和上海租界統治的動搖〉（《史林》1986年1期）、劉成、常建國〈五卅運動在上海〉（《革命文物》1980年3期）、范崇山、朱戟〈江蘇〝五卅〞風潮〉（《江海學刊》1983年3期）、李路〈五卅運動在南京〉（《南京史志》1985年3期）、范崇山〈五卅運動在揚州〉（《揚州師院學報》1985年2期）、張圻福等〈五卅運動在蘇州〉（《中學歷史》1984年3期）、戴志恭等〈鎮江〝五卅〞演講廳〉（《文博通訊》1982年4期）、伊里·穆考夫〈安徽人民對〝五卅〞運動的支援〉（《安徽史學通訊》1958年3期）、張學恕〈安徽工人和廣大人民熱烈響應五卅運動〉（《安徽工運史研究資料》1981年3輯）、范光榮〈五四運動和五卅運動在合肥〉（《安徽革命史研究資料》1983年2期）、戴惠珍〈五卅運動在蕪湖〉（《安徽革命史研究資料》1983年2期）、胡汶本等〈五卅運動在山東青島地區的爆發及其歷史經驗〉（《山東大學文科論文集刊》1980年2期）、趙凱球等〈1925年〝五卅〞運動前後的山東人民反帝愛國運動資料輯要〉（《山東省志資料》1962年1-4期）、汪德鈞〈試析青島五卅運動〉（《工運史研究資料》1985年2期）、李光一〈五卅運動在河南〉（《河南大學學報》1984年4期）、王少卿〈關於五卅運動在河南的下限問題〉（《河南黨史研究》1990年4期）、龐守信〈試論〝五卅〞運動在河南的歷史地位〉（《河南黨史研究》1989年1期）、柴俊青〈五卅運動在彰德述評〉（《殷都學刊》1990年3期）、吳家林〈五卅運動在北京〉（《學習與研究》1983年5期）、張莉莉等〈五卅運動在北京〉（《北京檔案》1987年3期）、陳德純〈＂五卅＂運動期間北京地區人民的反帝鬥爭〉（《文史教學》1959年2期）、董振修〈五卅運動期間天津人民的反帝愛國鬥爭及其特點〉（《天津史研究》1985年2期）、天津市檔案館〈天津各界五卅反帝鬥爭史料〉（《歷史檔案》1986年1期）、注洪〈五卅時期京津人民聲援滬案紀略〉（《北京黨史研究》1990年3期）、南史〈天津的五卅反帝運動〉（《歷史教學》1965年3期）、廖永武〈五卅風暴在天津—紀念五卅運動五十周年〉（《天津師院學報》1975年3期）、王永義等〈五卅運動中天津人民的反帝鬥爭〉（同上，1981年2期）、史力〈五卅運動中唐山人民反帝鬥爭述略〉（《唐山教育學院學報》1985年1期）、田子渝〈＂五卅＂運動在武漢〉（《武漢師院學報》1984年3期）、后云〈＂五卅＂運動在四川〉（《成都黨史通訊》1989年1期）及〈五卅運動在成都〉（《四川師大學報》1986年3期）、張獻哲〈山西＂五卅＂運動宣言〉（《近代史研究》1982年3期）、郝維民〈＂五四＂到＂五卅＂時期呼和浩特反帝愛國運動史實札記〉（《內蒙古大學學報》1979年1、2期）、曾凡秀等〈＂五卅＂運動在東北〉（《東北師大學報》1981年3期）、曾凡秀〈五卅時期東北輿論界的鬥爭〉（《博物館研究》1988年1期）、遼寧省檔案館〈北洋政府鎮壓奉天聲援＂五卅＂運動函電選〉（《歷史檔案》1984年1期）、邢安臣〈＂五卅＂運動在遼寧〉（《遼寧工人》1981年5期）及〈五卅運動在瀋陽〉（《理論與實踐》1980年7期）、劉功成〈五卅運動在大連〉（《工運史研究資料》1985年2期）、陳守林〈五卅運動在吉林〉（《四平師院學報》1980年4期）、李述笑〈五卅運動在哈爾濱〉（《哈爾濱研究》1984年2期）、姜世忠〈五卅運

動在呼蘭〉(《龍江黨史》1990年6期)、李翔千口述、李世昌記〈五卅運動在柳河〉(《東北地方史研究》1985年1期)。關於五卅運動的研究情形有董進泉等〈國外研究五卅運動概況〉(《社會科學(上海)》1985年5期)、董進泉、王建華、談春蘭〈國外對五卅運動的研究〉(《國外中國近代史研究》16輯,1990年10月)、高綱博文〈臺灣における五卅運動研究の紹介と批評—李健民《五卅慘案後的反英宣傳》を中心として〉(《近きに在りて》16號,1989年11月)。陳乃鵬〈顧正紅烈士與五卅運動〉(《唯實》1990年3期)、方麗《工人階級的先鋒戰士—顧正紅》(上海,上海人民出版社,1979)、藤井高美〈五卅事件と省港罷工〉(《福岡學藝大學久留米分校研究紀要》第8號,1958年2月)、Nicholas Clifford, Shanghai, 1925: Urban Nationalism and the Defense of Foreign Privilege. (Ann Arbor: Center for Chinese Studies, University of Michigan, 1979)、藤井昇三〈中國革命と帝國主義列強—「5·30」から「3·18」まで〉(載《中國革命の展開と動態》,東京,アジア經濟研究所,1972)、坂野正高〈第一次大戰から五卅まで—國權回復運動史覺書〉(載《現代中國を繞る世界の外交》,東京,野村書店,1950)、Bruce A. Elleman, "Soviet Territorial Concessions in China and the May 30th Movement: 1917-1927." (Journal of Oriental Studies, Vol.32, No.2, 1994)。

8.三·一八運動(三·一八慘案)

民國十五年(1926)三月國民軍退出北京前一個月左右發生的「三·一八運動」,其論著·資料有《三一八運動資料》(中

國現代革命史資料叢刊，北京，人民出版社，1984）、江長仁編《三一
八慘案資料彙編》（北京，北京出版社，1985）、北京師範大學校
史資料室編《碧血濺京華—紀念〝三一八〞慘案六十周年》（北
京，北京師大出版社，1986）、周開慶編著《北平民眾革命紀念—
三一八慘案五十周年》（臺北，四川文獻研究社，民65）、林本元編
著《三一八慘案始末記》（臺北，文海出版社影印，民62）、中華民
國學生聯合會總會《北京慘案真像》（上海，民15）、天津黨史資
料徵集委員會編《願後死者長毋忘—紀念〝三一八〞運動死難烈
士魏士毅專輯》（天津，南開大學出版社，1986）。

　　彭明、桑咸之〈〝三一八〞慘案始末〉（《歷史教學》1957年2
期）、李健民〈北京三一八慘案（民國15年）〉（《中央研究院近
代史研究所集刊》16期，民76年6月）、孫慧敏〈試析「三一八運
動」〉（《史繹》24期，民82年5月）、毛德金〈〝三一八〞慘案始
末〉（《學習與研究》1981年1期）、王善中〈略論〝三一八〞慘
案〉（《青運史研究》1983年1期）、袁中一〈三一八慘案之分析〉
（《清華週刊》25卷6期，民15年4月）；〈〝三一八〞北京慘案的十
二週年〉（《群眾週刊》1卷14期，民27年3月）、王凌雲〈三一八運
動簡況〉（《黨史研究資料》1984年3期）、李沐英〈回憶三一八慘
案〉（《婦運史報研究資料》1982年3期）、宋鏡明〈試論〝三一
八〞事件〉（《史學月刊》1986年4期）、鄭志廷〈試論三一八慘案
發生的歷史原因〉（《河北大學學報》1987年1期）、趙振國〈關於
三一八運動的起止時限〉（《北京檔案史料》1987年1期）、魏克
學、葛洲壩〈〝三一八〞運動及其歷史地位〉（《水電工程學院學
報》1986年2期）、李世軍〈〝三一八〞慘案紀實〉（《中華英烈》

1986年2期）、健廬〈記三一八慘案－健廬憶語之七〉（《四川文獻》100期，民59年12月）、曹從坡〈三一八的紀念與反思〉（《南通師專學報》1986年1期）、陳喜慶〈三一八慘案死亡人數和黨員犧牲人數考證〉（《青運史研究》1985年1期）、唐少君〈三一八慘案在安徽的反響〉（《安徽史學》1988年3期）、王善中〈三一八慘案與國民軍〉（《北京史苑》1986年3輯）、李善雨〈〝三一八〞運動與國民軍〉（《河北學刊》1986年2期）、王善中〈中國共產黨與三一八運動〉（《黨史研究》1986年6期）、冉廷棟〈三一八慘案和中共北方區委〉（《革命史資料》14輯，1984）、丁鵬等〈三一八慘案中的婦女〉（《婦女史研究資料》1985年2期）、飯倉照平編〈ある學生虐殺事件の前後－北京女子師範大學の鬥爭から三一八まで〉（《中國》64號，1969年3月）、蕭梅、高湛〈〝三一八慘案〞與北京女師大的反帝反封建鬥爭〉（《高教戰線》1985年3期）、葉青〈徐謙與〝三一八〞運動〉（《徐州師院學報》1986年1期）、季年〈李大釗與〝三一八〞鬥爭〉（《北京黨史研究》1989年增刊）、趙振國〈廣東外交代表團與三一八運動〉（《唐山師專唐山教育學院學報》1987年4期）、渡邊新一〈〝三一八〞と聞一多〉（《商學論纂》33卷6號，1992年8月）、相浦杲〈魯迅の論戰－現代評論派ての論戰そして三・一八事件〉（《中國研究》10號，1957年6月）、魯迅研究會〈三・一八事件と魯迅〉（《魯迅研究》第2號，1953年3月）。

9.其他

　　如廢督裁兵有黃秀媛《民初廢督裁兵運動（1916-1925）》

（臺灣師範大學歷史研究所碩士論文，民77年6月）、郭緒印、盛慕真〈略論〝廢督裁兵〞運動〉（《上海師大學報》1986年2期）、岳梁〈〝廢督裁兵〞淺析〉（《史學月刊》1988年5期）、趙錫榮〈〝廢督裁兵〞政治思想述評〉（《河南師大學報》1992年2期）、汪朝光〈論民初裁兵問題及其與資產階級的關係〉（《近代史研究》1986年2期）、劉蘇選編〈1922年國民裁兵大會傳單四紙〉（《北京檔案史料》1993年1期）、寺廣映雄〈民國軍閥期における中國統一策について㈡―孫文の工兵的裁兵權をめぐつて〉（《歷史研究（大阪教育大學）》19號，1981年6月）。兵變、政變、政爭等有陳長河〈1916年駐滬海軍宣布獨立〉（《安徽史學》1989年3期）、陳忠海〈北洋時期的彰德兵變（1921年2月）〉（《鄭州大學學報》1986年5期）、劉平、李衛平〈試析北洋時期的兵變〉（《江海學刊》1990年2期）、方慶秋〈關於北洋軍閥統治時期兵變的幾個問題〉（《歷史檔案》1982年1期）、李南海〈北洋政府的政權轉移與政爭―以民國七年總統副總統選舉為例〉（《國史館館刊》復刊16期，民83年6月）、張梓生編《壬戌政變記》（臺北，文海出版社影印，民60）、敍述壬戌年（國11年，1922年）直系驅徐（世昌）迎黎（元洪）始末；劉楚湘編《癸亥政變紀略》（上海，泰東圖書局，民13；臺北，文海出版社影印，民55），敍述癸亥年（民國12年，1923年）直系之津保派驅黎及曹錕賄選始末；趙晉源編輯、李雨時等撰述《賄選記》（上海，淞滬通訊社，民13）、萬雲鵬〈1912-1927年政局變幻的北京政府〉（《歷史教學》1991年11期）、劉本軍〈金佛郎案與北洋政府〉（《近代史研究》1991年1期）、康大壽〈〝金佛郎案〞述論〉（《民國檔案》1993年2期）、David G.

Strand, "Feuds, Fights, and Factions, Group Politics in 1920s Beijing" (Modern China, Vol. 11,No. 4, 1985)、濱口允子〈北京政府論—北京政府ヲ論ズル研究（1980-93）を回顧して〉（《近きに在りて》25號，1994年5月）、盧撰〈北洋政府始末〉（《歷史學習》1988年4期）、渡邊惇〈北洋政權研究の現況〉（載辛亥革命研究會《中國近代史研究入門》，東京，汲古書院，1992)、金子肇〈1920年代前半における各省「法團」勢力と北京政府〉（載橫山英編《中國の近代化と地方政治》，東京，勁草書房，1985)。制度、職官等有錢實甫《北洋政府時期的政治制度》（2冊，北京，中華書局，1984)、錢實甫編、黃清根整理《北洋政府職官年表》（上海，華東師大出版社，1991)、劉壽林編《辛亥以後十七年職官年表》（北京，中華書局，1960；臺北，文海出版社影印，民63)、謝本書〈北洋軍閥統治時期北京政權元首、國務總理更迭表〉（《歷史教學》1962年6期)、劉懷榮〈北洋政府歷屆內閣職官沿革〉（《北京檔案史料》1988年1-3期)、郭劍林〈北洋軍閥閣潮概述〉（《天津師專學報》1983年4期)、楊昌宴〈北洋軍閥統治時期內閣的演變〉（《湘潭大學學報》1987年4期)、郭寶平〈移植西方政府體制的一段實驗—論北洋時期的內閣制〉（《史學彙刊》1992年1期)、郭劍林〈北洋政府時期的內閣制度〉（《歷史教學》1986年7期)、謝彬〈中國內閣變迭史〉（載氏著《民國政黨史》附錄，臺北，文星書店影印，民51)、補齋〈民國十三年間北京政府國務總理更迭與政潮起伏之因果〉（《人文月刊》5卷9期，民23年11月)、胥仕元編《物換星移—舊中國歷次政府首腦更換實錄》（保定，河北大學出版社，1996)、學通〈北洋軍閥時期的國會〉（《歷史教

學》1990年7期）、黃武、何磊〈北洋時期議會制度述評〉（《政治
學研究》1986年1期）。小杉修二〈第二次直奉戰爭と國民會議運動
について〉（《史潮》110·111號、1972年12月）、廖永武〈歡迎孫中
山北上與國民會議運動〉（《天津師大學報》1985年1期）、波多野
善大〈孫文北上の背景—孫文の晚年における「和平會議」の構
想〉（《名古屋大學文學部研究論集》53號—史學18，1971年3月）、劉
惠吾〈第一次國內革命戰爭時期的國民會議運動〉（《歷史教
學》1964年9期）、王水湘〈國民會議運動〉（《歷史教學》1985年2
期）、王金梧〈論國民會議運動〉（《吉林大學社會科學學報》1985
年5期）、沈慶林〈大革命時期的國民會議運動〉（《黨史研究資
料》1986年4期）、菊池一隆〈〝國民會議〞を巡る政治力學—
1920年代から30年代への運動〉（載《1920年代の中國》，東京，汲
古書院，1995）。中國第二歷史檔案館編《善後會議》（北京，檔
案出版社，1985）、黃保彥編纂《善後會議史》（北京，明星晚報發
行，民14）、潘光哲〈善後會議〉（《歷史月刊》30期，民77年7
月）、陳鳴鐘〈善後會議簡述〉（《歷史檔案》1984年1期）、張木
雄〈民國十四年「善後會議」之研究〉（《中正嶺學術研究集刊》
第4集，民74年6月）、日本外務省情報部《臨時政府卜善後會議》
（《支那情報》13輯，1924）、三菱合資會社資料課《支那の善後會
議と其の輿論》（2冊，1924）、善後會議秘書廳編《善後會議公
報·第1-9期（民14年2月-14年5月）》（臺北，文海出版社影印，民
67）、沈雲龍〈段祺瑞與善後會議〉（《傳記文學》46卷2期，民74
年2月）、華友根〈略論段祺瑞的《善後會議條例》與《國民會
議條例》的紛爭〉（《安徽史學》1990年2期）、孫彩霞〈軍閥與善

後會議〉（《近代史研究》1989年6期）。方新德〈北洋時期地方政治制度概況〉（《浙江檔案》1987年1-4期）、李祚民〈1916年後北洋政府的文書制度〉（《歷史檔案》1983年4期）、于桐〈北洋政府的文書和文書工作制度〉（《檔案學通訊》1984年6期）、尹全海、曹政武〈北洋政府文官考試制度述評〉（《信陽師院學報》1993年3期）、川島真〈中華民國北京政府の外交官試驗〉（《中國—社會と文化》11號，1996年6月）、張國福〈關於北洋政府援引清末法律的依據問題〉（《法學雜誌》1986年1期）。張樸民《北洋政府國務總理列傳》（臺北，臺灣商務印書館，民73）、楊大辛主編《北洋政府總統與總理》（天津，南開大學出版社，1989）、何磊〈北洋政府的文人總統〉（《北京檔案史料》1988年1期）、北游〈北洋軍閥政權的首腦人物〉（《人物》1984年4期）、江西人民出版社編輯《北洋群丑》（南昌，編輯者印行，1986）、王毓超《北洋人士話滄桑》（北京，中國文史出版社，1993）、陳正卿〈北洋軍閥統治時期統治上海的幾個軍閥〉（《檔案與歷史》1986年1期）、陳長河〈從檔案看北洋軍閥統治時期的陸軍及其軍費〉（《歷史教學》1983年8期）及〈北洋政府的鎮守使制與江蘇各地鎮守使〉（《檔案與史學》1996年6期）、婁向哲〈1922年中國的一起法統之爭〉（《天津師專學報》1986年3-4期）。劉傳標〈閩系海軍的興衰及功過〉（《福建論壇》1994年2期）、韓真〈二三十年代閩系海軍對福建沿海地區的武力割據〉（《黨史研究與教學》1993年4期）、韓真〈民國海軍的派系及其形成〉（《軍事歷史研究》1992年1期）、老冠祥《中國現代（1911-1949）海軍派系對政局之影響》（香港珠海大學中國文史研究所博士論文，1995年6月）、蘇小東〈北洋政府組建吉黑江防艦隊述略〉(《軍事歷史》1996年4期);張建基〈北伐戰爭前後的中國空軍〉(《軍事歷史研究》1990年2期)。

㈥社會與經濟

張靜如、劉志強主編《北洋軍閥統治時期中國社會之變遷》(北京,中國人民大學出版社,1992)、唐學鋒〈試論軍閥割據的社會基礎〉(《西南民族學院學報》1990年4期)、張靜如、劉志強〈北洋軍閥統治時期的社會和革命〉(《教學與研究》1986年6期)、波多野善大〈軍閥混戰の底にをるもの─中國農村社會の把握と關連して〉(《歷史教育》11卷1號,1963年1月)、徐桂梅〈軍閥統治的特點及其對中國社會的危害〉(《河北師大學報》1988年2期)、王躍〈北洋軍閥統治時期社會意識變遷的趨勢〉(《近代史研究》1987年3期)、張景岳〈北洋政府時期人口變動與社會經濟〉(《近代中國》第3輯,1993年5月)、張瑞德〈民國時期的農民階層:1912-1937〉(《思與言》34卷2期,民85年6月)、Suzanne P. Ogden, "The Sage in the Inkpot: Bertrand Russell and Chinese Social Reconstruction in 1920s." (Modern Asian Studies, Vol.16, Part4, October 1982)、劉志強、姚玉萍〈對北洋政府時期下層人民家庭功能及革命動因的考察〉(同上,1991年5期)、白永瑞〈1920年代中國大學生與馬克思主義─關於接受馬克思主義的社會史的研究〉(《亞細亞文化》第7期,1991年12月)、Virginia Reynolds, Social Movements: An Analysis of Leadership in China, 1895-1927. (Ph. D. Dissertation, Pennsylvania State University, 1983)、Ng Lee Ming, Christianity and Social Change,

1920-1950.（Ph. D. Dissertation, Princeton University, 1971）、
Nicholas John Griffin, The Use of Chinese Labour by British
Army, 1916-1920: The "Raw Importation", It's Scope and Prob-
lem.（Ph. D. Dissertation, University of Oklahoma, 1973）、王金香
〈北洋軍閥時期的鴉片泛濫〉（《山西大學學報》1993年3期）、
John Fitzgerald, "The Misconceived Revolution: State and So-
ciety in China's Nationalist Revolution, 1923-26."（The Journal of
Asian Studies, Vol.49, No.2, May 1990）、David Strand, Rickshaw
Beijing-City People and Politics in the 1920s.（Berkeley: University
of California Press, 1989）、張蓮波〈淺談1921年湖南的婦女參政〉
（《史學月刊》1994年6期）、Lu Fang-Shang（呂芳上），"Intel-
lectual Origins of Guomindang Radicalization in the Early
1920s."（Chinese Studies in History, Vol.26, No.1, Fall 1992）、孫慧敏
〈民國15年間北京、上海知識份子的左傾現象初探〉（《史繹》
25期，民83年5月）、蔡少卿、杜景珍〈論北洋軍閥統治時期的
〝兵匪〞〉（《南京大學學報》1989年2期）、馬烈〈民國時期匪患
探源〉（《江海學刊》1995年4期）、Diana Lary, Warlord Soldiers:
Chinese Common Soldiers.（Cambridge: Cambridge University Press,
1985）、龍尚學等〈南禍始末—1922年桂匪先劫安龍縣城〉（《貴
州文史叢刊》1981年4期）、西爾梟《天下第一匪》（北京，華齡出版
社，1994）、呂傳俊〈巨匪劉桂棠禍魯及其滅亡〉（《山東史志資
料》，1983年3月）、劉述和〈劉桂棠〉（載《中華民國史資料叢稿—
人物傳記》第9輯，1980年10月）、胡旦旦〈黑道奇才劉桂堂傳奇〉
（《藝文誌》119期，民64年8月）、李國強〈老洋人〉（同上，21輯，

1986年2月)、陳傳海〈老洋人起義〉(《近代史研究》1985年3
期)、吳蕙芳〈老洋人活動始末〉(《中國歷史學會史學集刊》27
期,民84年9月)、方洪疇〈民初河南巨匪白狼、老洋人實錄〉
(《中原文獻》6卷6期,民63年6月)、南雁〈豫省匪勢與老洋人部
讙變〉(《東方雜誌》22卷22號,民12年11月)、蔣永敬〈臨城劫案
和文獻〉(《傳記文學》53卷2、3期,民77年8、9月)、陳無我《臨
城劫車案紀事》(民12年出版:又史實整理,長沙,岳麓書社,
1987)、張知寒、王學典〈臨城劫車案述論〉(《齊魯學刊》1983年
5期)、中國第二歷史檔案館〈臨城劫車案文電一組(1922年5
月)〉(《歷史檔案》1981年2期)、南雁〈臨城土匪大掠津浦車〉
(《東方雜誌》20卷8號,民12年4月)、〈臨城劫車後的官匪交涉〉
(同上,20卷9號,民12年5月)、〈臨城劫車土匪收撫成功〉(同
上,20卷11號,民12年6月)、〈臨城劫車案中的十六國賠償通牒提
出了〉(同上,20卷14號,民12年7月)、〈十六國臨案通牒的答
覆〉(《東方雜誌》20卷18號,民12年9月)及〈臨城劫車案的對外屈
服〉(同上,20卷21號,民12年11月)、波多野善大〈臨城事件の人
質になつて―アナリカ人ジャーナリストの記錄〉(《龍谷史
壇》79號,1981年3月)、吳蕙芳〈〝社會盜匪活動〞的再商榷―以
臨城劫車案為中心之探討〉(《近代史研究》1994年4期)、尹致中
〈鬧動國際的臨城大劫車案〉(《山東文獻》3卷4期、4卷1期,民67
年3月、6月)、甄鳳鳴〈臨城大劫車案的幾點補充意見〉(同上,
4卷4期,民68年3月)、魏棣九口述、孔祥宏筆錄〈關於「臨城劫
案」真象補遺〉(同上)、田少儀〈孫美瑤與臨城劫車案〉(同
上,5卷2、3、4期,民68年9、12月、69年3月)及〈細說孫美瑤與臨城

劫車案㈠—㈧〉（《藝文誌》56-63期，民59年5-12月）、賀家昌〈孫
美瑤臨城劫車始末〉（《春秋》5卷4期，民55年10月）、John B.
Powell著、尹雪曼譯〈臨城劫車被俘記㈠㈡㈢㈣—上海密勒氏評
論主持人鮑惠爾回憶錄之八〉（《傳記文學》16卷1-4期，民59年1-4
月）、萬墨林〈黃金榮與臨城劫車案〉（《中外雜誌》33卷3期，民
72年3月）、馬場明〈臨城事件と日本の對中國政策〉（《國學院
大學紀要》14號，1976年3月）、Chan Lau Kit-Ching, "The
Lincheng Incident: A Case Study of British Policy in China Be-
tween the Washington Conference (1921-22) and the First
Nationalist Revolution (1925-28)." (Journal of Oriental Studies,
Vol. 10, No.2, July 1972)、南雁〈老洋人竄川與孫美瑤伏誅〉（《東
方雜誌》20卷24號，民12年12月）、趙書堂〈山東響馬〉（《山東文
獻》11卷3期，民74年12月）及〈山東的紅槍會〉（同上，11卷2期，民
74年9月）、羅寶軒〈北洋軍閥統治時期的河南紅槍會〉（《近代
史研究》1982年3期）、王全營〈大革命時期的河南紅槍會〉（《中
州學刊》1983年2期）、胡飛揚〈河南紅槍會在湖北的發展及其與
神兵融合的概況〉（《地方革命研究》1988年6期）、馬場毅〈農民
鬥爭における日常と變革—1920年代の紅槍會運動を中心に〉
（《史潮》新10號，1981）、三谷孝〈紅槍會と鄉村結合〉（載《社
會的結合レシリーズ世界史への問4》，東京，岩波書店，1989）、〈國
民革命期における中國共產黨と紅槍會〉（《一橋論叢》69卷5號，
1973年5月）及〈國民革命時期の北方農民暴動—河南紅槍會の動
向を中心に〉（載野澤豐編《中國國民革命史の研究》，東京，青木書
店，1974）、家近亮子《紅槍會運動と中國革命—中國における

南北農村の相違と農民運動の方向性》（慶應大學法學研究所碩士論文，1980）、馬場毅〈山東省の紅槍會運動〉（載《續中國民眾反亂の世界》，東京，1983）、李子龍〈試述紅槍會的組織源流〉（《齊魯學刊》1990年6期）、向雲龍〈紅槍會的起源及其善後〉（《東方雜誌》26卷21號，民16年11月）、戴玄之《紅槍會》（臺北，食貨出版社，民61）、長野朗《土匪・軍隊・紅槍會》（東京，支那問題研究所，1931）及《支那の土匪と軍隊》（北京，燕塵社，1924）、蘇遼《民國匪禍錄》（南京，江蘇古籍出版社，1991）、Phil Billingsley, Bandits in Republican China. (Stanford: Stanford University Press, 1988；其中譯本爲姜濤等譯《民國時期的土匪》，北京，中國青年出版社，1991；另一中譯本爲徐有威等譯《民國時期的土匪》，上海，上海人民出版社，1992）、蔡少卿主編《民國時期的土匪》（北京，中國人民大學出版社，1993）、《河北文史資料》編輯部編《近代中國土匪實錄》（3冊，北京，群眾出版社，1993）、馬烈〈民國時期匪禍探源〉（《江海學刊》1995年4期）、王振羽〈近代匪禍探源〉（《許昌師專學報》1992年3期）、冉光海《中國土匪（1911-1950）》（重慶，重慶出版社，1995）、張杰〈民國川省土匪、袍哥與軍閥的關係〉（《江蘇社會科學》1991年3期）、趙清《袍哥與土匪》（天津，天津人民出版社，1990）、王天獎〈民國時期河南〝土匪〞略論〉（《商丘師專學報》1988年4期）、陳傳海〈二十年代初期河南多“匪”淺析〉（《河南史志資料》第7輯，1984年11月）、張孺海〈民國時期湘鄂邊區匪禍民變原因初探〉（《中南民族學院學報》1990年3期）、林建發《近代中國東北社會中的鬍匪（1860-1930）》（政治大學歷史研究所碩士論文，民77年6月）、田志和〈近代東北胡匪述要〉(《東北師大學報》1992年3期)、房守志〈東北地區土匪活動略述〉(《東北地方史研究》1988年4期)、馬克‧曼考爾、喬治‧吉達著、麥志強譯〈中國東北的紅胡子〉(《國外中國近代史研究》16輯,1990年10月)、川久保悌郎〈續滿洲馬賊考〉(收入《江上波夫教授古稀記念論集(歷史篇)》,東京,山川出版社,1977)、曹保明《東北馬賊史》(臺北,祺齡出版社,民83)及《土匪》(瀋陽,春風文藝出版社,1988)、李道文〈湘西匪患探源〉(《吉首大學學報》1988年4期)、牛敬忠〈北洋軍閥時期綏遠的匪患〉(《內蒙古師大學報》1993年4期)、胡平生〈民國十七年東陵盜案之經緯〉(《史原》13期,民73年1月)、張或弛〈孫殿英盜掘皇陵內幕〉(《中外雜誌》54卷3期,民82年9月)。

高城博昭〈民國初期軍閥政權の經濟的側面〉(《吳工業高專研究報告》8卷1號、11卷1號,1972、1975)、平野和由〈軍閥政權の經濟基礎〉(收入《講座中國近現代史》第4冊,東京,東京大學出版社,1978)、渡邊惇〈民國初期軍閥政權の經濟的基礎〉(《歷史教育》13卷1號,1965)、杜恂誠〈北洋政府時期的經濟〉(載許紀霖、陳達凱主編《中國現代化史》第1卷,上海,三聯書店,1996)、婁向哲〈淺論北洋軍閥統治的經濟基礎〉(《南開經濟研究所季刊》1989年1期)、金子肇〈第一次世界大戰間期,北京政府の通商產業政策の一斷面一經濟調查會と戰後經濟調查會に關する覺書〉(《廣島大學文學部東洋史研究室報告》15號,1993年10月)、魏明〈論北洋軍閥官僚的私人資本主義經濟活動〉(《近代史研究》1985年2期)、杜恂誠〈北洋政府時期國家資本主義的中斷〉(《歷史研究》1989年2期)、蔡澤軍、張紅〈近代軍閥私人投資是官僚資本

嗎？〉(《學術研究》1993年5期)、高城博昭〈北洋軍閥の金融資
本〉(《史學研究五十周年記念論叢世界編》,東京,福武書店,
1980)、王方中〈1920-1930年間軍閥混戰對交通和工商業的破
壞〉(《近代史研究》1994年5期)、沈家五〈從農商部注冊看北洋
時期民族資本的發展〉(《歷史檔案》1984年4期)、張慶軍〈中國
銀行的早期發展與北洋政府的關係〉(《中國社會經濟史研究》1992
年2期)、鄧先宏〈試論中國銀行與北洋政府的矛盾〉(《歷史研
究》1986年4期)、魏明〈北洋政府官僚與天津經濟〉(《天津社會
科學》1986年4期)、曹均偉〈民初和北洋時期利用外資及其利
弊〉(《學術月刊》1990年12期)、金德群整理〈北洋政府統治時期
的工農業狀況〉(《教學與研究》1985年6期、1986年1期)、暢盦編
《民六後之財政與軍閥》(北京,文林書局)、朱彬元、唐澤焱
〈近十年來中央財政概況〉(《清華學報》3卷2期,民15年12月)、
小林幾次郎〈北京政府時代の財政〉(《經濟集志》23卷1號,1953
年5月)、《北洋財稅制度研究》課題組〈北洋時期中央與地方
財政關係研究〉(《財政研究》1996年8期)、姜鐸〈北洋政府時期經
濟評介〉(《學術月刊》1996年7期)、岡本隆司〈1920年代中國の
內債問題〉(載《1920年代の中國》,東京,汲古書院,1995)、戴一
峰〈論北洋政府時期的海關與外債〉(《中國社會經濟史研究》1994
年4期)、馬振犢〈北洋軍閥政府時期的關稅與財政〉(《南開學
報》1987年4期)、楊肅獻〈關稅與分裂時期北京政府財政〉(《食
貨月刊》復刊8卷8期,民67年11月)、錢建明〈從北洋政府關稅檔案
史料看帝國主義對中國稅收的控制與掠奪〉(《歷史教學》1985年2
期)、王善中〈崇文門關稅與北洋政府〉(《北京史苑》1982年2

期）、鄭起東〈北洋政權與通貨膨脹〉（《近代史研究》1995年1
期）、李育安〈北洋政府時期的幣制和紙幣流通〉（《鄭州大學學
報》1995年6期）、卓遵宏〈北京政府時期之貨幣演變—從貨幣問
題探討北伐統一時代背景〉（《國史館館刊》復刊第4期，民77年6
月）、張復紀〈北洋時期官辦企業透視〉（《學術月刊》1994年2
期）、鼎勛〈第一次世界大戰期間中國民族資本主義的發展
（1914-1922）〉（《歷史教學》1959年8期）、單寶〈北洋軍閥政府
的公債〉（《史學月刊》1987年1期）、川井伸一〈大戰後の中國棉
紡織業と中紡公司〉（《愛知大學國際問題研究所紀要》97號，1992年
9月）、濱口允子〈天津華新紡織公司の設立について—北洋政
府時期における民族產業の形成過程〉（《放送大學研究年報》第7
號，1990）及〈中國·北洋政府時期における企業活動「公司條
例」〉（同上第9號，1992年3月）、森時彥〈「1923年恐慌」と中
國紡織業の再編〉（《東方學報》62號，1990年3月）、白吉爾
（Marie-Claire Bergere）〈民族資本主義與帝國主義—1923年
華商紗廠危機〉（《國外中國近代史研究》第5輯，1984）、〈中國的
工業化與道路建設（1917-1922）〉（同上，23輯，1993）及〈第一
次世界大戰以後的蕭條對中國通商口岸經濟的影響（1921-1923
年）〉（同上，15輯，1990年10月）、Sherman G. Cochran, Big
Business in China, Sino-American Rivalry in the Tobacco Indus-
try, 1890-1930.（Ph. D. Dissertation, Yale University, 1975）、徐進功
〈試論北洋軍閥統治時期我國民族工業的發展及其原因〉（《中
國社會經濟史研究》1994年4期）、李瑚〈第一次世界大戰時期的中
國工業〉（《學術論壇》1958年1期）、周秀鸞《第一次世界大戰時

期中國民族工業的發展》(上海，上海出版社，1958)、Zhang Xiaobo, Merchant Associational Activism in Early Twentieth-Century China: The Tianjin General Chamber of Commerce, 1904-1928. (New York: Columbia University Press, 1995)、張景岳〈北洋政府時期的人口變動與社會經濟〉(載《近代中國》第5輯，上海社會科學院出版社，1995)、曾成貴〈北洋時期的湖北農村經濟〉(《江漢論壇》1985年1期)、史全生〈北洋時期的華北財團〉(《民國春秋》1996年3期)、Liu Tsüi-jung（劉翠溶），"The Problem of Food Supply in China, 1912-1927." (載《中華民國初期歷史研討會論文集，1912-1927》，臺北，中央研究院近代史研究所，民73年4月)。

㈦外交及其他

中國與第一次世界大戰有黃嘉謨《中國對歐戰的初步反應》(《中央研究院近代史研究所集刊》第1期，民58年8月)、白蕉〈第一次世界大戰之中國參戰〉(《人文月刊》7卷1期，民25年2月)、張水木〈德國無限制潛艇政策與中國參加歐戰之經緯〉(《中國歷史學會史學集刊》第9期，民66年4月)及〈第一次世界大戰中國對德潛艇政策之抗議〉(同上，第4期，民64年6月)、李子雄〈略談中國參加第一次世界大戰的兩個問題〉(《中山大學研究生學報》1982年3期)、彭先進《段祺瑞與中國參加歐戰的研究》(臺灣大學歷史研究所碩士論文，民59年6月)、楊德才〈段祺瑞與中國參戰新探〉(《學術月刊》1993年4期)、吳瑞〈第一次世界大戰期間的中國"參戰之爭"〉(《蘇州大學學報》1990年2期)、林佰東《孫中山反對參加歐戰之研究》(臺灣大學三民主義研究所碩士論文，民74

年6月）、黃金麟〈歷史的儀式戲劇—「歐戰」在中國〉（《新史學》7卷3期，民85年9月）、李國祁〈德國檔案中有關中國參加第一次世界大戰的幾項記載〉（《中國現代史專題研究報告》第4輯，民63年11月）、呂茂兵〈中國參加＂一戰＂緣由新探〉（《爭鳴》1991年1期）、安田淳〈中國の第一次大戰參戰問題〉（《慶應大學文學院法學論集》22號，1985年10月）、張忠紱〈民六中國參戰之外交〉（《東方雜誌》33卷1號，民25年1月）、臼井勝美〈中國の大戰參加と日本の立場〉（《歷史教育》8卷2號，1960年2月）、具島兼三郎〈中國における日米爭霸戰—第一次世界大戰からワシントン會議まで〉（《法政研究》22卷1號，1954年10月）、安藤敬之助〈中國の第一次大戰參加をめぐる日米關係〉（《歷史教育》16卷3號，1968年3月）、蔣士立〈1917美日拉攏中國參戰密報〉（《近代史研究》1962年6期）、王綱領〈美國與中國參加歐戰〉（《史學彙刊》14期，民75年9月）、李敏智〈美國對中國參加一次大戰的影響〉（中國文化大學中美關係研究所碩士論文，民79）、張小路〈中國參戰與美國—第一次世界大戰時期的中美關係〉（《民國檔案》1994年2期）。《參戰實錄（中立篇、絕交篇、宣戰篇、和議篇）》（6冊，民16年序）、泉鴻之等編〈中國參戰の條件〉（《中央公論》81卷3號，1966年3月）、石源華〈論第一次世界大戰期間北京政府的對德宣戰〉（《軍事歷史研究》1994年4期）、袁繼成、王海林〈中國參加第一次世界大戰和巴黎和會問題〉（《近代史研究》1990年6期）、陳三井〈中國派兵參加歐戰之交涉〉（《中華民國歷史與文化討論集》第1冊，民73）、《華工與歐戰》（臺北，中央研究院近代史研究所，民75）、〈華工參加歐戰之經緯及其貢獻〉（《中央研

究院近代史研究所集刊》第4期上冊，民62年5月）及〈基督教青年會與
歐戰華工〉（同上，17期上冊，民77年6月）、王家鼎〈第一次世界
大戰中的赴歐華工〉（《文物天地》1982年3期）及〈第一次世界大
戰期間的赴法華工〉（《歷史月刊》99期，民85年）、陳三井〈歐
戰期間之華工〉（《中國現代史專題研究報告》第5輯，民65）及〈歐
戰華工對祖國的貢獻〉（載林天蔚主編《亞太地方文獻研究論文
集》，香港，1991）、Michael Summerskill, China on the Western
Front: Britain's Chinese Workforce in the First World War.
(London, Summers 1982)、梅楓〈我國赴法華工的革命鬥爭
(1916-1922)〉（《史學月刊》1983年5期）。

巴黎和會有金問泗《從巴黎和會到國聯》（臺北，傳記文學出
版社，民56）、項立嶺《中美關係史上的一次曲折：從巴黎和會
到華盛頓會議》（上海，復旦大學出版社，1993）、戚世皓〈山東問
題與1919年巴黎和會〉（《中國歷史學會史學集刊》19期，民76年5
月）、張水木〈巴黎和會與中德協約〉（同上，13期，民70年5
月）、King Wunsz（金問泗），China at the Paris Peace Con-
ference in 1919.（Jamaica, New York: St. John's University Press,
1961）、董建中、劉興潮〈巴黎和會中國代表團新考〉（《天府新
論》1987年1期）、白蕉〈山東問題在巴黎和會與華府會議〉（《人
文月刊》8卷1、2、5、7、8、10期，民25）、董寶才等〈中國代表團
巴黎和會活動述評〉（《歷史教學》1991年4期）、王明中〈1919年
巴黎和會上的〝山東問題〞〉（《南京大學學報》1980年3期）、俞
辛焞〈巴黎和會與五四運動〉（《歷史研究》1979年5期）、周玉和
〈巴黎和會中國拒簽對德和約之我見〉（《北京檔案史料》1992年2

期）、徐付群〈拒簽巴黎和約不是北京政府決定的〉（《黨史研究資料》1992年2期）、林宗賢《威爾遜、中國及巴黎和會》（輔仁大學歷史研究所碩士論文，民60年6月）、陳三井〈陸徵祥與巴黎和會〉（《歷史學報（臺灣師大）》第2期，民63年3月）、王鳳真《顧維鈞與巴黎和會》（東海大學歷史研究所碩士論文，民70年6月）及〈顧維鈞與巴黎和會—民國八年以前的顧維鈞〉（《實中學刊》第2期，民76年6月）、張春蘭〈顧維鈞的和會外交—以收回山東利權問題為中心〉（《中央研究院近代史研究所集刊》23期上冊，民83年6月）、袁道豐〈顧維鈞與巴黎和會〉（《綜合月刊》152-154期，民70年7-9月）、劉福祥、實元〈梁啟超與巴黎和會〉（《歷史教學》1983年1期）、張忠紱〈巴黎會議期中中國之外交〉（《武漢大學社會科學季刊》6卷2號，民25）、袁成毅〈重評巴黎和會上的中國外交〉（《杭州師院學報》1995年2期）、Bruce A. Elleman, "Did Woodrow Wilson Really Betray the Republic of China at Versailles." (The American Asian Review, Vol.13, No.1, Spring 1995)、鄧野〈巴黎和會中國拒約問題研究〉（《中國社會科學》1986年2期）、譚常愷〈巴黎和議和華盛頓會議〉（《復旦》14期，民11）、張水木〈巴黎和會後中德協約之簽訂〉（《教育學院學報》第6期，民70年4月）、宋川正道《第一次世界大戰とパリ講和會議》（東京，柳原書店，1983）、藤本博生〈パリ講和會議と日本·中國——「人種案」と日使恫喝事件〉（《史林》59卷6號，1976年11月）。

西原借款有勝田主計著、龔德柏譯《西原借款真相》（上海，太平洋書店，民18）、王燕梅〈談〝西原借款〞〉（《青海師院學報》1983年4期）、米慶餘〈〝西原借款〞について〉（《愛知大學國際問題研究所紀要》89號，1989年7月）、孫書祥譯〈西原借款始末〉（《近代史資料》1983年1期）、石井金一郎〈「西原借款」の背景〉（《史學雜誌》65卷10號，1956年10月；其中譯文爲賢俊等摘譯，載《國外社會科學情報》1983年9期）、波多野善大〈西原借款の基本的構想〉（《名古屋大學文學部十周年記念論集》，1959；其中譯文〈西原借款的基本設想〉，載《國外中國近代史研究》第1輯，1980年12月）、高橋誠〈西原借款の財政問題〉（《經濟志林》36卷2號，1968）及〈西原借款之展開過程〉（同上，39卷1、2號，1971）、大森とく子〈西原借款について—鐵と金丹を中心〉（《歷史學研究》419號，1975年4月）、谷壽子〈寺内内閣と西原借款〉（《都立大學法學會雜誌》10卷1號，1969）、鈴木武雄監修《西原借款資料研究》（東京，東京大學出版社，1972）、平野健一郎〈西原借款から新四國借款團へ〉（《ワシントン體制と日米關係》，東京大學出版會，1978）、裴長洪〈西原借款與中國軍閥的派系鬥爭〉（《河北學刊》1983年4期）及〈西原借款與寺内内閣的對華策略〉（《歷史研究》1982年5期）、章伯鋒〈西原借款與日皖勾結〉（同上，1982年2期）、富永幸夫、鹿毛達雄譯〈西原借款と北進政策—第一次世界大戰における日本の戰爭目的政策〉（《歷史學研究》451號，1977年12月）；西原龜三著、村島渚編《夢の七十余年：西原龜三自傳》（京都，雲原村，1949）、西原龜三著、北村敬直編《夢の七十餘年：西原龜三自傳》（東京，平凡社，1965）。

　　華盛頓會議（太平洋會議）有李紹盛《華盛頓會議之中國問題》（臺北，水牛出版社，民62）、〈華盛頓會議召開之背景〉

（《東方雜誌》復刊2卷6期，民57年12月）及〈華盛頓會議序幕初揭〉（同上，2卷12期，民58年6月）、林明德〈華盛頓會議與中日關係〉（《歷史學報（臺灣師大）》第6期，民67年5月）、藤井昇三〈ワジントン會議と中國の民族運動〉（《東洋文化研究所紀要》50號，1970年3月）、樂炳南〈華盛頓會議與中國民族運動之發展〉（《臺灣海洋學院學報》16期，民70年9月）、張忠紱〈華盛頓會議與中國〉（《社會科學（清華大學）》1卷4期，民25年7月）、King Wunsz（金問泗）"China and the Washington Conference, 1921-1922.（New York: St. Johns University Press, 1963）、Stanley J. Granat, Chinese Participation at the Washington Conference, 1921-1922.（Ph. D. Dissertation, Indiana Uniiversity-Bloomington, 1969）、蔣相澤〈中國和華盛頓會議〉（《北京師院學報》1983年3期）、川島真〈華盛頓會議與北京政府的籌備一以對外「統一」為中心〉（《民國研究》第2輯，1995年5月）、晨報社編《華盛頓會議》（臺北，文海出版社影印，民77）、周守一《華盛頓會議小史》（上海，中華書局，民12）、曾村保信〈ワシントン會議の一考察一尾崎行雄の軍備制限論を中心にして〉（《國際政治（日本國際政治學會編）》1958年夏季號）、岸田英治〈華盛頓會議と租借地問題〉（《滿蒙》18年4號，1937）、牛光大譯〈華盛頓會議的秘幕〉（《大學》2卷2期，民32）、笠原十九司〈ワシントン會議と國民外交運動一中國全國國民外交大會に關する研究ノート〉（《宇都宮大學教育學部紀要》29號，1979年12月）、松葉秀文〈華府會議に於ける米國の中國問題處理に關する基調（1921-1922）〉（《甲南法學》7卷4號，1967年3月）、陳芳芝〈美帝國主義在華盛

頓會議中宰割中國的陰謀〉（《北京大學學報》1955年2期）、Neel
H. Pugach, "American Friendship for China and the Shantung
Question at the Washington Conference." （Journal of American
History, No.44, 1977）、閻沁恒〈英國在華盛頓會議中對於處理幾
項有關中國問題之態度〉（《中華民國史料研究中心十周年紀念論文
集》，臺北，民68）、林泉〈太平洋會議與中國關稅自主運動〉
（同上）及〈太平洋會議與各國在華客郵之撤銷（1921-1922）〉
（《中國現代史專題研究報告》第2輯，民61）、徐雪霞〈從華盛頓會
議撤郵案看日本侵華模式〉（《臺南師院學報》21期，民77年3月）、
葉遐菴述、俞誠之錄《太平洋會議與梁士詒》（臺北，文海出版社
影印，民63）、申仲銘《太平洋會議與東北問題》（哈爾濱，廣盛
印書局，民19）、賈士毅編《華會見聞錄》（上海，商務印書館，民
12）。

其他外交史事有吳文星〈鄭家屯事件之探討〉（《歷史學報
（臺灣師大）》第9期，民70年5月）、蔣來雲、鄒明德〈鄭家屯事件
的發生和中日交涉〉（《民國春秋》1990年4期）、北岡伸一〈軍部
與第一次世界大戰中的對華政策〉（《國外中國近代史研究》第4
輯，1983）、盧育俊《歐戰後期中日關係之演變》（政治大學歷史
研究所碩士論文，民72年5月）、李永昌〈關於1918-1921年中日〝共
同防敵〞問題〉（《東北地方史研究》1989年2期）、王玥民《中日
軍事協定與日本對華侵略之研究（1917-1921）》（臺灣大學歷史研
究所碩士論文，民72年5月）、笠原十九司〈日中軍事協定と北京政
府の「外蒙自治取消」—ロシア革命がもたらした東アジア世界
の變動の一側面〉（《歷史學研究》515號）、〈日中軍事協定反對

運動─五四運動前夜における中國民族運動の展開〉(《中央大學人文研究所紀要》第2號，1983年7月)、關寬治〈1918年日中軍事協定成立史序論─寺內內閣における對中國政策決定過程の構造的分析〉(《東洋文化研究所紀要》26號，1962年2月) 及〈1918年中日軍事協定の締結〉(載《現代東亞國際環境の誕生》東京，福村出版，1966)、長嶺秀雄〈1918年締結の日華共同防敵軍事協定について〉(《軍事史學》11卷3號，1975年12月)、老冠祥〈民初中日訂定「海軍共同防敵軍事協定」的探討〉(載胡春惠主編《近代中國與亞洲學術討論會論文集》上冊，香港，珠海書院亞洲研究中心，1995)、林正成〈留日學生與中日軍事協定反對運動〉(《中國文化月刊》91期，民76年5月)、李永昌〈中國學生反對《中日共同防敵軍事協定》鬥爭述論〉(《近代史研究》1990年1期)、韓世宏《段祺瑞內閣時期之中日外交關係》(中國文化大學政治研究所碩士論文，民70)、黃福慶〈五四前夕留日學生的排日運動〉(《中央研究院近代史研究所集刊》第3期上冊，民61年7月)、山本四郎〈寺內內閣時代の日中關係の一面─西原龜三と阪西利八郎〉(《史林》64卷1號，1981)、林明德〈簡論日本寺內內閣之對華政策〉(《歷史學報 (臺灣師大)》第4期，民65年4月)、長岡新治郎〈石井、藍辛協定の成立〉(載《國際政治：日本外交史の諸問題Ⅲ》，1968)、黑雨茂〈米國の遠東政策と石井、蘭辛協定〉(《歷史教育》15卷2號，1967)、劉笑盈〈《蘭辛─石井協定》評述〉(《史學月刊》1989年4期)、王善中〈《蘭辛─石井協定》簽訂前後〉(《世界史研究動態》1983年12期)、林明德〈日本與1919年的南北和議〉(《歷史學報 (臺灣師大)》第5期，民66年5月)、黃福慶〈歐

戰後日本對庚款處理政策的分析—日本在華文教活動研究之二〉
(《中央研究院近代史研究集刊》第6期，民66年6月)、Teow See
Heng, Japan's Cultural Policy Toward China, 1918-1931: A Com-
parative Perspective." (Ph. D. Dissertation, Harvard University,
1993)、前田惠美子〈段祺瑞政權と日本の對支投資—兵器代借
款を中心に〉(《金澤大學法文學部論集（經濟學編）》22號，1975年8
月)、婁向哲〈民初日本與北洋政權經濟關係淺述〉(《南開史
學》1987年2期)、王升〈略論第一次世界大戰至〝九‧一八〞事
變期間的中日關係〉(《東北亞論壇》1996年4期)、明石岩雄〈第
一次世界大戰後の中國問題と日本帝國主義〉(《日本史研究》
150‧151號，1975年3月)、邵會吉〈日本帝國主義攫取〝中東鐵
路〞始末〉(《歷史教學》1988年9期)、陳澤豐《第一次歐戰後期
日本出兵西伯利亞與中國東北之研究，1917-1922》(中國文化大學
政治研究所碩士論文，民76)、山本四郎〈中日關係の一斷面—1918
年在華陸軍武官情報〉(《神戶女大史學》11號，1994年9月)、臼井
勝美〈1919年の日中關係〉(《史林》43卷3號，1960年5月)、John
William Young The Japanese Military and China Policy of the
Hara Cabinet, 1918-1921. (Ph. D. Dissertation, University of
Washington, 1971)、鄭則民〈1920-1926年的中日關係〉(《民國檔
案》1994年4期)、魯案中日聯合委員會編《魯案中日聯合會議紀
錄》(2冊，臺北，文海出版社影印，民76)、督辦魯案善後事宜公
署秘書處編《魯案善後月報特輯》(2冊，同上)、張一志編《山
東問題彙刊》(民10年序，臺北，文海出版社影印，民75)、Gennaro
Sylvester Falconeri, Japanese Attitudes and Foreign Policy

Toward China, 1924-1927. (Ph. D. Dissertation, University of Michigan-Ann Arbor, 1967)、藍旭男〈收回旅大與抵制日貨運動，1923〉（《中央研究院近代史研究所集刊》15期上册，民75年6月）、津久井弘光〈1923年武漢における對日經濟絕交運竹と指導層—武漢綿業の展開と關連して〉（《日本大學經濟科學研究所紀要》21號，1996年1期）、陳昭璇〈日本與北京關稅特別會議〉（《中央研究院近代史研究所集刊》15期下册，民75年12月）、藤井昇三〈大沽事件をめぐる日中關係—中國國民革命の一側面〉（《近代日本とアジア》，東京，東大出版會，1984）、〈中國人の日本觀—第一次大戰直後から幣原外交まで〉（《社會科學討究》20卷2・3號，1975年3月）、〈戰前の中國と日本—幣原外交をめぐつて〉（載《現代中國の國際關係》，東京，日本國際問題研究所，1975）及〈中國から見た「幣原外交」—「東方雜誌」を中心として〉（載《日中關係の相互トナージ—昭和初期を中心として》，東京，アジア政經學會，1975）、西春彥〈外交官回想錄—幣原外交の再評價〉（《中央公論》88卷6號，1973年6月）、崔萬秋〈幣原外交與中國〉（載《百年來中日關係論文集》，臺北，民57）、Ralph G. Falconeri著、角田順譯〈幣原外相の外交政策及び內政管見—1920年中頃の對華政策について〉（《季刊東亞》12號—特集：アジアの比較經濟體制論，1970年12月）、幣原喜重郎《外交五十年》（東京，讀賣新聞社，1951）、陳昭璇《幣原喜重郎的對華政策（1924-1927）》（臺灣師範大學歷史研究所碩士論文，民73年6月）、樂炳南〈日本幣原外相和田中首相對華外交不同目標之形成及其影響〉（《中國歷史學會史學集刊》14期，民71年5月）及〈日本幣原外交和田中對華外交不同

目標之追求及其結果〉（《臺灣海洋學院學報》22期，民77年4月）、
陳鵬仁譯〈田中外交及其背景：京奉線遮斷案的外交過程〉
（《東方雜誌》復刊14卷7、8期，民70年1、2月）、Nobuya Mark
Bamba, Japanese Diplomacy in Dilemma: A Comparative Analy-
sis of Shidehard Kijuro's and Tanaka Giichi's Policies Toward
China, 1924-1929.（Ph. D. Dissertation, University of California-
Berkeley, 1970）其修訂後出版，易名為Japanese Diplomacy in a
Dilemma: New Light on Japan's China Policy, 1924-1929.（Kyoto:
Minerva Press, 1977）、Chinliang Lawrence Huang, Japan's China
Policy Under Premier Tanaka, 1927-1929.（Ph. D. Dissertation, New
York University, 1968）、William F. Morton, Tanaka Giichi and
Japan's China Policy.（New York: St. Martin's Press, 1980）、Akira
Iriye, American Diplomacy and the Sino-Japanese Relations.
（Ph. D. Dissertation, Harvard University, 1961）、尾形洋一〈1927年
の臨江日本領事館設置事件—中國東北における反日運動の轉
機〉（《東洋學報》60卷1‧2號，1978年11月）。薛銜天、黃紀蓮
〈1917-1924年中蘇關係〉（《俄羅斯研究》1993年2期）、李嘉谷
《中蘇關係（1917-1926）》（北京，社會科學文獻出版社，1996）、
Leong Sow-theng（冷紹烓），Sino-Soviet Diplomatic
Relations, 1917-1926.（Canberra: Australian National University Press,
1976）、伊藤秀一〈初期中ソ關係史の一考察〉（《現代中國》42
號，1967年7月）、〈ロシア革命と北京政府〉（《東洋史研究》25卷
1號，1966年6月）及〈第一次カラハン宣言の異文について〉
（《神戸大學研究》41號，1968年1月）、藤井昇三〈初期中ソ關係の

一考察—カラハン宣言を中心として〉（載《中ソ對立とアジア諸國》上卷，東京，日本國際問題研究所，1969）及〈中國革命と第1次カラハン宣言〉（《アジア經濟》10卷10號，1969年10月）、楊一也〈關於1919年蘇維埃政府致中國國民及南北政府宣言〉（《歷史教學》1956年9期）、Allen S. Whiting, "The Soviet Offer to China of 1919." (The Far Eastern Quarterly, Vol.10, No.4, August 1951)、王鳳賢〈〝蘇俄第一次對華宣言〞內容變化簡析〉（《求是學刊》1996年1期）、于傳波、胡忠巍〈蘇聯在中東鐵路問題上的對華政策〉（《東北師大學報》1994年3期）、Matt F. Oja, "Soviet Policy Toward the Chinese Eastern Railroad, 1917-1922: A Reassesment" (Republican China, Vol. 14, No. l, November 1988)、薛銜天〈十月革命與中國政府送回中東鐵路區主權的鬥爭〉（《近代史研究》1988年4期）、Frederick Robert Gladeck, The Peking Government and the Chinese Eastern Railway Question, 1917-1919. (Ph. D. Dissertation, University of Pennsylvania, 1972)、沈鴻南《俄國革命與中東鐵路路權問題之研究（1917-1919）》（淡江大學歐洲研究所碩士論文，民70）、才家瑞〈1917-1924年蘇俄中東鐵路政策〉（《歷史研究》1993年4期）、崔萍〈蘇聯在中東鐵路問題上的政策變化〉（《首都師大學報》1996年2期）、李念萱〈「哈亂」與中東鐵路—哈埠俄人爭亂與中國在中東路區權勢的復振〉（《中央研究院近代史研究所集刊》第9期，民69年7月）、B、Φ·索洛維約夫著、吳永清譯〈1918-1920年中東鐵路的罷工鬥爭〉（《國外中國近代史研究》20輯，1992）、Bruce Elleman, "The Soviet Union's Secret Diplomacy Concerning the Chinese East-

ern Railway, 1924-1925." （The Journal of Asian Studies, Vol.53, No.
2, May 1994），其中譯文為布魯斯‧A‧艾里曼著、于耀洲譯〈關
於中東鐵路和蘇聯秘密外交（1924-1925）〉（載《齊齊哈爾師院學
報》1996年2期）、中央研究院近代史研究所編印《中俄關係史
料》（甲、乙、丙三編，共15冊，民48-64年陸續出版），甲編係民6-8
年，乙編係民9年，丙編為民10年；各冊主題有「外蒙古」、
「出兵西伯利亞」、「一般交涉」等；、林軍《中蘇外交關係：
1917-1927》（哈爾濱，黑龍江人民出版社，1990）、喜富裕〈關於北
洋政府出兵西伯利亞問題〉（《東北師大學報》1995年3期）、李永
昌〈1918-1920年中國出兵西伯利亞述論〉（《近代史研究》1993年1
期）、李嘉谷〈北洋政府參與武裝干涉蘇俄真相〉（《民國春秋》
1988年3期）、李永昌〈廟街交涉和〝五四〞前後中國對日蘇關係
芻議〉（《東北地方史研究》1990年4期）、李嘉谷〈十月革命後中
蘇關於松黑航權問題的交涉〉（《黑河學刊》1988年3期）、趙中孚
〈論中俄齊齊哈爾協定〉（《幼獅學誌》2卷3期，民52年7月）、李
嘉谷〈1920年北洋政府停止舊俄使領待遇及意義〉（《北京檔案史
料》1990年2期）、李健民〈顏惠慶與停止舊俄使領待遇〉（《中央
研究院近代史研究所集刊》第6期，民66年6月）、林軍〈1924年奉俄協
定及其評價〉（《北方論叢》1990年5期）、李嘉谷〈《奉俄協定》
的簽訂及其得失〉（《黑河學刊》1990年2期）、金梅〈《蘇滿關於
中東路轉讓基本協定》所涉及的國際法問題〉（《近代史研究》
1990年4期）、黃繼蓮〈中蘇建交前臨時協定和協議〉（《史學月
刊》1988年4期）、張世賢〈1924年中俄協定的評述〉（《行政學
報》創刊號，中興大學公共行政系，民57年6月）、陸建洪〈蘇俄與北

洋政府的建交始末〉（《歷史研究》1994年4期）、田保國〈二十年代中蘇建交始末〉（《檔案與史學》1996年4期）、林軍〈1924年中蘇復交述評〉（《世界歷史》1990年1期）、李嘉谷〈1924年中蘇正式建交後的派使與移交舊俄使館問題交涉〉（《北京檔案史料》1990年3期）、吳孟雪〈加拉罕使華和舊外交的解體—北京政府後期的一場外交角逐〉（《近代史研究》1993年2期）、謝蔭明〈加拉罕使華和北京群眾爭取簽訂中蘇協定的鬥爭〉（《北京檔案史料》1989年4期）、李嘉谷〈北洋政府與蘇聯關於退回俄國庚子賠款的交涉〉（同上，1991年5期）、姚金果〈一個實用主義軍事計劃的失敗—1925年蘇聯推翻北京政府的戰略計劃述評〉（《長白學刊》1996年5期）、沈雲龍〈民國十六年北京搜查俄使館之經過〉（《傳記文學》32卷6期，民67年6月）、王靜〈〝搜查蘇聯使館事件〞述評〉（《黨史研究資料》1990年11期）。吳翎君《美國與中國政府（1917-1928）—以南北分裂政局為中心的探討》（臺北，東大圖書公司，民85）、松葉秀文〈戰後にすける米中關係の開始〉（《國際政經事情》22號，1957年5月）、Patrick John Scanlan, No Longer a Treaty Port: Paul S. Reinsch and China, 1913-1919.（Ph. D. Dissertation, University of wisconsin-Madison, 1973）、Noel H. Pugach, Progress Prosperity and the Open Door: The Ideas and Career of Paul S. Reinsch.（Ph. D. Dissertation, University of Wisconsin-Madison, 1967）、Eugence P. Trani, "Woodrow Wilson, China, and Missionaries, 1913-1921."（Journal of Presbyterian History, No.49, 1971）、Takeshi Matsuda, Woodrow Wilson's Dollar Diplomacy in the Far East: The New Chinese Consortium, 1917-

1921. （Ph. D. Dissertation, University of Wisconsin-Madison, 1979）、
Warren John Tenney, "A Disturbance not of Great Importance:
The Tientsin Incident and U. S-Japan Relations in China, 1919-
1920." （The Journal of American-East Asian Relations, Vol.3, No.4,
1994）、David Lee Wilson, The Attitudes of American Consular
and Foreign Service Officers Toward Bolshevism in China, 1920-
1927. （Ph. D.Dissertation, University of Tennessee-Knoxville, 1974）、
Gaing Ohn, American Policy in China, 1922-1927. （Ph. D. Disser-
tation, Georgetown University, 1953）、Martin Mun-loong Loh,
American Officials in China, 1923-1927: Their Use of Bolshevism
to Explain the Rise of the Kuomintang and Chinese Anti-
Foreignism. （Ph. D. Dissertation, University of Washington, 1984）、
Ho Zhigong, Across the Pacific: American Pragmatism in China,
1917-1937. （Ph. D. Dissertation, University of Houston, 1991）、
Frederick B. Hoyt, Americans in China and the Formation of
American China Policy, 1925-1937. （Ph. D. Dissertation, University
of Wisconsin-Madison, 1971）、Stephen James Valone, "A Policy
of Such Common Interest " : The United States and Diplomacy
of the China Arms Embargo, 1919-1929. （Ph. D. Dissertation, Uni-
versity of Rochester, 1989）、Bernard David Cole, The United
States Navy in China, 1925-1928. （Ph. D. Dissertation, Auburn Uni-
versity, 1978）、伯納德·科爾著、高志凱譯、鄧蜀生校《炮艦與
海軍陸戰隊－美國海軍在中國（1925-1928）》（重慶，重慶出版
社，1985）、Surenda K. Cupta, "Gunboats and Marines: the

United States Navy in China, 1925-1928." （Issue and Studies, Vol. 20, No. 3, Taiwan, 1984）、張小路〈歷史轉折時期的中美關係—1925-1928年中美關係述評〉（《探索與爭鳴》1993年3期）、王綱領〈美國與北伐前後關稅自主與廢除領事裁判權的交涉〉（《珠海學報》16期，1988年10月）、仇華飛〈試論1928年中美新訂關稅條約的得失〉（《復旦學報》1996年5期）、秦薏苡《1926年之法權會議與中美關係》（中國文化大學中美關係研究所碩士論文，民73年6月）、Richard Clarke De Angelis, Jacob Gould Schurman and American Policy Toward China, 1921-1925. （Ph. D. Dissertation, St. John's University, 1975）、王聿均〈舒爾曼在華外交活動初探（1921-1925）〉（《中央研究院近代史研究所集刊》第1期，民58年8月）、Russell D. Buhite, Nelson T. Johnson and American Policy Toward China, 1925-1941. （East Lasing: Michigan State University Press, 1968）、Janet Sue Collester, J. V. A. Macmurray, American Minister to China, 1925-29: The Failure of A Mission. （Ph. D. Dissertation, Indiana University-Bloomington, 1977）、Alicia J. Campi, "Perceptions of the Outer Mongols by the United States Government as Reflected in Kalgan （Inner Mongolia） U. S. Consular Records, 1920-1927." （Mongolian Studies, Vol.14, 1991）、Catherine M. McGuire, The Union Movement in Hunan in 1926-1927 and its Effect on the American Community. （M. A. Thesis, Columbia University, 1977）、Robert Albert Dayer, Bankers and Diplomats in China, 1917-1925: The Anglo-American Relationship. （London: Frank Cass, 1981）、Noel H. Pugach, "Anglo-

American Aircraft Competition and the China Arms Embargo, 1919-1921." （Diplomatic History, No.2, 1978）。李恩涵〈中英收交威海衛租借地的交涉（1921-1930）〉（《中央研究院近代史研究所集刊》21期，民81年6月）、Clive John Christie, The Problem of China in British Foreign Policy, 1917-1921. （Ph. D. Dissertation, Cambridge University, 1971）、William M. Keenlyside, British Policy in China 1925-1928. （Ph. D. Dissertation, Clark University, 1938）、William James Megginson, III, Britain's Response to Chinese Natioalism, 1925-1927:The Foreign Office Search for a New Policy. （Ph. D. Dissertation, George Washington University, 1973）、Richard Stremski, Britain's China Policy, 1920-1928. （Ph. D. Dissertation, University of Wisconsin-Madison, 1968）、Christopher John Bowie, Great Britain and the Use of Force in China, 1919-1931, （Ph. D. Dissertation, Oxford University, 1983）、李健民〈民國十五年四川萬縣慘案〉（《中央研究院近代史研究所集刊》19期，民79年4月）、Young Zhang, China in the International System: The Middle Kingdom at the Periphery. （Basingstoke: Macmillan, in Association with St. Antony's College, Oxford, 1991）。郭恒鈺〈1927年的中德關係〉（《近代中國史研究通訊》第7期，民78年3月）、Lorne Eugene Glaim, Sino-German Relations, 1915-1925: German Diplomatic、Economic、and Cultural Reentry into China After World War I. （Ph. D. Dissertation, Washington State University, 1973）、Berverly Couglas Causey, Jr., German Policy Toward China, 1918-1941. （Ph. D. Dissertation, Harvard University, 1942）、

William Corbin Kirby, Foreign Models and Chinese Modernization: Germany and Republican China, 1921-1941. (Ph. D. Dissertation, Harvard University, 1981) 及 Germany and Republican China. (Stanford, Calif.: Stanford University Press, 1984) 當係其博士論文加以修訂而成。習五一〈論廢止中比不平等條約—兼論北洋政府的修約外交〉（《近代史研究》1986年2期）、John Patrick Martin, Politics of Delay: Belgium's Treaty Negotiations with China, 1926-29. (Ph. D. Dissertation, St. John's University, 1980)、川島真〈中華民國北京政府外交部の對シヤム交涉〉（《歷史學研究》692號，1996年12月）。唐啟華〈北伐時期的北洋外交—北洋外交部與奉系軍閥處理外交事務的互助關係初探〉（載《中華民國史專題論文集：第一屆討論會》，民81）、艾樸如〈北京政府取消庚子賠款，1911-1925〉（載《國父建黨革命一百周年學術討論集》第1冊，臺北，近代中國出版社，民84）、姜文求《關稅特別會議之研究》（臺灣師範大學歷史研究所碩士論文，民79年6月）及〈從關稅特別會議召開的背景看其失敗的原因〉（《民國檔案》1996年3期）、佚名編《關稅特別會議議事錄》（2冊，民17年8月印；臺北，文海出版社影印，民57）、李光一〈1925年-1926年的關稅會議與法權會議〉（《河南大學學報》1981年5期）、何剛〈簡論北洋軍閥統治時期的〝關稅自主〞〉（《安徽史學》1995年4期）、張洪祥、江沛〈民國以來中國收回外國租界始末〉（《北京檔案史料》1993年1期）、雲海、黎霞〈1926年上海公共租界會審公廨收回交涉背景及其經過〉（《檔案與歷史》1988年4期）、Anthony B. Chan, Arming the Chinese: The Western Armament Trade in Warlord China, 1920-

18. (Vancouver: University of British Columbia Press, 1982)、陳存恭《列強對中國的軍火禁運（民國8年-18年）》（臺北，中央研究院近代史研究所，民72）、〈列強對中國的軍火禁運〉（《中國現代史專題研究報告》第4輯，民63）、〈列強對中國禁運軍火的發端〉（《中央研究院近代史研究所集刊》第4期上冊，民62年5月）、〈民初陸軍軍火之輸入—民國元年至17年〉（同上，第6期，民66年6月）及〈從「貝里咸合同」到「禁助中國海軍協議」〉（同上，第5期，民65年6月）、郭劍林、王繼慶〈北洋政府外交近代化略論〉（《學術研究》1994年3期）、西村成雄〈第一次世界大戰後の中國における帝國主義支配と民族解放運動の理論形成〉（《歷史評論》257號，1971年12月）、Park No-yong, China in the League of Nations. (Ph. D. Dissertation, Harvard University, 1931)、唐啟華〈北洋政府時期中國在國際聯盟行政院席位的爭取，1919-1928〉（《興大歷史學報》第6期，民85年6月）、Robert T. Pollard, China's Foreign Relations, 1917-1931. (New York: Macmillan, 1933)、孫安石〈1920年代上海の中朝連帶意識—「中韓國民互助社總社」の成立、構成、活動を中心〉（《現代中國》70號，1996年7月）。其他如Madeleine Chi（戚世皓），Chinese Diplomacy, 1914-1918. (Cambridge, Mass.: Harvard University Press, 1970)、Akira Iriye（入江昭），After Imperialism: The Search for a New Order in the Far East, 1921-1931. (Cambridge, Mass.: Harvard University Press, 1965)。

外交之外，其他尚有Yeh Wen-hsin（葉文心），The Alienated Academy: Culture and Politics in Republican China,

1919-1937（Cambridge: Harvard University Press, 1990）、史全生〈略論北洋軍閥統治時期的思想文化〉（《東南文化》1987年3期）、孫廣德〈北洋主政時期民主思想的反動維護與闡揚（上）〉（《政治科學論叢》第7期，臺灣大學政治系，民85年6月）、呂芳上〈「竺震旦」與「驅象黨」：一九二四年泰戈爾的訪華與東西文化之爭〉（載《孫中山與亞洲兩岸學術討論會論文集》，廣州，1995年5月）、Eugene Lubot, Liberalism in the Illiberal Age: New Cultur Liberals in Republican China, 1919-1937.（Westport, Conn. Greenwood Press, 1982）、Charles Leland Leary, Sexual Modernism in China: Zhang Jingsheng and 1920s Urban Culture.（Ph. D. Dissertation, Cornell University, 1994）、西槇偉〈1920年代中國における戀愛觀の受容と日本〉（《比較文學研究》64號，1993年12月）、Bonnie S. McDougall, The Introduction of Western Literary Theories into Modern China, 1915-1925.（Tokyo: The Center for East Asian Cultural Studies, 1971）、Amitendranath Tagore, Literary Debates in Modern China, 1918-1937.（同上，1967）、Ming-bao Monika Yue, Women and Representation: Feminist Reading of Modern Chinese Fiction（1917-1937）.（Ph. D. Dissertation, Stanford University, 1991）、蔡國裕《1920年代初期中國社會主義論戰》（臺北，臺灣商務印書館，民77）、陰法魯〈北洋軍閥對進步刊物的摧殘〉（載《五四運動文輯》，武漢，湖北出版社，1957）、何清素〈民國11年新學制釀成過程之探討〉（《教育學刊》第5期，民73年2月）、Yu Xiao-ming, The Encounter Between John Dewey and the Modern Chinese Intellectuals: The Case of the 1922

Education Reform.（Ph. D. Dissertation, University of Virginia, 1991）、Mary S. Gewurtz, "Social Reality and Educational Reform: The Case of the Chinese Vocational Association，1917-1927."（Modern China, Vol. No.2, April 1978）、蔡行濤〈中華職業教育社與職業指導（1917-1937）〉（《臺北工專學報》20期，民76年3月）、楊翠華〈中基會的成立與改組〉（《中央研究院近代史研究所集刊》18期，民78年6月）、〈中基會與民國的科學教育〉（收入楊翠華、黄一農編《近代中國科技史論集》，民80年5月）、〈中基會與民國的科學研究〉（載《中華民國建國八十年學術討論集》第3册，民80年12月）及《中基會對科學的贊助》（臺北，中央研究院近代史研究所，民80）、許光麃〈中國近代洋土體育論爭興盛時之發展（1925-1932）〉（《臺灣體專學報》第7期，民84年6月）及《中國近代洋土體育論爭之形成與發展（1915-1937）》（國立體育學院體育研究所碩士論文，民82年6月）、姚錦祥〈北洋政府海軍教育述論〉（《南京師大學報》1988年4期）、洪喜美〈北伐前平民教育運動初探〉（載《中華民國史專題討論集：第二屆討論會》，臺北，國史館，民82）、蘇雲峯《從清華學堂到清華大學，1911-1929》（臺北，中央研究院近代史研究所，民85）、陳三井〈華法教育會的成立及其活動〉（《第二屆華學研究會議論文集》，臺北，中國文化大學，民81年5月）、〈民初旅歐教育的艱苦歷程—里昂中法大學初探，1921-1948〉（《中華民國初期歷史研討會論文集》下册，臺北，民73年4月）及〈吳稚暉與里昂中法大學之創設〉（收入《郭廷以先生九秩誕辰紀念論文集》上册，臺北，中央研究院近代史研究所，民84年2月）、Yeh Wen-hsin（葉文心），"Educating Young Redicals:

Shanghai University, 1922-1927." （Republican China, Vol.17, No.1, November 1991）、楊翠華《非宗教教育與收回教育權運動（1922-1930）》（政治大學歷史研究所碩士論文，民67年6月）及〈非宗教教育與收回教育權運動（1922-1930）〉（《思與言》17卷2、3期，民68年7、9月；係就其碩士論文加以精簡而成）、楊恒源〈重評二十年代初〝收回教育權運動〞〉（《揚州師院學報》1990年1期）、寺廣映雄〈教育權回收運動をめぐつて—1920年代中國の政治思想狀況〉（《歷史研究》14號，1977年3月）、舒新城《收回教育權運動》（上海，中華書局，民16）、魏喜龍〈大革命時期收回教育權運動與中國共產黨的領導〉（《學習論壇》1996年7期）、傅長祿〈大革命時期收回教育權運動初探〉（《史學集刊》1988年1期）、魯珍晞〈一九二四至一九二八年教育權運動中的學生與政黨〉（《中華民國建國史討論集》第3冊，臺北，民70）、Shen Xiao Hong, Yale's China and China's Yale: Americanizing Higher Education in China, 1900-1927. （Ph. D. Dissertation, Yale University, 1993）、坂出祥伸〈清末民國初化學史の一側面—元素漢譯名の定著過程〉（《東洋の科學と技術》，東京，1982）、查時傑〈民國初年基督教會的發展（1917-1922）〉（《中國現代史專題研究報告》11輯，民72）及〈民國基督教會史㈡〉討論宗教時期：（1917-1922）〉（《臺灣大學歷史學系學報》第9期，民71年12月）、盧孝齊《中國基督教鄉村建設運動—以華北地區為例（1922-1937）》（中國文化大學史學研究所碩士論文，民74）、Yip Ka-che（葉嘉熾），Religion, Nationalism and Chinese Student: The Anti-Christian Movement of 1922-1927. （Bellingham, Washington: Western Washington University

Press, 1980）及 The Anti-Christian Movement in China, 1922-1927.
（Ph. D. Dissertation, Columbia University, 1970）、Jessie Gregory
Lutz, Chinese Politics and Christian Missions: The Anti-
Christian Movements of 1920-28.（Notre Dame, Indiana: Cross Cul-
tural Books, 1988）及 "Chinese Nationalism and the Anti-
Christian Campaign of 1920's"（Modern Asian Studies, Vol. 10, NO.
3, 1976；其中譯文爲馮鵬江譯〈中國民族主義與1920年代之反基督教運
動〉，收入張玉法主編《中國現代史論集·第6輯：五四運動》，臺北，聯
經出版事業公司，民70）、葉仁昌《五四以後的反對基督教運動：
中國政教關係的解析》（臺北，久大文化出版公司，民81）、夏瑰琦
〈論我國1922-1927年間的非基督教運動〉（《杭州大學學報》18卷2
期，1988）、楊天宏〈二十世紀初基督教傳教事業的發展變化與
非基督教運動的發生〉（《四川師大學報》1993年4期）及〈中國非
基督教運動（1922-1927）〉（《歷史研究》1993年6期）、山本純信
〈1920年代の反基督教運動について〉（《史觀》57·58號，1960年
3月）、Tatsuro and Sumiko Yamamoto（山本達郎和山本澄
子），"The Anti-Christian Movement in China, 1922-1927."
（The Far Eastern Quarterly, Vol.12, No.2, Feb.1953；其中譯文爲劉妮玲
譯〈中國的反基督教運動（1922-1927）〉，收入張玉法主編《中國現代史
論集·第6輯：五四運動》，臺北，民70）、查時傑〈民國十年代反基
督教運動產生的時代背景（1922-1927）〉（載《中華民國歷史與文
化討論集》第3冊，臺北，民73）、石川楨浩〈1920年代中國におけ
る"信仰"のあくえ—1922年の反キリスト教運動の意味〉（載
《1920年代の中國》，東京，汲古書院，1995）、常建國〈1924年的

〝反基督教運動〞〉（《黨史研究資料》1994年10期）、王玉祥〈二十年代〝非基督教〞運動的文化內涵〉（《徐州師院學報》1992年1期）、Jonathan Tien-en Chao（趙天恩），The Chinese Indigenous Church Movement, 1919-1927: A Protestant Response to the Anti-Christian Movements in Modern China.（Ph. D. Dissertation, University of Pennsylvania, 1986）、Lam Wing Hung, The Emergence of A Protestant Christian Apologetics in the Chinese Church During the Anti-Christian Movement in 1920's.（Ph. D. Dissertation, Princeton University, 1978）、呂實強〈近代中國知識分子反基督教問題的檢討〉（載林治平編《基督教入華歷七十年紀念集》，臺北，宇宙光出版社，民66）、葉仁昌《民九至民十七反教護教言論中之政治課題》（臺灣大學政治研究所博士論文，民78年12月）、郭明璋〈非基運動前後的國家主義與教會大學（1919年到1927年）〉（《基督書院學報》第2期，民84年6月）、Jessie Gregory Lutz, The Role of the Christian Colleges in Modern China Before 1928.（Ph. D. Dissertation, Cornell University, 1955）、Frederick B. Hoyt, "The Lesson of Confrontation: Two Christian Colleges Face the Chinese Revolution, 1925-1927."（Asian Forum, Vol. 8, No.3, Summer 1976）、Samuel D. Ling（林慈信），The Other May Fourth Movement: The Chinese "Christian Renaissance" 1919-1937.（Ph. D. Dissertation, Temple University, 1981）、林慈信《先驅與過客－再說基督教新文化運動》（Scarborough，加拿大福音證主協會，1996）、許學士〈1920年代中國民族主義與基督教徒的政治觀〉（中國文化大學中美關係研究所碩士論文，民77年6月）、

Jun Xing, Baptized in the Fire of Revolution: The American Social Gospel and YMCA in China, 1919-1937. ﹙Bethlehem, Penn.: Lehigh University Press, 1996﹚、Murray Rubinstein, "Facing the Maelstrom: Southern Baptist Perceptions of a China in Chaos, 1922-1924." ﹙Republican China, Vol.17, No.2, April 1992﹚、Jonathan Chao﹙趙天恩﹚,"Toward a Chinese Christianity: A Protestant Response to the Anti-Imperialist Movement." ﹙同上﹚、Peter Chen-main Wang, "Missionary Attitude Toward the Indigenization Movement in China: The Case of the Wenshe, 1925-1928." ﹙同上﹚、Thurston Griggs, The Anti-Imperialist Theme in Chinese Nationalism, 1919-1926. ﹙Ph. D. Dissertation, Harvard University, 1952﹚、婁向哲〈孫中山・親日派軍閥關係の檢討〉﹙《立命館法學》183、184號,1986年3月﹚、渡邊龍策〈曹錕憲法の連邦制について〉﹙《法政論叢》2卷3-7號合併號,1963年11月﹚及〈「賄選憲法」序章—曹錕憲法制定前史〉﹙《中京大學論叢》第5號,1964年12月﹚、Christina Kelly Gilmartin, Engendering the Chinese Revolution: Radical Women, Communist Politics, and Mass Movement in the 1920s. ﹙Berkeley: University of California Press, 1995﹚、Marc Kasanin, China in the Twenties. ﹙Trans. from the Russia by Hilda Kasanina, Moscow, Central Department of Oriental Literature, 1973﹚、狹間直樹編《1920年代の中國》﹙東京,汲古書院,1995﹚、Gilbert F. Chan﹙陳福霖﹚and Thomas H. Etzold, eds., China in the 1920s: Nationalism and Revolution. ﹙New York: New Viewpoints, 1976﹚、Liao Kuang-Sheng﹙廖光

生），"Anti-foreignism and Nascent Nationalism in China Before 1927."（載《中華民國初期歷史研討會論文集，1912-1927》下冊，臺北，中央研究院近代史研究所，民73年4月）、鮑和平〈1925年安徽反帝愛國運動評述〉（《民國檔案》1996年4期）、菊池貴晴〈一九二五·六年の對英ボイユツトについて〉（《福島大學學藝學部論集》15卷1號，1964）、笠原十九司〈北京國立學校の教育費鬥爭—1920年代初頭の反軍閥鬥爭の一形態〉（載《中嶋敏先生古稀記念論集》下，東京，汲古書院，1981）、衛民《中國學生與政治：一個史實的考察（1915-1921）》（政治大學政治研究所碩士論文，民70年6月）、沈松橋〈神話禁忌之外—1920年代的中國學生運動〉（《歷史月刊》第4期，民77年5月）、呂芳上《從學生運動到運動學生—民國八年至十八年》（臺北，中央研究院近代史研究所，民83）、〈北伐前學運的動向（1920-1927）〉（載《北伐統一六十周年學術討論集》，臺北，民77）及〈"學閥"乎？"黨化"乎？：民國十四年的東南大學學潮〉（載《國父建黨革命一百週年學術討論集》第2冊，臺北，民84）、Yip Ka-che（葉嘉熾）著、陳琴富譯〈民族主義與革命：1920年代學生激進主義的本質與原因〉（收入張玉法主編《中國現代史論集》第6輯，臺北，聯經出版事業公司，民70）。長谷川〈1920年代中國における教育方法改革〉（《アジア教育史研究》第4號，1995年3月）、森紀子〈虛無主義者の再生—1920年代中國思想界の一動向〉（《東洋史研究》54卷1號，1995年6月）。

四、五四運動（1917-1921）

　　五四運動的定義（起訖時間及其內容）為何？至今猶多爭議。一般而言，狹義的五四運動，係專指民國八年（1919）五四時期由學生所發起、工商等界參與的反帝國主義、反軍閥的運動，是一政治性的抗議運動、愛國運動。廣義的五四運動，是泛指五四時期及其前後幾年間所發生的各種運動，如新文化運動、反帝反軍閥的愛國運動、社會主義運動以及新思潮等，都涵蓋在內。為求其詳盡、完整起見，本節係就廣義的五四運動（1917-1921）來舉述有關的論著及資料。

(一)通論性的書籍

　　民國四十九年（1960）、Chow Tse-tsung（周策縱）的《五四運動史》（用英文寫成名為The May Fourth Movement: Intellectual Revolution in Modern China），由哈佛大學出版，受到中外學術界的一致推崇，全書徵引資料豐富，論述詳盡入理，為同類研究成果中最具代表性的學術性鉅著，其中譯本有多種，如最早由王潤華、鍾玲等人所譯、陸續發表於香港《明報》月刊上的部分譯文，其單行本已於1970年出版，臺灣方面則有楊默夫譯《五四運動史》（臺北，龍田出版社，民69）及桂冠圖書公司出版的《五四運動史》（2冊，臺北，民78）；中國大陸之中譯本，則出版甚晚，係由周子平等譯《五四運動：現代中國的思想革命》（南京，江蘇人民出版社，1996）。至於周氏1955年在密西根大學（University of Michigan at Ann Arbor）的博士論文The May

Fourth Movement and Its Influence Upon China's Socio-Political Development，迄未見其出版，上述周氏的鉅著，當係其博士論文加以修訂而成。其他的論著有陳端志《五四運動之史的評價》（上海，生活書店，民24；香港，中文大學近代史出版組翻印，1973；臺北，古楓出版社翻印，民75）、包遵彭《五四運動史》（南京，青年出版社，民35年再版）、丁作韶《五四運動史》（同上，重慶，民28）、華崗《五四運動史》（上海，海燕書店，1951；上海新文藝出版社，1953；上海，華東人民出版社，1954）、天津市民主青年聯合會籌備會《五四運動》（讀者書店，1949）、李何林編《五四運動》（上海，大成出版公司，民37）、蔡尚思《劃時代的五四運動》（上海，大眾文化出版社，1949）、賈逸君《五四運動簡史》（北京，新潮書店，1951）、汪永立《五四運動》（濟南，山東人民出版社，1957）、上海人民出版社《五四運動（中國革命故事）》（上海，撰者印行，1958）、中國青年出版社《光輝的五四》（北京，撰者印行，1959）、山西人民出版社編《"五四"史話》（青年叢書，太原，編者印行，1978）、李霜青《五四運動徵實》（臺北，現代雜誌社，民57）、楊盛清、陳文斌《五四運動》（廣州，廣東人民出版社，1979）、汪士漢《五四運動簡史》（北京，中國社會科學出版社，1979）、薔薇園主編訂《五四歷史演義》（北京，書目文獻出版社，1980）、彭明《五四運動史》（北京，人民出版社，1984）及《五四運動簡史》（同上，1990）、丸山松幸《五四運動：その思想史》（東京，紀伊國屋書店，1969）、野澤豐、田中正俊《中國近現代史㈣—五四運動》（東京，東京大學出版會，1978）、陳舜臣《中國の歷史近・現代篇・第5卷：疾風怒濤—五

四運動》（東京，平凡社，1986）、楊師道等《五四愛國運動》
（瀋陽，遼寧人民出版社，1984）、李義彬《五四愛國運動》（北
京，書目文獻出版社，1985）、李捷編寫《五四愛國運動》（中國革
命史小叢書，北京，新華書店，1990）。資料集及論文集有中國社會
科學院近代史研究所資料室編《五四愛國運動》（2冊，北京，中
國社會科學出版社，1979），共收資料18種，書前附有圖片63幀，
大部分是選自該所刊物《近代史資料》歷年所刊載的五四運動資
料。中國社會科學院近代史研究所編《五四運動回憶錄》（北
京，中華書局，1959）及《五四運動回憶錄》（2冊，北京，中國社會
科學出版社，1979），為前者（1959年版）的續集，共收回憶文章
120餘篇，撰者有毛澤東、周恩來、朱德、陳毅、魯迅、胡適、
李大釗、陳獨秀等，大多數是五四運動的親身參加者。社科院近
史所另編有《五四愛國運動資料》（近代史資料之一，北京，科學出
版社，1959）及《五四運動文選》（北京，三聯書店，1959；又再版，
1979）；該所與中國第二歷史檔案館合編之《五四愛國運動檔案
資料》（北京，中國社會科學出版社，1980）、燎原書房編集部編
《五四運動史料選集》（4冊，東京，燎原書房，1976）、東北大學
編《五四紀念文輯》（東北新華書店，1950）、〝五四〞卅周年紀
念專輯編委會編《〝五四〞卅周年紀念專輯》（北京，新華書店，
1949）；華中工學院馬列主義教研室《五四運動文輯》（武漢，湖
北人民出版社，1957）、上海人民出版社編印《五四運動片斷回
憶》（1958）、陳少廷編《五四運動的回憶》（臺北，百傑出版社，
民68年修訂再版）、北京大學學運史編寫小組編《青年運動回憶
錄‧第2集—五四運動專輯》（北京，中國青年出版社，1979）、楊

亮功等著、蔡曉舟編《五四：第一本五四運動史料》（臺北，傳記文學出版社，民71年再版）、京都大學人文科學研究所編印《日本新聞五四報道資料集成》（京都，1983）、北大臺灣同學會編印《五四愛國運動四十週年紀念特刊》（臺北，民48）、聯合報編印、「聯副」記者聯合採訪《我參加了五四運動》（臺北，民68）、山東大學歷史系《五四運動四十周年紀念文集》（濟南，山東人民出版社，1959）、上海哲學社會科學聯合會編《紀念五四運動四十周年紀念論文集》（上海，上海人民出版社，1959）、中國青年出版社編輯《光輝的五四》（北京，中國青年出版社，1959）、曉丹等編著《新的一頁："五四"五十週年紀念》（香港，青年樂園出版社，1970）；《紀念五四運動五十五周年》（北京，人民出版社，1974）、《紀念五四運動五十五周年》（鄭州，河南人民出版社，1974）、《紀念五四運動五十五周年》（學習文選，廣州，廣東人民出版社，1974）、張玉法主編《中國現代史論集·第6輯：五四運動》（臺北，聯經出版事業公司，民70）、汪榮祖編《五四研究論文集》（同上，民68）、周策縱等著、周陽山主編《五四與中國》（臺北，時報文化出版公司，民68）、周玉山主編《五四論集》（臺北，成文出版社，民69）、三民主義研究所編《五四運動論叢》（臺北，正中書局，民50）、存萃學社編集（周康燮主編）《五四運動研究論集》（香港，崇文書店，1975）、郭瑞生、陳健誠主編《五四運動六十週年紀念論文集》（香港大學中文學會，1979）、中國社會科學院近代史研究所編《紀念五四運動六十周年學術討論會論文集》（3冊，北京，中國社會科學出版社，1980）、彭明《五四運動論文集》（廣州，廣東人民出版社，1978）、湯一介編《論傳統與反傳統：五四70周年紀念文選》（臺北，聯經出版事業公司，民78）、張忠棟、包遵信等著《海峽兩岸論五四》（臺北，國文天地雜誌社，民78）、林毓生等《五四：多元的反思》（香港，三聯書店，1989；臺北，風雲時代出版社，民78）、上海中西哲學與文化交流研究中心編《時代與思潮(1)—五四反思》（上海，華東師大出版社，1989）、淡江大學中文系主編《五四精神的解咒與重塑：海峽兩岸紀念五四七十年論文集》（臺北，臺灣學生書局，民81）、丁曉強、徐梓編《五四與現代中國—五四新論》（五四與現代中國叢書，太原，山西人民出版社，1989）、蕭延中、朱藝編《啟蒙的價值與局限—臺港學者論五四》（同上）、王躍等編《五四：文化的闡釋與評價—西方學者論五四》（同上）、中國社會科學院科研局、《中國社會科學》雜誌社編《五四運動與中國文化建設—五四運動七十周年學術討論會論文選》（2冊，北京，社會科學文獻出版社，1989）、北京大學社會科學處編《北京大學紀念五四運動七十周年論文集》（北京，北京大學出版社，1990）、劉桂生、張步洲編纂《臺港及海外五四研究論著擷要》（北京，教育科學出版社，1989）、Benjamin I. Schwartz, ed., Reflections on the May Fourth Movement: A Symposium（Cambridge: Harvard University Press, 1972）、彭明《﹁五四﹂研究》（開封，河南大學出版社，1994）。日文論文集則以《五四運動の研究》（3冊，京都，同朋舍，1982）最為重要。其他相關的尚有余英時、包遵信等著、周陽山主編《從五四到新五四》（臺北，時報文化出版公司，民78）、余英時等著、蘇曉康主編《從五四到河殤》（臺北，風雲時代出版社，民81）、曾塗生《「五四」與「五四」之研究》（中國

文化大學大陸問題研究所碩士論文，民78年5月）、胡繩武、金沖及
《從辛亥革命到五四運動》（長沙，湖南人民出版社，1983）、北京
大學〝五四運動〞畫冊編輯小組《五四運動：畫冊》（北京，文
物出版社，1959）等。此外，以啟蒙運動為題涵蓋五四運動在內的
論著，則以Vera Schwarcz, The Chinese Enlightment Move-
ment.（Berkeley: University of California Press, 1985）最為重要。

㈡研究狀況

　　有朱允興〈五四運動史研究述評〉（《蘭州大學學報》1987年2
期）、朱玉湘、胡汶本、韓凌軒、蔣俊、王文泉〈十年來五四運
動史研究述評〉（《文史哲》1989年3、4期）、魯振祥〈五四運動
研究述評〉（《近代史研究》1989年2期）、覃藝〈新時期五四運動
研究綜述〉（《中共黨史研究》1989年3期）、李寧、馮崇義〈建國
以來五四運動史研究綜述〉（《學術研究》1984年3期）、方增泉
〈近五年來五四運動史與中共建黨史研究簡況〉（《北京黨史研
究》1996年4期）、狹間直樹〈最近の中國における五四運動研究
について〉（《中國研究月報》380號，1979年10月）、周陽山〈五四
與中國—論有關五四的研究趨向〉（收入周策縱等人著《五四與中
國》，臺北，時報文化出版公司，民68）、徐勝萍〈海外與港臺〝五
四〞運動史研究綜述〉（《東北師大學報》1994年2期）、徐勝萍、
熊潤妹〈海外與港臺學者五四運動史研究概況〉（《江西師大學
報》1994年1期）、趙春晹〈港臺及國外學者關於五四運動若干觀
點〉（《中共黨史研究》1989年3期）、齊福霖〈簡述日本史學界五
四運動研究中的爭論〉（《近代史研究》1989年2期）、狹間直樹

〈最近の日本における五四運動研究〉（《季刊中國研究》13號，1988）、張契尼〈日本京都大學的五四運動研究〉（《歷史研究》1982年6期）、V. Nikiforov, "Soviet Historians on the May 4th Movement in China."（Far Eastern Affairs, No.2, 1983）、陳木杉〈試論中共對五四運動的曲解〉（《共黨問題研究》15卷6期，民78年6月）、〈大陸史學界對五四運動的曲解〉（《中國歷史學會史學集刊》23期，民80年7月）及〈大陸史學界對五四運動的評價〉（《人文學報（空中大學）》第1期，民81年4月）、劉永明〈五四運動研究中的幾個問題〉（《近代史研究》1993年6期）、江士漢〈五四運動史研究中的幾個問題〉（《社會科學戰線》1979年2期）、鍾樹〈五四運動史研究若干問題述略〉（《石油大學學報》1989年2期）、胡慶鈞等〈五四運動史研究中的幾個問題〉（《學術月刊》1961年5期）、彭明〈五四運動史研究的幾個問題〉（《文史哲》1989年3期）、〈五四研究斷想〉（《教學與研究》1984年3期）及〈我是怎樣研究五四運動史的？〉（《文史哲》1983年4期）、岑思〈啟蒙與救亡：對五四運動史研究的一些思考〉（《中國社會科學院研究生院學報》1990年2期）、大塚博久〈《五四運動》研究史試探〉（《中國哲學論集（九州大學）》第6號，1980年12月）、野澤豐〈五四運動史研究についての往復書簡—狹間直樹「五四運動研究序說—五四運動におけるプロレタリアートの役割」をめぐる著者との對話〉（《近きに在りて》第3卷，1983年3月）、笠原十九司〈五四運動史研究の方法と課題〉（《季刊中國研究》13號，1988）、橫山宏章〈五四運動をめぐる四つの爭點〉（同上）、狹間直樹〈規範性認識と歷史事象—五四運動史研究をめぐる論爭の一環として〉（同上）、齋藤道彥〈重評五四運動史觀的觀點〉（《中央大學論集》第9號，1988年3月）、Chou Ts'e-tsung（周策縱），Research Guide of the May Fourth Movement: Intellectual Revolution in Modern China, 1915-1924 （Cambridge: Harvard University Press, 1963）、橫山宏章、狹間直樹等《「五四運動」をめぐる學術論爭》（《季刊中國研究》13號特集，1988年秋季號）、黃克武〈「五四話語」之反省的再反省：當代大陸思潮與顧昕的《中國啟蒙的歷史圖景》〉（《近代中國史研究通訊》19期，民84年3月）、蕭同慶〈反思與重構：從〝五四〞到〝五四學〞〉（《文藝理論研究》1995年5期）、中央大學人文科學研究史シンポジワム紀錄》（東京，中央大學）、蔣俊〈中國應該建立〝五四學〞〉（《文史哲》1988年3期）、山根幸夫〈五四運動文獻目錄〉（《史論》26、27號，1973年9月）及〈五四運動に關する出版物—1979年における〉（《近代中國研究彙報》第2號，1980年3月）、楊旻瑋〈臺灣出版的「五四」研究專書書目提要〉（收入周陽山主編《從五四到新五四》，臺北，時報文化出版公司，民78）、久保田文次等編〈五四運動史關係論文目錄〉（《大安》8卷5號，1962年6月）。

(三)史事釋義

　　探討五四運動的背景及其發生原因的有張玉法〈五四運動的時代背景〉（《書評書目》61期，民67年5月：亦收入張玉法主編《中國現代史論集》第6輯，民70）、及〈民初政局與五四〉（收於汪榮祖編《五四研究論文集》，民68）、蔡國裕〈民初政局與五四運動〉

（《共黨問題研究》11卷6-9期，民74年6-9月）、張德旺〈〝五四〞運動國際背景研究兩題〉（《求是學刊》1992年5期）、汪敬虞〈五四運動的經濟背景〉（《經濟研究》1959年4期）、菊池貴晴〈對日ボイコット―五四運動の經濟的背景〉（《大安》8卷5號，1962年6月）、孫健〈五四運動的社會經濟背景〉（《新建設》1959年5期）、金達凱〈五四運動的社會背景〉（《民主評論》15卷9期，1964年5月）、郭少棠〈五四精神的根源―法國大革命〉（《明報》257期，1987）、劉弄潮〈十月革命對中國五四運動的鼓舞〉（《歷史教學》41期，1957年5月；亦載華中工學院馬列主義資料室編《五四運動文輯》，武漢，湖北出版社，1957）、朴明熙《「五四」與「三一」發生背景之比較研究》（政治大學歷史研究所碩士論文，民75年1月）、神宮秀《現代史の發端―五四運動と三一運動》（關西大學史學·地理學科畢業論文，1983年度）、劉文英〈十月革命與五四運動〉（《歷史教學問題》1959年4期）、林明德〈三一運動與五四運動的關連〉（《中華民國初期歷史研討會論文集》下冊，民73）、小島晉治著、馮作民譯〈「三一運動」與「五四運動」―及其關連性〉（《韓國學報》第2期，民71年10月）、笠原十九司〈山東主權回收運動史試論―五四運動史像の再構成にむけて〉（《中央大學人文研究所紀要》10號，1990）、池井優〈山東問題、五四運動をめぐる日中關係〉（《法學研究（慶應大學）》43卷1號，1970年1月）、呂律吾〈山東問題與五四運動之發生〉（《中華雜誌》6卷5期，民57年5月）、小野信爾〈山東問題（利權確保か，機會均等か―五四運動と九カ國條約）〉（《エコノミスト》46卷5號，1968年2月）、陳鳴鐘〈段祺瑞賣國投日和五四愛國運動爆

發〉（《歷史檔案》1981年2期）、俞辛焞〈巴黎和會與五四運動〉
（《歷史研究》1979年5期）、陳守實〈中國革命新民主主義階段的
形成過程－五四運動的前奏〉（《新中華》19卷10期，1959）、
（德）森格爾著、申人譯、陳威校〈當西方還不想談論種族平等
時：一段尚未披露的有關1919年中國〝五四〞運動的序曲〉
（《現代外國哲學社會科學文摘》1995年1期）、呂實強〈五四愛國運
動的發生－從歷史背景到立即因素〉（載汪榮祖編《五四研究論文
集》，民68）、孔凡嶺〈五四運動爆發原因的再探討〉（《中共黨
史研究》1996年3期）、陳春梅〈〝五四〞運動爆發原因再探〉
（《北方論叢》1991年4期）、謝渝〈社會心理與五四運動的爆發〉
（《四川師大學報》1991年4期）。

　　關於五四運動的發展過程及一些重要史事有何幹之〈五四運
動及其發展〉（《北方文化半月刊》1卷5期，民35年5月）、景宋〈造
成〝五四〞的歷史經過〉（《民主》1卷29期，民35年5月）、李霜青
〈五四運動與新文化運動之史實考述〉（《法商學報》12期，民65
年10月）、張允侯、張友坤編著《在五四運動爆發的一年裏》
（武漢，武漢出版社，1989）；〈五四運動大事記〉（《東西風》1卷8
期，1973年6月）、王承禮〈五四時期大事記〉（《歷史教學問題》
1958年1期）、黃真〈五四運動大事紀略〉（《北京文史資料選輯》第
3輯，1979年9月）、成兆凡〈中國革命史上光輝的一頁－介紹五四
運動的經過及其歷史意義〉（《時事手冊》1959年8期）、匡互生
〈五四運動紀實〉（《新文學史料》第3輯，1979年5月）、中央大學
人文科學研究所《五四運動史像の再檢討》（東京，中央大學出版
部，1986）、齋藤道彥〈五四運動史像再檢討の視點〉（收於同上

書中）、笠原十九司〈五四運動史像の史的檢討〉（同上）、津
田琢麻《五・四運動について—その歷史像をめぐつて》（立命
館大學史學科碩士論文，1993）、齋藤道彦《五四運動の虛像と實
像：一九一九年五月四日北京》（東京，中央大學出版部，1992）及
〈五月四日運動の輪郭〉（《中央大學論集》12號，1991）、王統照
〈〝五四〞之日〉（《文藝春秋》4卷6期，民36年6月）、熊野正平
〈五四風潮—その實地に於ける見聞と若干の檢討〉（《一橋論
叢》28卷6號，1952年12月）及〈五四風潮史論〉（《二松學舍大學東
洋學研究所集刊》第1號，1971年3月）、徐錫祺〈北京學生五四示威
遊行史實考〉（《黨史研究資料》1980年13期）、李誼〈美國檔案中
的《五四遊行學生致美國公使說帖》〉（《歷史知識》1982年6
期）、白淑蘭、趙家鼎選編〈關於火燒曹宅痛打章宗祥的調查〉
（《北京檔案史料》1986年2期）、齋藤道彦〈曹汝霖宅打ちこれ
し—1919年5月4日〉（《中央大學論集》11號，1990年3月）及〈趙家
樓事件1919年5月4日北京〉（《中央大學經濟研究所年報》20卷，
1990）、周予同〈火燒趙家樓—五四雜憶〉（《復旦學報》1979年3
期）、蕭芳〈火燒趙家樓的片斷回憶〉（《北京文史資料選輯》第3
輯，1979年9月）、葉寒〈趙家樓小記〉（《百科知識》1979年1期）、
劉蘇〈〝五四〞被捕人數和人名考訂〉（《歷史教學》1989年6
期）；〈五四愛國學生許德珩等被捕鬥爭情況〉（《北京檔案史
料》1986年2期）、道坂明廣〈蔡元培の辭職めぐつて〉（《人文論
叢（三重大學人文文化學部）》第7卷，1990年3月）、蔡揚〈蔡元培
〝引咎辭職〞〉（《新文學史料》1979年3期）、宋月紅〈評五四運
動中的〝挽蔡護校〞鬥爭〉（《北京大學學報》1995年2期）、劉蘇

選編〈五四時期北京第三次請願〉（《北京檔案史料》1986年3、4期）、陳立明收集整理〈歷史文電—〝五四〞時期〉（《江西黨史資料》第9期，1989）、陶希聖〈五四・六三的原型與本旨〉（《三民主義研究學報（文化大學）》第7期，民72年4月）及〈五四・六三事件的原型與本旨並論新文化運動的主流與逆流〉（《東方雜誌》復刊17卷1期，民78年5月）、Allen Fung，〝Reinterpreting the Events of May Fouth: Power and Politics in Mid-1919〞（Papers on Chinese History, No.2, 1993）、劉弄潮〈六三高潮中〉（收於《五四運動文輯》，武漢，湖北出版社，1957）、凌微年、陳祈〈〝六三運動〞說質疑〉（《中學歷史》1988年3期）、劉啟民〈五四運動以6月5日為界劃分兩個階段為宜〉（《黨史研究與教學》1995年3期）、趙全聰〈五四運動中的兩個史實〉（《重慶師院學報》1983年1期）、李光一〈五四運動時，北京軍閥政府怎樣在人民的壓力下，不得不罷免曹汝霖、陸宗輿、章宗祥三個賣國賊的？〉（《新史學通訊》1956年4期）。

(四)綜論及申論性的論文

綜談五四運動的論文有榮孟源〈五四運動〉（《歷史教學》1952年12期）、黎澍〈五四運動〉（《中國青年》1954年9月）、天野元之助〈五四運動〉（《東洋史研究》29卷1號，1970年6月）、熊野正平〈五四運動〉（《アジア研究》5卷3號，1959年3月）、岩村三千夫〈五四運動について〉（《歷史教育》3卷1號，1955年1月）及〈五四運動〉（《世界歷史事典》第3卷，東京，平凡社，1956）、范忠程〈〝五四〞運動〉（《新湘評論》1979年4期）、龜井多喜雄〈五四運動〉（《歷史教育》4卷2號，1956年2月）、符治孫〈「五四運動」真相〉（《戰史彙刊》10期，民67）、魏汝霖〈「五四運動」真相〉（《中外雜誌》25卷5期，民68年5月）、劉家麟〈五四運動真相〉（同上，13卷5期，民62年5月）、蔡清隆〈五四運動〉（《大學雜誌》96期，民65年5月）、楊亮功〈五四〉（《傳記文學》34卷5、6期、35卷1期，民68年5-7月）、周玉山〈五四運動探實〉（《東亞季刊》19卷1期，民76年7月）、初大告〈五四運動紀實〉（《青運史研究資料》1980年5期）、滕明瑜〈五四運動之研析〉（《海軍官校學報》第5期，民84年10月）、陶希聖〈〝五四〞運動的分析〉（《中央月刊》9卷7期，民66年5月）、胡繩〈五四運動論〉（《新學識》1卷7期，民26年5月）、周策縱〈論五四運動（對談）〉（收於《五四運動六十週年紀念論文集》，香港大學中文學會，1979）及〈評五四運動〉（原係英文撰寫，由劉雪明、凌偉中譯，刊載於《黨史研究與教學》1991年2期）、蕭萬源〈簡論五四運動〉（淡江大學中文系主編《五四精神的解咒與重塑—海峽兩岸紀念五四七十年論文集》，臺北，臺灣學生書局，民81）、（波蘭）羅金斯基〈五四運動：中國新生之路〉（《文史哲》1986年6期）、曉光〈五四：創世紀的傳說〉（《中國青年》1996年5期）、薇娜·舒衡哲（Vera Schwarcz）〈五四：民族記憶之鑒〉（載《五四運動與中國文化建設—五四運動七十周年學術討論會論文選》上冊，北京，1989）、李利國〈五四的信息—思想的開發是推動社會前進不可忽視的力量〉（《書評書目》61期，民67年5月）、齋藤道彥〈五四運動新議〉（《國外社會科學動態》1986年5期）、史華慈（Benjamin I. Schwartz）原著、林毓生校訂、周陽山節譯〈五四的回顧—五四運動五十週年討論集導言〉（載

《五四與中國》，臺北，時報文化出版公司，民68）、沈中容〈五四運動的回顧〉（《建設》1卷3期，民8年10月）、沈仲九〈五四運動的回顧〉（《中國青年》2卷4期，民29年4月）、王向升〈〝五四〞的回顧〉（《時代青年》1卷5期，民35年4月）、劉述先〈「五四」的回顧與前瞻〉（載《五四：多元的反思》，臺北，風雲時代出版公司，民78）、駱叔和〈〝五四〞運動的回顧及其轉型的新時代〉（《新時代半月刊》1卷2期，民21年5月）、沈雲龍〈五四愛國運動的歷史回顧與價值評估〉（《傳記文學》34卷5期，民68年5月）、石橋丑雄〈五四運動の回想〉（《比治山女子短大紀要》第1號，1967年3月）、熊野正平〈五四運動回想〉（《東亞時論》2卷11號，1960年11月）、梁敬錞〈五四運動之回憶〉（《傳記文學》40卷5期，民71年5月）、魏汝霖〈「五四運動」的回憶〉（《文藝復興》101期，民68年4月）、劉淑華〈回首五四話當年—訪毛子水先生〉（《幼獅月刊》55卷5期，民71年5月）、高美雅〈五四見聞—訪黃季陸先生〉（同上）、流華〈難忘五四愛國情—訪蔣復先生〉（同上）、陶孟和〈「五四」—中國人民歷史的轉折點〉（《新建設》1卷2期，1951年5月）、趙一凡〈海外祭五四〉（《讀書》1989年5期）、余英時〈「五四」的吸引力〉（《歷史月刊》16期，民78年5月）、呂芳上〈五四時代—自覺與自救的澎湃浪潮〉（《近代中國青年運動史》第2篇，臺北，嵩山出版社，民79）、團中央青運史研究室〈光輝的五四〉（《青運史研究》1984年2期）、陳壽熙〈狂飆的「五四」〉（《中正嶺學術研究集刊》第4集，民74年6月）、溝口雄三〈もウ一つの「五四」〉（《思想》870號，1996年12月）、余英時〈五四運動的檢討〉（《古今談》157期，民67年6月）及〈五四運動的再檢討〉（《人生》7卷12期，1954年5月）、羅敦偉〈＂五四＂運動總清算試探〉（《文星》10卷1期，民51年5月）、殷海光〈五四的再認識〉（《大學生活》13卷24期，民57年5月）、神凡〈五四運動的反省〉（《民主潮》4卷10期，民45年5月）、王覺源〈五四的反省和覺悟〉（《國魂》87期，民43年5月）、孫席珍〈憶舊話新道五四〉（《語文戰線》1979年3期）、Joseph T. Chen（陳曾燾），"The May Fourth Movement Redefined."（Modern Asian Studies, Vol.4, NO.1, January 1970），其中文節譯文為陳國棟譯〈五四運動正名〉（載《五四與中國》，臺北，時報文化出版公司，民68）、楊朝良〈五四運動的再認識〉（《政治評論》48卷5期，民79年5月）；〈唐君毅先生談五四〉（《東西風》1卷9期，1973年7月）、〈牟宗三先生談五四〉（同上）、增田涉〈雜談「五四」〉（《中國文學》95號，1946年5月）、邵燕祥等〈重說＂五四＂對話錄〉（《文藝理論研究》1996年2期）、葉時修〈漫談五四運動〉（《民主潮》12卷10期，民51年5月）、王越生〈也談五四運動〉（《反攻》13期，民39年5月）、韓北屏〈茅盾先生談＂五四＂〉（《文萃》28期，民35年5月）、孫光策〈＂五四＂運動逸話〉（《前途》1卷5期，民22年5月）、曹靖華〈＂五四＂瑣憶〉（《人民文學》1979年5期）、毛子水〈對「五四」的回憶和感想〉（《傳記文學》34卷5期，民68年5月）、陸崇仁〈談五四運動〉（《新中國評論》2卷1期，民40年5月）、梁敬錞〈我所知道的五四運動〉（《中國一周》839期，民55年5月）、沈尹默〈憶五四〉（《新文學史料》第3輯，1979年5月）、于力〈＂五四＂回憶〉（《北方文化》1卷5期，民35年5月）、馮沅君〈五四的回憶〉（《滿地紅》4卷6期，民31年3月）、趙景深〈有關五四的一點回憶〉（同上）、張申府〈五四運動的今昔—有關五四運動的零感散憶之一〉（同上）、郭紹虞〈五四運動述感之二〉（同上）、曾今可〈五四運動的回憶與感想〉（《正氣》2卷2期，民36年5月）、劉振東〈五四運動之回憶與認識〉（《滿地紅》2卷8期，民29年5月）、陳友生〈＂五四＂運動之回憶〉（《前途》1卷5期，民22年5月）、陳長桐〈五四運動五十週年之回顧〉（《傳記文學》14卷5期，民58年5月）、孫思白〈紀念五四運動七十周年斷想〉（《文史哲》1989年3期）、湯如炎〈「五四」噩夢五十年〉（《學粹》10卷5期，民57年8月）、謝本書〈改革與歷史研究：紀念＂五四＂運動70週年〉（《曲靖師專學報》1989年2期）、劉清揚〈＂五四＂運動三十九周年〉（《爭鳴》1958年5期）、沈尹默〈紀念五四運動四十周年〉（《學術月刊》1959年5期）、許德珩〈＂五四＂運動六十周年〉（《文史資料選輯》61輯，1979年4月）、侯健〈「五四」六十年祭〉（《中國人》第5期，1979年5月）、徐東濱〈國賊·國藥·國魂—寫在五四花甲之慶〉（同上）、朱養民〈民主自由是不可抗拒的時潮—為紀念＂五四＂六十週年作〉（《七十年代》1979年5月）、溥鳴〈五四運動六十年看—現代化的中共模式與臺灣模式〉（《明報》14卷5期，1979年5月）、黃修榮〈70年前的五四運動〉（《瞭望》1989年17期）、蕭超然〈五四運動70周年感言〉（《北京黨史通訊》1989年3期）、丁守和〈五四運動七十周年斷想〉（載湯一介編《傳統與反傳統—五四70周年紀念文選》，臺北，民78）、胡適〈＂五四＂的第二十八週年〉（《龍門雜誌》1卷3期，民36年5月；亦載《獨立時論集》第1集，民37年4月）、許德珩〈＂五四＂二十九週年〉（《北大半月刊》第4期，民37年5

月）、夏衍〈〝五四〞二十九週年〉（《大眾文藝叢刊》第2輯，民37年5月）、胡仲持〈五四運動卅年〉（《青年知識》33期，1948年5月）、文夫〈五四運動十七年〉（《文化建設》1卷8期，民24年5月）、Chou Ts'e-tsung, "Reaffirmation, Reenlightenment and Reinvigoration: The Seventieth Anniversary of May Fourth."（《香港中國近代史學會會刊》第4、5期合刊，1991年1月）。池田誠〈中國の愛國心—五四運動をめぐつて〉（《日本史研究別冊》，1953年10月）、羅敦偉〈〝五四〞運動總清算試探〉（《文星》10卷1期，民51年5月）、自甦〈對五四運動之人文反省〉（《人文學刊》第1期，民40年5月）、范文瀾〈偉大的〝五四〞運動〉（收入氏著《范文瀾歷史論文選集》，北京，中國社會科學出版社，1979）、丁守和〈偉大的五四運動〉（《百科知識》1979年1期）、戴啟予〈繼承五四超越五四〉（《學術論壇》1989年3期）、雷頤〈超越五四？〉（《讀書》1996年6期）、龐樸〈繼承五四，超越五四〉（《歷史研究》1989年2期）、羊滌生〈繼承「五四」、超越「五四」〉（《五四精神的解咒與重塑—海峽兩岸紀念五四七十年論文集》，臺北，臺灣學生書局，民81）、周策縱〈以五四超越五四〉（《近代中國史研究通訊》12期，民80年9月）、張玉法〈「腳踏五四，走出五四」〉（《歷史月刊》16期，民78年5月）、殷海光〈跟著五四的腳步前進〉（《自由中國》18卷9期，民47年5月）、包遵信〈從啟蒙到新啟蒙—對「五四」的反思〉（收入周陽山主編《從五四到新五四》，臺北，時報文化出版公司，民78）、許蘇民〈關於〝五四〞反思的反思〉（《天津社會科學》1989年3期）、史丹〈五四運動沉思錄〉（《福建黨史月刊》1989年5期）、歐陽哲生〈〝五四〞運動的歷史反省〉(《中州學刊》1994年3期)、彭未名〈歷史全景中的中國啟蒙：五四運動反思〉(《湖北師院學報》1989年3期)、楊樹蘭〈繼承與超越：紀念五四70周年〉(《安順師專學報》1989年2期)、潘梓年〈繼承五四的光榮傳統〉(《自由中國》第2期，民27年4月)、林毓生〈邁出五四以光大五四─簡答王元化先生〉(收入氏著《政治秩序與多元社會》，臺北，聯經出版公司，民78)、謝康〈七十年來我對「五四」運動的觀感〉(《廣西文獻》45期，民78年7月)。

　　關於五四運動的意義、本質、內涵、評價、影響等有鄭振鐸〈五四運動的意義〉(《民主》1卷29期，民35年5月)、沈志遠〈五四運動之意義與教訓〉(《時代批評》3卷70期，民30年5月)、夏暉〈〝五四〞的歷史意義和任務─紀念〝五四〞二十九週年〉(《北大半月刊》第4期，民37年5月)、荃麟〈〝五四〞的歷史意義〉(《群眾》2卷17期，1948年5月)、齊武〈五四運動的歷史意義和經驗教訓〉(《歷史研究》1965年3期)、林一新〈五四運動的歷史意義〉(《中華文化復興月刊》10卷6期，民66年6月)、張玉法〈五四的歷史意義〉(《聯合文學》2卷7期，民75年5月)、北山康夫〈五四運動とその歷史的意義〉(《大安》8卷5號，1962年6月)、范忠程〈略論五四運動的歷史意義〉(《湖南師院學報》1979年1期)、Charlotte Furth, "May Fourth in History." (In Bejamin I. Schwartz, ed., Reflections on the May Fourth Movement: A Symposium, Cambridge: Harvard University Press, 1972)，其中文節譯文為陳弱水譯〈五四的歷史意義〉(載《五四與中國》，臺北，時報文化出版公司，民68)、詹卓穎〈五四運動的歷史意義〉(載《八十學年度師範學院教育學術的論文發表會論文集》中冊，臺北，教育部，民81）、伊東昭雄〈五四運動の思想史的意義－丸山松幸著「五四運動」をめぐつて〉（《歷史學研究》355號，1969年12月）、吳相湘〈從史實探討五四運動的意義及影響〉（收於周策縱等著《五四與中國》，臺北，時報文化出版公司，民68）、朱光潛〈五四運動的意義和影響〉（《中國青年》6卷5期，民31年5月）、太雷〈五四運動的意義與價值〉（《中國青年》77、78期，民14年5月）、波多野乾一〈五四運動の政治的意義〉（《中國文學》95號，1946年5月）、張紹良〈五四運動之社會的意義及其評價〉（《力行》7卷5期，民32年5月）、陳人白〈論五四運動之劃時代的意義〉（《求真雜誌》1卷1期，民35年5月）、吳之椿〈五四運動在中國近代史上的意義〉（《中國青年》6卷5期，民31年5月）、陶希聖〈五四運動的歷史位置與時代意義〉（《中華民國建國史討論集》第2冊，臺北，民70）、張艷國〈〝五四〞的現代化意義〉（《湖北大學學報》1990年3期）、郭羅基〈中國現代化需要新啟蒙－五四運動的啟示〉（收入周陽山主編《從五四到新五四》，臺北，時報文化出版公司，民78）、樊德芬〈五四運動之新舊意義〉（《中國青年》6卷5期，民31年5月）、周玉山〈五四運動的本質與時代意義〉（《中央月刊》23卷5期，民79年5月）、李世偉〈文藝節？青年節？－五四意義的迷思〉（《文星》119期，民77年5月）、孫思白〈略談五四運動革命性質問題〉（《文史哲》1963年3期）、葛仁鈞〈五四運動性質與新民主主義革命開端問題管窺〉（《北京檔案史料》1993年3期）、林杰〈同朱務善同志商榷五四運動的性質問題〉（《哲學研究》1963年2期）、張玉法〈五四運動的性質〉（收入氏著《歷史演講集》，臺北，東大圖書公司，民80）、谷方〈五四運動的性質新探〉（載《五四運動與中國文化建設—五四運動七十周年學術討論會論文選》上冊，北京，1989）、夏康農〈論五四運動的中心性質〉（《現代教學叢刊》第2輯，民37年5月）、李星〈試論五四運動的革命性質〉（《學術月刊》1963年5期）、陶凱〈對五四運動革命性質的探討—與朱務善、陳慧道同志商榷〉（《江漢學報》1963年5期）、Wong Young-tsu（汪榮祖），"The Intricate Mentality of May Fourth."（Modern Asian Studies, Vol. 10, NO.2, April 1976）、王燦楣、卿三瓊〈關於五四運動性質和領導權的看法〉（《黔東南民族師專學報》1994年1期）、郭若平〈〝五四運動〞的雙重內涵〉（《黨史研究與教學》1992年2期）、郭若平、朱金先〈〝五四〞時期的涵蓋及其時限〉（同上，1994年1期）、沈雲龍〈五四愛國運動的歷史回顧與價值評估〉（《傳記文學》34卷5期，民68年5月）、呂士朋〈從〝五四〞的時代背景評價〝五四〞運動〉（《中國文化月刊》91期，民76）、宋小慶〈關於五四運動評價中的幾個問題〉（《求是》1996年13期）、今村與志雄〈五四運動の評價について—五四運動の記念日は青年節と文藝節というこつの呼稱を持ている。その對立を軸として五十年來の評價の變遷をたどる〉（《中國》66號，1969年5月）、曲江〈五四運動新評價〉（《新中國評論》39卷6期，民59年12月）、劉中朗〈五四運動新評價〉（同上，4卷5期，民42年5月）、趙友培〈〝五四〞的新評價〉（《文藝創作》第1期，民40年5月）、周策縱著、沈光隆譯〈五四運動的闡釋與評價〉（《仙人掌雜誌》1卷3期，民66年5月）、蔣仲牟〈檢討五四運動的歷史評價〉（《衡陽青年》2卷4、5期，民29年5月）、神山茂夫〈中國革命運動の分岐點—五四運動の評價について〉（《世界評論》3卷8號，1948年8月）、張安世〈五四運動的真正評價〉（同上，18卷6期，民49年6月）、劉奔等〈歷史·現實·歷史觀：五四運動及其評價的反思〉（《哲學研究》1989年5、6期）、陶柱標〈五四運動重新評說〉（《社會科學家》1989年2期）、周玉山〈五四運動的時代顯影〉（《湖南文獻》16卷3期，民77年7月）及〈五四歷史不容篡奪〉（載《五四與中國》，臺北，時報文化出版公司，民68）、段培君〈從文化系統論看五四運動的成果〉（《浙江大學學報》1994年1期）、張忠紱〈關於「五四運動」的點滴與功罪〉（《中華月報》695期，1973年8月）、李澤厚〈五四的是是非非—李澤厚先生答問錄〉（載湯一介編《論傳統與反傳統—五四70周年紀念文選》，臺北，民78）、袁偉時〈五四怨曲試析〉（同上）、張灝〈五四運動的批判與肯定〉（收入周陽山主編《從五四到新五四》，臺北，時報文化出版公司，民78；亦收入張灝《幽暗意識與民主傳統》，臺北，聯經出版事業公司，民78）、王家儉〈五四的今昔觀〉（載張忠棟、包遵信等著《海峽兩岸論五四》，臺北，國文天地雜誌社，民78）、周策縱談、胡菊人訪問、麥中成錄〈周策縱博士談：五四的成就·五四的感召〉（《明報》14卷5期，1979年5月）、周桂鈿〈從宏觀考察五四運動〉（《五四精神的解咒與重塑—海峽兩岸紀念五四七十年論文集》，臺北，臺灣學生書局，民81）、徐遠和〈五四」的時代課題及其啟示〉（同上）、黃金麟〈競逐神聖：五四運動的論述中心取向〉（《中國社會學刊》18期，民84年12月）、張玉法〈五四運動與中國現代化〉（收入氏著《歷史演講集》，臺北，東大圖書公司，民80）、呂實強〈五四運動是一場愛國運動〉（《中央月刊》23卷5期，民79

年5月）、鄭學稼〈五四愛國運動〉（《夏潮》4卷5期，民67年5
月）、羽之、杜昭〈〝五四〞運動應否包括新文化運動〉（《汕
頭大學學報》1989年2期）、葉蠖生〈五四運動在新民主主義革命運
動中的地位〉（《新建設》1卷2期，1951年5月）、李光一〈為什麼五
四運動把中國革命從舊民主主義轉變為新民主主義革命，從舊的
資產階級和資本主義世界革命的一部分轉變為新的無產階級社會
主義世界革命的一部分呢〉（《新史學通訊》1953年4期）、何一成
〈五四運動不是舊民主革命轉變為新民主革命的標志〉（《長沙
水電師院學報》1987年3期）、文大烈〈五四運動是新民主革命的開
端—與何一成同志商榷〉（同上，1987年4期）、莫志斌〈五四運
動至中共二大是新民主主義革命的開端〉（《湖南師大學報》1991
年2期）、朱務善〈五四革命運動是否就是新民主主義革命〉
（《歷史研究》1962年4期）、蒙子良〈新民主主義革命開端於五四
說質疑〉（《廣西師院學報》1990年2期）、趙三軍〈如何看待五四
運動是新民主主義革命的開端〉（《河北學刊》1994年2期）、方小
軍〈新民主主義革命開端的標志小議〉（《湖南師大社會科學學
報》1990年4期）、張靜如、姜秀花〈五四運動不是新民主主義革
命的開端〉（《東岳論叢》1989年5期）、劉永明〈試論區別中國新
舊民主主義革命的根本標志〉（《松遼學刊》1989年1期）、田素文
〈五四運動不是新民主主義革命的開端〉（《山東師大學報》1993
年4期）、繆啟昆〈是新民主主義革命的開端嗎？—我觀〝五
四〞運動〉（《職工學刊》1991年1期）、路爾銘、桑咸之、李義彬
〈為甚麼說五四運動是新民主主義的開始〉（《歷史研究》1963年2
期）、傅尚文〈五四運動是新民主主義革命的開始〉（《河北大學

學報》1963年4期）、顧林〈略論五四運動是中國新民主主義革命的開始〉（《歷史教學》1963年12期）、陳舜卿〈試論五四運動是新民主主義革命的開始〉（《陝西省歷史學會會刊》1979年1期）、吳探林等〈五四運動是中國新民主主義革命的開端－紀念五四運動四十周年〉（《西南師院學報》1959年2期）、張豈之〈五四運動與新民主主義革命〉（《政治研究》1959年2期）、駱叔和〈「五四」的回顧與轉型的新時代〉（《新創造半月刊》1卷2號，民21年5月）、李玉琦〈五四運動是中國青年運動的開端〉（《青運史研究》1986年5期）、夏宏根〈怎樣理解五四運動是徹底反帝反封建運動〉（《江西大學學報》1985年1期）、李星、劉兵、姚河〈高舉反帝旗幟的五四運動〉（《新建設》1965年5期）、董寶訓〈五四運動反帝反封建的徹底性和不妥協性質疑〉（《石油大學學報》1989年3期）、劉毅生〈反對賣國賊反對帝國主義的五四運動〉（《知識》3卷3期，民36年5月）、宋仲福〈五四運動開闢了中國歷史的新時期〉（《甘肅師大學報》1979年2期）、葛仁鈞〈五四運動勝利原因辨析〉（《史學月刊》1993年3期）、范同壽等〈論五四運動對當時中國政局演變的影響〉（《貴州社會科學》1989年6期）、木村茂夫〈中國革命の停滯－五四運動と國民革命〉（《歷史教育》4卷1號，1956年1月）、王平〈五四運動對國民革命運動的影響〉（《南亞學報》第7期，民76年11月）、劉雲非〈國民革命與五四運動〉（《中國青年》6卷5期，民31年5月）、屛群〈自〝五四〞到〝五卅〞中國革命運動的進展〉（《突進》1卷12期，民21年6月）、小野信爾〈五四運動と民族革命運動〉（《岩波講座世界歷史25·現代2》，1970年8月）、石明〈論五四與中國民族運動之成敗〉（《中華雜誌》6卷5期，民57年5月）、凱豐〈五四運動與中國民族解放運動〉（《讀書月報》1卷4期，民28年5月）、裕業〈紀念民族革命的〝五四〞運動〉（《工人之路》309期，民15年5月）、張玉法〈五四運動及其影響〉（收入氏著《歷史演講集》，臺北，東大圖書公司，民80）、范同壽、林建曾〈論〝五四〞運動對當時中國政局的影響〉（《貴州社會科學》1989年6期）。

關於五四運動的領導權問題有陳培君〈關於五四運動的領導權問題〉（《江西大學學報》1984年2期）、張圻福〈略論五四運動的領導權〉（《中學歷史教學》1980年2期）、黃金華、漆良燕〈也談五四運動領導者及性質：對傳統觀點的挑戰〉（《理論探討》1988年5期）、萬建生〈也談〝五四〞運動領導權問題〉（《南昌職業技術師院學報》1986年1期）、張才良〈也談五四運動的領導權問題〉（《貴州社科通訊》1989年6期）、徐方治〈五四運動的領導權和反封建問題〉（《學術論壇》1979年2期）、王燦楣、卿三瓊〈關於五四運動性質和領導權的看法〉（《黔東南民族師專學報》1994年1期）、席香根等〈略論五四運動的領導權問題〉（《黨史文苑》1990年2期）、張義武〈〝五四〞運動究竟是誰領導的？〉（《九江師專學報》1987年3期）、華亢立〈五四運動是誰領導的？〉（《明報》14卷5期，1979年5月）。

談五四精神的有賀彤〈略論〝五四〞精神〉（《重慶教育學院學報》1989年2期）、甘觀仕、蕭效欽〈略論五四精神〉（《黨史研究與教學》1990年3期）、陳依元〈五四精神：反思與超越〉（《青海社會科學》1989年3期）、舒焚〈試論五四精神〉（《湖北大學學報》1990年3期）、楊雪騁〈五四精神就是人的覺醒：兼談五四精神的演變〉（《江西大學學報》1989年2期）、陳鳴樹〈為了人的解放：我對五四精神的理解〉（《學術研究》1989年2期）、何曉明〈〝五四〞精神的文化反思〉（《湖北大學學報》1989年3期）、任繼愈〈五四精神〉（《語文學習》1959年4期）、王元化〈為「五四」精神一辯〉（載《五四：多元的反思》，臺北，風雲時代出版公司，民78）、吳傳煌、夏紹宣〈五四精神的再認識〉（《社會科學（甘肅）》1989年3期）、劉惠吾〈關於五四時代的精神〉（《歷史教學問題》1959年4期；《人文雜誌》1959年4期）、譚華孚〈五四精神的傾斜〉（《福建論壇》1989年2期）、楊春時〈五四精神的命運〉（《學習與探索》1989年3期）、何新〈〝五四〞精神：繼承與超越〉（載《五四運動與中國文化建設—五四運動七十周年學術討論會論文選》下冊，北京，1989）、狹間直樹〈五四運動的精神背景〉（同上）、張豈之〈〝五四〞精神與中國傳統文化研究〉（同上）、蔡尚思〈反封建是五四精神的精髓〉（同上）、謝重光〈五四精神與文化的多元化〉（《福建論壇》1989年2期）、丁宋如〈五四精神和中國現代化〉（《華人世界》1989年4、5期）、曾成貴〈五四精神與現代化建設斷想〉（《地方革命史研究》1989年3期）、賴仁光〈論五四精神與現代化建設〉（《江西師大學報》1989年2期）、宣行〈發揚〝五四〞精神加速四個現代化的步伐—紀念〝五四〞運動六十周年〉（《經濟研究》1979年5期）、馮契〈〝五四〞精神與反權威主義〉（《書林》1989年1期）及〈〝五四〞精神與哲學革命〉（載上海中西哲學與文化交流研究中心編《時代與思潮⑴—五四反思》，華東師大出版社，1989）、張國鈞〈五四與當代倫理精神〉（《蘭州大學學報》1989年2期）、李芳清〈五四時期的主旋律與五

四精神的精髓〉（《現代哲學》1996年2期）、袁明〈試談五四精神
與知識分子的獨立人格〉（《科技導報》1989年3期）、李紀軒〈五
四精神與民族魂的重鑄〉（《黃淮學刊》1989年2期）、張信〈五四
精神與學術繁榮〉（《內蒙古社會科學》1989年3期）、龐樸〈從五
四精神繼承五四精神〉（《文史哲》1989年3期）、殷海光〈重整五
四精神〉（《自由中國》16卷9期，民46年5月）、彭明〈論五四時期
的理性精神〉（《歷史研究》1989年3期）、包霄林〈發揚五四的理
性精神〉（《福建論壇》1989年2期）、程舒偉〈五四的科學精神〉
（《東北師大學報》1989年3期）、唐鴻棣〈五四科學精神考察〉
（《西北大學學報》1990年4期）、劉為民〈五四科學精神與中國現
代文學〉（《青海師大學報》1994年3期）、戴泉源〈發揚五四愛國
精神的新思考〉（《黨史研究與教學》1989年3期）、雷頤〈論五四
愛國精神〉（《青年研究》1989年5期）、敏澤〈論所謂五四啟蒙精
神的〝失落〞和〝回歸〞〉（《求是》1989年18期）、鄒兆辰〈五
四運動中的社會心理與愛國精神〉（《北京師院學報》1989年2
期）、盧于道〈不斷發揮「五四」革命精神〉（《學術月刊》1959
年5期）、陸浩清、洪智行等〈繼承和發揚〝五四〞革命精神〉
（《歷史教學問題》1959年5期）、陳世松〈論五四運動的革命批判
精神〉（《社會科學研究》1979年2期）、郭亞泉〈對〝五四〞批判
精神的思考〉（《黨史資料與研究》1995年1期）、林正光、黃建華
〈從《新青年宣言》看「五四」精神〉（《讀史簡記（南洋大學歷
史系）》第7期，1973年6月）、吉林大學科學研究所〈發揚五四的
民主和科學精神—記吉林大學紀念五四運動六十周年學術報告
會〉（《吉林大學學報》1979年3期）、李登貴〈五四精神：重評還

是重申？—五四精神與傳統文化學術座談會述評〉（《哲學研究》1995年5期）、錢俊瑞〈發揚〝五四〞的偉大精神〉（《抗戰》68期，民27年4月）、許德珩〈發揮〝五四〞時代的青年精神—五四運動的回憶與感念〉（《中國青年》6卷5期，民31年5月）、劉清揚〈繼承〝五四〞和〝一二九〞的精神〉（《民主週刊（華北版）》15期，民35年12月）、胡永琴〈正確認識〝五四〞時期的民主精神〉（《理論思維》1990年3期）、谷方〈「五四」的開放精神和中國的文化建設〉（《五四精神的解咒與重塑—海峽兩岸紀念五四七十年論文集》，臺北，臺灣學生書局，民81）、謝文孫〈斷害五四精神的幽靈—現代中國社會的心理分析〉（《自由中國》22卷9期，民49年5月）、周玉山〈五四精神對中共的負面影響〉（《東方雜誌》復刊22卷12期，民78年6月）。

其他如徐復觀〈五四運動的一個角落〉（《東西風》1卷9期，1973年7月）、李義凡〈關於五四運動的若干問題辨析〉（《黃淮學刊》1990年3期）、丁守和〈關於五四運動的幾個問題〉（《歷史研究》1989年3期）、黎澍〈關於五四運動的幾個問題〉（《近代史研究》1979年1期）、張昌志〈關於五四運動的幾個問題〉（《社會科學研究》1989年4期）、李龍牧〈關於五四運動的幾個問題〉（《歷史研究》1963年3期）、孔繁政〈對五四運動幾個問題的再認識〉（《南京政治學院學報》1989年3期）、竇軒〈關於五四運動幾個問題的討論〉（《歷史教學》1963年12期）、劉惠吾〈講授五四運動應當注意的幾個問題〉（《歷史教學問題》1958年1期）、陳善學〈關於五四運動教學中的幾個問題〉（同上，1957年2期）、劉立凱〈五四運動的規模〉（《歷史研究》1955年2期）、夏東元〈略論五四運動的經濟條件〉（《歷史教學問題》1959年4期）、高中惠利〈五四運動の經濟的基盤〉（《史學研究》58號，1955年3月）及〈五四運動の社會的基盤〉（《鈴峰女子短大研究集報》第3號，1956年10月）、林長盛〈〝五四運動〞的社會動力與歷史遺產〉（《中國論壇》31卷9期，民80年6月）、味岡徹〈五四運動における民眾鬥爭〉（載《講座中國近現代史4：五四運動》，東京大學出版會，1978）、北大學運史編寫組〈五四運動前前後後〉（《中國青年》1959年7期）、卓愛平〈五四運動的新階段從何日開始〉（《安徽史學》1988年2期）、宋仲福〈試論五四運動的兩個口號〉（《甘肅師大學報》1981年2期）、朱建華等〈論五四運動的兩個基本口號〉（《吉林大學學報》1979年2期）、李義彬〈五四時期的全國各界聯合會〉（《歷史教學》1982年12期）、黃仁宇〈百日維新、民國成立和五四運動〉（《歷史月刊》61期，民82年3月）、北山康夫〈辛亥革命から五四運動〉（《現代中國》37號，1962年2月）、丸山松幸〈五四運動から國民革命まで〉（載《原典中國近代思想史》第4卷，東京，岩波書店，1977）、逯耀東〈從五四到中國社會史大論戰〉（《中國人》第5期，1979年5月）、黎東方〈從五四到五卅、七七〉（收入鄔昆如等著《五四運動與自由主義》，臺北，先知出版社，民63）、方東美〈「五四」與「一一二二」〉（《傳記文學》30卷3期，民66年3月）、野村浩一〈五四運動から人民共和國へ〉（載《思想の歷史》12卷，東京，平凡社，1966）、光宇〈從五四到四五運動—紀念五四運動六十周年〉（《上海師大學報》1979年2期）、冰心〈從〝五四〞到〝四五〞〉（《文藝研究》1979年創刊號）、司馬長風〈從〝五四〞到〝四五〞〉（《中國人》第5期，1979年5月）、金耀基〈中國文化意識之變化與反省─從〝五四〞到〝四五〞的歷史轉折〉（同上）、李新〈從〝五四〞到〝四五〞〉（《社會科學戰線》1979年2期）、劉小楓〈關於「五四」一代與「四五」一代的社會學思考札記〉（載《五四：多元的反思》，臺北，風雲時代出版公司，民78）、周玉山〈從五四運動到第二次天安門運動〉（《思與言》28卷2期，民79年6月）、Arif Dirlik, "The Two May Fourths, 1919, 1989: Some Thoughts on Democracy, Nationalism and Socialism in Representations of May Fourth Movement."（《香港中國近代史學會會刊》第4、5期合刊，1991年1月）、楊仲揆〈中國現代化的崎嶇道路─從「五四」運動到「六四」慘案〉（《近代中國》76期，民79年4月）、Chiou C. L., Democratizing Oriental Despotism: China from 4 May 1919 to 4 June 1989 and Taiwan from 28 February 1947 to 28 June 1990.（Basingstoke: Macmillan, and New York St. Martin's Press, 1995）、王可風〈我們應該如何紀念五四運動〉（《歷史教學》1959年5期）、李少萱〈從五四運動中得到的啟迪〉（《社科縱橫》1989年3期）、關北〈繼承〝五四〞革命傳統發揚科學與民主精神〉（《新湘評論》1979年4期）、常昌健〈繼承〝五四〞革命傳統，為實現社會主義現代化而努力奮鬥〉（《四川大學學報》1979年2期）、謝本書〈五四時期的民主旗幟〉（《紀念五四運動六十周年學術討論會論文選》第1冊，北京，1980）、丁守和〈再論〝五四〞以來的民主和科學（《近代史研究》1986年6期）、Patricia Uberoi, "'Science'、'Democracy' and the Cosmology of the May Fourth Movement."（China Report (India), Vol.23, No.4, 1987）、黃頌康〈五四時期的科

學、民主觀和傳統文化〉（載《五四運動與中國文化建設—五四運動
七十周年學術討論會論文選》上冊，北京，1989）、祝黃河〈五四·傳
統·現代化〉（《九江師專學報》1989年2、3期）、韋政通〈五四與
傳統〉（《大學雜誌》64期，民62年5月）、林慶元〈五四反傳統與
五四傳統〉（《香港中國近代史學會會刊》第4、5期合刊，1991年1
月）、葉娃〈五四傳統的反思與近代婦女史研究〉（《讀書》1996
年8期）、谷方〈五四運動的〝破〞與〝立〞—兼評〝告別革
命〞論〉（《馬克思主義研究》1996年4期）、殷海光〈五四是我們
的燈塔〉（《自由中國》22卷9期，民49年5月）、周策縱〈五四運動
告訴我們什麼？〉（《大學雜誌》48期，民60年11月）、唐文標〈五
四的震盪〉（同上，125期，民68年6月）。

(五)五四運動在各地

華北各地有彭明編著《五四運動在北京》（北京，北京出版
社，1979）、〈五四愛國運動北京資料選錄〉（《近代史資料》1955
年2期）、周天度〈關於五四運動中北京學界的一項決議案〉
（《近代史研究》1986年1期）、王水湘〈五四運動和北京大學〉
（《革命文物》1979年3期）、蕭超然《北京大學與五四運動》（北
京，北京大學出版社，1986）、北京師大校史資料室編《五四運動
與北京高師》（北京，北京師大出版社，1984）、周谷城〈五四時期
的北京高師〉（收入氏著《周谷城教育文集》，長春，吉林教育出版
社，1991）、周甘牛〈五四運動中的北京女青年〉（《中國婦女》
1979年4期）、呂雲章〈五四運動中的北京女學生〉（收入陳少廷主
編《五四運動的回憶》，臺北，百傑出版社，民68修訂再版）、笠原十

九司〈五四運動期の北京財政の紊亂〉（《都宇宮大學教育學部紀要》30卷1號，1980）、南開大學歷史系、天津歷史博物館《五四運動在天津－歷史資料選編》（天津，天津人民出版社，1979）、石英等《五四運動話天津》（同上，1961）、南開大學歷史系中國近代史教研組〈五四時期天津愛國運動概述〉（《歷史教學》1959年5期）、陳德仁〈試述五四運動在天津的幾個特點〉（《青運史研究》1983年3期）、馬惠卿〈五四運動在天津〉（《近代史資料》1958年4期）、廖永武〈五四運動在天津片斷〉（《革命文物》1979年3期）、片岡一忠〈天津五四運動小史〉（收於《五四運動の研究》第1函，京都，同朋社，1982）、孫越崎〈天津〝五四〞運動的回憶〉（《天津文史資料》第3輯，1979年6月）、真鍋篤行〈天津の五四運動における指導と同盟〉（《廣島大學東洋史研究室報告》第6號，1984年9月）、中山義弘〈天津の五四運動－女性の行動からの考察〉（《北九州大學學院紀要》第3號，1990年3月）、系井麗子〈婦人解放と五四運動－天津の場合〉（《史海（東京藝術大學）》28號，1981年6月）、黃嫣梨〈張若名與五四時期的天津婦運〉（《中國婦女史研究》第1期，民82年6月）、葉梧西〈五四時期的天津女界愛國同志會〉（《歷史教學》1980年11期）、李運華〈簡述五四時期天津的婦女解放運動〉（《歷史教學》1988年7期）及〈五四時期的天津人民反帝愛國統一戰線：記天津各界聯合會〉（《天津史志》1989年2期）、李運華〈五四時期的天津新文化運動〉（《南開學報》1988年5期）及〈五四運動中的天津天主教徒與基督教徒的救國活動〉（《天津社會科學》1988年4期）、片岡一忠〈五四前夜天津學生の意識－南開學校〝校風〞を中心に〉（《東方學報》61卷，

1989年3月）、李學智〈五四運動中天津商人罷市、抵制日貨問題
考察〉（《近代史研究》1995年2期）、李運華、盧景新〈試論五四
運動對天津民族工業發展的影響〉（《歷史教學》1987年3期）、王
士立〈五四運動在唐山〉（《河北學刊》1984年3期）、海津〈五四
運動中唐山工人的政治罷工略述〉（《唐山教育學院學刊》1984年2
期）、朱振江〈在愛國不分男女的呼號下奮起：五四運動中的直
隸第一女師〉（《河北大學學報》1990年1期）。山東省歷史研究
所、山東大學歷史系《五四運動在山東》（濟南，山東人民出版
社，1959）、胡汶本、田克深《五四運動在山東資料選輯》（同
上，1980）及〈五四運動在山東的興起和特點〉（《破與立》1979年
6期）、賈蔚昌〈五四運動在山東〉（《山東教育學院學報》1990年1
期）、李緒基、曹振樂〈五四在山東〉（《山東省志資料》1959年2
期）、劉家賓〈五四運動在山東及其特點〉（《山東師大學報》
1982年3期）、〈關於五四運動在山東幾件史實的訂正與補充〉
（同上，1983年3期）、〈山東五四運動編年紀要〉（同上，1984年3-
4期）及〈五四時期山東的學生運動〉（《山東教育史志資料》1985
年1期）、張公制等〈關於山東學生〝五四〞運動回憶〉（《山東
省志資料》1959年2期）、余世誠〈周恩來與山東五四運動〉（《齊
魯學刊》1979年3期）、梁華棟〈簡論五四運動中山東愛國陣線的
特點〉（《山東師大學報》1987年2期）、史學通等〈五四時期山東
人民的反帝反封建鬥爭〉（《文史哲》1979年3期）、馬庚存〈五四
時期山東人民的愛國鬥爭〉（《歷史教學》1990年8期）、王魯英、
林吉玲〈談山東人民在五四運動中的作用〉（《聊城師院學報》
1995年2期）、劉沛然等〈論五四時期山東各界代表進京請願〉

（《山東省志資料》1959年2期）、劉家賓〈五四前夕的山東國民請
願大會〉（《齊魯學刊》1982年6期）、田少儀〈「五四」時期的山
東學生愛國運動〉（《山東文獻》1卷1期，民64年6月）、李澄之等
〈回憶五四運動在濟南〉（《山東省志資料》1959年2期）、隋靈壁
等口述、亓善青、史學通整理〈〝五四〞時期濟南女師學生運動
片斷〉（同上）。龐守信、林浣芬主編、河南省地方志編纂委員
會總編輯室編《五四運動在河南》（河南省地方志資料叢編之3，鄭
州，中州書畫社，1983）、龐守信〈五四時期河南人民的新覺醒〉
（《河南黨史研究》1989年3期）、林浣芬〈〝五四〞啟蒙運動在河
南〉（《開封師院學報》1979年3期）、李光一等〈〝五四〞前夕的
河南社會〉（同上）、龐守信等〈〝五四〞反帝愛國運動在河南
的反響〉（同上）。王德源〈〝五四〞運動在赤峰〉（《昭烏達蒙
族師專學報》1986年1期）。

　　華中各地有上海社會科學院歷史研究所編《五四運動在上海
史料選輯》（上海，上海人民出版社，1960）、楊福錦《五四運動在
上海》（同上，1959）、莊星《五四運動在上海》（同上）、
Joseph T. Chen（陳曾燾），The May Fourth Movement in
Shanghai: The Making of a Social Movement in Modern China.
（Leiden, Netherland: Brill, 1971；其中譯本爲陳勤譯《五四運動在上
海》，臺北，經世書局，民70）、海上閒人編《上海罷市實錄》（上
海，公義社，民8）、楊塵因《上海民潮七日記》（上海，公民社，
民8）、余山〈五四運動在上海資料選輯〉（《讀書》1959年8
期）、〈五四運動在上海〉（《解放》1959年9期）、Joseph T.
Chen, "Some Populist Strains in Shanghai During the May

Fourth Movement Period." （Journal of Asian History, Vol. 4, NO.1, 1970）、姜沛南、施一飛〈五四運動在上海─1919年大事記〉（《社會科學》1979年1期）、朱華〈上海五四運動三題〉（《近代史研究》1990年4期）、傅紹昌〈五四運動在上海的展開及其特點〉（《歷史教學問題》1985年2期）、嶋本信子〈上海における五四運動─各階級の應對なちぴに指導と同盟の關係〉（《史論》20、21、22號，1968年12月、1970年12月）、鎌倉弘行〈上海における五四運動とその思想〉（《史學研究（廣島史學研究會》105號，1968年10月）及〈上海における五四運動とその意義〉（同上，107號，1970年4月）、古廐忠夫〈五四期上海の社會狀況と民眾〉（載《五四運動史像再檢討の視點》，東京，中央大學出版部，1986）、徐崙〈上海人民參加五四運動的鬥爭概述〉（《學術月刊》1959年5期）、傅紹昌〈五四運動中上海青年的英勇鬥爭〉（《歷史教學問題》1982年2期）、李玉階〈上海學生響應五四愛國運動之經過〉（《傳記文學》30卷5期，民66年5月）、陳紹康等〈五四運動中的上海學生〉（《上海青運史資料》1982年2輯）、王美娣等〈兩萬白帽，精神悲壯─記上海女學生在五四運動中二三事〉（同上）、姜沛南〈從五四到六三─記五四時期上海工人的反帝大罷工〉（《中國工人》1958年9期）、李華興〈上海工人階級六三政治大罷工〉（《學術月刊》1979年5期）、德毛和子〈五四運動と上海勞働者〉（《史學研究》110號，1971年4月）、江田憲治《五四運動の上海勞働運動》（東京，同朋社，1992）、狹間直樹〈野澤豐氏の批判に答える─五四運動における上海罷工鬥爭の評鑑をめぐつて〉（《近きに在りて》第4號，1983年9月）、李星〈批判五四時期資產

階級知識分子在上海工人中的一些活動〉（《歷史教學》1964年5期）、劉力行〈五四運動在上海三罷鬥爭中的罷市問題〉（《復旦學報》1959年5期）、施一飛〈＂五四＂運動中的上海資產階級〉（《學術月刊》1979年5期）、李達嘉〈五四前後的上海商界〉（《中央研究院近代史研究所集刊》21期，民81年6月）、盛慕真〈五四運動中的上海民族資產階級〉（《近代中國史論叢，1984》）、張義漁〈五四運動期間上海的民族資產階級〉（《史林》1994年1期）、陸未強、王美娣〈五四時期上海商人愛國活動大事記〉（《檔案與歷史》1989年2期）、劉大成選編〈五四運動中上海銀行業罷市情況〉（《北京檔案史料》1987年1期）、沈廷凱〈五四時上海群眾集會地點〉（《百科知識》1979年3期）、徐侖〈五四運動中上海社會各階級的政治態度〉（《復旦學報》1959年5期）、復旦大學校史編寫組〈五四運動在復旦〉（同上，1984年3期）；中共江蘇省委黨史工作委員會、中國第二歷史檔案館編《五四運動在江蘇》（南京，江蘇古籍出版社，1992）、范崇山、羅瑛〈五四運動在江蘇〉（《揚州師院學報》1986年2期）、李路等〈五四愛國運動在江蘇〉（《群眾》1979年5期）、唐文起〈＂五四＂運動在江蘇〉（《江海學刊》1989年4期）、張圻福等〈五四運動在蘇州〉（《蘇州大學學報》1984年1期）、吳竟〈五四運動在蘇州東吳大學〉（同上，1984年2期）、蘇州市檔案館編〈五四運動在蘇州檔案資料選輯〉（同上）、范崇山、蘇鶴虎〈五四運動在揚州〉（《揚州師院學報》1981年1期）、小谷〈五四運動中松江各界聲援北京學生的愛國正義鬥爭〉（《松江文史》1981年創刊號）、胡菊蓉〈五四時期南京各界聯合會籌備會〉（《南京史學》1984年3期）、中國第二歷史檔案館〈南京青年學生在五四愛國運動中的鬥爭〉(《歷史檔案》1981年2期)、陳乃林〈略述五四時期南通的愛國鬥爭〉(《中學歷史》1983年2期)、魯同軒〈五四運動在宿遷〉(《江蘇文獻》12期,民68年11月)。中共浙江省委黨校黨史教研室編《五四運動在浙江》(杭州,浙江人民出版社,1979)、沈雨梧、單錦珩〈五四時期浙江的新文化運動〉(《杭州師院學報》1979年1期)、Yeh Wen-hsin(葉文心),"Middle County Radicalism: The May Fourth Movement in Hangzhou"(The China Quarterly NO.140, December 1994)及〈國民黨與杭州的五四運動〉(載《國父建黨革命一百周年學術討論集》第2冊,臺北,民84)、李令紅〈寧波的五四浪潮〉(《青運史研究》1981年5期)、馮永之〈五四運動在寧波的發展及其特點〉(《寧波師院學報》1989年2期)、李剛、孔啟龍〈五四運動在紹興〉(《紹興師專學報》1981年2期)。吳振潮等〈五四運動在安徽〉(《安徽師大學報》1979年2期)、合肥師範學院歷史系〝安徽青年運動史〞編寫小組〈〝五四〞安徽青年運動史料〉(《安徽史學通訊》第10期,1959年5月)、周新民〈〝五四〞時期的安徽學生運動〉(同上)、陳萬雄〈革命家與啟蒙者的雙重身份—五四時期的安徽知識分子〉(《二十一世紀》第5期,1991年6月)、范先榮〈五四運動和五卅運動在合肥〉(《安徽革命史研究資料》1983年2期)、安徽師院歷史系革命史調查隊蕪湖第二小隊〈〝五四〞蕪湖人民的愛國民主運動〉(《安徽史學通訊》2期)、哈曉斯〈五四時期蕪湖〝打商會〞事件〉(《安徽大學學報》1992年2期)、李霽野〈五四風雷在阜陽第三師範學校〉(《中國現代文學研究叢刊》1980年1期)。陳立明〈五四愛國運動在江西〉

（《江西黨史資料》總第9期，1989）、〈五四愛國運動在江西大事記（1919年5月至1919年12月）〉（同上）、〈五四愛國運動在江西有關事件和團體人名錄〉（同上）及〈五四愛國運動在江西若干問題的探討〉（同上）、劉勉玉等〈簡論江西的五四運動及其特點〉（《江西黨史研究》1989年2期）、周年、萬建強〈五四運動在江西的影響及其歷史意義〉（同上）、趙全聰〈有關五四運動中南昌幾個史實的辨正〉（《江西師院學報》1980年4期）；〈贛江的風暴—五四運動在南昌市〉（《科學與教育》1959年3期）、鄧炎熙〈南昌〝五四〞運動紀實〉（《南昌職技師院學報》1986年1期）、楊麗瓊〈略論九江學、商、工在五四運動中的愛國表現〉（《九江師專學報》1990年1期）。張影輝、孔祥征《五四運動在武漢：史料選輯》（武漢，湖北人民出版社，1981）、李良明〈五四運動在武漢〉（《華中師院學報》1979年2期）、五四運動在武漢編寫組〈五四運動在武漢〉（《江漢論壇》1979年1期）、田子渝〈五四時期的武漢〉（《武漢師院學報》1979年2期）、劉光求等〈「五四」時期武漢人民的反帝反封建鬥爭〉（《理論戰線月刊》1959年5期）、譚克繩〈五四風暴震江城—記1919年武漢人民愛國運動〉（《江漢史學叢刊》1979年1期）、虞崇勝〈武漢工人階級在五四運動中〉（《武漢春秋》1982年試刊3號）。湖南人民出版社編印《五四運動在湖南：回憶錄》（長沙，1979）、周士劍等《五四運動在湖南》（長沙，湖南人民出版社，1959）、清水稔《湖南五四運動小史》（東京，同朋舍，1992）、湖南省哲學社會科學研究所現代史研究室《五四時期湖南人民革命鬥爭史料選編》（長沙，湖南人民出版社，1979）、徐聯初〈五四運動在湖南〉（《湘潭大學學報》1989年2

期）、清水稔〈五四運動の諸前提—とくに湖南を中心として〉
（《鷹陵史學》19號，1994年3月）、嶋本信子〈五・四運動の繼承
形態—湖南の驅張運動を中心に〉（《歷史學研究》355號，1969年
12月）、白瑜〈湖南五四運動、驅張運動與毛澤東的發迹〉
（《傳記文學》35卷6期，民68年12月）、清水稔〈五四運動の思想的
前提と湖南—虛僞の偶像を破壞せよ〉（《鷹陵史學》16號，1990年
7月）、劉泱泱〈五四前夜的湖南〉（《求索》1981年2期）、蕭鐵肩
〈從〝湖南的五四運動〞看毛澤東策略思想的胚芽〉（《湘潭大
學學報》1989年2期）、古厩忠夫〈中國における初期勞働運動の
性格—五四運動の湖南省を中心に〉（《歷史評論》275、276號，
1973年4、5月）、曾寶蓀〈五四運動與藝芳〉（《傳記文學》22卷5
期，民62年5月）。

　　華南各地有高其興〈五四運動在福建〉（《福建史志》1989年2
期）、陳慶升〈五四運動在福建〉（《論壇》1959年2期）、高其興
〈試述五四時期福建反帝鬥爭的特點〉（《福建黨史月刊》1988年12
期）、蘭桂英〈五四前後福建新思潮傳播探析〉（同上，1989年5
期）；〈五四愛國熱潮捲入閩〉（《學習月刊》1985年1期）、趙效
沂〈閩垣「五四」別紀〉（《傳記文學》35卷1期，民68年7月）。沙
東迅〈五四運動在廣東〉（《學術研究》1979年3期）、胡希明〈五
四運動在廣東〉（《理論與實踐》1959年5期）；〈五四時期廣東抵
制日貨運動資料〉（《廣東歷史資料》1959年2期）、鄭彥棻〈五四
愛國運動在廣東〉（《廣東文獻》9卷2期，民68年6月）、劉永明
〈五四運動中的廣東國民黨人〉（《北京檔案史料》1989年2期）、
曾慶榴〈從愛國到革命：廣東五四青年的群體流向〉（《嶺南學

刊》1989年3期）、廣州青運史研委會編《五四運動在廣州資料選編》（廣州青年運動史資料叢刊，1996）、徐希慧〈五四運動中的廣州學生〉（《廣州研究》1983年2期）、李樸生〈五四運動前後廣州學生反日救國運動〉（《廣東文獻》1卷2期，民60年6月）、許昌敏等〈五四時期潮州的青年運動〉（《廣東黨史通訊》1989年3期）、甘觀仕〈五四運動在潮汕〉（《汕頭大學學報》1987年3期）、Kathleen Lodwick, "Presbyterian Missionaries and the May Fourth Movement in Hainan"（收於鄭樑生主編《中外關係史國際學術研討會論文集—思想與文物交流》，臺北，淡江大學歷史系，民78），莫杰〈五四運動和廣西人民〉（《學術論壇》1979年2期）、尤潤忠〈當年廣西青年學生在五四運動中〉（《廣西黨史研究通訊》1989年2期）；黃康顯〈五四運動在香港〉（《國文天地》6卷12期，民80年5月）、劉偉〈五四運動在香港〉（《深圳風采》1987年5期）、何錦州〈五四時期港澳青年的愛國行動〉（《廣東青運史》1992年2期）；林載爵〈五四與臺灣新文化運動〉（收於汪榮祖編《五四研究論文集》，臺北，民68）、陳少廷〈五四與臺灣新文化運動〉（《大學雜誌》53期，民61年5月）、程紹珍〈五四運動影響下的臺灣〉（《中州今古》1990年1期）、劉鳳翰〈五四與臺灣社會—五四運動的回顧與展望〉（《澳門脈搏》第3期，1989年6月）、陳碧笙〈五四與20年代臺灣文化啟蒙運動〉（《歷史教學》1980年5期）、盧善慶〈五四與臺灣省新文學運動的崛起〉（《社會科學戰線》1982年3期）、Jane Parish Yang, The Evolution of the Taiwanese New Literature Movement from 1920 to 1937.（Ph. D. Dissertation, University of Wisconsin-Madison, 1981）、簡錦松〈五四

與日據時期臺灣傳統詩壇〉（載中國古典文學研究會主編《五四文學
與文化變遷》，臺北，臺灣學生書局，民79）。

　　西南各地有中共四川省委黨史工作委員會主編《五四運動在
四川》（成都，四川大學出版社，1989）、張秀熟〈五四運動在四
川〉（《四川大學學報》1979年1期）、楊副軍〈關於五四運動在四
川的發動時間問題〉（《重慶師院學報》1981年1期）、高國芬〈五
四運動在四川概述〉（《四川文物》1989年3期）、匡珊吉〈五四革
命風暴在四川〉（《社會科學研究》1979年2期）、魯明〈五四時期
四川知識界的革命活動〉（《歷史知識》1981年2期）、徐興旺〈五
四時期的四川知識分子〉（《重慶社會科學》1986年2期）、屈小強
〈五四前後的四川思想界〉（《四川文物》1989年3期）、四川婦運
史研究室〈五四運動與四川婦女〉（《四川黨史研究資料》1984年5
期）、華逸〈五四運動與四川婦女〉（《婦女史研究資料》1981年1
期）、黃淑君等〈五四浪潮激蕩巴山蜀水〉（《西南師院學報》
1979年2期）、石端〈五四運動在成都〉（《歷史知識》1981年2
期）、楊付軍〈五四運動在重慶〉（《西南師院學報》1979年2期）
及〈五四前後的重慶政治經濟概況〉（《重慶黨史研究資料》1984年
11、12期）、李世平〈1921年重慶學生抵制日貨的鬥爭—五四運動
在四川的一頁〉（《四川大學學報》1960年1期）、黃友凡〈五四運
動與重慶青年〉（《紅岩春秋》1989年5期）、徐興旺〈〝五四〞時
期重慶青年學生的反帝反封建鬥爭〉（《重慶社會科學》1985年2
期）。〈五四運動在雲南〉（《雲南檔案史料》1986年12期）。張天
放〈五四運動在雲南的緣起與發展〉（《昆明師院學報》1980年2
期）、劉達成〈五四時期雲南人民的革命鬥爭〉（同上，1979年2

期）及〈五四運動與雲南人民〉（《研究集刊》1981年3、4期）、荊德新〈五四運動與雲南社會的發展〉（同上，1989年1期）、謝本書〈〝五四〞運動在昆明〉（《思想戰線》1979年2期）、熊朝雋〈五四時期的昆明文藝活動〉（《昆明師院學報》1980年6期）、張天放口述、謝本書等整理〈昆明的《救國日刊》與昆明的五四運動〉（《雲南現代史研究資料》13輯，1983）、荊德新〈唐繼堯與昆明的五四運動〉（《雲南社會科學》1988年2期）。熊宗仁《五四運動在貴州》（貴陽，貴州人民出版社，1986）、〈五四運動在貴州〉（《貴州青年》1982年5期）及〈略論〝五四〞運動在貴州〉（《貴州社會科學》1985年2期）、董有剛〈〝五四〞以來貴州的學生運動〉（《貴州青年》1980年5期）。

東北各地有常城等〈五四時期東北人民的革命鬥爭〉（《吉林師大學報》1960年7期）、邢安臣〈五四運動中的東北青年〉（《方志天地》1990年3期）、常城〈〝五四〞時期的東北工人運動〉（《吉林師大學報》1979年2期）；刑安臣〈五四運動在遼寧〉（《遼寧大學學報》1979年2期）、孫占文〈五四運動在黑龍江〉（《奮鬥》1980年8期）、王云〈五四運動在黑龍江〉（《北京論叢》1979年3期）、甲申〈五四運動在黑龍江的影響及歷史意義〉（《龍江黨史》1990年2期）、王友興等〈五四時期黑龍江學生運動〉（《黑龍江教育學院學報》1988年4期）、李述笑〈五四時期哈爾濱人民的革命鬥爭〉（《學習與探索》1979年2期）、陳守林〈五四運動在吉林〉（《新吉林》1979年5期）、金東和〈五四運動在延邊－紀念五四運動六十二周年〉（《延邊大學學報》1981年1期）、朱在憲〈記五四運動中的延邊朝鮮青年〉（《青年學研究》1989年4

期）。

　　西北各地有田杰、韋建培〈五四運動在陝西〉（《社會科學論文集》第1輯，1979；《陝西師大學報》1979年2期）、王忠全等〈五四運動在西安〉（《西北師大學報》1979年2期）、余堯〈五四運動對甘肅的影響〉（《甘肅師大學報》1979年2期）、任效中〈五四時期的甘肅學生運動〉（《歷史教學與研究》1960年7期）、董漢河〈五四前後甘肅由舊民主主義革命到新民主主義革命的轉變〉（《社會科學（甘肅）》1979年2期）、吳萬善〈五四運動時期甘肅人民的覺醒〉（《西北民族學院學報》1996年3期）、郝維民〈五四到五卅時期呼和浩特反帝愛國運動史札記〉（《內蒙古大學學報》1979年1期）。

㈥五四與各界

　　五四與各界（如農、工、商、知識等界）發生於各地者，已在「五四運動在各地」中列舉，可參閱之，此處不再贅述。關於五四與知識界以Vera Schwarcz, The Chinese Enlightenment: Intellectuals and the Legacy of the May Fourth Movement of 1919（Berkeley: University of California Press, 1986；其中譯本爲李國英等譯《中國的啟蒙運動—知識分子與五四遺產》，太原，山西人民出版社，1989）最具代表性，係作者1978年在Stanford University 之博士論文 —From Renaissance to Revolution: An Internal History of May Fourth Movement and the Birth of the Chinese Intelligentsia.，將之加以修訂而成。其他如陳少廷主編《五四運動與知識青年》（臺北，環宇出版社，民62）、周陽山《知識分子與中國現

代化―五四與中國(1)》（臺北，時報文化出版公司，民85）、毛澤東等《五四運動與知識分子》（蘇州，華南新華書店，1949年6月再版）、Sun Lung-Kee（孫隆基），Out of the Wilderness: Chinese Intellectual Odysseys from the "May Fourth" to the "Thirties". (Ph. D. Dissertation, Stanford University, 1985)、張全亮〈知識分子與五四運動的爆發〉（《濟寧師專學報》1986年1期）、房成祥〈五四運動與知識分子群〉（《陝西師大學報》1989年2期）、熊復〈五四運動和中國知識分子的歷史道路〉（《紅旗》1980年9期）、羅竹風〈五四運動為知識分子開闢了道路〉（《學術月刊》1959年5期）、洪煥春〈五四運動開闢了知識分子和工農相結合的廣闊道路〉（《歷史教學》1959年5期）、李岩、卞東躍〈論五四時期青年知識分子走工、農相結合的道路〉（《龍江社會科學》1991年3期）、郭琦〈五四運動與知識分子勞動化〉（《人文雜志》1959年2期）、秦千里〈知識與勞動：五四時期中國新知識分子的自我批判與選擇〉（《北京大學學報》1990年3期）、薇娜·舒衡哲著、程巍譯〈五四的老調子：知識分子自己的看法〉（載湯一介編《論傳統與反傳統―五四70周年紀念文選》，臺北，民78）、余英時〈「五四」重回知識分子的懷抱〉（收入周陽山主編《從五四到新五四》，臺北，時報文化出版公司，民78）、齊衛平〈試論五四時期知識分子的使命感〉（《江淮論壇》1994年3期）、常好禮〈試論五四時期中國的新型知識分子〉（《學習與探索》1989年6期）、張炳清〈關於五四時期中國知識分子的一個文化反思〉（《綏化師專學報》1989年3期）、梅小璈〈五四時期中國知識分子的文化思考―1988年以來討論情況述略〉（《未定稿》1989年7

期）、宋雲彬〈五四運動中的資產階級知識分子〉（《新建設》1956年12期）、彭明〈五四時期知識分子的文化觀〉（《歷史教學》1989年5期）、陳明德《「五四」知識分子之意識形態研究—從民初社會文化變遷取向剖析》（淡江大學中文研究所碩士論文，民80年6月）、野原四郎〈五四運動と知識人〉（收於《世界史講座》第6册，東京，東洋經濟新報社，1956）、陳蘊茜〈論五四知識分子群體的轉型〉（《江蘇社會科學》1996年3期）、趙俊芳〈試論五四時期知識界的群體意識〉（《社會科學探索》1996年5期）、Arif Dirlik, "Ideology and Organization in the May Fourth Movement: Some Problems in the Intellectual Historiography of the May Fourth Period." （Republican China, Vol.12, No.1, November 1986）、葉青〈論五四時期新知識分子統一戰線的思想基礎〉（《福建師大學報》1996年3期）及〈五四運動前夕知識分子的思想狀況〉（《黨史研究與教學》1992年1期）、張繼會〈騷動與困惑：五四時期知識者的心理世界〉（《海南師院學報》1992年2期）、Sun Lung-Kee（孫隆基），"Chinese Intellectual's Notion of "Epoch" （Shidai） in the Post-May Fourth Era" （Chinese Studies in History, Vol. 20, 1986-1987）、趙俊芳〈五四時期進步知識分子苦悶失望心理研究〉（《煙臺師院學報》1996年3期）及〈五四時期進步知識分子的危機意識〉（《長白論叢》1996年5期）、戴逸、楊念群〈五四時期先進知識分子的選擇〉（《中共黨史研究》1989年3期）、孫杰〈五四運動前後愛國知識分子對社會主義道路的選擇〉（《內蒙古社聯學刊》1991年2期）、江波、龍毅〈五四時期先進知識分子與無政府主義〉（《湘潭大學學報》1996年5期）、韓凌軒〈關於五四時期具有初步共產主義思想的知識分子的幾個問題〉(《近代史研究》1983年2期)、董會儀〈具有初步共產主義思想的知識分子怎樣領導了五四運動〉(《山東師院學報》1979年3期)、曹屯裕〈從愛國主義走向共產主義：試論五四時期一代精英的思想歷程〉(《寧波師院學報》1989年2期)、徐蘭〈五四時期先進分子思想轉變的軌跡〉(《鹽城師專學報》1994年3期)、李堅〈五四運動前並未出現大批共產主義知識分子〉(《遼寧大學學報》1993年3期)、高其興〈五四時期先進知識分子為何選擇馬克思主義〉(《福建黨史月刊》1990年5期)、寧教奎〈五四時期中國先進分子怎樣選擇馬克思主義：評選擇失誤論〉(《毛澤東思想研究》1990年3期)、張靜如〈論五四時期具有初步共產主義思想的知識分子〉(《北京師大學報》1978年4期)、劉云久〈試論五四時期具有初步共產主義思想的知識分子的地位和作用〉(《理論探討》1987年5期)、嚴書翰〈五四前後中國先進分子的探求與選擇〉(《黨史研究與教學》1990年2期)、宋雲彬〈五四運動中的資產階級知識分子〉(《新建設》1952年5期)、吳廣川〈中國青年知識分子健康成長的必由之路：紀念五四運動71周年〉(《青年學研究》1990年2期)、潘家春〈＂五四＂知識分子自我主體意識的形成及其嬗變〉(《史林》1988年1號)、周昌龍〈五四時期知識分子對個人主義的詮釋〉(《漢學研究》12卷2期，民83年12月)、湯庭芬〈五四時期先進知識分子對改造社會方案的探索〉(《政治學研究資料》1986年3期)、高維良〈從愛國主義者到馬克思主義者—略談五四時期先進知識分子的成長道路〉(《南京政治學校學刊》1984年2期)、丁世俊〈繼續向著五四知識先輩開闢的道路前

進〉（《萍鄉教育學院學報》1989年2期）、唐明輝《五四時期知識
青年對中國國民黨認同之研究（1919-1924）》（政治作戰學校政治
研究所碩士論文，民75）、錢理群〈〝五四〞新村運動和知識分子
的堂吉訶德氣〉（《天津社會科學》1993年1期）、成林〈試論五四
前後中國知識群體的聚散離合〉（《荊門大學學報》1989年3期）、
劉志山等〈對中國知識分子和青年學生領導了五四運動的一些不
同看法〉（《哈爾濱師院學報》1964年2期）、趙圓〈由魏晉名士想
到五四知識分子〉（《上海文論》1989年3期）、周德偉〈五四運動
與士君子的政治力量〉（《中國人》1卷1期，民57年8月）、南北
〈從愛國主義到社會主義—兼析五四時期知識分子愛國主義的道
路〉（《史學月刊》1986年3期）、盧瑋鑾〈那裏走？—從幾個文學
家的惶惑看五四以後知識分子的出路〉（載《五四文學與文化變
遷》，臺北，臺灣學生書局，民79）、張夢陽〈五四民主口號的夢幻
感與知識分子的虛弱性〉（《學術研究》1989年2期）、嚴搏非〈論
「五四」時期中國知識分子對科學的理解〉（載《五四：多元的反
思》，臺北，風雲時代出版公司，民78）、高力克〈五四啟蒙與中國
傳統—知識分子世界觀透視〉（收入周陽山主編《從五四到新五
四》，臺北，時報文化出版公司，民78）、李歐梵〈五四文人的浪漫
精神〉（收入周策縱等著《五四與中國》，同上，民68）、劉再復、林
崗〈論五四時期思想文化界對國民性的反思—兼論中國文化對人
的設計〉（載《中國傳統文化再檢討·下篇：西方文化與近代思潮》，
臺北，谷風出版社翻印，民76）。王化強《五四事件學生運動之研
究》（政治作戰學校政治研究所碩士論文，民75年6月）、謝扶雅〈五
四與基督教學生運動〉（《傳記文學》20卷5期，民61年5月）、桑兵

〈跨世紀與創世紀的兩代青年－辛亥、五四學生關係概論〉
(《中國青運》1990年6期)、呂芳上〈五四時期學界的新舊衝突－
以民國九年的浙江一師風潮為例〉(《中華民國史專題論文集：第一
屆討論會》，臺北，國史館，民81年12月)、陳瑞玲〈知識分子與現
代中國：五四與內戰時期學生運動之比較〉(《史化》18期，民77
年8月)、楊東平〈五四與青年學生運動〉(《青年研究》1989年5
期)、許傑〈"五四"精神與學生運動〉(《中國建設》2卷2期，
民35年11月)、張玉法〈學生與五四運動〉(收入氏著《歷史演講
集》，臺北，東大圖書公司，民80)、周谷城〈五四運動與青年學
生〉(收入氏著《周谷城散文集》，長春，吉林教育出版社，1991)、中
山義弘〈五四運動期における學生の婚姻意識調查㈠－陳鶴琴
「學生婚姻問題之研究」の翻譯〉(《北九州大學外國語學部紀要》
46號，1982年3月)、葉嘉熾〈五四與學運〉(收於汪榮祖編《五四研
究論文集》，臺北，民65)、後藤基巳〈五四學生運動論〉(《中國
文學》95號，1946年5月)、坂井洋史〈五四時期の學生運動斷面〉
(《言語文化（一橋大學）》26號，1989年)、竹之內安巳〈五四學
生運動の史的展望〉(《地域研究》3卷1號，1973年6月)、周陽山
〈五四談學運〉(收入氏所主編《從五四到新五四》，臺北，時報文化
出版公司，民78)、黃迪〈五四以來之中國學潮〉(《社會學界》第
6期，民21年6月)、孔凡嶺〈留日學生與五四運動〉(《齊魯學刊》
1993年5期)、魏曉文〈略論留日學生在五四運動中的歷史作用〉
(《革命春秋》1993年2期)、虞崇勝〈一曲愛國主義的頌歌－記五
四運動中的中國留學生〉(《青運史研究》1984年2期)、蔣志彥
〈論五四時期青年學生的探索精神〉(《上海青運史資料》1986年2

期）、黃知正〈五四時期留美學生對科學的傳播〉（《近代史研究》1989年2期）、李建華〈〝五四〞運動是學生自發的反帝愛國運動〉（《人文雜志》1993年6期）、謝照明等〈五四時期全國學聯成立大會一則史實記載質疑〉（《近代史研究》1980年4期）。

五四與農、工、商界有胡元利〈五四運動中的農界〉（《近代史研究》1990年2期）及〈五四愛國運動中農界的表現〉（《黨史研究》1986年1期）；張成德〈五四運動中的工人罷工是從六五開始的〉（《黨史通訊》1985年4期）、陰法魯〈五四愛國運動時期工人進行政治鬥爭的記述片斷〉（《歷史教學》1953年8期）、馬雲亭、郭玉堂等〈中國工人階級六三政治大罷工〉（《史學月刊》1959年6期）、楊晦〈六三運動是中國工人運動的第一面紅旗〉（《西南師院學報》1959年2期）、張銓〈中國工人階級在五四運動中登上政治舞臺〉（《社會科學》1979年1期）、葛仁鈞〈〝五四運動標志中國工人階級獨立登上政治舞臺說〞質疑〉（《北京檔案史料》1994年2期）、陳明銶〈五四與工運〉（收於汪榮祖編《五四研究論文集》，臺北，民68）、李福春〈五四運動促進了中國工人運動同馬列主義的結合〉（《齊齊哈爾師院學報》1983年2期）、扈光民〈新論五四運動中的工人階級〉（《華東石油學院學報》1988年2期）、晨朵〈五四運動中第一個革命工人組織—中華工界救國聯合會〉（《浙江師大學報》1989年1期）、扈光民〈論五四運動中商人的作用〉（《山東師大學報》1987年3期）及〈新論五四運動中的商人罷市〉（《石油大學學報》1989年2期）、張成德〈略論五四運動中的罷市鬥爭〉（《湖南師大學報》1988年5期）及〈試論五四運動中罷市鬥爭的作用和影響〉（《安徽史學》1988年2期）、王相欽

〈五四運動時期商業戰線上的反帝愛國鬥爭〉（《北京商學院學報》1984年2期）。

五四與婦女有扈光民〈五四婦女運動的特點〉（《山東師大學報》1990年3期）、邱松慶〈略論五四時期婦女運動蓬勃發展的原因〉（《廈門大學學報》1988年2期）、孫宅巍〈婦女是五四運動中的一支重要力量〉（載《史學論文集（江蘇社會科學院歷史研究所）》第2輯，1983）、中山義弘〈五四運動における女性解放の行動〉（《北九州大學外國語學部紀要》32號，1977年1月）及〈五四時期の女性解放運動〉（載《講座中國近現代史4：五四運動，東京大學出版會，1978）、羅瓊〈五四運動為婦女解放開創了新紀元〉（《紀念五四運動六十周年學術討論會論文選》第1冊，北京，1980）、黃曉瑜〈五四時期婦女運動的情況〉（《歷史教學》1984年5期）、喻蓉蓉《五四時期之中國知識婦女》（政治大學歷史研究所碩士論文，76年6月）、小林善文〈五四運動時期の中國女子教育〉（《神戶女子大學文學部紀要》29號，1996）、中華全國婦女聯合會婦女運動歷史研究室編《五四時期婦女問題文選》（北京，三聯書店，1981）、末次玲子〈五、四時期の婦人運動素描〉（《歷史評論》395號、411號，1983年3月、1984年7月）及〈五、四時期の中國婦人運動とロシア革命認識〉（《歷史學研究》513號，1983年2月）、張三郎《五四時期的女權運動》（臺灣師範大學歷史研究所碩士論文，民75年6月）、呂芳上〈娜拉出走以後－五四到北伐青年婦女的活動〉（載《中國現代史專題研究報告》15輯，民82）、牛書成〈論五四運動中的婦女鬥爭〉（《河南教育學院學報》1996年3期）、Roxane Heater Witke, Transformation of Attitudes Towards Women

During the May Fourth Era of Modern China. (Ph. D. Disser-
tation, University of California-Berkeley, 1970)。

　　五四與青年有北京大學學運史編寫小組編《青年運動回憶
錄—五四運動專集》(北京，中國青年出版社，1979)、蕭超然〈五
四青年及其革命精神〉(《中國青年》1981年7期)、劉致學、王守
國〈〝五四〞傳統與中國青年運動的歷史趨向〉(《中國青年政治
學院學報》1991年5期)、成漢昌〈五四運動中的中國青年〉(《中
國青年》1979年4期)、謝凡〈五四與現代青年〉(收入鄔昆如等著
《五四運動與自由主義》，臺北，先知出版社，民63)、魯振昌等〈中
國現代青年選擇的光輝道路—紀念五四運動70周年〉(《瀋陽師
院學報》1989年2期)、李玉琦〈五四運動是中國青年運動的開
端〉(《青運史研究》1986年5期)、穆寶修〈五四運動中的回族先
進青年〉(《民族團結》1984年5期)、張豪鋒〈五四前後中國先進
青年思想軌跡〉(《農墾師專學報》1994年1期)、傅紹昌〈論〝五
四〞青年的愛國主義精神〉(《歷史教學問題》1989年3期)、葉青
〈發揚〝五四〞青年的愛國主義傳統—紀念〝五四〞運動七十周
年〉(《徐州師院學報》1989年2期)、郝琦、任學嶺〈繼承和發揚
五四青年的愛國主義精神—紀念五四運動75周年〉(《延安大學
學報》1994年2期)、唐君毅〈五四談青年教育〉(《人生》31期，民
52年5月)、砂山幸雄〈「五四」の青年像〉(《アジア研究》35卷2
號，1989)。五四與華僑有郭梁〈華僑對五四運動的響應和聲
援〉(《華僑華人歷史研究》1990年2期)及〈華僑與五四運動〉
(《南洋問題研究》1990年1期)、劉清揚〈憶五四運動中海外僑胞
的愛國熱誠〉(《周恩來青年時代》1983年4期)、菅野正〈五四運

動と南洋華僑〉（《奈良大學紀要》第10號，1981年10月）。

五四與黨、政、軍界有劉永明《國民黨人與五四運動》（北京，中國社會科學出版社，1990）、〈五四運動的預演與國民黨人〉（《北京檔案史料》1990年1期）、〈五四運動中的國民黨人〉（《中共黨史研究》1989年3期）及〈五四運動中的廣東國民黨人〉（《北京檔案史料》1989年2期）、末次玲子〈五四運動の國民黨勢力〉（載《五四運動史像の再檢討》，東京，中央大學出版部，1986）及〈孫中山影響下的國民黨各派在五四運動中的作用〉（《南京政治學院學報》1988年1、2期）、趙金鵬〈五四運動時期國民黨是不存在的：與劉永明商榷〉（《中共黨史研究》1989年2期）、呂芳上〈革命黨人對五四新思潮的回應〉（《國史館館刊》復刊第6期，民78年6月）、葉文心〈國民黨與杭州的五四運動〉（載《國父建黨革命一百周年學術討論集》第2冊，臺北，近代中國出版社，民84）、曾田三郎〈五、四運動と國共關係の展開〉（載今堀誠二編《中國へのアプローチ：その歷史的展開》，東京，勁草書房，1983）；王可風《五四運動與中國共產黨》（南京，江蘇人民出版社，1959）、周玉山〈五四運動與中共之成立〉（《東亞季刊》19卷3期，民77年1月）、〈五四與中共〉（《匪情月報》22卷2期，民68年8月）、《五四運動與中共》（中國文化大學三民主義研究所博士論文，民77）及〈關於「五四運動與中共」〉（《東方雜誌》復刊22卷11期，民78年5月）、張洪祥等編《五四運動與中國共產黨的誕生》（天津，天津社科院出版社，1991）、余兆麟、楊明〈五四運動與北京共產黨小組〉（《北京黨史研究》1990年5期）、溫賢美、鄧壽民《五四運動與四川建黨》（成都，四川人民出版社，1985）；李金強〈中國青年黨人與五四愛國運動關係之探討（1918-1919）〉（《中國歷史學會史學集刊》23期，民80年7月）；周孝中、李堅〈南方軍政府與五四運動〉（《香港中國近代史學會會刊》第4、5期，1991年1月）、野澤豐〈五四運動と省議會—民族運動の內部構造の檢討にむけて〉（《中央大學人文研究所紀要》第2號，1983）；謝本書〈西南軍閥與五四運動〉（《學術月刊》1989年5期）、王安平〈五四運動中軍界的積極作用〉（《四川師院學報》1994年2期）、胡元利〈五四愛國運動中陸軍第五師士兵討賊通電事件〉（《歷史教學》1990年5期）。

　　五四與列強有藤本博生〈日本帝國主義と五四運動〉（載《五四運動の研究》第1函，東京，同朋舍，1982）、林明德〈日本與五四〉（收於汪榮祖編《五四研究論文集》，臺北，民68）、松尾尊允〈五四運動與日本〉（《世界》518號，1988）、野澤豐〈五四運動與日本〉（載《五四運動與中國文化建設—五四運動七十周年學術討論會論文選》下冊，北京，1989）、京都大學人文科學研究所編《日本新聞五四報道資料集成》（京都，編者印行，1983）、野原四郎〈五四運動と日本人〉（載《中國近代化と日本（中國研究所紀要2）》，1963）、嶋本信子〈五四運動と日本人—同時代の反應と研究史〉（《史潮》100號，1967年10月）、邢麗雅〈日本人的五四觀之我見〉（《齊齊哈爾師院學報》1993年4期）、池井優〈山東問題、五四運動をめぐる日中關係〉（《法學研究》43卷1號，1970年1月）、臼井勝美〈1919年の日中關係〉（《史林》43卷3號，1960）、飯倉照平編〈侵略者への抗議—日本とのかかれりから見た五四運動〉（《中國》66號，1969年5月）、李占才〈試析五四時期美國對華影響〉（《四川師院學報》1993年2期）、Warren I.

Cohen, "America and May Fourth Movement: The Response to Chinese Nationalism, 1917-1921." （Pacific Historical Review, No.35, 1966）、山腰敏寬〈アメリカの 對中宣傳活動と五四運動〉（《東洋文化》73卷，1994年9月）、野澤豐〈米騷動と五四運動—東アジアにおける民族・國家の相互關連性をめぐつて〉（《近きに在りて》第1號，1981）、判澤純太〈五四運動期をめぐる中ソ關係〉（《政治經濟史學》200號，1983年3月）、林榮裕〈第三國際對中國五四運動之影響〉（《蘇俄問題研究》28卷9期，民76年9月）、邵雍〈上海租界當局與五四運動〉（《上海師大學報》1989年2期）、陰法魯〈帝國主義對五四運動的直接破壞〉（《文史哲》1955年5期；亦載《五四運動文輯》，武漢，湖北出版社，1957）、曹奎〈五四時期中國人民對帝國主義的認識〉（《晉陽學刊》1990年6期）、湯志鈞〈帝國主義和北洋反動政府對五四運動的鎮壓和破壞〉（《復旦學報》1959年5、6期）、舒新城〈回憶〝五四〞反帝的一幕〉（《學術月刊》1959年5期）、V. Ilyushechkin, "The Anti-Imperialist "May 4th", 1919 Movement in China. （Far Eastern Affairs, No.3, 1979）。

其他如栗勁等〈無產階級怎樣領導了五四運動〉（《哈爾濱師院學報》1964年2期）、黃錫科〈中國民族資產階級參加五四運動的原因及其表現〉（《中學歷史教學》1958年2期）、朱衛紅〈資產階級革命民主派與五四運動〉（《南京師大學報》1994年2期）、張德旺〈如何評價資產階級革命民主派在五四運動中的作用—與劉永明、黃金華等商榷〉（《中共黨史研究》1990年2期）、〈論五四運動中孫中山為首的資產階級革命民主派〉（《求是學刊》1987年5

期）及〈五四運動中資產階級革命民主派若干問題再探討〉
（《近代史研究》1995年3期）；松尾尊兊〈民本主義者と五・四運動〉（收於桑原武夫編《ブルジヨワ革命の比較研究》，東京，筑摩書房，1964）、馮崇義〈五四愛國運動與三民主義者〉（《中山大學研究生學刊》1986年3期）及《五四運動與三民主義者》（中山大學歷史學碩士論文，1986年7月）、湯庭芬〈無政府主義者與五四運動〉（《香港中國近代史學會會刊》第4、5期，1991年1月）、曾田三郎〈五四運動と國共關係の展開〉（載今堀誠二編《中國へのアプローチ》，東京，勁草書房，1983）、張曉東〈五四運動與國共合作的發端〉（《福建黨史月刊》1989年5期）、彭國樑〈五四運動與我國大學教育〉（《教育學院學報》第6期，民70年4月）、毛禮銳〈從〝五四〞運動時期的教育看我國當前的教育〉（《教育研究》1979年1期）、邱秀珍《五四時期平民教育運動之研究》（臺灣師範大學三民主義研究所碩士論文，民79）、小林善文〈五四運動時期の中國女子教育〉（《神戶女大文學部紀要》29號，1996）、易慧清〈〝五四〞時期北京大學的教育改革〉（《東北師大學報》1989年3期）、程斯輝〈對〝五四〞時期教育的反思〉（《湖北大學學報》1989年3期）、新島淳良〈中國近代現代教育史(6)─五四運動と教育權回收運動〉（《教育》11卷2號，1961）、楊丁新〈五四運動與體育─〝五四〞前夕訪許老〉（《新體育》1979年5期）、笹島恒輔〈五四運動の中國學校體育への影響〉（《體育研究所紀要》10卷1號，1970年12月）、蘇雄飛〈五四運動前後我國體育的發展〉（《體育學報》第7輯，民74年12月）、宋建華〈〝五四〞運動與史學革命〉（《寶雞師院學報》1989年3期）、龐天佑〈五四運動與中國現代史學〉（《常德師專學報》1989年2期）、徐輝〈五四時期外來哲學的傳播與影響〉（《北京社會科學》1995年3期）、徐素華〈五四運動與中國現代哲學〉（《孔子研究》1989年2期）、趙德志〈五四前後西方哲學在我國的廣泛傳入及其影響〉（《瀋陽師院學報》1990年3期）、陳衛平〈論〝五四〞時期的中西哲學比較及其歷史影響〉（《學術月刊》1989年12期）、夏鼐〈五四運動和中國近代考古學的興起〉（《考古》1979年3期）、謝曉安〈五四運動與現代漢語語法學的興起〉（《蘭州大學學報》1989年2期）、夏琢瓊、宋貴林〈試論五四運動與現代化〉（《香港中國近代史學會會刊》第4、5期，1991年1月）、周玉山〈五四運動與中國現代化〉（《近代中國》45期，民74年2月）、韓凌軒〈五四傳統與中國現代化〉（《文史哲》1989年4期）、董學文〈五四運動與中國現代化發展方向的選擇〉（《北京大學學報》1989年3期）、吳家林〈試論五四前期的民主與科學〉（《北京黨史通訊》1989年3期）、劉茂才〈論科學與民主的整合意識：為紀念五四運動70周年而作〉（《社會科學研究》1989年4期）、李鴻烈〈關於民主與科學的反思：紀念五四運動70周年〉（《湖北社會科學》1989年4期）、蔣耀華等〈五四前期的科學與民主〉（《南京大學學報》1979年2期）、劉文著等〈五四運動及科學與民主〉（《遼寧師院學報》1979年2期）、胡繩〈論〝五四〞新文化運動中的民主與科學〉（《哲學研究》1979年6期）、魏宏運〈關於〝五四〞時期的〝民主〞和〝科學〞問題〉（《歷史教學》1979年5期）、蒙培之〈科學、民主與傳統道德—對〝五四〞的〝道德革命〞口號剖析〉（《學術月刊》1989年9期）、韋政通〈科學、民主、反傳統—以「臺灣經驗」反省「五四」〉（收入周陽山主編《從五四到新五四》，臺北，時報文化出版公司，民78）、彭明〈從五四運動看人民群眾在歷史上的作用〉（《哲學研究》1979年4期）、董立仁〈民族心理的嬗變和五四運動〉（《湖北大學學報》1991年2期）、趙天恩 "The Debate on Religion During the May Fourth Era (1920-21) and Its Implications for Modern China"（載鄭樑生主編《中外關係史國際學術研討會論文集—思想與文物交流》，臺北，民78）、李志剛〈五四運動與中國基督教復興之探討〉（《中國歷史學會史學集刊》第4期，民78年7月）、謝扶雅〈五四運動與基督教〉（《明報（月刊）》7卷7期，1972年7月）、童力〈五四運動與少數民族〉（《中央民族學院學報》1979年1-2期）、山內智惠美〈五四時期漢族服裝變革的趨勢和原因〉（《西北大學學報》1996年3期）、蘇琳〈五四運動與人性解放〉（《社會科學研究》1995年1期）、葉尚志〈五四運動與人的解放〉（《人才開發》1989年5期）、陳麟輝〈〝五四〞先驅對人的現代追求的啟示〉（《歷史教學問題》1989年3期）、錢理群〈試論五四時期〝人的覺醒〞〉（《文學評論》1989年3期）、劉再復、林崗〈西方文藝復興運動和〝五四〞運動對人的不同認識〉（《人文雜志》1988年5期）、張豈之〈〝五四〞運動和新民主主義革命—紀念〝五四〞運動四十周年〉（《法政研究》1959年2期）、小泉讓〈五四運動と黃色帝國主義〉（《月刊毛澤東思想》2卷6-8號，1969年5-7月）、賈祖麟（Jerome B. Grieder）原著、楊肅獻譯〈五四時代的「政治」問題〉（載《五四與中國》，臺北，時報文化出版公司，民68）、野澤豐〈五四運動と省議會—民族運動の內部構造の檢討にむけて〉（《中央大學人文研究所紀要》第2號，1983年7月）、村田雄二郎

〈五四時期の倫理問題〉（《中哲文學會報（東京大學）》第7號，1982年6月）、洪俊峰〈五四前期的道德啟蒙〉（《天津社會科學》1994年1期）。

㈦文化和思想（含文學革命）

以新文化運動（或五四文化運動）為題的有中華文化復興推行委員會編《中國近代現代史論集‧第22編：新文化運動》（臺北，臺灣商務印書館，民75）、伍啟元《中國新文化運動概觀》（上海，民23）、陳少廷主編《五四新文化運動的評價》（臺北，環宇出版社，民62）及《五四新文化運動的意義》（臺北，百傑出版社，民65）、香港中國文化學院編《對五四新文化運動的真實評價》（孔教通俗小叢書第5輯，1953）、中村紀子《新文化運動における一考察》（關西大學史學‧地理學科畢業論文，1992年度）、胡曉〈新文化運動芻議〉（《安徽史學》1995年3期）、許杰〈論五四以來的新文化運動〉（《新中華》13卷9期，1950年5月）、趙春谷〈五四時期的新文化運動〉（《雲南大學學報》1957年10期）、丁守和等〈五四新文化運動〉（《歷史研究》1959年4期）、燕吾〈論「五四」新文化運動〉（《反帝戰線》6卷2期，民30年5月）、陳伯達〈論〝五四〞新文化運動〉（《認識月刊》第1期，民26年6月）、孫德中〈五四與新文化運動〉（《文星》10卷1期，民51年5月）、李霜青〈五四與新文化運動〉（《中外雜誌》19卷5期，民65年5月）、陳修武〈五四——一個缺乏反省的文化運動〉（《幼獅月刊》55卷5期，民71年5月）、任卓宣〈民國初年底新文化運動〉（《學宗》4卷6期及5卷1期，民53年11月）、吳宓〈論新文化運動〉（《留美學生季報》第1

期，1921）、陳旭麓〈論五四初期的新文化運動〉（《歷史教學問題》1959年5期）、倪培強〈再論五四新文化運動〉（《新疆師大學報》1996年2期）、魏宏運〈〝五四〞新文化運動的探索〉（《中州學刊》1990年3期）、洪俊峰〈五四新文化運動的經濟背景〉（《中國社會經濟史研究》1993年1期）、張其昀〈新文化運動的發展〉（《中國一周》86期，民40年12月）、汪榮祖〈新文化運動的回顧與前瞻〉（《文星》107期，民76年5月）、戴知賢〈五四愛國運動和五四新文化運動〉（《教學與研究》1988年4期）、耿雲志〈五四新文化運動再認識〉（《中國社會科學》1989年3期）、羽之、杜昭〈五四運動應否包括新文化運動〉（《汕頭大學學報》1989年2期）、徐首軍〈簡論新文化運動的歷史地位〉（《理論探討》1990年3期）、陳裕章〈論中國的新文化運動〉（《三民主義研究所學報》10期，民76年7月）、歐陽哲生〈試論中國新文化運動的傳統起源〉（《社會科學戰線》1992年2期）、馬自毅〈剪不斷，理還亂：五四新文化運動與傳統透視〉（《華東師大學報》1994年4期）、魏紹馨〈五四新文化運動探源〉（《齊魯學刊》1995年3期）、李小寧〈五四新文化運動的歷史使命與中國社會的現代化〉（《青年工作論壇》1989年3期）、彭明〈五四新文化運動的反思〉（收入張立文等主編《傳統文化與現代化》下編，北京，中國人民大學出版社，1987）、嚴家炎〈關於五四新文化運動的反思〉（《上海文論》1989年3期）、樊弘〈新文化運動的意義〉（《中建》1卷8期，民37年11月）、張豈之〈〝五四〞新文化運動的歷史意義〉（《西北大學學報》1979年2期）、王富仁〈對全部中國文化的現代追求：論五四新文化運動的意義〉（《中國社會科學》1989年3期）、任卓宣〈五四新文化運動之分析〉(《哲學論集》第7集，民65年6月)、元明〈五四新文化運動之批判〉(《人生》1卷8期，民51年5月)、孔憲琛〈略論〝五四〞新文化運動的分期問題〉(《安徽師大學報》1979年2期)、張德旺〈論五四新文化運動的下限及其統一戰線的終結〉(《社會科學戰線》1989年2期)、龔書鐸〈五四新文化運動的評價問題〉(《河北大學學報》1996年1期)、謝幼偉〈新文化運動的評價〉(《幼獅》2卷5期，民43年5月)、劉亦宇〈新文化運動的再估價一為〝五四〞二十三週年紀念〉(《民主與統一》33期，民36年4月)、葉青(任卓宣)〈新文化運動的真相〉(《政治評論》8卷4期，民51年4月)、李霜青〈五四運動與新文化運動史實考述〉(《法商學報》12期，民65年10月)、李龍牧〈論五四新文化運動及其統一戰線〉(《歷史研究》1962年2期)、吳曼君〈論「五四」文化運動〉(《三民主義研究》創刊號，政治大學三民主義研究會，民50年5月)、高起祥〈不能否定〝五四〞新文化運動的方向一〝民族文化斷裂〞說質疑〉(《學習與研究》1986年5期)、簡宗梧〈無怨尤的民族之愛一談五四新文化運動〉(《大學雜誌》156期，民71年5月)、艾思奇〈介紹五四文化運動中的一個重要爭論〉(《中國青年》1950年4期)、王乃昌〈五四文化運動是誰領導的〉(《新建設》2卷6期，1950年5月)、侯新夷〈試論五四新文化運動的領導者是誰〉(《內蒙古大學學報》1980年2-3期)、魏宏運〈關於新文化運動的幾個問題〉(《南開史學》1982年1期)及〈新文化運動的新方向〉(同上，1982年2期)、馮增銓〈淺議「五四」新文化運動的局限性〉(《五四精神的解咒與重塑：海峽兩岸紀念五四七十年論文集》，臺北，臺灣學生書局，民81)、李義凡〈新文化運動的缺陷之

我見〉(《松遼學刊》1994年3期)、劉桂生〈五四新文化運動的時
代屬性及其主要口號的釋義分析－五四時期思想研究偶見之一〉
(《教學與研究》1988年1期)、胡義成〈〝五四〞新文化運動是資
本主義性質嗎？〉(《中州學刊》1989年4期)、劉家賓〈五四新文
化運動的愛國主義性質〉(《山東師大學報》1990年3期)、沈衛威
〈新文化運動的精神取向〉(《青海師大學報》1996年2期)、王關
興〈五四新文化運動決不是全盤反傳統〉(《思想戰線》1989年5
期)、天野元之助〈新文化啟蒙運動〉(《中國研究》第7號,1957
年3月)、葉曙〈五四運動帶來了新文化運動並打擊了舊禮教〉
(《傳記文學》63卷3期,民82年9月)、胡繩〈五四文化運動中的革
命精神〉(載氏著《棗下論叢》,北京,人民出版社,1963)、萬健
〈試論五四新文化運動的革命精神及其繼承問題〉(《四平師院
學報》1979年2期)、陳德仁〈五四新文化運動與實驗主義精神〉
(《中央月報》23卷5期,民79年5月)、張勤〈新文化運動與人文精
神〉(《安徽史學》1995年3期)、吳靜哲〈五四新文化運動與人的
思想解放〉(《中國青年政治學院》1995年2期)、吳長蘭〈論〝五
四〞新文化運動主流的轉變〉(《漳州師院學報》1991年3期)、楊
國強〈新文化運動的跌宕起伏和新陳代謝〉(《學術季刊》1991年2
期)、朱允興〈試論五四新文化運動的幾個問題〉(《蘭州大學學
報》1989年2期)、楊先文〈試論五四時期新文化運動轉化的基本
條件〉(《中山大學學報》1982年3期)、章開沅、羅福惠〈新文化
運動：民主型政治文化的發展與轉變〉(載《五四運動與中國文化
建設－五四運動七十周年學術討論會論文選》上冊,北京,1989)、陳元
暉〈紀念五四新文化運動70周年〉(同上)、陳萬雄〈五四新文

化運動的源流〉（同上）、李明友〈五四新文化運動對儒家人本主義的批判〉（載湯一介編《論傳統與反傳統—五四70周年紀念文選》，臺北，民78）、李林〈新文化運動與非理性主義思潮〉（同上）、錢念孫〈新文化運動與中國當代人文面貌：新文化運動的命運和教訓〉（《安徽史學》1995年3期）、阿里夫・德里克著、劉湧譯、何祚康、韓紅校〈新文化運動回顧—新文化思潮中的無政府主義及其社會革命觀〉（《國外中國近代史研究》14輯，1989年10月）、周雲錦《新文化運動的價值觀》（臺灣大學歷史研究所碩士論文，民73）、丁禎彥〈試析「五四」與中國近代價值觀的變革〉（《五四精神的解咒與重塑：海峽兩岸紀念五四七十年論文集》，臺北，臺灣學生書局，民81）、酈柏林〈「五四」時期思維方式的變革〉（同上），于良華〈「五四」時期的唯物史觀〉（同上）、陳衛平〈〝五四〞新文化運動中的進化論〉（《哲學研究》1996年4期）、王炯華〈五四新文化運動與思想和學術獨立〉（《石油大學學報》1994年4期）、劉再復、林崗〈傳統道德的困境—〝五四〞新文化運動對傳統道德的反思〉（《社會科學戰線》1988年2期）、林鐵鈞〈五四新文化運動與反封建思想〉（《中國史研究》1979年2期）、馮鑒川〈早期新文化運動與傳統文化〉（《華南師大學報》1993年2期）、嚴家炎〈五四新文化運動與傳統文化〉（《魯迅研究月刊》1995年9期）、林嘉言〈五四文化運動における 漢字の命運〉（《教養論叢（慶應大學）》38號，1974年7月）、外廬〈五四文化運動與孫文學說的關係〉（《中華論壇》1卷5、6期，民34年4月）、陳金陵〈五四新文化運動與知識分子〉（《東岳論叢》1981年2期）、陳萬雄〈這一代人—新文化運動倡導力量分析〉（載《五四：多元的反思》，臺北，風雲時代出版公司，民78）、吳效馬〈娜拉自遠方來─新文化運動前期女性人格的重塑〉（《貴州師大學報》1996年2期）、胡繩〈論〝五四〞新文化運動中的民主和科學〉（《哲學研究》1979年6期）、何建華〈試論五四新文化運動的民主觀科學觀〉（《中共浙江省委黨校學報》1989年2期）、胡大牛〈五四新文化運動的〝科學〞口號辨析〉（《檔案史料與研究》1990年1期）、樊洪業〈〝賽先生〞與新文化運動─科學社會史的考察〉（《歷史研究》1989年3期）、鄭大華〈文化保守主義與〝五四〞新文化運動〉（《北京師大學報》1989年3期）、徐宗勉〈論五四新文化運動中的形式主義〉（《中共黨史研究》1989年3期）、陳先初〈新文化運動有忽略政治鬥爭的偏向嗎？〉（《湖南師大學報》1991年4期）、任訪秋〈五四新文化運動與晚明文化革新〉（《河南大學學報》1989年2期）、龔書鐸〈辛亥文化革新與〝五四〞新文化運動〉（同上，1991年5期）、李資源〈〝五四〞新文化運動與少數民族傳統文化〉（《中南民族學院學報》1990年1期）、周弘然〈新文化運動與民主〉（《幼獅學誌》3卷3、4期，民53年12月）、蔣茂禮〈李澤厚是怎樣曲解五四新文化運動的〉（《高校社會科學》1990年5期）、張龍傑《論中共與「五四新文化運動」》（香港遠東書院文史研究所碩士論文，1982年7月）、曾瑞成《新文化運動時期之體育思想（1919-1927）》（臺灣師大體育研究所碩士論文，民80年6月）、譚華〈新文化運動中對傳統體育的批判及其歷史意義〉（《成都體育學院學報》1991年1期）、陳望道〈五四運動和文化運動〉（《文藝月報》1959年5期）、孫思白等〈五四以來反封建文化運動之史的考察〉（《文史哲》1979年2-3期）、Marilyn Levine, "The Diligent-Work, Frugal-Study Movement and the New Culture Movement." (Republican China, Vol.12, No.1, November 1986)、德耀〈五四時期新文化運動若干人物和期刊簡介〉(《山東師院學報》1979年3期)、張玉法〈新文化運動時期的新聞與言論,1915-1923〉(《中央研究院近代史研究所集刊》23期上冊,民83年6月)、Arif Dirlik, "The New Culture Movement Revisited, Anachism and the Idea of Social Revolution in New Culture Thinking" (Modern China, Vol. 11, No.3, July 1985)、邵伯周〈五四新文化運動與文學革命〉(《語文教師通訊》1980年1期)、徐崙〈〝五四〞新文化運動與歷史科學〉(載《紀念五四運動四十周年論文集》,上海人民出版社,1959)、張玉法〈新文化運動時期對中國家庭問題的討論,1915-1923〉(載《近世家族與政治比較歷史論文集》下冊,臺北,民81年6月)、林麗月〈「學衡」與新文化運動〉(收於張玉法主編《中國現代史論集》第6輯,臺北,民70)、沈松橋《學衡派與五四時期的反新文化運動》(臺北,臺灣大學文學院,民73)、孫尚揚、郭蘭芳編《國故新知論—學衡派文化論著輯要》(北京,中國廣播電視出版社,1995)、曠新年〈學衡派對現代性的反思〉(《二十一世紀》22期,1994年4月)及〈學衡派與新人文主義〉(《北京大學學報》1994年6期)、張文建〈學衡派的史學研究〉(《史學史研究》1994年2期)、川崎高志〈中國の新文化運動における學生新潮の〝役割〞について〉(《中國—社會と文化》15號,1994年3月)、常家樹〈五四時期的留學生對新文化運動的貢獻〉(《遼寧大學學報》1991年1期)、王毅〈繼承〝新文化運動〞的學術經驗〉(《文學評論》1996年6期)、金葉明《中國新文化運動與俄國啟蒙運動下浪漫詩發展的比較》（政治大學中文研究所碩士論文，民83年1月）、司群華〈新文化運動時期的戲劇思想〉（《戲劇藝術》1987年4期）、彭秀珍〈五四時期湖南新文化運動述評〉（《求索》1989年6期）、蕭珊〈《浙江潮》和〝一師風潮〞－五四新文化運動在浙江〉（《學習與思考》1987年5期）、孟默〈新文化運動在四川〉（《新文學史料》第3輯，1979年5月）。

以新文化或五四時期文化為題的有陳萬雄《五四新文化的源流》（香港，三聯書店，1992）、段培君〈論五四新文化結構的意義〉（《社會科學輯刊》1995年5期）、羅檢秋〈五四新文化與晚清學術傳統〉（《傳統文化與現代化》1994年5期）、陳建遠〈從〝五四〞運動看中國新文化建設的方向〉（《復旦學報》1989年3期）、馬畏安〈試論五四新文化的反帝國主義性質〉（《教學與研究》1961年1期）、林志浩〈對〝試論五四新文化的反帝國主義性質〞一文的幾點意見〉（同上，1961年2期）、洪俊峰〈五四後文化運動新勢力的興起〉（《史學月刊》1995年5期）、桑兵〈超越〝五四〞新文化觀－本世紀中國文化研究的局限與突破〉（《學術研究》1989年3期）、唐志宏《五四時期的文化論戰：以「反文化調和論」為中心的探討》（政治大學歷史研究所碩士論文，民83年6月）、陳崧編《五四前後東西文化問題論戰文選》（北京，中國社會科學出版社，1985）、錢婉約〈兩種人與兩種文化態度－評五四時期的東西文化論爭〉（《江漢論壇》1990年10期）、齊衛平〈五四前後東西文化論戰的再認識〉（同上，1993年5期）、鄭大華〈〝古今之別〞與〝中外之異〞－五四東西文化論爭反思之一〉（同上，1992年1期）、張盾〈早期馬克思主義者與五四時期的〝東西文化之爭〃〉（《求是學刊》1992年1期）、蔡尚思〈五四前後東西文化問題的大爭論〉（《學術月刊》1961年5期）、傅雲龍〈「五四」東西文化爭論斷想〉（《五四精神的解咒與重塑：海峽兩岸紀念五四七十年論文集》，臺北，臺灣學生書局，民81）、朱玉湘〈五四時期的東西文化論戰〉（《齊魯學刊》1980年5期）、丁爾綱〈〃五四〃篩選東西方文化的經驗及其現實意義〉（《青島師專學報》1990年3期）、劉潤忠〈《東方雜誌》與〃五四〃前後東西文化論爭〉（《社會科學戰線》1994年3期）、王曉秋〈論五四運動與中外文化的交融〉（《社會科學研究》1989年4期）、陳遼〈略論〃五四〃時期的中外文化交流〉（《江漢論壇》1989年5期）及〈特點、落差、原因、啟示：略論〃五四〃時期的中外文化交流〉（《南京社聯學刊》1989年2期）、楊令吾〈從新式標點符號的制定看五四時期我國學者對待中西文化的態度〉（《中州學刊》1988年2期）、林毓生〈〃開放心靈〃的認識與了解─對〃五四〃中西文化接觸的反省〉（收入氏著《中國傳統的創造性轉化》，北京，三聯書店，1988）、劉孟學〈五四時期的中西文化比較研究〉（載《紀念五四運動七十周年國際學術討論會論文》，1988）、羅志田〈走向〃政治解決〃的〃中國文藝復興〃─五四前後思想文化運動與政治運動的關係〉（《近代史研究》1996年4期）、陳志勇〈〃五四〃時期有關中西政治文化若干問題的思辨〉（《南京政治學院學報》1989年5期）、羅福惠〈從〃五四〃談到民主型政治文化〉（《天津社會科學》1989年3期）、邱垂亮〈五四運動的民主文化和民主政治〉（《文星》107期，民76年5月）、俞祖華〈五四時期復古與西化的文化偏向：對文化回歸現象的再認識〉（《中州學刊》1988年1期）、董學文

〈五四運動與中國現代文化發展方向的選擇—兼論什麼是〝五四〞精神〉（《北京大學學報》1989年3期）、楊念群〈「兩個軸心」的失落與「五四」文化選擇—兼論民粹思潮的崛起〉（收入周陽山主編《從五四到新五四》，臺北，時報文化出版公司，民78）、李宗桂〈試析五四時期的文化批判思想〉（《四川師大學報》1992年6期）、周明之〈五四時期思想文化的衝突—以胡適婚姻為例〉（收於汪榮祖編《五四研究論文集》，臺北，民68）、高力克〈五四後比較文化思潮的邏輯進程〉（《杭州研究》1993年1期）、潘光偉〈〝五四〞文化保守思潮興盛的原因及地位〉（《中國人民大學學報》1993年1期）、郭齊勇〈試論五四與後五四時期的文化保守主義思潮〉（《中國文化研究》121期，民78年11月）、段培君〈關於五四新文化的價值觀〉（《學術月刊》1996年7期）、黃克劍〈〝五四〞文化價值取向論略〉（《福建論壇》1989年2期）、魏洪丘〈民族群體意識的自覺：五四文化思潮總體現〉（《上饒師專學報》1989年3期）、陳來〈化解「傳統」與「現代」的緊張—「五四」文化思潮的反思〉（載《五四：多元的反思》，臺北，民78）、崔大華〈〝五四〞的文化選擇與今天的精神建設〉（《中州學刊》1989年4期）、鄭強勝〈五四文化思潮與馬克思主義傳播〉（同上，1989年6期）、程佐林、徐紹清〈論五四對傳統文化的批判與繼承〉（《社會科學戰線》1993年3期）、王德昭〈論五四運動對文化遺產的繼承〉（收於郭瑞生、陳健誠編《五四運動六十周年紀念論文集》，香港大學中文學會，1979）、陳耀南〈舊義與新潮—五四運動與中國文化〉（《明報》24卷6期，1989年6月）、勞思光〈五四運動與中國文化〉（載《五四與中國》，臺北，時報文化出版公司，民

68）、畢耕〈論〝五四〞運動與中國文化〉（《中興評論》25卷2期，民67年2月）、黃振華〈五四運動與中國文化—從哲學觀點檢討〝五四〞運動對中國文化的影響〉（《鵝湖》204期，民81年6月）、羅球慶〈論五四運動對中國文化的功罪〉（《新亞校刊》第5期，1954年7月）、張岱年〈評「五四時期」對於傳統文化的評估〉（《歷史月刊》16期，民78年5月）及〈評五四時期對於傳統文化的評論〉（載湯一介編《論傳統與反傳統—五四70周年紀念文選》，臺北，聯經出版事業公司，民78）、李中華〈五四夢幻與文化選擇—評五四以來的幾個文化口號〉（同上）、戴知賢〈五四文化革命的徹底性問題〉（《撫州師專學報》1989年1期）、段培君〈五四新文化的價值觀〉（《學術月刊》1996年7期）、龔書鐸〈五四運動時期反對封建文化專制的鬥爭〉（《北京師大學報》1979年3期）、孫思白、韓林軒〈〝五四〞以來反封建文化運動之史的考察〉（《紀念五四運動六十周年學術討論會論文選》第1冊，北京，1980）、焦素娥〈論〝五四〞新文化中個性解放主要者的悲劇〉（《南都學壇（南陽師專學報）》1995年5期）、徐建國〈趨向與回歸—五四文化人對個性解放的主張剖析〉（《廣州研究》1988年11期）、朱德發、賈振勇〈失落精神的民族，召喚偉大的人格：五四時代現代文化人格建構之反思〉（《聊城師院學報》1996年1期）、金春峰〈五四文化討論的回顧與展望〉（《文星》108期，民76年5月）、沈清松〈五四以來文化發展的檢討與展望〉（《鵝湖》77期，民70年11月）、厲以寧〈五四以來經濟與文化關係的探討〉（《華人世界》1989年4、5期）、夏文斌〈二十世紀中國的兩種文化形態：從五四到當代〉（《北京大學學報》1989年3期）、山口一郎〈五四文

化革命〉（載《現代中國事典》第6卷，東京，中國研究所，1950）、神
戶外國語大學中研會報編集部〈五四文化革命について〉（《神
戶外大中研會報·五四記念特別號》，1953年5月）、王慶生〈五四時
期的文化革命與文學革命〉（《理論戰線》1959年5期）、郝孚逸
〈論文化革命和古今問題─紀念五四運動四十周年〉（《學術月
刊》1959年5期）、吳雲溥〈紀念五四談文化革命〉（《解放》1959
年5期）、孫思白〈試論五四文化革命的分期及其前後期的轉
化〉（《歷史研究》1963年2期）、劉再復、林崗〈＂五四＂文化革
命與人的現代化〉（《文藝研究》1988年3期）、黃昌意〈中國文化
價值體系的現代化轉換─五四文化精神的反省與重建〉（《江漢
論壇》1994年5期）、曹心寶〈文化精神的反省─有關五四運動〉
（《哲學與文化》18卷8期，民80年8月）、余英時〈「五四」文化精
神的反省〉（收入陳端志《五四運動之史的評價》，香港中文大學，
1973）及〈「五四」─一個未完成的文化運動〉（《美洲時報週
刊》11期，1985年5月；亦收於余英時《文化評論與中國情懷》，臺北，允
晨文化公司，民79）、天野元之助〈新文化啟蒙運動〉（《中國研
究》第7號，1957年3月）、呂正惠〈國民黨與五四新文化傳統─從
二、三十年代文藝長期不開放談起〉（《文星》107期，民76年5
月）、張玉法〈五四青年文化與當代青年文化〉（收入氏著《歷史
演講集》，臺北，東大圖書公司，民80）、謝昭新〈論＂五四＂初期
文化批評派〉（《安徽師大學報》1991年2期）。

　　以文學革命、新文學或五四文學為題的有侯健《從文學革命
到革命文學》（臺北，中外文學月刊社，民63）、瞿秋白《論中國文
學革命》（香港，海洋書屋，1947）、成仿吾、郭沫若《從文學革

命到革命文學》（上海，創造社出版部，民17）、鄭學稼《由文學革命到革文學的命》（重慶，勝利出版社，民32）、蔡義忠《從陳獨秀文學革命到李金髮象徵新詩》（臺北，清流出版社，民62）、布施知足《文學革命の話》（東京，東亞研究會，1937）、增田涉《中國文學史研究：「文學革命」と前夜の人マ》（東京，岩波書店，1967）、增田涉編《五四文學革命集》（東京，平凡社，1972）及〈文學革命〉（《アジア問題》11號，1939；亦載《中國文學史の問題點》，東京，中央公論社，1957）、今村與志雄〈文學革命〉（載《中華帝國の崩壞》，東京，世界文化社，1969）、岡崎俊夫〈「文學革命」摘要〉（《東洋文化研究所紀要》11號，1956年11月）、竹內好〈文學革命のエネルギ〉（《個性》2卷2號，1949年2月）、夏志清著、劉紹銘譯〈文學革命〉（《明報（月刊）》7卷10期，1972年10月）、唐鴻棣〈談談〝五四〞文學革命運動〉（《文科月刊》1984年8期）、楊義〈應該如何認識五四文學革命〉（《中國現代文學研究叢刊》1984年4期）、林志浩〈必須正確引用和解釋權威性言論—五四文學革命〉（同上）、朱金順〈〝五四〞文學革命的興起及其發展〉（《自修大學》1985年3期）、尉天驄〈文學革命運動底真相〉（《政治評論》10卷4期，民52年4月）、任卓宣〈文學革命底形式與內容〉（同上，8卷4期，民51年4月）、李輝英〈新文學革命運動中的反對派〉（《香港聯合書院學報》第5期，1966）、劉柏青等〈論五四文學革命運動〉（《吉林大學學報》1979年3期）、霍松林〈五四文學革命運動中兩條道路的鬥爭〉（《延河》1959年5期）、江超中〈五四時期無產階級思想的傳播與文學革命運動的發展〉（《文藝紅旗》1959年5期）、王瑤〈〝五四〞文學革命精神的啟示〉（《紅旗》1979年5期）、丸山昇〈五四文學革命の一面―「引車賣漿」餘話〉（《UP》39號，1976年1月）、葛賢寧〈對五四文學革命的新認識〉（《中國一周》106期，民41年5月）、吳炎塗〈五四文學革命與近代中國〉（《革新》23期，民62年6月）、吳乃華〈五四文學革命與中國的近代化〉（《江西社會科學》1996年6期）、羅志田〈文學革命的社會功能與社會反響〉（《社會科學研究》1996年5期）、姚雪垠〈文學革命的前夜〉（《新中華》14卷2期，1951年1月）、張畢來〈文學革命論及其作者當年的思想〉（同上）、任訪秋〈談談五四文學革命運動在思想上的領導問題〉（《新中華》14卷19期，1951年5月）、呂榮春〈馬克思列寧主義思想―五四文學革命運動的領導思想〉（《福建師院學報》1959年1期）、以群〈五四文學革命的思想領導〉（《文學評論》1959年2期）、李昌陟〈五四文學革命運動試論〉（《四川大學學報》1979年2期）及〈談五四文學革命運動〉（《語文戰線》、1979年3期）、丁易（榮鼎彝）〈「五四」文學革命運動試論〉（《新建設》1卷10期，1950年1月）、王曉初〈歷史的合力與分歧：〝五四〞文學革命的潮流與趨勢〉（《貴州大學學報》1993年2期）、宋劍華〈歐洲文藝復興與五四文學革命：一個歷史相似點的廣義類比〉（《江漢論壇》1993年4期）、Jaroslav Prüšek, "A Confrontation of Traditational Oriental Literature with Modern European Literature in the Context of the Chinese Literary Revolution." (Archiv Orientalni, No.32, 1964)、朱德發〈晚清文學改良與五四文學革命〉（《青島師專學報》1986年2期）、龔濟民〈談談五四文學革命傳統〉（《徐州師院學報》1979年2期）、陸維天〈繼承和發揚

五四文學革命的光榮傳統〉(《新疆大學學報》1979年1-2期)、以群
〈五四文學革命的光榮傳統〉(《文藝月報》1959年5期)、王保生
等〈發揚五四文學革命的優良傳統〉(《文學評論》1979年3期)、
吳劍〈重新建構〝五四〞新文學傳統〉(《華中師大學報》1996年5
期)、公蘭谷〈五四文學革命的戰鬥傳統〉(《河北師院學報》
1980年1期)、劉綬松〈五四文學革命的戰鬥傳統〉(《文學知識》
1959年5期)、吳奔星〈〝五四〞前夕文學革命的性質及其偉大的
歷史轉變〉(《文學評論叢刊》第6輯,1980年8月)、陳金淦〈還歷
史的本來面貌—評五四文學革命性質和起點的爭議〉(《徐州師
院學報》1980年2期)、嚴家炎〈五四文學革命的性質問題〉(《紀
念五四運動六十周年學術討論會論文選》第3冊,北京,1980)、竹內實
〈文學革命のエネルギー〉(《個性》2卷2號,1949年2月)、吉川
幸次郎〈文學革命と私—隨想・五四文學と私〉(載《吉川幸次郎
全集》22卷,東京,筑摩書房,1975)、任訪秋〈從晚清文學改良到
五四的文學革命〉(《教學通訊》1980年5-6期)、張世珍〈「五
四」新文學革命探源〉(《警專學報》1卷2期,民78年6月)、陸維
天〈偉大的五四文學革命〉(《新疆青年》1981年4期)、巩富〈五
四文學革命運動〉(《語言文學》1983年1期)、魏洪丘〈五四文學
革命中人道主義的演變〉(《上饒師專學報》1985年1期)、許志英
〈五四文學革命指導思想的再探討〉(《中國現代文學研究叢刊》
1983年1期)、林非〈關於五四文學革命的指導思想問題〉(《文藝
報》1984年2期)、林志浩〈關於五四文學革命指導思想問題的商
榷〉(《文藝研究》1984年1期)、李玉昆〈現代文學研究中的一個
關鍵問題—關於五四文學革命的指導思想〉(《河北師大學報》

1984年2期）、胡叔和〈五四文學革命指導思想三論〉（《安徽師大學報》1990年1期）、林非〈為什麼要否定五四文學革命的無產階級指導思想〉（《南開學報》1984年2期）、魏洪丘〈也談五四文學革命指導思想〉（《文藝研究》1984年4期）、朱德發〈五四文學革命指導思想商兌〉（《文學評論叢刊》17輯，1983）、石依〈關於〝五四〞文學革命的指導思想問題展開討論〉（《作品與爭鳴》1984年3期）、徐霖恩等〈五四文學革命指導思想問題的爭議〉（《社會科學參考》1984年17期）、周揚〈發揚「五四」文學革命的戰鬥傳統〉（《人民文學》55期，1954年5月）、以群〈〝五四〞文學革命的光輝傳統〉（《文藝月報》1959年5期）、鄧紹基〈〝五四〞文學革命與文學傳統—對若干歷史現象的回顧和再認識〉（《文學遺產》1989年2期）、洪峻峰〈五四文學革命的啟蒙意義〉（《廈門大學學報》1991年1期）、林非〈對〝五四〞啟蒙與〝文學革命〞的反思〉（《中州學刊》1989年3期）、丁茂遠〈論〝五四〞文學革命與近年文體革命〉（同上，1989年4期）、康林〈傳統文學本文結構的大變革—從文學本位體論五四文學革命〉（《清華大學學報》1989年1期）、石明輝〈五四文學革命與中國當代文學〉（《揚州師院學報》1989年2期）、大西齋、共田浩編譯《文學革命と白話新詩》（北京，東亞公司，支那叢書第1編，民11）、陣ノ內宜男〈文學革命と白話詩論〉（《國文學研究（早稻田大學）》第3號，1950年1月）、邵伯周〈五四新文化運動與文學革命〉（《語文教師通訊》1980年1期）、周明之〈胡適與文學革命—中國近代知識分子的疏離感和抗議〉（載張玉法主編《中國現代史論集》第6輯，臺北，民70）、井貫軍二〈中國のルネツサンス—胡適を中心とす

る文學革命〉（《教育時報》第1號，1952年12月）、張克明〈胡適
對五四文學革命的貢獻〉（《益陽師專學報》1993年2期）、歐陽哲
生〈胡適倡導的〝文學革命〞與文化轉型〉（《湖南師大學報》
1993年6期）、戴光宗〈胡適的文學改良論是〝形式主義〞嗎〉
（《社會科學（上海）》1983年4期）、以群〈從文學改良到陣前叛
變—剖視〝五四〞文學革命中的資產階級知識分子胡適〉（《學
術月刊》1959年5期）、張畢來〈「文學革命論」及其作者（陳獨
秀）當年的思想—兼論1917年「文學革命」的本質〉（《新中華》
14卷18期，1951年9月）、范愷玲〈陳獨秀和文學革命〉（《武漢師院
學報》1979年2期）、鄧紅〈陳獨秀と文學革命—陳獨秀研究序
論〉（《九州中國同學會報》33號，1995年5月）、王立興〈由文學革
新到文學革命—談辛亥革命時期陳獨秀的文學活動〉（《南京大
學學報》1989年3期）、吳康〈陳獨秀對文學革命的創導與影響〉
（《江漢論壇》1986年9期）、王寶賢〈文學的革命與社會的改造：
論陳獨秀的文學功利觀〉（《湖南師院學報》1984年6期）、劉孝良
〈陳獨秀是反封建文學革命的先驅〉（《藝譚》1980年6期）、郭武
平〈文學革命與青年雜誌〉（載張玉法主編《中國現代史論集》第6
輯，臺北，民70）、何亞威《文學革命對副刊的影響初探》（中國
文化大學哲學研究所（新聞組）碩士論文，民70）、王愛玲《學衡派對
文學革命思潮的反響》（同上，民70年6月）、吳康〈論〝五四〞
思想革命與文學革命的邏輯關係〉（《中國現代文學研究叢刊》1990
年3期）、王育德〈文學革命の臺灣に及ほせる影響〉（《日本中
國學會報》11號，1959年10月）、王曉波〈五四時期文學革命與日據
下臺灣新文學運動〉（載《五四運動與中國文化建設—五四運動七十週

年學術討論會論文選》下冊，1989）、山根幸夫〈五四文學革命文獻目錄〉（《近代中國研究センター彙報》16號，1973年12月）、周蔥秀〈變法時期與五四時期文學改革之比較〉（《河北師大學報》1987年4期）。趙家璧主編《中國新文學大系》（10集，上海，良友出版公司，民24）、中國新文學大系編輯委員會編輯《中國新文學大系》（19冊，上海文藝出版社，1990）、李何林《中國新文學研究參考資料（原名《近二十年中國文藝思潮論》（上海，生活書店，民36；香港中文大學近代史料出版組翻印，1980）、胡適等《五四新文學論戰集彙編》（2冊，臺北，長歌出版社，民64-65）及《五四新文學論戰集續編》（同上，民65）、胡適《中國新文學運動小史》（臺北，臺灣啟明書局，民47）、張若英（錢杏邨）《中國新文學運動史資料》（上海，光明書局，民23）、尾坂德司《中國新文學運動史》（正、續共2冊，東京，法政大學出版局，1957）、錢杏邨《中國新文學運動史》（上海，光明書局）、司馬長風《中國新文學史》（臺北，谷風出版社翻印，民75）、王瑤《中國新文學史稿》（2冊，上海，新文藝出版社，1954）、李何林等《中國新文學史研究》（北京，新建設雜誌社，1951）、張畢來《新文學史綱·第1卷》（北京，作家出版社，1955；1956年刊印時易名為《二十年代新文學發軔史：從「五四」時期到第一次國內革命戰爭前後》）、劉綬松《中國新文學史初稿》（2冊，北京，作家出版社，1956）、李一鳴《中國新文學史講話》（上海，世界書局，民36）、中國文學研究會《中國新文學事典》（東京，河出書房，1955）、鄭振鐸等《中國新文學大系導論選集》（香港，香港益群出版社，1961）、林莽編著《中國新文學廿年：公元1919年─1939年》（香港，世界出版社，1957）、王哲甫《中國新文學運動史》（景山書社，民22；香港，香港遠東圖書公司，1967）、尾坂德司《中國新文學運動史－政治と文學の交點・胡適から魯迅へ》（東京，法政大學出版局，1957）、成寶子《中國新文學運動發凡》（臺灣大學中文研究所碩士論文，民64年6月）、邱茂生《中國新文學現代主義思潮研究（1917-1949）》（中國文化大學中文研究所博士論文，民84年6月）、黃煥文〈中國新文學運動發生的經過〉（載張玉法主編《中國現代史論集》第6輯，臺北，民70）、田仲濟《五四新文學運動的精神》（濟南，山東人民出版社，1949）、王世棟編《新文學評論（上冊）》（上海，新文化書社）、周作人講、鄧恭三記錄《中國新文學的源流》（人文書店出版）、夏志清《新文學的傳統》（臺北，時報文化出版公司，民68）、趙聰《新文學作家列傳》（同上，民69）、劉納〈五四時期兩大作家群－文學研究會與前期創造社作家性格比較〉（《文學評論叢刊》26輯，1985年5月）、夏志清〈五四時代作家的親情與愛情〉（收入《聯副三十年來文學大系評論卷②－文學史話》，臺北，聯合報社，民70）、周錦編《中國新文學大事記》（列入周錦主編《中國現代文學研究叢刊》第1輯內之4，臺北，成文出版社，民69）、周錦《中國新文學簡史》（同上之10）、陳敬之《中國新文學的誕生》（同上第2輯之14）、《中國新文學運動的前驅》（《中國現代文學研究叢刊》第3輯內之21，臺北，成文出版社，民69）及《中國新文學運動的阻力》（同上之24）、樊駿〈〝五四〞與新文學的誕生〉（《中國社會科學》1989年4期）、朱鴻召〈在人的旗幟下：論五四文學的背景、發生和發展〉（《社會科學研究》1992年5期）、葉子銘〈人本主義思潮與〝五四〞新文學〉（《江海學刊》1989年4

期）、林萬菁〈略論〝五四〞新文學〉（《國際南社學會叢刊》第1輯，1990年6月）、邢鐵華〈略論五四新文學與辛亥革命之關係〉（《蘇州大學學報》1983年3期）、羊春秋、王忠祥〈〝五四〞以來的新文學對民族文學傳統的繼承和發揚〉（《理論戰線》1959年4期）、鄭穎《五四新文學時期的小品文研究》（中國文化大學中文研究所碩士論文，民85年6月）、復旦大學中文系二年級現代文學組〈〝五四〞新文學運動的領導權問題〉（載《紀念五四運動四十周年論文集》，上海人民出版社，1959）、羅蓀〈論〝五四〞時期新文學運動的兩條道路鬥爭〉（同上）、王瑤〈五四新文學前進的道路〉（《紀念五四運動六十周年學術討論會論文選》第3冊，北京，1980）、林寶章〈五四新文學今日之意義〉（《遼寧教育學院學報》1990年2期）、許志英〈五四新文學運動反帝主題的初步形成〉（《南京大學學報》1982年4期）、魏紹馨〈五四新文學的幾點理解—〝五四新文學運動〞緒論〉（《齊魯學刊》1982年4期）、劉青蓮〈五四新文學運動成果檢討〉（《中國文學系年刊（香港新亞書院）》第7期，1969年9月）、茅盾〈中國新文學運動〉（《北方論叢》1983年5期）、李葆琰〈略談初期新文學運動〉（《哈爾濱文藝》1979年5期）、大山正春〈中國新文學運動論〉（《明治學院論叢》37號，1955年6月）、莊嚴〈〝五四〞以來新文學研究的幾個問題〉（《蕪湖師專學報》1985年2期）、勞艾〈關於〝五四〞新文學和當代文學的估價問題〉（《作品與爭鳴》1981年11期）、楊揚〈論五四新文學的價值特徵〉（《華東師大學報》1992年1期）、劉華銘〈五四時期新文學繁榮索解〉（《遼寧師院學報》1980年3期）、王錦厚《五四新文學與外國文學》（成都，四川大學出版社，1989）、陳元愷〈論五四新文學與外國文學〉（《杭州大學學報》1982年1期）、王瑤〈「五四」新文學所受外國文學的影響〉（《新建設》1959年5期）、王德祿〈五四新文學與日本近代文學─兩個文學發展過程的比較研究〉（《中國現代文學研究叢刊》1986年4期）、秦弓〈選擇與理解─五四時期譯介日本文學的一種現象〉（同上，1996年2期）、羅鋼〈歷史匯流中的抉擇─論五四時期中西文學理論的融合與嬗變〉（同上，1991年4期）、熊建成〈中國「五四」與西班牙「九八年代」文學運動之分析比較〉（《五四精神的解咒與重塑─海峽兩岸紀念五四七十年論文集》，臺北，臺灣學生書局，民81）、陸孟雁《兩個文學運動之歷史比較：「一八九八年代」與「五四運動」》（輔仁大學西班牙語文研究所碩士論文，民77）、袁國興〈論五四文學中的西化傾向─兼談近代以來中國社會外傾心態的調節機制和活動〉（《學習與探索》1989年2期）、童煒鋼〈〝人〞的覺醒─〝五四〞新文學中所見的西方精神〉（《花城》1987年1期）、趙明〈論〝五四〞文學傳統的內質與張力─兼論魯迅傳統的斷裂〉（《寧夏大學學報》1996年4期）、鄭福成〈五四以來新文學的回顧〉（《河北師大學報》1984年1期）、黎舟等〈早期新文學運動與外國文藝思潮流派〉（《福建論壇》1984年2期）、黃昌勇〈五四新文學運動中的馬克思主義文學思潮〉（《文藝理論與批評》1992年4期）、許祖華〈先驅的智慧與五四新文學觀〉（《華中師大學報》1992年4期）、陸維天、湯奇雲〈對〝五四〞新文學觀念的歷史反思與理論考察〉（《新疆社科論壇》1993年1期）、伍世昭〈論〝五四〞新文學觀念及其相互關係〉（《惠州大學學報》1996年3期）、曹戈等〈略談新文學反封建的幾個問題〉（《文科教學》1981年2期）、沈叢文〈湘人對新文學運動的貢獻〉（《吉首師大學報》1982年1期）、湯逸中〈新文學運動和小資產階級作家〉（《華東師大學報》1982年2期）、倉石武四郎〈新文學運動とその工具問題〉（《日本中國學會報》第1號，1950年3月）、Feng Liping, "Democracy and Elitism: The May Fourth Ideal of Literature." （Modern China, Vol. 22, No.2, 1996）、王德祿〈五四運動與文藝復興—東西方兩個偉大文學運動比較〉（《晉陽學刊》1983年3期）、王曉初〈在人與非人的對抗中：崇高、悲與困惑—〝五四〞新文學的審美精神與情緒〉（《西南師大學報》1992年4期）、祁述裕〈論五四時期為人生作家群的審美流向〉（《安徽大學學報》1987年2期）、李今〈自我意識與〝五四〞新文學〉（《中國現代文學研究叢刊》1990年3期）、陳永芹〈論〝五四〞新文學悲劇意識的歷史生成〉（同上，1994年4期）、細谷草子〈五四新文學の理念と白樺派の人道主義〉（《野草》第6號，1972年1月）、姚春樹、吳錦濂、陳鍾英〈論〝五四〞新文學運動中的人道主義問題〉（《文學評論叢刊》第6輯，1980年8月）、李今《個人主義與五四新文學》（北方文藝出版社，1992）、嚴家炎〈關於五四新文學的領導思想問題〉（《中國現代文學研究叢刊》1984年1期）、劉納〈〝五四〞新文學的理性色彩及其對現代文學發展的意義〉（同上，1985年4期）、胡志毅〈〝五四〞新文學的神話意識及其流變〉（同上，1992年3期）、簡恩定〈揮刀可以斷流嗎？—五四新文學理論的省察〉（載《五四文學與文化變遷》，臺北，臺灣學生書局，民79）、陳慶煌〈五四以後傳統文學的承續及其困境〉（同上）、丁憶帆〈歷史邏輯與現實邏輯的統一：延安和五四時期文藝理論之比較〉（《延安大學學報》1992年2期）、林偉民〈左翼文學：〞五四〞現實主義傳統的背離與超越〉（《華東師大學報》1992年1期）、李興民〈五四以來女作家群的女性文學〉（《社會科學研究》1987年4期）、喬以鋼〈靈魂甦醒的歌唱：論五四時期的中國女性文學創作〉（《天津社會科學》1992年2期）、蓮子〈論〞五四〞女性文學的個性主義特色〉（《湘潭大學學報》1990年1期）、陳國恩〈論五四文學自我表現特徵〉（《學術論壇》1993年5期）、章培恒、談蓓芳〈論五四新文學與古代文學的關係〉（《復旦學報》1996年4期）、何錫章、龍泉明〈文化模式的內在規定與制約─〞五四〞與古代：浪漫主義文學比較論〉（《中國現代文學研究叢刊》1989年4期）、張福貴等〈晚明文學與五四文學的時差與異質〉（《中國社會科學》1996年6期）、溫蠖〈五四新文學晚清文學〉（《語言文學》1959年2期）、何洛〈無產階級思想與五四新文學運動〉（《科學與研究》1959年5期）、李何林〈五四時代新文學所受無產階級思想的影響〉（《新建設》14卷2期，1951年5月）、王克璞〈五四新文學與封建守舊派文人之爭若干史實略述〉（《津門文學論叢》1984年1期）、曹增渝〈〞五四〞以來中國新文學的文化選擇〉（《中州學刊》1989年4期）、方順景〈五四運動與新文學〉（《寧夏文藝》1979年3期）、楊振聲〈〞五四〞與新文學〉（載《〞五四〞卅周年紀念專輯》，北京，新華書店，1949）、胡愈之〈〞五四〞與文學改革〉（同上）、中華全國文藝協會《五四談文藝：文協十周年暨文藝節紀念特刊》（民37年）、羅成琰〈論五四新文學浪漫主義的興衰〉（《中國現代文學研究叢刊》1985年2期）、管寧〈五四新文學創作與歐洲浪漫主義文

學〉（《福建論壇》1983年4期）、顏敏〈〝五四〞浪漫主義文學
〝新質〞探〉（《江西社會科學》1993年9期）、劉岸挺〈五四浪漫
主義文學類型概説〉（《蘇州大學學報》1992年1期）、溫儒敏〈歐
洲現實主義傳入與〝五四〞時期的現實主義文學〉（《中國社會
科學》1986年3期）、孫玉蓉、王愛英〈〝五四〞新文學與〝學衡
派〞的文學論爭大事紀〉（《津門文學論叢》1981年2期）、魏威、
朱小如〈五四文學與新時期文學比較論〉（《花城》1987年4期）、
袁國興〈五四時期的個性意識與文學風範〉（《北方論叢》1992年3
期）、鄧國偉〈關於五四個性主義文學及其走向問題的思考〉
（《中國現代文學研究叢刊》1989年1期）、馮秋紅〈論〝五四〞個性
主義文學的悲劇性〉（《晉陽學刊》1993年4期）、陳方竟〈試論五
四新文學發展中的個性主義問題〉（《吉林師院學報》1984年1
期）、焦素娥、陳政〈論〝五四〞新文學中個性解放主義者的悲
劇〉（《南都學壇》1995年1期）、倪婷婷〈五四個性解放文學的歷
史特徵〉（《中國現代文學研究叢刊》1987年3期）及〈論〝五四〞文
學中性愛意識的局限〉（同上，1992年1期）、袁國興〈〝五四〞時
期的科學理想與文學意識〉（《海南師院學報》1993年1期）、張中
良〈論五四文學主潮〉（《西北大學學報》1993年4期）、張中良
《論〝五四〞文學啟蒙主義思潮》（中國社會科學院研究生院歷史學
博士論文，1991年7月）、俞兆平〈論五四時期文學主張與康德美學
的關係〉（《貴州社會科學》1993年6期）、許志英、倪婷婷《五·
四：人的文學》（南京，南京大學出版社，1992）、朱德發《五四文
學初探》（濟南，山東人民出版社，1982）、程金城〈五四文學原型
的變體〉（《西北師大學報》1993年5期）、張宜雷〈它來自中華民

族文化的長河一〝五四〞文學民族淵源初探〉（《河南大學學報》1985年2期）、魏紹馨〈正確認識五四文學的歷史傳統一和謝冕、童慶炳二同志商榷〉（《齊魯學刊》1985年6期）、張國棟〈尋找五四文學的歷史位置〉（《內蒙古大學學報》1991年2期）、啓華〈中國知識女性的漫漫長途一談談〝五四〞以來文學作品中的知識女性形象〉（《海南大學學報》1986年2期）、田中陽〈論五四以來新文學對農民形象審美視角的三次選擇〉（《湖南師大學報》1992年5期）、賀仲明〈五四文學中的〝父親〞形象探析〉（《貴州社會科學》1995年4期）、韓捷進〈啓蒙風雨中走出不同的憂患者一〝五四〞文學與法國文學憂患意識之異同〉（《海南師院學報》1996年4期）、王瑤〈〝五四〞時期對中國傳統文學的價值重估〉（《中國社會科學》1989年3期）、Merle Goldman, ed., Modern Chinese Literature in the May Fourth Era. （Cambridge, Mass. and London: Harvard East Asian Series 89, 1979）、Amitendranath Tagore, Literary Debates in Modern China, 1918-1937. （Tokyo: Center for East Asian Culturl Studies, 1967）、鐵峰〈二十世紀初期東北文學一兼談〝五四〞新文學在東北的影響〉（《北方論叢》1989年3期）、今里楨〈〝五四〞文學運動の臺灣への影響と鍾理和文學〉（《天理大學學報》36卷2號，1985年3月）、盧善慶〈五四與臺灣省新文學運動的崛起〉（《社會科學戰線》1982年3期）、蘇春生〈五四時期山西新文學發展概況〉（《山西大學學報》1992年1期）、盧敦基〈浙江文化與五四文學〉（《浙江學刊》1996年4期）、劉為民〈西方科學思潮對五四文學創作方法的影響〉（《文藝研究》1995年2期）及〈科學與五四文學的思想方法〉（《青海師大學報》1996年3期）、范家洪〈拓荒者的悲歌：略論五四時期的文學思想探索〉（《浙江師大學報》1992年3期）、倫海〈五四文學思想與德莫克拉西〉（《贛南師院學報》1992年5期）、趙福生〈論〞五四〞文學思潮的審美特徵〉（《中州學刊》1992年5期）、劉再復〈從〞五四〞文化精神談到強化現代文學研究的學術個性—在中國現代文學創新座談會上的講話〉（《中國現代文學研究叢刊》1989年2期）及〈「五四」文學啟蒙精神的失落與回歸〉（載《五四：多元的反思》，臺北，風雲時代出版公司，民78）、周海波〈五四文學批評觀念與方法的現代演進〉（《齊魯學刊》1996年3期）、邵荃麟〈關於〞五四〞文學的歷史評價問題〉（《新華半月刊》1959年9期）、秦家琪〈五四現實主義文學與人道主義〉（《南京師院學報》1980年1期）、王向峰〈五四文學運動的理論動員〉（《新文學論叢》1981年1期）、胡秋原〈五四文學運動の歷史的意義〉（《中國文學》95號，1946）、岡崎博之《五四文學運動の意義：新青年の知識人が步んだ道》（山口大學文學科碩士論文，1966）、劉德松〈五四時期的文學〉（《語文學習》1958年1期）、翁義欽〈五四運動與外國文學〉（《復旦學報》1979年4期）、葉水夫〈略論五四時期的外國文學介紹工作〉（《紀念五四運動六十周年學術討論會論文選》第3冊，北京，1980）、王錦園〈外來文藝思潮和五四新文學〉（《文學評論叢刊》21輯，1984年8月）、羅鋼〈〞五四〞時期及二十年代西方與現代主義文藝理論在中國〉（《中國社會科學》1988年2期）、高滔〈五四運動與中國文學〉（《文學》2卷6期，民23年6月）、高滔、岡本武彥〈五四運動と近世支那文學〉（《東洋文化》185、186號，1940）、高滔〈五四運動與中國文學〉（《文學

（上海）》2卷6期，民23年6月）、王泉根〈論五四時期的中國兒童文學〉（《西南師大學報》1987年4期）、方麗娟《中國五四時期之兒童文學研究》（東吳大學中文研究所碩士論文，民85年5月）、王丹紅〈論五四文學中的愛國主題〉（《河北學刊》1995年2期）、姜建〈中國社會的多彩畫卷—略論五四文學的風俗畫描寫〉（《南京師大學報》1984年3期）、郭延禮〈〝五四〞這塊文學界碑不容忽視—三論中國近代文學史的分期問題〉（《東岳論叢》1986年6期）、劉為民〈五四科學精神與中國現代文學〉（《青海師大學報》1993年4期）、袁國興〈〝五四〞時期的科學理想與文學意識〉（《海南師院學報》1993年1期）、劉納〈辛亥革命時期至五四時期我國文學的變革〉（《文學評論》1986年3期）。

其他與五四文學有關的有楊蔭滸、謝文榮〈五四運動與文風革命〉（《吉林師大學報》1979年2期）、楊晦〈「五四」以來中國新文藝運動與社會運動的關係〉（《大學月刊》6卷1期，民36年6月）、蔣夢麟〈談中國新文藝運動〉（《傳記文學》11卷3期，民56年9月）、陳紀瀅〈泛論五四及新文藝運動〉（《文藝創作》49期，民44年5月）、郭紹虞〈新文藝運動應走的途徑〉（《文學年報》第5期，民28年5月）、余光中〈迎中國的文藝復興〉（《文星》10卷4期，民51年8月）、林語堂〈五四以來的中國文學〉（《中國一周》846期，民55年7月）、王瑤〈五四時期散文的發展及其特點〉（《北京大學學報》1964年1期）、霍秀全〈論五四散文運動〉（《首都師大學報》1996年4期）、范培松〈論〝五四〞散文家的破壞心態—憤：中國現代散文史之一章〉（《蘇州大學學報》1989年4期）、汪文頂〈論〝五四〞散文抒情體式的變革與創新〉（《文學評論》1994年2期）、劉納〈〝五四〞新文學中的散文〉（《海南師院學報》1992年3期）、植栢燊《五四運動以後中國散文的發展》（香港珠海書院中國文史研究所碩士論文，1973年5月）、黃肖玉《五四運動以後的散文》（同上，1979年5月）、傅德岷〈論〝五四〞時期〝詩散文〞的創作〉（《西南師大學報》1995年3期）、程麻〈早春的綠芽—談〝五四〞時期的散文詩〉（《長江文學叢刊》1985年4期）、何鎮邦〈〝五四〞時期關於現代格律詩的初步探討〉（《昆明師院學報》1981年1期）、杜元明〈五四運動與早年新詩〉（《詩刊》1979年5期）、何鎮邦、方順景〈論〝五四〞新詩運動〉（《中國現代文學研究叢刊》1981年4輯）、白崇義〈〝五四〞前後的新詩運動〉（《新文學論叢》1980年1期）、陳喆、劉忱〈〝五四〞新詩中〝個性解放〞問題初探〉（《藝譚》1984年1期）、張宇宏〈五四新詩與古典詩歌〉（《吉林大學學報》1984年5期）、馮國晨〈〝五四〞新詩對傳統詩歌的繼承〉（《克山師專學報》1985年2期）、劉為民〈〝賽先生〞與〝五四〞新詩意象〉（《文學評論》1995年1期）、祝寬〈〝五四〞詩歌革命的興起—《中國現代詩歌史》片斷之一〉（《青海民族學院學報》1985年3期）及〈〝五四〞詩歌革命在理論方面的倡導和建設—《五四詩歌史》片斷之一〉（同上，1987年3期）、江建文〈論五四時期的新詩革命〉（《廣西大學學報》1982年1期）、丁力〈古怪詩論瑣憶—關於〝五四〞新詩革命和歷史上的三次討論〉（《福建文藝》1981年3期）、柴千〈論〝五四〞新詩雅俗契合的審美取向〉（《齊齊哈爾師院學報》1995年3期）、孫騰芳、陳釗淦〈〝五四〞新詩的歷史評價〉（《廈門大學學報》1959年2期）、李旦初〈〝五四〞新詩流派初探〉（《中國

現代文學研究叢刊》1981年2期）、區啟林《五四以來新詩之發展及
其評論》（香港新亞研究所碩士論文，1981年7月）、卓立〈〝五四〞
前後新詩流派之我見〉（《福建論壇》1994年3期）、黃維樑〈五四
新詩所受的英美影響〉（《北京大學學報》1988年5期）、盛子潮
〈〝五四〞時期三種主要詩體評述〉（《杭州師院學報》1984年3
期）、駱寒超〈論〝五四〞時期的詩體大解放〉（《文學評論》
1993年5期）、龍泉明〈〝五四〞白話新詩的〝非詩化〞傾向與歷
史局限〉（同上，1995年1期）、秦亢宗、蔣成瑀〈〝五四〞時期寫
實派白話詩述評〉（《杭州大學學報》1982年3期）、黃維樑〈紀念
〝五四〞六十周年之際—論詩的新與舊〉（《中國人》第5期，1979
年5月）、于興漢〈試論五四初期的白話文建設〉（《山西師大學
報》1987年3期）、大原信一〈五四白話と歐化語法〉（《東洋研究
（大東文化大學東洋研究所》93、94號，1990年1、2月）、陳瑗婷《民
初的白話文運動（1917-1919）》（輔仁大學中文研究所碩士論文，民
78）、陳平原〈論白話文運動〉（《中山大學研究生學刊》1982年3
期）、大原信一〈白話文運動とその時代〉（《人文學》21號，
1956）、國枝稔〈白話運動と習作期の新詩形について〉（《岐大
學藝學部研究報告（人文科學）》第9號，1960）、高名凱等〈五四運
動與白話文問題〉（《北京大學學報》1959年3期）、徐英〈十五年
來所謂的白話文運動之總檢討〉（《國風》3卷10、11期，民23年12
月）、范欽林〈如何評價〝五四〞白話文運動—與鄭敏先生商
榷〉（《文學評論》1994年2期）、鄭敏〈關於《如何評價〝五四〞
白話文運動》商榷之商榷〉（同上）、夏曉虹〈五四白話文學的
歷史淵源〉（《中國現代文學研究叢刊》1985年3期）、李瑞騰〈晚

清：五四「白話文」理論的源頭〉（《五四精神的解咒與重塑：海峽
兩岸紀念五四七十年論文集》，臺北，臺灣學生書局，民81）、王文進
〈新文化運動反映下的文學史寫作—劉大杰以民間文學為主流觀
點的檢討〉（同上）、賀汪澤〈五四時期文章觀念的變革與重
建〉（《湖南師大學報》1993年5期）、湯哲聲〈戊戌到〝五四〞時
期文章體裁的變革〉（《中國現代文學研究叢刊》1988年3期）、姜振
昌〈論五四雜文的社會性批判〉（《山東社會科學》1994年1期）、
白先勇〈社會意識與小説藝術—五四以來中國小説的幾個問題〉
（《明報》14卷10期，1979年10月）、林榮松〈論五四小説〝文備眾
體〞的文體特色〉（《中州學刊》1995年4期）、林榮松〈五四小説
文體新論〉（《湖北大學學報》1995年5期）、汪文頂〈〝五四〞散
文抒情體式的變革與創新〉（《文學評論》1994年2期）、閻晶明
〈論五四小説的主情特徵〉（《陝西師大學報》1987年2期）、吳秀
亮〈〝五四〞時期雅俗小説的關係結構〉（《文學評論》1995年6
期）、〈〝五四〞雅俗小説並存格局的歷史生成〉（《中國現代文
學研究叢刊》1996年4期）及〈從晚清到〝五四〞：文化轉型與小説
的雅化進程〉（《江海學刊》1996年4期）、陳利明〈論五四小説的
自敍性〉（《學術月刊》1996年7期）、丁柏銓、王樹桃〈〝五四〞
小説與新時期小説敍事視角比較〉（《南京大學學報》1995年1
期）、趙福生〈略論〝五四〞小説的敍述方式〉（《安慶師院學
報》1984年1期）、嚴家炎〈五四時期〝問題小説〞—中國現代小
説流派論之一〉（《小説界》1984年2期）、應國靖〈〝運用腦髓，
放出眼光，自己來拿〞談我國翻譯小説史及對新文學運動的影
響〉（《克山師專學報》1984年4期）、祁述裕〈論〝五四〞小説中

的哲學意味〉（《藝譚》1985年4期）、林基成〈不安定的靈魂—論
五四時期的浪漫主義小說〉（《中國社會科學》1985年2期）、宋紅
芳〈〝五四〞鄉土小說的悲劇意蘊〉（《河北師大學報》1996年2
期）、丁帆〈五四以來〝鄉土小說〞的固定與蛻變〉（《學術研
究》1992年5期）、趙圓〈〝五四〞時期小說中的婚姻愛情問題〉
（《中國社會科學》1983年4期）、張建生〈論〝五四〞創作的文化
意識與文化氣質〉（《蘭州大學學報》1994年1期）、王平陵〈五四
以來中國小說的發展〉（《大學生活》5卷1期，1959年5月）、趙令揚
〈五四短篇小說中的人道主義〉（《明報》15卷9期，1980年9月）、
牧戶和宏〈五四小說に見られる《私》像〉（《野草》第6號，1972
年1月）、王潤華〈五四小說人物的〝狂〞和〝死〞與反傳統主
題〉（《文學評論》1990年2期）、閻晶明〈略論五四小說中的〝母
愛〞〉（《中國現代文學研究叢刊》1986年3期）、沙似鵬〈〝五四〞
小說理論與近代小說理論的關係〉（同上，1984年2期）、陳衛平
〈五四小說理論和科學精神〉（同上，1986年4期）、李進〈論五
四小說中的生與死〉（同上，1991年1期）、季桂起〈關於〝五四〞
時期的抒情小說〉（《文學評論》1995年6期）、何錫章〈〝五四〞
抒情小說與時代精神〉（《中國現代文學研究叢刊》1992年4期）、彭
小妍〈沈從文的《阿麗思中國遊記》：童話或寫實？—兼論五四
小說形式的流變〉（載鍾彩鈞主編《中國文哲研究的回顧與展望論文
集》，臺北，中央研究院中國文哲研究所，民81）、楊玉峰《「五四」
短篇小說主題研究：1917-1927年間的中國婦女解放問題》（香港
大學碩士論文，1983）、李圭嬉《「五四」小說中所反映的女性意
識》（中國文化大學中文研究所碩士論文，民84年6月）、鄭宜芬《五

四時期（1917-1927）的女性小説研究》（政治大學中文研究所碩士論文，民85年7月）、韓莓〈五四時期女性小説的性別認同及其局限性〉（《華中師大學報》1995年3期）、郝勝道〈五四時期農村婦女題材小説漫議〉（《信陽師院學報》1987年4期）、宋紅芳〈"五四"鄉土小説的悲劇意蘊〉（《河北師大學報》1996年2期）、楊劍龍〈「五四」小説中的基督教色彩〉（《二十一世紀》16期，1993年4月）、趙圓〈五四時期小説中的知識分子形象〉（《文學評論》1984年3期）、譚廷杰〈"五四"小説中知識分子形象淺論〉（《懷化師專學報》1993年3期）、康林〈論五四時期知識分子題材小説的中心衝突〉（《中國社會科學》1985年6期）、錢虹〈覺醒、苦悶、危機—論五四時期女作家的愛情觀及其描寫〉（《文學評論》1987年2期）、楊揚〈略論"五四"時期女作家的創作〉（《中國文學研究》1992年1期）、趙文勝〈論五四女作家筆下的知識女性形象〉（《南京師大學報》1992年1期）、孟悅〈視角問題與五四小説的現代化〉（《文學評論》，1985年5期）、楊劍龍〈論"五四"小説的基督精神〉（同上，1992年5期）、劉納〈"五四"小説創作方法之發展〉（同上，1982年5期）、吳福輝〈"五四"時期小説批評概述〉（《文學評論叢刊》11輯，1982年5月）、吳克〈五四小説藝術風貌〉（同上，21輯，1984年8月）、錦襄〈試論"五四"時期中國現代小説與外國小説的關係〉（同上，第6輯，1980年8月）、湯哲聲〈論中國現代小説形成發展中的三個環扣—"五四"文學思想流變研究之一〉（《蘇州大學學報》1987年3期）、Perry Link, "Traditional-Style Popular Urban Faction in the Teens and Twenties." (In Merle Goldman, ed., Modern Chinese Literature in the May Fourth Era, Combridge, Mass. and London: Harvard East Asian Series 89, 1979）、Joseph S. M. Lau（劉紹銘）、Hsia C. T.（夏志清）and Leo Ou-fan Lee（李歐梵），eds., Modern Chinese Stories and Novelas, 1919-1949.（New York: Columbia University Press, 1981）、趙聰《五四文壇點滴》（臺北，地平線出版社，民63）及《五四文壇泥爪》（臺北，時報文化出版公司，民69）、顏敏〈試析五四文壇接受尼采學說的原因〉（《江西師大學報》1991年2期）、舒蘭《五四時代的新詩作家和作品》（列入周錦主編《中國現代文學研究叢刊》第1輯內之6；臺北，成文出版社，民69）、尹雪曼《五四時代的小說家和作品》（同上之1）、Ellen Widmer & David Der-wei Wang（王德威），eds., From May Fourth to June Fourth: Fiction and Film in Twentieth Century China.（Cambridge, Mass.: Harvard University Press, 1993）、陸志韋〈〝五四〞紀念再談談新文字〉（載《〝五四〞卅周年紀念專輯》，北京，新華書店，1949）、張春雷、崔智友〈也論五四時期〝漢字革命〞及其歷史地位〉（《社會科學評論》1986年1期）、張壽康〈五四運動與現代漢語的形成〉（《北京師院學報》1979年2期）、久保田美年子〈中國における語文改革運動—「五四語文改革」と「文言復興」を中心にする〉（《二松學舍大學論集·昭和52年度（一般教育編）》，1977年10月）。

　　以反孔、打倒孔家店為題的有趙明〈五四時期的反孔鬥爭〉（《開封師院學報》1973年1期）、史文學〈五四運動時期的反孔鬥爭〉（同上）、朱玉湘〈試論五四時期思想界對孔子的評價〉（載《孔子及孔子思想再評價》，長春，吉林人民出版社，1980）、黃頌康〈對五四時代孔子批判的再認識〉（《清華大學學報》1988年2期）、史眾〈五四時期批孔鬥爭的歷史經驗─紀念五四運動五十五周年〉（《紅旗》1974年5期）、周策縱著、蔡振念譯〈五四前後的孔教與反孔教運動〉（《大陸雜誌》76卷3期，民77年3月）、陳瑞雲〈五四時期反孔鬥爭與馬克思列寧主義在中國的傳播〉（《吉林大學學報》1974年2期）、苗潤田〈〞五四〞對孔學批判的理論成果需要總結〉（《齊魯學刊》1989年3期）、王海濱等〈論打倒孔家店的現實意義〉（《北京師院學報》1989年2期）、郭少棠〈從社會價值論「五四」與「文革」兩次批孔〉（《中國人》第5期，1979年5月）、黎活二〈五四的批孔運動隨想〉（《五四運動六十周年紀念論文集》，香港大學中文學會，1979）、蔡尚思〈五四時期〞打倒孔家店〞的實踐意義〉（《紀念五四運動六十周年學術討論會論文選》第1冊，北京，1980）、林嘉言〈「打倒孔家店」の由來─五四時期を中心として〉（《慶應大學教養論集》74號，1986年11月）、中國近代史組〈論打倒孔家店〉（《北京師院學報》1959年3期）、金先澤〈五四時期打倒孔家店的鬥爭〉（《吉林師大學報》1974年1期）、陳本銘〈孔子教育思想試評─兼論五四時期打倒孔家店的口號〉（《福建師大學報》1979年3期）、韓達〈〞打倒孔家店〞與評孔思潮〉（《百科知識》1982年11期）、李超英〈也談打倒孔家店〉（《貴州文史叢刊》1987年2期）、郭沂〈〞打倒孔家店〞與中國傳統文化的現代命運〉（《齊魯學刊》1989年3期）、徐頑強〈評〞五四〞時期的〞打倒孔家店〞〉（《湖北大學學報》1992年2期）、宋仲福〈關於〞打倒孔家店〞的歷史考察〉（《孔子研究》1992年2期）、呂明灼〈五四批孔真相─〞打倒孔家店〞辨析〉（《齊魯學刊》1989年5、6期）。

以五四傳統或反傳統為題的有余英時〈五四運動與中國傳統〉（載汪榮祖編《五四研究論文集》，臺北，民68）、韓凌軒〈五四傳統與中國現代化〉（《文史哲》1989年4期）、王敬文〈五四傳統與自主意識〉（《湖北大學學報》1989年3期）、龔書鐸〈〝五四〞時期的反傳統〉（《北京師大學報》1989年3期）、胡思庸〈〝五四〞的反傳統與當代的文化熱〉（《中州學刊》1989年4期）、鄭大華〈〝五四〞是〝全盤性的反傳統運動〞嗎—兼與林毓生教授商榷〉（《求索》1992年4期）、林慶元〈〝五四〞反傳統和〝五四〞傳統〉（《香港中國近代史學會會刊》第4、5期，1991年1月）、Lin Yu-Sheng（林毓生），The Crisis of Chinese Consciousness: Radical Antitraditionalism in the May Fourth Era. （Madison: University of Wisconsin Press, 1979）、林毓生〈五四新文化運動中的反傳統思想〉（《中外文學》3卷12期，民64年5月）、〈五四式反傳統思想與中國意識的危機〉（收於周玉山編《五四論集》，臺北，成文出版社，民69）及〈五四時代的激烈反傳統思想與中國自由主義的前途〉（用英文撰寫，由劉錚雲、徐澄琪、黃進興譯成中文，載《明報》11卷5-7期，1976年5-7月）、林毓生著、弘祺譯〈論中國意識的危機—五四式的反傳統思想與全盤西化思想〉（《中國人》第5期，1979年5月）、林毓生著、劉惠珍譯〈五四時期全盤反傳統思想的根源〉（《幼獅月刊》55卷5期，民71年5月）、湯一介〈五四運動的反傳統和學術自由〉（《歷史月刊》16期，民78年5月）、杜繼平《五四時期的反傳統思想》（臺灣大學歷史研究所碩士論文，民72）、王慶安〈評〝五四〞前期的反傳統主義〉（《湘潭大學學報》1996年6期)、王樾〈晚清思潮的批判意識對五四反傳統思想的影響—以譚嗣同的變法思想為例〉（載中國古典文學研究會主編《五四文學與文化變遷》,臺北,臺灣學生書局,民79）、栗勁〈對五四時期法學上反傳統的新評價：紀念五四運動七十周年〉（《中國法學》1989年3期）、董大中〈如何看待五四的"反傳統"：紀念"五四運動"七十周年〉（《魯迅研究月刊》1996年4期）、譚志強〈傳統與現代—對五四以來反傳統經驗及調和折衷論的反省〉（《大學雜誌》36卷4期,民74年10月）。

以（五四）啟蒙或啟蒙運動為題的有張靜如、高力克〈自由與五四啟蒙〉（《近代史研究》1989年3期）、黃斌〈析五四啟蒙的歷史意義〉（《雲南教育學院學報》1989年2期）、黃志英〈五四啟蒙與中國現代的歷史進程〉（《華南師大學報》1989年2期）、周武〈論五四啟蒙的內在衝突〉（《社會科學（上海）》1989年5期）、逄增玉〈五四：啟蒙的歷史與今天的反思〉（《東北師大學報》1989年3期）、郭羅基〈中國的現代需要新啟蒙：紀念五四運動七十周年〉（《南京大學學報》1989年3期）、劉桂生主編《時代的錯位與理論的選擇—西方近代思潮與中國"五四"啟蒙思想》（北京,清華大學出版社,1989）、洪峻峰〈五四啟蒙思路的形成〉（《廈門大學學報》1992年2期）、陳青菲〈評"救亡中斷「五四」啟蒙精神"論〉（《人文雜志》1991年4期）、林非〈對"五四"啟蒙與"文學革命"的反思〉（《中州學刊》1989年3期）、朱金瑞、王少卿〈啟蒙和救亡的糾纏與五四時期新村主義的演變〉（《許昌師專學報》1989年1期）、立文〈現代化的偉大啟蒙：五四科學與民主精神的歷史反思〉（《社會科學（上海）》1989年5期）、徐明

德〈論文化的啟蒙與文學的啟蒙：為紀念五四運動70周年而作〉
（《安順師專學報》1989年2期）、楊漢池〈評李澤厚的〝啟蒙與救
亡的雙重變奏〞〉（《高校社會科學》1990年4期）、謝林〈也談
〝啟蒙〞與〝救亡〞〉（《西北師大學報》1990年4期）、劉斯翰等
〈思想啟蒙與反傳統：李澤厚談五四運動〉（《學術研究》1989年2
期）、劉曉波〈真正的啟蒙，應當舉起人的解放的旗幟一〝五
四〞運動反思〉（《蛇口通訊報》1988年9期）、林慧勇〈啟蒙的悲
劇與悲劇的啟蒙〉（《中國社科院研究生院學報》1989年4期）、何德
功〈對兩代啟蒙者的反思〉（同上）、丁守和《從五四啟蒙運動
到馬克思主義傳播》（北京，三聯書店，1963）、陳漢楚〈試論五
四時期思想啟蒙運動及其歷史局限〉（《中國哲學史研究》1981年2
期）、李佑新〈五四啟蒙運動的反思：個體與群體究竟以誰為本
位〉（《湘潭大學學報》1989年2期）、汪暉〈預言與危機一中國現
代歷史中的〝五四〞啟蒙運動〉（《文學評論》1989年3、4期）、陳
碧笙〈五四運動後的文化啟蒙運動〉（《臺聲》1984年5期）、洪俊
峰〈五四後啟蒙運動的兩種走向〉（《廈門大學學報》1993年2
期）、張磊〈劃時代的偉大啟蒙運動〉（《學術研究》1979年2
期）、彭明〈中國現代史上的啟蒙運動〉（《文史哲》1979年2
期）、何幹之《近代中國啟蒙運動史》（上海，生活書店，民
26）、秦弓〈論西方思潮對五四啟蒙運動的影響〉（《中國社會科
學院研究生院學報》1991年4期）、張芬梅〈兩次啟蒙運動與兩次大
革命：中法民主革命比較研究〉（《徐州師院學報》1989年2期）。

　　關於五四時期的思想、主義（前已列舉者不再贅舉）有李龍
牧《五四時期思想史論》（上海，復旦大學出版社，1990）、周昌龍

《新思潮與傳統—五四思想史論集》（臺北，時報文化出版公司，民84）、張灝〈形象與實質—再認五四思想〉（韋政通等著《自由民主的思想與文化（紀念殷海光逝世20周年學術研討會論文集》，臺北，自立晚報社文化出版部，民79年4月）、Sun Lung-Kee（孫隆基），"Mystical Aspects of May Fourth Thinking."（Republican China, Vol.12, No.1, November 1986）、村田雄二郎〈中國當代思想と「五四」〉（《現代中國》63號，1989年7月）、史華慈（Benjamin I. Schwartz）〈五四及五四之後的思想史主題〉（係費正清主編、章建剛等譯《劍橋中華民國史》第一部之第8章，上海人民出版社，1991）、伊東昭雄〈五‧四運動の思想史的意義—丸山松幸著「五‧四運動」をめぐつて〉（《歷史學研究》355號，1969年12月）、橫山英〈五‧四運動の思想とその繼承について〉（同上，362號，1970年7月）、張玉法〈五四時期的思潮〉（收入氏著《歷史演講集》，臺北，東大圖書公司，民80）、楊義〈五四思潮與中國文化〉（載《五四運動與中國文化建設—五四運動七十周年學術討論會論文選》上冊，北京，1989）、林毓生〈對五四思想啟蒙運動的再認識〉（同上）、胡秋原〈五四時代以來的思想運動〉（《中華雜誌》16卷7、8、10期，民67年7、8、10月）、沈鑑〈五四時代的思想自由〉（《大學》3卷5、6期，民33）、徐興武〈五四前後新思潮澎湃—民族覺醒與自救〉（《中外雜誌》37卷5、6期，民74年5、6月）、李孝悌〈略論五四時代的保守思潮〉（《幼獅月刊》55卷5期，民71年5月）、鄭志明〈五四思潮對文學史觀的影響〉（載中國古典文學研究會主編《五四文學與文化變遷》，臺北，臺灣學生書局，民79）、陳器文〈論五四之「解放」思潮與文學之「解禁」現象〉（同上）、王正萍、蔣國田〈五四運動和思想解放〉（《山西師院學報》1979年2期）、唐純良〈論五四時期中國人民的思想解放運動〉（《北方論叢》1979年3期）、孫國權〈論五四時期的思想解放運動〉（《華南師院學報》1979年3期）、張同基〈〝五四〞思想解放運動的正道與迷途〉（《寧夏社會科學》1989年5期）、黎風〈五四思想解放運動與新文學的發展〉（《社會科學論文集》第1輯，1979）、趙希鼎〈五四運動時期的思想解放〉（《史學月刊》1959年5期）、金普森等〈試論五四時期的思想解放運動〉（《杭州大學學報》1979年1-2期）、張豈之〈五四思想解放運動的歷史經驗〉（《陝西省歷史學會會刊》1979年1期）、綦軍〈〝五四〞思想解放運動歷史條件探究〉（《內蒙古民族師院學報》1993年1期）、張圻福〈五四運動與思想解放〉（《中學歷史教學》1979年1期）、沙健孫〈五四時期的思想解放運動與馬克思主義〉（《中共黨史研究》1989年3期）、劉成根〈五四運動與思想解放〉（《社會科學研究》1989年4期）、李鵬程、凌信〈五四運動與當代思想解放〉（載《五四運動與中國文化建設—五四運動七十周年學術討論會論文選》上冊，北京，1989）、陳漢楚〈風雨過後花更艷—五四時期的思想解放運動給我們的啟示〉（《中國青年》1979年5期）及〈五四時期中國婦女的思想解放〉（《中國婦女》1979年4期）、中山義弘〈五四運動における女性解放思想〉（《北九州大學外國語學部紀要》35、36號，1978年10月、1979年1月）、小野和子〈五·四運動期の婦人解放思想—家族制度イデオロギーとの對決〉（《思想》590號，1973年8月）；李貞德〈五四前後婦女解放思想之簡介與試評〉（《史繹》18期，民71年6月）、蕭愛樹〈五四新文化運動時期的婦女解放思潮〉（《濟寧師專學報》1996年3期）、胡愛、吳效馬〈〝人的發現〞與〝女性的發現〞：論五四時期婦女解放思潮的內在理路〉（《武陵學刊》1996年3期）、林維紅〈婦女與救國—清季到五四女權思想的發展〉（《幼獅月刊》55卷5期，民71年5月）、張靜如、蔡德金〈論五四時期反封建的思想革命〉（《北京師大學報》1979年2期）、林鐵鈞〈五四新文化運動與反封建思想〉（《中國史研究》1979年2期）、徐宗勉、朱成甲〈論〝五四〞時期的反封建思想革命〉（《歷史研究》1979年5期）、楊躍進〈略論〝五四〞運動不具有反封建主義徹底性〉（《學術百家》1989年2期）、王致中〈論五四前夜偉大的反封建思想革命〉（《社會科學》1979年2期）、陳漢楚〈五四時期反封建主義的歷史局限〉（《學習與探索》1980年1期）；顧全芳〈簡論五四民主思想〉（《山西師院學報》1979年2期）、王檜林〈五四時期民主思想的演變〉（《歷史研究》1989年3期）、侯外廬〈五四時期的民主和科學思潮〉（《紅旗》1979年5期）、戴緒恭〈試論〝五四〞前夜的民主與科學思潮〉（《華中師院學報》1979年2期）、李華興、姜義華、朱維錚〈〝五四〞時期民主與專制主義的鬥爭〉（《復旦學報》1979年3期）、藤谷博〈五·四運動期の中國民主主義思想—大眾組織を中心にして〉（《阪大法學》56號，1965年12月）、（李）平心〈論「五四」前的民主思潮〉（《新建設》1959年5期）、Arif Dirlik, "The Two May Fourths: 1919, 1989:Some Thoughts on Democracy, Nationalism and Socialism in Representations of the May Fourth Movement."（Modern Chinese History Society of Hong Kong Bulletin, No. 4,5, 1991）、吳乃華〈試論五四時期思想家的民主觀〉（《人文雜誌》1995年5期）、周陽山〈五四時代的民主觀對中國政治發展的影響〉（收入氏所主編《從五四到新五四》，臺北，時報文化出版公司，民78）、陸文培〈五四運動和民主意識〉（《淮北煤師院學報》1989年2期）、顧昕〈民粹主義與五四激進思潮（1918-1921）〉（《東方》1996年3期）；張星星〈五四時期新思潮傳播的社會心理原因〉（《史學月刊》1989年2期）、陳廷湘〈解放與升華：五四時期新思想界對人性解放的思考〉（《社會科學研究》1988年5期）、鄭仁霞〈試論五四新文化運動時期的個性解放思潮〉（《北京農業工程大學學報》1995年1、2期合刊；亦載《青海社會科學》1996年3期）、楊百揆〈〝五四〞思潮在倫理道德問題上的偏失〉（《天津社會科學》1989年4期）、周熾成〈現代新儒家對五四道德革命的批評與回應〉（《華南師大學報》1990年4期）、劉文娟〈試論五四時期人權思想的演變〉（《華中師大學報》1993年1期）、熊月之〈略論五四時期的人權思想〉（載《五四運動與中國文化建設—五四運動七十周年學術討論會論文選》上冊，北京，1989）、朱志敏〈論五四時期的平民主義思潮〉（《近代史研究》1989年2期）、吳澤〈五四前後疑古思想的分析和批判〉（《歷史教學問題》1959年4期）、吳乃華〈試析五四思想家的儒道觀〉（《山東師大學報》1995年2期）、陳昭順《五四時期的反儒思潮》（政治大學歷史研究所碩士論文，民78年6月）、沈慶林〈新村思想和新村運動〉（《黨史研究資料》1986年12期）、李少兵〈〝五四〞時期新村主義新探〉（《史學月刊》1992年6期）、趙泓〈論五四知識分子對新村主義的不同理解角度〉（《貴州師大學報》1992年3期）、李桂林〈五四時期的教育思潮〉（《吉林師大學報》1979年3期）、張榮祿〈試評五四時

期教育救國思潮〉（《唐都學刊》1996年3期）、廖和平〈五四時期
〝教育救國〞思潮的形成〉（《益陽師專學報》1996年1期）、梁元
棟《五四運動前後政治思潮與國民革命》（政治大學三民主義研究
所碩士論文，民70）、岡田清《五四運動に於ける政治思想の展開
とその社會的基礎》（慶應大學法學研究所碩士論文，1952）、陳旭
麓〈五四前夜政治思想的逆流〉（《學術月刊》1959年2-4期）、呂
振羽〈五四後中國政治思想史研究中兩條道路的鬥爭〉（《歷史
教學問題》1959年4期）、李維武〈五四時期的科學主義思潮〉
（《湖北社會科學》1989年3期）、陳廷湘〈五四時期的科學主義思
潮及其再思考〉（《貴州社會科學》1992年2期）、劉紀曜〈五四時
代的科學與科學主義〉（載張玉法主編《中國現代史論集》第6輯，臺
北，民70）、胡逢祥〈〝五四時期的〝科學主義〞思潮與中國史
學的現代化建設〉（《華東師大學報》1995年6期）、黃知正〈五四
科學思潮的雙重軌跡〉（收入周陽山主編《從五四到新五四》，臺
北，時報文化出版公司，民78）、吳乃華〈五四科學思想初探〉
（《人文雜志》1994年3期）、林錫奇〈五四時期的自然科學思想〉
（《江西黨史研究》1989年2期）、汪廣仁〈五四以來〝科學救國〞
思想初探〉（《清華大學學報》1989年1期）、Patricia Ubēroi, "Sci-
ence, Democracy and the Cosmology of the May Fourth Move-
ment"（China Report〔India〕, Vol.23, No. 4, 1987）、何紹仁〈自
由主義在〝五四〞的命運〉（《山東社會科學》1989年2期）、鄔昆
如等《五四運動與自由主義》（臺北，先知出版社，民63）、甘陽
〈自由的理念：「五四」傳統之闕失面—為「五四」七十周年而
作〉（載《五四：多元的反思》，臺北，風雲時代出版公司，民78）、

李歐梵〈五四運動與浪漫主義〉（《大學雜誌》54期，民61年5月；亦載張玉法主編《中國現代史論集》第6輯，民70）、李福春〈中國人民愛國主義的新覺醒：紀念五四運動65周年〉（《齊齊哈爾師院學報》1984年2期）、王京生〈論五四時期愛國主義發展的歷史經驗〉（《研究‧資料與譯文》1985年2期）、朱玉湘〈五四運動與愛國主義〉（《山東大學文科論文集刊》1984年1期）、徐長林〈試論五四運動的愛國主義的歷史特點〉（《黨史研究與教學》1989年2期）、張岱年〈紀念五四，發揚愛國主義〉（載《五四運動與中國文化建設－五四運動七十周年學術討論會論文選》，北京，1989）、唐昌意〈論五四以來的革命與破壞主義〉（《晉陽學刊》1989年2期）、陳豐祥〈五四時期的民族主義〉（《師大歷史學報》第9期，民70年5月）、Vera Schwarcz, "Remapning May Fourth: Between Nationalism and Enlightenment." （Republican China, Vol.12, No.1, November 1986）、林崗〈民族主義、個人主義與五四運動〉（載《五四運動與中國文化建設－五四運動七十周年學術討論會論文選》上冊，北京，1989）、陳三井〈五四時期工讀思潮的發生及其演變〉（《第二屆國際漢學會議論文集》第3冊，臺北，民75）、張嬡、建農〈簡論五四時期〝工讀主義〞思潮〉（《黃淮學刊》1990年2期）、邢東勤〈〝五四〞時期工讀互助主義述評〉（《浙江學刊》1990年1期）、史也夫、胡愛群〈五四時期工讀互助主義評析〉（《北方論叢》1996年3期）、鄧野〈五四時期的工讀互助主義及其實踐〉（《文史哲》1982年6期）、湯庭芬〈五四運動前後工讀互助主義的興起及其原因〉（《政治學研究資料》1987年3期）、郭笙編著《〝五四〞時期的工讀運動和工讀思潮》（北京，教育科學出版社，1986）、趙泓〈論五四時期的工讀主義思潮〉（《貴州文史叢刊》1996年1期）、譚雙泉〈五四時期的＂問題與主義＂論戰〉（《湖南師院學報》1979年2期）、庹平〈關於＂五四＂時期＂問題與主義＂論戰的階段劃分問題—與譚雙泉同志商榷〉（《貴州社會科學》1986年4期）、李良玉〈關於五四時期＂問題與主義之爭＂的歷史考辨〉（《南京大學學報》1993年1期）、官守熙〈關於1919年問題與主義之爭的評論的商榷：兼談實驗主義和改良主義在五四時期的社會影響〉（《內蒙古大學學報》1982年2期）、劉承坤〈＂五四＂運動時期＂問題與主義＂的論戰〉（《史學月刊》1959年5期）、魏紹馨〈關於＂問題與主義＂之爭及其評價的歷史反思〉（《齊魯學刊》1994年1期）、朱維錚、姜義華、李華興〈＂五四＂時期科學與蒙昧主義的鬥爭〉（《復旦學報》1979年3期）、丁守和〈實業救國、教育救國、科學救國思潮的再認識〉（《文史哲》1993年5期）、周葱秀〈論五四時期現實主義的蛻變〉（《河北師院學報》1994年4期）、楊慧清〈＂五四＂前期資本主義信念的動搖〉（《北京社會科學》1990年3期）、彭鵬〈尼采與五四思潮〉（《中山大學研究生學刊》1988年4期）、黃競新《五四時代之中國文藝思潮及其發展》（香港珠海書院中國文史研究所碩士論文，1974年5月）、劉俐娜〈五四時期史學思潮新探〉（《近代史研究》1991年1期）、蔡素貞〈五四美術思潮及其影響〉（《史學通訊（中國文化大學史學學社編印）》26期，民80年6月）、高奇〈批判武器研究：論五四前期的進化思潮〉（《江漢論壇》1989年五四增刊）、滕復〈＂五四＂時期的東方文化思潮與現代新儒家〉（《孔子研究》1988年3期）、丁守和〈論五四時期的社會思潮〉（《哲學研究》1979年5期）、劉雲久主編《五四時期社會思潮研究》（哈爾濱，黑龍江人民出版社，1988）、李岩〈論五四時期社會思潮的歷史特點〉（《中國青運》1990年2期）、林浣芬〈略論〝五四〞時期探求真理的社會思潮〉（《河南師大學報》1980年3期）、邱江生〈五四時期安徽社會思潮初探〉（《安徽史學》1986年6期）、陳孔宣等〈五四時期安徽的社會思潮〉（《安徽省委黨校學報》1989年2期）、劉雲久〈五四時期社會思潮的特點及其歷史評價〉（《學術交流》1989年3期）、梁元棟〈五四運動前後社會主義思想初探〉（《大華學報》第4期，民71年6月）、徐則浩〈〝五四〞時期科學社會主義在中國的傳播〉（《安徽師大學報》1979年2期）、龍永常〈試論五四時期科學社會主義在中國廣泛傳播的歷史必然性〉（《思維與實踐》1991年2期）、陳漢楚〈科學社會主義在中國的傳播和實踐〉（《天津社會科學》1983年1期）、郭聖福〈五四時期國民黨人對社會主義學說的介紹和研究〉（《社會主義研究》1988年1期）、洪峻峰〈五四時期研究系的〝社會主義研究〞評析〉（《廈門大學學報》1990年1期）、張良友〈〝五四〞時期空想社會主義的主張和實踐〉（《南京社會科學》1996年8期）、劉勇〈無果之花─五四時期空想社會主義思潮的興衰和無政府主義在中國的破產〉（《北京黨史研究》1990年3期）、李光一〈關於五四時期的〝社會主義論戰〞〉（《新史學通訊》1956年7期；亦載《五四運動文輯》，武漢，湖北出版社，1957）、王毅武〈五四運動與中國社會主義經濟思想〉（《青海社會科學》1989年3期）、鍾祖豪〈五四與社會主義〉（《大學雜誌》156期，民71年5月）、復旦學報編集部〈紀念〝五四〞堅持社會主義道路〉（《復旦學報》1979年3期）、柳朝書〈五四運動與社會主義道路的選擇〉(《青年運動學刊》1987年1期)、王國宇〈再評五四時期關於社會主義的論戰〉(《湖南師大學報》1993年4期)、葛懋春〈五四時期的社會主義問題論戰〉(《山東大學學報》1961年6期)、韋杰廷〈歐美社會主義學説在中國的早期傳播〉(《湖南教育學院學報》1989年6期)、謝蔭明〈十月革命前後社會主義思潮在中國傳播之比較〉(《黨校教學》1989年6期)、嚴志才〈五四時期的社會主義思潮〉(《東北大學學報》1989年3期)、韓一德〈略論早期社會主義傳播〉(《遼寧師大學報》1989年6期)、應祖國〈社會主義學説在中國早期傳播問題辨析〉(《福建師大學報》1988年2期)、鄭繼恒〈淺論五四時期中國的無政府主義思潮〉(《雲南師大學報》1990年1期)、陳澤華〈論五四時期無政府主義泛濫的兩個原因〉(《孝感師專學報》1985年2期)、方慶秋〈五四運動前後的中國無政府主義派〉(《歷史檔案》1981年2期)、湯庭芳〈五四時期無政府主義的派別及其分化〉(《華中師院學報》1981年3期)、馮崇義〈也評五四時期的無政府主義〉(《中山大學研究生學刊》1984年4月)、洪德先〈五四運動前後的無政府主義運動〉(《中國歷史學會史學集刊》22期,民79年7月)、史也夫、劉雲久〈五四時期無政府主義在中國傳播的特點及其歷史評價〉(《北方論叢》1989年2期)、曉靜〈五四時期一些先進知識分子怎樣看待無政府主義〉(《政治學研究資料》1986年4期)、江波、龍毅〈五四時期先進知識分子與無政府主義〉(《湘潭大學學報》1996年5期)、湯庭芳〈五四運動前後的中國無政府工團主義〉(同上,1986年1期)、徐善廣〈二十世紀初無政府主義在中國的傳播和五四時期反對無政府的鬥爭〉(《江漢論壇》1979年3期）、段紹珍〈五四時期反無政府主義的鬥爭〉（《中州學刊》1986年3期）、陳文斌〈〝五四〞時期反對無政府主義的鬥爭〉（《歷史教學》1981年8期）、黃岳海〈〝五四〞時期馬克思主義同無政府主義的鬥爭〉（《遼寧師院學報》1979年4期）、楊自明〈五四時期馬克思主義和無政府主義的鬥爭〉（《西北師院學報》（1984年2期）、雷賈〈五四時期馬克思主義反對無政府主義的鬥爭〉（《史學月刊》1964年9期）、張大勛等〈五四時期馬克思主義反對無政府主義的鬥爭〉（《學習與探索》1979年2期）、李妍〈淺論五四時期馬克思主義與無政府主義的論戰〉（《學術交流》1995年5期）、于清河〈〝五四〞時期馬克思主義反對無政府主義的鬥爭〉（《理論與實踐》1980年2期）、葛懋春〈五四時期馬克思主義與無政府主義論戰〉（《山東大學學報》1962年3期）、楊才玉〈建黨時期馬克思主義同無政府主義的鬥爭〉（《黨史研究》1982年1期）、黃德淵〈五四時期馬克思主義與反馬克思主義思潮的三次論戰〉（《安徽師大學報》1982年4期）、蔡韋《五四時期馬克思主義反對馬克思主義思潮的鬥爭》（上海，上海人民出版社，1979）、李鴻文〈五四時期馬克思主義與反馬克思主義論戰中的幾個問題〉（《吉林師大學報》1979年2期）、中共黨史教研組部分教師〈〝五四〞時期馬克思主義與反馬克思主義思潮的鬥爭〉（《北京師大學報》1959年3期）、羅耀九〈五四時期馬克思主義對社會改良主義的論戰〉（《廈門大學學報》1959年1期）、國家教育委員會社會科學發展研究中心編《歷史的選擇：五四、傳統文化與馬克思主義》（濟南，山東大學出版社，1990）、莫里斯·梅思納（Maurice Meisner）〈對五四運動中的馬克思主義以及文化反傳統主義的反思〉（載《五四運動與中國文化建設—五四運動七十周年學術討論會論文選》上冊，北京，1989）、丁守和、殷敍彝《從五四啟蒙運動到馬克思主義的傳播》（北京，三聯書店，1979）、殷敍彝〈〝五四〞時期馬克思主義在中國的傳播〉（《新建設》1959年5期）、蔡燦津等〈五四時期馬克思主義在中國的傳播〉（《新疆大學學報》1979年1-2期）、彭明〈五四時期馬克思主義在中國的傳播〉（《教學與研究》1964年1期）、翁英豪〈五四以前馬克思主義在中國的傳播〉（《徽州師專學報》1983年1期）、黃開源等編《五四運動前馬克思主義在中國的介紹與傳播》（長沙，湖南人民出版社，1986）、王燦楣〈馬克思主義在中國傳播的第一頁〉（《黔東南民族師專學報》1983年1期）、申寒冰〈馬克思主義在中國革命早期的傳播〉（《洛陽師專學報》1983年2期）、林雨如〈馬克思主義在中國初期傳播狀況與特點的歷史考察〉（《廣西師大學報》1984年2期）、劉錄開〈五四時期馬克思主義在中國的傳播〉（《北京商學院學報》1983年2期）、張之華〈五四時期馬克思主義的傳播和報刊陣地的開拓〉（《新聞戰士》1983年2期）、李雙璧〈五四前後馬克思主義在中國的傳播〉（《貴州社會科學》1983年2期）、冉啟明、曾祥渝〈五四時期馬克思主義在中國傳播的必然性〉（《貴州師大學報》1993年2期）、王付昌〈論五四時期馬克思主義在中國傳播的原因〉（《中山大學學報》1996年6期）、陶季邑〈五四時期國民黨理論家與馬克思主義在中國的傳播〉（《湖南師大學報》1993年1期）、陳瑞雲〈五四時期反孔鬥爭與馬克思主義在中國的傳播〉（《吉林師大學院》1974年2期）、韓學儒等〈五四運動與馬克思列寧主義在中國的傳播〉（《人文雜志》1959年2

期）、謝承仁〈五四運動時期馬克思主義在中國的傳播〉（《文史教學》1959年試刊號）、蕭超然〈北京大學與五四前後馬克思列寧主義在中國的傳播〉（《北京大學學報》1979年3期）、邵重生〈〝五四〞時期馬列主義在中國的傳播〉（《遼寧師院學報》1980年4期）、洪煥椿〈五四運動時期馬克思主義在中國的傳播〉（載《五四運動文輯》，武漢，湖北出版社，1957）、洪業〈馬克思主義在中國的早期傳播〉（《錦州師院學報》1987年1期）、林琳〈關於馬克思主義在中國早期傳播的兩個問題〉（《學術論壇》1985年5期）、施昌佳〈馬克思主義在中國的傳播〉（《江西冶金學院學報》1983年增刊1期）、靳德行等〈馬克思主義在中國傳播的光輝歷程〉（《史學月刊》1983年4期）、勞雲展等〈馬克思主義在中國傳播的歷史回顧〉（《上饒師專學報》1983年3期）、于惠貞等〈馬克思主義在中國的傳播〉（《蘭州學刊》1981年4期）、李世平〈中國共產黨成立以前關於馬克思主義在中國傳播的幾個問題〉（《四川大學學報》1959年2期）、王可風〈中國共產黨誕生前夕馬克思主義在中國傳播情況簡述〉（《文物》1961年7期）、邱軍〈馬克思主義在中國的傳播〉（《黨史研究》1983年2期）、曾鐘〈馬克思主義在中國的早期傳播〉（《貴陽師院學報》1983年1期）、徐善廣〈馬克思主義在中國的早期傳播〉（《武漢師院學報》1983年1期）、胡邦寧〈馬克思主義在中國早期傳播的歷史特點〉（同上，1983年3期）、王大同〈略論馬克思主義在中國傳播的歷史條件〉（《福建師大學報》1983年1期）、蔡德麟〈馬克思主義在中國傳播史上的一個問題〉（《江淮論壇》1983年2期）、林茂生《馬克思主義在中國的傳播》（北京，書目文獻出版社，1984）、林代昭、潘國華《馬克思主義在中國—從影響的傳入到傳播》（2冊，北京，清華大學出版社，1983）、方祖猷〈論五四時期馬克思主義婦女解放思想的傳播〉（《寧波師院學報》1987年1期）、丁守和〈馬克思主義在中國傳播〉（《社會科學戰線》1983年1期）及〈馬克思主義在中國的傳播和發展〉（《學習與探索》1983年1期）、吳根梁等〈馬克思主義在中國早期的傳播年表〉（《理論探討》1983年1期）、謝本書〈馬克思主義在中國傳播的歷程〉（《思想戰線》1983年1期）、王其水〈略論馬克思主義哲學在我國傳播—紀念馬克思逝世一百周年〉（《聊城師院學報》1983年1期）、朱學文〈中國馬克思主義傳播史上的一頁〉（《學習與研究》1982年5期）、陳明之〈建黨前馬克思主義在中國的傳播〉（《唯實》1983年2期）、彭明〈馬克思主義在中國傳播的幾個問題〉（《歷史教學》1983年3期）、李培南〈略談馬克思主義在中國的傳播和發展〉（《社會科學（上海）》1983年3期）、王國榮〈馬克思主義在中國傳播之〝最〞〉（《書林》1982年2期）、徐覺哉〈馬克思主義在中國傳播之第一〉（《新時期》1981年8-9期）；〈馬克思主義在中國傳播著作目錄〉（《馬克思主義研究參考資料》1981年59期）、安貞元〈馬克思主義傳播中國的轉換模式（1919-1949）〉（《惠州大學學報》1996年1期）、葉志麟等〈試析十月革命前後馬克思主義在中國的傳播〉（《杭州師院學報》1983年1期）、蕭超然〈十九世紀末二十世紀初馬克思主義在中國的傳播〉（《北京大學學報》1983年1期）、劉立凱〈在十月革命影響下馬克思列寧主義在中國的初期傳播〉（《學習》1957年21期）、郭卿友等〈試評十月革命前馬克思主義在中國的早期傳播〉（《西北民族學院學報》1983年2期）、鄭仲兵、祁慶富〈十

月革命前馬克思主義在中國的傳播〉（《理論與實踐》1980年1
期）、黎元泰〈辛亥革命前馬克思主義在中國的初步傳播〉
（《四川大學學報》1983年1期）、彭展〈從一個側面看馬克思主義
在中國的早期傳播：讀《李達文集》第一卷〉（《江漢論壇》1981
年3期）、喬雲霞〈辛亥革命的報刊在我國馬克思傳播史上的地
位〉（《天津師大學報》1985年6期）、胡永欽等〈馬克思著作在中
國傳播的歷史概述〉（《圖書館學通訊》1983年2、3期）、隃芾〈馬
克思主義在中國傳播與民族文化的關係〉（《汕頭大學學報》1987
年1期）、張岱年〈馬克思主義在中國的傳播與中國傳統哲學的背
景〉（《中國社科院研究生院學報》1987年3期）、喬效民〈馬克思主
義在中國的傳播與發展〉（《理論教育》1989年3期）、楊德純〈馬
克思主義在中國的傳播及其影響〉（《黃石師院學報》1983年1
期）、蔡德麟〈從馬克思主義在中國的傳播到毛澤東思想的形
成〉（《安徽大學學報》1983年1期）、Hong L. J., "The Introduc-
tion of Marxism in China" （Papers on Far Eastern History
〔Australia〕NO.37, 1988）、何嵐〈馬克思著作及其理論在中國的
傳播大事簡記〉（《教學參考資料》1983年1期）、周建人〈信仰馬
克思主義傳播馬克思主義〉（《讀書》1982年9期）、鄭錦華〈馬
克思主義在中國早期的傳播及其初步應用〉（《福建師大學報》
1982年1期）、雍桂良〈馬克思主義在我國農村革命根據地的傳
播〉（《江西社會科學》1983年2期）及〈從書刊資料看馬列主義在
中國的傳播〉（《資料工作通訊》1983年1期）、張堅〈列寧學說在
我國的傳播〉（《馬克思主義研究參考資料》1981年42期）、王永祥
〈旅歐共產主義者與馬克思主義在中國的傳播〉（《南開史學》

1982年2期）、琚忠友〈馬克思主義被中國選擇和傳播和社會心理〉（《黨史縱橫》1990年6期）、段本洛〈知識分子與馬克思主義在中國的早期傳播〉（《蘇州大學學報》1983年1期）、白壽彝等〈馬克思主義史學在中國的傳播和發展—紀念馬克思逝世一百周年〉（《史學史研究》1983年1期）、伍婉平〈馬克思主義傳播與中國共產黨的創建〉（《廣西師院學報》1983年2期）、邵鵬文〈馬克思主義在中國青年學生中的傳播〉（《吉林大學學報》1983年3期）、張允侯〈馬克思恩格斯著作在中國的出版和傳播〉（《圖書館》1964年1期）、宋文章〈北洋軍閥政府破壞馬克思列寧主義在中國傳播的一些罪行〉（《歷史教學》1962年10期）、汪士漢〈馬克思主義的傳播和知識分子愛國統一戰線〉（《社會科學輯刊》1979年2期）、張德政等〈五四時期馬克思主義關於國家與法權學說在中國的傳播〉（《教學與研究》1959年5期）、陳漢楚〈五四時期的社會思潮和馬克思主義在中國的傳播〉（《北方論叢》1982年4期）、祝福恩〈馬克思主義傳播的中介與文化場問題〉（《社會科學（上海）》1987年8期）、何顯明〈馬克思主義在中國傳播的文化考察〉（《中州學刊》1989年4期）、周武〈文化選擇與馬克思主義在中國的傳播〉（《求索》1989年1期）、蔡樂蘇〈西方文化危機的影響與馬克思主義傳入中國〉（《清華大學學報》1988年2、3期）、陳海鐘〈五四時期馬克思主義在中國傳播的幾個特點〉（《鹽城教育學院學報》1989年4期）、胡顯中〈馬克思主義在中國最早的傳播者〉（《暨南學報》1988年2期）、韓佳辰〈關於馬克思主義在中國傳播的史前史的探討〉（《馬克思主義研究叢刊》1984年3期）、劉興華《中國早期的馬克思主義，1895-1923》（政治大學歷史研究所碩士論文，民76）、Arif Dirlik, Revolution and History: The Origins of Marxist Historiography in China, 1919-1937.（Berkeley: University of California Press, 1977）、劉康《馬克思主義在中國（1919-1949）—中國的啟蒙運動與極權主義之辯證法》（臺灣大學歷史研究所碩士論文，民81）、劉永佶〈馬克思主義人口理論在中國的傳播與發展〉（《人口學刊》1982年4期）、劉聖效〈早期中國共產黨人對馬克思主義文藝理論的傳播〉（《湘潭大學學報》1982年2期）、姜義華〈馬克思主義在中國的初期傳播與近代中國啟蒙運動〉（《近代史研究》1983年1期）、艾思奇〈馬克思主義哲學和政治思想在中國的傳播和發展〉（《晉陽學刊》1983年1-2期）。榮國章〈五四時期馬克思主義在北京傳播的歷史特點〉（《北京社會科學》1987年2期）、董振修〈馬克思列寧主義在天津的早期傳播〉（《天津師大學報》1979年1期）、廖永武〈馬克思主義傳播與天津建黨〉（同上，1983年1期）、毛磊等〈建黨前後馬克思主義在武漢的傳播〉（《湖北財經學院學報》1983年3期）、李良明等〈五四運動後馬克思主義在武漢地區的傳播〉（《華中師院學報》1983年2期）、馮元魁、李茂高〈＂五四＂前後馬克思主義在上海的傳播〉（《學術月刊》1979年5期）、先田〈五四前後馬列主義在江西的傳播〉（《江西大學學報》1979年1期）、劉勉玉等〈馬克思主義在江西的早期傳播〉（《爭鳴》1983年增刊）、羅添時〈馬克思主義在江西的傳播〉（《江西師院學報》1983年2期）、劉受初〈馬克思主義在吉安的傳播〉（《吉安師專學報》1983年1期）、楊福茂〈五四時期馬列主義在浙江的傳播〉（《杭州大學學報》1983年1期）、黃國蕩〈馬克思主義在福建的傳播〉（《福建論壇》1983年1

期）、唐振南〈馬克思主義在湖南的傳播〉（《新湘評論》1983年3
期）、宋斐夫等〈馬克思主義在湖南的傳播〉（《湖南黨史通訊》
1983年3期；《求索》1983年3期）、劉仲良〈新民學會與馬克思主義
在湖南的傳播〉（《益陽師專學報》1985年4期）、王中杰〈黨的創
建時期馬克思主義在湖南的傳播〉（《湖南黨史資料通訊》1983年3
期）、王繼春〈馬克思主義在山東的傳播〉（《山東師大學報》
1983年2期）、王海濤等〈馬克思主義在遼寧的傳播〉（《理論與實
踐》1983年3期）、任松〈馬克思主義的傳播與黑龍江人民的覺
醒〉（《學習與探索》1988年4期）、孫風雲〈馬列主義在哈爾濱的
早期傳播〉（《北方論叢》1985年5期）、王永君〈馬列主義在長春
的早期傳播〉（《長春史志》1990年1期）、中共陝西省委黨史研究
室編《五四運動和馬克思主義的早期傳播在陝西》（西安，陝西
人民出版社，1990）、雷雲峰〈馬克思主義在陝西的初期傳播〉
（《理論學習（陝西）》1983年1期）、李振民〈馬克思主義在陝西的
早期傳播〉（《西北大學學報》1983年1期）、汪開國〈馬克思主義
在陝西的早期傳播〉（《陝西青年》1982年8期）、涂雋飛〈馬克思
列寧主義在河南的傳播〉（《中州學刊》1983年2期）、匡珊吉〈馬
克思主義的傳播與四川人民的覺醒〉（《四川大學學報》1983年2
期）及〈馬克思主義的傳播與四川建黨〉（《社會科學研究》1981年
6期）、荊德新〈馬克思列寧主義在雲南的早期傳播〉（《思想戰
線》1986年3期）、陳欣德〈五四運動促進馬克思主義在廣西的傳
播〉（《廣西黨史研究通訊》1989年2期）、黃茂田〈大革命時期馬
克思主義在廣西的傳播〉（《廣西社會科學》1987年2期）、王朝贊
等〈馬克思主義在海南的早期傳播〉（《海南大學學報》1985年1

期）。寧教奎〈五四時期中國先進分子選擇馬克思主義：評〝選擇失誤論〞〉（《毛澤東思想研究》1990年3期）、竇愛芝〈追求真理、選擇從善：從五四時期中國的先進分子選擇和接受馬克思主義所想到的〉（《求知》1991年7期）、馬祖毅〈五四時期馬克思列寧主義著作的翻譯〉（《安徽師大學報》1979年2期）、張光璐〈馬克思著作在中國翻譯、傳播的一些情況〉（《馬列著作研究會通訊》1982年8、9期）、徐覺哉〈馬恩列斯部分著作在我國早期的翻譯和出版〉（《研究與參考》1981年11期）及〈馬克思主義經典著作在中國早期的譯文〉（《社會科學（上海）》1982年4期）、彥麟、武岩〈我國最早介紹馬克思主義的譯著小考〉（《求索》1983年1期）、劉慶福〈馬克思恩格斯文藝論著在中國翻譯出版情況簡述〉（《北京師大學報》1983年2期）、永旱等〈馬克思著作在中國的翻譯出版概述〉（《圖書館工作與研究》1983年1期）、彭明〈馬克思學說何時介紹到中國〉（《新時期》1981年1期）、皮明庥〈馬克思主義怎樣傳入中國的〉（《武漢師院學報》1981年專輯）、李玉滿〈馬克思主義早期在中國〉（《遼寧大學學報》1990年1期）、金仕瓊〈西方馬克思主義傳入中國〉（《臺聲》1989年4期）、段治文〈馬克思主義在中國的最初境遇和影響〉（《浙江學刊》1989年3期）、遲雲飛等〈馬克思主義東傳中國的文化因素〉（《湖南師大學報》1989年1期）、王進〈我國資產階級思想家早期對馬克思主義學說的介紹〉（《文史哲》1981年4期）、葛正慧〈五四以前我國報刊對馬克思及其學說的介紹〉（《圖書館雜志》1983年1期）、林代昭〈我國在1899年到1919年間對馬克思主義的介紹〉（《教學與研究》1983年2期）、劉谷〈馬克思主義在中國的命運〉（《復旦學

報》1981年4期）、葉椿芳〈馬克思主義在中國〉（《歷史研究》1958
年12期）、劉經宇〈〝五四〞時期的馬克思主義運動〉（《歷史教
學》1959年8期）、林猷〈中國第一次偉大的馬克思主義思想運
動〉（《福建師大學報》1979年2期）、紅旗雜誌社編輯部《馬克思
主義在中國的發展─紀念馬克思逝世一百周年》（北京，紅旗出版
社，1983）、余心言〈中國人怎樣找到馬克思主義〉（《政治教
育》1981年1、2期）、古堡等〈辛亥革命前後馬克思主義在中國的
影響〉（《華中師院學報》1982年5期）、楊菲蓉〈五四左翼青年向
馬克思主義者轉變之比較探討〉（《華中師大學報》1993年6期）、
吳壽祺等〈接受馬克思主義是中國歷史的選擇〉（《安徽史學》
1990年3期）、陳贊才〈中國人尋求馬列主義的歷史道路〉（《廣
西社會科學》1987年2期）、周立燕〈試論近代中國引進馬克思主義
的內在契機〉（《上海黨校學報》1986年7期）、王金銘等〈馬克思
主義與中國革命的三次偉大轉折〉（《吉林大學學報》1983年3
期）、張曉峰〈馬克思主義與中國實踐相結合的兩次歷史性飛
躍〉（《陝西師大學報》1988年1期）、楊厚禮〈論馬克思主義在中
國的第二次飛躍〉（《長白學刊》1989年3期）、馮光星〈馬克思主
義在中國的新飛躍〉（《西北法政學院學報》1988年2期）、唐純良
〈試論馬克思學說在中國發展的歷史特點〉（《北方論叢》1983年2
期）、胡福明〈堅持馬克思主義與中國實際相結合〉（《江海學
刊》1983年1期）、王繼緒〈在實踐中堅持和發展馬克思主義〉
（《貴州社科通訊》1989年6期）、于毓濟〈馬克思的不斷革命理論
及其在中國的實踐〉（《社會科學研究》1983年2期）、孫斌等〈馬
克思的民主思想及其在中國的實踐〉（《東岳論叢》1983年1期）、

喇秉德〈馬克思主義民族理論及其在我國的實踐述要〉（《青海民族學院學報》1983年1期）、陳一華〈馬克思主義革命轉變論及其在我國的運用和發展〉（《華東師大學報》1983年2期）、欒昌大等〈馬克思主義文藝理論在中國的發展〉（《吉林大學學報》1983年3期）、徐世欽〈馬克思主義關於工農聯盟的學說及其在中國的勝利〉（《齊魯學刊》1983年2期）、黎澍〈馬克思主義在中國的勝利的歷史背景和國際意義〉（《馬克思主義研究叢刊》1983年1期）、惠吾等〈關於馬克思主義的中國化〉（《歷史教學問題》1983年1期）、左坤〈馬克思主義在中國的勝利〉（《濟寧師專學報》1983年2期）、程昭星〈馬克思主義民族理論與中國民主主義革命〉（《貴州民族研究》1983年2期）、陳華〈中國早期馬克思主義者思想轉變標志的綜合考察〉（《華中師大研究生學報》1983年4期）、國家教育委員會社會科學發展研究中心編《歷史的選擇：五四傳統文化與馬克思主義》（濟南，山東大學出版社，1990）、陳國祥〈五四運動與馬列運動〉（《大陸雜誌》125期，民68年6月）。

關於科學與玄學（或人生觀）的論戰有黃元起〈1923年〝科學〞與玄學的論戰〉（《史學月刊》1957年9期）、林毓生〈民初「科學主義」的興起與涵義─對民國十二年「科學與玄學論爭」的省察〉（收入氏著《政治秩序與多元社會》，臺北，聯經出版公司，民78）及〈民初〝科學主義〞的興起與含意─對〝科學與玄學〞之爭的研究〉（收入氏著《中國傳統的創造性轉化》，北京，三聯書店，1988）、袁偉時〈重評科學與玄學論戰〉（《中山大學學報》1985年2期）、馮契〈論所謂〝科學與玄學的論戰〞〉（《學術月刊》1959年5期）、聞繼寧〈試評科玄論戰的雙重性〉（《學術界》

1988年1期）、羅久蓉〈從科玄論戰談科學的客觀性〉（《科學月刊》15卷1期，民73年1月）、葉其忠〈從張君勱和丁文江兩人和《人生觀》一文看1923年「科玄論戰」的爆發與擴展〉（《中央研究院近代史研究所集刊》25期，民85年6月）及〈1923年「科玄論戰」：評價之評價〉（同上，26期，民85年12月）、高力克〈科玄之爭與近代科學思潮〉（《史學月刊》1986年6期）、王雲璽〈論〝科玄之爭〞對中國傳統思維方式轉換的影響〉（《江西社會科學》1996年12期）、雷頤〈從〝科玄之爭〞看五四後科學思潮與人本思想的衝突〉（《近代史研究》1989年3期）、Lin Yü-sheng（林毓生），“The Origins and Implications of Modern Chinese Scientism in Early Republican China: A Case Study-The Debate on〝Science Vs. Metaphysies”in 1923.”（載《中華民國初期歷史研討會論文集，1912-1927》下冊，臺北，中央研究院近代史研究所，民73年4月）、呂曦晨〈評〝科學與人生觀論戰〞〉（《社會科學戰線》1978年4期）、Chou Min-chih（周明之），“The Debate on Science and the Philosophy of Life in 1923”（《中央研究院近代史研究所集刊》第7期，民67年6月）、鄧艾民〈〝五四〞時期關於科學與人生觀的論戰〉（《北京大學學報》1959年3期）、江偉〈〝科學與人生觀〞論戰述評〉（《河南大學學報》1994年2期）、張君勱〈人生觀論戰之回顧〉（《人生》313-315期，民52年11-12月）、謝扶雅〈人生觀論戰四十周年書感〉（同上，313期，民52年11月）、周玉和〈關於科學與人生觀論戰的政治思想傾向〉（《東北師大學報》1984年4期）、張世英〈〝科學〞與〝玄學〞論戰中胡適派所謂〝科學〞的反科學性〉（《哲學研究》1956年3期）、Lo Jiu-jung（羅久蓉），

Scientism During the May Fourth Period: The Chinese Misconceptions of Science as Reflected in the Debate Between Ting Wen-chiang and Chang Chün-mei. (M. A. Thesis, University of Wisconsin-Madison, 1982)、唐君毅〈從科學與玄學論戰談君勱先生的思想〉(《傳記文學》28卷3期,民65年3月)。

其他如沈謙芳〝將中國變成一個有聲的中國〞—談五四時期的百家爭鳴〉(《蘭州大學學報》1989年2期)、林代昭等〈五四時期的百家爭鳴〉(《歷史研究》1979年4期)、齋藤道彥〈重評五四運動史的觀點〉(《中央大學論集》第9號,1988年3月)、魏彬〈論五四思想家的儒道觀〉(《武陵學刊》1993年3期)、袁占釧〈五四運動與儒學的命運〉(《延安大學學報》1989年2期)、李棟柱〈對儒家修身之學在〝五四〞時期的特殊命運的反思〉(《齊魯學刊》1989年3期)、柳林〈由〝五四〞時期對傳統倫理道德的批判所想到的〉(同上)、楊國宜〈五四時期對封建道德的批判〉(《歷史教學》1981年5期)、張岱年、樓宇烈〈五四時期批判封建舊道德的歷史意義〉(《紀念五四運動六十周年學術討論會論文選》第1冊,北京,1980)、沈善洪、王鳳賢〈關於〝五四〞時期對傳統道德批判的反思〉(載《時代與思潮(1)—五四反思》,上海,華東師大出版社,1989)、吳鐸〈五四時期的新舊道德的鬥爭〉(《上海師大學報》1979年2期)、羅鋼〈〝五四〞時期及二十年代西方現代主義文藝理論在中國〉(《中國社會科學》1988年2期)、藍承菊〈五四新思潮衝擊下的婚姻觀(1915-1923)〉(臺灣師範大學歷史研究所碩士論文,民82年6月)、小野和子〈家とは何か—五四運動時期における結婚論を中心に〉(《東洋史苑》11號,

1977）、彭小妍〈五四的〝新性道德〞─女性情慾論述與建構民族國家〉(《近代中國婦女史研究》第3期，民84年8月)、艾思奇〈五四運動前後兩種世界觀的鬥爭〉(《紀念五四運動六十周年學術討論會論文選》第1冊，北京，1980)、盧鐘鋒、黃宣民〈五四時期科學同迷信的鬥爭〉(《中國哲學》1980年3期)、吳光〈王充的無神論與五四時反迷信鬥爭〉(《浙江學刊》1981年3期)、馮美〈五四運動：民族文化意識的新選擇〉(《常德師專學報》1989年2期)、桑兵〈超越五四新文化觀〉(《香港中國近代史學會會刊》第4、5期合刊，1991年1月)、鄭焱〈湖南新文化運動時期主要社會思潮述論〉(《湖南師大社會科學學報》1996年3期)、李慧秋〈論〝五四〞時期關於完善女子人格的思想〉(《南開學報》1994年5期)、胡志毅〈〝五四〞話劇與西方新浪漫主義〉(《戲劇藝術》1987年1期)、柏彬〈五四時期現代話劇的劇本創作〉(同上，1983年2期)、劉俐娜〈五四時期學者對史學功能的認識〉(《歷史研究》1996年3期)、李伯雄《五四時期之宗教論戰》(香港大學碩士論文，1981)、唐逸〈五四時代的宗教思潮及其現代意義〉(《哲學與文化》23卷11期，民85年11月)、虞君質〈五四以來中國文藝思潮的批判〉(《文藝創作》37期，民43年5月)、梁景和〈五四時期〝生育節制〞思想述略〉(《史學月刊》1996年3期)、張寶明〈文化與政治的歧路：重議〝五四〞文化陣營的思想格局〉(同上)、趙軍祥、李進挺〈對〝五四〞〝重新估定一切價值〞精神的分析〉(《鄭州航空工業管理學院學報》1996年3期)。

(八)五四社團和刊物

社團方面以張允侯、殷敍彝、洪清祥、王雲開編《五四時期的社團》（4冊，北京，三聯書店，1979）為最重要，共蒐集五四時期23個典型的社團，如長沙新民學會、天津覺悟學社、武昌互助社、江西改造社等有關資料，彙集成冊，為研究五四運動、中國現代史、政治史、思想史的重要參考資料，其他如徐凱希〈淺析五四新文化運動中的青年社團〉（《湖北社會科學》1989年5期），〈五四時期的社團〉（《讀書》1979年4期）、劉明偉《新文化運動時期的青年與社團組織》（香港中文大學碩士論文，1983）、李愷玲〈五四時期的文學社團〉（《新文學論叢》1981年4期）、賈飛、焦相欽〈〞五四〞新文學社團簡介〉（《語文教學》1983年2期）。

關於少年中國學會有周淑珍〈少年中國學會述評〉（《社會科學研究》1991年4期）、韓凌軒〈略論五四時期的少年中國學會〉（《遼寧大學學報》1979年4期）、李璜〈少年中國學會的發起與成立〉（《傳記文學》35卷1期，民68年7月）、秦賢次〈少年中國學會」始末記〉（同上）、左舜生〈記少年中國學會——個與現代中國政治有密切關係的青年團體〉（同上）、李璜〈五四運動與少年中國學會—「學鈍室回憶錄」第二章〉（《傳記文學》16卷4期，民59年4月）、薛化元〈「少年中國學會」的緣起與緣滅〉（《中國歷史學會史學集刊》22期，民79年7月）、Lee Shun Wai, The Young China Association （1918-1925）: A Case Study of Chinese Intellectuals Search for National.（Master's Thesis, University of Hong Kong, 1988）、陸建洪、田子渝〈試論少年中國學會的性質〉（《中南民族學院學報》1987年4期）、易新濤〈淺析少年中國學會的性質〉（《遼寧師大學報》1992年3期）、李義彬〈少年中

國會學內部的鬥爭〉(《近代史研究》1980年2期)、任魯萍〈少年
中國學會的分化及其歷史啟示〉(《中共黨史研究》1992年4期)、
李家鈞、陸建洪〈論少年中國學會會員在〝五四〞時期的突出貢
獻〉(《蘇州大學學報》1989年4期)、侯平〈五四時期少年中國學
會在四川的活動及其歷史地位〉(《四川社科界》1994年6期)、陳
正茂〈少年中國學會與收回教育權運動〉(《國史館館刊》復刊12
期,民81年6月)及《少年中國學會之研究》(政治大學歷史研究所碩
士論文,民77年1月)、石川啟二〈中國における教育獨立論の系
譜—少年中國學會と國家主義派〉(《山梨大學教育學部紀要》第7
號,1993年11月)、秦賢次〈關於「少年中國學會」會員名錄〉
(《傳記文學》35卷2期,民68年8月)、沈雲龍〈我所認識的「少
中」師友〉(同上,35卷1期,民68年7月)、周淑莫〈王光祈與少年
中國學會—紀念王光祈誕辰100周年〉(《蘭州學刊》1992年6期)、
郭正昭、林瑞明《王光祈的一生與少年中國學會》(臺北,百傑
出版社,民67)、陳正茂〈李璜與少年中國學會〉(《近代中國》89
期,民81年6月)、韓凌軒〈李大釗同志與少年中國學會〉(《北方
論叢》1980年5期)、朱鏡宙〈李大釗埋葬了少年中國學會〉(《傳
記文學》23卷2期,民62年8月)、秦賢次〈記「少年中國學會」時
代的余家菊〉(同上,29卷1期,民65年7月)及〈曾琦先生與少年中
國學會〉(同上,29卷2期,民65年8月)、伊原澤周〈「少年中國
學會」と毛澤東〉(《東洋文化學科年報(追手門學院大學文學部)》
第8號,1993年11月)、〈毛澤東與〝少年中國學會〞〉(《北京檔案
史料》1995年2期)及余三樂〈鄧中夏與少年中國學會〉(《中共黨
史研究》1994年5期)、趙壽龍〈楊賢江與〝少年中國學會〞的解

散〉（《上饒師專學報》1987年2期）、秦賢次〈方東美與少年中國學會〉（《傳記文學》31卷3期，民66年9月）、陳曉林〈五四時代理想與現實的衝突─以「少年中國學會」為例〉（載汪榮祖編《五四研究論文集》，臺北，聯經出版公司，民68）。

關於新潮社有張德旺〈五四運動中的新潮社〉（《求是學刊》1986年4期）、鳥居浩子〈五四運動と新潮社〉（《お茶の水史學》13號，1970年9月）。關於國民雜誌社有吳漢全〈李大釗與《國民》雜誌社〉（《吉安師專學報》1994年5期）。

關於創造社有饒鴻竟等《創造社資料》（2冊，福州，福建人民出版社，1985，中國現代文學運動、論爭、社團資料叢書）、伊藤虎丸編《創造社資料》（東京，アジア出版，1979）、張超〈關於創造社的一些問題〉（《求是學刊》1980年3期）、丁慧嫻等〈關於創造社的成立日期〉（《吉林師大學報》1979年1期）、李思樂〈創造社大事記〉（《吉林大學社會科學學報》1983年2期）、陳懿《論創造社》（政治大學東亞研究所碩士論文，民63）、王廷芳〈創造社成立於何時的探討〉（《四川大學學報叢刊》23輯，1984）、鄭廷順〈創造社成立的準確時間〉（《新文學史料》1995年3期）、黃淳浩〈創造社的異軍蒼頭突起〉（同上，1996年3、4期）、鍾文鍊〈關於創造社的成立地點〉（《學術研究》1981年5期）、唐世春〈論創造社與表現主義〉（《中國現代文學研究叢刊》1991年1期）、周海波〈前期創造社與五四青春人格創造〉（同上，1996年1期）、伊藤虎丸著、潘世聖譯〈創造社與日本文學〉（同上，1986年3期）、鄭伯奇〈創造社三題〉（《文學知識》1959年5期）及〈略談創造社的文學活動〉（《文藝月報》1959年8期）、蔡師聖〈對於早期創造社文學主張的幾點理解〉(《廈門大學學報》1964年2期)、鄭伯奇〈創造社後期的革命文學活動〉(《延河》1962年7-8期)、王富仁等〈前期創造社與西方浪漫主義美學〉(《文學評論》1984年2期)、嚴家炎〈創造社前期小説與現代主義思潮—中國現代小説流派論之三〉(《小説界》1984年4期)、李玉明〈創造社浪漫主義主觀性理論新探〉(《江漢論壇》1986年3期)、向翔〈我們新文學運動中異軍突起的創造社〉(《邊疆文藝》1983年2期)、朱壽桐〈評創造社研究的浪漫主義體系〉(《揚州師院學報》1990年1期)及〈論創造社對東西文化的選擇〉(《南京大學學報》1990年2期)、朱曦〈二十世紀初的一次文學大交融—早期創造社受日本近現代文學的影響〉(《雲南師大學報》1990年2期)、平井博〈革命文學論爭前夜の創造社と魯迅—「創造周報」復刊問題について〉(《人文學報（京都大學）》198號，1988年3月)、朱時雨〈關於創造社攻擊魯迅問題的一種流行觀點質疑〉(《中國現代文學研究叢刊》1987年1期)、王富仁、羅綱〈前期創造社與西方浪漫主義美學〉(《文學評論》1984年2期)、倉持責文《前期創造社にすける成仿吾について》(早稻田大學文學研究所碩士論文，1979)、宋彬玉、張傲卉〈成仿吾和創造社〉(《新文學史料》1985年2期)、張世偉《郁達夫與創造社》(香港大學碩士論文，1980)、齋藤敏康著、劉平譯、程廣林校〈福本主義對李初梨的影響—創造社〝革命文學〞理論的發展〉(《中國現代文學研究叢刊》1983年3期)、艾曉明〈後期創造社與日本福本主義〉(同上，1988年3月)、劉玉山〈浪漫主義文學向革命文學的過渡—論創造社的轉向〉(同上，1990年2期)、高田昭二〈創造社の文學觀〉(《岡山大學法文學部

學術紀要》30號，1970年3月）、〈續創造社の文學觀—「革命文學」とそれをめぐる論爭について〉（同上，31號，1971年3月）及〈創造社の小説に見ちれる「反日」と「親日」〉（同上，32號，1972年3月）、陳頌聲〈創造社橫遭國民黨政府查封的前前後後〉（《中山大學學報》1980年3期）。

　　關於文學研究會有賈植芳等《文學研究會資料》（3冊，鄭州，河南人民出版社，1985，中國現代文學運動、論爭、社團資料叢書）、王玉《文學研究會與新文學運動》（政治大學歷史研究所碩士論文，民71年6月）、陳慧中〈文學研究會和創造社的文學主張再認識〉（《社會科學（上海）》1984年3期）、葉聖陶〈略述文學研究會〉（《文藝評論》1959年2期）、茅盾〈關於文學研究會〉（《文藝報》1959年8期）、冰心〈關於文學研究會〉（《中國現代文學研究叢刊》1992年2期）、許杰〈關於文學研究會的回憶〉（同上）、陳炳〈關於文學研究會的成立問題〉（《徐州師院學報》1978年1期）、郭紹虞〈關於文學研究會的成立〉（《新文學史料》1980年3期）、劉麟〈關於文學研究會的會員〉（同上，1989年3期）、舒乙〈文學研究會和它的會員—紀念文學研究會成立七十周年〉（《中國現代文學研究叢刊》1992年2期）、高田昭二〈文學研究會の性格—現代中國文學史へのひとつの試み〉（《岡山大學法文學部學術紀要》25號，1967年2月）及〈文學研究會の小説—現代中國文學史へのひとつの試み〉（同上，29號，1969年3月）、吳錦濂、姚春樹、陳鍾英〈文學研究會對外國文學的譯介〉（《福建師大學報》1980年2期）、朱德發〈文學研究會〝為人生〞文學觀的基本特徵〉（《文學評論》1984年6期）、李惠貞〈論文學研究會的

〝問題小説〞〉（《學術研究》1982年2期）、華濟時〈文學研究會
對湖南新文學運動的影響〉（《求索》1992年2期）、朱惠民〈關於
文學研究會寧波分會〉（《浙江學刊》1992年5期）、蘇興良〈也談
文學研究會會員〉（《新文學史料》1990年2期）、劉同〈魯迅與文
學研究會〉（《新港》1964年5期）。

關於覺悟社有劉清揚〈回憶覺悟社及其它〉（《新港》1959年
5期）、廖永武〈覺悟社〝覺悟〞〝覺郵〞〉（《南開大學學報》
1978年4-5期）、魏宏運〈覺悟社的光輝〉（同上，1979年2期）、中
國革命博物館黨史研究室〈天津覺悟社社員代號及化名〉（《革
命文物》1980年3期）。

其他如韓凌軒〈關於新民學會成立大會的時間和出席人員〉
（《齊魯學刊》1981年6期）、郭天祥〈新民學會成立時間考〉
（《教學與科研》1984年3期）、李維漢〈回憶新民學會〉（《歷史研
究》1979年3期）、宋斐夫《新民學會》（長沙，湖南人民出版社，
1980）、中國革命博物館、湖南省博物館編《新民學會資料》
（北京，人民出版社，1980）、湖南省博物館歷史部校編《新民學
會文獻匯編》（長沙，湖南人民出版社，1979）、陳三井〈新民學會
之成立及其在法活動〉（《中央研究院近代史研究所集刊》13期，民73
年6月）、張允侯〈五四時期的兄弟社團—少年學會、青年學
會〉（《史學月刊》1965年2期）、〈五四時期的曙光社〉（同上，
1965年9期）及〈五四時期的北京師大平民教育社〉（同上）、黃
國華〈北京大學平民教育演講團〉（《歷史教學》1979年9期）、胡
柏立〈北京大學馬克思學說研究會〉（同上，1979年10期）、陰法
魯〈關於〝馬克思學說研究會〞的幾項史料〉（《歷史教學》1951

年3期）、葉梧西〈五四時期的天津女界愛國同志會〉（同上，1980年11期）、劉勉玉〈改造社及其革命活動─江西最早出現的一個革命團體〉（《江西大學學報》1980年3期）、佐治俊彥〈革命文學論爭と太陽社〉（《東洋文化（東京大學）》52號，1972年3月）、劉健清〈略論五四時期的工讀互助團〉（《歷史教學》1983年9期）、唐志勇〈工讀互助團的實踐與馬克思主義在中國的傳播〉（《山東師大學報》1983年3期）、李義彬〈五四時期的全國各界聯合會〉（《歷史教學》1982年12期）。

五四期刊方面，以中共中央馬克思·恩格斯·列寧·斯大林著作編譯局研究室編《五四時期期刊介紹》（6冊，北京，三聯書店，1979）及丁守和《五四時期期刊介紹》（5集，北京，人民出版社，1982-1987）為最重要；周維煌等〈談談五四時期的重要期刊〉（《文藝報》1959年8期）、李龍牧〈五四時期報刊工作的改革〉（《解放》1959年9期）、吳子揚〈關於五四新文化運動的一部重要參考書─"五四時期期刊介紹"〉（《讀書》1959年8期）、知非〈五四前後的革命報刊〉（《新聞戰線》1959年9期）、劉強等〈五四時期部分學生報刊簡介〉（《大學生》1979年1期）、顧益亭〈五四時期的北京報刊〉（《新聞戰線》1959年24期）、劉剛〈五四時期天津的新期刊與新思潮〉（《黨史資料與研究》1992年1期）。

關於新青年雜誌有陳國祥《新青年與現代中國》（臺北，四季出版公司，民68）及《新青年雜誌對中國文化與政治發展問題的言論分析》（政治大學新聞研究所碩士論文，民68年6月）、梁錦光《青年雜誌與新文化運動之關係》（中國文化學院哲學研究所（新聞組）碩士論文，民68年7月）、郭武平《新青年雜誌與民初中國意識轉變》（政治大學東亞研究所碩士論文，民69）、趙素娟《新青年雜誌言論主張的剖析》（臺灣大學三民主義研究所碩士論文，民77）、俞家慶《五四新文化運動中的「新青年」》（中國人民大學新聞學碩士論文，1981；刊於《新聞學論集》第6號，1983年7月）、陳漢洲《民國卅八年前中共三刊物—新青年、嚮導、解放日報之研究》（香港珠海大學歷史研究所碩士論文，1987）、張濤〈《新青年》研究〉（《歷史檔案》1993年1期）、川本邦衛〈黎明期の文學雜誌—新青年〉（《北斗》3卷1、2號，1957）及〈新青年と青年雜誌〉（同上，2卷6號，1957）、藤田正典〈「新青年」—中國雜誌解題〉（《アジア經濟資料月報》14卷7號，1972年7月）、一丁〈啟蒙的火炬—《新青年》〉（《百科知識》1979年1期）、毛丹〈論〝五四〞前《新青年》的價值評估〉（《學術季刊（上海）》1993年2期）、王京生〈《新青年》再評價〉（《北京師大學報》1986年6期）、方留〈《新青年》宗旨之管見〉（《湖南師大學報》1988年5期）、杜文君、周玉和〈從《新青年》的戰鬥歷程看它的歷史貢獻〉（《長白學刊》1986年3期）、涂文學〈略論《新青年》的歷史作用〉（《青年文壇》1984年1期）、趙令揚〈五四期間的新青年及主要文化團體〉（收於郭瑞生、陳健誠編《五四運動六十週年紀念論文集》，香港，香港大學中文學會，1979）、野村浩一《近代中國の思想世界—「新青年」の群像》（東京，岩波書店，1990）、及〈中國、1910代の思想世界—以「新青年」を中心に〉（《立教法學》23-25卷，1984年12月，1985年4月、9月）、汪子春等〈《新青年》同封建迷信的鬥爭〉（《中國科技史料》1982年1期）、吳光〈論《新青年》反對鬼神迷信的鬥爭〉（《近代史研究》1981年2期）、翟作君等〈"新青年"雜誌〉（《黨史資料叢刊》1980年1期）、陳國祥〈主導五四時代的新青年雜誌〉（載《五四與中國》，臺北，時報文化出版公司，民68）、焦煥〈"新青年"雜誌的戰鬥歷程〉（《江漢論壇》1979年1期）、李龍牧〈五四時期傳播馬克思主義的重要刊物"新青年"〉（《新聞戰線》1958年1期）、李星等〈向封建主義的一次大進攻—從"新青年"看五四新文化運動反封建的鬥爭〉（《新疆史學》1979年創刊號）、豐邨〈漫漫長夜一火炬—介紹五四運動前後的新青年〉（《人民教育》1979年5期）、康眾〈"新青年"在五四新文學運動中有什麼貢獻〉（《課外學習》1983年4期）、劉獻彪〈"新青年"與外國文學翻譯〉（《翻譯通訊》1983年7期）、李一〈五四時期的《新青年》和馬克思主義在中國的傳播〉（《杭州師院學報》1984年1期）、葉累等〈"新青年"編輯部〉（《黨史資料叢刊》1980年1期）、朱培民〈馬克思主義在中國的傳播和《新青年》〉（載《馬克思主義在中國的勝利》，北京，中共中央黨校出版社，1983）、張靜如等〈《新青年》對傳播馬克思主義的貢獻〉（《齊魯學刊》1983年2期）、申鉉武、金衡〈《新青年》傳播馬克思主義的戰鬥歷程及其歷史借鑒〉（《延邊大學學報》1983年4期）、李淑〈從宣傳民主科學到傳播馬克思主義—五四時期《新青年》簡析〉（《南京師大報》1989年4期）、楊榮、張強〈論《新青年》對婦女問題的探討及貢獻〉（《民國檔案》1994年3期）、任建樹〈從《新青年》到《嚮導》—兩個時期的兩個雜誌〉（《江西社會科學》1993年4期）、張濤〈新文化運動的興起與《青年雜誌》第一卷〉（《史學月刊》1995年5期）、劉德美

〈「新青年」與新文化運動〉（收入張玉法主編《中國現代史論集·第6輯：五四運動》，臺北，聯經出版公司，民70）、王明蓀〈五四運動前後「新青年」所引介之西學〉（鄭樑生主編《中外關係史國際學術研討會論文集—思想與文物交流》，臺北，淡江大學歷史系，民78）、錢淑華〈從「新青年」看新文化運動時期之新思潮〉（《中正嶺學術研究集刊》第7集，民77年6月）、高力克〈《新青年》經濟倫理變革及其限度〉（《二十一世紀》28期，1995年4月）、石學勝〈胡適、陳獨秀有關《新青年》存續問題來往書信〉（《傳記文學》59卷6期，民80年12月）、王鐵仙編《新文學的先驅—《新青年》、《新潮》及其他作品選》（上海，華東師大出版社，1985）、岳升陽〈《甲寅》月刊與《新青年》的理論準備〉（《清華大學學報》1989年1期）、李振民〈《新青年》和陳獨秀〉（《西北大學學報》1979年2期）、吳遵林〈《新青年》與陳獨秀〉（《貴州叢刊》1986年1期）、丁守和〈陳獨秀和《新青年》〉（《歷史研究》1979年5期）、寧樹藩〈陳獨秀與《新青年》〉（《復旦大學學報》1979年3期）、藤田正典〈新青年と魯迅と陳獨秀〉（《大安》11卷4號，1965年4月）、周昌龍〈周作人與《新青年》〉（收入氏著《新思潮與傳統—五四思想史論集》，臺北，時報新文化出版公司，民84）、魯彥生〈陳望道與《新青年》—讀陳望道同志"五四"時期的四封信〉（《復旦大學學報》1979年3期）、郭武平〈文學革命與新青年雜誌〉（收入中興大學歷史系編印《中國現代史論文選輯》，臺中，民74）、袁竹〈中國共產黨誕生前後的《新青年》〉（《文學報》1981年14期）、鳥井克之〈「新青年」における專門用語(1)—翻譯された論文·作品について〉（《關西大學東西學術研究所紀要》第

7號，1974年3月）、藤田正典〈新青年10年の步み〉（載《新青年別卷—新青年總目·五四運動文獻目錄》，東京，汲古書院，1977）。

其他如李惠惠《新潮雜誌與五四新文化運動》（臺灣師範大學歷史研究所碩士論文，民75年6月）、李杰泉〈《新潮》雜誌綜論〉（《近代史研究》1988年1期）、丸山昇等〈雜誌「新潮」の足跡〉（《日本中國學會報》12號，1960年12月）、李雲漢〈羅志希先生與新潮雜誌〉（《傳記文學》30卷1期，民66年1月）、胡月〈陳獨秀、李大釗、胡適與《每週評論》〉（《蘇州大學學報》1995年2期）、吳家林〈李大釗與《每周評論》〉（《北京檔案史料》1992年4期）、翟俊濤〈《每周評論》與五四運動〉（《史學月刊》1994年1期）、趙福亭〈"每周評論"在五四運動中的作用〉（《歷史教學》1963年8期）、張德旺〈論胡適接編後《每週評論》的政治方向〉（《北方論叢》1987年5期）、李占才〈五四時期的《星期評論》〉（《民國檔案》1991年2期）、田子渝、陳紹康〈《星期評論》新論〉（《文史哲》1990年3期）、閔迪華〈試論"覺悟"的創刊日期〉（《學術月刊》1983年6期）、晨朵〈《覺悟》副刊對傳播馬列主義的貢獻〉（《復旦學報》1983年2期）、曹小丹、范崇山〈五四時期的蘇州《婦女評論》〉（《揚州師院學報》1983年1期）、林麗月〈「學衡」與新文化運動〉（收入張玉法主編《中國現代史論集·第6輯：五四運動》，臺北，聯經出版公司，民70）、羅崗〈歷史中的《學衡》〉（《二十一世紀》28期，1995年4月）、孫尚揚〈在啟蒙與學術之間：重估《學衡》〉（同上，22期，1994年4月）、樂黛雲〈重估《學衡》—兼論現代保守主義〉（收入湯一介編《論傳統與反傳統—五四70周年紀念文選》，臺北，聯經出版事業公

司，民78）、茅家琦〈梅光迪與《學衡》雜誌〉（《民國檔案》1989
年1期）。

㈨五四人物

綜論五四人物的有胡華主編《五四時期的歷史人物》（北
京，中國青年出版社，1979），全書介紹11位在五四時期具有代表性
的人物，如李大釗、毛澤東、周恩來、魯迅、陳獨秀、惲代英、
鄧中夏、方志敏、瞿秋白、蔡元培、胡適，多係中共人物，其中
毛澤東部分，所佔篇幅最多。姚維斗、黃真主編《五四群英》
（石家庄，河北人民出版社，1981），介紹陳獨秀、毛澤東、周恩來
等21人。其他如韓凌軒〈十年來五四時期歷史人物研究述評〉
（《中共黨史研究》1990年6期）、〈五四時期歷史人物研究的幾個
理論問題述評〉（《東岳論叢》1992年1期）及〈關於五四時期歷史
人物研究的幾點意見〉（同上，1994年1期）、陳善學〈五四時期的
幾個歷史人物〉（《安徽大學報》1979年1期）、滿地典子〈五四世
代の人物評傳—米國における近來の中國史研究〉（《中國》10
號，1995年6月）、宋子武〈〝五四〞運動人物與廣東〉（《廣東文
獻》20卷2期，民79年6月）、張寶明〈從文化維度看〝五四〞人物
的價值取向〉（《江漢論壇》1994年5期）。

1.蔡元培

專書方面有北京大學新潮社編《蔡子民先生言行錄》（北
京，民9年初版；臺北，文海出版社影印，民62）、隴西約翰編《蔡元
培言行錄》（上海，廣益書局，民20）、孫德中編《蔡元培先生遺

文類鈔》（臺北，復興書局，民50）、蔡元培《蔡元培選集》（臺北，文星書店，民56）及《蔡元培自述》（臺北，傳記文學出版社，民56）、孫常煒編《蔡元培先生全集》（臺北，臺灣商務印書館，民57），其續編於民80年出版、中華書局編輯出版《蔡元培選集》（北京，1959）、高平叔編《蔡元培全集》（第1-7卷，北京，中華書局，1984-1989）、蔡建國《蔡元培先生紀念集》（同上，1984）、浙江研究社編輯《蔡子民先生紀念集》（編輯者印行，民30；金華，新陣地圖書社，民30）、沈善洪主編《蔡元培選集》（杭州，浙江教育出版社，1993）、蔡元培《蔡元培全集》（《臺南，王家出版社，民57，爲前述文星書店《蔡元培選集》之重印本）及《文化融合與道德教化─蔡元培文選》（上海，遠東出版社，1994）、蔡元培著、高平叔編《蔡元培政治論著》（石家庄，河北人民出版社，1985）、《蔡元培哲學論著》（同上）、《蔡元培語言及文學論著》（同上）、《蔡元培教育文選》（北京，人民教育出版社，1980）、《蔡元培教育論著選》（同上，1991）、《蔡元培教育論集》（長沙，湖南教育出版社，1987）及《蔡元培論科學與技術》（石家庄，河北人民出版社）、中國民族學會編《蔡元培民族學論著》（臺北，臺灣中華書局，民51）、文藝美學叢書編輯委員會編《蔡元培美學文選》（北京，北京大學出版，1983）、高平叔編《蔡元培美學論集》（長沙，湖南教育出版社，1987）、桂勤編《蔡元培學術文化隨筆》（二十世紀中國學術文化隨筆大系第1輯，北京，中國青年出版社，1996）、馬勇《蔡元培隨想錄》（太原，山西高校聯合出版社，1994）、張樹人、張人鳳編《張元濟蔡元培往來書信集》（香港，商務印書館，1992）、林慶彰編《蔡元培、張元濟往來書札》（臺

北，中央研究院中國文哲研究所籌備處，民79）、啟功、牟小東編
《蔡元培先生手跡》（北京，北京大學出版社，1980）、蔡元培研究
會主編《論蔡元培：紀念蔡元培誕辰120周年學術討論會文集》
（北京，旅游教育出版社，1989；以下簡稱《論蔡元培》）、蔡尚思
《蔡元培》（南京，江蘇人民出版社，1982）、胡國樞《蔡元培》
（杭州，浙江人民出版社，1985）、李華興《人世楷模蔡元培》（上
海，上海人民出版社，1988）、陶英惠《蔡元培》（臺北，臺灣商務印
書館，民67，列爲《中國歷代思想家》第51冊）、聶振斌《蔡元培》
（新蕾出版社，1993）、黃肇珩《一代人師—蔡元培傳》（臺北，近
代中國出版社，民71）、唐振常《蔡元培傳》（上海，上海人民出版
社，1985）、周天度《蔡元培傳》（北京，人民出版社，1984；臺北，
新潮社文化公司，民83）、馬征《教育之夢—蔡元培傳》（強國之夢
系列叢書，成都，四川人民出版社，1995）、高乃同《蔡子民先生傳
略》（重慶，商務印書館，民32）、孫蘊編述《蔡子民先生傳》（重
慶，民32年出版）、胡國樞《蔡元培評傳》（鄭州，河南教育出版
社，1989）、張曉唯《蔡元培評傳》（南昌，百花洲文藝出版社，
1994）、蔡建國編《蔡元培畫傳：1868-1940》（上海，上海人民美
術出版社，1988）、周佳榮《辛亥革命前的蔡元培》（香港，波文書
局，1980）、雷頤編《新論語—蔡元培卷》（北京，華夏出版社，
1993）、華欣廿世紀學人叢書編輯委員會編輯《蔡元培》（臺北，
華欣文化事業中心，民68）、文訊雜誌社編輯《憂患的心聲—吳稚
暉、蔡元培、胡適》（臺北，編輯者印行，民80）、陶英惠《蔡元
培先生年譜（上）》（臺北，中央研究院近代史研究所，民65）、高
平叔編《蔡元培年譜》（北京，中華書局，1980）、陳方坡《蔡元

培年譜稿》（北京圖書館藏手抄本，1959）、孫德中遺稿、孫常煒增
訂《民國蔡子民先生元培簡要年譜》（臺北，臺灣商務印書館，民
70）、孫常煒《蔡元培先生年譜傳記》（3冊，臺北，國史館，民74-
76）及《蔡元培先生的生平及其教育思想》（臺北，臺灣商務印書
館，民57）、吳越《蔡元培生平與思想》（外交學院文學碩士論文，
北京，1995）、蔡尚思《蔡元培學術思想傳記－蔡元培與近代中
國學術思想界》（上海，棠棣出版社，1950；臺北，蒲公英出版社翻
印，民75）、William J. Duiker, Ts'ai Yuan-P'ei and the Intellec-
tual Revolution in Modern China（Ph. D. Dissertation, Georgetown
University, 1968）及T'sai Yuan-P'ei：Educator of Modern China
（State College: Pennsyvania State University Press,1977）、Mrs. Yiu
Chin-hsieo（尤戴旭清），The Life and Work of T'sai Yuan-P'
ei（Ed. D. Dissertation, Harvard University, 1952）、Eugene S. Lubot,
T'sai Yuan-P'ei from Confucian Scholar to Chancellor of Peking
University（Ph. D. Dissertation, Ohio State University-Columbus,
1970）、Ping Poh-seng, T'sai Yuan-P'ei and His Contribution to
Modern Education in China.（Ph. D. Dissertation, Australian
National University, 1964）、Douglas Gordon Spelman, T'sai Yuan-
P'ei, 1868-1923（Ph. D. Dissertation, Harvard University, 1973）、現代
教育社《蔡元培的革命教育》（香港，華華書店，1944）、Ts'ai
Yu-hsin, The Educational Philosophy of Ts'ia Yuan-P'ei.（Ph. D.
Dissertation, University of Kansas, 1988）、孫德中《蔡元培教育學
說》（臺北，復興書局，民45）、李若一《蔡元培的政治思想》
（臺北，臺灣商務印書館，民61）、方凱芸《五四期間蔡元培政治思

想研究》（香港大學碩士論文，1981）、聶振斌《蔡元培及其美學思想》（天津，天津人民出版社，1984）、梁柱《蔡元培與北京大學》（銀川，寧夏人民出版社，1985；修訂本爲北京大學出版社出版，1996）、梁柱、王世儒《蔡元培與北京大學》（太原，山西教育出版社，1995）、張火木《蔡元培與國立北京大學（1912-1927）》（中國文化大學史學研究所碩士論文，民72）、金林祥《蔡元培教育思想研究》（瀋陽，遼寧教育出版社，1994）、黃中《蔡元培先生教育思想之研究》（政治大學教育研究所碩士論文，民50年12月）、沈慶揚《蔡元培教育思想之研究》（高雄師範大學教育研究所碩士論文，民78）、金祥林《蔡元培教育思想研究》（瀋陽，遼寧教育出版社，1994）、謝義勇《蔡元培社會教育思想之研究》（臺灣師範大學社會教育研究所碩士論文，民78；高雄，復文圖書出版社，民79）、張力《蔡元培與近代中國啟蒙運動》（政治大學歷史研究所碩士論文，民68）、吳家瑩《蔡元培與北大校務革新》（花蓮，花蓮師院人文教育研究中心，民81）、吳稚暉《四十年前之小故事》（湖南，袖珍書店，民32）。

　　論文方面有歐陽哲生〈蔡元培研究述評〉（《文史知識》1992年1期）、蔡建國著、古厩忠夫譯〈蔡元培研究の動向〉（《近きに在りて》16號，1989年11月）、張曉唯〈近年來蔡元培研究述評〉（《民國檔案》1990年1期）、周佳榮〈蔡元培研究の現狀について〉（《史學研究（廣島）》135號，1977年3月）、陶英惠〈關於研究蔡（元培）先生的史料〉（《傳記文學》31卷2期，民66年8月）、〈臺海兩岸對蔡元培先生的研究〉（同上，67卷1期，民84年7月）及〈蔡元培先生著述目錄〉（《書目季刊》2卷1期，民56年9月）、周天度〈關於五四運動中北京學界的一項決議案－兼評蔡元培思想研究中的一個問題〉（《近代史研究》1986年1期）。〈蔡元培自寫年譜（1868-1900）〉（《檔案與歷史》1987年4期）、許德珩〈懷念吾師蔡元培先生〉（《學習與研究》1981年3期）、顧頡剛〈我所知道的蔡元培先生〉（《中國哲學》1980年4期）、梁漱溟〈紀念蔡先生〉（《文化雜誌》2卷1期，民31年3月）、周作人〈記蔡孑民先生的事〉（《古今月刊》第6期，民31年8月）、周成〈追憶蔡孑民先生〉（《宇宙風》乙刊24期，1940年5月）、顧孟餘〈憶蔡孑民先生〉（《東方雜誌》37卷8號，民29）、王觀泉〈漫話蔡元培〉（《人物》1980年2期）、蕭輝楷〈璀璨多采的豪傑人生－敬記蔡孑民先生〉（《明報》14卷5期，1968年5月）、毛子水〈對於蔡先生的一些回憶〉（《傳記文學》10卷1期，民56年1月）、蕭瑜〈蔡孑民先生自傳之一章〉（同上）、孫德中〈蔡元培先生的百歲生日〉（《傳記文學》10卷1期，民56年1月）、林語堂〈想念蔡元培先生〉（同上，10卷2期，民56年2月）、郝慶元〈蔡元培先生二、三事〉（《教育研究》1980年2期）、陶英惠〈關於蔡元培的三件事〉（《中外雜誌》24卷5期，民67年11月）及〈關於蔡元培先生的幾件小事〉（《人與社會》6卷2期，民67年6月）、姜紹謨〈隨侍蔡先生的經過及我對他的體認〉（《傳記文學》31卷2期，民66年8月）、謝康〈憶說蔡元培〉（《中外雜誌》23卷3期，民67年3月）、曹建〈紀念蔡元培老師〉（同上，24卷4期，民67年10月）、張申府〈紀念蔡元培先生〉（《文獻》1980年1期）、蕭一山〈一代宗師蔡孑民先生〉（《學術季刊》2卷1期，民42年9月）、吳相湘〈蔡元培無所不容有所不為〉（載氏著《民國百人傳》第1冊，臺北，傳記文學出版社，民60）、陶英惠〈一

代人師—蔡元培〉（《近代中國》44期，民73年12月）、〈蔡元培〉
（載《現代中國思想家》第5輯，臺北，巨人出版社，民67）、〈蔡元培
（1868-1940）〉（載《中華民國名人傳》第1冊，臺北，近代中國出版
社，民73）、〈蔡元培的生平〉（《中外雜誌》49卷1期，民80年1
月）、〈學不厭教不倦的蔡元培先生〉（《明道文藝》34期，民68）
及〈蔡元培的生平與志業〉（《近代中國》創刊號，民66年3月）、
陳哲三〈試為蔡元培先生寫一簡照〉（《中華文化復興月刊》4卷12
期，民60年12月）、陳三井〈蔡元培先生傳略〉（《近代中國》68
期，民77年12月）、夏敬觀〈蔡元培傳〉（《國史館館刊》1卷3期，民
37）、黃世暉等〈蔡元培先生傳略〉（《傳記文學》10卷2期，民56
年2月）、慶佑〈蔡元培〉（《紅樓夢學刊》1982年2期）、宮川尚志
〈蔡元培〉（載《世界歷史事典》第4卷，東京，平凡社，1956）、高
平叔〈蔡元培生平概述〉（《民國檔案》1987年3-4期）及〈蔡元培
先生〉（《人物》1980年3期）、孫常煒〈蔡元培先生的生平〉
（《新時代》7卷12期，民56年12月）、王世杰〈蔡先生的生平事功和
思想〉（《傳記文學》31卷2期，民66年8月）、周邦道〈蔡元培傳
略〉（《華學月刊》54期，民65年6月）、王成聖〈蔡元培別傳〉
（《中外雜誌》45卷2、3期，民78年3月）、大村興道〈蔡元培〉（收
於《中國の思想家：宇野哲人博士米壽記念論集》下冊，東京，勁草書
房，1963）、楊金鑫〈論蔡元培〉（《湖南師院學報》1979年2期）、
陳鐵健〈讀《蔡元培傳》〉（《文史哲》1985年3期）、安藤彥太郎
〈蔡元培の生涯その評價について—蔡尚思著《蔡元培學術思想
傳記》おばえかき〉（《中國研究》16號，1952年9月）、蔡孟堅
〈蔡元培一生風範—出身翰林、參加革命、留學德法、鼓吹新文

化、提倡美育〉（《傳記文學》68卷3期，民85年3月）、羅超〈試論
蔡元培的歷史貢獻〉（《歷史論叢》第1輯，1980年8月）及〈志在民
族革命行在民主自由—紀念蔡元培先生逝世四十周年〉（《安徽
師大學報》1980年2期）、盛家林〈蔡元培—偉大的愛國主義者〉
（《天津社會科學》1985年4期）、胡繩〈紀念蔡元培先生誕辰120周
年〉（收入蔡元培研究會編《論蔡元培》，北京，旅遊教育出版社，
1989）、張蘭馨〈教育改革的先驅—蔡元培〉（同上）、李辛之
〈近代中國提倡美育的先驅—蔡元培〉（同上）、張力〈中國的
教育家—蔡元培先生〉（《人本教育札記》26期，民80年8月）、呂
錫栽〈教育家蔡元培〉（《歷史知識》1984年3期）、易慧青〈近代
著名教育家—蔡元培〉（《遼寧教育》1980年1期）、唐世宗等〈中
國近代著名教育家蔡元培〉（《山東教育》1980年2期）、周德昌
〈中國近代教育改革家蔡元培〉（《華南師大學報》1987年4期）、
劉沛然〈近代教育改革家—蔡元培〉（《新長征》1983年7期）、岑
穎〈當代革命教育家—蔡元培先生〉（《臺灣教育輔導月刊》2卷5
期，民41年5月）、彭國棟〈一代教育家—蔡元培先生的志業〉
（《中華文化復興月刊》9卷9期，民65年9月）、沈慶揚〈我國首任教
育總長蔡元培先生〉（《高市文教》34期，民77年6月）、陶英惠
〈蔡元培自寫年譜（1868-1900年）〉（《近代中國史研究通訊》第6
期，民77年9月）、姚輝〈知人善任的蔡元培〉（《紹興師專學報》
1984年1期）、羅家倫〈蔡元培先生的風格和遠見〉（《新時代》1卷
8期，民50年8月）、曹忠胄〈蔡子民先生的風骨〉（《自由談》3卷
10期，民41）、王成聖〈蔡元培和而不同〉（《中外雜誌》10卷3期，
民60年9月）、藍守人〈蔡子民先生其人其事〉（《浙江月刊》1卷12

期，民58年12月）、楊愷齡〈蔡元培先生二三事〉（《大學生活》2
卷5期，1956年9月）、高平叔〈蔡元培的家世與家庭生活〉（《晉
陽學刊》1986年1期）、蔡無忌等〈先君幼年軼事拾零〉（《東方雜
誌》37卷8號，民29）、胡國樞〈蔡元培曾在〝古越藏書樓〞工作
過嗎？〉（《近代史研究》1985年5期）、金林祥〈蔡元培推遲殿試
原因考辨〉（同上，1996年1期）、葉龍彥〈蔡元培先生的舊學時
代〉（《中華文化復興月刊》8卷8期，民64年8月）、蔣復璁〈蔡元培
先生的舊學及其他〉（《傳記文學》31卷3期，民66年9月）、孫常煒
〈蔡元培先生的戀愛與婚姻〉（《浙江月刊》19卷7、8期，民76年7、
8月）、史鑑〈蔡元培的兩次徵婚啟事〉（同上，28卷6期，民85年6
月）、梅恕曾〈學人、通人、超人〉（《傳記文學》31卷2期，民66
年8月）、胡國樞〈〝學界泰斗〞蔡元培〉（收入《論蔡元培》，北
京，1989）、孟磊〈蔡元培為什麼一度失誤—《蔡元培傳》的一
個論點〉（《人物》1985年2期）、高平叔〈蔡元培在天津〉（《歷
史教學》1983年3期）、牟小東〈蔡元培先生在北京〉（《學習與研
究》1983年1期）、柳蘇〈蔡元培在香港的最後日子〉（《民國春
秋》1992年3期）、劉小清〈蔡元培在香港的最後日子〉（《炎黃春
秋》1996年12期）、關國煊〈青山有幸埋忠骨—蔡元培先生晚年在
香港及逝世經過〉（《傳記文學》57卷3期，民79年9月）、余毅〈悼
蔡元培先生〉（《責善半月刊》創刊號，民29年3月）、趙家璧〈想
起蔡元培先生的一個遺願〉（《讀書》1979年8期）、洪炎秋〈蔡先
生為我解決困難及其遺風對臺大的影響〉（《傳記文學》31卷2期，
民66年8月）。

　　關於蔡元培與五四運動（或新文化運動）的論文有高平叔

〈蔡元培與五四運動〉（《民國檔案》1986年2、3期）、黃崇法〈蔡元培與五四運動〉（《歷史教學問題》1985年2期）、山根幸夫〈五四運動と蔡元培〉（《東京女子大學創立五十周年記念論文集（社會科學編拔刷）；亦載《論集近代中國と日本》，東京，1968）、左舜生〈五四運動與蔡元培先生〉（收入陳少廷主編《五四運動的回憶》，臺北，百傑出版社，民68年修訂再版）、竹內好〈中國の學生運動—五四運動と蔡元培〉（《世界》62號，1951年2月）、荊惠蘭〈蔡元培在〝五四〞運動中的作用〉（《佳木斯師專學報》1993年3期）、朱君〈簡論蔡元培對〝五四〞運動的貢獻〉（《紹興師專學報》1988年1期）、魏洪鐘〈蔡元培對五四運動的貢獻〉（《上饒師專學報》1991年1期）、高平叔〈五四運動中的蔡元培〉（《歷史教學》1986年5期）及〈〝五四〞前後的蔡元培〉（《百科知識》1980年4期）、Eugene S. Lubot, "T'sai Yuan-P'ei and the May Fourth Incident: One Liberal's Attitude Toward Student Activism"（Chinese Culture Quarterly, Vol. 13, NO.2 June,1972）、魏授章〈試論五四運動前後的蔡元培〉（《蘇州大學學報》1989年2、3期合刊）、張寄謙〈五四運動前後的蔡元培〉（《北京大學學報》1979年3期）、王淇等〈五四運動前後的蔡元培〉（《歷史教學》1979年6期）及〈五四時期的蔡元培〉（收入《五四時期的歷史人物》，北京，中國青年出版社，1979）、黃真、姚維斗〈協力倡新歷艱難—〝五四〞時期的蔡元培〉（收入《五四群英》，石家庄，河北人民出版社，1981）、吉川榮一〈五四時期の蔡元培〉（《中哲文學會報（東京大學）》第9卷，1984年6月）、姚輝〈現代中國知識界的卓越前驅—〝五四〞時期的蔡元培〉（《實踐（浙江）》1982年5期）、

屠文淑〈五四運動的先導蔡元培先生〉(《蘭州大學學報》1989年2
期)、陳若璋〈從蔡元培的風格談五四運動〉(《革新》23期,民
62年6月)、李侃〈五四運動與蔡元培的品格素質〉(載《五四運動
與中國文化建設—五四運動七十周年學術討論會論文選》下冊,北京,
1989)、周天度〈蔡元培和五四新文化運動〉(《民國春秋》1989年
3期)、方憲軒〈蔡元培與新文化運動〉(《杭州大學學報》1985年6
期)、方山〈蔡元培與新文化運動〉(《中華文化復興月刊》10卷5
期,民66年5月)、蕭一山〈新文化運動與蔡子民先生〉(《時代精
神》6卷4期,民31年6月)、耿雲志〈蔡元培—新文化運動的贊助者
和保護者〉(收於《紀念五四運動六十周年學術討論會論文選》第2冊,
北京,中國社會科學出版社,1980)、馮友蘭〈新文化運動的創始
人、教育家、哲學家蔡元培〉(載湯一介編《論傳統與反傳統—五四
70周年紀念文選》,臺北,民78)、劉曉琴〈蔡元培的教育實踐與五
四新文化運動〉(《社會科學(甘肅)》1985年6期)。

與北京大學(專書已在前面列舉)有陶英惠〈蔡元培與北京
大學(1917-1923)〉(《中央研究院近代史研究所集刊》第5期,民65
年6月)、羅家倫〈蔡元培先生與北京大學〉(《傳記文學》10卷1
期,民56年1月)、張火木〈蔡元培與國立北京大學〉(《實踐學
報》15期,民73年5月)、梁柱〈蔡元培與北京大學〉(《北京大學學
報》1980年2期)及〈論蔡元培在北京大學的革新〉(《教育研究》
1984年8期)、劉真〈蔡元培先生與北京大學〉、(《傳記文學》39
卷5期,民70年12月)、馮國華〈蔡元培與北京大學〉(《史潮(香
港)》第1期,1975年2月)、朱文原〈蔡元培先生與北京大學〉
(《浙江月刊》21卷9期,民78年8月)、周谷城〈蔡元培先生與北京

大學〉（收入氏著《周谷城教育文集》，長春，吉林教育出版社，1991）、陶希聖〈蔡先生任北大校長對近代中國發生的巨大影響〉（《傳記文學》31卷2期，民66年8月）、陳顧遠〈蔡先生對北大的改革與影響〉（同上）、羅裕祥〈蔡元培在北京大學的教育改革〉（《西北師院學報》1986年4期）、胡國樞〈蔡元培與北京大學改革〉（《浙江學刊》1988年2期）、方山〈蔡元培大學教育思想及北京大學之革新〉（《中國歷史學會史學集刊》第7期，民64年5月）、小林善文〈北京大學と軍閥—蔡元培の改革とそれをめぐる鬥爭〉（《史林》66卷3號，1983年5月）、Ping Poh-seng, "The National University of Peking Under the Chancellorship of Ts'ai Yuan-P'ei 1917-1926"（New Society Scholarly Journal新社學報，No.3, December, 1969）、後藤延子〈蔡元培の大學論—北京大學の改革を中心に〉（《人文科學論集（信州大學人文學部）》12號，1978年3月）、增田史郎亮〈北京大學近代化に果した蔡元培の役割(1)〉（《教育科學研究報告》第3號，1957年3月）、中目威博〈北京大學長、蔡元培〉（《新潟產大人文學部紀要》第5號，1996年12月）、丁石孫〈蔡元培先生—北京大學歷史上一位非常重要的校長〉（收入《論蔡元培》，北京，1989）、Eugene Lubot, "Ts'ai Yuan-pei from Confucian Scholar to Chancellor of Peking University, 1893-1923."（Asian Forum, Vol. 2, No.3, July-September 1970）。

與清季革命有鄧嗣禹〈蔡元培的革命活動〉（《中華民國建國史討論集》第1冊，民70）及〈蔡元培先生的革命思想與活動〉（《傳記文學》39卷3期，民70年9月）、吳君毅〈蔡元培的革命生涯〉（《浙江月刊》11卷2期，民68年2月）、陶英惠〈蔡元培與清季

革命〉（《中國現代史專題研究報告》第8輯，民67）及〈辛亥革命前
後的蔡元培〉（《傳記文學》38卷3期，民70年3月）、牟小東〈翰林
公的革命—辛亥革命前後的蔡元培〉（《北疆》1983年3期）、張寄
謙〈辛亥革命時期的蔡元培〉（《辛亥革命史叢刊》第5輯，
1983）、趙慎安〈蔡元培的教育與革命〉（《光復大陸》280期，民
79年4月）、高平叔〈蔡元培援助革命志士三、四事〉（《群言》
1986年7期）、姚全興〈蔡元培和愛國學社〉（《歷史教學》1981年8
期）、高平叔〈蔡元培與蘇報案〉（《南開學報》1985年6期）、孟
峴〈蔡元培與軍國民教育會及光復會〉（《復旦學報》1981年6
期）、胡國樞〈光復會首任會長非蔡元培莫屬〉（《浙江學刊》
1984年5期）、唐君毅〈蔡元培的革命生涯〉（《浙江月刊》11卷2
期，民68）、許智偉〈蔡元培與國民革命〉（《自由青年》57卷6、7
期，民66年6、7月）。

　　與中央研究院有陶英惠〈蔡元培與中央研究院（1927-
1940）〉（《中央研究院近代史研究所集刊》第7期，民67年6月）、孫
常煒〈蔡元培與中央研究院〉（《傳記文學》12卷2期，民57年2
月）、傅長祿〈蔡元培與〝國立中央研究院〞〉（《史學集刊》
1982年2期）、張興中、朱平〈蔡元培與中央研究院〉（《南京史
志》1992年5期）。

　　其他如晨朵〈蔡元培中學資料的新發掘〉（《紹興師專學報》
1989年3期）、鄭登雲〈南京臨時政府的蔡元培〉（《華東師大學
報》1981年4期）、陶英惠〈蔡元培壬子迎袁始末〉（《新知雜誌》
第2年6期，民61年12月）、唐振常〈蔡元培北上迎袁考略〉（《近代
史研究》1983年4期）、鄒時炎〈蔡元培1912年教育改革述評〉

（《武漢師院學報》1983年2期）、道坂明廣〈蔡元培の辭職をめぐ
つて〉（《人文論叢（三重大學人文・文化學部）》第7號，1990年3
月）、蔡揚〈蔡元培〝引咎辭職〞〉（《新文學史料》第3輯，1979
年5月）、殷小未〈五四運動蔡元培辭職出京〉（《歷史教學》1996
年6期）、陶英惠〈關於〝五四〞運動蔡元培〝辭職出京啟
示〞〉（《傳記文學》41卷1期，民71年7月）、唐振常〈從兩次辭職
事件論蔡元培〉（《社會科學戰線》1983年3期）、孔慶泰〈蔡元培
1928年9月11日辭職函前後〉（《歷史檔案》1983年4期）、陳明〈從
三次辭職看蔡元培先生的人格〉（收入《論蔡元培》，北京，
1989）、林敦（A. B. Linden）〈蔡元培與中國國民黨（1926-
1940年）〉（同上）、中國第二歷史檔案館〈蔡元培等請設華法
教育會史料一則〉（《歷史檔案》1984年3期）、杜裕根、蔣順興
〈蔡元培與旅法華工〉（《民國檔案》1995年3期）、陶英惠〈蔡元
培與大學院〉（《中央研究院近代史研究所集刊》第3期上冊，民61年6
月）、〈蔡元培與國民教育之發展—兩度主持全國教育行政的貢
獻〉（載《中華民國建國八十年學術討論集》第3冊，臺北，民80）及
〈蔡元培與民國新教育〉（《近代中國》84期，民80年8月；亦載《中
國現代史專題研究報告》14輯，民81）、沈雲龍〈蔡元培對我國教育
的貢獻〉（《自由中國》19卷12期，民47年12月）、霍益萍〈論蔡元
培在中國近代教育史上的地位〉（《人民教育》1980年2期）、高平
叔〈蔡元培論教育方針〉（《群言》1990年3期）、彭淑楣〈近代中
國における國民教育觀の底流㈥—蔡元培と教育獨立論について
の一考察〉（《フイロソフイア》79號，1992年3月）、黃乃隆〈蔡元
培與中國教育學術的現代化—為紀念蔡先生一百二十歲冥誕而

作〉(《文史學報（中興大學）》19期，民77年3月）、邊理庭〈蔡孑民先生與大學教育〉(《中國青年》6卷3、4期，民31）、馬福業〈試論蔡元培關於高等教育的理論實踐〉(《天津師大學報》1984年1期）、張文伯〈蔡元培與新教育〉(《自由談》34卷3期，民72）、海博（Raibaud Martine）〈蔡元培與天主教教會學校〉（收入《論蔡元培》，北京，1989）、增田史郎亮〈清末社會に於ける蔡元培の教育實踐と其精神〉(《九州大學教育學部紀要（教育學）》第3號，1955年3月）、李建興〈蔡元培與中國近代社會教育的發展〉(《近代中國》43期，民73年10月）、趙正林〈簡論蔡元培的完全人格教育〉(《山西師大學報》1991年3期）、蔡尚思〈蔡元培的革命教育〉(《現代教學叢刊》第1輯，民37）、黃乃隆〈蔡元培與中國教育學術的現代化－為紀念蔡先生一百二十歲冥誕而作〉(《文史學報（中興大學）》18期，民77年3月）、William J. Duiker, "The Humanist Vision:Ts'ai Yuan-p'ei and Educational Reform in Republican China"（《香港中文大學中國文化研究所學報》7卷2期，1974年12月）、陶英惠〈謨議軒昂開日月：蔡元培與學術自由〉(《歷史月刊》第5期，民77年6月）、王世儒〈蔡元培先生與圖書館事業－紀念蔡元培先生逝世四十周年〉(《圖書館情報工作》1980年3期）、李樹權〈蔡元培與中國大學圖書館事業〉(《吉林大學學報》1989年6期）、呂金藻〈中國現代專業音樂教育的啟蒙者－蔡元培先生〉(《吉林歌聲》1980年4期）、廖輔叔〈蔡元培與音樂〉(《中央音樂學院學報》1989年4期）及〈蔡元培先生與音樂教育〉(《音樂藝術》1980年1期）、敖小蘭〈蔡元培與中國近代音樂教育〉(《中國文化月刊》198期，民85年4月）、牟小東

〈蔡元培與中國畫〉（《中國畫》1982年4期）、高紉平〈蔡元培對中國科學事業的貢獻〉（《自然辯證法通訊》1982年1-2期）、刁培德〈蔡元培—中國近代科學和教育事業的奠基者〉（《自然辯證法通訊》1981年5期）、傅貴九〈蔡元培與西北科學考察團紀念郵票〉（《檔案與歷史》1989年6期）、陳玉龍〈蔡元培與近代中國史學〉（收入《論蔡元培》，北京，1989）、仲凡〈蔡孑民先生對於史學上的計劃〉（《責善半月刊》1卷2期，民29年4月）、許地山〈蔡孑民先生的著述〉（《東方雜誌》37卷8號，民29）、何聯奎〈蔡孑民先生對於民族學的貢獻〉（《民族學研究所集刊（中央研究院）》第3期，民32年9月）、段寶林〈蔡元培與俗文學〉（收入《論蔡元培》，北京，1989）、劉宗棠〈蔡元培與科學方法〉（同上）、楊玉清〈蔡元培與中庸之道〉（同上）、李範、張志建〈蔡元培和美育〉（《青海師院學報》1980年2期）、陶英惠等〈倡導美育之蔡元培先生〉（《中華文化復興月刊》10卷12期，民66）、楊丁新〈積極提倡體育的蔡元培先生〉（《新體育》1980年4期）、言心哲〈蔡元培先生與中國社會說〉（《社會學通訊》1981年（試刊）1期）、楊海文〈蔡元培與中國文化〉（《海南師院學報》1992年4期）、William J. Duiker, "Ts'ai Yuan-p'ei and the Confucian Heritage." （Modern Asian Studies, Vol.5, Part 3, July 1971），其中譯文為戴維翰著、張力譯〈蔡元培與儒家傳統〉（收於周陽山等編著《近代中國思想人物—自由主義》，臺北，時報文化出版公司，民69）、高平叔〈蔡元培論輸入西方文化問題〉（《群言》1988年1期）、周天度〈蔡元培不贊成〝全盤西化〞〉（《民國春秋》1990年1期）、戴維翰（William J. Duiker）〈蔡元培與東西文化融合〉（收入《論蔡元培》，北京，1989）、朱義祿〈論蔡元培和康德美德的東漸〉（載《時代與思潮》第3輯，上海，學林出版社，1990）、盛家林〈蔡元培介紹西方哲學的貢獻〉（《天津社會科學》1982年3期）、侯志平〈蔡元培與世界語〉（《中國報導》1982年7、8期）、馬相伯〈蔡元培與十四個學生學拉丁文〉（《復旦校史通訊》1983年1期）、歐陽健〈評蔡元培的《新年夢》和陸士諤的《新中國》〉（《明清小説研究》1990年1期）、鄭仁佳〈蔡元培三娶兩賦悼亡〉（《傳記文學》57卷1期，民79年7月）、鍾守成、王致涌〈蔡元培佚文《歲暮懷人詩手稿》考評〉（《浙江學刊》1993年4期）、黃慧英〈身居要職為民執言─蔡元培為《老殘遊記》作者冤案給石瑛的一封信〉（《南京史志》1985年5期）、孔凡丁、劉洪雷〈蔡元培、胡適紅學研究的〝觀念〞根因：周汝昌、杜景華所作解釋的再探討〉（《明清小説研究》1996年3期）、孟彭興〈抗戰前期的蔡元培〉（《史林》1986年1期）、蔡建國〈蔡元培晚年的政治活動〉（《社會科學》1981年2期）、蕭超然〈試論蔡元培先生的〝和而不同〞精神〉（《北京大學學報》1988年1期）、蘭翁〈蔡子民與進德會〉（《浙江月刊》7卷10期，民64年11月）、高平叔〈蔡元培與民權保障〉（收入《論蔡元培》，北京，1989）、關國煊〈蔡元培與中國民權保障同盟〉（《傳記文學》37卷2期，民69年8月）、段寶林〈蔡元培與俗文學〉（收入《論蔡元培》，北京，1989）及〈蔡元培先生與民間文學〉（《北京大學學報》1982年6期）、魏承史〈蔡元培先生與新聞學研究─推荐蔡元培兩次演説〉（《新聞學習》1982年2期）。陶英惠〈記民國四老─吳敬恒、蔡元培、張人傑、李煜瀛〉（《傳記文學》23卷5期，民62年11月）、徐嘉恩〈蔡元培的啟蒙老師蔡銘恩〉

（《紹興師專學報》1992年4期）、黃季陸〈蔡元培先生與國父的關係〉（《傳記文學》5卷3期，民53年9月）、高平叔〈蔡元培與孫中山〉（《南開學報》1986年6期）、曾永玲、趙啟重〈「蔣介石是袁世凱第二，萬不可信任他」—蔣介石與蔡元培〉（程舒偉、雷慶主編《蔣介石的人際世界》，長春，吉林人民出版社，1994）、趙家銘〈蔡元培與胡適〉（《傳記文學》10卷1期，民57年1月）、陶英惠〈胡適與蔡元培〉（載《郭廷以先生九秩誕辰紀念論文集》上冊，臺北，中央研究院近代史研究所，民84年2月）、耿雲志〈蔡元培與胡適〉（收入《論蔡元培》，北京，1989）、周天度〈蔡元培與陳獨秀〉（同上）、王德林〈蔡元培的慧眼識魯迅〉（《魯迅研究專刊（紹興）》第2期，1983）、裘士雄〈魯迅和蔡元培〉（同上，第7期，1988）、高平叔〈蔡元培與魯迅〉（《南開學報》1984年3期）、任訪秋〈魯迅與蔡元培〉（《信陽師院學報》1985年2期）、王景山〈魯迅日記和書信中的蔡元培〉（《首都師大學報》1995年5期）、王景山〈蔡元培外號萊比錫—魯迅早期書信部分人名考釋〉（《社會科學戰線》1979年1期）、王世儒〈李大釗與蔡元培〉（《北京檔案史料》1989年4期）、高平叔〈蔡元培與張元濟〉（《民國檔案》1985年1期）、牟小東〈從蔡元培、張元濟往來書札中看蔡先生二三事〉（收入《論蔡元培》，北京，1989）、李安慶、孫必有〈蔡元培與黃宗仰〉（同上）、戴自中〈沈尹默與蔡元培〉（載《時代與思潮(2)—中西文化衝撞》，上海，華東師大出版社，1989）、文林〈蔡元培與劉海粟〉（《藝術家》26卷5期，民77年4月）、牟小東〈蔡元培與徐悲鴻〉（《中國畫》1983年3期）、高平叔〈蔡元培與毛澤東〉（《群言》1986年2期）及〈蔡元培與周恩來〉（《民國檔案》1990年1期）、王雲五〈蔡子民先生與我〉（《傳記文學》2卷2期，民52年2月）、張夢九〈蔡元培與北大教授〉（《暢流》37卷1期，民57年2月）、費路（Roland Felber）〈蔡元培在德國萊比錫大學〉（收入《論蔡元培》，北京，1989）、蔡夢業〈蔡元培與法國〉（同上）、張曉唯〈蔡元培與留法勤工儉學運動〉（同上）。

關於蔡元培思想、學說的論文（專書已在前列舉）有郭湛波〈蔡元培的時代和他的思想〉（《文星》16卷4-6期，民54年8-10月）、八卷佳子〈蔡元培—その思想と行動〉（《お茶の水史學》第6號，1963年12月）、閔斗基〈對蔡元培思想的系統認識〉（《國外社會科學》1990年5期）、周佳榮〈從清末中日關係論蔡元培思想的發展〉（收入《論蔡元培》，北京，1989）、陳哲夫〈蔡元培先生的政治思想評析〉（《北京大學學報》1988年2期）、魯蘭洲〈蔡元培後期的政治思想述評〉（《中共浙江省委黨校學報》1991年4期）、傅長祿〈論1927年後蔡元培的政治思想〉（《吉林大學社會科學學報》1984年1期）、張珊珍〈蔡元培政治思想淺論〉（《信陽師院學報》1996年2期）、陳哲夫〈蔡元培的政治思想評析〉（收入《論蔡元培》，北京，1989）、李華興〈民主主義與無政府主義的複合體—蔡元培政治思想初探〉（《復旦學報》1980年4期）、季甄馥〈蔡元培社會政治思想初探〉（《江西大學學報》1981年2期）、宋培基〈蔡元培民主思想的特色及其發展軌跡〉（《紹興師專學報》1993年3期）、鄧嗣禹〈蔡元培先生的革命思想與活動〉（《傳記文學》39卷3期，民70年9月）、徐嘉恩〈試論蔡元培反帝愛國思想的特色〉（《紹興師專學報》1988年1期）、胡家玉〈蔡元培與社會主義思想〉（收入《論蔡元培》，北京，1989）、楊立人〈蔡元培主觀社會主義思想研究〉（《貴州師大學報》1992年1期）、黃中〈蔡元培先生的教育思想〉（《國立編譯館館刊》1卷4期，民61年12月）、潘懋元〈蔡元培的教育思想—中國近代教育史研究資料之一〉（《廈門大學學報》1955年4期）、陳友松〈蔡子民先生的教育思想〉（《知識與生活》第4期，民36）、李大章〈蔡元培的教育思想〉（《山西教育》1980年4期）、方炳林〈蔡元培教育思想〉（《師大教育研究所集刊》第5輯，民51年11月）、高奇〈蔡元培的教育觀〉（《北京師大學報》1980年2期）、程斯輝、明慶華〈蔡元培的中國教育觀〉（《湖北大學學報》1988年4期）、朱玉華〈蔡元培〝尚自然展個性〞教育思想述評〉（《唐山師專唐山教育學院學報》1988年2期）、田正平〈蔡元培教育思想的歷史進步性〉（《杭州大學學報》1980年1期）、林培玲〈蔡元培的進步教育思想管見〉（《安慶師專學報》1982年1期）、培蘭〈蔡元培〝五育並舉〞的教育思想〉（《歷史教學》1995年3期）、黎赫〈蔡元培〝五育〞並舉的教育方針〉（《遼寧師大學報》1985年5期）、高建民〈蔡元培教育經濟思想探析〉（《教育與經濟》1992年4期）、錢方來〈蔡元培在嵊縣期間的教育思想與社會思想〉（收入《論蔡元培》，北京，1989）、盛家林〈蔡元培的社會教育思想〉（《天津師大學報》1985年5期）、陳志科〈蔡元培的兒童教育思想〉（收入《論蔡元培》，北京，1989）、馬福業〈試論蔡元培關於高等教育的理論與實踐〉（《天津師大學報》1984年1期）、韓延明〈蔡元培高校學生管理思想與實踐摭探〉（《遼寧高等教育研究》1995年4期）、周德豐〈蔡元培大學教育思想管窺〉（《天津師院學報》1981年3期）、李慶〈蔡元培的大學教育論〉（《華東師大學報》1984年3期）、陳永

璣〈論蔡元培先生的「國立大學」思想〉(《東方雜誌》復刊9卷5
號,民64年11月)、梁柱〈論蔡元培〝兼容並包〞的辦學思想〉
(《北京大學學報》1988年2期)、于建平〈試論蔡元培科學教育思
想與實踐〉(《山東師大學報》1990年6期)、李雄輝〈蔡元培美感
教育思想研究〉(《臺灣師大教育研究所集刊》22輯,民69年6月)、
楊坤緒〈教育領域的大改革家─論蔡元培教育思想和美育思想的
當代性〉(收入《論蔡元培》,北京,1989)、陳永泉〈試談蔡元培
美育思想〉(《上海師大學報》1985年2期)、孫常煒〈蔡元培先生
的美育思想─紀念蔡子民先生誕生一百二十周年〉(《國史館館
刊》復刊第3期,民76年12月)、盧善慶〈簡論蔡元培的美育思想〉
(《廈門大學學報》1980年3期)及〈蔡元培的美育思想簡介〉(《美
育》1981年2期)、姚全興〈論蔡元培的美學和美育思想〉(《社會
科學(上海)》1980年2期)、胡國樞〈蔡元培的美學思想與美育實
踐述評〉(《浙江學刊》1985年4期)、聶振斌〈蔡元培的美育思
想〉(《美學》1981年3期)、高廣志〈論蔡元培的美育思想與中國
傳統文化精神〉(《瀋陽師院學報》1995年3期)、張紅〈蔡元培的
美育思想及其在中國近代教育史上的地位〉(《天津師院學報》
1982年4期)、大竹鑑〈蔡元培の「美育」論〉(《大谷學報》58卷4
號,1979年2月)、禹雄華〈對蔡元培〝以美育代宗教〞說的新思
考〉(《湖南師大社會科學學報》1994年5期)、劉小鋒〈試析蔡元培
先生的美育觀〉(《東南文化》1993年6期)、劉鳳梧〈蔡元培的美
育觀〉(《教育研究》1981年2期)、張文泰〈試論蔡元培以美育代
宗教思想〉(收入《論蔡元培》,北京,1989)、程斯輝〈蔡元培完
全人格教育思想初探〉(同上)、陳錚〈德育在蔡元培思想中的

地位〉（同上）、程斯輝〈蔡元培的道德教育思想淺議〉（《湖北大學學報》1987年3期）、王增明〈試論蔡元培的體育思想〉（《體育文史》1985年2期）、徐元民〈蔡元培的體育思想〉（《體育學報》16輯，民82年12月）、鄭志林〈蔡元培的體育主張和實踐〉（《杭州大學學報》1985年2期）、William J. Duiker, "The Aesthetics Philosophy of T'sai Yuan-P'ei"（Philosophy East and West, Vol.22, NO.4, October, 1972）、應家淦〈簡論蔡元培的哲學思想〉（《實踐（浙江）》1982年6期）、蕭萬源〈試論蔡元培的哲學思想〉（《社會科學輯刊》1985年1期）、劉知非〈蔡孑民先生的哲學思想〉（《明憲》63期，民36）、馬毅〈蔡孑民先生的道德哲學與美育〉（《時代精神》3卷1期，民29）、後藤延子〈蔡元培の哲學—民國的人間像の行動原理〉（《人文科學論集（信州大學人文學部）》13號，1979年3月）、陶侃〈論蔡元培的哲學方法論〉（《紹興師專學報》1994年2期）、沈善洪等〈評蔡元培德育論的特色〉（《浙江學刊》1985年4期）、楊立人〈蔡元培倫理思想淺論〉（《貴州師大學報》1990年4期）、劉毅〈略論蔡元培的倫理思想〉（《湖北大學學報》1992年6期）、楊立人〈蔡元培史學思想淺論〉（《貴州師大學報》1994年1期）、丁石孫〈蔡元培關於科學的思想〉（《群言》1990年3期）、關肇昕〈蔡元培新聞思想初探〉（《南京師大學報》1993年3期）、唐志勇〈蔡元培的發展學術的思想〉（《山東師院學報》1980年4期）、陳錚〈蔡元培的人才觀〉（《北京師大學報》1980年4期）、康沛竹、姬虹〈論蔡元培婦女解放思想〉（收入《論蔡元培》，北京，1989）、朱馥生〈蔡元培先生對婦女地位的看法〉（同上）、姚全興〈蔡元培的男女平等思

想〉（《歷史知識》1981年5期）、石田米子〈蔡元培の女性觀〉
（《岡山大學文學部紀要》13號，1990年7月）、姬虹〈五四前後蔡元
培、李大釗婦女觀比評〉（《清華大學學報》1989年1期）、盧善慶
〈蔡元培的中西文化觀〉（《江西社會科學》1989年4期）、張寄謙
〈蔡元培的中西文化觀〉（收入《論蔡元培》，北京，1989）、李磊
明〈蔡元培的中西文化觀比較研究〉（《中州學刊》1994年2期）、
崔運武〈論蔡元培融合中西文化思想的形成發展〉（《中州學
刊》1988年4期）、王寧〈蔡元培對中西文化思想的〝包〞與
〝融〞〉（收入《論蔡元培》，北京，1989）、鍾興錦〈蔡元培〝兼
容並包〞的文化觀〉（《江漢論壇》1989年10期）、楊亮功〈蔡先生
的文化思想及與北大中公的兩件事〉（《傳記文學》31卷2期，民66
年8月）、蔡建國〈在傳統與近代之間—蔡元培文化思想再論〉
（《史林》1996年3期）及〈近代中國知識人の日本文明理解の態
樣—蔡元培の日本觀をめぐつし〉（《近代中國研究學報》15號，
1993年3月）、陶侃〈論蔡元培的二元論世界觀〉（《紹興師專學
報》1993年3期）、王進〈蔡元培的宗教觀〉（《宗教學研究》1995年
4期）、潘樹廣〈蔡元培的辭書學理論和實踐〉（《辭書研究》1983
年1期）。

2.陳獨秀

專書方面有陳獨秀《獨秀文存》（4冊，上海，亞東圖書館，民
22）、《獨秀叢書七種》（校樣本，民37）、（吳曉明編選）《德
賽二先生與社會主義—陳獨秀文選》（上海，遠東出版社，
1994）、《實庵自傳》（廣州，亞東圖書館，民27；臺北，傳記文學出

版社，民56）、《陳獨秀自述》（臺南，王家出版社，民57）、《陳
獨秀論工人專政民主政治諸問題》（香港，龍文書店，1969）及
《陳獨秀先生辯訴狀》（民22年2月出版）、陳獨秀著、任建樹等
編《陳獨秀著作選》（3冊，上海，上海人民出版社，1993）、陳獨秀
《陳獨秀的最後見解》（香港，自由中國出版社，1950）、安慶市歷
史學會、安慶市圖書館編印《陳獨秀研究參考資料·第1輯》
（1981）；《陳獨秀研究參考資料匯編》（臺北，亞東圖書館，民
69）；《陳獨秀著作及研究資料》（九龍，實用書局，1977）、胡明
編《陳獨秀選集》（天津，天津人民出版社，1990）、水如編《陳獨
秀書信集》（北京，新華出版社，1987）；《陳獨秀文章選編》（3
冊，北京，三聯書店，1984）、張永通等《後期的陳獨秀及其文章
選編》（成都，四川人民出版社，1980）、強重華等《陳獨秀被捕資
料匯編》（鄭州，河南人民出版社，1982）、陳東曉編《陳獨秀評
論》（北平，東亞書局，民22）、王樹棣等《陳獨秀評論選編》（2
冊，鄭州，河南人民出版社，1982）、邵祖德、戚謝美編著《陳獨秀
教育論著選》（北京，人民教育出版社，1995）、唐寶林編《新論
語—陳獨秀卷》（北京，華夏出版社，1991）及《陳獨秀語萃》（同
上，1993）、金鳳編《陳獨秀》（北京，新華出版社，1991，中國革命
史小叢書）、橫山宏章《陳獨秀》（東京，朝日新聞社，1983）、任
建樹《陳獨秀傳（上）—從秀才到總書記》（上海，上海人民出版
社，1989）、唐寶林《陳獨秀傳（下）—從總書記到反對派》（同
上）、鄭學稼《陳獨秀傳》（2冊，臺北，時報文化出版公司，民
78）、李洪鈞《陳獨秀評傳》（瀋陽，遼寧大學出版社，1990）、吳
曉《獨自風流：陳獨秀秘史》（成都，四川人民出版社，1996）、王

光遠編《陳獨秀年譜：1879-1942》（重慶，重慶出版社，1987）、
郅玉汝《陳獨秀年譜》（香港，龍門書店，1974）、唐寶林、林茂
生編《陳獨秀年譜》（上海，上海人民出版社，1988）、Kevin
Frederick Fountain, The Fatherless Child: Chen Duxiu, 1879-
1942. (Ph. D. Dissertation, Brown university, 1981)、Feigon Nathan
Lee, Ch'en Tu-hsiu and the Foundations of the Chinese Revol-
ution. (Ph. D. Dissertation, University of Wisconsin-Madison, 1977)、
該博士論文於1983年由Princeton University出版，易名為Chen
Duxiu: Founder of the Chinese Communist Party.；Thomas C.
Kuo（郭成棠），Ch'en Tu-hsiu（1879-1942）and the Commu-
nist Movement. (South Orange: Seton Hall University Press，1975；
原係作者就讀Columbia University時之博士論文，加以修改而成，其中譯
本為《陳獨秀與中國共產主義運動》，臺北，聯經出版公司，民80）、王
學勤《陳獨秀與中國共產黨》（南京，東南大學出版社，1991）、徐
光壽等《陳獨秀與中國革命》（合肥，安徽人民出版社，1993）、黃
健夫《陳獨秀與中國托派》（政治大學東亞研究所碩士論文，民
77）、陳萬雄《新文化運動前的陳獨秀：1879-1915年》（香港，中
文大學出版社，1979）、黃振銳《陳獨秀對傳統價值的批判》（香
港珠海大學中國歷史研究所碩士論文，1994年5月）、Chih Yu-ju, The
Political Thought of Ch'en Tu-hsiu（Ph. D. Dissertation, Indiana
university-Bloomington, 1965）、Julie Lien-ying How, The Develop-
ment of Ch'en Tu-hsiu's Thought, 1915-1938（Master's Thesis,
Columbia University，1949）、Alex Woshun Chan, The Discourse
of Chinese Marxism: A Case Study of the Thought of Chen

Duxiu and Li-Dazhao Before the Turn of 1920. (The M. A. Thesis, Michigan State University, 1991)、中國人民大學中國革命史教研室編《陳獨秀問題批判資料》(北京,中國人民大學出版社,1959)、尼司編《陳獨秀與所謂托派問題》(新中國出版社,民27)、Richard C. Kagan., The Chinese Trotskyist Movement and Ch'en Tu-hsiu." (Ph. D. Dissertation, University of Pennsylvania, 1969)、Wang Fanxi (ed. Gregor Benton), Isaac Deutscher, Chen Duxiu and the Chinese Trotskyists: A Comment on Deutscher's, the Prophet Out-Cast. (Leeds: Leeds East Asia Paper, No.23, 1994)、Gregor Benton, China's Urban Revolutionaries: Explorations in the History of Chinese Trotskyism, 1921-1952. (New Jersey: Humanities Press, 1996)、唐寶林《中國托派史》(臺北,東大圖書公司,民83)、溫慶翁,Liberalism, Marxism, and the Intellectual Movement in China: 1915-1920: With Special Reference to the Career of Ch'en Tu-hsiu. (香港大學博士論文,1975)、朱克岩《孤獨的黃昏—陳獨秀的晚年生活》(廣州,花城出版社,1996)、魏知信《陳獨秀思想研究》(南京,南京大學出版社,1987)、曾樂山《五四時期陳獨秀思想研究》(福州,福建人民出版社,1983)、黃季寬《陳獨秀思想轉變之初探》(政治大學東亞研究所碩士論文,民67)、賴瑞卿《陳獨秀對中國革命的意見之研究》(同上,民63)、王丰《陳獨秀之政治思想》(同上,民77)、陳政如《陳獨秀民主思想研究》(政治大學政治研究所碩士論文,民83)、宋教瑛《中共建黨前知識份子思想探源(1915-1921)—論陳獨秀、李大釗思想之轉變》(中國文化大學大陸問題

研究所碩士論文，民75年7月）、羅天佑《五四期間陳獨秀和李大釗
的思想》（香港大學碩士論文，1982）、黃紅玉《從陳獨秀探討五
四期間反傳統主義與民族主義的關係》（同上，畢業年份不詳）。

　　論文方面有唐寶林〈陳獨秀研究綜述〉（《黨史研究資料》
1990年11期）、李緒基〈關於陳獨秀研究的幾個問題〉（《史學月
刊》1989年4期）、王洪模〈近年來評論陳獨秀簡況〉（《黨史研
究》1981年5期）、鄧紅〈陳獨秀研究關係論文論著目錄（初
稿）〉（《大分縣藝術文化短大研究紀要》33號，1995）、中島長文
〈陳獨秀年譜長編初稿(1)-(4)〉（《京都產業大學紀要》第1號，1969
年5月；《京都產業大學論集》1卷3號、2卷3號，1973-1974；《滋賀大學教
育學部紀要》28號，1979）、田所義行〈陳獨秀〉（收於《中國の思想
家：宇野哲人博士米壽記念論集》下冊，東京，勁草書房，1963）、齋藤
道彥〈陳獨秀略傳〉（《中國文學研究》第4號，1966年12月）、河田
悌一〈啟蒙の知識人—陳獨秀〉（《經濟理論（和歌山大學）》133
號，1973年5月）、Richard C. Kegan著、詹宏志譯〈陳獨秀：從
反傳統到民族革命〉（收於《近代中國思想人物論—社會主義》，臺
北，時報文化公司，民69）、才樹祥〈論陳獨秀〉（《北京財貿學院
學報》1981年2期）、劉運祺〈略論陳獨秀〉（《江西大學學報》1979
年2期）、張圻福〈略論陳獨秀〉（《江蘇師院學報》1976年3期）、
徐光金〈略論陳獨秀〉（《齊齊哈爾師院學報》1979年3期）、林茂
生等〈略論陳獨秀〉（《歷史教學》1979年5期）、鄔朝敏〈再談陳
獨秀〉（《昆明師專學報》1981年1期）、儲淡如〈陳獨秀：鐵骨錚
錚一放翁〉（《黨史縱覽》1996年4期）、戶川芳郎〈陳獨秀〉
（《中國語文と中國文化》，東京，光生館，1965）、藤田正典〈陳獨

秀〉（載《世界歷史事典》第6卷，東京，平凡社，1956）及〈陳獨秀〉（載《世界大百科事典》19卷，同上，1957）、費雲文〈細說陳獨秀〉（《中外雜誌》37卷5期，民74年5月）及〈陳獨秀新傳〉（收入氏著《民國人物新傳》內，臺北，聖文書局，民75）、陳善學〈略論陳獨秀的一生〉（《歷史教學問題》1958年2期）、郅玉汝〈陳獨秀的一生及其政治思想〉（《國外中國近代史研究》第6輯，1984）、陳松年〈回憶父親陳獨秀〉（《黨史資料叢刊》第1輯，1980）、湯寶一〈關於陳獨秀的幾個問題〉（《群眾論叢》1980年4期）、陶希聖〈記獨秀〉（《傳記文學》5卷3-4期，民53年9-10月）、臺靜農遺稿〈憶陳獨秀先生〉（同上，57卷6期，民79年12月）、橫山宏章〈陳獨秀ノート⑵「實庵自傳」─陳獨秀著おした唯一の自傳〉（《中國研究》1983年10月號）、Richard C. Kagan, "Chén Tu-hsiu's Unfinished Autobiography." （China Quarterly, No.50, 1972）、沈雲龍〈有關陳獨秀生平的補充資料〉（《傳記文學》31卷2期，民66年8月）、任卓宣〈我與陳獨秀先生〉（同上，30卷5期，民66年5月）、白瑜〈我所見到的陳獨秀先生〉（同上）、尉素秋〈我對陳獨秀先生的印象〉（《傳記文學》30卷5期，民66年5月）、王覺源〈我所認識的陳獨秀先生〉（同上）、袁同疇〈與陳獨秀先生早年的一些接觸〉（同上）、陶希聖〈關於陳獨秀的三段事〉（同上）。林茂生、楊淑娟編〈陳獨秀著·譯·書信系年目錄（1902-1942）〉（《北京大學學報》1980年4-5期、1981年4期、1982年2-3期）、魯迅研究室供稿、陸品晶注釋〈陳獨秀書信〉（《歷史研究》1979年5期）、陸品晶〈讀新發表的陳獨秀四封信手稿〉（同上）、周天度〈關於陳獨秀的一封信〉（《近代史研究》

1986年3期）、吳文質輯注〈陳獨秀遺簡〉（《安徽史學》1985年1、
3、6期）、木村靖子〈陳獨秀執筆活動年譜〉（《近代中國研究セ
ター彙報》第2號，1963年4月）、顧昕〈從意識形態的鼓吹者到社會
的批判者—試析作為一名知識分子的陳獨秀在中國現代化進程中
所扮演的角色〉（載湯一介編《論傳統與反傳統—五四70周年紀念文
選》，臺北，民78）、楊鴻聲〈陳獨秀功過評述〉（《貴州大學學
報》1990年1期）、鄔國勛〈試評陳獨秀的功與過〉（《岳陽師專學
報》1980年1期）、鄔朝敏〈陳獨秀褒貶小議〉（《昭通師專學報》
1980年2期）、高軍、姜華〈關於陳獨秀等歷史人物的評價〉
（《歷史教學》1979年5期；《新華月報》1979年9期）、杜文君〈陳獨
秀評價的評價〉（載《紀念五四運動六十周年學術討論會論文選》第2
冊，北京，中國社會科學出版社，1980）、吳家林、榮國章〈要歷史
地評價陳獨秀—紀念五四運動77周年〉（《北京黨史研究》1996年3
期）、杜文君、王維禮等〈對陳獨秀評價的評價—兼論五四時期
陳獨秀的歷史地位〉（《吉林師大學報》1979年2期）、歷史系七六
級部分師生討論綜述〈關於陳獨秀的評價問題〉（《四川大學學
報》1979年2期）、湯定一〈關於評價陳獨秀的幾個問題〉（《群眾
論叢》1980年4期）、王樹芹〈關於陳獨秀歷史評價的一點質疑—
與張靜如同志商榷〉（《北京師大學報》1980年1期）、王洪模〈關
於陳獨秀一生活動的評價〉（《中國社會科學》1985年5期）、李衛
東、黃志國〈評陳獨秀在歷史上的功過罪〉（《長春師院學報》
1984年1期）、任卓宣〈陳獨秀先生的生平與我的評論〉（《傳記文
學》30卷5期，民66年5月）、沈雲龍〈有關陳獨秀生平的幾個問題
與我的看法〉（《傳記文學》30卷5期，民66年5月）、王洪模、林茂

生〈應當全面地歷史地評價陳獨秀〉（《教學與研究》1979年3
期）、夏立平〈陳獨秀能論定為〝反革命〞叛徒嗎？〉（《黨史
資料叢刊》1980年1期）、范崇山等〈談談對陳獨秀評價問題的一些
看法〉（《揚州師院學報》1978年3期）、宋鏡明等〈評陳獨秀早期
的歷史功績〉（《武漢大學學報》1979年6期）、唐寶林〈舊案新
考—關於王明、康生誣陷陳獨秀為〝漢奸〞的問題〉（《黨史研
究資料》1980年16期）、朱寒冬〈陳獨秀〝漢奸〞案始末〉（《黨史
縱覽》1996年2期）、孫其明〈陳獨秀是否漢奸問題的探討〉（《安
徽大學學報》1980年2期）、謝康〈問題人物陳獨秀〉（《中外雜誌》
25卷1期，民68年1月）、橫山宏章著、陳平景譯〈陳獨秀的生平和
家世—訪問陳松年及有關人士的記錄〉（《中報月刊》51期，
1984）、王開玉〈關於陳獨秀生平、家世和在安徽活動的幾點補
證〉（《江淮論壇》1980年1期）、史譚〈陳獨秀的名、字、生年和
留學學校〉（《學術研究》1975年5期）。侯稚華〈陳獨秀生年考
證〉（《河北師大學報》1984年1期）、劉益壽〈陳獨秀生年考訂〉
（《文獻和研究》1983年4期）、毛飛明〈陳獨秀究竟生於哪一年〉
（《學術月刊》1982年9期）、張紀〈對陳獨秀生年的一點補證〉
（《學術研究》1980年3期）、劉益壽〈對陳獨秀生年的再次補證〉
（同上，1983年9期）及〈陳獨秀的生年不是1879年而是1880年〉
（同上，1983年3期）、何守義〈陳獨秀的生卒年問題〉（《黨史研
究》1983年6期）、史譚〈陳獨秀的名字、生年和留學學校〉（《學
術研究》1979年5期）、任建樹〈陳獨秀字號筆名化名考釋〉（《民
國檔案》1986年4期）及〈關於識別陳獨秀筆名的幾點意見—兼答
吳稚甫同志〉（同上，1992年2期）、費國政〈陳獨秀的青少年時

代〉（《龍門陣》1985年3輯）、沈寂〈陳獨秀第一次留日考〉
（《近代史研究》1983年4期）及〈陳獨秀留學問題再考〉（《安徽史
學》1992年4期）、曹貴民〈陳獨秀究竟幾次去日本〉（《齊齊哈爾
師院學報》1986年4期）、郅玉汝〈關於陳獨秀由日返國的時間問
題〉（《傳記文學》30卷6期，民66年6月）、張湘炳〈陳獨秀與安徽
拒俄運動〉（《安徽史學》1993年2期）、任建樹等〈陳獨秀和《安
徽俗話報》〉（《黨史資料叢刊》第1輯，1980）、沈寂〈陳獨秀和
《安徽俗話報》〉（《安徽革命史研究資料》第1輯，1980）、王樹棣
〈陳獨秀在清末創辦的《安徽俗話報》〉（《文物天地》1981年4
期）、里貝信也〈辛亥革命以前の陳獨秀—「安徽俗話報」を中
心について〉（《佛教大學學院紀要》15號，1987年3月）、王健民
〈辛亥革命時期的陳獨秀〉（《文史哲》1988年4期）、黃清根〈辛
亥革命時期的陳獨秀〉（《華東師大學報》1981年5期）、耿易〈陳
獨秀與辛亥革命〉（《杭州師院學報》1987年2期）、陳善學〈陳獨
秀是辛亥革命運動的積極參加者〉（《江淮論壇》1984年3期）、郭
緒印〈辛亥革命前後陳獨秀的政治表現〉（《上海師院學報》1982
年4期）、陳萬雄〈新文化運動前陳獨秀的政治活動和思想〉
（《香港中文大學學報》第4期，1978）、王立興〈由文學革新到文學
革命—談辛亥革命時期陳獨秀的文學活動〉（《南京大學學報》
1989年3期）、胡適〈陳獨秀與文學革命〉（收入陳東曉編《陳獨秀評
論》，北平，東亞書局，民22）、劉孝良〈陳獨秀是反封建文學革
命的先驅〉（《藝譚》1980年1期）、唐寶林〈叱咤風雲的早期陳獨
秀〉（《民國春秋》1989年3期）、王健民〈陳獨秀的壯年〉（《傳
記文學》21卷2期，民61年8月）、鄭學稼〈辦青年雜誌前陳獨秀生活

的片斷〉（同上，13卷4期，民57年10月）、張湘炳〈陳獨秀早期活動資料補絮〉（《近代史研究》1984年2期）、〈陳獨秀家庭情況簡敍〉（《黨史資料叢刊》第3輯，1982）、李晚成〈陳獨秀三次婚姻的悲歡離合〉（《現代家庭》1985年11期）、〈陳獨秀早期的兩組〝佚〞詩考析〉（《安徽史學》1985年1期）及〈再談陳獨秀的兩組〝佚詩〞與隱居—答《亦談陳獨秀的〝佚詩〞與〝隱居〞》〉（同上，1986年4期）、沈寂〈亦談陳獨秀的〝佚〞詩與〝隱居〞〉（《安徽史學》1985年5期）、陳獨秀〈陳獨秀《感懷》二十首〉（《華東師大學報》1986年3期）、王訓昭〈陳獨秀《感懷》二十首箋釋〉（同上）、孫文光輯〈陳獨秀遺詩輯存〉（《安徽師大學報》1989年4期）、徐宗勉〈從陳獨秀的一篇文章看近代中國民主思潮的特點—讀史隨筆〉（《安徽史學》1985年1期）、吳欣欣、廬茅〈從《獨秀文存》看〝五四〞新詞匯的特點〉（同上，1993年3期）、張湘炳〈陳獨秀的第一篇著作—《揚子江形勢論略》評介〉（《社會科學戰線》1982年1期）、莊永叔〈陳獨秀《資產階級的革命與革命的資產階級》及《中國國民革命與社會各階級》二文的剖析〉（《華東師大學報》1964年2期）、蔡銘澤〈評陳獨秀《中國革命與社會各階級》兩篇文章〉（《湘潭大學社科學報》1983年3期）、鍾揚〈從《慘世界》到《黑天國》—論陳獨秀的小說創作〉（《安慶師院學報》1996年4期）、靳樹鵬、李岳山〈詩人陳獨秀和他的詩〉（《新文學史料》1994年1期）、朱洪〈漫談陳獨秀早期古體詩哲理〉（《安徽史學》1996年1期）。

　　以五四時期（或新文化運動時期）的陳獨秀或陳獨秀與五四運動（或新文化運動）為題的論文有蔣文華〈評五四時期的陳獨

秀〉（《廣西師院學報》1992年2期）、陳道源〈五四時期的陳獨秀〉（《江西師院學報》1979年3期）、張憲文〈五四時期的陳獨秀〉（《南京大學學報》1979年5期）、高潮等〈五四時期的陳獨秀〉（《新疆大學學報》1979年1-2期）、王樹芹〈如何評價五四時期的陳獨秀〉（《山東師院學報》1979年3期）、葉進、徐華國〈怎樣評價五四時期的陳獨秀？〉（《社會科學》1979年1期）、陳世英〈對五四時期陳獨秀的幾點認識〉（《北京師院學報》1979年2期）、陳善學〈論五四時期的李大釗和陳獨秀〉（《紀念五四運動六十周年學術討論會論文選》第2冊，北京，1980）、彭明〈五四時期的李大釗和陳獨秀〉（《歷史研究》1962年6期）、黃文典〈簡論＂五四＂前後的＂南陳北李＂〉（《廣西社會科學》1993年4期）、劉孝良〈試論陳獨秀和李大釗都是五四運動的總司令〉（《淮北煤炭師院學院學報》1991年2期）、歐陽哲生〈論＂五四＂時期陳、胡合作的思想基礎〉（《安徽史學》1992年4期）、彭定安〈五四時期思想文化領空的三顆亮星及其變遷－論魯迅與李大釗、陳獨秀〉（《錦州師院學報》1986年3期）、彭明〈為什麼說陳獨秀是五四運動時期的總司令〉（《民國檔案》1989年2期）、唐志勇〈論陳獨秀成為五四新文化運動發起人的主觀條件〉（《山東師大學報》1993年1期）、李淑瑛〈＂五四＂與建黨時期的陳獨秀〉（《廈門大學學報》1979年3期）、趙崇田〈淺談五四時期和黨的創立時期的陳獨秀〉（《天津商學院學報》1982年1期）、胡邦寧〈略談陳獨秀在五四運動和建黨時期的作用〉（《武漢師院學報》1979年1期）、林為才〈五四時期和黨建立時期的陳獨秀〉（《廣西大學學報》1979年2期）、王金鋙〈論「五四」和黨創立時期的陳獨秀〉（《紀念五四運動六十周年學術討論會論文選》第2冊，北京，1980）、周玉山〈陳獨秀與五四運動〉（《文星》106期，民76年1月）、郭書祥〈陳獨秀與〝五四運動〞〉（《理論教學》1988年3期）、水成〈陳獨秀與五四運動的前前後後〉（《重慶社會科學》1989年2期）、朱玉湘、呂偉俊〈陳獨秀在〝五四〞時期的歷史地位〉（《文史哲》1979年2期）、徐方治〈論五四時期陳獨秀的歷史作用—兼論資產階級民主主義的歷史作用問題〉（《廣西民族學院學報》1979年2期）、孫其明〈論五四時期陳獨秀的歷史作用〉（《安徽大學學報》1979年2期）、王才〈淺談陳獨秀五四時期的歷史功績〉（《安慶師院學報》1994年4期）、陳貴華〈略論〝五四〞時期陳獨秀關於人的現代化思考〉（《南都學壇（南陽師專學報》1996年1期）、楊若〈陳獨秀是新文化運動的旗手〉（《喀什師院學報》1980年1期）、王勁、蘇培新〈陳獨秀與新文化運動〉（《社科縱橫》1995年3期）、任卓宣〈五四文化運動與陳獨秀〉（《筆匯月刊》1卷1期，民48年5月）、中屋敷茂介〈「五四」新文化運動と陳獨秀—中國近代文學の思想的基盤についての考察〉（《文經論叢（弘前大學人文學部）》15卷1號，1980年3月）、黃平權〈略論陳獨秀在〝五四〞新文化運動中的歷史地位〉（《學術研究輯刊》1980年2期）、李兆慎〈論陳獨秀在新文化運動中的歷史作用〉（《北京師大學報》1979年3期）、劉揚烈〈評陳獨秀在五四新文化運動中的作用〉（《廣西民族學院學報》1979年3期）、李鴻鈞〈陳獨秀在新文化運動中的歷史作用〉（《社會科學輯刊》1989年6期）、羅祥風〈陳獨秀在新文化運動中的作用〉（《貴州民族學院學報》1987年1期）、陳志凌等〈陳獨秀、李大釗與新文化運動—紀念五四運動60周年〉（《鄭州大學

學報》1979年2期）、王德昭〈新文化運動時期的陳獨秀〉（《史潮
（香港中文大學聯合書院歷史學會編印）》新刊號第6期，1980年9月）、
沙似鵬〈陳獨秀與五四新文學運動〉（《復旦學報》1979年3期）、
吳康〈陳獨秀對文學革命的創導與影響〉（《江漢論壇》1986年9
期）、李愷玲〈陳獨秀和文學革命〉（《武漢師院學報》1979年1
期）、鄧紅〈陳獨秀と文學革命—陳獨秀研究序論〉（《九州中國
學會報》33卷，1995年5月）、姜沛南、張統模〈五四時期陳獨秀在
上海的革命活動（資料選輯）〉（《社會科學（上海）》1979年1
期）、謝寶生〈五四時期陳獨秀對無政府主義的批判〉（《吉安
師專學報》1985年3期）、沙健孫〈五四後期的陳獨秀是不是馬克思
主義者？〉（《北京大學學報》1979年3期）、李效增、朱俊瑞〈陳
獨秀與五四時期的文化選擇〉（《東岳論叢》1996年3期）、莫志斌
〈五四時期東西文化問題論戰中的陳獨秀〉（《湖南師大學報》
1989年3期）、任浩明〈五四前期陳獨秀反省與批判中國傳統倫理
文化的得失〉（《社會科學家》1990年2期）、宋坤泉〈五四新文化
運動時期陳獨秀對中國國民性的思考〉（《蘇州大學學報》1989年2-
3期）、陳平〈陳獨秀在＂五四＂新文化運動前期對封建道德的
批判〉（《江淮論壇》1986年3期）、王德昭〈新文化時期的陳獨
秀〉（《史潮》第6期，1980）、松本英紀〈新文化運動における陳
獨秀の儒教批評〉（《立命館文學》299號，1970年7月）。

　　談陳獨秀五四時期（或新文化運動時期）思想的論文有談陽
〈＂五四＂前後的陳獨秀思想〉（《史學集刊》1956年11期）、新島
淳良〈五四時代の陳獨秀の思想〉（《思想》380號，1956年2月）、
齊衛平、王效賢〈論五四時期陳獨秀思想轉變的典型意義〉

（《江淮論壇》1996年3期）、饒良倫〈試論五四時期陳獨秀的思想變化和歷史功績〉（《黑龍江大學學報》1979年2期）、曉然〈五四時期陳獨秀思想的探討〉（《上海師大學報》1979年2期）、田克深〈試論五四後期陳獨秀思想的轉變問題〉（《山東大學文科論文集刊》1981年1期）、蔣賢斌〈陳獨秀〝五四〞前後的兩次思想轉變〉（《江西師大學報》1991年2期）、方曾輝〈五四時代陳獨秀意識形態之轉變〉（《史學通訊（中國文化大學史學學社編印）》24期，民77年5月）、朱寒冬〈再論五四前期陳獨秀的政治思想〉（《安徽史學》1991年3期）、（俄）雷科娃著、馬貴凡譯〈陳獨秀在五四運動時期的政治觀點〉（《黨史研究資料》1996年4期）、朱成甲〈〝五四〞時期陳獨秀國民運動的思想與新文化運動〉（載《五四運動與中國文化建設—五四運動七十周年學術討論會論文選》下冊，北京，1989）、顧全芳〈〝五四〞時期陳獨秀的民主思想〉（《山西大學學報》1980年1期）、樊卡婭〈試析〝五四〞時期陳獨秀民主觀的轉變〉（《黨史縱覽》1995年1期）、毛丹〈陳獨秀的民主神話及其思想資源〉（《二十一世紀》24期，1994年8月）、張洪波〈五四時期陳獨秀的民主與科學觀〉（《安慶師院學報》1980年2期）、董士偉、程鋼〈科學的權威與科學的局限—五四時期陳獨秀科學觀述評〉（《清華大學學報》1989年1期）、季甄馥〈五四時期陳獨秀的哲學思想述評〉（《中國哲學史研究》1989年2期）、馬恩溥〈五四運動時期陳獨秀的哲學思想〉（《吉林大學社會科學學報》1982年5期）、李娟〈五四時期陳獨秀哲學思想初探〉（《四川大學學報》1983年3期）、石毓彬〈五四時期陳獨秀的倫理思想和思想解放運動〉（《瀋陽師院學報》1982年3期）、朱月瑾〈略談五四時期陳獨

秀的文化思想〉（《南京大學學報》1977年1期）、楊寶康〈淺論五
四時期的陳獨秀的中西文化思想〉（《思茅師專學報》1993年2
期）、金怡順〈五四時期陳獨秀的群眾觀〉（《安徽黨史研究》
1989年3期）、吳樹之〈〝五四〞時期陳獨秀的宗教觀〉（《南都學
壇》1992年1期）、李占才〈陳獨秀五四時期的人口觀〉（《信陽師
院學報》1994年3期）、袁偉時〈論五四時期李大釗和陳獨秀的世
界觀〉（《中國哲學》1980年3期）、鄧野〈試論〝五四〞後期陳獨
秀世界觀的轉變〉（《近代史研究》1980年4期）、張圻福〈試論五
四時期陳獨秀的馬克思主義觀〉（《江蘇師院學報》1980年3期）、
楊榮華〈試論〝五四〞時期陳獨秀的馬克思主義思想〉（《安徽
師大學報》1979年3期）、陳寶明〈由立人而立國：論陳獨秀五四文
化道德思想〉（《河南大學學報》1990年5期）、張洪波〈進化論是
陳獨秀在新文化運動初期思想的主線〉（《江淮論壇》1987年3
期）、呂明灼〈新文化運動初期李大釗與陳獨秀在愛國觀上的歧
見〉（《齊魯學刊》1985年6期）、田克深〈新文化運動中的陳獨秀
思想淺析〉（《聊城師院學報》1982年4期）、朱文華〈陳獨秀在新
文化運動前期的思想特點〉（《學術月刊》1994年3期）、張湘炳
〈論陳獨秀新文化運動思想形成的歷史過程〉（《安徽史學》1989
年3期）、呂永鋒〈論新文化運動時期陳獨秀的全民政治思想〉
（《四川師大學報》1994年3期）、蝦名良亮〈新文化運動期にすけ
る陳獨秀の「群眾心理」論〉（《中國研究月報》546號，1993年8
月）。

綜論陳獨秀思想的論文有前田浩子〈陳獨秀の思想〉（《寧
樂史苑》12號，1963年12月）、魏知信〈評陳獨秀的思想演變〉

（《南京師院學報》1978年2期）、劉放〈陳獨秀生平思想的四個轉變〉（《佛山師專學報》1986年1期）、有田和夫〈陳獨秀の思想の出發－康黨から亂黨へ〉（《東洋大學哲學文學部紀要》第3號，1995年3月）、曹伯一〈陳獨秀早期思想探析〉（《東亞季刊》10卷3期，民68年1月）、何繼良〈東渡前後－早期陳獨秀思想變化之管見〉（《檔案與歷史》1986年1期）、張文濤〈略論陳獨秀早期思想的兩個轉變〉（《廈門大學學報》1982年4期）、孫思白〈陳獨秀前期思想的解剖〉（《歷史教學》1963年10期）、趙恒烈〈評孫思白的《陳獨秀前期思想的解剖》〉（同上，1965年6期）、鄧玉山〈評孫思白的《陳獨秀前期思想的解剖》〉（同上）、鄭學稼〈陳獨秀先生晚年的思想〉（《民主與統一》第7期，民35）、周九皋〈略論陳獨秀的後期思想〉（《天津師專學報》1982年3期）、唐守榮〈論陳獨秀晚年思想〉（《黨史研究與教學》1994年1期）。談其二次革命論的論文有羅玉明、楊明楚〈陳獨秀的〝二次革命論〞探源〉（《安徽史學》1991年3期）、王獻玲〈陳獨秀〝二次革命論〞的三個來源〉（《北京黨史研究》1992年4期）、江田憲治〈陳獨秀と〝二回革命論〞の形成〉（《東方學報》62集，1990年3月），其中譯文為〈陳獨秀與〝二次革命論〞的形成〉（文載《國外中國近代史研究》22輯，1993）、羅玉明〈陳獨秀〝二次革命論〞的形成和發展〉（《懷化師專學報》1996年3期）、王煥慶〈共產國際在中國革命問題上的右傾錯誤對陳獨秀〝二次革命論〞形成的影響〉（《河北師大學報》1989年1期）、李體昱〈陳獨秀和〝二次革命論〞〉（《荷澤師專學報》1980年2期）、唐恒博〈陳獨秀〝二次革命論〞研究〉（《四川師院學報》1993年2期）、郭緒印〈重評陳獨

秀的〝二次革命論〞〉（《學術月刊》1991年7月）、徐光壽〈評陳
獨秀的〝二次革命論."〉（《安徽教育學院學報》1992年3期）、王
學啟〈陳獨秀二次革命論評析〉（載《浙江省紀念建黨70周年論文
集》，杭州，浙江人民出版社，1991）、今井駿〈陳獨秀と國民革
命—「二回革命論」の論理構造についての一試論〉（收於野澤
豐編《中國國民革命史の研究》，東京，青木書店，1974）、朱洪〈陳
獨秀〝二次革命論〞的內在矛盾及歷史評價〉（《安慶師院學報》
1994年4期）、蔡文杰〈陳獨秀二次革命論中的領導權思想辨析〉
（《南開學報》1995年6期）、閻樹恒〈黨內合作與陳獨秀的〝二次
革命論〞〉（《東北師大學報》1992年4期）、蘇長聚〈談陳獨秀的
〝二次革命論〞與〝一次革命論〞—兼與羅玉明、楊明楚、鄧野
同志商榷〉（《安徽史學》1993年1期）、文培森〈陳獨秀的〝國民
革命〞前途觀—兼論陳獨秀〝二次革命論〞問題〉（《江西師大
學報》1992年1期）、陳少暉〈試析陳獨秀〝二次革命論〞思想的
演變〉（《鎮江師專學報》1993年4期）、阿明布和〈陳獨秀晚年的
〝新二次革命論〞〉（《北京師大學報》1993年訪問學者專輯）、武
滿貴、仇書雲〈陳獨秀並非〝二次革命論〞者〉（《錦州師院學
報》1991年2期）、邢和明〈〝二次革命論〞與〝革命兩步走〞理
論之比較研究〉（《黨史研究與教學》1996年3期）。

專談其某方面思想的論文有吳效馬〈辛亥革命前後陳獨秀政
治思想嬗變的軌迹〉（《貴州社會科學》1994年5期）、徐光壽、王
鴻雁〈陳獨秀與梁啟超政治思想的異同〉（《安徽教育學院學報》
1994年3期）、劉雲高、姜德琪〈論陳獨秀後期的政治思想〉
（《南通教育學院學報》1994年3期）、阿布明和〈陳獨秀晚年政治

思想的形成與評價〉(《內蒙古師大學報》1995年3期)及〈晚年陳獨秀政治思想之我見〉(同上，1988年1期)、陸文培〈評抗戰時期陳獨秀的政治主張〉(《安徽直委黨校學報》1990年2期)、楊榮華〈評陳獨秀在抗日戰爭時期的政治思想〉(《安徽師大學報》1980年4期)、郭緒印〈重評抗日時期陳獨秀的政見〉(《學術月刊》1995年8期)、關素質〈陳獨秀對民主政治的最後見解〉(《共黨問題研究》2卷2期，民65年2月)、毛子水〈陳先生的文字學著作與最後的政治見解〉(《傳記文學》30卷5期，民66年5月)、史月廷〈也談陳獨秀在抗日戰爭時期的政治思想〉(《齊魯學刊》1983年3期)、張永通等〈陳獨秀在抗戰時期的政治言論〉(《黨史研究資料》1980年16期)、朱寒冬〈陳獨秀、青年毛澤東文化政治思想之比較〉(《安徽史學》1993年2期)、王進〈陳獨秀的〝開明專制論〞不是舊武器〉(《求是學刊》1980年4期)、高國榮〈淺談陳獨秀民主思想之形成〉(《紹興師專學報》1988年3期)、徐黎鈴〈陳獨秀早期民主思想發展軌迹述評〉(《史學月刊》1992年1期)、唐寶林〈陳獨秀民主思想的發展〉(載《五四運動與中國文化建設—五四運動七十周年學術討論會論文選》下冊，北京，1989)、曹伯一〈陳獨秀晚年的民主思想〉(載《史政學術講演專輯㈠》，臺北，國防部史政編譯局，民73)、鄭學稼〈陳獨秀的民主觀—紀念「五四」六十周年〉(收於周陽山編《五四與中國》，臺北，時報文化公司，民68)、鄭應洽〈試論五四運動前陳獨秀的民主觀〉(《暨南大學學報》1980年1期)、顧昕〈意識形態與烏托邦—試論陳獨秀的平民主義民主觀〉(載《五四：多元的反思》臺北，民78)、毛丹〈陳獨秀的民主神話及其思想資源〉(《二十一世紀》24期，1994年8

月）、李軍〈試論陳獨秀早期民主思想中的惟民主義〉（《新疆大學學報》1996年1期）及〈試論陳獨秀早期民主思想中新的倫理價值觀〉（同上，1996年2期）、廖興森〈陳獨秀的科學民主思想及其對封建主義的批判〉（《河池師專學報》1981年1期）、任建樹〈陳獨秀在辛亥革命前的革命民主思想〉（《社會科學》1981年5期）、張敬讓〈論陳獨秀民主與科學思想的形成〉（《安慶師院社會科學學報》1995年2期）、張湘炳〈從《安徽俗話報》看陳獨秀早期的民主與科學思想〉（《浙江學刊》1986年5期）、曾樂山〈陳獨秀的民主和科學觀〉（《華東師院學報》1983年1期）、阿布明和〈陳獨秀民主社會主義思想歷史透視〉（《內蒙古師大學報》1993年1期）、王斌〈試論陳獨秀的早期經濟思想〉（《毛澤東思想研究》1993年1期）、賈立臣〈試論陳獨秀的社會主義經濟思想〉（《大慶高專學報》1994年2期）、徐光壽〈評陳獨秀的中國社會史觀點〉（《安徽教育學院學報》1991年4期）、建一〈陳獨秀社會歷史觀述評〉（《安慶師院社會科學學報》1995年2期）、徐嫩棠〈試論陳獨秀的教育思想〉（《貴州教育學院學報》1996年4期）、張靜芳〈陳獨秀教育思想芻議〉（《瀋陽師院學報》1989年2期）、戚謝美〈陳獨秀教育思想論析〉（《杭州大學學報》1996年4期）、龔政〈陳獨秀教育思想三題〉（《安慶師院學報》1996年4期）、曹國華〈陳獨秀早期教育思想淺探〉（《安慶師院學報》1992年3期）、辰午〈陳獨秀教育對象、方針、方法、思想探析〉（同上，1991年1期）、黃偉〈陳獨秀文化思想初探〉（《安徽教育學院學報》1990年1期）、徐光壽、陸濤〈陳獨秀與梁啟超文化思想的異同〉（《安徽教育學院學報》1996年2期）、教軍章〈＂五四＂運動前陳獨秀的

文化觀〉（《內蒙古社會科學》1995年5期）、高力克〈啟蒙主義的
超越―〝五四〞後期陳獨秀文化環境觀的流變〉（《浙江大學學
報》1992年1期）、教軍章、趙桂榮〈〝五四〞前陳獨秀哲學思想
初探〉（《求是學刊》1994年5期）、許全興〈簡論陳獨秀的前期哲
學思想〉（《中國哲學史研究》1986年3期）、朱洪〈論陳獨秀的真
理觀〉（《學術界》1995年4期）、柯有華〈陳獨秀愛國思想述評〉
（《湖北師院學報》1991年3期）、陸文培〈試論青年陳獨秀的愛國
主義〉（同上，1988年1期）、荊忠湘〈論陳獨秀的早期愛國主義思
想〉（《齊魯學刊》1995年3期）、黃翠華〈陳獨秀在抗戰時期的愛
國主義思想述評〉（《蕪湖師專學報》1994年3期）、董根明〈評陳
獨秀的民族觀〉（《安慶師院學報》1994年4期）、陳家驥〈簡論陳
獨秀的民族自主權思想〉（《黨史縱覽》1995年5期）、張子俠〈關
於陳獨秀歷史觀的幾個問題〉（《史學史研究》1994年1期）、徐光
壽〈評陳獨秀的中國近代史觀〉（《安徽史學》1992年3期）及〈論
陳獨秀的中國歷史觀〉（《江漢論壇》1995年11期）、蕭長培〈陳獨
秀的進化觀〉（《福建黨史月刊》1991年6期）、侯欣一〈陳獨秀早
期法律思想的研究〉（《西北大學學報》1996年2期）、教軍章、趙
桂榮〈〝五四〞前陳獨秀倫理思想評價〉（《齊齊哈爾師院學報》
1995年3期）、高延勇〈陳獨秀早期關於〝倫理覺悟是最後之覺
悟〞的思想評析〉（《黨史資料與研究》1996年2期）、劉長林〈陳
獨秀人性觀述評〉（《安徽史學》1996年1期）、牟德則〈陳獨秀早
期宗教觀述評〉（《溫州師院學報》1994年1期）、艾以〈陳獨秀的
宗教觀〉（《河北學刊》1995年3期）、魏曉東〈試論陳獨秀的人口
思想〉（《蘭州學刊》1989年4期）及〈陳獨秀的孔子觀述評〉

（《西北師大學報》1989年增刊）、張洪波〈陳獨秀對孔子及其學說的評析〉（《孔子研究》1992年4期）、任卓宣〈論陳獨秀底反孔排儒論〉（《東西文化》10期，民57年4月）、劉長林〈試論陳獨秀評判孔子之道的歷史作用：兼與林毓生〝陳獨秀全盤反孔說〞商榷〉（《孔子研究》1995年2期）、林毓生著、穆善培譯〈陳獨秀的全盤性反傳統主義〉（《河北大學學報》1984年1期）、宋仲福〈陳獨秀全盤反傳統文化辨析〉（《西北師大學報》1990年6期）、許全興〈簡論陳獨秀對中國傳統文化之批判〉（淡江大學中文系主編《五四精神的解咒與重塑：海峽兩岸紀念五四七十年論文集》，臺北，臺灣學生書局，民81）、徐光壽〈評陳獨秀的婚姻家庭觀〉（《安徽史學》1993年1期）、王獻玲〈試述陳獨秀關於婦女解放的理論思想〉（《北京黨史研究》1993年3期）、張連波〈陳獨秀早期婦女解放思想論〉（《河南大學學報》1993年1期）、董明根〈略論陳獨秀婦女解放觀〉（《安慶師院學報》1992年3期）、横山宏章〈陳獨秀ノート（最終回）─陳獨秀の女性解放論と三人の妻〉（《中國研究》1983年11月號）、張巨浩〈對陳獨秀早期群眾觀的剖析〉（《理論探討》1991年5期）、翟作君、東方潮〈試析陳獨秀早期對中國社會各階級分析的思想演變〉（《黨史研究與教學》1996年1期）、文君〈陳獨秀國民性批判及改造思想探析〉（《漳州師院學報》1995年1期）、張國星〈試論中共成立前陳獨秀的國民性思想〉（《黨史研究資料》1993年3期）、唐寶林〈陳獨秀論中國人的〝國民性〞〉（《安徽史學》1993年3期）、陸文培〈試論陳獨秀〝改造國民性〞的主張〉（《中共黨史研究》1993年2期）、方小教〈論陳獨秀的〝國民性〞思想〉（《安徽教育學院學報》1994年2

期）、程農〈國民性批判與陳獨秀的命運〉（《安徽師大學報》1989年2期）、賈立臣〈陳獨秀的〝國民革命〞前途觀〉（《大慶師專學報》1993年1期）、東方溯〈陳獨秀的〝國民革命〞觀〉（《齊魯學刊》1992年3期）、鄧元時、徐芳維〈陳獨秀論〝國民素質〞〉（《貴州文史叢刊》1991年1期）、宋仲福〈陳獨秀主張〝全盤西化〞辨析〉（《西北師大學報》1991年3期）、王樹棣〈簡評陳獨秀早期的馬克思主義觀〉（《晉陽學刊》1990年3期）、施昌旺、錢躍〈陳獨秀早期建黨思想探索〉（《安徽史學》1991年3期）、張敬讓〈試論陳獨秀右傾思想的形成〉（《安慶師院學報》1990年4期）、鄭延澤、黃遂清〈試述陳獨秀右傾投降主義的思想根源〉（《許昌師專學報》1989年1期）、張文濤〈略論陳獨秀投降主義的思想根源〉（《廈門大學學報》1985年1期）、蔡銘澤〈論陳獨秀右傾機會主義產生的原因〉（《湘潭大學學報》1987年增刊）、楊昌君〈淺析陳獨秀右傾機會主義路線形成的原因〉（《貴州民族學院學報》1995年3期）、戴鹿鳴〈關於陳獨秀右傾機會主義路線的形成問題〉（《教學與研究》1980年5期）、姚康樂〈對陳獨秀右傾機會主義路線形成的一點認識〉（《黨史研究》1980年5期）、王漁〈陳獨秀右傾機會主義路線究竟何時形成〉（同上，1981年2期）、胡華〈試述陳獨秀右傾機會主義思想的發展〉（《教學與研究》1964年3期）、陳哲夫〈第一次國內革命戰爭時期陳獨秀的右傾機會主義剖析〉（《歷史研究》1960年1、2期）、汪慶祥、李學賢〈陳獨秀右傾投降主義錯誤的幾點歷史教訓〉（《黑龍江教育學院學報》1987年4期）、王文杰〈陳獨秀右傾機會主義錯誤與共產國際決策的關係〉（《吉首大學學報》1987年3期）、魏天柱〈陳獨秀的右傾投降

主義何時開始統治全黨？〉（《黨史研究》1981年6期）、胡慶雲
〈陳獨秀右傾投降主義何時在全黨占統治地位〉（《近代史研究》
1986年4期）、馮毅〈陳獨秀右傾投降主義形成的標志〉（《歷史教
學》1984年1期）、昆明部隊軍政幹校中共黨史教研室〈對陳獨秀
右傾投降主義路線的有力批判－回顧〝八一〞南昌起義的兩條路
線鬥爭〉（《思想戰線》1977年4期）、湖南省哲學社會科學研究所
近代史組〈陳獨秀的投降主義與馬日事變〉（《歷史研究》1975年6
期）、王俊杰〈陳獨秀投降主義錯誤與共產國際的關係〉（《龍
江黨史》1995年1期）、馬英明〈論陳獨秀無產階級領導權思想的形
成及其變化〉（《河北大學學報》1994年4期）、文培森〈陳獨秀的
無產階級〝領導地位〞思想〉（《江西師大學報》1996年1期）、史
專二〈毛澤東思想和陳獨秀右傾機會主義的根本分歧〉（《天津
師大學報》1960年1期）、汪玉凱〈反對陳獨秀錯誤路線鬥爭中的歷
史教訓〉（《黨史研究》1981年2期）、鍾學敏〈論建黨後毛澤東和
陳獨秀思想的異向變動〉（《浙江大學學報》1994年1期）、楊勁樺
〈北伐戰爭中瞿秋白與陳獨秀的思想鬥爭〉（《歷史教學》1983年6
期）、王永春等〈陳獨秀在國共合作問題上的思想變化〉（《黨
史研究》1980年5期）、王小京〈也論陳獨秀〝北伐觀〞的真諦：
與董偉同志商榷〉（《黨史研究與教學》1996年6期）、陳九如〈陳
獨秀抗戰思想略評〉（《安慶師院學報》1996年2期）、Chang Pao-
min, "Ch'en Tu-hsiu: In Question of Chinese Liberalism."
（《アジア・アフリカ言語文化研究》17號，1979年3月）。

　　其他關於陳氏的論文有丁守和〈陳獨秀和《新青年》〉
（《歷史研究》1979年5期）、吳遵林〈陳獨秀與《新青年》〉

（《貴州史學叢刊》1986年1期）、李振民〈《新青年》和陳獨秀〉（《西北大學學報》1979年2期）、石學勝〈胡適、陳獨秀有關《新青年》存續問題來往書信〉（《傳記文學》59卷6期，民80年12月）、寧樹藩〈陳獨秀與《新青年》〉（《復旦學報》1979年3期）、尹雪曼〈陳獨秀與青年雜誌〉（《國魂》379期，民66年6月）、島田正典〈新青年と魯迅と陳獨秀〉（《大安》11卷4號，1965年4月）、楊淑娟、王樹棣〈陳獨秀在北大〉（《文物天地》1981年3期）、王光遠〈陳獨秀在北京〉（《北京檔案史料》1988年3期）、張影輝〈陳獨秀第一次來武漢〉（《武漢大學學報》1981年1期）、鄭超麟〈陳獨秀在上海住過的地方〉（《檔案與歷史》1989年2期）、張統模〈1920年初陳獨秀兩次離京南下的經過〉（《黨史資料叢刊》1983年4期）、陳紹康〈陳獨秀由粵回滬二三事〉（《黨的生活（上海）》1983年3期）、Benjamin I. Schwartz, "Ch'en Tu-hsiu and the Acceptance of the Modern West."（Journal of the History of Ideas, No.12, 1951）、Thomas C. Kuo（郭成棠），"Ch'en Tu-hsiu and the Chinese Intellectual Revolution, 1915-1919"（Chinese Studies in History, Vol. 25, NO.3, 1992）、教軍章〈〝五四〞前陳獨秀對文化問題的體系建構〉（《求是學刊（黑龍江大學學報）》1996年3期）、陳立旭〈陳獨秀在建黨前和建黨初期對軍事問題的認識〉（《江淮論壇》1996年2期）、劉孝良〈早期陳獨秀與馬克思主義〉（同上，1985年1期）、橫山宏章〈陳獨秀是怎樣接受馬克思主義〉（《國外中國近代史研究》第7輯，1985）、黃振位〈陳獨秀和馬克思主義的傳播〉（載《馬克思主義在中國：廣東省紀念馬克思逝世一百周年論文集》，1983）、溫立三〈關於陳獨秀傳播

馬克思主義文藝理論的問題〉（《中國現代文學研究叢刊》1995年3
期）、邱守娟〈陳獨秀傳播馬克思主義的貢獻與失誤〉（《馬克
思主義研究》1996年3期）、魏知信〈論陳獨秀向馬克思主義的轉
變〉（《南京社會科學》1991年3期）、黃德淵〈陳獨秀在建黨時期
對社會主義的批判〉（《安徽師大學報》1993年1期）、陳廉〈陳獨
秀是否曾經成為社會主義者〉（《衡陽師專學報》1985年3期）、徐
光壽〈陳獨秀對社會主義的展望〉（《江漢論壇》1996年5期）、王
永春、陳芷遐〈建黨時期陳獨秀對無政府主義的批判〉（《求
索》1982年2期）、趙德教〈陳獨秀對無政府主義的批判〉（《信陽
師院學報》1987年1期）、田夫〈陳獨秀同無政府主義的鬥爭〉
（《史學月刊》1982年3期）、劉孝良〈早期陳獨秀反對無政府主義
的鬥爭〉（《江淮論壇》1981年1期）、張修成〈從以法美為師到走
俄國之路：建黨前陳獨秀關於中國革命前途問題主張的演變〉
（《黨史縱橫》1996年7期）、余英時〈陳獨秀與中國共產主義〉
（《歷史月刊》47期，民80年12月）、萬尚慶〈論建黨前夕陳獨秀對
第二國際修正主義的批判〉（《黨史研究與教學》1993年3期）、任
武雄〈1920年陳獨秀建立的社會主義研究社—兼談上海〝馬克思
主義研究會〞的問題〉（《黨史研究資料》1993年4期）、韓忠〈陳
獨秀在建黨初期的歷史作用〉（《黨的生活》第6輯，1981）、Wang
Fanxi, "Chen Duxiu, Father of Chinese Communism"，（In Wild
Lilies, Poisonous Weeds: Dissident Voices from People's China, edited by
Gergor Benton, London: Pluto Press, 1962）、王樹棣〈中國共產黨建
黨人之一陳獨秀生平〉（《百科知識》1980年4期）、賈玲〈試論陳
獨秀在建黨中的歷史作用〉（《雲南師大學報》1986年6期）、王光

遠〈陳獨秀對建黨的貢獻〉(《文史精華》1996年7期) 及〈陳獨秀
與中國共產黨的創立：紀念中國共產黨成立七十周年〉(《北京
檔案史料》1991年2期)、梁家麟〈從法蘭西革命到俄羅斯革命—陳
獨秀組織中國共產黨原因的探討〉(《史潮(香港中文大學聯合書院
歷史學會編印)》新刊號第7期，1981年9月)、王其彥〈陳獨秀沒出席
中共〝一大〞的原因〉(《齊魯學刊》1991年4期)、劉舜輝〈陳獨
秀為什麼會在中共〝一大〞當選為總書記〉(《江西大學學報》
1983年3期)、甘火生〈黨的〝一大〞陳獨秀為什麼能當選為總書
記？〉(《宜春師專學報》1980年1期)、韓泰華等〈陳獨秀何時稱
為黨的總書記？〉(《新時期》1980年5期；《黨史研究資料》1980年10
期)、蘇開華〈陳獨秀與黨的早期組織建設〉(《黨史研究資料》
1992年12期)、黃振位〈試論陳獨秀對創建廣東黨組織的歷史作
用〉(《學術研究》1982年1期)、沙東迅〈陳獨秀在創建廣東共產
黨中立了頭功〉(《廣東黨史》1996年4期) 及〈陳獨秀三次來廣東
的貢獻〉(《廣州研究》1984年6期)、村田雄二郎〈陳獨秀在廣州
(1920-21)〉(《中國研究月報》496號，1989年6月)、杜永鎮〈陳
獨秀1923年在廣州的一段史事〉(《文史通訊》1981年2期)、任建
樹〈陳獨秀與西南軍閥〉(《史林》1988年2期)、宋銳喬、倪少玉
〈陳獨秀與西南軍閥及其聯省自治〉(《安慶師院社會科學學報》
1994年1期)、馮建輝〈建黨初期的陳獨秀〉(《歷史研究》1979年4
期)、楊榮華〈陳獨秀與中國共產黨初期戰略方針的制定〉
(《黨史研究與教學》1996年4期)、陳紹康、邱作健〈陳獨秀在建
黨時期二三事〉(《社會科學》1981年3期)、王學勤〈後期陳獨秀
與中國共產黨〉(《近代史研究》1988年4期)、任建樹〈評20年代

末陳獨秀與中共中央的爭論〉(《近代中國》第2輯，上海，1991年11
月)、鄭超麟〈陳獨秀與國共黨內合作〉(《黨史研究資料》1990年
6期)、錢凡〈論陳獨秀對"·黨內合作"的態度〉(《哈爾濱師專
學報》1988年1期)、張玉玲〈陳獨秀與黨內合作形式〉(《石油大
學學報》1995年2期)、韋祖松〈評"西湖會議"前中共和陳獨秀
對國共"黨內合作"形式的態度〉(《安徽黨史研究》1992年4
期)、唐寶林〈陳獨秀與首次國共合作〉(《安徽史學》1985年5
期)、周蘊蓉〈試析陳獨秀對第一次國共合作態度的轉變及其原
因〉(《廣東教育學院學報》1995年1期)、孟慶春〈陳獨秀在國共合
作形式上的煩惱〉(《齊齊哈爾師院學報》1995年4期)、陶用舒
〈論陳獨秀關於統一戰線的理論與實踐〉(《益陽師專學報》1996
年2期)、橫山宏章〈敗北の構造—陳獨秀と統一戰線〉(《一橋
研究》30號，1975年12月)、沈寂〈陳獨秀對聯合戰線的歧見〉
(《江淮論壇》1993年4期)、陳立旭〈陳獨秀在建黨之前和建黨初
期對軍事問題的認識〉(《江淮論壇》1996年2期)、賈立臣〈陳獨
秀為國民黨設計的一條"正軌"〉(《近代史研究》1988年6期)、
陳善學〈評大革命時期的陳獨秀〉(《安徽大學學報》1980年3
期)、陸水明〈論大革命時期的陳獨秀〉(《爭鳴》1989年4期)、
張敬讓〈陳獨秀在大革命前後〉(《安慶師院學報》1996年4期)、
王翠萍〈淺議大革命時期陳獨秀對中國革命道路的探索〉(《黨
史縱覽》1995年5期)、唐寶林〈論大革命時期陳獨秀與共產國際
的關係〉(《中共黨史研究》1988年4期)、桂新秋〈陳獨秀和共產
國際在國共合作問題上的分歧〉(《社會科學戰線》1991年3期)、
林玲〈陳獨秀的右傾錯誤與共產國際〉(《中學歷史教學》1987年6

期）、李彥福〈試論大革命時期共產國際對陳獨秀的影響〉
（《河池師專學報》1981年1期）、許光根〈陳獨秀的錯誤都能歸之
於共產國際嗎？〉（《南京大學學報》1981年1期）、張曉峰〈陳獨
秀1924年沒有提出共黨人退出國民黨〉（《黨史研究資料》1990年9
期）、向青〈陳獨秀等提出共產黨人退出國民黨的史實考訂〉
（同上，1984年3期）、袁南生〈陳獨秀等提出共產黨人退出國民
黨史實的新佐證〉（同上，1990年2期）及〈陳獨秀和托洛茨基等
要求中共退出國民黨問題的探討〉（同上，1990年5期）、蘇開華
〈重評大革命時期陳獨秀要求退出國民黨問題〉（《爭鳴》1992年
6期）、楊榮華〈陳獨秀對無產階級領導權問題探索的功過〉
（《安徽黨史研究》1992年1期）、錢楓、劉其發〈陳獨秀對革命領
導權問題的認識與實踐〉（《江漢論壇》1982年7期）、張治安〈遠
東民族大會之前陳獨秀對中國革命兩步走的認識〉（《黨史研究
資料》1992年6期）、陸文培〈淺議大革命時期陳獨秀對中國革命
前途問題的認識〉（《安徽黨史研究》1993年4期）、高軍〈陳獨秀
和建黨時期的工人運動〉（《中共黨史研究》1992年2期）、侯建樹
〈陳獨秀與上海工人第三次武裝起義〉（《黨史資料叢刊》1982年4
期）、郭緒印〈重評陳獨秀對農民運動的態度〉（《上海師院學
報》1980年4期）、石川忠雄〈京漢鐵道罷業と陳獨秀〉（《法學研
究》31卷12號，1958年12月）、坂野良吉〈國民會議の構想ならびに
運動と陳獨秀主義—1923年から1926までの推移に焦點を合わセ
なかる〉（《名古屋大學東洋史研究報告》18號，1994）、姜沛南〈評
析陳獨秀在五卅運動中的作用〉（《檔案與歷史》1985年1期）、郭
緒印〈重評五卅運動中的陳獨秀〉（《歷史教學》1981年6期）、田

式祖〈陳獨秀與 " 中山艦事件" 〉（《合肥教育學院學報》1984年1期）、王學勤〈陳獨秀與中山艦事件〉（《復旦學報》1988年5期）、王續添〈重評陳獨秀《論國民政府之北伐》〉（《革命春秋》1989年1期）、夏洪躍〈陳獨秀最先提出三大政策概念〉（《安徽黨史研究》1990年4期）、張建祥〈陳獨秀的家長作風與第一次國內革命戰爭的失敗〉（《陝西師大學報》1982年3期）、張潤美〈陳獨秀對大革命失敗應負多大的責任？〉（《山西財專學報》1990年1期）、景北記〈陳獨秀的總書記職務是被撤銷的嗎？〉（《晉陽學刊》1983年5期）及〈陳獨秀的總書記職務不是被撤銷的〉（《黨史研究》1984年1期）、李淑瑛〈評大革命失敗後的陳獨秀〉（《廈門大學學報》1981年2期）、劉惠恕、金怡順〈從陳獨秀《告全黨同志書》看他與中共六屆中委政治局的主要分歧〉（《蕪湖師專學報》1994年3期）、王洪恩〈試論陳獨秀的轉變〉（《遼寧師大學報》1981年1期）。關素質〈陳獨秀與托洛茨基派〉（《共黨問題研究》2卷2期，民65年2月）、唐寶林〈試論陳獨秀與托派的關係〉（《歷史研究》1981年6期）及〈陳獨秀與托洛茨基〉（《安徽教育學院學報》1993 年2 期）、Peter Kuhfus, "Chen Duxiu and Leon Trotsky: New Light on Their Relationship" (The China Quarterly, NO. 102, June 1985)、王易琳〈陳獨秀與托派〉（《安徽大學學報》1980年2期）、王學勤〈陳獨秀與托洛茨基主義〉（《復旦學報》1985年6期）、王章陵〈陳獨秀參加托派時期活動年表〉（《共黨問題研究》2卷2期，民65年2月）、王易琳〈陳獨秀與托派〉（《安徽大學學報》1980年2期：《新華月報》1980年9期）、鄭超麟〈陳獨秀與托派〉（《中報月刊》1986年6-11月號）、王玉祥〈陳獨秀對中東路事

件之認識與中共黨內托派問題〉（《徐州師院學報》1995年3期）、
彭秀珍〈淺析陳獨秀轉向托派的原因〉（《湘潭大學學報》1988年4
期）、林雄輝〈是誰鼓動陳獨秀同托洛茨基合流的？〉（《歷史
知識》1988年1期）、唐寶林〈陳獨秀晚年與托派的論戰〉（《檔案
與史學》1996年2期）及《中國托派史》（臺北，東大圖書公司，民
83）、唐寶林選編整理〈關於陳獨秀晚年與托派論爭的幾個文
件〉（《檔案與史學》1996年2期）、張君、唐寶林〈陳獨秀轉向托
派被開除出黨問題剖析—兼評陳獨秀給黨中央的三封信〉（《近
代史研究》1983年2期）、Kevin Fountain, ed., "Ch'en Tu-hsiu:
Lifetime Oppositionist"（Chinese Law and Government, Vol.12, No,
3, Fall 1979）、李天寧〈中共開除陳獨秀事件〉（《共黨問題研究》
7卷4期，民70年4月）、曹國華〈對陳獨秀被開除出黨之芻議〉
（《安徽教育學院學報》1995年2期）、夏立華〈陳獨秀被開除出黨
以後〉（《黨史研究資料》15期，1979）、張巨浩〈如何認識開除黨
籍後的陳獨秀〉（《求是學刊》1980年4期）、唐寶林〈陳獨秀後期
行蹤〉（《黨史研究資料》1982年3期）、夏立平〈陳獨秀能論定為
〝反革命〞〝叛徒〞嗎？〉（《黨史研究叢刊》第1輯，1980）、任
振河〈論陳獨秀出獄後的托派問題〉（《黨史研究》1985年1期）、
魏知信〈評托陳取消派〉（《南京師院學報》1982年1期）、胡汶本
〈托陳取消派關於中國革命問題的錯誤觀點〉（《齊魯學刊》1983
年6期）、卡爾·拉狄克著、吳永清譯〈中國革命的任務和對取
消派的鬥爭〉（《國外中國近代史研究》16輯，1990年10月）、奧村孝
亮〈陳獨秀等「解消派」の立場について〉（《西日本史學》第6
號，1951年3月）、唐寶林〈〝陳獨秀派〞與江蘇省委獨立事件〉

（《黨史研究資料》1989年10期）。任建樹〈論九一八、一二八事變
中的陳獨秀同中共合作的倡議〉（《中共黨史研究》1989年3期）、
陳國清〈陳獨秀五次入獄與出獄〉（《文史雜志》1990年5期）、黃
嘉樹〈陳獨秀第三次被捕是誰營救的？〉（《黨史研究》1985年5
期）、唐寶林〈關于1932年陳獨秀被捕〉（《黨史研究資料》1983年
7期）、張君〈試論1932年陳獨秀的被捕〉（《近代史研究》1984年5
期）、傅斯年〈陳獨秀案〉（原載《獨立評論》24期；亦收入陳東曉
編《陳獨秀評論》，北平，東亞書局，民22）、王健民〈陳獨秀的就
逮、起訴與判刑—四十五年前一宗危害民國案件〉（《傳記文
學》30卷6期，民66年6月）及〈陳獨秀下獄章士釗出庭〉（《中華月
報》694期、695期，1973年7月、8月）、葛慶豐、王福濤〈關於捕捉
陳獨秀的捕房及地點的訂正〉（《上海黨史研究》1993年1期）、吳
雪晴〈陳獨秀南京受審記〉（《縱橫》1993年1期）、齊衛平〈陳獨
秀案的前前後後〉（《民國春秋》1989年5期）、朱洪〈陳獨秀在金
陵獄中〉（《名人傳記》1995年7期）、陸水明〈龍與蟲—陳獨秀獄
中紀事〉（《傳記文學》1995年7期）、鄔朝敏〈試評陳獨秀獄中
《辯訴狀》〉（《昆明師專學報》1991年1期）、趙洪濤〈記陳獨秀
出南京監獄後到離武漢前的政治傾向〉（《黨史研究資料》1986年8
期）、張為波〈陳獨秀對西安事變的喜怒哀樂析〉（《檔案史料與
研究》1992年4期）、任建樹〈論抗戰初期的陳獨秀〉（《史林》
1986年1期）、荊忠湘〈陳獨秀的抗戰主張〉（《青島師專學報》1993
年3期）、田式祖〈陳獨秀抗日主張述評〉（《阜陽師院學報》1985
年2期）及〈評陳獨秀對抗戰前途的分析〉（《安徽教育學院學報》
1987年3期）、高洪力、林修敏〈抗戰時期陳獨秀對資本主義的認

識〉（《龍江黨史》1993年5、6期）、阿明布和〈陳獨秀晚年客觀主義立場問題初探〉（《內蒙古大學學報》1993年1期）；〈陳獨秀主義的歷史根源－蘇聯中國問題研究院1930年學術討論會記錄〉（《國外中國近代史研究》13輯，1989年9月）、荊忠湘〈評陳獨秀晚年對中國社會性質的判斷〉（《齊魯學刊》1993年5期）、鄭學稼〈陳獨秀先生晚年的一些事〉（《傳記文學》30卷5期，民65年5月）、則平〈陳獨秀晚年寄居江津〉（《四川文獻》163期，民66年6月）、林川〈清苦淡泊客死江津－陳獨秀晚年歲月〉（《人物》1995年3期）、釗榮〈陳獨秀病逝江津前後〉（《民國春秋》1995年3期）、何之瑜〈獨秀陳先生病逝始末記〉（《黨史資料叢刊》第3輯，1982）、樹藝〈陳獨秀墓的變遷〉（《近代中國》第3輯，1993年5月）、吳曉〈陳獨秀墓的變遷〉（《文物天地》1995年3期）、吳相湘〈陳獨秀悔悟晚矣〉（載氏著《民國百人傳》第3冊，臺北，傳記文學出版社，民60）、袁宙宗〈陳獨秀失足恨〉（《中外雜誌》27卷6期，民69年6月）、陳金滿〈陳獨秀的迷思與覺醒〉（《革新》36期，民75年6月）、段家鋒〈陳獨秀的憂憾人生〉（《共黨問題研究》18卷11期，民81年11月）。上海市檔案館〈陳獨秀等為易白沙蹈海致易培基函〉（《歷史檔案》1984年3期）、韓森〈陳獨秀編寫《中國文字說明》的一則史料〉（《歷史檔案》1983年4期）、任建樹〈奇文賞析，民主至上－評陳獨秀的《愛國心與自覺心》〉（《史林》1986年3期）、唐寶林〈關於陳獨秀一段話的爭論〉（《黨史研究資料》1993年2期）、陶用舒〈重評陳獨秀1923年的兩篇文章〉（《湖南教育學院學報》1987年2期）、林修敏〈關於陳獨秀一篇文章寫作時間的訂正〉（《黨史研究資料》1994年9期）、黃克劍〈陳獨秀和他的《東西民族根本思想之差異》〉(《讀書》1986年3期)、陸文培〈評陳獨秀關於改造國民性問題〉(《西北大學學報》1993年1期)、杜鋼健〈自決權與自治權—陳獨秀論集體人權〉(《二十一世紀》34期,1996年4月)、黃德淵〈民主、科學的旗幟與陳獨秀〉(《安徽師大學報》1989年2期)、易升運、楊翠霞〈西學東漸與陳獨秀對西方文化的態度〉(《江淮論壇》1987年1期)、Benjamin I. Schwartz, "Ch'en Tu-hsiu and the Acceptance of the Modern West"(Journal of the History of Ideas, No.12, January, 1951)、許全興〈陳獨秀與中國傳統文化〉(《孔子研究》1989年2期)、張靜芳〈談談陳獨秀與傳統文化〉(《遼寧大學學報》1989年2期)、曹永慶〈陳獨秀與中國傳統文化〉(《史繹》26期,民84年5月)、劉長林〈試論陳獨秀評判孔子之道的歷史作用—兼與林毓生〝陳獨秀全盤反孔說〞商榷〉(《孔子研究》1995年2期)、張洪波〈陳獨秀對孔子及其學說的評析〉(同上,1992年4期)、劉孝良〈評建黨時期陳獨秀與張東蓀關於社會主義問題的論戰〉(《淮北煤師院學報》1983年1期)、石衍丰〈陳獨秀關於宗教問題的論述〉(《宗教學研究》1993年3、4期合刊)、徐光壽〈陳獨秀與基督教〉(《學術界》1994年3期)、譚桂林〈陳獨秀與佛教文化〉(《青海師大學報》1994年2期)、陳家驥〈陳獨秀與近代中國教育〉(《安徽教育學院學報》1993年2期)、相浦杲〈中國近代文學の誕生と魯迅・胡適・陳獨秀〉(《野草》第1號,1970年10月)、沈寂〈陳獨秀倡導體育〉(《安徽體育史料》第1輯,1982)、鍾揚〈陳獨秀論中國小說〉(《中國現代文學研究叢刊》1995年3期)、鍾揚〈陳獨秀論《金瓶梅》〉(《徐州師院學報》1996

年3期）、張湘炳〈陳獨秀在我國戲曲改革史上的地位〉（《暨南學報》1986年3期）、張巨浩、林小兵〈關於陳獨秀實行家長制統治問題的質疑〉（《學術交流》1996年5期）、朱洪〈陳獨秀的個性、家長制及其形成原因〉（《安慶師院學報》1996年2期）、趙少荃〈陳獨秀的民主與獨裁〉（《復旦大學學報》1979年3期）、孫飛行〈陳獨秀"民主社會"的經濟基礎和政治原則〉（《南昌大學學報》1996年2期）、森弘一〈國民革命期における陳獨秀の中國「資本主義」像〉（《史學研究（廣島大學文學部）》141號，1978年9月）、古厩忠夫〈陳獨秀の虛像と實像—陳獨秀論における實證と方法〉（《歷史評論》329號，1977年9月）、東方溯〈試論陳獨秀對中國社會各階級的早期分析〉（《黃淮學刊》1996年1期）、汪原放〈陳獨秀和上海亞東圖書館〉（《社會科學（上海）》1980年5期）、張家康〈陳獨秀與亞東圖書館〉（《黨史天地》1995年10期）、章紅〈陳獨秀與亞東圖書館的特殊關係〉（《民國春秋》1992年6期）、沈寂〈陳獨秀與商務印書館〉（《編輯學刊》1996年2期）、胡明〈陳獨秀與中國現代社會科學〉（《河北學刊》1989年3期）、吳相湘〈陳獨秀與兩個中國〉（原載《臺灣新生報》民50年10月9日；收入氏著《近代史事論叢》第1冊，臺北，傳記文學出版社，民67年再版）、徐光壽〈陳獨秀與日本〉（《安徽教育學院學報》1995年4期）、王光遠〈陳獨秀和孫中山〉（《北京檔案史料》1986年4期）、任建樹〈孫中山與陳獨秀〉（《近代中國》第3輯，1993年5月）、張靜芳〈陳獨秀與李大釗比較研究〉（《遼寧大學學報》1994年2期）、丸山松幸〈陳獨秀と李大釗〉（載東京大學文學部中國文學研究室編《近代中國の思想と文學》，東京，1967）、侯新夷

〈試論南陳北李－寫於建黨60周年〉（《內蒙古大學學報》1981年3期）、橫山宏章〈哀感之文，生花之筆－獨秀‧大釗〉（《一橋論叢》81卷3號，1979年3月）、胡寄樵〈陳獨秀認識李大釗時間考〉（《近代史研究》1990年5期）、朱文通〈也談陳獨秀認識李大釗的時間〉（同上，1992年2期）、唐春元〈毛澤東與陳獨秀早期關係之考察〉（《安徽史學》1985年6期）、徐光壽〈毛澤東與陳獨秀〉（《中共黨史研究》1992年6期）、陸文培〈略談陳獨秀對青年毛澤東的影響〉（《學術界》1994年4期）、劉國華〈論陳獨秀對青年毛澤東的影響〉（《安徽教育學院學報》1995年4期）、帥文潔〈毛澤東論陳獨秀〉（《黨史縱覽》1996年6期）、郭華倫〈陳獨秀與張國燾事件〉（《匪情月報》2卷8、9期，民57年10、11月）、沈寂〈陳獨秀與章士釗〉（《社會科學研究參考資料》34期，1981；亦載《江淮文史》1996年2期）、張同〈所謂李漢俊〝屢遭〞陳獨秀〝打擊〞並非歷史真實：與姚松蛟先生商榷〉（《天津黨校學刊》1996年3期）、張家康〈陳獨秀與魯迅〉（《江淮文史》1996年4期）、張利群等〈魯迅與陳獨秀〉（《汾水》1981年10期）、樊亞平〈關於魯迅與陳獨秀等《隨感錄》的比較〉（《蘭州大學學報》1996年3期）、尾崎文昭〈陳獨秀と別れるに至つた周作人－1922年非基督教運動の中での衝突を中心に〉（《日本中國學會報》35集，1983年10月）、陳揮〈試論建黨時期陳獨秀和李達的關係〉（《上海師大學報》1990年1期）、靳樹鵬〈陳獨秀和柏文蔚〉（《名人傳記》1993年6期）、沈冰寶〈陳獨秀與黃遠生：《文學革命論》來源考〉（《復旦學報》1992年1期）、樓鑒明〈沈尹默和陳獨秀〉（同上，1980年5期）、沈邱〈沈尹默與陳獨秀〉（《西湖》1982年11

期）、李澤厚〈胡適、陳獨秀、魯迅－五四回想之三〉（《福建論壇》1987年2期）、耿雲志〈胡適與陳獨秀〉（《安徽史學》1985年2期）、一丁〈胡適與陳獨秀〉（《中報月刊》68期，1985）、李霜青〈胡適和陳獨秀－五四新文化運動之二〉（《中外雜誌》20卷1期，民65年7月）、張家康〈陳獨秀與胡適的歷史交往〉（《黨史天地》1996年5期）、張家康〈陳獨秀與瞿秋白〉（《黨史天地》1996年8期）、鄭超麟〈關於陳獨秀蔡元培等幾封書信的由來〉（《檔案與史學》1996年4期）、周天度〈蔡元培與陳獨秀〉（收入蔡元培研究會編《論蔡元培－紀念蔡元培誕辰120周年學術討論會文集》，北京，旅遊教育出版社，1989）、張寶明〈陳獨秀與劉師培的恩恩怨怨〉（《民國春秋》1995年3期）、荊忠湘〈馬林與陳獨秀的關係述略〉（《東岳論叢》1994年6期）、郭緒印〈評上海工人三次武裝起義前後陳獨秀對蔣介石的認識〉（《上海師大學報》1988年1期）、葉昌友〈妥協還是鬥爭－評陳獨秀《給蔣介石的一封信》〉（《安慶師院學報》1996年2期）、陳秀萍〈重評陳獨秀與杜亞泉的東西文化論戰〉（《中共黨史研究》1996年3期）、朱文華〈也來重新審視陳獨秀與杜亞泉的論爭〉（《近代史研究》1995年5期）、陳鼓應〈陳獨秀和尼采的比較〉（《二十一世紀》第5期，1991年6月）、楊勁華〈北伐戰爭中瞿秋白與陳獨秀的思想鬥爭〉（《歷史教學》1983年9期）；〈陳獨秀一百二十歲誕辰紀念特輯〉（《傳記文學》59卷5期，民80年11月）；《傳記文學》30卷5期－每月專題人物：陳獨秀，民66年5月、山人〈關於陳獨秀的最後意見〉（《醒獅》3卷6期，民54年6月）、靳樹鵬〈陳獨秀兒孫們的命運〉（《炎黃春秋》1993年3期）。

3.李大釗

專書方面有丸山松幸、齋藤道彥編《李大釗文獻目錄》（東京，東京大學東洋文化研究所附屬東洋學文獻センター刊行委員會，1970；東京，汲古書院，1980）、張靜如等編《李大釗生平史料編年》（上海，上海人民出版社，1984）、李大釗《李大釗文集》（2冊，北京，人民出版社，1984）、《李大釗選集》（同上，1959）、《向著理想社會—李大釗文選》（上海，遠東出版社，1995）及《李大釗詩文選集》（北京，人民文學出版社，1959）、姚維斗等編注《李大釗遺文補編》（哈爾濱，黑龍江人民出版社，1989）、韓一德、王樹棣編《李大釗研究論文集》（2冊，石家庄，河北人民出版社，1984）、吳家林等《李大釗研究論集》（北京，中國文史出版社，1989）、楊紀元《李大釗研究論札》（北京，中共中央黨校出版社，1992）、中共中央黨史研究室科研局編《李大釗研究文集—紀念李大釗誕辰100周年》（北京，中共黨史出版社，1991）、李星華《回憶我的父親李大釗》（上海，上海文藝出版社，1981）；《回憶李大釗》（北京，人民出版社，1980）、北京大學圖書館、首都博物館編《紀念李大釗》（北京，文物出版社，1985）、韓一德、姚維斗《李大釗生平紀年》（哈爾濱，黑龍江人民出版社，1987）、《李大釗年譜》編寫組《李大釗年譜》（蘭州，甘肅人民出版社，1984）、張次溪編著《李大釗先生傳》（序於1951年）、《李大釗傳》編寫組編《李大釗傳》（北京，人民出版社，1979）、尚恒其主編《李大釗傳略》（北京，中國社會科學出版社，1995）、森正夫《李大釗》（東京，人物往來社，1967）、王朝柱《李大釗》（北京，中國青年出版社，1989）、《李大釗》畫冊編輯委員會編《李大釗》（北京，解放軍文藝出版社，1989）、首都博物館《中國共產主義運動的先驅—李大釗（1889-1927）》（北京，北京出版社，1983）、張靜如、馬模貞《李大釗》（上海，上海人民出版社，1981）、金鳳編寫《李大釗》（北京，新華出版社，1990）、楊樹升編著《革命先驅李大釗》（北京，北京大學出版社，1989）、姚維斗、黃真《李大釗的青年時代》（石家庄，河北人民出版社，1985）、呂明灼《李大釗思想研究》（同上，1983）、張靜如《李大釗同志革命思想的發展》（武漢，湖北人民出版社，1957）、朱成甲《李大釗早期思想和近代中國》（石家庄，河北人民出版社，1989）、許全興《李大釗哲學思想研究》（北京，北京大學出版社，1989）、北京大學圖書館、北京李大釗研究會編《李大釗史事綜錄（1889-1927）》（北京，北京大學出版社，1989）、李權興等編著《李大釗研究辭典》（北京，紅旗出版社，1994）、許全興編《新論語—李大釗卷》（北京，華夏出版社，1993）、中共河北省委黨史資料徵集編審委員會編《李大釗在河北》（石家庄，河北人民出版社，1989）、Maurice Meisner, Li Ta-Chao and the Origins of Chinese Marxism（Cambridge: Harvard University Press, 1967：其中譯本爲謝蔭明、侯且岸合譯《李大釗與中國馬克思主義》，北京，中共黨史資料出版社，1989）、Huang Sung-K'ang, Li Ta-Chao and the Impact of Marxism on Modern Chinese Thinking.（The Hague: Mouton, 1965）、馬建白《李大釗與中國共產黨》（中國文化學院大陸問題研究所碩士論文，民68年7月）、中共北京市委黨史研究室編《李大釗與第一次國共合作》（北京，北京出版社，1989）、黃真

等《李大釗的故事》（石家庄，河北人民出版社，1980）、蕭裕聲
《李大釗的軍事活動》（北京，軍事科學出版社，1988）、閻稚新等
編《李大釗與中國革命》（北京，國防大學出版社，1990）、閻稚新
《李大釗和馮玉祥》（北京，解放軍出版社，1987）、呂健《李大釗
和瞿秋白》（上海，商務印書館，1951）、劉民山《李大釗與天津》
（天津，天津社會科學院出版社，1989）。

　　論文方面有季力《李大釗研究綜述》（《河北學刊》1984年5
期）、張靜如、馬模貞〈建國以來李大釗研究述評〉（《近代史研
究》1985年2期）、杜蒸民、汪世忠〈近年以來李大釗研究述評〉
（《黨史研究》1985年1期）、謝忠厚、王曉梅〈十年來李大釗研究
綜述〉（《河北學刊》1989年6期）、李果仁〈十年來李大釗研究述
評〉（《歷史教學》1992年2期）、侯且岸等〈1984年以來李大釗研
究述評〉（載《李大釗研究文集》，北京，中共黨史出版社，1991）、
彭明〈李大釗研究中的幾個問題—李大釗同志百年誕辰答客問〉
（《中共黨史研究》1989年6期）、趙剛〈有關李大釗研究中的幾個
問題〉（《黨史研究》1985年2期）、森弘一〈李大釗研究の問題
點〉（《岡山大學法學會雜誌》25卷2號，1976年2月）、武祐〈關於李
大釗的研究簡況〉（《學術月刊》1962年5期）、陳玉堂〈李大釗研
究資料（1913-1965）〉（《文教資料》1994年10期）、入戶野良行
〈中黑介山と李大釗研究ノート㈠〉（《中國農民戰爭史研究》第4
號，1974年12月）及〈李大釗研究ノート（三）—後藤延子「初期
李大釗の思想」をめぐつて〉（同上，第5號，1979年8月）、齋藤
道彥〈李大釗研究史覺書·中國篇〉（《中央大學人文研究紀要》
第2卷，1983年7月）。丸山松幸〈李大釗全集刊行について〉

（《大安》4卷8號，1958年8月）及〈李大釗傳記資料覺書(3)—(5)〉
（《人文科學紀要（東京大學教養學部）》81號，1985年3月；91號，1990
年3月；94號，1991年3月）、山根幸夫、丸山松幸、齋藤道彥編
〈李大釗文獻目錄附選集未收資料〉（《東洋學報》52卷2號，1970
年9月）、藤田正典〈李大釗〉（載《世界歷史事典》第9卷，東京，
平凡社，1956）、西順藏〈李大釗〉（《一橋論叢》45卷4號，1961年4
月）、許毓峰〈李大釗年譜〉（《信陽師院學報》1983年1-3期）、劉
弄潮〈李大釗同志年譜簡要〉（《社會科學研究》1980年5期）、楊
樹聲〈李大釗年譜〉（《河北文史資料選輯》第3輯，1981年11月）、
戶川芳郎〈李大釗〉（《中國語と中國文化》，東京，光生館，
1965）、李星華〈父親給我講故事─回憶我的父親李大釗同志〉
（《民間文學》1980年2期）及〈反封建，求解放─回憶我的父親李
大釗〉（《人民教育》1979年5期）、菊英、陳文秀〈李大釗同志革
命史略〉（《山西師院學報》1979年2期）、胡喬木〈紀念中國共產
主義運動的偉大先驅李大釗〉（《中共黨史研究》1990年1期）、羅
寶軒等〈革命烈士李大釗〉（《歷史教學》1979年3期）、王培堯
〈李大釗的悲劇〉（《中外雜誌》37卷5期，民74年5月）、吳鑄人原
著、王成聖校訂〈李大釗的悲哀─吳鑄人回憶錄之二〉（同上，
53卷5期，民82年5月）、卜士奇著、吳永清譯〈中國無產階級永遠
銘記您─憶李大釗同志〉（《國外中國近代史研究》13輯，1989年9
月）、胡繩〈紀念李大釗〉（《中共黨史研究》1990年1期）、陳文秀
等〈紀念李大釗同志英勇就義五十二周年〉（《山西師院學報》
1979年1期）、朱喬森〈紀念李大釗同志誕辰九十周年〉（《紅旗》
1979年11期）、N. Senin "Li Dazhaco Centenary"（Far Eastern

Affairs, NO.5, 1989）、Rewi Alley, "Li Dazhao of Leting." （Eastern Horizon, Vol.19, No.12, 1980）、吳長庚〈紀念李大釗誕生九十周年〉（《安徽師大學報》1979年2期）、蘇鶴虎、范崇山〈紀念李大釗同志誕辰九十周年〉（《揚州師院學報》1979年2期）、陳克農〈李大釗先生二三事〉（《南充師院學報》1980年2期）、賈芝〈李大釗二三事〉（《新觀察》1956年13期）、韓一德〈有關李大釗生平幾則新史料〉（《河北學刊》1985年3期）、虞崇勝〈一則介紹李大釗生平的重要史料〉（《武漢大學學報》1984年2期）、姚維斗〈評《李大釗生平史料編年》─兼談深入研究李大釗問題〉（《歷史教學》1985年7期）、河田悌一〈李大釗〉（《中國哲學と學な人のために》，東京，世界思想界，1975）、丸山松幸〈李大釗─中國近代史研究の手引〉（《大安》5卷11號，1959年11月）、米澤秀夫〈李大釗─中國共產黨最初の指導者〉（《中國研究》17號，1971年8月）、李世俊〈李大釗─從愛國主義者轉變為共產主義者的光輝榜樣〉（《蘭州大學學報》1984年1期）、劉野〈李大釗同志早年的一份自傳〉（《教學與研究》1979年6期）、黃真、姚維斗〈李大釗早年用英文寫的自傳〉（《革命文物》1980年3期）、遠藤純子〈李大釗の論文三篇（附李大釗研究論文目錄）〉（《お茶の水史學》第7號，1964年12月）、韓一德〈介紹新發現的李大釗的三篇佚文〉（《江海學刊》1986年3期；亦載《遼寧師大學報》1986年5期）及〈珍貴的歷史文獻─讀李大釗的三篇佚文〉（《近代史研究》1985年1期）、劉野〈李大釗同志的一篇佚文〉（《教學與研究》1980年4期）、北辰〈讀者·作者·編者（對李大釗遺文的看法）〉（《革命文物》1980年4期）、文磊〈中國知識分子的光輝典範（李

大釗）〉（《重慶社會科學》1986年4期）、汪東林〈難以忘懷的往
事－梁漱溟談李大釗烈士〉（《中華英烈》1986年3期）、劉建國
〈李大釗著譯目錄編年校補〉（《學術月刊》1980年8-10期）、〈署
名T.C.的文章不是李大釗的著作考〉（《吉林大學社會科學學報》
1980年5期）及〈收在李大釗文集中署名〝TC生〞"T.C.L."考
辨〉（同上，1981年5期）、河北省政協文史資料研究委員會編〈李
大釗著作目錄〉（《河北文史資料選輯》第5輯，1983）、楊芝明〈李
大釗的化名·小説·詩歌〉（《松遼學刊》1993年4期）、葛培林
〈在天津讀書時的李大釗〉（《中學歷史》1986年1期）、殷子純、
唐燕生〈李大釗與天津法政專門學校〉（《天津師大學報》1983年1
期）、安藤彥太郎〈日本留學時代の李大釗〉（《早稻田大學社會
科學研究所社會科學討究》105號，1990年12月）、賈天運、劉愛英
〈李大釗赴日留學時間考〉（《近代史研究》1995年2期）、朱文通
〈李大釗赴日本留學時間辨析〉（同上，1996年2期）、韓一德
〈李大釗留學日本時期的史實考察〉（同上，1989年1期）、富田昇
〈李大釗日本留學時代の事跡と背景－留學生として〉（《集刊
東洋學》42號，1979年10月）、董寶瑞〈留學日本在李大釗一生中所
起的作用〉（《河北學刊》1990年1期）、楊洪章〈早期李大釗對改
良派和革命派態度的演變〉（《近代史研究》1990年3期）及〈李大
釗與舊黨派的關係〉（同上，1981年2期）、吳漢全〈早期李大釗對
進步黨研究系認識的變遷〉（《松遼學刊》1994年4期）、劉桂生
〈辛亥革命時期李大釗政論試析〉（《理論月刊》1986年7期）、朱
成甲〈李大釗對袁世凱的認識過程〉（《歷史研究》1983年6期）、
紫櫻〈關於李大釗對袁世凱認識過程的幾種看法〉（《歷史教

學》1985年6期)、朱成甲〈李大釗反袁鬥爭的特點與貢獻〉(《天津師大學報》1985年2期)、李義彬〈關於李大釗在北京大學任職的時間〉(《歷史研究》1979年10期)、王世儒〈李大釗同志在北京大學的任職時間考辨〉(《北京大學學報》1980年5期)、蕭超然〈李大釗與北京大學〉(同上，1995年3期)、王世儒〈李大釗同志受聘教授及所開課程考實〉(同上，1981年4期)、劉翠花〈李大釗與北京大學圖書館〉(《河南大學學報》1996年4期)、張起厚〈李大釗·北大圖書館·毛澤東〉(《共黨問題研究》12卷12期，民75年12月)、李貴〈李大釗與北京大學進德會〉(《黨史文匯》1996年12期)、張靜如〈李大釗和北京師大〉(《北京師大學報》1984年6期)、王淑芳、麻星甫〈李大釗與北京兩師大〉(同上，1989年6期)、周德睿、陳一新〈李大釗對俄國二月革命的態度〉(《衡陽師專學報》1991年2期)、里井彥七郎〈李大釗の出發—「言治」期の政論を中心に〉(《史林》40卷3號，1957年5月)、H. T. Senin, "The October Revolution and Li Dazhao." (Far Eastern Affairs, No.1, 1988；中譯文爲李金秋譯〈十月革命與李大釗〉，載《北京檔案史料》1989年3期)、楊洪章〈早期李大釗對北洋軍閥政府態度的演變〉(《近代史研究》1988年4期)、近藤邦康〈「民國」と李大釗の位置—辛亥革命から五四運動へ〉(《思想》477號，1964年3月)、周青山〈五四前李大釗重民原因探討〉(《湖北師院學報》1990年2期)。

　　以五四時期（或新文化運動時期）的李大釗、或李氏與五四運動（或新文化運動）爲題的論文有陳東〈五四時期的李大釗〉(《福州師專學報》1995年1期)、彭明〈五四時期的李大釗和陳獨秀〉（《歷史研究》1962年6期）、黃文典〈五四前後的〝南陳北李〞〉（《廣西社會科學》1993年4期）、陳善學〈論五四時期的李大釗和陳獨秀〉（收於《紀念五四運動六十周年學術討論會論文選》，北京，中國社會科學出版社，1980）、周玉山〈李大釗與五四運動〉（《文星》104期，民76年2月）、李光燦〈李大釗與「五四」〉（《北方文化半月刊》1卷5期，民35年5月）、王林濤〈試論李大釗同志在五四前後的地位〉（《廣西大學學報》1979年2期）、賈天運〈李大釗與五四運動〉（《河南黨史研究》1990年3期）、高謂雙〈論五四時期李大釗同志的歷史功績〉（《唐山師專教育學院學報》1988年4期）、賈芝〈五四運動的先驅者之一—李大釗〉（《新文學史料》第3輯，1979年5月）、劉弄潮〈領導五四的主將—李大釗〉（載《五四運動文輯》，武漢，湖北出版社，1957）、楊世蘭〈紀念五四運動的主要領導者李大釗同志〉（《華南師院學報》1979年2期）、黃兆康〈五四運動的總司令應是李大釗〉（《黨史研究與教學》1988年3期）、裴煥利〈五四運動實際上的總司令是李大釗〉（同上，1990年2期）、劉孝良〈試論陳獨秀和李大釗都是五四運動的總司令〉（《淮北煤師學院學報》1991年2期）、彭定安〈五四時期思想文化領空的三顆亮星及其變遷—論魯迅與李大釗、陳獨秀〉（《錦州師院學報》1986年3期）、王世儒〈介紹李大釗五四時期的兩篇文章〉（《革命文物》1980年4期）、呂明灼〈五四時期的〝新舊思潮之激戰〞與李大釗〉（《齊魯學刊》1981年2期）及〈五四時期李大釗對帝國主義的認識〉（同上，1980年3期）、韓翼〈五四時期李大釗堅持社會主義的鬥爭〉（《齊魯學刊》1982年1期）、高全朴等〈〝五四〞時期李大釗同志反對資產階級改良主

義的鬥爭〉（《歷史研究》1959年6期）、徐有禮〈五四時期李大釗
對〝國民性改造〞問題的認識〉（《河南黨史研究》1989年增刊）、
譚雙泉〈李大釗與〝五四〞前後東西文化論戰〉（《中共黨史研
究》1989年6期）、傅雨貴〈李大釗同志在〝五四〞時期的革命宣
傳活動〉（《社會科學研究》1979年2期）、譚雙泉〈五四時期〝問
題與主義〞的論戰—兼駁〝四人幫〞對李大釗的誣陷〉（《湖南
師院學報》1979年2期）、彭明〈李大釗是中國最早的馬克思主義
者—並論他在五四時期的功績〉（《教學與研究》1979年6期）、林
家有〈〝五四〞時期馬列主義在中國的傳播與李大釗同志向馬克
思主義者轉變〉（《中山大學學報》1979年2期）、李文義〈李大釗
同志是五四運動中宣傳馬列主義的主將〉（《四川師院學報》1979
年2期）、高全朴等〈五四運動時期李大釗的馬克思主義宣傳活
動〉（《歷史教學》1959年5期）、李龍牧〈李大釗同志和五四時期
馬克思主義思想的宣傳〉（《歷史研究》1957年1期）、袁謙、吳家
林〈〝五四〞前後李大釗同志對馬克思列寧主義的傳播〉（《紀
念五四運動六十周年學術討論會論文選》，第2冊，北京，1980）、張俊
彥〈李大釗與新文化運動〉（《歷史研究》1959年8期）、柳尚彭
〈李大釗和五四新文化運動〉（《語文教育研究》1979年3期）、周
清和〈李大釗同志對新文學運動的貢獻〉（《黑龍江大學學報》
1978年1期）、王吉鵬〈略談李大釗的文學革命主張〉（《文科教
學》1980年1期）。

　談五四時期（或新文化運動時期）李氏思想的論文有趙文博
等〈五四時期的李大釗思想〉（《江蘇師院學報》1979年1、2期）、
齋藤道彥〈五四時期の思想狀況—李大釗の「少年中國」主義〉

（《講座中國近現代史4—五四運動》，1978）、野村浩一〈「五四」時代のナショナルな思考—李大釗について〉（《思想》453號，1962年3月）、匡從裕〈五四前後的李大釗思想〉（《史學月刊》1958年5期）、（李）平心〈論五四運動前後李大釗思想的發展〉（《歷史教學問題》1959年4期）、戴鹿鳴〈〝五四〞時期李大釗思想的發展〉（《教學與研究》1959年5期）、石川禎浩著、王捷譯、田子渝校〈五四時期李大釗的思想與茅原華山、陳溥賢〉（《文史哲》1993年5期）、李茂、田瑞華〈李大釗五四時期思維方式的轉變〉（《河南黨史研究》1989年增刊）、山上八枝子〈ロシア革命から五・四運動にいたの李大釗の思想〉（《咿啞》第6號，1976年6月）、嶋本信子〈五四期における十月革命の影響—李大釗の思想を通して〉（《史論》14・15號，1966年3月）、戴鹿鳴〈五四思想解放運動的先驅李大釗〉（收於《紀念五四運動六十周年學術討論會論文選》第2冊，北京，中國社會科學出版社，1980）、呂明灼〈李大釗在五四運動時期的徹底反帝思想〉（同上）、王永義〈五四新文化運動與李大釗政治思想的發展〉（《歷史教學》1989年11期）、曹木清〈五四時期李大釗的愛國主義思想〉（《求索》1985年4期）、呂明灼〈新文化運動初期李大釗與陳獨秀在愛國觀上的歧見〉（《齊魯學刊》1985年6期）、蕭超然〈論五四前後李大釗文化思想的發展〉（《北京大學學報》1989年6期）、鄧艾民〈五四時期李大釗的反孔思想在中國近代哲學史上的地位〉（《近代史研究》1979年1期）、楊金鑫〈李大釗對孔子的批判〉（《史學月刊》1984年1期）、呂明灼〈五四時期李大釗對孔門倫理的批判〉（《東岳論叢》1981年1期）、秦英君〈五四時期李大釗的東西文化觀—兼論

五四前後東西文化的論爭〉（《河南大學學報》1989年4期）、武仁
〈〝五四〞前後李大釗哲學思想探討〉（《哲學研究》1979年5
期）、房成祥〈李大釗〝五四〞時期革命思想初探〉（《陝西師大
學報》1979年2期）、呂明灼〈李大釗在新文化運動初期的宇宙
觀〉（《文史哲》1979年2期）、袁偉時〈論五四時期李大釗和陳獨
秀的世界觀〉（《中國哲學》1980年3期）、曹木清〈論五四時期李
大釗的歷史觀〉（《湘潭大學學報》1983年1期）、呂明灼〈五四時
期李大釗的知識分子與工農相結合的思想〉（收於《中國近代史研
究論叢》，1981）。

　　其他談李氏思想（含主義、學說）的論文有呂明灼〈李大釗
思想研究方法之我見〉（《河北學刊》1986年2期）、張靜如、韓凌
軒〈李大釗思想研究的新成果〉（《東岳論叢》1985年6期）、丁守
和、李林〈對李大釗早期思想研究的若干思考—兼評朱成甲著
《李大釗早期思想與近代中國》〉（《近代史研究》1990年6期）、
王宜放〈試論李大釗早期思想研究中的若干問題〉（《清華大學
學報》1991年2期）、張陽普〈中國共產黨人是精神文明的積極倡
導者：李大釗思想研究一得〉（《北京黨史研究》1996年6期）、王
永義〈試論李大釗思想轉變的主觀條件〉（《天津師大學報》1982
年5期）、李中實〈李大釗同志思想轉變的根據〉（《河北大學學
報》1981年3期）、Ｂ・Ａ克里夫佐夫著、鄭厚安、劉佐漢譯〈李大
釗的思想演變過程〉（《國外中國近代史研究》第8輯，1985年12
月）、丸山松幸〈李大釗の思想とその背景—思想の體系化と實
踐との關係について〉（《歷史評論》87號，1957年8月）及〈李大
釗の思想—中國におけるマルワス主義の受容（孫文をめぐる人

マ）〉（《アジア經濟旬報》654號，1966年7月）、韓一德〈〝言治〞時期李大釗思想管窺〉（《河北學刊》1986年6期）、劉紹孟〈論李大釗的早期思想及其特點〉（《開封師院學報》1964年4期）、張敏卿〈淺談李大釗留學期間思想的演進〉（《洛陽師專學報》1996年3期）、齋藤道彥〈李大釗の思想・1918年後半期〉（《季刊科學の思想》11號，1974）、西村成雄〈李大釗—1918年にいたる思想的發展過程〉（《大阪外國語大學學報》34號—文化篇，1975年2月）、今村與志雄〈五四前夜の思想狀況の一側面—李大釗に即して〉（《人文學報（東京都立大學）》25號，1961年3月）、鄭雲德〈李大釗與張聞天早期思想之比較〉（載《李大釗研究》第2輯—《理論與教學》1992年增刊）、吳漢全〈試論柏格森哲學對李大釗早期思想的影響〉（《四川師大學報》1992年1期）、〈論穆勒對李大釗早期思想的影響〉（《湖北師院學報》1992年4期）、〈托爾斯泰對李大釗早期思想的影響〉（《學術交流》1993年6期）及〈試論列寧對李大釗思想的影響〉（《鹽城教育學院學報》1993年2期）、李境順〈李大釗思想的偉大轉變和對中國社會主義道路的探索〉（《歷史教學》1990年2期）、馬建白〈李大釗青年時期思想的轉變與政治活動〉（《東亞季刊》11卷4期，民69年4月）、後藤延子〈初期李大釗の思想—中國における民主主義思想の發展〉（《日本中國學會報》26號，1974年10月）、永野英身〈中國のマルクス主義と人民主義—五四以後の李大釗とロシア・ナロードニキ〉（《思想》605號，1974年11月）、野村浩一〈近代中國の思想家—李大釗とマルクス主義〉（《思想》464號，1963年2月）、呂明灼〈怎樣認識李大釗早期思想中的〝調和論〞觀念〉（《文史

哲》1983年4期）、李世平〈試論李大釗的無產階級民主思想〉

（《四川大學學報》1979年2期）、步平〈試論李大釗的民主思想〉

（《學習與探索》1979年2期）、任建樹〈李大釗前期的民主思想〉

（《社會科學（上海）》1981年2期）、吳漢全〈李大釗前期民主觀初

探〉（《桂林教育學院學報》1990年2期）、宋歌、林維輝〈論李大

釗前期民主觀中的社會主義思想〉（《哈爾濱師專學報》1933年4

期）、吳家林〈從《甲寅日刊》看李大釗的早期政治思想〉

（《齊魯學刊》1984年5期）、呂明灼〈李大釗對〝好政府主義〞的

認識—兼論其〝平民主義〞思想〉（《遼寧大學學報》1981年4

期）、村田雄二郎〈理と力—李大釗の〝平民主義〞思想〉

（《思想》765號，1988年3月）、王檜林〈李大釗的〝平民主義〞與

〝工人政治〞〉（《中共黨史研究》1989年6期）、王友洛〈從《民

彝與政治》到《平民主義》—李大釗政治思想探析〉（《河南黨

史研究》1989年增刊）、李善雨〈從《民彝與政治》看李大釗的民

主政治思想〉（《河北學刊》1989年6期）、朱志敏〈李大釗的民彝

政治觀〉（《江淮論壇》1989年6期）、蕭文杰〈李大釗民彝觀簡

論〉（《華中師大研究生學報》1986年1期）、朱成甲〈李大釗早期民

彝思想初探〉（《福建論壇》1985年2期）、富田昇〈李大釗日本留

學時代の思想形成—「民彝」概念の成立をめぐつて〉（《集刊

東洋學》51號，1984年5月）、韓凌軒〈論民國初年李大釗的唯民主

義思想〉（《文史哲》1984年6期）、劉建國、張連良〈論李大釗早

期〝唯民主義〞政治思想〉（《松州學刊》1986年2期）、蕭延中

〈論李大釗的社會主義民主觀〉（《廣州研究》1987年6期）、楊紀

元〈李大釗對人民民主專政思想的貢獻〉（《河北學刊》1983年3

期）、周忠瑜〈李大釗與孫中山在民族主義思想上的相互影響〉
（《青海民族學院學報》1990年3期）、賀彩瑛、高曉春〈談李大釗
的愛國主義思想〉（《唐山教育學院學報》1985年1期）、朱文通、王
小梅〈李大釗愛國主義思想初探〉（《黨史博采》1996年12期）、韓
一德〈愛國主義是推動李大釗走向共產主義的動力〉（《河北學
刊》1984年5期）、王沛〈愛國主義是走向共產主義的階梯：對李
大釗愛國主義思想特質的探討〉（《青海社會科學》1990年1期）、
朱建華、何榮棣〈試論李大釗的反帝思想〉（《史學集刊》1982年2
期）、郭海清、孫海〈試析李大釗早期的反帝思想〉（《許昌師專
學報》1994年2期）、陳純仁〈李大釗革命思想的發展〉（《南京師
院學報》1978年2期）、馬功成〈李大釗的革命思想與歷史科學〉
（《探索》1987年1期）、李淑蘭〈試析李大釗創辦《晨鐘報》期間
的民主革命思想〉（《北京師院學報》1984年4期）、朱慈華〈試論
李大釗新民主主義革命思想〉（收於《中國新民主主義理論與實踐研
究》，瀋陽，東北師大出版社，1991）、朱志敏〈李大釗的平民主義
思想與時代思潮〉（《北京師大學報》1989年6期）、藤谷博〈李大
釗の〝平民主義〞思想〉（《阪大法學》97·98號，1976年3月）、魏
訓田〈李大釗民眾觀點初探〉（《德州師專學報》1996年3期）、杜
蒸民、汪世忠〈李大釗經濟思想初探〉（《江淮論壇》1982年1期）
及〈李大釗經濟思想述論〉（《史學月刊》1984年6期）、孔永松
〈李大釗經濟思想試析〉（《中國社會經濟史研究》1982年1期）、陳
君聰〈試論李大釗的經濟思想〉（《社會科學研究》1984年2期）、
楊紀元〈李大釗經濟思想初探〉（《陝西財經學院學報》1985年2
期）、張劍鋒〈略論李大釗的社會主義經濟思想〉（《安徽大學學

報》1984年4期)、陳定閔〈李大釗社會學思想發微〉(《社會學研
究》1989年1期)、木下英司〈李大釗の社會論〉(《社會科學討究》
39卷2號,1933年12月)、劉民山〈論李大釗社會主義思想的形成與
發展〉(《天津社會科學》1992年5期)、鄒兆辰〈李大釗社會主義
思想的確立與其歷史觀的轉變〉(《北京師院學報》1992年4期)、
烏尼日〈試論李大釗的社會主義思想〉(《內蒙古工學院學報》
1992年1期)、韓一德、李帆〈從空想到科學的轉變—略論李大釗
早期社會主義思想〉(《中共黨史研究》1992年3期)、呂明灼〈十
月革命前李大釗的社會主義思想〉(《吉林大學社會科學學報》1981
年5期)、譚獻民〈建黨前後李大釗對民主社會主義思潮的評
析〉(《黨史研究與教學》1993年2期)、杜蒸民〈李大釗早期哲學
思想探源〉(《齊魯學刊》1985年1期)及〈李大釗哲學思想發展初
探〉(《哲學研究》1981年6期)、袁偉時〈先驅者的歷史功勛—論
李大釗哲學思想地位〉(同上,1981年8期)、區惟堯〈"鐵肩擔道
義,妙手著文章"—淺論李大釗的哲學思想〉(《中山大學學報》
1987年2期)、朱成甲〈李大釗的早期哲學思想—泛青春論〉
(《天津師大學報》1989年2期)、雷民〈李大釗早期哲學思想研究
概述〉(《國內哲學動態》1981年5期)、張連良〈論李大釗早期的
唯物主義哲學思想〉(《長白學刊》1987年2期)、後藤延子〈李大
釗における過渡期の思想—「物心兩面の改造」について〉
(《日本中國學會報》22號,1970年10月)、李聲笑〈李大釗法律思
想探析〉(《毛澤東思想論壇》1996年2期)、陳開琦、陳榮文〈李
大釗的"民彝論"法律思想〉(《貴州大學學報》1995年1期)、雷
克嘯〈論李大釗的教育思想〉(《北京師大學報》1987年4期)、何

國華〈李大釗教育思想初探〉(《教育研究》1982年9期)、苗春德〈試論李大釗的教育思想〉(《史學月刊》1987年4期)、楊克貴〈李大釗教育思想初探〉(《安徽師大學報》1979年4期)、劉殿臣〈李大釗的青年教育思想與實踐〉(《河北師大學報》1986年3期)、呂家林〈試論李大釗的教育思想及活動〉(《北京黨史研究》1989年6期)、朱慈華〈李大釗教書育人思想管窺〉(《史學月刊》1990年5期)、沈灌群〈李大釗同志的革命教育活動和教育觀點〉(《華東師大學報》1959年1期)、饒良倫〈李大釗的倫理思想述評〉(《中國哲學史研究》1986年4期)、鄭雲德〈李大釗倫理思想初探〉(載《李大釗研究(年刊)》第1輯,河北人民出版社,1991)、韋英思〈李大釗民族思想述略〉(《西北民族研究》1989年2期)、高力克〈論李大釗的自由觀〉(《北京師大學報》1989年6期)、李聲笑〈李大釗的自由觀探析〉(《湘潭大學學報》1996年4期)、吳漢全〈李大釗早期自由觀初探〉(《社會科學(上海)》1991年7期)、歐陽國慶、秦千里〈李大釗的知識分子觀〉(《河北學刊》1990年4期)、楊忠文〈論革命先驅李大釗的世界觀〉(《黑龍江大學學報》1979年2期)、丸山松幸〈アジア・ナジヨナリズムの一原型―李大釗のアジア論について〉(《歷史評論》113號,1960年1月)、葉桂生〈李大釗的史學思想〉(《中國史研究》1979年4期)、皮明庥〈李大釗史學思想初探〉(《江漢論壇》1979年4期)、佟佳凡〈李大釗同志的史學思想初探〉(《齊齊哈爾師院學報》1982年3期)、鄒兆辰〈關於李大釗史學思想的幾個問題〉(《暨南學報》1990年4期)、鄒長儒〈關於李大釗史學思想的幾個問題〉(《北京師院學報》1990年5期)、葉桂生〈讀李大釗的《史

學思想史》〉（《史學史研究》1987年3期）、張艷國〈李大釗的史
學理論研究論析─本世紀20年代中國馬克思主義史學潮研究之
一〉（《史學理論研究》1994年2期）及〈李大釗闡解馬克思主義的
唯物史觀述評〉（《華中師大學報》1995年2期）、李宗遠〈生產力
是社會發展的〝最高動因〞─談李大釗同志一個重要的歷史唯物
主義觀點〉（《青海社會科學》1980年2期）、楊錫嘏〈李大釗的唯
物史觀〉（《洛陽師專學報》1993年2期）、郭烙〈李大釗同志在宣
傳唯物史觀方面的傑出貢獻〉（《山西師院學報》1981年2期）及
〈李大釗同志對傳播馬克思主義唯物史觀的重大貢獻〉（《歷史
教學》1979年10期）、許全興〈李大釗對唯物史觀的傳播和運用〉
（《晉陽學刊》1984年6期）、劉忠林〈李大釗在宣傳唯物史觀方面
的貢獻〉（《學習與探索》1979年5期）、鄺柏林〈李大釗從進化史
觀到唯物史觀的轉變〉（《中國哲學史研究》1983年4期）、陸文培
〈李大釗在歷史研究中對唯物史觀的運用〉（《黨史研究》1986年5
期）、馮契〈李大釗由進化論到唯物史觀的轉變〉（《華東師大學
報》1987年6期）、王憲明、舒文〈李大釗〝進步〞觀的結構與意
義述評〉（《長沙水電師院學報》1996年3期）、王思寧〈論李大釗
與魯迅的唯物史觀〉（《河北學刊》1990年3期）、文韋〈論李大釗
早期的歷史進化觀〉（《松遼學刊》1984年4期）、文君〈李大釗早
期進化史觀試論〉（《漳州師院學報》1996年3期）、鍾華〈李大釗
早年進化論思想述評〉（《河南大學學報》1993年1期）、劉偉〈論
李大釗早期的進化唯物論〉（《武漢大學學報》1984年5期）、楊生
運〈李大釗早期的唯物辯證法思想〉（《遼寧師院學報》1979年5
期）、顧幸偉〈重評李大釗〝物心兩面的改造〞觀〉（《江西師大

學報》1989年2期）、張寶明〈〝調和〞而非〝折中〞：李大釗文
化思想摭論〉（《東南文化》1993年6期）、胡建〈李大釗〝文化調
和論〞芻議〉（《天津社會科學》1995年2期）、李聲笑〈李大釗對
中西文化的揚棄〉（《河北學刊》1987年3期）、沈志安〈論李大釗
的中西文化觀〉（《華中師大學報》1987年3期）、吳克輝、劉寶辰
〈試論李大釗早期的中西文化觀〉（《河北大學學報》1991年1
期）、後藤延子〈李大釗の東西文化論─東西文化論爭中の位置
と思想史的意義〉（《人文科學論集（信州大學）》11號，1977年3
月）、張偉良〈試論李大釗早期東西文化觀的邏輯發展〉（《清
華大學學報》1994年4期）、吳漢全〈早期李大釗文化動靜觀述評〉
（《鹽城教育學院學報》1995年2期）、呂明灼〈李大釗對人道主義
的認識過程〉（《河北學刊》1984年5期）、劉雲龍〈試論李大釗進
步的人道主義觀〉（《理論探討》1993年1期）及〈試析李大釗互助
思想的人道主義基礎及其進步作用〉（《長白學刊》1993年6期）、
曾樂山〈李大釗的時間觀與今古關係論〉（《哲學研究》1984年10
期）、河田悌一〈李大釗の時間論〉（《待兼山論叢》第5號（哲學
篇），1972年3月）、劉偉〈李大釗時空觀管窺〉（《華東師大學報》
1983年2期）、陳瑞平〈革命先驅李大釗的科學觀〉（《歷史教學》
1979年10期）、王學義〈李大釗的宗教觀〉（《宗教學研究》1995年4
期）、陳勇〈試論李大釗同志人生觀最顯著的特點〉（《昆明師院
學報》1980年2期）、楊波〈李大釗的〝青春〞人生觀〉（《許昌師
專學報》1993年1期）、張靜如〈李大釗與現代化意識〉（《北京師
大學報》1989年6期）、趙抗〈李大釗的婦女解放思想〉（《毛澤東
思想研究》1990年1期）、李靜之〈李大釗的婦女解放思想及對中國

婦女解放運動的意義〉（《北京黨史研究》1994年2期）、烏尼日
〈李大釗婦女觀初探〉（《經濟·社會：經濟社會版（呼和浩特）1993
年6期）、加藤マコミ〈李大釗の婦人論〉（《中國近代思想史研究
會會報》35號，1964年1月）、楊洪章、孟憲禹〈李大釗對中國婦女
解放運動的理論貢獻〉（《河北學刊》1989年6期）、周忠瑜〈試論
李大釗的〝聯邦主義〞思想〉（《北京黨史研究》1992年6期）、陳
君聰〈略論李大釗的無產階級領導權思想〉（《重慶社會科學》
1985年1期）、閆樹恒〈論李大釗的〝黨內合作〞思想〉（《東北師
大學報》1990年5期）、李世琦〈試論李大釗關於農民問題的思
想〉（《齊魯學刊》1987年1期）、王德京〈李大釗關於農民與土地
問題的思想〉（《中共黨史研究》1992年6期）、宋越〈先驅者的遺
產，革命史上的豐碑—李大釗對中國共產黨早期農民問題理論的
貢獻〉（《河南黨史研究》1989年增刊）、王中宏〈李大釗的農民觀
述評〉（《徐州師院學報》1992年1期）、河田悌一〈李大釗の農民
觀についての李龍牧論文〉（《經濟理論》136號，1973年11月）、戴
前倫〈談李大釗的〝西北新邦〞構想—《冰天雪地兩少年》思想
透視〉（《西南師大學報》1991年3期）、閻稚新〈〝先驅者的遺
產，革命史上的豐碑〞：李大釗早期武裝鬥爭的實踐與思想新
探〉（《文史研究》1991年1期）、吳家林〈略論李大釗的共產主義
道德觀〉（《東岳論叢》1989年6期）、劉偉〈論李大釗從急進民主
主義向共產的思想轉變〉（《徐州師院學報》1985年1期）、任建樹
〈論李大釗從民主主義者到共產主義者的轉變〉（《學術月刊》
1979年5期）、張靜如〈論李大釗同志由民主主義者向共產主義者
的轉變〉（《紀念五四運動六十周年學術討論會論文選》第2冊，北京，

1980）、宋德宣〈李大釗由民主主義者向共產主義者轉變新探〉
（《內蒙古師大學報》1985年1期）、郭玉堂〈李大釗從民主主義者
轉變為馬克思主義者的時限與標志〉（《開封師專學報》1991年2
期）、吳漢全〈論李大釗轉變為馬克思主義者的過程〉（《萍鄉
教育學院學報》1993年1期）及〈李大釗轉變為馬克思主義者過程新
說〉（《連雲港教育學院學報》1993年1期）、栗勁〈李大釗的馬克思
主義法律觀初探〉（《吉林大學學報》1989年6期）、高孔融〈李大
釗和魯迅怎樣從進化論唯物論向馬克思主義轉變〉（《福建師大
學報》1987年1期）、李帆〈理論的分際與思想的力量—李大釗陳
獨秀接受馬克思主義過程中若干思想傾向之比較〉（《吉林大學
學報》1992年5期）、于耀州、盧亞東〈試論李大釗向馬克思主義
者轉變的思想基礎〉（《齊齊哈爾師院學報》1993年5期）、侯且岸
〈李大釗與馬克思主義〉（《求是》1989年12期）、鄭雲德〈李大
釗為馬克思主義中國化所作的幾點詮釋〉（《李大釗研究（年
刊）》第3輯—《河北學刊》1992年增刊）及〈李大釗的選擇與馬克思
主義中國化〉（《李大釗研究通訊》1991年3期）、程明欣、原村
〈李大釗與馬克思主義中國化的開端〉（《河北學刊》1996年2
期）、左玉河、王端芳〈李大釗與馬克思主義中國化〉（《史學
月刊》1993年1期）、宿忠顯〈李大釗與馬克思主義的中國化〉
（《青海社會科學》1996年5期）、弓豐〈論李大釗最初接受的幾個
馬克思主義理論觀點及對他思想發展的影響〉（《長白學刊》1988
年3期）、石川禎浩〈李大釗のマルクス主義受容〉（《思想》803
號，1991年5期）、蔣長芳〈中國傳播馬克思主義的第一人—李大
釗〉（《中學歷史教學》1987年6期）、孫建華〈李大釗—中國第一

個傳播馬克思主義的人〉（《上海教育學院學報》1990年1期）、趙春義〈李大釗是中國最早的馬克思主義傳播者〉（《新長征》1982年11期）、劉建國〈李大釗是馬克思主義在中國傳播的奠基人〉（《社會科學戰線》1984年2期）、陳其明〈李大釗同志是我國傳播馬克思主義思想的先驅〉（《北京師院學報》1979年2期）、石毓彬〈中國馬克思主義論理學的先驅李大釗〉（《破與立》1979年5期）、李龍牧〈李大釗和馬克思主義思想的宣傳〉（《歷史研究》1957年5期）、馬忠實〈李大釗與中國早期的馬克思主義宣傳運動〉（《山東大學學報》1992年4期）、朱成甲〈正確理解和評價李大釗傳播馬克思主義的歷史功績〉（《北京社會科學》1991年1期）、呂明灼〈李大釗對傳播馬克思主義的貢獻〉（《哲學研究》1983年2期）、李恩民〈李大釗傳播馬克思主義的特點〉（《山西師大學報》1986年2期）、張宏義、劉國良〈李大釗傳播馬克思主義若干問題的探討〉（《南京政治學院學報》1993年2期）、王關興〈中國馬克思主義史學的奠基者—李大釗〉（《上海師院學報》1983年1期）、韓一德〈李大釗與馬克思主義史學〉（《河北師院學報》1983年3期）、盧山紅〈李大釗與中國馬克思主義史學的誕生〉（《汕頭大學學報》1992年3期）、武育文〈李大釗同志與馬克思主義歷史科學〉（《遼寧大學學報》1986年4期）、周振剛〈李大釗對馬克思主義史學理論的貢獻〉（《史學月刊》1993年5期）、吳家林〈李大釗和中國的馬克思主義史學〉（《學習與研究》1981年1期）、曾麗雅〈從西方找到馬克思主義真理的第一位中國人（李大釗）〉（《江西社會科學》1983年3期）、齋藤道彥〈1920年の李大釗—中國マルクス主義運動の曙光〉（《歷史研究○階級的契

機》，東京，中央大學出版社，1980年5月）、王寶賢〈馬克思主義文
藝理論在中國的最初勝利—李大釗對傳播馬克思主義文藝理論的
貢獻〉（《湖南師院學報》1983年增刊）、蕭裕聲〈試論李大釗對馬
克思主義軍事理論的發展〉（《軍事歷史研究》1988年4期）、張靜
如〈如何認識李大釗的馬克思主義觀點的〝非正統性〞〉（《北
京黨史研究》1989年5期）、高軍〈李大釗是中國最早把馬克思主義
與工人運動結合的傑出代表〉（《北京師大學報》1989年6期）、陳
慧道〈第一個把馬克思列寧主義與中國工人運動相結合的先驅者
李大釗〉（《馬克思主義在中國—廣東省紀念馬克思逝世一百周年論文
集》，1983）、V. Krivtsov、V. Krasnova,, "Li Ta-Chao, China's
First Propagandist of Marxism-Leninism and Proletarian Inter-
nationalism." （Far Eastern Affairs, No.3, 1977）、後藤延子〈李大
釗とマルクス主義經濟學〉（《信州大學文學部人文科學論集》26
號，1992年3月）、謝百三〈李大釗和馬克思經濟學的傳播〉（《毛
澤東思想研究》1988年2期）、伊東昭雄〈中國におけるマルクス主
義と新文化運動—李大釗「經濟より中國の近代思想が變動とし
ている原因を解釋する」の解題と譯文〉（《橫濱市立大學論叢
（人文科學系列）》29卷2號·3號，1978年3月）、吳漢全〈李大釗與
中國馬克思主義社會學的開創〉（《松遼學刊》1993年4期）、謝百
三〈李大釗對《資本論》的研究〉（《玉林師專學報》1985年4
期）、韓翼〈李大釗論社會主義與資本主義〉（《山東師大學報》
1983年5期）、森正夫〈李大釗と「世界の資本主義」〉（《高知大
學學術研究報告（人文科學》18卷11號，1970年3月）、蘇智良、盧福毅
〈李大釗批判封建主義〉（《歷史教學問題》1981年3期）、劉德仁

〈李大釗同志對封建專制主義的批判〉（《西南民族學院學報》1981年1期）、朱慈華、谷琳生〈李大釗對中國革命基本問題的理論探討〉（《河南黨史研究》1989年增刊）、吳家林、李美瑞〈李大釗在統一戰線中的策略思想及其運用〉（《齊魯學刊》1987年1期）、劉誠〈李大釗統一戰線理論初探〉（《黨史博採》1995年3期）、里井彥七郎〈李大釗の出發一「言治」期の政論を中心に〉（《史林》40卷3號，1957年5月）、戈勝〈論北伐時期李大釗軍事思想與實踐〉（《毛澤東軍事思想研究》1996年3期）及〈李大釗北伐戰爭時期的軍事思想〉（《軍事歷史》1996年4期）、蔣成德〈李大釗早期報刊編輯的思想風格〉（《鹽城教育學院學報》1996年2期）、陶用舒〈李大釗對新民主主義革命理論的貢獻〉（《益陽師專學報》1989年3期）、羅子凡〈李大釗對黨建理論的建樹〉（《湖南社會科學》1990年5期）。

其他談李大釗的論文尚有韓凌軒〈李大釗同志與少年中國學會〉（《北方論叢》1980年5期）、張化〈李大釗與〝少年中國〞的理想〉（《近代史研究》1989年5期）、吳漢全〈李大釗與《國民》雜誌社〉（《吉安師專學報》1994年5期）、朱成甲〈李大釗與孫中山的護法鬥爭〉（《福建論壇》1989年3期）、張絳〈李大釗對吳佩孚的統戰工作〉（《河南黨史研究》1989年增刊）、傅振剛、徐有禮〈論李大釗與共產國際〝聯吳方針〞的關係〉（《中共黨史研究》1993年2期）、村田雄二郎〈李大釗と「孫吳合作」〉（《貓頭鷹》第4號，1985）、張京民〈李大釗在國民會議運動中〉（《北京黨史研究》1989年5期）、季年〈李大釗與〝三·一八〞鬥爭〉（同上）、高廣溫〈李大釗出席〝三一八〞國民大會問題之我見〉

（《黨史研究資料》1986年11期）、蕭裕聲〈李大釗在北伐期間組織的反直反奉軍事統一戰線〉（《軍事歷史研究》1989年4期）、李善雨〈北伐時期的李大釗〉（《近代史研究》1988年3期）、胡文瀾〈李大釗與北伐戰爭〉（《河南黨史研究》1989年增刊）、李善雨、楊樹升〈李大釗與國民軍〉（《齊魯學刊》1985年2期）、烏尼日〈在第一次國共合作時期李大釗同志怎樣爭取馮玉祥的〉（《內蒙古統戰理論研究》1989年6期）、張鴻基〈李大釗與國民軍策應北伐〉（《中州學刊》1993年5期）。羅寶軒〈李大釗曾幾蒞上海〉（《歷史教學》1992年6期）、陳紹康〈李大釗同志六次到上海〉（《社會科學（上海）》1982年8期）、張絳〈試論李大釗的洛陽之行〉（《史學月刊》1992年5期）、董寶瑞〈李大釗究竟有幾次洛陽之行：兼與張絳等同志商榷〉（《河南黨史研究》1990年6期）、郭新玲、喬培華〈李大釗的三次洛陽之行〉（同上，1989年增刊）、張絳〈再談李大釗首次洛陽之行：兼答董寶瑞同志〉（同上，1991年2期）、張絳〈李大釗在開封〉（《史學月刊》1982年5期）。陸文培〈李大釗和中國共產黨的創建〉（《淮北煤師學院學報》1991年2期）、羅小凡〈李大釗對黨的創建的重大貢獻〉（《湖南社會科學》1991年2期）、周子信〈李大釗與中國共產黨的創立〉（《江淮論壇》1981年3期）、范濤華〈試論李大釗在中國共產黨創建中的作用〉（《探索》1996年2期）、武可賢〈李大釗同志對創建中國共產黨的貢獻〉（《山東大學文科論文集刊》1981年1期）、董令儀〈李大釗同志的建黨功績是不朽的〉（《山東師院學報》1979年6期）、蕭超然、沙健孫、梁柱〈李大釗在中國共產主義運動中的歷史地位〉（《北京大學學報》1979年6期）、周重堯〈建黨前後的李大釗

同志—紀念李大釗就義六十周年〉(《百家論壇》1987年1期)、朱
文通、王小梅〈淺談李大釗建黨活動的幾個特點〉(《河北學
刊》1990年1期)、林銘綱、林青〈"應當叫共產黨!":李大釗
建黨立功勛〉(《黨史縱橫》1995年7期)、楊紀元〈李大釗是怎樣
為我們黨定名的〉(《理論學刊》1986年9期)、張絳〈李大釗與河
南黨組織的創建—兼述李大釗的六次河南之行〉(《河南大學學
報》1985年3期)、趙秀德、謝蔭明〈李大釗與中共北方黨組織的
創建和發展〉(《北京黨史研究》1989年5期)、祝力軍編〈有關查
核李大釗等在北大召開社會主義青年團秘密會議的來往函件〉
(《北京檔案史料》1989年3期)、劉昌玉等〈李大釗同志領導的北
京黨的早期組織〉(《上海師院學報》1980年2期)、李玲、戴紅葉
〈《北京代表李大釗意見書》產生的由來〉(《黨的文獻》1989年5
期)、張廣思〈李大釗同志和東北地區黨的早期活動〉(《社會
科學輯刊》1990年3期)、曹延玉、謝作黎〈李大釗和我黨早期的統
戰工作〉(《學習與研究》1987年9期)、劉鋼〈李大釗未曾出席
"一大"原因考〉(《上海教育學院學報》1991年2期)、李國繼〈中
共一大召開前夕李大釗未曾受傷住院〉(《中共黨史研究》1996年3
期);〈李大釗與鄧中夏誰是中共第二屆中央委員〉(《求索》
1987年2期)、馬熙敏〈革命的先驅,光輝的榜樣—向傑出的共產
主義戰士李大釗同志學習〉(《西藏民族學院學報》1981年2期)、袁
競雄〈共產主義戰士李大釗〉(《廣西師院學報》1979年2期)、梁
淑珍、趙勝軍、丁建同〈李大釗在河北革命活動綜述〉(《黨史
博採》1990年4期)、張仁榮〈李大釗與河南工農運動〉(《河南大
學學報》1990年1期)、聶元素、石小生〈李大釗與河南工農革命運

動〉（《歷史教學》1984年7期）、張仁榮〈李大釗對河南工農運動
的貢獻〉（《河南黨史研究》1989年增刊）、劉公直〈李大釗對隴海
鐵路大罷工的貢獻〉（《河洛春秋》1992年4期）、烏尼日〈李大釗
在西北地區的革命活動〉（載《李大釗研究文集》，北京，中共黨史
出版社，1991）、石潔、張守憲〈李大釗和陝西革命運動〉（《西
北大學學報》1984年3期）、薛生德〈陝北建黨是李大釗和中共北京
區委領導的—關於陝西黨組織隸屬關係的考證〉（《北京黨史研
究》1993年6期）、郝維民、其其格〈李大釗與內蒙古革命〉（《近
代史研究》1981年4期）、甘旭嵐〈李大釗與蒙古民族解放運動〉
（《民族團結》1981年7期）。陳君聰〈李大釗早期革命活動〉
（《遼寧師專學報》1983年3期）、黃真、姚維斗〈新世紀的晨鐘—
李大釗的初期革命活動〉（《北疆》1981年3期）、劉殿臣〈李大釗
同志的革命創舉〉（《河北師大學報》1981年2期）、吉村五郎〈李
大釗革命史略㈠〉（《東洋研究（大東文化大學）》58號，1980年12
月）、王林濤〈李大釗對新民主主義革命運動的卓越貢獻〉
（《杭州師院學報》1990年2期）、李運昌〈李大釗在中國革命中的
歷史地位和功績〉（《中共黨史研究》1995年1期）、孫繼虎〈李大
釗與早期中國工人運動〉（《西北師大學報》1991年3期）、龐守信
〈李大釗與農民運動〉（《學術百家》1989年6期）、果峰〈論李大
釗與北方紅槍會運動〉（《唐山師專唐山教育學院學報》1993年1
期）、吳漢全〈李大釗是青年運動的理論指導者〉（《貴陽師專學
報》1990年3期）、陳君聰〈青年運動的先驅—李大釗〉（《宜春師
專學報》1983年1期）、鄭景星、王勝國〈李大釗與河北早期青年運
動〉（《青年論叢》1993年1期）、彭承福等〈緬懷李大釗同志對青

年一代的關懷〉(《西南師院學報》1979年2期)、鄧麟慶〈李大
釗—青年的摯友與軍師〉(《中國青年政治學院學報》1987年5期)。
王述維、謝俊春〈試論李大釗對第一次國共合作的貢獻〉(《甘
肅社會科學》1991年3期)、吳家林〈李大釗與第一次國共合作的建
立〉(《北京檔案史料》1989年3期)、金英豪〈李大釗與第一次國
共合作的促成〉(《山東醫科大學學報》1990年1期)、王永義〈李大
釗在第一次國共合作中的重大貢獻〉(《天津師大學報》1990年3
期)、張靜如、楊樹升〈李大釗對國共合作的貢獻〉(《中國國民
黨"一大"六十周年紀念論文集》,1984)、傅紹昌〈李大釗在第一
次國共合作中的重大貢獻〉(《華中師大學報》1982年2期)、劉長
微〈第一次國共合作時期的李大釗〉(《徐州師院學報》1985年4
期)、祝偉坡〈李大釗對革命統一戰線的重大貢獻—紀念李大釗
誕辰九十五周年〉(《河北師大學報》1985年1期)、王林濤〈李大
釗在革命統一戰線中的貢獻〉(《唐山教育學院學報》1985年1期)、
呂興光、呂向東〈李大釗與第一次國共合作時期的北方工作〉
(《黨史文匯》1990年6期)、劉昭豪等〈第一次國共合作中的孫中
山與李大釗—紀念第一次國共合作六十周年〉(《湘潭大學學報》
1984年2期)。楊紀元〈李大釗與《國際歌》〉(《國際共運史研
究》1989年4期)、蔡四偉〈試評李大釗提交共產國際五大書面報
告的作用〉(《雲南教育學院學報》1990年2期)、野原四郎〈李大
釗コミンテルン第五回大會〉(載《江上波夫教授古稀記念論集(歷
史篇)》,1977)、黃德林〈1924年李大釗並沒有放棄國際主義〉
(《華中師大學報》1992年6期)、彭宏偉譯、李玉貞校〈李大釗
1924年在蘇聯的講話和文章〉(《近代史研究》1985年6期)、海振

忠、井振武〈關於李大釗從莫斯科返回北京的時間〉（《北方論叢》1986年1期）。張嘯虎〈革命政論家李大釗對振興中華的呼喚和求索〉（《中南民族學院學報》1986年3期）、周德睿、李昌君〈歷史的必然，走社會主義道路：淺談李大釗歡呼十月革命的主觀條件〉（《零陵師專學報》1990年2期）、王秀鑫、王榮先〈李大釗：摒棄資產階級共和國方案的先驅〉（《黨校論壇》1990年1期）、吳明〈李大釗與國民黨北方組織〉（《北京檔案史料》1989年2期）、張鴻基〈李大釗與國民黨右派的鬥爭〉（《河南黨史研究》1989年增刊）、周忠瑜〈李大釗、毛澤東與大革命時期的農民問題〉（《青海民族學院學報》1995年1期）、高積順〈法治國家人的素質：李大釗對國人根性的剖析及其意義〉（《河北法學》1995年2期）、趙傳海〈李大釗對國民性的反思〉（《史學月刊》1990年3期）、呼曉川〈雄渾詩作慷慨悲歌：李大釗早年詩作的愛國情懷〉（《黨史博采》1995年1期）、董寶瑞〈〝自然的美〞的頌歌—讀李大釗的景山詩〉（《河北大學學報》1981年2期）、練先永〈李大釗論知識分子道路〉（《（福建）革命人物》1987年4期）、吳漢全〈李大釗對太平天國的論述〉（《廣西大學學報》1990年5期）、韓一德〈李大釗與日本社會主義同盟〉（《遼寧師大學報》1988年4期）、岳瓏〈李大釗與二十世紀中國婦女解放運動〉（《荊門大學學報》1989年4期）。尹詳霞〈李大釗對中國近代社會的研究〉（《史學史研究》1995年2期）、公丕祥〈李大釗與傳統文化〉（《南京師大學報》1989年4期）、趙保佑〈李大釗的文化選擇與社會實踐〉（《河北學刊》1989年6期）、鄒兆辰〈李大釗與西方歷史哲學〉（《史學理論研究》1992年1期）、張廣智、張廣勇〈論李大

釗對西方史學史的研究〉（《江海學刊》1986年3期）、李潤蒼〈李
大釗同志對中國史學的巨大貢獻〉（《史學史研究》1981年4期）、
馬仿成〈略論李大釗同志對我國歷史科學的貢獻〉（《四川師院
學報》1979年1期）、韓翼〈李大釗與歷史科學〉（《齊魯學刊》1987
年1期）、後藤延子〈李大釗における「世界史」の發見—「青
春」「﹅今﹅」の哲學〉（《歷史評論》310號，1976年2月）、鳥井
克之〈李大釗の「今」〉（《中研ノート（大阪市立大學）》第5號，
1959年1月）、金相成等〈李大釗與近代歷史教育〉（《歷史教學問
題》1989年6期）、何國華〈李大釗論道德和共產主義道德教育〉
（《上海師院學報》1982年3期）、陳善學〈李大釗與我國第一次社
會主義論戰〉（《歷史教學問題》1957年5期）、趙英風〈李大釗是
﹅中國現代圖書館之父﹅〉（《延安大學學報》1993年4期）、生太
順〈李大釗《什麼是新文學》試解〉（《瀋陽師院學報》1982年3
期）、吳家林〈李大釗與《每周評論》〉（《北京檔案史料》1992年
4期）、韓一德〈李大釗與《北京周報》〉（《歷史教學》1985年7
期）、趙履謙〈李大釗與蒙藏學校學生〉（《中央民族學院學報》
1985年4期）、野澤豐〈「李大釗，經濟上から中國近代史變動の
原因を解釋する」についての解說〉（《專修大學人文科學研究月
報》37‧38號，1974年9月）、入戶野良行〈李大釗と「トルストイズ
ム」—李大釗研究ノート‧その二〉（《駿臺史學（明治大學）》
46號，1979年3月）、伊東昭雄〈中國における「主觀能動性」概
念形成の一側面—李大釗とトルストイ‧河上肇〉（《經濟と貿
易》124號，1978年3月）、楊奎松〈李大釗與河上肇—兼談李大釗
早期的馬克思主義觀〉（《黨史研究》1985年5期）、劉民山〈李大

釗與幸德秋水〉（《近代史研究》1995年4期）、袁源〈李大釗稱讚陳鶴琴〉（《文教資料》1994年10期）、入戶野良行〈中里介山と李大釗—李大釗研究，ノート（その1）〉（《中國農民戰爭史研究》第4卷，1974年12月）、龔書鐸、黃興濤〈孫中山與李大釗〉（《史學月刊》1991年2期）、張竟〈孫中山與李大釗的友誼〉（《廣東魯迅研究》1992年2期）、陳德誃〈孫中山與李大釗的革命友誼〉（《貴州師大學報》1995年4期）、沈海波〈關於1922年李大釗與孫中山會談的幾個問題〉（《黨史研究資料》1996年11期）、胡建〈從孫中山、李大釗到毛澤東：〝中西融合論〞的三大階段〉（《浙江社會科學》1995年4期）、路海江、宮衛起〈李大釗和毛澤東〉（《河南黨史研究》1989年增刊）、毛應民〈毛澤東與李大釗第一次會見的確切時間〉（《毛澤東思想研究》1988年2期）、許全興〈主義與民眾：由李大釗到毛澤東〉（《毛澤東哲學思想研究》1991年3期）、楊紀元〈李大釗與毛澤東〉（同上，1986年3期）及〈再論李大釗與毛澤東〉（《李大釗研究》第3輯，1992）、近藤邦康〈譚嗣同と李大釗—「衝決網羅」を中心に〉（載《仁井田陞博士追悼論文集2—現代アジアの革命と法》，1966年10月）、王世儒〈李大釗與蔡元培〉（《北京檔案史料》1989年4期）、許毓峰〈李大釗與魯迅〉（《駐馬店師專學報》1988年2期）、劉弄潮〈李大釗和魯迅的戰鬥友誼〉（《百科知識》1979年2期）、黃艾仁〈胡適與李大釗〉（《中外雜誌》50卷3、4期，民80年9、10月）、羅寶軒〈李大釗與孫洪伊〉（《歷史教學》1990年10期）、文操〈李大釗和蔡和森的《俄國社會革命史》〉（《書林》1980年1期）、楊紀元〈關於李大釗和吳佩孚關係問題的探討〉（《黨史資料通訊》1987年4期）、王占連

〈李大釗與馮玉祥〉（《唐山師專學報》1985年3、4期）、楊榮華〈李大釗與馮玉祥〉（《安徽師大學報》1982年2期）、左寶〈李大釗與馮玉祥的交往〉（《黨史博采》1995年1期）、閻稚新〈李大釗、鄧小平與馮玉祥—記大革命時期北京戰場及國民黨政治工作〉（《黨史通訊》1985年4期）、張嘉鼎〈李大釗和李凌斗〉（《北京檔案史料》1994年4期）。吳相湘〈李大釗口蜜腹劍〉（載氏著《民國百人傳》第3冊，臺北，傳記文學出版社，民60）、譚宗級〈李大釗同志犧牲前的英勇鬥爭〉（《四川大學學報》1979年2期）、李義彬〈李大釗同志被捕和就義紀實〉（《鄭州大學學報》1980年2期）、張靜如、王章維〈"試看將來的環球，必是赤旗的世界"〉（《齊魯學刊》1981年4期）、何雋〈"試看將來的環球，必是赤旗的世界"—李大釗臨刑目擊記〉（《中華英烈》1986年2期）。

4.胡適

研究胡適的學者非常多，其中較有成就的如中國大陸有耿雲志（中國社會科學院近代史研究所研究員）、沈寂（安徽大學歷史系教授）、胡明、沈衛威（河南大學中文系教授）、易竹賢（武漢大學中文系教授）、歐陽哲生（華中師大歷史學博士，曾任湖南師大歷史系副教授，北京大學博士後研究）、羅志田（取得普林斯頓大學博士後返回中國大陸，現任四川大學歷史系教授）等；臺灣則有胡頌平（曾任職中央研究院為胡適之秘書）、張忠棟（臺灣大學歷史系教授，已退休）、呂實強（中央研究院近代史研究所研究員）、楊承彬（曾任政治大學教授，臺北商專

校長，已退休）等；美國方面有唐德剛（紐約市立大學教授，已
退休）、周質平（普林斯頓大學東亞系教授）、周明之（華盛頓
大學東亞圖書館館長）、Jerome Grider（布朗大學歷史系教
授）等；又大約十年前，紐約聖若望大學亞洲研究所李又寧教授
發起成立「胡適研究國際學會」（International Society for Hu
Shih-Studies），由其主編陸續出版了一系列有關胡適研究的論
文集，成績可觀。至於有關胡氏的論著及資料：專書方面有胡適
《胡適文存（初集-3集）》（上海，亞東圖書館，民13及19）、《胡
適文存（第4集）》（香港，遠東圖書公司，1962）、《胡適文存外
編》（臺北，雲天圖書公司，民59）、《胡適文選》（上海，亞東圖書
館，民19）、《胡適自述（第1冊）》（同上，民24）、《四十自
述》（同上，民26）、《藏暉室箚記》（4冊，同上，民28）、《胡
適留學日記》（4冊，上海，商務印書館，民36；臺灣商務印書館，民
48；臺北，遠流出版公司，民75）、《胡適北大日記選》（臺北，遠
景出版公司，民73）、《胡適日記》（文化研究社，民23）、《胡適
書評序跋集》（長沙，岳麓書社，1987）、《胡適古典文學研究論
集》（上海，上海古籍出版社，1988）、《胡適紅樓夢研究論述全
編》（同上）、《胡適作品集》（37冊，臺北，遠流出版公司，民
75）、《胡適的日記（手稿本）》（18冊，同上，民78-79）、中國
社會科學院近代史研究所編《胡適的日記》（2冊，北京，中華書
局，1985）、《胡適自傳》（南京，江蘇文藝出版社，1995）、（李燕
珍編）《胡適自敘》（北京，團結出版社，1996）、《胡適選集》
（13冊，臺北，文星書店，民55）及《胡適手稿集》（10冊，臺北，胡
適紀念館，民55-59）、唐德剛譯注《胡適口述自傳》（臺北，傳記

文學出版社，民70）、葛懋春、李興芝《胡適哲學思想資料選─胡
適的自傳》（上海，華東師大出版社，1981）、中國社會科學院近代
史研究中華民國史研究室《胡適的日記》（2冊，北京，中華書局，
1985）、同上中華民國史組《胡適來往書信選》（3冊，同上，
1979）及《中華民國史料叢編專題資料選輯·第3輯─胡適駐美大
使期間往來電稿》（同上，1978）、耿雲志主編《胡適遺著及秘藏
書信》（42冊，合肥，黃山書社，1993；臺北，龍文出版社翻印，民
84）、耿雲志、歐陽哲生編《胡適書信集》（3冊，北京，北京大學
出版社，1990）、梁錫華選註《胡適秘藏書信選》（2冊，臺北，遠
景出版公司，民71）、杜春和編《胡適家書》（石家庄，河北人民出
版社，1996）、績溪縣文化局供稿《胡適家書選》（合肥，安徽美術
出版社，1989）、沈寂編注《胡適學術論文集：新文化運動》（北
京，中華書局，1993）及《胡適學術論文集：語言文學研究》（同
上）、楊犁編《胡適文萃》（北京，作家出版社，1991）、易竹賢編
《胡適散文選集》（百花文藝出版社，1990）、胡明編選《胡適選
集》（天津，天津人民出版社，1991）、姜義華主編《胡適學術文
集：中國哲學史》（北京，中華書局，1991）、歐陽哲生編《胡適
學術文化隨筆》（二十世紀中國學術文化隨筆大系第1輯，北京，中國青
年出版社，1996）、季維龍編《胡適著譯繫年目錄》（合肥，安徽教
育出版社，1995）、華東師大圖書館編《胡適著譯繫年目錄與分類
索引》（上海，上海人民出版社，1984）、施偉等編《胡適文集》
（3冊，北京，燕山出版社，1995）、周質平《胡適早年文存》（臺
北，遠流出版公司，民84）；《胡適家書手稿》（合肥，安徽美術出版
社，1988）、程靖宇主編《胡適博士紀念集刊》（香港，獨立論壇

社，民61）、馮愛群編輯《胡適之先生紀念集》（臺北，臺灣學生書局，民51）、豐稔出版社編印《紀念胡適先生專集》（臺北，民51）、史垚《胡適哀榮錄》（臺北，則中出版社，民51）、朱傳譽、王茉莉編《胡適傳記資料》（3冊，臺北，天一出版社，民67）、童世綱《胡適文存索引》（臺北，臺灣學生書局，民58）、胡明編注《胡適詩存》（北京，人民文學出版社，1989）、吳奔星等《胡適詩話》（成都，四川文藝出版社，1991）、陳孝全等《胡適、劉半農、劉大白、沈尹默詩歌欣賞》（南寧，廣西教育出版社，1989）、應鳳凰編選《胡適語錄》（臺北，漢藝色研出版，民80）、董華編《胡適妙語錄—中國現代文豪妙語錄》（北京，廣播電視出版社，1992）、姚鵬、范橋編《胡適講演》（同上）、胡頌平編《胡適之先生晚年談話錄》（臺北，聯經出版公司，民73）、胡適撰、柳田聖山主編《胡適禪學案》（臺北，正中書局，民64）、沈寂《胡適政論與近代中國》（香港，商務印書館，1993；臺北，臺灣商務印書館，民83）、顏振吾編《胡適研究叢錄》（北京，三聯書店，1988）、金惠經《胡適研究》（臺灣師範大學國文研究所博士論文，民80年6月）、趙啟雄《胡適研究》（香港珠海書院中國文史研究所碩士論文，1976年5月）、耿雲志《胡適語萃》（北京，華夏出版社，1993）、《胡適研究論稿》（成都，四川人民出版社，1985）及《胡適年譜》（同上，1989）、胡頌平編《胡適先生年譜簡編》（臺北，大陸雜誌社，民60）及《胡適之先生年譜長編初稿》（10冊，臺北，聯經出版公司，民73；又校訂版，民80）、曹伯言、季維龍編《胡適年譜》（合肥，安徽教育出版社，1986）、戚宜君《胡適傳》（臺中，臺灣省文獻委員會，民82）、華欣廿世紀學人叢書編輯委員會編輯《胡適》（臺北，華欣文化事業中心，民68）、沈衛威《無地自由：胡適傳》（上海，上海文藝出版社，1994）及《胡適傳》（開封，河南大學出版社，1988；臺北，風雲時代出版社，民79）、白吉庵《胡適傳》（北京，人民出版社，1993）、易竹賢《胡適傳》（武漢，湖北人民出版社，1987）、羅志田《再造文明之夢－胡適傳》（強國之夢系列叢書，成都，四川人民出版社，1995）、胡不歸《胡適之傳》（萍社，民30）、郭宛《胡適新傳》（臺北，新潮社文化事業公司，民85）、章清《胡適評傳》（南昌，百花洲文藝出版社，1992）、朱文華《胡適評傳》（重慶，重慶出版社，1988）及《胡適：開風氣的嘗試者》（上海，復旦大學出版社，1992）、李敖《胡適評傳》（臺北，文星書店，民53）及《胡適研究》（同上）、陳金淦編《胡適研究資料》（北京，十月文藝出版社，1989）、陳克疇等編《胡適與國運論集》（香港，文山出版社，1958）、徐子明《胡適與國運》（臺北，臺灣學生書局，民47）、唐德剛《胡適雜憶》（臺北，傳記文學出版社，民66，臺北，風雲時代出版社，民79）、羅爾綱《師門五年記：胡適雜憶》（北京，三聯書店，1994）、石原皋《閒話胡適》（合肥，安徽人民出版社，1985）、沈衛威《認識胡適》（開封，河南大學出版社，1991）、張忠棟《胡適五論》（臺北，允晨文化出版公司，民79）、耿雲志《胡適新論》（長沙，湖南出版社，1996）及主編《胡適研究叢刊》（北京，中國青年出版社；至1996年已出版了第1、2輯）、費海璣《胡適著作研究論文集》（臺北，臺灣商務印書館，民57）、周策縱等《胡適與近代中國》（臺北，時報文化出版公司，民80）、沈寂《胡適政論與近代中國》（臺北，臺灣商務印書館，民83）、王靜芳《胡適《詩經》論著研究》

（中正大學中文研究所碩士論文，民83年7月）、黃艾仁《胡適與中國名人》（南京：江蘇教育出版社，1993）、黃國鐘《胡適著作與世紀之爭》（臺北，海國法律事務所，民76）、飛雁、董景森《胡適之戀》（臺北，新潮出版社，民82）、周質平《胡適與魯迅》（臺北，時報文化出版公司，民77）、Chen Mao, Hermeneutics and the Implied May Fouth Reader: A Study of Hu Shih, Lu Xun and Mao Dun. (Ph. D. Dissertation, State University of New York-Stony Brook, 1992)、陳紀瀅《胡適、童世綱與葛思德東方圖書館》（臺北，重光文藝出版社，民67）、鄭大華《梁漱溟與胡適》（北京，中華書局，1994）、文訊雜誌社編輯《憂患的心聲—吳稚暉、蔡元培、胡適》（臺北，編輯者印行，民80）、李敖《胡適與我》（臺北，李敖出版社，民79）、王光前《胡適、李敖及其他》（高雄，前程出版社，民70）、杜英穆編《胡適、于右任、林語堂》（臺北，名望出版社，民77年再版）、張忠棟《胡適、雷震、殷海光》（臺北，自立晚報社，民79）、譚天《胡適與郭沫若》（上海，書報論衡社，民22）、夏康農《論胡適與張君勱》（上海，新知書店，民37）、劉健清等《蔣介石與胡適》（長春，吉林文史出版社，1996）、李又寧主編《胡適與他的朋友·第1、2集》（紐約，天外出版社，1990及1991）、楚汎編《胡適江冬秀》（北京，中國青年出版社，1995）、朱文伯《胡適與丁文江》（臺北，民主潮社，出版年月不詳）；《紀念胡適之先生專集》（臺北，豐稔出版社，民51）、Chou Min-Chih（周明之），Hu Shih and the Intellectual Choice in Modern China（Ann Arbor: The University of Michigan Press, 1984）、Jerome Grider, Hu Shih and the Chinese Renaissance: Liberalism in the Chinese Revolution, 1917-1937. （Cambridge: Harvard University Press, 1970：係作者1963年在哈佛大學的博士論文 Hu Shih and Liberalism: A Chapter in the Intellectural Modernization of China, 1917-1930加以修訂而成：其中譯本為魯奇譯《胡適與中國的文藝復興：中國革命中的自由主義（1917-1937）》，江蘇人民出版社，1989）、賈祖麟（Jerome Grider）著、張振玉譯《胡適之評傳》（海口，南海出版公司，1992）、胡明《胡適傳論》（2冊，北京，人民文學出版社，1996）、聞黎明等主編《現代學術史上的胡適》（北京，三聯書店，1993）、周質平《胡適叢論》（臺北，三民書局，民81）、耿雲志《論胡適》（成都，四川教育出版社，1986）、《胡適新論》（長沙，湖南出版社，1996）、耿雲志主編《胡適研究叢刊·第2輯》（北京，中國青年出版社，1996）、葉青《胡適批判》（上海，辛懇書店，民22）、李曉丹〈胡適先生二味藥〉（臺北，采風出版社，民72）、何索《寂寞的獅子：胡適先生的感情世界》（臺北，國家書店，民78）、郭宛《胡適—靈與肉之間》（成都，四川文藝出版社，1995）、王鑒平、楊國榮《胡適與中西文化》（成都，四川人民出版社，1990）、水牛出版社編印《胡適與中西文化》（臺北，民57年再版；增訂版係牧童出版社，民69）、劉青峰《胡適與現代中國文化轉型》（香港中文大學，1994）、耿雲志編《新論語—胡適卷》（北京，華夏出版社，1993）、板敷庸一《胡適と新文化運動》（早稻田大學文學研究所碩士論文，1958）、We Shulun, A Study of Hu Shih's Phetorical Discourses on the Chinese Literary Revolution, 1915-20. （Ph. D. Dissertation, Bowling Green State University, 1979）、宋劍華《胡適與中國現代文學》（徐州師範學院文學研究所碩士論文，1988）、耿雲志、聞黎明編《現代學術史上的胡適》（北京，三聯書店，1993）、陳素雲《胡適的詩論與詩》（中正大學中文研究所碩士論文，民81）、Yang Chen-te, Hu Shih, Pragmatism, and the Chinese Tradition. （Ph. D. Dissertation, University of Wisconsin-Madison, 1993）、胡曉《胡適思想與現代中國》（合肥，安徽人民出版社，1993）、李達《胡適反動思想批判》（長沙，湖南人民出版社，1955）、福建人民出版社編《胡適思想批判》（福州，編者印行，1955）、重慶市作家協會、重慶市文聯合編《胡適反動思想批判》（重慶，重慶人民出版社，1955）、生活·讀書·新知識·三聯書店編《胡適反動思想批判（論文匯編）》（1-8輯，北京，編者印行，1955-1956）、浙江人民出版社編《胡適派資產階級唯心論批判》（杭州，編者印行，1955）、河南人民出版社編《胡適思想批判文集·第1集》（鄭州，編者印行，1955）、榮孟源等著、中國作家協會上海分會編《胡適思想批判資料集刊》（北京，新文藝出版社，1955）、潘梓年《胡適的反動思想是什麼》（北京，中國青年出版社，1955）、艾思奇《胡適實用主義批判》（北京，人民出版社，1955）、張如心《批判胡適的實用主義哲學》（同上）、陳修夏《批判胡適反動思想的幾個基本問題》（杭州，浙江人民出版社，1955）、孫定國《胡適哲學思想的反動實質》（北京，人民出版社，1955）、侯外廬《揭露美帝國主義奴才胡適的反動政治面貌》（武漢，湖北人民出版社，1956）、朱錫璋《中共批判胡適思想之研究》（政治作戰學校政治研究所碩士論文，民72年6月）、余英時《中國近代思想史上的胡適》（臺北，聯經出版公司，民73）、徐高阮《胡適和一個思想的趨向》（臺北，地平線出版社，民59）、張勝勇《胡適思想與中國新思潮》（中國文化學院政治研究所碩士論文，民59）、譚宇權《胡適思想評論》（臺北，文津出版社，民85）、鄧玉祥《胡適思想研究》（輔仁大學哲學研究所博士論文，民80）、石吾武士《五四時期における胡適の思想と影響》（立命館大學史學科碩士論文，1994）、廖本郎《從胡適晚年思想的轉變説起》（臺北，一元出版社，民60）、歐陽哲生《自由主義之累－胡適思想的現代闡釋》（上海，上海人民出版社，1993）、楊承彬《胡適的政治思想》（臺北，中國學術著作獎助委員會，民65）、《胡適博士的教育思想研究》（臺北，作者印行，民52）及《胡適的哲學思想》（臺北，臺灣商務印書館，民55）、吳瓊《論胡適哲學思想的特點及其在〝五四〞前後的歷史作用》（北京大學哲學碩士論文，1981）、葛懋春等《胡適哲學思想資料選－胡適的自傳·中國現代哲學史資料選稿》（2冊，上海，華東師大出版社，1981）、鄭貴和《胡適的自由思想》（臺灣大學政治研究所博士論文，民81年11月）、鄭大華《梁漱溟與胡適－文化保守主義與西化思潮的比較》（北京，中華書局，1993）、劉美華《胡適教育思想之研究》（高雄師大教育研究所碩士論文，民83年5月）、黃書光《胡適教育思想研究》（瀋陽，遼寧教育出版社，1994）、趙錫民《胡適學術思想》（臺北，中華武術出版社，民52）、陳德仁《胡適思想與中國教育文化發展》（臺北，文景出版社，民79）、施炎平《評胡適的哲學史觀》（華東師範大學政教系碩士論文，1981）、陳衛平《五四前後胡適派〝科學方法〞的再評價》（同上）、Chou Min-Chih（周明之），Science and Value in May Fourth China: The Case of Hu Shih.（Ph. D. Dissertation, University of Michigan-Ann Arbor, 1974）、大明編委會編《胡適思想與中國青年》（臺北，大明王氏出版公司，民58）、Irene Eber, Hu Shih（1891-1962）: An Sketch of His Life and His Role in the Intellectual and Political Dialogue of Modern China.（Ph. D. Dissertation, Claremont, Graduate School and University Center, 1966）、Li Moying, Hu Shih and His Deweyan Reconstruction of Chinese History.（Ph. D. Dissertation, Boston University, 1990）、Lee Tjiek Oei, Hu Shih's Philosophy of Man as Influence by John Dewey's Instrumentalism.（Ph. D. Dissertation, Fordham University, 1974）、彭文倩《胡適對民權主義政治建議的看法》（中山大學中山學術研究所碩士論文，民77）、蘇清良《胡適與中美外交（1937至1942）》（臺灣大學政治研究所碩士論文，民84年5月）。

論文方面有雷頤〈大陸胡適研究十年述評〉（《文史知識》1990年12期）、王震邦〈臺灣近三十年來的胡適研究（傳記類專著部分）〉（《國文天地》6卷9期，民80年2月）及〈臺灣近三十年來的胡適研究（專論類專著部分）〉（同上，6卷10期，民80年3月）、黎活仁〈香港四十年有關胡適的評論—兼談港版胡適著作〉（同上，6卷7期，民79年12月）、劉家賓〈試談研究和評價胡適中存在的問題—兼談如何研究與評價歷史人物〉（《山東師大學報》1987年3期）、周策縱〈論〝胡適研究〞與〝研究胡適〞——點別識〉（《傳記文學》65卷1期，民83年7月）。任訪秋〈胡適論〉（《河南師大學報》1982年2期）、胡繩〈胡適論〉（《新學識》1卷4期，民26）、韋政通〈胡適論〉（《夏潮》1卷8期，民65年11月）、歐陽哲生〈重評胡適〉（《湖南師大學報》1988年2期）、吉川幸次郎

〈胡適—折リ折リの人補遺〉（《季刊東亞》第2-4號，1968年1-8月）、神田喜一郎〈胡適先生について〉（《世界人》1卷2號，1948年5月）、增田涉〈胡適素描—「二十今人志」より〉（《新中華》1卷2號，1946年7月）、傅鏗〈胡適：一代精英的悲哀〉（《書林》1989年2期）、胡頌平〈胡適先生年譜簡編〉（《大陸雜誌》43卷1期，民60年7月）、易竹賢〈胡適年譜（1891-1962）〉（《武漢大學學報》1985年2、3期）、宋劍華〈胡適大事記（1917.1-1926.12）〉（《徽學通訊》1985年5、6期）、周邦道〈胡適傳略〉（《華學月刊》58期，民65）、毛子水〈胡適之先生傳〉（《傳記文學》34卷3期，民68年3月）及〈胡適傳〉（《新時代》3卷3期，民52）、朱文長〈胡適之先生〉（《文星》11卷5期，民52）、耿雲志〈胡適傳略〉（《晉陽學刊》1987年4期）、竹田復〈胡適（1891-1962）〉（《中國の思想家：宇野哲人博士米壽記念論集》，下冊，東京，勁草書房，1963）、韋政通〈胡適〉（載王曉波等著《現代中國思想家》第7冊，臺北，巨人出版社，民67）、楊承彬〈胡適〉（載《中國歷代思想家》56冊，臺北，臺灣商務印書館，民67）、齋藤秋男〈胡適〉（載《世界歷史事典》第3卷，東京，平凡社，1956）及〈胡適〉（載《世界大百科事典》11卷，同上）、羅爾綱〈胡適瑣記〉（《人物》1994年5期）、石原皋〈閒話胡適〉（《藝譚》1981年1-4期）、孫陵〈談胡適〉（《政治評論》8卷11期，民51）、蔣廷黻〈我看胡適之先生〉（《文星》9卷6期，民51）、周德偉〈我與胡適之先生〉（同上）、姚大年〈胡適二三事〉（《中外雜誌》34卷6期，民72年12月）、林光灝〈胡適二三事〉（同上，48卷3期，民79年9月）、黎東方〈適之先生二三事〉（《文星》9卷5期，民51）、蔣復璁〈追憶胡適之先

生〉（同上）、謝冰瑩〈追念適之先生〉（《民主憲政》21卷10期，
民51）、陳咸森〈追念胡先生〉（《民主潮》12卷6期，民51）、陳之
邁〈紀念胡適之先生〉（《傳記文學》1卷2期，民51年8月）、唐德剛
〈胡適的歷史地位與歷史作用〉（《傳記文學》58卷1期，民80年1
月）、胡曉〈胡適通論〉（《合肥教育學院學報》1995年2期及3期）、
葛紅兵〈胡適評介〉（《社科信息》1996年4期）、胡明〈胡適批判
的反思〉（《二十一世紀》第8期，1991年12月）、徐國利〈胡適功罪
評說：首屆胡適學術思想研討會綜述〉（《學術月刊》1992年6
期）、謝康〈胡適的毀譽〉（《中外雜誌》21卷3期，民66年3月）、
金耀基〈胡適底〝蓋棺論定〞〉（《大學生活》8卷3-5期，1962）、
李燄生〈胡適博士的蓋棺論〉（《政治評論》8卷10期，民51）、羅
尉宣〈對胡適的幾點看法〉（《中山大學研究生學刊》1981年1期）、
易竹賢〈胡適是一個怎樣的人？〉（《人物》1986年1、2期）、趙
潤海〈胡適生平及其著作簡表〉（《國文天地》6卷7期，民79年12
月）、周澤之〈胡適一生足迹簡介〉（《安徽史學》1987年4期）、
李書華〈胡適之先生平生及其貢獻〉（《大陸雜誌》24卷10期，民
51）、李敖〈播種者胡適〉（《大學雜誌》125期，民68年6月）、翊
勳〈胡適的一生〉（《新觀察》1955年4期）、黎少岑〈胡適是怎樣
一個人〉（同上，1955年2期）、榮孟源〈胡適這個人〉（《中國青
年》1955年2期）、石原皋〈胡適並不老實—答朱文華〉（《藝譚》
1983年5期）、季羨林〈為胡適說幾句話〉（《群言》1988年3期）、
熊偉〈也為胡適說幾句話〉（同上，1988年8期）、何炳棣〈讀史
閱世六十年—胡適之先生雜憶〉（《歷史月刊》70期，民82年11
月）、王東原〈我與胡適之先生的幾次接觸〉（《傳記文學》61卷4

期，民81年10月）、白吉庵〈胡適舉才二、三事〉（同上，60卷1期，民81年1月）、千家駒〈談胡適〉（同上，54卷3期，民78年3月）、高一涵〈漫話胡適〉（《文化史料叢刊》1979年5期）、丁介輝〈梁漱溟先生談胡適〉（《徽州社會科學》1987年3期）、方成章〈胡適趣談〉（《中外雜誌》38卷1期，民74年7月）、駱志伊〈胡適趣話〉（同上，49卷6期，民80年6月）、李梅山〈胡適的趣聞〉（同上，48卷6期，民79年12月）、溫源寧原作、倪受民譯〈胡適之〉（《逸經》14期，民25）、季夏〈談談〝我的朋友〞胡適之先生〉（《大學生活》5卷11、12期，1959）、于衡〈一個新聞記者眼中的胡適之先生〉（《新時代》2卷4期，民51）、余光中〈中國的良心—胡適〉（《文星》9卷5期，民51）、陳儀深〈中國文藝復興的先驅—胡適〉（載張永儁主編《中國新文明的探索：當代中國思想家》，臺北，正中書局，民80）、江傳真〈提倡計劃生育的著名人士—胡適〉（《徽州社會科學》1989年2期）、陳敬之〈胡適〉（《暢流》29卷12期、30卷1期，民53）、程靖宇〈也談胡適—紀念胡適之先生逝世十八周年〉（《傳記文學》36卷2期，民69年2月）、柳無忌〈我所認識的胡適〉（同上，34卷6期，民68年6月）、謝康〈閒話胡適〉（《中外雜誌》23卷4期，民67年4月）、韓凌霄〈憶說黨外人士胡適—為紀念胡適九十冥誕作〉（同上，27卷1期，民69年1月）、陳頤〈憶胡適博士〉（同上，26卷4期，民68年10月）、洪炎秋〈我的先生胡適之—回國就學師長印象記之一〉（《傳記文學》2卷3期，民52年3月）、薛光前〈關於適之先生的幾件事〉（同上，28卷6期，民65年6月）、章元義〈我所記得的胡適之先生幾件事〉（同上，32卷6期，民67年6月）、陶希聖〈適之先生二三事補述〉（《傳記文

學》28卷6期，民65年6月）、陳雪屏〈用幾件具體的事例追懷適之
先生〉（同上，28卷5期，民65年5月）、韻笙〈我所能夠知道的胡
適之先生〉（《民主潮》12卷6期，民51）、顏非、來生〈胡適家世
源流〉（《徽州師專學報》1987年1期）、黃來生〈胡適家庭源流
考〉（《黃山文藝》1982年2期）、胡士敏等〈胡適家族源流考質
疑〉（同上，1983年4期）、徐子超〈對胡適家世源流的一點辨
析〉（《徽州師專學報》1988年2期）、胡明〈關於胡適的先世與家
族〉（《學術界》1994年2期）及〈胡適的小家庭〉（《新文學史料》
1991年4期）、唐力行〈胡適之父鐵花先生評傳〉（《安徽史學》
1985年1期）及〈胡鐵花年譜述略〉（同上，1987年4期）、李仲謀
〈關於胡適的父親胡傳〉（《安徽教育學院學報》1990年2期）、戚
其章〈胡適父親胡傳之死及其他〉（《安徽史學》1987年3期）、歐
陽哲生〈胡適父親胡傳之死辨析〉（《湖南史學通訊》1988年11
期）、胡雲〈胡適父親死因新證〉（《徽州社會科學》1987年3
期）、胡義法〈胡適父親胡傳死因辨析〉（《徽州師專學報》1990年
2、3期）、沈寂〈胡適父親胡傳慘死之謎〉（《中外雜誌》56卷5
期，民83年11月）、唐德剛〈胡適父親鐵花先生無頭屍疑案〉
（《傳記文學》48卷1期，民75年1月）、鄧孔昭〈胡適之父〝戰死臺
灣〞辨〉（《臺灣研究》1990年4期）、石秉根〈胡適〝隨母尋父至
臺〞的商榷〉（《中國企業家》1989年9期增刊）、章亞光〈胡適的
名字〉（《東海》1993年2期）、胡成業〈胡適的化名〉（《中外雜
誌》54卷3期，民82年9月）、楚汛〈胡適原名小考〉（《新文學史
料》1988年3期）、羅志田〈〝率惟〞與〝作聖〞：少年胡適受學
經歷與胡適其人〉（《四川大學學報》1995年3期）、周策縱〈胡適

之先生的抗議與容忍〉（《傳記文學》55卷3、4期，民78年9、10月）、戚宜君〈胡適的愛情世界〉（《中外雜誌》42卷4期，民76年10月）、王鑒平〈胡適的婚姻：文化的透露〉（《書林》1988年8期）、李邁榮〈「情不自由」的自由主義者—胡適的封建婚姻與情場艷遇〉（《明報（月刊）》25卷2期，1990年2月）、劉心皇〈胡適的戀情〉（《中外雜誌》34卷5期，民72年11月）、沈衛威〈胡適的婚外戀〉（《名人傳記》1988年8期）、張玉法〈胡適的學術生涯〉（載《郭廷以先生九秩誕辰紀念論文集》上冊，臺北中央研究院近代史研究所，民84）、何煒〈胡適的讀書生活和對子女的教育〉（《江西社會科學》1996年2期）、錢耕森〈胡適的家庭教育〉（《安徽教育學院學報》1989年3期）、白吉庵〈胡適的家庭觀念〉（《徽州社會科學》1990年3期）、楊亮功〈胡適之先生與中國公學—為胡先生逝世周年紀念而作〉（《傳記文學》2卷3期，民52年3月）、胡明〈胡適留學時期的求知之路〉（《近代史研究》1995年2期）、中外雜誌資料室〈胡適之先生的青年時代〉（《中外雜誌》3卷4、5期，民57年4、5月）、歐陽哲生〈青年胡適西學吸引論述〉（《湖南師大學報》1988年史學增刊）、怡曠、吳賽〈青年胡適愛國記事〉（《文教資料》1992年1期）、孟俠〈胡適還債的故事〉（《歷史月刊》39期，民80年4月）、周谷城〈胡適的道路〉（收入氏著《周谷城教育文集》，長春，吉林教育出版社，1991）、夏志清〈胡適博士學位考證〉（《傳記文學》33卷5期，民67年11月）、湯晏〈胡適博士學位的風波〉（同上，33卷1期，民67年7月）、胡頌平〈適之先生博士學位補遺〉（同上，3卷2期，民62年8月）、嚴冬陽〈胡適的博士學位問題與博士口試〉（《藝文誌》157期，民67）、唐德剛〈胡適乃真博士〉(《傳記文學》33卷1期，民67年7月)。易竹賢〈胡適著譯書目系年〉(《湖北大學學報》1986年2期)、徐高阮編〈胡適先生中文著作目錄〉(《中央研究院歷史語言研究所集刊》34本—故院長胡適先生紀念論文集》，臺北，民52年12月)及〈胡適先生中文遺稿目錄〉(同上)、袁同禮、Eugene L. Delafield編〈胡適先生西文著作目錄〉(同上)、周質平〈胡適英文著作編年及分類目錄〉(收入氏著《胡適叢論》，臺北，三民書局，民81)、雷頤〈破後之立—讀《胡適研究叢錄》〉(《讀書》1990年6期)、李又寧〈耿雲志著《胡適研究論稿》簡介〉(《近代中國史研究通訊》第7期，民78年3月)、徐宗勉〈從《胡適研究論稿》看怎樣研究、評價歷史人物〉(《讀書》1986年3期)、楊希之〈還胡適一個歷史真面目—評朱文華的《胡適評傳》〉(《重慶社會科學》1989年3期)、呂實強〈評《胡適傳（易竹賢著）》〉(《國史館館刊》11期，民80年12月)、易竹賢〈對白吉庵同志《胡適傳》的訂誤〉(《徽州社會科學》1987年1期)及〈《胡適之先生年譜長編初稿》補訂〉(《文教資料》1986年6期)、李奔〈讀《胡適年譜》〉(《華東師大學報》1990年2期)、羅爾綱〈讀《閒話胡適》〉(《社會科學戰線》1993年6期)、朱文華〈對〝閒話胡適〞的幾點疑義與辯證〉(《藝譚》1983年4期)、劉東〈衰朽政治中的自由知識分子—讀《胡適與中國文藝復興》〉(《讀書》1989年5期)、李敖〈關於胡適文存〉(《大學雜誌》1卷6期，民45年1月)及〈從讀《胡適文存》說起〉(《自由中國》16卷5期，民46年3月)、梁實秋〈讀《胡適評傳》〉(《文星》14卷1期，民53年5月)、陳橋驛〈評《胡適手稿》〉(《中華文史論叢》47輯，1992)、梁園東〈讀胡適之先生論學近著書後〉（《人文月刊》7卷9期，民25年11月）、謝興堯〈評胡適「論學近著」〉（《逸經》第1期，民25年3月）、胡頌平編〈胡適先生詩歌目錄〉（《中央研究院歷史研究所集刊》34本，民52年12月）、康林〈《嘗試集》的藝術史價值〉（《文學評論》1990年4期）、謝昭新〈胡適《嘗試集》對新詩的貢獻〉（《安徽師大學報》1996年1期）、馬銀翔〈評胡適的《嘗試集》〉（《西北大學學報》1993年4期）、張明廉〈論胡適的新詩理論及其《嘗試集》〉（《西北師大學報》1995年2期）、林明德〈《嘗試集》的詩史定位〉（載《五四文學與社會變遷》，臺北，臺灣學生書局，民79）、史慧、常康〈也談《嘗試集》〉（《廣西民族學院學報》1982年2期）、劉揚烈〈重評胡適的《嘗試集》〉（同上，1980年4期）、劉元樹〈論《嘗試集》的思想傾向和歷史地位〉（《安徽大學學報》1980年3期）、黃泉生〈《嘗試集》的由來及其他〉（《淮北煤炭師院學報》1986年4期）、張翔〈《嘗試集》中最早的詩寫作的時間〉（《社會科學戰線》1980年1期）、王吉鵬〈胡適的《你莫忘記》是一首壞詩—兼談關於《嘗試集》的評價問題〉（《北方論叢》1984年4期）、周薇〈胡適《嘗試集》的歷史地位與貢獻〉（《淮陰師專學報》1993年3期）、林植漢〈《嘗試集》不是第一部新詩集〉（《黃石師院學報》1983年2期）、馬嘯〈從《嘗試集》說胡適〉（《山東師大學報》1986年1期）、文振庭〈胡適《嘗試集》重議〉（《江漢論壇》1979年3期）、周曉明〈重評胡適的《嘗試集》〉（《破與立》1979年6期）、秦家祺〈重評胡適的《嘗試集》〉（《南京師院學報》1979年3期）、龔濟民〈重評胡適的《嘗試集》〉（《遼寧大學學報》1979年3期）、陳真〈也談胡適的《嘗試集》〉（《海南師專學報》1981年1期）、馬鵬舉〈《嘗試集》書名的由來〉（《藝譚》1983年1期）、朱德發〈歷史地評價胡適的《嘗試集》〉（收入《中國現代文學史題介》，濟南，山東教育出版社，1984）、吳奔星〈《嘗試集》新論〉（《社會科學戰線》1985年3期）、吳定宇〈論《女神》和《嘗試集》的歷史地位〉（《阜陽師院學報》1986年5期）、閻煥東〈《嘗試集》與《女神》的比較研究〉（《北京社會科學》1987年2期）、胡曉〈《嘗試集》、《草莽集》及其比較研究〉（《淮北煤炭師院學報》1988年1期）、藍棣之〈中國新詩的開步—重評胡適《嘗試集》和他的詩論〉（《四川師院學報》1979年3期）、林植漢〈應當怎樣評價《嘗試集》〉（《廣西民族學院學報》1983年3期）、魏超然〈略論胡適的《嘗試集》〉（《人文雜誌》1989年3期）、左懷建〈胡適《嘗試集》婚戀新詩審美特徵評價〉（《黃淮學刊》1996年2期）、傅正〈略評胡適的《一個最低限度的國學目錄》〉（《安徽大學學報》1988年4期）、牧戶和宏〈胡適の白話詩「蝴蝶」—「嘗試集」論に先だつて〉（《帝塚山大學論集》第9號，1975年3月；14號，1977年4月）、〈胡適の白話詩「人力車夫」〉（《咿啞》第9號，1977年11月）、〈留米時代の胡適の白話詩〉（《帝塚大學論集》15號，1977年5月）及〈胡適詩作品年譜（初稿）〉（《野草》17號，1975年6月）、橫山永三〈初期の新詩—胡適と朱自清〉（《山口大學文學會志》、15卷1號，1964年9月）、那廉君〈胡適的除夕詩〉（《傳記文學》67卷4期，民84年10月）、胡明〈〝未能忘情〞之作：讀胡適的《淮南王書》〉（《讀書》1993年3期）、費海璣〈讀胡適淮南王書〉（《大陸雜誌》34卷1期，民56年1月）、竹田晃〈胡適は「人形の家」をどラ受取たか〉（《魯

迅研究》12號，1955年10月）、張忠棟〈讀胡適駐美大使日記〉
（《明報》25卷11期，1988年11月）、王志雄〈關於胡適日記〉（同
上）、張忠棟選註〈胡適駐美大使日記〉（《明報》23卷11、12期，
1988年11、12月）、吳世昌〈《胡適日記選》的一條注文〉（《新文
學史料》1980年2期）、陳左高〈胡適《藏暉室日記》及其它〉
（《社會科學戰線》1993年3期）、杜蒸民〈淺談胡適《中國哲學史
大綱》在哲學史上的地位〉（《安徽史學》1985年2期）、榮瑞和
〈我國哲學史上一部劃時代的著作—重評胡適的《中國哲學史大
綱》〉（《佳木斯師專學報》1994年1期）、胡曲園〈回憶胡適《中
國哲學史大綱》對我的影響〉（《書林》1980年3期）、王法周〈胡
適《中國哲學史大綱》與中國現代學術〉（收入耿雲志、聞黎明編
《現代學術史上的胡適》，北京，三聯書店，1993）、潘富恩等〈評胡
適的《中國哲學史大綱》卷上〉（《復旦學報》1979年4期）、屈志
清〈評胡適的《中國哲學史大綱》〉（《南寧師院學報》1982年3
期）、譚宇權〈評論胡適著《中國古代哲學史》〉（《哲學與文
化》22卷7、8期，民84年7、8月）、俞吾金〈讀胡適的《先秦名學
史》〉（《書林》1985年2期）、忻劍飛〈比較哲學的〝嘗試集〞—
胡適《先秦名學史》門外談〉（《讀書》1986年12期）、李長之
〈胡適《白話文學史》批判〉（《文學》65期，1955年3月）、林正
三〈評胡適的《白話文學史》〉（《東吳中文研究集刊》創刊號，民
83年5月）、孟悅〈過去時代的〝本義〞—評胡適的《白話文學
史》〉（《讀書》1987年11期）、山口樂等〈胡適の水經注校に就
いて〉（《中國水利史研究》第5號，1971年12月）、山口樂〈胡適の
「水經注」研究について㈡〉（載《中國水利史》，東京，1984）、

方利山〈胡適重審"《水經注》公案"淺議〉(收入《現代學術史上的胡適》,北京,三聯書店,1993)、宛楠〈胡適《水經注》研究著述篇目〉(《徽學通訊》1985年5、6期)、吳天任〈胡適手稿論水經注全趙戴案質疑〉(《中華文化復興月刊》18卷2期,民74年2月)、陳橋驛〈讀胡適研究《水經注》的第一篇文章〉(《杭州大學學報》1994年1期)及〈胡適與《水經注》〉(《中華文史論叢》1986年2期)、趙潤海〈胡適與水經注〉(《國文天地》6卷7期,民79)、陳侃章〈關於胡適《水經注》研究的對話〉(《讀書》1990年7月)、胡明〈關於胡適的《水經注》研究〉(《文學評論》1991年6期)及〈《競業旬報》與胡適早年文章〉(《中州學刊》1992年4期)、傅安明〈一篇從未發表過的胡適遺稿─紀念胡適之先生逝世廿五周年〉(《傳記文學》50卷3期,民76年3月)、周質平〈遺文新刊─胡適的「非留學篇」〉(收入氏著《胡適叢論》,臺北,三民書局,民81)、張挺、江小蕙〈胡適佚信六封箋注〉(《近代中國史研究通訊》14期,民81年9月)、〈寸檔零箋留爪痕:新發現的胡適六封佚信〉(《魯迅研究》1990年12期)及〈雪泥復見飛鴻爪:胡適又六封佚信箋注〉(同上,1993年8期)、吳大猷〈胡適之先生給我的十四封信〉(《傳記文學》51卷6期,民76年12月;51卷1期,民77年1月)、夏志清〈我保存的兩件胡適手迹〉(同上,51卷2期,民76年8月)、楊樹人〈胡適之書信一束〉(《中外雜誌》42卷2、3期,民76年8、9月)、沈怡〈胡適之先生的幾封信〉(《傳記文學》28卷5期,民65年5月)、馬蹄疾〈新發現胡適的兩封信〉(《新文學史料》1991年4期)、陳宏正提供〈胡適與吳國楨殷海光的幾封信〉(《傳記文學》54卷3期,民78年3月)、文震齋〈胡適給許世英的兩

封信－關於清朝末年史料及賽金花問題〉（同上，29卷6期，民65年
12月）、吳晗〈致胡適的一封信〉（《文獻》1981年10期）、趙潤海
〈關於胡適答朱文長論宗教信仰的一封信〉（載《胡適研究叢刊》
第1輯，1995年5月）、吳春富〈也談〝胡適的書信〞〉（《出版月
刊》22期，民56）、陸發春〈《胡適家書》的特點及其史學價值〉
（《近代中國史研究通訊》22期，民85年9月）、石學勝〈胡適、陳獨
秀有關《新青年》存續問題來往書信〉（《傳記文學》59卷6期，民
80年12月）、田尚明〈談胡適在《新青年》發表的信和文〉（《文
星》10卷1期，民51年5月）、王德祿〈關於胡適與《新青年》關係的
一點考證〉（《中國現代文學研究叢刊》1981年4輯）、柳田聖山〈胡
適之博士の手紙〉（《禪學研究》53號，1963年7月）、明承〈記胡
適先生之演講〉（《清華週刊》122期，民6）、楊志和〈胡適1924年
在遼寧的兩次演講〉（《社會科學輯刊》1983年5期）、江南〈胡適
在武昌的一次講演〉（《歷史大觀園》1989年2期）、關國煊〈記胡
適先生的兩次演講〉（《傳記文學》58卷2期，民80年2月）、常勝君
〈三十年前「夜訪胡適談三事」追記－雷震案、「自由中國」、
反對黨〉（同上，58卷1期，民80年1月）、胡適遺稿、傅安明提供
〈紀念「五四」（胡適遺稿首次發表）－「五四」廿三周年在美
京華盛頓國語廣播演說詞〉（《傳記文學》53卷3期，民78年9月）、
傅安明〈讀胡適四十七年前「紀念五四」廣播演說有感〉（同
上）、胡適原作、保珍黎提供〈科學發展所需要的社會改革－胡
適一生最後一篇引起爭議與圍剿的演講〉（《傳記文學》55卷1期，
民78年7月）、楊君實譯〈中國人思想中的不朽觀念（胡適先生英
文講稿）〉（《中央研究院歷史語言研究所集刊》34本，民52年12

月）、殷海光〈讀胡適先生在聯大的演講〉（《自由中國》17卷8
期，民46年10月）、〈胡適論「容忍與自由」〉（同上，27卷7期，民
48年4月）及〈與胡適先生論「反攻大陸」問題〉（收入《政治與社
會—般海光全集》下冊，臺北，桂冠圖書公司，民79）、閻仲豪〈我與
胡適之先生談「半部論語」的故事〉（《東方雜誌》復刊5卷5期，
民60年11月）、耿雲志〈胡適私人檔案介紹〉（《近代史研究》1993
年6期）、杜春和選編〈胡適家書選〉（《安徽史學》1989年2、3
期）。曹伯言〈胡適的理想人格〉（《學術月刊》1995年12期）及
〈簡論胡適與辛亥革命〉（《社聯通訊（上海）》增刊1981年6期）、
賀承熙〈胡適的雙重人格與雙重悲劇〉（《開封大學學報》1990年
2、3期）、曹伯言等〈胡適與辛亥革命〉（《華東師大學報》1981年5
期）、呂實強〈民初時期胡適政治態度的探討（1912-1937）〉
（《中華民國史專題論文集：第二屆討論會》臺北，國史館，民82）、尾
上兼英〈學者の政治活動—胡適の場合〉（《講座近代史アジア思
想史・中國篇(1)》，東京，弘文堂，1960）、沈衛威〈論胡適關於人
權與約法的論爭〉（《民國檔案》1994年1期）、張神根〈胡適與民
初風雲〉（《徽州社會科學》1993年2期）、陶元珍〈胡適之先生的
反對袁世凱獨裁帝制和對推翻北洋軍閥的功績〉（《新中國評論》
24卷4期，民54）、黃勤堂〈論胡適的編輯活動〉（《編輯學刊》
1990年1期）、谷林〈關於胡適的〝瑣語〞短評〉（《讀書》1986年6
期）、李延〈試論胡適在《新青年》前期文學活動的意義與局
限〉（《上海師大學報》1992年2期）、鄧廣銘〈胡適在北京大學〉
（《燕都》1990年1期）、鄧廣銘口述、蘇敏筆記〈胡適與北京大
學〉（《傳記文學》54卷2期，民78年2月）、黃艾仁〈胡適與北京大

學〉（收入耿雲志、聞黎明編《現代學術史上的胡適》，北京，三聯書店，1993）、朱海濤〈北大與北大人—胡適先生〉（《東方雜誌》39卷13期、40卷11期，民32、33年）、沈寂〈胡適與北京大學的學運〉（《學術界》1993年2期）、鄧嗣禹〈胡適之先生何以能與青年人交朋友〉（《傳記文學》43卷1期，民62年7月）、張憚恨〈胡適拒受北洋政府勛章〉（《民國春秋》1989年5期）、江東〈胡適南京講學記〉（同上）、許世華〈批判胡適在中國共產黨第二次代表大會前後的反動政治主張〉（《歷史教學》1955年6期）、杜蒸民〈第二次國內革命戰爭時期的胡適〉（《安徽史學》1988年3期）；〈揭露1917至1949年胡適的反動面貌〉（《歷史教學》1955年7期）、李敖〈胡適先生對蘇俄看法的四個階段〉（《大學雜誌》2卷6期，民46；《文星》11卷5期，民52）、高翔〈胡適東北行史料鈎沉〉（《瀋陽師院學報》1993年1期）、周玉和〈三十年代初胡適政治主張的變遷〉（《東北師大學報》1988年2期）及〈＂九一八＂事變後胡適對日主張的戰與和問題〉（同上，1994年5期）、余崇健等〈胡適的「獨立評論」的剖析—批判從「九一八」到「七七」期間胡適的反動政治主張〉（《北京大學學報》1955年1期）、趙海嘯〈胡適與《獨立評論》〉（《新聞研究資料》1983年1期）、傅長祿〈胡適與《獨立評論》〉（《史學集刊》1990年2、3期）、高鴻志〈胡適與競業旬報〉（《安徽史學》1990年2期）、吳福輝〈現代文化移植的困厄及歷史命運：論胡適與《現代評論》、《新月》派〉（《文藝爭鳴》1992年3期）、張忠棟〈胡適從「努力」到「新月」的政治言論〉（《中央研究院近代史研究所集刊》14期，民74年6月）、李若松〈胡適對兩廣＂六一事變＂也有熄火之功〉（《傳記文學》50卷3

期，民76年3月）、蔣永敬〈胡適與抗戰〉（載《中華民國建國八十年學術討論集》第1冊，臺北，民80；亦載《近代中國》84期，民80年8月）、耿雲志〈胡適與抗戰〉（載《民國檔案與民國史學術討論會論文集》，北京，檔案出版社，1988）、史文錄輯〈抗日戰爭初期胡適的賣國罪證─胡適日記摘錄〉（《近代史資料》1955年2期）、吳相湘〈抗戰期間兩〝過河卒子〞─胡適與陳光甫〉（《傳記文學》17卷5期，民59年1月）、耿雲志〈七七事變後胡適對日態度的改變〉（《抗日戰爭研究》1992年1期）及〈胡適與抗戰〉（《安徽史學》1989年1期）、張忠棟〈從主張和平到主張抗戰的胡適〉（《美國研究》13卷4期，民72年12月）、〈胡適使美的再評估〉、（《中華民國歷史與文化討論集》第3冊，民73）及〈在動亂中堅持民主的胡適〉（《中央研究院近代史研究所集刊》15期下冊，民75年12月）、Jiu-hwa Lo Upshur, "Hu Shih as Ambassador to the United States: 1938-1942." （Sino-American Relations, Vol.22, No.4, 1996）、耿雲志〈學者大使胡適〉（《民國春秋》1988年2期）、游維真〈胡適對戰時中美外交的努力與貢獻（1937-1942）〉（《近代中國》113期，民85年6月）、羅久華〈胡適大使與中美關係（1938-1942）〉（載《國父建黨革命一百週年學術討論集》第3冊，民84）、胡明〈胡適駐美大使任上的工作實績及其評價〉（《齊魯學刊》1996年5期）、保羅・海爾〈駐美大使胡適─溫文爾雅的勸導性外交〉（《國外中國近代史研究》12輯，1989）、傳記文學編輯部校注〈胡適駐美大使日記全文〉（《傳記文學》54卷2、4、6期、55卷1期，民78年2、4、6、7月）、李濟〈胡先生對中央研究院的貢獻與影響〉（同上，28卷5期，民65年5月）、關國煊〈胡適港穗「賣膏藥」〉（同上，53卷1

期，民77年7月）、吳相湘〈胡適之的「苦撐待變」主張與反共必
勝信念〉（《自由中國》5卷11期，民40年12月）、劉坤生〈四九年後
的胡適〉（《華文文學》1988年2期）、張先貴〈蒼涼暮年：胡適的
兩難選擇與勉為其〝擇〞〉（《安徽教育學院學報》1996年1期）、陳
漱渝〈飄零的落葉—胡適晚年在海外〉（《新文學史料》1991年4
期）、陳雪屏〈談胡適之先生最後四年的生活〉（《傳記文學》57
卷6期，民79年12月）、勞榦〈胡適之先生不朽〉（同上）、吳大猷
〈胡適先生百年誕辰懷思〉（同上）、毛彥文〈胡適之先生逝世
廿六週年紀念〉（《傳記文學》52卷2期，民77年2月）、湯晏〈紀念
胡適九十冥誕〉（同上，38卷3期，民70年3月）、莊申〈記普靈斯
頓大學葛斯特東方圖書館追悼胡適之先生著作展覽會及其相關之
史料〉（《大陸雜誌》21卷10期，民51）、徐復觀〈一個偉大書生的
悲劇〉（《文星》9卷5期，民51）、胡秋原〈倒在戰場上的老將
軍—敬悼胡適之先生〉（同上）、趙潤海〈多少蓬萊舊事空回
首—略談胡適先生的幾處舊居〉（《幼獅文藝》76卷1期，民81）及
〈胡適紐約故居〉（載《胡適研究叢刊》第1輯，1995）、胡頌平〈適
之先生遺著整理出版的經過〉（《傳記文學》28卷5期，民65年5
月）。

以五四運動時期（或新文化運動時期）的胡適或胡適與五四
運動（或新文化運動）為題的論文有張明廉〈略論五四時期的胡
適〉（《西北師大學報》1989年3期）、萬發雲〈「五四」時期的胡
適〉（《中學歷史教學》1958年2期）、竹田晃〈五四時代の胡適〉
（《現代中國》32號，1955年4月）、胡曲園〈論五四運動時期的胡
適〉（《紀念五四運動六十周年學術討論會論文選》第2冊，北京，中國

社會科學出版社，1980）、吳奔星等〈胡適五四前後大事記〉（《徽學通訊》1985年5、6期）、王遠義〈看〝五四〞論胡適〉（《中國論壇》16卷3期，民72）、余秋雨〈胡適傳—五四前後〉（《學習與批判》1974年1期）、王文英〈〝順著自然的趨勢，再加上人力的督促〞：在世紀之末看〝五四〞中的胡適〉（《社會科學（上海）》1996年5期）、陳鐵健〈五四時期的胡適〉（收入《五四時期的歷史與人物》，北京，中國青年出版社，1979）、李貞祥〈五四時期的胡適：讀《胡適文存》〉（《咸寧師專學報》1990年4期）、高整軍〈評五四時期的胡適〉（《史學論叢》1986年1期）、張若達〈五四時期的胡適其人〉（《歷史研究》1959年6期）、楊向奎〈五四時代的胡適、傅斯年、顧頡剛三位先生〉（《文史哲》1989年3期）、沈衛威〈五四留給胡適的歷史記憶〉（《徽州社會科學》1996年1期）、朱德發〈論五四時期胡適的革命主張〉（《文學評論叢刊》1982年11期）、智效民〈試論胡適在五四時期的政治主張—兼評〝問題與主義〞之爭〉（《青海社會科學》1989年3期）、周殿龍、沈志剛〈五四時期胡適關於書面語改革主張一瞥〉（《松遼學刊》1986年1期）、陸弦石等〈胡適五四時期的新詩活動芻議〉（《鄭州大學學報》1989年3期）、沉茗〈「五四」後胡適之「努力」政治〉（《明報》14卷5期，1979年5月）、張德旺〈胡適在五四運動中的地位和作用〉（《求是學刊》1985年1期）、小林文男〈近代の覺醒と「五四」—胡適とそのブグマテイズムの役割をめぐつて〉（載東亞文化研究所編《中國近代化の史的展望》，東京，霞山會，1982）、李堅〈「五四」運動時期的右翼資產階級代表—胡適〉（《中山大學學報》1959年1、2期）、張琴南〈五四前後胡適的反動面目〉（載《五四運動文輯》，武漢，湖北出版社，1957）、鄭大華〈文化的民族性與時代性—論五四時期胡適與梁漱溟的東西文化之爭〉（收入《現代學術史上的胡適》，北京，三聯書店，1993）、王金梧〈論五四新文化運動中的胡適〉（《吉林大學社會科學學報》1981年2期）、耿雲志〈胡適與〝五四〞時期的新文化運動〉（《歷史研究》1979年5期）及〈胡適與新文化運動〉（《百科知識》1995年5期）、山口榮〈胡適の新文化運動〉（《岡山史學》24號，1971年12月）、白吉庵〈胡適與中國新文化運動〉（《學術論叢》1992年3期）、陰法魯〈胡適・杜威・羅素是怎樣開始破壞中國新文化運動的？〉（《新華月報》66期，1955年4月）、陳漱渝〈揩旗作健兒—胡適在五四新文化運動中〉（《民國春秋》1989年3期）、吳芳和〈論胡適在五四新文化運動中的歷史作用〉（《江淮論壇》1987年2期）、蔡尚思〈胡適在新文化運動中的歷史作用〉（《青海社會科學》1989年3期）、朱文華〈試論胡適在五四新文化運動中的作用和地位〉（《復旦學報》1979年3期）、黃俊強、陳惜龍〈論胡適在五四新文化運動中的非政治的政治基礎〉（《廣州體育學院學報》1996年增刊）、秦宗林〈孫中山與胡適在新文化運動中的一段交往〉（《歷史知識》1986年6期）、宮尾正樹〈新文化運動における張厚載と胡適—舊劇改良論爭を中心に〉（《日本中國學會報》38集，1986年10月）、易竹賢〈評〝五四〞時期的魯迅與胡適〉（《魯迅研究》第3輯，1981）、惠振寧等〈胡適、陳獨秀、魯迅對五四新文化貢獻的比較〉（《淮北煤炭師院學報》1989年2期）、唐少君〈胡適對〝五四〞運動史的歪曲〉（《安徽史學通訊》1959年3期）、歐陽哲生〈胡適在不同時期對〝五四〞的評價〉（《二十一世紀》34期，1996年4月）、張德旺〈胡適和五四時期的學生運動〉（《吉林大學研究生論文集刊》1984年1期）、徐副群〈五四時期胡適反對學生罷課問題新探〉（《山東師大學報》1989年增刊）、陳杰〈試論五四時期胡適的文化〝韜略〞〉（《中州學刊》1988年5期）、施炎平〈胡適與五四道德革命〉（《華東師大學報》1996年3期）、孫昌熙〈試論五四新文學運動中胡適的歷史作用〉（《文史哲》1979年3期）、張晉業〈也談胡適在新文學運動中的地位和作用〉（《華中師院研究生學報》1982年4期）、以群〈從文學改良到陣前叛變─剖視五四文學革命中資產階級知識分子胡適〉（載《紀念五四運動六十周年學術討論會論文集》中冊，北京，1980）、張克明〈胡適對五四文學革命的貢獻〉（《益陽師專學報》1993年2期）、朱德發〈評〝五四〞時期胡適的文學主張〉（《文學評論叢刊》11輯，1981年5月）、張新〈胡適五四前後文學主張剖析〉（《復旦學報》1979年3期）、朱德發〈評價胡適五四時期文學主張的進步性與局限性〉（《中國現代文學史題介》，山東教育出版社，1984）、嚴恩圖〈評〝五四〞時期胡適的文學革命主張和創作實踐〉（《藝譚》1982年2期）、周明之〈胡適與文學革命─中國近代知識分子的疏離感和抗議〉（載張玉法主編《中國現代史論集》第8輯，臺北，聯經出版公司，民70）、余楠、范君石〈胡適〝文學革命〞小議〉（《安徽教育學院學報》1990年2期）、耿雲志〈胡適與五四文學革命運動〉（《中國現代文學研究叢刊》1979年創刊號）、張德元〈論五四文學革命運動中的胡適〉（《遼寧大學學報》1984年4期）、吳定宇〈試論胡適在〝五四〞文學革命運動中的歷史地位和作用〉（《中山大學研究生學刊》1980年2期）、劉詩珍

〈胡適在五四文學革命中的地位〉(《吉首大學學報》1992年1
期)、葉由〈胡適與文學革命運動〉(《南京教育學院學報》1988年1
期)、吳定宇〈胡適與五四文學革命運動〉(《徽州社會科學》
1987年3期)、孫晨〈試論胡適〝文學革命〞主張的繼承與創新〉
(《史學論叢》1986年2期)、周陽山〈胡適與文學革命〉(《仙人掌
雜誌》2卷5期,民67年)、陳紀瀅〈胡適之先生與文學革命〉
(《暢流》6卷8期,民41)、易竹賢〈評〝五四〞文學革命中的胡
適〉(《新文學論叢》1979年2輯、1980年1輯)、步大唐〈評文學革命
初期的胡適〉(《廣西師院學報》1990年3期)、楊國榮〈語言的轉
換,文化的深層變革:從胡適看文學革命〉(《天津社會科學》
1990年1期)、聞繼寧〈胡適關於文學革命的哲學思想〉(《江淮論
壇》1995年2期)、歐陽哲生〈胡適倡導的〝文學革命〞與文化轉
型〉(《湖南師大學報》1993年6期)、李玉〈胡適並非〝文學革
命〞的首倡者〉(《安徽史學》1996年2期)、井賈軍二〈中國のル
ネつサンス─胡適を中心とする文學革命〉(《教育時報(西富市
教育委員會)》第1號,1952年12月)及〈胡適の「文學革命」につい
て〉(《史學研究》第4號,1950年12月)、青木正兒〈胡適を中心に
渦いている文學革命〉(《支那學》1卷1-3號,1920)、以群〈從文
學改良到陣前叛變─剖視〝五四〞文學革命中的資產階級知識分
子胡適〉(《學術月刊》1959年5期)、葉由〈文學革命中的胡適與
陳獨秀〉(《南京教育學院學報》1988年2期)、衛金桂〈文學革命
中的陳獨秀與胡適之比較〉(《爭鳴》1993年3期)、宋劍華〈論胡
適對新文學的貢獻〉(《徐州師院學報》1987年1期)、杜呈祥〈胡
適之先生與新文學運動〉(《民主憲政》2卷2期,民40年9月)、孫

昌熙、史若平〈試論五四新文學運動中胡適的歷史作用〉（《文史哲》1979年3期）、陳永志〈胡適的文學改良理論述略—新文學史學習札記之一〉（《上海師大學報》1986年1期）、戴光宗〈胡適的文學改良論是〝形式主義〞嗎？〉（《社會科學（上海）》1983年4期）、朱德發〈試評《文學改良芻議》〉（《山東師院學報》1980年6期）、鄧必銓〈重評《文學改良芻議》〉（《江西大學學報》1980年1期）、周芳芸〈胡適《文學改良芻議》之我見〉（《四川師院學報》1980年2期）、薛和〈《文學改良芻議》再析〉（《南京師院學報》1980年2期）、沈衛威〈《文學改良芻議》與歐美意象派詩潮〉（《河南大學學報》1993年2期）及〈《文學改良芻議》的歷史考察〉（收入耿雲志、聞黎明編《現代學術史上的胡適》，北京，三聯書店，1993）、黃川〈評《文學改良芻議》〉（《新疆大學學報》1981年1期）、唐德剛〈胡適《文學改良芻議》再議〉（《中國人》第5期，1979年5期）、郭占愚〈《文學改良芻議》與胡適〉（《張家口師專學報》1987年3期）、張培英〈胡適《文學改良芻議》與陳獨秀《文學革命論》的比較認識〉（《河北大學學報》1993年3期）、蔣晨陽〈胡適〝文學改良芻議〞實乃文學革命主張〉（《社科信息》1996年2期）、丁禎彥〈從《文學改良芻議》到〝問題主義〞的論戰—評五四前後胡適的哲學思想〉（《學術月刊》1979年5期）。談五四時期胡適思想的論文有王曉波〈五四運動和胡適思想〉（《中華雜誌》25卷6期，民76年6月）、伊藤秀一〈胡適の思想について—「五四」文化革命の一考察〉（《中國研究》第7號，1957年3月）、周明之〈五四時期思想文化的衝突—以胡適婚姻為例〉（載汪榮祖編《五四研究論文集》，臺北，聯經出版公司，民

68）、施炎平〈胡適與五四道德革命〉(《華東師大學報》1996年3期)、歐陽哲生〈五四時期胡適資產階級改良主義思想平議〉(《求索》1987年6期)、劉家賓〈五四時期胡適的社會改良主義述評〉(《聊城師院學報》1987年3期)、葛懋春〈五四時期馬克思主義者對胡適派改良主義的鬥爭〉(《山東大學學報》1962年2期)、周孃劍〈試論五四前後胡適的文化觀〉(《貴州教育學院學報》1993年1期)、吳二持〈五四啟蒙運動中胡適的文化批判意識述論—從李敖的〝胡適論〞到《河殤》〉(《汕頭大學學報》1989年2期)、杜蒸民〈〝五四〞和第一次國內革命戰爭時期胡適反封建主義評議〉(《安徽大學學報》1986年4期)、高力克〈〝五四〞後期胡適對封建主義的批判〉(《科學論文報告會》1987年4期)、胡曲園〈評胡適〝五四〞前後的哲學思想—兼論歷史人物胡適的評價問題〉(《復旦學報》1979年3期)、胡明〈試論五四時期胡適在哲學思想界的影響〉(《江海學刊》1996年5期)、季甄馥〈〝五四〞時期胡適的倫理思想述評〉(《學術月刊》1990年7期)、張蓮波〈五四時期胡適的婦女解放主張〉(《河南大學學報》1989年4期)、Christine Chan,〝May Fourth Discussions of the Woman Question: Hu Shih, Chén Tu- hsiu and Lu Hsun〞(Master's Thesis, University of Wisconsin-Madison, 1980)、周殿龍、沈志剛〈〝五四〞時期胡適關於書面語改革主張一瞥〉(《松遼學刊》1986年1期)、清水賢一郎〈革命と戀愛のユートピア—胡適の〈イプヤン主義と工讀互助團〉(《中國研究月報》49卷11號，1995年11月)、徐國利〈胡適實用主義在五四新文化時期廣泛傳播原因之探析〉(《安徽大學學報》1992年1期)、劉林平〈胡適的實用主義及其對五四新文化運動的影響〉（《中國哲學史研究》1989年2期）、孫月才〈胡適實用主義與〝五四〞啟蒙─兼評五十年代的〝胡適思想批判〞〉（《學術月刊》1989年5期）、陳道德〈胡適的實驗主義與〝五四〞新文化運動〉（《湖北大學學報》1989年3期）、青原〈新文化運動中胡適的科學觀〉（《聊城師院學報》1987年1期）、朱鴻召〈他從彼岸來─論五四時期胡適的人生觀和人生道路〉（《徽州社會科學》1992年1期）、印永清〈新文化運動中胡適與錢穆文學觀之比較〉（《華東師大學報》1996年1期）、張敏生〈從胡適、李守常諸人看〝五四〞時代的民主思想〉（《青年生活（桂林）》2卷1、2期，民30年7月）。

其他談胡適思想的論文有郭湛波〈胡適的時代和他的思想〉（《文星》16卷1、2期，民54）、余英時〈中國近代思想史上的胡適〉（《明報》18卷5-7期，1983；《傳記文學》44卷5、6期，民73年5、6月）、費海璣〈胡適手稿與思想〉（《現代學苑》3卷7期，民55）、殷海光〈胡適思想與中國前途〉（《中央研究院歷史語言研究所集刊》28期下冊，民46年5月）、朱文華〈關於胡適生平思想的幾個問題〉（《安徽史學》1990年1期）、潘光偉〈胡適思想三題〉（《中國人民大學學報》1989年5期）、方利山〈胡適思想點滴〉（《徽州社會科學》1989年2期）、趙潤海〈胡適思想試論〉（《國立歷史博物館》2卷10期，民80）、楊忠文〈胡適思想方法述評〉（《求是學刊》1982年5期）、朱寒冬〈胡適思想的多維透視─讀胡曉著《胡適思想與現代中國》〉（《江淮論壇》1996年2期）、賀麟〈批判胡適的思想方法〉（《新建設》1955年3期）、矢島鈞次〈胡適博士の思想的立場〉（《讀書春秋》4卷2號，1953年2月）、山口樂〈胡適思想の研究—儒學の繼承者としての胡適〉（《岡山縣私學紀要》第6號，1970年3月）及〈胡適思想の進化論〉（《順正短期大學研究紀要》第6號，1977年7月）、劉厚成等〈胡適思想批判討論會情況〉（《科學通報》1955年5期）、范岱年〈胡適思想批判討論會的活動情況〉（同上，1955年3期）、周漢光〈胡適的思想及他對我國教育的貢獻〉（《珠海學報》14期，1985年5月）、林毓生〈漫談胡適思想及其它—兼論胡著「易卜生主義」的含混性〉（收入氏著《政治秩序與多元社會》，臺北，聯經出版公司，民78）、周漢光〈胡適的思想及他對我國教育的貢獻〉（《珠海學報》14期，1985年5月）、宋劍華〈論胡適青少年時代的思想演變歷程〉（《學術界》1988年6期）、胡明〈試論胡適少年時代的思想啟蒙〉（《蘇州大學學報》1996年1期）、趙慧峰〈簡述人權運動時期的胡適思想〉（《民國檔案》1996年2期）及〈人權運動時期胡適思想評析〉（《安徽教育學院學報》1996年2期）、竹田晃〈胡適における啟蒙思想の形成—傳記資料にもとついて〉（《近代中國の思想と文學》東京，大安出版，1967）、陸發春〈胡適早期〝好政府主義〞思想新論〉（《安徽大學學報》1996年6期）、雷頤〈試論胡適與丁文江思想的異與同〉（收入李又寧主編《胡適與他的朋友》第2集，紐約，天外出版社，1991）、歐陽哲生〈胡適與陳獨秀思想之比較研究〉（《中國文化研究》1995年冬之卷，1996年春之卷）及〈胡適留美期間政治思想新探〉（《湖南師大學報》1988年5期）、鄭鶴聲〈胡適四十年來政治思想的批判〉（《文史哲》，1955年5期）、張睿娟〈胡適的政治思想試探〉（《中國文化月刊》140期，民81年6月）、蔣賢斌〈胡適改良主義政治思想的最終形成〉（《萍鄉高專學報》1994年2期）、傅豐誠〈理想與實證的結合－胡適的政治思想〉（《東亞季刊》9卷1期，民66年7月）、王栻〈胡適派「改良主義」的反動面貌〉（《南京大學學報》1956年3期）、莊萬壽〈胡適對民主政治的言論與實踐之重新評價〉（《國文天地》6卷7期，民79年12月）、高拴來〈胡適在抗戰時期的外交思想及其活動〉（《人文雜志》1996年3期）、胡明〈抗戰前夕胡適反日思想發微〉（《社會科學戰線》1996年3期）、徐希軍〈論胡適的民主思想〉（《安慶師院學報》1996年2期）、王業興〈論胡適的民主思想〉（《社會科學戰線》1994年3期）、蔡清隆〈胡適的社會思想〉（《實踐學報》11期，民69年3月）、婁家云〈胡適在早期傳播社會主義思想中的作用〉（《徽州社會科學》1990年2期）、呂實強〈胡適的教育思想〉（載《中華民國史專題論文集：第一屆討論會》，臺北，國史館，民81）、劉松濤〈胡適的教育思想〉（《新華月報》68期，1955年6月）、王煥勛〈胡適教育思想批判引論〉（《北京師院學報》1956年1期）、胡曉〈胡適教育思想述論〉（《安徽教育學院學報》1995年3期）、白吉庵〈胡適的早期教育思想〉（《徽州社會科學》1990年1期）、山口樂〈胡適の教育論〉（《順正短期大學研究紀要》第5號，1976年5月）、吳二持〈胡適教育救國思想論析〉（《汕頭大學學報》1995年1期）、潘新和〈胡適語文教學觀評價〉（《教育·研究》1989年11期）、王光軍〈胡適的婦女教育思想〉（《安徽教育學院學報》1994年1期）、徐國利〈試論胡適女子解放和女子教育思想的生成和發展〉（《安徽大學學報》1995年5期）、王輝〈胡適關於婦女解放問題的啟蒙思想〉（《安徽大學學報》1988年4期）、王德中〈論胡適的婦女觀〉（《徽州社會科學》1996年1期）、李季〈評胡適校長

〝察善明理〞的〝獨立〞思想〉(《大學》6卷1期，民36)、張忠平〈胡適的自由思想〉(《探索與爭鳴》1994年3期)、馬千里〈論胡適的自由主義思想〉(《江蘇社會科學》1996年6期)、楊國榮〈在理想與現實的衝突中走向容忍：論作為自由主義知識分子的胡適〉(《近代史研究》1990年1期)、Daniel Yu-tang Lew, "American Liberialism and Hu Shih." (Sino-American Relation, Vol. 8, No.1, 1982)、杜鋼建〈論胡適的自由主義人權思想〉(《蘭州學刊》1993年6期)、葉青〈《論胡適的自由主義人權思想》一文的商榷〉(《徐州師院學報》1996年1期)、王崇能〈論胡適的集體人權思想〉(《雲南社會科學》1993年5期)、胡曉〈胡適中國改革思想述評〉(《安徽史學》1995年3期)、羅光〈胡適的哲學思想〉(《哲學與文化》12卷4期，民74年4月)、黎潔華〈胡適哲學思想研究〉(《國內哲學動態》1985年9期)、李達〈胡適哲學思想批判〉(《新華月報》64期，1955年2月)、宋劍華〈論胡適的哲學思想〉(《廣東民族學院學報》1989年2期；亦載《廣東大學學報》1989年3期)、金岳霖等〈批判胡適實用主義哲學—實用主義是反理性的盲目行動的主題唯心論哲學〉(《北京大學學報》1955年1期)、艾思奇〈胡適實用主義哲學的反革命性和反科學性〉(《新華月報》64期，1955年2月)、馮友蘭、朱伯崑〈批判胡適「中國哲學史大綱」的實用主義觀點和方法〉(《北京大學學報》1995年1期)、石毓彬〈胡適的實用主義道德觀及其影響〉(《中國哲學史研究》1982年1期)、艾思奇〈胡適實用主義的庸俗進化論批判〉(《新華月報》66期，1955年4月)、楊翰卿〈胡適實用主義真理觀之我見〉(《湖南師大學報》1988年4期)、孫延齡〈對胡適實用主義「真理論」的批判〉（《歷史教學》1955年8期）、宋惠昌〈胡適的實用主義倫理思想〉（《中國哲學史研究》1981年3期）、葛力〈批判胡適實用主義思想方法底偽科學性〉（《新建設》1955年3期）、范忠程〈瞿秋白對胡適實用主義的批判〉（《湖南師院學報》1984年1期）、趙稀方〈胡適與實用主義〉（《二十一世紀》38期，1996年12月）、羅夢韋〈批判胡適的實用主義歷史觀〉（《華南師院學報》1957年2期）、劉林平〈胡適的實用主義及其對五四新文化運動的影響〉（《中國哲學史研究》1989年2期）、楊國榮〈徘徊於真善之間：論胡適對實用主義的探索－評價理論的修正〉（《中國社會科學》1989年4期）、榮天琳〈批判胡適實用主義唯心史觀－中國歷史科學中唯物史觀與唯心史觀的對立和鬥爭〉（《北京大學學報》1956年1期）、趙光賢〈肅清胡適唯心主義歷史觀對於中國古史研究的毒害〉（《北京師大學報》1956年1期）、呂振羽〈胡適派主觀唯心主義歷史觀批判〉（《科學通報》1955年5期）、嵇文甫〈胡適唯心論觀點在史學中的流毒〉（《新華月報》65期，1955年3月）、齊思和〈批判胡適派對於世界史的反動唯心觀點〉（《歷史研究》1956年6期）、錢福新〈試析胡適的歷史哲學觀〉（《民國檔案》1995年1期）、楊國榮〈論胡適的歷史哲學〉（《江淮論壇》1989年3期）、聞繼宇〈批判的歷史精神－胡適歷史哲學思想初探〉（《歷史研究》1994年4期）、蔡美彪〈歷史發展的動力－論胡適派的歷史觀〉（《歷史研究》1955年3期）、陳衛平〈中國哲學近代化的一個側面－析嚴復、胡適、金岳霖改造傳統哲學概念的理論〉（《哲學研究》1986年9期）、嵇文甫〈批判胡適的多元歷史觀〉（《歷史研究》1955年4期）、汪毅〈論胡適派反動的資產階級

的哲學史觀點和方法〉（《文史哲》1955年4期）、胡繩〈唯心主義
是科學的敵人─論胡適派思想對科學的曲解和誣衊〉（《新華月
報》65期，1955年3期）、潘梓年〈徹底批判胡適派資產階級唯心主
義思想是貫徹祖國過渡時期總任務的一個嚴重問題〉（《科學通
報》1955年4期：《新華月報》67期，1955年5月）、劉大杰〈胡適的唯
心主義的文學史觀點〉（《復旦學報》1955年2期）、于民雄〈胡適
實驗主義述評〉（《貴州師大學報》1989年4期）、童書業〈批判胡
適的實驗主義〝史學〞方法〉（《文史哲》1955年5期）及〈批判胡
適的「實驗主義」學術思想─學習辯證唯物論札記之二〉（同
上，1954年5期）、金達凱〈實驗主義與唯物主義─中共批判胡適
哲學思想的分析〉（《民主評論》6卷20期，民44年10月）、胡曉〈胡
適實驗主義進化論初探〉（《徽州師專學報》1989年1期）、李達
〈胡適反動思想批判〉（《武漢大學人文科學學報》1956年1期）、楊
榮國〈胡適的反動觀和他對中國古代哲學的歪曲〉（《中山大學
學報》1959年3期）、魯安泰〈清除胡適反動思想對祖國古典文學
遺產的毒害〉（《北京師大學報》1956年1期）、毛星〈胡適文學思
想批判〉（《文學研究集刊》第1期，1955年7月）、黃藥眠〈胡適的
反動文學思想批判〉（《新建設》1955年4期）、伍世昭〈略論胡適
的文學思想及其相關性〉（《湘潭大學學報》1996年4期）、樓棲
〈肅清胡適、胡風關於文學內容與形式的反動思想〉（《中山大
學學報》1956年1期）、釜屋修〈胡適とイマジスト─八不主義への
「影響」の考察〉（《野草》14・15號，1974年4月）、王潤華〈論胡
適〝八不主義〞所受意象派詩論之影響〉（載林徐典編《學術論文
集刊（新加坡國立大學中文系，第1集，1986）、吳芳吉〈胡適八不主

義似是而非〉（原載《湘君雜誌》，長沙，民11；《學粹》10卷6期轉載，民57年10月）、宋劍華〈論胡適的文藝美學思想〉（《江淮論壇》1987年6期）、陳國球〈論胡適的文學史觀〉（淡江大學中國文學研究所主編《文學與美學》，臺北，文史哲出版社，民79）、何其芳〈胡適文學史觀點批判〉（《文學》67期，1955年5月）、褚斌傑〈胡適文學史觀批判─評胡適〝白話文學史〞〉（《文學遺產選集》第1期，1956年1月）、王瑤〈關胡適的所謂〝歷史進化的文學觀念〞〉（《北京大學學報》1955年1期）、邱世友〈揭露胡適在中國古典文學研究中的比較主義觀點〉（《中山大學學報》1956年3期）、許霆〈聞一多、胡適詩論的藝術思想比較〉（《南京師大學報》1989年3期）、楊國榮〈論胡適方法論思想的內在矛盾及其根源〉（《浙江學刊》1985年5期）、楊貞德〈胡適科學方法觀論析〉（《中國文哲研究所集刊》第5期，民83年9月）、山口榮〈胡適思想と進化論〉（《順正短期大學紀要》第6號，1977）、唐力行〈胡適的商業觀〉（《開放時代》1996年5期）、田餘慶〈消除胡適思想在歷史考據中的惡劣影響〉（《歷史研究》1955年2期）、丁則良〈對胡適的疑古論的批判〉（《東北人大人文科學學報》1955年1期）、周玉和〈胡適的〝五鬼論〞〉（《東北師大學報》1992年1期）、張北根〈胡適的東西文化觀〉（《安徽史學》1992年1期）、胡明〈論胡適的中西文化觀〉（《中國文化研究》1996年春之卷）及〈關於胡適中西文化觀的評價〉（《文學評論》1988年6期）、宋劍華〈胡適中西文化觀之批判〉（《海南師院學報》1992年1期）及〈胡適的中西文化觀〉（《澧陵師專學報》1988年2期）、丁槙彥〈略評胡適的中西文化觀〉（《重慶社會科學》1989年2期）、杜蒸民、房列曙〈胡適的中西文化觀簡評〉（《安徽師大學報》1987年4期）、耿雲志〈胡適的文化觀及其現代意義〉（載湯一介編《論傳統與反傳統—五四70周年紀念文選》，臺北，民78）、曾樂山〈論胡適的文化觀〉（《華東師大學報》1984年5期）、盧黎明、盧再彬〈中華民族新文化的方向：從魯迅與胡適的中外文化觀談起〉（《淮陰師專學報》1987年4期）、黃渭高〈五四前後胡適魯迅中西文化觀比較及給我的啟示〉（《宜春師專學報》1989年3期）、李民等〈中西匯合與全盤西化—胡適中西文化觀的研究方法說起〉（《中州學刊》1989年1期）、楊林書〈試析30年代胡適文化觀的矛盾〉（《安徽史學》1993年4期）、譚英華〈批判胡適買辦資產階級的世界主義文化觀〉（《四川大學學報》1956年1期）、史春林〈1927-1937年胡適西化觀評析〉（《史學集刊》1992年4期）、陳予伶〈胡適文化觀及其全盤西化論研究〉（《湖北社會科學》1988年5期）、王榮科〈胡適全盤西化論述評〉（《學術界》1988年1期）、陳廷湘〈重評胡適的〝全盤西化論〞〉（《人才與現代化》1986年1期）、張先貴〈關於胡適與〝全盤西化論〞糾葛的來龍去脈：胡適評論之三〉（《合肥教育學院學報》1995年3期）、李磊明〈胡適〝全盤西化〞思想新論〉（《歷史教學問題》1993年2期）、徐高阮〈胡適之與〝全盤西化〞〉（《文星》9卷4期，民51）、方策〈評胡適的〝全盤西化〞〉（《徽州社會科學》1987年3期）、蕭景陽〈胡適〝全盤西化〞論破產的歷史啟示〉（《廣東社會科學》1987年4期）、易竹賢〈胡適與西化思潮〉（《湖北社會科學》1989年5期）、羅志田〈新舊文明過渡之使命：胡適反傳統思想的民族主義關係〉（《傳統文化與現代化》1995年6期）、楊忠文〈評胡適的文明及文化的自然淘汰選擇論〉（《學術交流》1989年6期）、夏國乘、奕灝〈胡適人生哲學簡論〉（《華東師大學報》1989年1期）、黃克劍、吳小龍〈胡適〝科學的人生觀〞的得與失〉（《天津社會科學》1991年6期）、胡明〈胡適的科學人生觀論述〉（《江海學刊》1992年4期）及〈論胡適的科學人生觀〉（收入《現代學術史上的胡適》，北京，三聯書店，1993）、王小其〈胡適自然主義人生觀的哲學傾向（大綱）〉（同上）、胡繩〈論胡適派腐朽的資產階級人生觀〉（《新華月報》64期，1955年2月）、王鑒平〈中西文化衝突中的胡適人生觀〉（《湖北社會科學》1988年10期）、夏國乘、奕灝〈胡適的人生哲學簡論〉（《華東師大學報》1989年1期）、李霞〈胡適的人論〉（《徽州社會科學》1989年2期）及〈試論胡適的人學理論〉（《安徽史學》1993年2期）、周玉和〈胡適帝國主義觀的歷史考察〉（《東北師大學報》1993年4期）、白壽彝〈胡適對待祖國歷史的奴才思想〉（《新建設》1955年4期）、羅志田〈胡適世界主義思想中的民族主義關懷〉（《近代史研究》1996年1期）、胡曉〈胡適無神論思想初探〉（《安徽史學》1989年4期）、董根洪〈胡適的宋明理學觀〉（《近代史研究》1996年4期）及〈論胡適的宋明理學觀〉（《社會科學戰線》1996年5期）、張恒壽〈評胡適〝反理學〞的歷史淵源和思想實質〉（收入氏著《中國社會與思想文化》，北京，人民出版社，1989）、警庵〈論胡適博士的反孔教與反宗教〉（《中國文化》1卷2期，民42年4月）、張忠平〈尊崇孔夫子·打倒孔家店—胡適對孔子和儒教的不同態度〉（《江淮論壇》1995年5期）、胡名〈名·名詞·名詞障：胡適批〝名教〞〉（《東方》1995年1期）、尹權宇〈反〝名教〞與胡適思想〉（收入《現代學術史上的胡適》，北京，三聯書店，1993）、董德福〈胡適〝反孔非儒〞評議〉（《天津社會科學》1995年3期）、芮陶庵〈胡適與梁漱溟對儒家思想的爭論〉（《崇基學報》1卷2期，1962年7月）、呂實強〈我見・我思—胡適尊儒敬孔〉（《中外雜誌》49卷2期，民80年2月）、李慶〈胡適和問題主義之爭〉（《近代史研究》1986年5期）、王穎〈胡適〝問題主義〞芻議〉（《江蘇社會科學》1992年6期）、王若水〈從實用主義到改良主義—胡適的「問題與主義」的解剖〉（《新華月報》64期，1955年2期）、野原四郎〈胡適氏と儒教〉（載《東洋的社會倫理の性格》，東京，白日書院，1948）、李澄源〈評胡適說儒〉（《國風》6卷3、4期，民24年2月）、錢穆〈駁胡適之說儒〉（《東方文化》1卷1期，1954年1月）、鄧廣銘〈胡著《說儒》與郭著《駁說儒》平議〉（收入耿雲志、聞黎明編《現代學術史上的胡適》，北京，三聯書店，1993）、宋劍華〈胡適與孔儒學說〉（《徽州社會科學》1992年1期）、聞繼寧〈胡適儒學觀述評〉（《學術月刊》1996年2期）、童煒鋼〈胡適的儒學觀—胡適與東西文化之二〉（《上海師大學報》1996年4期）、歐陽哲生〈胡適對儒學的雙重反省〉（《傳統文化與現代化》1995年6期）、杜蒸民〈胡適與墨學〉（《江淮論壇》1992年3期）、慧云〈評胡適之的佛教觀〉（《海潮音》14卷3期，民21年3月）、鄭志明〈胡適的宗教觀〉（淡江大學中文系主編《近現代中國文學與文化變遷論文集》，臺北，臺灣學生書局，民85）、林正弘〈胡適與殷海光的科學觀〉（韋政通等著《自由民主的思想與文化（紀念殷海光逝世20周年學術研討會論文集）》，臺北，自立晚報社文化出版部，民79年4月）、祖芳宏、謝昭新〈論胡適的戲劇觀與戲劇創作〉（《安徽教育學院學報》1996年3

期）、瞿大炳〈論胡適的戲劇觀〉（《大慶師專學報》1987年1期）及
〈淺論胡適的戲劇觀〉（《安徽戲劇》1987年5期）、任國權〈胡適
〝五四〞初期的戲劇改良觀〉（《溫州師專學報》1982年2期）、許
紀霖〈中國自由主義的烏托邦─胡適與〝好政府主義〞討論〉
（《近代史研究》1994年5期）、胡明柯〈胡適之和〝好政府〞〉
（《野草》新3號，民36）、李明〈胡適與好人政府〉（《百科知識》
1987年1期）、蕭學鵝〈批判胡適在評價漢樂府詩中的形式主義觀
點〉（《中山大學學報》1956年1期）、柴純青〈胡適的校勘學思想
淺析〉（《安徽史學》1990年3期）、林毓生著、穆善培譯〈胡適的
假改革主義〉（《齊魯學刊》1984年5期）、楊天宏〈論胡適的人文
主義思想〉（《四川大學學報》1993年3期）、樓宇烈〈胡適的中古
思想史研究述評〉（收入《現代學術史上的胡適》，北京，三聯書店，
1993）、歐陽哲生〈從《競業旬報》看早期胡適的革命思想〉
（《湖南教育學院學報》1983年4期）、宋劍華〈試論胡適的文藝思
想〉（《徽州社會科學》1987年1期）、胡明〈胡適文化學術思想概
論〉（《江淮論壇》1989年5期）。

　　其他談胡適的論文尚有金耀基〈胡適與中國現代化運動〉
（《大學生活》121期，1962年5月）、蔡文輝 "Religious Belief and
Modernization: Dr. Hu Shih and His Ideological Research on
Chinese Modernization"（胡適及其對中國現代化之理念研
究）（《社會學刊》10期，民63年7月）、馮菊香〈評胡適的現代化
模式〉（《延安大學學報》1996年4期）、楊國榮〈中國近代文化史
上的胡適〉（《學術界》1992年5期）、房德鄰〈胡適與中國現代文
化〉（《北京師大學報》1989年3期）、易竹賢〈胡適與中國現代文

化〉(《學術月刊》1989年5期)、歐陽哲生〈胡適與傳統文化〉
(《中國現代文學研究叢刊》1991年4期)、呂實強〈胡適對中國傳統
文化的態度〉(收入《近代學人風範》第2輯,臺北,文訊雜誌社,民80
年6月)、〈胡適對傳統文化與宗教的態度〉(《中國歷史與文化討
論集》第3冊,民73)及〈胡適對中國傳統的評價〉(載《海峽兩岸
論五四》,臺北,國文天地雜誌社,民78)、周策縱〈胡適對中國文
化的批評與貢獻〉(《傳記文學》58卷1期,民80年1月)、襟夢庵
〈也談胡適─胡適對中國文化態度評議〉(《中外雜誌》21卷2期,
民66年2月)、鄭大華〈論胡適對中國文化出路的選擇〉(《北京
師大學報》1990年6期)及〈〝批判的態度〞與〝同情的理解〞─論
胡適與梁漱溟對於傳統文化的態度〉(《中州學刊》1992年2期)、
范曉楠〈胡適文化哲學新論〉(《中州學刊》1994年3期)、聞繼寧
〈談談胡適的文化哲學傾向〉(收入《現代學術史上的胡適》,北
京,三聯書店,1993)、程偉禮〈胡適與杜威哲學的跨文化傳播〉
(同上及《探索與爭鳴》1992年6月)、張世民〈吳宓和胡適:家
庭、地域文化及在新文化問題上的爭議〉(《第一屆吳宓學術討論
會論文選輯》,1992)、龔道運〈胡適對新文化的提倡及其局限〉
(《江淮論壇》1994年5期)、許冠三〈胡黨、反胡黨及其關於中國
文化問題之爭論─兼悼胡適之先生〉(《大學生活》1卷8、9期,
1962年4月)、秦志希〈胡適的文化意義〉(《江漢論壇》1989年7
期)、宋劍華〈胡適對民族文化遺產的態度〉(《學術界》1989年3
期)、沈松僑〈一代宗師的塑造─胡適與民初的文化、社會〉
(收入周策縱等著《胡適與近代中國》,臺北,時報文化出版公司,民
80)、李達嘉〈胡適在「歧路」上〉(同上)、末群〈生きてい

るアジア文明（胡適）〉（《改造》34卷3號，1953年3月）、袁偉時〈胡適與所謂〝中國意識的危機〞〉（載《文化與傳播》，上海，上海文化出版社，1993）、沈衛威〈新儒學倫理與徽州文化精神：胡適的文化背景論〉（《河南大學學報》1994年2期）、顏非〈胡適與徽州文化〉（收入《現代學術史上的胡適》，北京，三聯書店，1993）、唐力行〈胡適：徽州歷史上的第三個文化偉人—試析胡適與徽州文化〉（同上）、施忠連〈胡適的新皖學方向〉（《河北學刊》1995年3期）、楊浩〈胡適與婺源歷史上的回皖運動〉（《徽州社會科學》1988年2期）、李興芝〈胡適與宋明理學〉（《中國哲學史研究》1982年3期）、方利山〈胡適與戴學〉（《徽州師專學報》1989年3、4期、1990年1期）及〈胡適的戴學研究〉（《徽學通訊》1987年7、8期）、季維龍〈胡適與近代中國的教育〉（《學術界》1990年5期）、吳二持〈胡適與傳統國文教育改革〉（收入《現代學術史上的胡適》，北京，三聯書店，1993）、李占領〈〝從整理國故〞看胡適對傳統文化的態度〉（《文史知識》1990年12期）、朱文華〈評胡適〝整理國故〞的理論和實踐〉（《江淮論壇》1989年4期）、耿雲志〈胡適整理國故平議〉（《歷史研究》1992年3期）、周質平〈評胡適的提倡科學與整理國故〉（《九州學刊》4卷2期，1991年夏季；亦載《近代史研究》1992年1期）、劉筱紅〈胡適與整理國故〉（《華中師大學報》1988年1期）、任訪秋〈胡適與〝整理國故〞及其存在的問題〉（《臥龍論壇》1991年1期）、胡明〈胡適〝整理國故〞的現代評價〉（《傳統文化與現代化》1995年6期）、李孝悌〈胡適與整理國故—兼論胡適對中國傳統的態度〉（《食貨月刊》復刊15卷5、6期，民74年11月）、松山寺佛學研究部〈評胡適「中國之傳統

與將來」〉（《人生》237期，民49年9月）、劉承符〈評胡適的考
據與校勘〉（《菩提樹》37卷4期，民78年6月）、高亨〈評胡適的考
據方法〉（《文史哲》1955年5期）、趙儷生〈批判胡適的考據方法
和校勘方法〉（同上）、胡守為〈胡適的考據及其所謂「科學方
法」〉（《中山大學學報》1955年2期）、吳祥麟〈胡適之先生與證
據法學〉（《新天地（月刊）》1卷2期，民51年4月）、阮忠仁〈胡適
的考據學結構之分析─以思想史研究為例的一個檢討〉（《歷史
學報（臺灣師大）》17期，民78年6月）、陳煒謨〈論考據學在文學研
究中的作用─兼評胡適的資產階級唯心主義考據學及其毒害〉
（《四川大學學報》1955年2期）、王鑒平〈從中西文化的衝突和交
融看胡適的科學方法〉（《福建論壇》1989年3期）、王余光〈胡適
的治學方法〉（《武漢大學學報》1986年增刊）、艾瑛〈略論胡適的
研究方法〉（《社會科學評論》1987年1、2期）、劉康〈從胡適的方
法論說到伽達默爾的釋號〉（《讀書》1987年12期）、李振綱〈論
胡適的方法論在現代文化史上的歷史地位〉（《河北大學學報》
1995年1期）、許全興〈胡適的方法論評議〉（《安徽大學學報》1992
年2期）、曹伯言〈胡適的方法論〉（《華東師大學報》1992年6
期）、王兆良〈胡適的方法論芻議〉（《淮北煤師院學報》1996年3
期）、大川隆明〈デエーイと胡適─中國におけるプテグマテイ
ズム方法論の受容とその批判〉（《中國研究》90號，1978年3
月）、王少卿、朱金瑞〈胡適的治學方法新範式及其在中國現代
學術史上的地位〉（《許昌師專學報》1990年4期）、陳大齊〈從胡
適之提出治學方法要緩說起〉（《民主評論》4卷4期，民42年2
月）、長瀨誠〈胡適の學的方法論に就いて〉（《拓殖大學論集》

12號，1956年12月）、孔繁〈胡適的治學方法〉（《五四精神的解咒與重塑—海峽兩岸紀念五四七十年論文集》，臺北，臺灣學生書局，民81）、郭豫適〈胡適的治學方法論及其他〉（《學術月刊》1996年1期）、山口樂〈胡適の治學方法〉（《順正短期大學研究紀要》第1號，1971年10月）、榮瑞和〈對胡適治學方法的新評價〉（《河南師大學報》1987年2期）、季維龍〈胡適的讀書方法〉（《圖書館工作》1985年1期）、楊亮功〈胡適之先生的治學與治事〉（《傳記文學》2卷3期，民52年3月）；〈胡適的為人與治學〉（《海外文摘》341期，1977）、孫榮奎〈胡適哲學史方法論新探〉（《上海師院學報》1983年3期）、楊忠文〈胡適思想方法述評〉（《求是學刊》1982年5期）、呂實強〈胡適的史學〉（載《近代中國歷史人物論文集》，臺北，民82年6月）、毛佩琦〈胡適的史學散論〉（《中國人民大學學報》1987年5期）、蔡學海〈胡適對史學方法論及文化史的見解和貢獻〉（《大陸雜誌》67卷2期，民72年8月）、張書學〈胡適史學方法論再認識〉（《齊魯學刊》1995年4期）、鄭天挺〈批判胡適的主觀唯心主義歷史方法論〉（《歷史教學》1955年9期）、胡逢祥〈胡適、傅斯年兩家史學方法析論〉（《華東師大學報》1996年4期）、耿雲志〈評胡適的歷史學成就及其理論和方法〉（《歷史研究》1983年4期）、戴介民〈胡適歷史方法批判〉（《（華東師大學報）史學集刊（1955-1957）》）、朱文華〈胡適與近代中國傳記史學〉（《江淮論壇》1992年2期）、李光璧〈批判胡適的反動實驗主義的歷史考據學〉（《歷史教學》1955年9期）、趙儷生〈胡適歷史考證方法的分析〉（《學術月刊》1979年11期）、吳瓊〈論胡適的考證方法及其認識基礎〉（《百科知識》1988年1期）、季羨林〈為胡適考證辨誣〉（《群言》1988年3期）、遁翁〈從古代史官制度看胡適先生的説史〉（《人生》203期，民59年4月）、李家祺〈胡適之論傳記與避諱〉（《東方雜誌》復刊3卷3期，民58年9月）、范文瀾〈看看胡適的「歷史態度」和「科學方法」〉（《歷史研究》1955年3期）、何佑森〈胡適論「史學運動」〉（載《民國以來國史研究的回顧與展望研討會論文集》下冊，臺灣大學，民81年6月）、唐德剛〈回憶胡適之先生與口述歷史〉（《傳記文學》31卷2期-32卷6期，民66-67）、聞繼寧〈讀《胡適口述自傳》有感〉（《情報資料》1987年3期）、張秀蓉〈從《胡適口述自傳》論口述歷史〉（《史耘（臺灣師大歷史研究所）》第2期，民85年9月）、陳寶雲〈重評胡適的〝自傳説〞〉（《山東師大學報》1981年6期）、楊國榮〈評胡適對清代樸學方法的改造〉（《社會科學戰線》1986年3期）、孔繁〈胡適對清代〝樸學〞方法的總結和評價〉（《文史哲》1989年3期）、彭汶〈評胡適〝大膽的假設，小心的求證〞〉（《江淮論壇》1989年2期）、李興芝〈對胡適〝大膽假設，小心求證〞淵源的幾點看法〉（《山東大學文科論文集刊》1980年2期）、馬一里〈論胡適〝大膽假設，小心求證〞方法的意義〉（《北京師大學報》1990年4期）、陳道德〈論胡適〝大膽的假設，小心的求證〞的合理性與局限性〉（《湖北大學學報》1988年4期）、沈衛威〈〝大膽的假設，小心的求證〞新論—胡適治學方法論平議〉（《南京大學學報》1991年2期）、金增嘏等〈評胡適的〝大膽假設，小心求證〞〉（《復旦學報》1979年3期）、鄭學稼〈小心求證〝播種者胡適〞的大膽假設〉（《文星》9卷4期，民51）、馮並〈〝大膽假設〞與胡適其人〉（《群言》1987年1期）、李敖〈為〝播種者胡適〞翻舊賬〉（《文星》9卷5期，民51）、李明淵〈論胡適與白話文運動〉（《安徽教育學院學報》1986年1期）、李慶〈胡適與白話文學運動〉（《安徽大學學報》1988年1期）、大原信一〈胡適と白話文・國語運動〉（《同志社外國文學研究》64號，1992年12月）、耿雲志〈胡適與國語運動〉（《國文天地》6卷7期，民79年12月）、王進珊〈讀《孤兒行》與《僮約》札記—兼評胡適《白話文學史》〉（《徐州師院學報》1980年1期）、沈衛威〈新時期胡適文學研究述評〉（《文學評論》1991年1期）、宋劍華〈胡適與中國現代文學〉（《中國現代文學研究叢刊》1992年3期）、商旭東〈胡適與中國的比較文學〉（《山東社會科學》1992年6期）、宋劍華〈胡適與新文學的現實主義〉（收入《現代學術史上的胡適》，北京，三聯書店，1993）及〈論胡適對新文學的貢獻〉（《徐州師院學報》1987年1期）、陳國球〈從宋詩到俗話文學：論胡適構築文學史的邏輯程序〉（同上，1991年4期）、程法德〈胡適在中國現代文學史上的地位應予肯定〉（《徽學會杭州分會論文》1989年9期）、易竹賢〈胡適與中國文學的現代化〉（《武漢大學學報》1989年3期）、羅崗〈論胡適《五十年來之中國文學》〉（《文藝理論研究》1993年4期）、任訪秋〈胡適《五十年來之中國文學》批判〉（載氏著《中國古典文學論集》，鄭州，河南人民出版社，1981）、胡念貽〈古典文學研究中胡適怎樣歪曲文學的社會意義〉（《文學研究集刊》第1輯，1955年7月）、馮至〈胡適怎樣〝重新估定〞中國古典文學〉（《文學遺產選集》第1輯，1956年1月）、何幹之〈五四以來胡適派怎樣歪曲了中國古典文學〉（《文學》63期，1955年1月）、楊承祖〈胡適對中國語文與文學研究的貢獻〉（《毛子水先生九五壽慶論文集》，臺

北，幼獅文化事業公司，民76）、宋劍華〈論胡適的中國古典文學
研究〉（《河北學刊》1992年5期）、〈論胡適對古典文學研究的貢
獻〉（《海南師院學報》1989年2期）及〈論胡適與中國的文藝復
興〉（《河北大學學報》1989年2期）、杜春和、耿來金整理〈有關
胡適提倡新文學的幾則史料〉（《新文學史料》1991年4期）、周質
平〈胡適文學理論探源〉（同上，1986年2期）、康眾〈胡適是怎
樣提倡文學的〉（《課外學習》1983年5期）、張遠芬〈談胡適對
《金瓶梅》的認識〉（《徐州師院學報》1995年2期）、樽本照雄
〈胡適は「老殘遊記」をどラ讀んだか〉（《大阪經大論集》120
號，1979年11月）、胡曉〈胡適西遊記考證述評〉（《徽州師專學
報》1988年2期）、顧農〈魯迅與胡適關於《西遊記》的通信及爭
論〉（《晉陽學刊》1981年3期）、陳美林〈略評胡適對《儒林外
史》的研究〉（《南京師院學報》1980年4期）、谷梁〈胡適和第一
個現代劇〉（《社會科學（上海）》1980年3期）、蔣星煜〈胡適論
元雜劇與明清傳奇〉（《戲劇藝術》1992年3期）、呂啟群〈胡適與
紅學〉（《文史知識》1990年12期）、胡明〈胡適與〝新紅學〞〉
（《文學遺產》1995年6期）、薛瑞生〈論胡適在〝紅學〞史上應有
的地位〉（《西北大學學報》1980年1期）、宋劍華〈胡適對紅學研
究的貢獻〉（《鎮江師專學報》1989年3期）、鄧慶佑等〈胡適對紅
學的貢獻〉（《紅樓夢學刊》1989年2期）、魏同賢〈胡適的紅樓夢
考證在紅學史上的地位〉（《紅樓夢學刊》1979年2期）、韓進康
〈胡適與俞平伯建樹的《新紅學》〉（載《紅學史稿》，河北人民
出版社，1981）、吳晗〈致函胡適考證《紅樓夢》〉（《博覽群書》
1987年1期）、白盾〈胡適紅學研究評估三題〉（《徽州師專學報》

1989年3、4期)、張國光〈論胡適考證《紅樓夢》並創立＂自敍傳＂説的歷史性貢獻─兼析《紅樓夢迷》與《紅樓新辨》之謬〉（《湖北大學學報》1996年1期)、趙聰〈胡適影印乾隆甲戌本《紅樓夢》〉（《大學生活》6卷21期，1961)、郭豫適〈紅學批評應當實事求是─評《紅樓夢謎》對胡適和非索隱派紅學的批評〉（《中華文史論叢》54輯，1995)、郭豫適〈從胡適蔡元培的一場爭論到索隱派的終歸窮途─兼評《紅樓夢》研究史上的後期索隱派〉（《紅樓夢研究集刊》1980年4期）及〈胡適的《紅樓夢考證》及新紅學的產生〉（載《紅樓夢小史讀稿》，上海文藝出版社，1981)、爾退〈重新評價胡適紅學研究的歷史貢獻〉（《汕頭大學學報》1986年4期)、曾揚華〈乾隆時人是怎樣看《紅樓夢》的原作者的─兼評胡適對《紅樓夢》作者的考證〉（《北方論叢》1980年1期)、歐陽健〈胡適的紅學體系和紅學悲劇：讀《還＂紅學＂以學》感言〉（《明清小説研究》1996年3期)、孔凡丁、劉洪雷〈蔡元培、胡適紅學研究的＂觀念＂根因：周汝昌、杜景華所作解釋的再探討〉（同上)、關非蒙〈淺議胡適對《水滸傳》、《紅樓夢》的考證〉（《浙江師院學報》1981年2期)、歐陽健〈重評胡適的《水滸》考證〉（《學術月刊》1980年5期)、丁言漠〈魯迅、胡適對《水滸後傳》考證和不同評價〉（《魯迅研究動態》1987年8期)、劉紹智〈胡適的《三國演義》研究〉（《寧夏教育學院學報》1989年1期)、易竹賢〈漫評胡適的小説考證〉（《中國現代文學研究叢刊》1991年4期）及〈評胡適的小説考證〉（收入《現代學術史上的胡適》，北京，三聯書店，1993)、陸樹倫、李慶甲〈試評胡適的小説考證〉（同上，1981年1輯)、黃紹梅〈由胡適的小説考證論其文學革命〉（《中國文化月刊》192期，民84年10月）、李鴻然〈魯迅小說史研究與胡適的小說考證〉（《新文學論叢》1984年2期）、楊承祖〈胡適對中國白話舊小說考證與批評的貢獻〉（《東海學報》14卷，民62）、陳政文〈陳獨秀、胡適支持江原放標點古典小說〉（《編輯學刊》1987年4期）、鄭少龍〈胡適古典小說考證〉（《汕頭大學學報》1989年3期）、朱文華〈論胡適《中國章回小說考證》的方法論〉（《江淮論壇》1982年6期）、白盾等〈正確估計胡適的章回小說考證的價值〉（《徽州師專學報》1987年1期）、金性堯〈胡適《中國章回小說考證》〉（載《古代文學理論研究》第3輯，1979）、白盾〈正確評價胡適中國章回小說考證〉（《徽州社會科學》1987年2期）、陳金淦〈胡適詩歌評價的歷史回顧〉（《徐州師院學報》1985年1期）、韋秋桐〈略論胡適的民間歌謠研究〉（《河池師專學報》1987年2期）、易竹賢〈論胡適的散文〉（《江漢論壇》1990年10期）、嘆風〈清新明白風氣之先：胡適散文片論〉（《散文》1992年2期）、大塚繁樹〈胡適の新詩論〉（《愛媛大學紀要（人文科學）》2卷1號，1954年12月）、步大唐〈論胡適詩派〉（《四川大學學報》1996年4期）、許霆〈胡適〝詩體解放〞論的文學史意義〉（《文藝理論研究》1996年3期）、殷登捷〈胡適與新詩〉（《中文自學考試輔導》1984年3期）、鮑晶〈胡適與新詩—析新詩的染色體〉（《文學探索》1987年3期）、黃鋼、范硯卿〈胡適與中國新詩藝術〉（《新疆大學學報》1995年1期）、張永仁〈胡適新詩理論簡論〉（《中南民族學院學報》1989年3期）、董炳月〈中間物：胡適新詩理論的歷史特徵〉（《中國現代文學研究叢刊》1990年2期）、韋學賢〈胡適早期的新詩理論和實踐〉

（《廣西民族學院學報》1983年3期）、尹定國〈胡適之先生對舊詩的看法〉（《傳記文學》52卷5期，民77年5月）、朱德發〈論胡適早期的白話詩主張與創作〉（《山東師院學報》1979年5期）、成絲〈從舊壘中走出：略論胡適白話詩論的歷史地位及其局限〉（《漢中師院學報》1992年1期）、周策縱〈論胡適的詩〉（《傳記文學》31卷5期，民66年11月）、梁實秋〈胡適之先生論詩〉（《新時代》2卷5期，民51）、吳奔星輯注〈胡適晚年談詩〉（《文教資料》1987年4期）、成華〈胡適與周作人互答詩〉（同上，1987年2期）、林堅〈論胡適早期詩歌的思想價值〉（《探索》1989年2期）、周良沛〈胡適和他的詩：《中國新詩庫·胡適卷·卷首》〉（《文學評論》1990年4期）、孫寶成〈對胡適情詩的再審視〉（《海南大學學報》1993年4期）、龔維英〈談胡適的一首詩〉（《黃山文藝》1982年2期）、常康〈《你莫忘記》是一首悲憤詩—兼與王吉鵬商榷〉（《北方論叢》1985年1期）、彭樹鑫〈胡適《蝴蝶》一詩緣起考辨—與吳奔星同志商榷〉（《文學評論叢刊》21輯，1984年8月）、江新華〈胡適的「烏鴉」詩〉（《中外雜誌》54卷4期，民82年10月）、胡文成〈胡適與《詩經》〉（《江西師院學報》1982年1期）、夏傳才〈胡適和古史辨派對《詩經》的研究〉（《河北大學學報》1982年4期）、楊樹達〈與胡適之論詩經言字書〉（《考古》第6期，民26年6月）、自祥〈胡適與舊詩詞〉（《中外雜誌》36卷6期，民73年12月）、沈寂〈胡適由少年詩人到新詩鼻祖〉（收入《現代學術史上的胡適》，北京，三聯書店，1993）、宋劍華〈論胡適的詩歌創作道路〉（《河北師院學報》1987年3期）、李郁〈胡適新詩的深入淺出和幽默情趣〉（《中國現代文學研究叢刊》1984年4期）、潘頌德

〈重評胡適對新詩運動的功過〉（《徽州師專學報》1989年1期）、宋劍華〈論胡適新詩的藝術追求〉（《阜陽師院學報》1989年3、4期）、林明德〈胡適及其新詩三首〉（載《王靜芝先生七十壽慶論文集》，臺北，文史哲出版社，民75年6月）、宋劍華〈胡適的新詩創作〉（《安徽教育學院學報》1989年3期）、高逾〈胡適《談新詩》論析—新詩的自然音律是什麼？〉（《福建論壇》1989年4期）、大塚繁樹〈胡適の詞論に於ける問題點〉（《愛媛大學紀要（人文科學）》2卷2號，1955年12月）及〈胡適いた所の詞の音起源論〉（《中國語學》53號，1956年8月）、黃公渚〈批判胡適詞選中的錯誤觀點〉（《文史哲》1955年11期）、胡頌平〈胡適談東坡詞和《金瓶梅詞話》〉（《書林》1988年6期）、鍾來因〈評胡適的杜甫研究〉（《杜甫研究集刊》1988年4期）、盧文輝〈《史記·屈原列傳》豈容否定—駁胡適的〝五大可疑〞論〉（《四川師院學報》1984年3期）、趙潤海〈胡適與《老子》的時代問題〉（收入《胡適與現代中國文化轉型》，香港，中文大學出版社，1994）、潘桂明〈評胡適的禪宗史研究〉（《安徽大學學報》1988年1期）、任繼愈〈論胡適在禪宗史研究中的謬誤〉（《歷史研究》1955年5期）、半癡〈評胡適遺著禪宗史的一個新看法〉（《學粹》12卷1期，民58年12月）、樓宇烈〈胡適的禪宗史研究評議〉（《北京大學學報》1987年3期）、江燦騰〈胡適的早期禪宗史研究與忽滑谷快天〉（《世界宗教史研究》1995年1期）、顧偉康〈評胡適的禪史研究—1969年爭論《壇經》的回顧與思考〉（《中國文化》1992年春季號）、譚宇權〈評胡適壇經考證〉（《中國文化月刊》185期，民84年3月）、柳田聖山〈胡適博士と中國初期禪宗史の研究〉（《問題と研究》4卷5

號，1975年2月）、八木信佳〈胡適の禪宗史研究〉（《禪文化研究
紀要》第6號，1974年5月）、山口樂〈胡適の中國禪宗史研究に就
いて〉（《順正短期大學研究紀要》第3號，1974年3月）、芝峰〈胡適
的禪學〉（《海潮音》16卷2期，民24年2月）、辛重光〈禪·胡適·
鈴木大拙〉（《中國哲學史研究》1988年4期）、劉正〈胡適易學研
究述評〉（《徽州社會科學》1987年1期）、李先焜〈試評胡適對中
國古代邏輯的研究〉（《湖北大學學報》1987年6期）、林正三〈胡
適與基督教（1910-1917）〉（《德明學報》10期，民84年2月）、季維
龍〈胡適與地方志〉（《安徽史志通訊》1984年3期）及〈胡適的目
錄學理論與實踐〉（《圖書館工作》1982年2期）、徐瑞潔〈胡適與
索引學〉（《徐州師院學報》1995年4期）、季維龍〈胡適的目錄學
理論與實踐〉（《圖書館工作》1982年2期）、季維龍、宋路霞〈胡
適與中國近代目錄學〉（收入《現代學術史上的胡適》，北京，三聯
書店，1993）、呂凝〈胡適與中國宗教史研究〉（《社會科學參考》
19期，1989）、季維龍〈胡適與圖書館〉（《華東師大學報》1993年5
期）及〈胡適與辭書〉（《辭書研究》1982年2期）、蔚家麟〈胡適
與民間文學〉（《新疆大學學報》1980年1期）、殷海光〈胡適與國
運〉（《自由中國》20卷9期，民48年5月）、周谷〈胡適原為諍臣諍
友〉（《傳記文學》46卷1期，民74年1月）、章清〈重建〝範式〞：
胡適與現代中國學術的轉型〉（《復旦學報》1993年1期）、孫晨
〈重評胡適的形式革命〉（《江海學刊》1989年5期）、錢耕森〈略
評胡適論徽商〉（《安徽文學》1989年3期）、余雙好〈胡適與學生
運動〉（《中國青運》1990年4期）、萬麗鵑〈胡適與國民政府時期
的學生運動〉（《國文天地》6卷7期，民79年12月）、呂實強〈胡適

對學生運動的態度〉（收入周策縱等《胡適與近代中國》，臺北，時報文化出版公司，民80）、宋惠昌〈論胡適政治哲學的歷史價值〉（《學術月刊》1996年2期）、胡曉〈胡適政治評價之我見〉（《徽州社會科學》1988年2期）、宋惠昌〈論胡適政治哲學的歷史價值〉（《學術月刊》1996年2期）、王世杰〈胡適與政治〉（《中國一周》620期，民51）及〈胡適之先生的政治人格與政治見解〉（收入《王世杰先生論著選集》，臺北，武漢大學旅臺校友會，民69）、謝慶奎〈反共必然走上反動和賣國的道路─評胡適的政治生涯〉（載《北京大學紀念中國共產黨成立六十周年論文集》，北京，1981）、陳儀深〈知識份子與政治的兩難─以胡適為例的研究〉（《政治學報》13期，臺北，中國政治學會，民74年12月）、陳平原〈在學術與政治之間─論胡適的學術取向〉（載《學人》第1輯，江蘇文藝出版社，1991年11月）、陶希聖〈關於敦請胡先生出任行政院長及其它〉（《傳記文學》28卷5期，民65年5月）、劉心皇〈胡適「不競選總統」〉（《中外雜誌》14卷3期，民62年8月）、余世南〈略論胡適的兩重性〉（《合肥工大學報（文科版）》1987年2期）、吳定宇〈論胡適何時投向敵對營壘〉（《貴州大學學報》1986年2期）、梁從誡〈胡適不是研究歷史、而是歪曲和捏造歷史─在批判胡適歷史觀點討論會上的發言〉（《歷史研究》1995年3期）、陳子弘〈胡思杜批判胡適感言〉（《民主評論》2卷7期，民39年10月）、張沛〈學者─政治陰謀家：胡適在思想上和政治上的反動本質〉（《新華月報》64期，1955年2月）、黎澍〈胡適派所謂民主政治的實質〉（同上，66期，1955年4月）、王洪鈞〈胡適先生與民主的修養〉（《文星》11卷5期，民52）、周質平〈胡適對民主的闡釋〉（收入氏著《胡適叢論》，臺北，三民書局，民81）、王洪鈞〈胡適先生與民主的修養〉（《文星》11卷5期，民52年3月）、林載爵〈胡適論自由〉（收入《胡適與近代中國》，臺北，時報文化出版公司，民80）、張晉藩〈批判胡適關於憲法問題的胡說〉（《政法研究》1995年4期）、侯外廬〈揭露美帝國主義奴才胡適的面貌〉（《新建設》1955年2期）、張恒〈揭露並批判標榜〝反理學〞的歷史淵源和本質〉（《哲學研究》1956年2期）、張世英〈〝科學〞與〝玄學〞論戰中胡適派所謂〝科學〞的反科學性〉（同上，1956年1期）、胡曉〈胡適與科玄論戰〉（《安徽大學學報》1993年4期）、吳大猷〈胡適之先生和中國科學的發展〉（《新時代》2卷3期，民51年3月）、張敬原〈胡適之先生的人口論〉（《新時代》2卷10期，民51年6月）、陳清〈論胡適的哲學〉（《中國文化研究》1993年秋之卷）、馮友蘭〈哲學史與政治—論胡適哲學史工作和他底政治路線底聯繫〉（《新華月報》68期，1955年6月）、侯外廬〈從對待哲學遺產的觀點方法和立場批判胡適怎樣塗抹和誣衊中國哲學史〉（《哲學研究》1955年2期）、周一〈西洋「漢學」與胡適〉（《歷史研究》1955年1期）、宋劍華〈胡適與〝易卜生主義〞〉（《徐州師院學報》1996年1期）、吳二持〈五四時期胡適的易卜生主義〉（《汕頭大學學報》1996年3期）、夏照濱〈批判胡適的〝易卜生主義〞〉（《新建設》1956年6期）、戴鎦齡〈批判胡適的〝易卜生主義〞的錯誤觀點和方法〉（《中山大學學報》1956年4期）、朱文華〈簡論胡適與易卜生主義〉（《社會科學（上海）》1985年10期）、范文瑚〈《玩偶之家》在中國—兼評胡適的《易卜生主義》〉（《四川師院學報》1980年1期）、胡德才〈現代中西戲劇關係的第一塊里程碑—胡適的《終身大事》和易卜生的《玩偶之家》〉（《中國文化研究》1996年秋之卷）、王同全〈《玩偶之家》和《終身大事》的結局比較〉（《安徽戲劇》1987年4期）、朱文華〈評胡適的《終身大事》〉（《安徽師大學報》1983年1期）、胡義法〈評胡適譯易卜生〉（《徽州師專學報》1989年3、4期）、宋劍華〈論胡適對中國話劇運動的貢獻〉（《中國現代文學研究叢刊》1989年3期）、木島廉之〈胡適と文藝思潮〉（《中國文藝座談會ノート》10號，1957年6月）、陳玉森〈批判胡適的〝戴東原哲學〞〉（《中山大學學報》1956年1期）、夏康農〈清理胡適之的脈絡〉（《文萃叢刊》2卷17期，民36年1月）、吳相湘〈在「以黨治國」口號下爭取言論自由—「胡適與中國國民黨」之二〉（《傳記文學》52卷6期，民77年6月）、楊天石〈胡適與國民黨的一段糾紛〉（《中國文化》第4期，1991年春季號）、蔣永敬〈胡適與國民黨〉（收於《胡適與近代中國》，臺北，時報文化公司，民80）、沈衛威〈中國式的〝費邊社〞議政—胡適與〝平社〞的一段史實〉（《史學月刊》1996年2期）、關國煊〈胡適與中國民權保障同盟〉（《傳記文學》52卷6期，民77年6月）、杜蒸民〈胡適與古史辨派〉（《安徽史學》1989年1期）、羅青〈各取所需論影響—胡適與意象派〉（《中外文學》8卷7期，民68）、陳平原〈在專家與通人之間—論胡適的學術取向〉（《中國文化》第5期，1991年秋季號）、毛子水〈適之先生對學術界的影響〉（《傳記文學》28卷5期，民65年5月）、唐德剛〈胡適的大方向和小框框—為紀念胡適之先生百齡足歲冥誕而作〉（《傳記文學》59卷6期，民80年12月）及〈胡適時代·捲土重來〉（同上，50卷3期，民76年3月）、周策縱〈胡適風格—特論態度與方法〉（同上）、山口樂〈胡適の「一以貫之」の道〉（《順正短期大學研究紀要》第2號，1972年10月）、劉筱紅〈論胡適的再造文明〉（《華中師大學報》1994年4期）、伊地智善繼〈偶像破壞と偶像再興—胡適について〉（《支那及支那語》4卷2號，1942）、朱鋒〈臺南與胡適〉（《臺南文化》2卷4期，民42年1月）、衡五〈〝維桑與梓，必恭敬之〞胡適之先生臺南訪舊追記〉（同上）、羅敦偉〈胡適之先生在臺灣〉（《暢流》6卷9期，民41）、中村忠行〈胡適先生と臺灣〉（《華僑文化》22號，1950年5月）、萬雋〈胡適去臺灣後的幾個側影〉（《共鳴》1987年1期）、谷華〈胡適弔唐景崧〉（《出版史料》13、14輯，1988年9月）、張忠棟〈為自由中國爭言論自由的胡適〉（《中國論壇》23卷1期，民75年10月）、鍾生〈胡適與廣西〉（《廣西文獻》65期，民83年7月）、周質平〈胡適筆下的日本〉（收入氏著《胡適叢論》，臺北，三民書局，民81）及〈海峽兩岸都避談的胡適言論〉（收入周陽山主編《從五四到新五四》，臺北，時報文化出版公司，民78）、竹內好〈胡適とデユーイ〉（載《デユーイ研究》，東京，春秋社）、劉君燦〈科學、中國、胡適〉（《國文天地》6卷7期，民79年12月）、張忠平〈胡適與雷震案〉（《安徽教育學院學報》1996年1期）、駱志伊〈胡適先生軼事—紀念適之先生逝世二十五週年〉（《書和人》561期，民76）及〈胡適先生的最後聲光〉（同上，603期，民77年9月）、楊樹人〈回憶一顆大星隕落—記胡適之先生最後的三年〉（《文星》13卷4期，民53）、陳爾靖〈胡適逝世目擊記〉（《中外雜誌》26卷2期，民68年8月）、宋劍華〈胡適之死〉（《黃山》1987年春季號）、石原皋、沈寂〈胡適之死及胡適的態度〉（《安徽師大學報》1987年4期）、戈人〈胡適與胡適之後〉（《文藝理論與批評》1990年3期）、胡升康〈胡適與江冬秀〉（《歷史大觀園》1987年1期）、沈衞威〈胡適小兒子思杜之死〉（《傳記文學》58卷2期，民80年2月）。陶英惠〈胡適與蔡元培一件共同經歷真相的探討〉（《郭廷以先生九秩誕辰紀念論文集》上冊，臺北，中央研究院近代史研究所，民84年2月）、趙家銘〈蔡元培與胡適〉（《傳記文學》12卷1期，民57年1月）、楊亮功〈三個卯字號人物（蔡子民、于右任、胡適之）〉（同上，6卷3期，民54年3月）、耿雲志〈蔡元培與胡適〉（收入李又寧主編《胡適與他的朋友》，紐約，天外出版社，1991）、章開沅〈胡適與張謇父子〉（同上）、李侃〈胡適與張元濟〉（同上）、張子文〈張元濟和胡適一對《中華民族的人格》之討論及其他〉（同上）、宋曼英〈新舊交替時期兩位文人的探討一張元濟、胡適來往書信札談起〉（《出版史料》1988年2期）、柳和城〈兩代學人一對摯友一張元濟與胡適的交往〉（《安徽師大學報》1989年1期）、Edmund S. K. Fung（馮兆基），“Luo Longji, Hu Shi and the Human Rights Issue in China （1929-1931）”（《郭廷以先生九秩誕辰紀念論文集》下冊，臺北，民84年2月）、康保延〈梁啓超與胡適〉（《中外雜誌》42卷1期，民76年7月）、張朋園〈胡適與梁啓超一兩代知識分子的親和與排拒〉（《中央研究院近代史研究所集刊》15期下冊，民75年12月）及〈梁啓超與胡適〉（《傳記文學》53卷4、5期，民77年10、11月）、Chang Peng-Yuan（張朋園），“Hu Shih and Liang Chi-Ch'ao: Affinity and Tension Between Intellectuals of Two Generations.”（Chinese Studies in History, Summer 1993）、趙家銘〈章太炎與胡適之的一些是與非〉（同上，11卷4期，民56年10

月）、杜蒸民〈近代學術史上的胡適與章太炎〉（《安徽史學》1991年2期）、耿雲志〈胡適與陳獨秀〉（同上，1985年2期）、李霜青〈胡適和陳獨秀－五四與新文化運動之二〉（《中外雜誌》20卷1期，民65年7月）、歐陽哲生〈胡適與陳獨秀思想之比較研究〉（《中國文化研究》1995年4期及1996年1期）、横山宏章〈その後の胡適と陳獨秀－〝打倒孔家店〟のゆくえ〉（載《近代をんはどラ考えてきたか》，1996年1月）、一丁〈胡適與陳獨秀〉（《申報月刊》68期，1985）、李澤厚〈胡適、陳獨秀、魯迅－五四回想之三〉（《福建論壇》1987年2期）、丁亞平〈歷史理性的個性演示（上）：魯迅、陳獨秀、胡適的文化心態比較〉（《魯迅研究》1990年12期）、馬勇〈試論陳胡梁思想分歧的文化底蘊〉（收入《現代學術史上的胡適》，北京，三聯書店，1993）、王錦泉〈無須提前〝搞臭〟－李大釗、魯迅和胡適之間的關係札記〉（《中國現代文學研究叢刊》1980年3期）、黃艾仁〈胡適與李大釗〉（《中外雜誌》50卷3、4期，民80年9、10月）、龔書鐸、黃興濤〈胡適與李大釗關係論〉（《史學月刊》1996年1期）、周質平〈胡適與魯迅的交誼〉（《明報》223期，1984）及〈胡適與魯迅〉（收入氏著《胡適叢論》，臺北，三民書局，民81）、黃艾仁〈魯迅與胡適〉（《社聯通訊（上海）》增刊1988年5期）、吳定宇〈論魯迅與胡適〉（《中山大學學報》1981年3期）及〈淺談魯迅和胡適的關係－《論魯迅與同時代人》一節〉（《中山大學研究生學刊》1983年1期）、陳漱渝〈同途殊歸兩巨人：魯迅與胡適〉（《河北學刊》1991年2期）及〈魯迅與胡適：從同一戰陣到不同營壘〉（收入《現代學術史上的胡適》，北京，三聯書店，1993）、亦堅〈從魯迅為胡適刪詩說起〉（《上海師

大學報》1979年2期）、黃艾仁〈論魯迅與胡適的歷史聯繫〉（《魯
迅研究》1983年2期）、余越〈胡適與《魯迅全集》的出版〉（《新
文學史料》1991年4期）、任訪秋〈魯迅與胡適〉（《社會科學輯刊》
1983年3期）、王景山〈魯迅先生筆下的胡適〉（《文藝學習》1955
年2期）、姚虹〈魯迅和瞿秋白筆下的胡適〉（《文藝報》1955年2
期）、森都有人〈魯迅と胡適〉（《中國研究》第3號，1956年11
月）、史若平〈魯迅與胡適〉（《齊魯學刊》1981年5期）、易竹賢
〈評五四時期的魯迅與胡適〉（《魯迅研究》1981年3期）、郝勝道
〈從魯迅對待胡適的態度想到的〉（《奔流》1980年4期）、王雲光
等〈魯迅與胡適〉（《南京師院學報》1985年1期）、沈衛威〈魯迅
與胡適—婚戀與情結：五四一代知識分子婚姻的不幸〉（《湖州
師院學報》1989年3期）、沈衛威〈〝兒子與情人〞—魯迅、胡適、
茅盾婚戀心態與情結闡釋〉（《心理學探新》1989年4期）、馬馳原
〈掌故奇談㈣：胡適·梁實秋·魯迅〉（《中外雜誌》57卷6期，民
84年6月）、周質平〈胡適與馮友蘭〉（《漢學研究》9卷2期，民80年
12月）及〈胡適與梁漱溟〉（同上，12卷1期，民83年6月）、林毓生
〈胡適與梁漱溟關於〔東西文化及其哲學〕的論辯及其歷史涵
義〉（收入氏著《政治秩序與多元社會》，臺北，聯經出版公司，民
78）、陳漱渝〈胡適與周作人〉（《歷史月刊》35-37期，民79年12
月，80年1、2月）、張曉唯〈胡適與周作人〉（《傳記文學》69卷6
期，民85年12月）、陳漱渝〈兩峰並峙，雙水分流—胡適與周作
人〉（收入李又寧主編《胡適與他的朋友》第2集，紐約，天外出版社，
1991）、白堅離〈周作人胡適之合論〉（《野草文叢》第9期，民
37）、房鑫亮〈論王國維與胡適的學誼〉（《華東師大學報》1996年

4期）、周明之〈胡適與王國維的學術思想交誼〉（收入李又寧主編《胡適與他的朋友》第2集，紐約，天外出版社，1991）、黃艾仁〈胡適與林語堂〉（同上）、何聯奎〈追思胡適、林語堂兩博士〉（《傳記文學》28卷6期，民65年6月）、吳相湘〈國父、胡適、陸仲安〉（氏著《民國人和事》，臺北，三民書局，民60）、白吉庵〈論章士釗與胡適〉（《社會科學戰線》1996年6期）、梁敬錞〈胡適之與章行嚴〉（《傳記文學》15卷6期，民58年）、耿雲志〈胡適與梅光迪關於文學革命的早期爭論〉（《新文學史料》1991年4期）、〈胡適與梅光迪：關於文學革命的早期爭論〉（《新文學史料》1991年4期）及〈胡適與梅光迪—從他們的爭論看文學革命的時代意義〉（載《中華文化的過去、現在和未來—中華書局八十週年紀念論文集》，臺北，臺灣、中華書局，民81）；〈胡適錢玄同等論學書札十一通〉（《中國哲學》第1輯，北京，三聯書店，1979）、周質平〈新文化運動健將錢玄同與胡適〉（《明報》23卷6期，1988年6月）、楊天石〈胡適與錢玄同〉（收入李又寧主編《胡適與他的朋友》第1集，紐約，天外出版社，1990）、方仁念〈胡適與徐志摩〉（同上）、樊洪業〈任鴻雋胡適過從錄〉（同上）、易竹賢〈始終不渝的友情—陳衡哲與胡適之〉（同上）、劉咏嫻〈胡適與陳衡哲〉（《中外雜誌》6卷1期，民58年7月）、郭學虞〈胡適與陳衡哲的一段往事〉（《傳記文學》10卷5期，民56年5月）、張忠棟〈胡適與丁文江：兩個現代中國知識分子的友誼、科學主張和政治見解〉（《中國論壇》25卷6期，民76）、朱文伯〈胡適與丁文江〉（《民主潮》12卷11、12期，民51）、吳社志〈陶行知與胡適〉（《歙縣文藝》1990年2期）、劉心林〈陶行知與胡適〉（《教學研究》1988年7期）、張報

〈陶行知與胡適〉（《新文學史料》1985年1期）、許夙才〈郁達夫與胡適〉（《安徽師大學報》1986年4期）、黃艾仁〈沈從文與胡適〉（《江蘇教育學院學報》1989年3期）、黃艾仁〈胡適評說林琴南〉（《博覽群書》1989年1期）、李光謨〈胡適與李濟〉（收入李又寧主編《胡適與他的朋友》第2集，紐約，天外出版社，1991）、張忠棟〈胡適與殷海光反共初期的異同〉（同上）、陳美美〈胡適、朱家驊、尹仲容三先生傳〉（《臺灣文獻》38卷3期，民76）、雷頤〈殊途同歸：胡適與張君勱的歷史命運〉（《近代史研究》1994年3期）、南劍〈孫中山與胡適〉（《中華英烈》1989年2期）、吳相湘〈中山先生敬重胡適教授—「胡適與中國國民黨」之一〉（《傳記文學》52卷5期，民77年5月）、秦宗林〈孫中山看到胡適批評之後〉（《志苑》1989年2期）、陳儀深〈胡適與蔣介石〉（收入周策縱等著《胡適與近代中國》，臺北，時報文化公司，民80）、沈衛威〈胡適與蔣介石三任總統〉（《河南大學學報》1995年5期）、石學勝（劉紹唐之筆名）〈胡適與蔣介石—從最近出版的胡適日記手稿看胡蔣關係〉（《傳記文學》57卷6期，民79年12月）、周質平〈胡適與趙元任〉（收入李又寧主編《胡適與他的朋友》第1集，紐約，天外出版社，1990）、李壬癸〈趙元任、胡適、劉半農〉（《書和人》438期，民71年4月）、楊聯陞輯〈有趣味的名人書信—胡適、楊聯陞、趙元任討論「某也」問題〉（《中外雜誌》49卷5期，民80年5月）、姚鶴年〈名人書信的詮釋：胡適、楊聯陞、趙元任—也談「某也」問題〉（同上，51卷2期，民81年2月）、沈謙芳〈胡適與鄒韜奮〉（《西北民族學院學報》1995年3期）、黃艾仁〈胡適與宋子文〉（《安徽史學》1990年2期）、蔣星煜〈胡適與傅斯年〉（《山西師大學報》1993年1期）、毛子水〈蔡元培—胡適—傅斯年〉（載氏著《師友記》，臺北，傳記文學出版社，民56）、王汎森〈傅斯年對胡適文史觀點的影響〉（《漢學研究》14卷1期，民85年6月）、朱宗震〈胡適欠傅斯年的人情債〉（《歷史月刊》35期，民79年12月）、江心力〈傅斯年與胡適比較研究〉（《學術論叢》1992年5期）、季維龍〈胡適與徐新六〉（《徽州社會科學》1993年2、3期）、韋祖松〈胡適對青年毛澤東的影響〉（同上，1993年1期）、汪澍白〈胡適對青年毛澤東的影響〉（《毛澤東思想論壇》1993年2期）、徐京、施昌旺〈毛澤東與胡適交往關係述略〉（《安徽大學學報》1994年1期）、黃艾仁〈毛澤東與胡適〉（《安徽師大學報》1986年4期）、郁之〈毛與胡適：大書小識之二十四〉（《讀書》1995年9期）、陳鐵健〈胡適與瞿秋白〉（《新文學史料》1991年4期）、張志春、張曉明〈試論新詩拓荒時期的胡適與郭沫若〉（《渭南師專學報》1991年1-2期）、杜蒸民〈郭沫若對胡適學術批評小議〉（《北京農工大學學報》1988年社會版增刊）、劉再復〈我國新詩草創時期的文學精神—談胡適與郭沫若〉（《百科知識》1988年11期）、樓藍民〈胡適論沈尹默的詩〉（《社會科學》1983年7期）、嚴中〈胡適之與周汝昌〉（《文教資料》1989年4期）、楊天石〈跋胡適陳寅恪墨迹〉（《中國文化》第4期，1991年春季號）、汪榮祖〈胡適與陳寅恪〉（收入李又寧主編《胡適與他的朋友》第1集，紐約，1990）、何建明〈陳寅恪的〝晚清情結〞與他同胡適的關係〉（《歷史研究》1996年6期）、柳曾符〈柳詒徵與胡適〉（《中外雜誌》52卷2期，民81年8月）、王晴佳〈胡適與何炳松比較研究〉（《史學理論研究》1996年2期）、冉雲華〈胡適與印度友人師覺月〉（《中華佛學學報》第6期，民82年7月）、楊宇清〈胡適與楊杏佛〉（《江西社會科學》1992年5期）、沈寂〈胡適與汪孟鄒〉（載李又寧主編《胡適與他的朋友》第1集，紐約，天外出版社，1990）、黃艾仁〈胡適與王雲五〉（同上）、顏非〈胡適與他的總角之交胡蕙人〉（同上）、谷葦〈劉海粟與胡適〉（《隨筆》1980年2期）、鄭仁佳〈胡適與饒毓泰：兼記胡適第二、三、四代學生中的物理學家〉（《傳記文學》51卷6期，民76年12月）、楊君實〈胡適與鈴木大拙〉（《幼獅》34卷1期，民60）、邢光祖〈鈴木大拙與胡適之〉（同上）、季維龍〈胡適與顧頡剛的師生關係和學術情誼〉（《徽州社會科學》1990年1、2期）、黃艾仁〈顧頡剛與胡適〉（《藝譚》1984年3期）、潘光哲〈胡適與吳晗〉（《歷史月刊》92期，民84年9月）、蘇雙碧〈從吳晗致胡適的一封信談起〉（《文獻》1981年10期）、湯晏〈從胡適與吳晗來往函件中看他們的師生關係〉（《傳記文學》37卷2期，民69年8月）、黃艾仁〈胡適與冰心〉（同上，66卷6期，民84年6月）、〈茅盾與胡適〉（《徽州師專學報》1988年3、4期）及〈吳健雄與胡適〉（《博覽群書》1988年3期）、黃艾仁〈胡適與齊白石〉（《民國春秋》1989年2期）及〈胡適為齊白石編年譜〉（同上，1990年6期）、程光裕〈學海風雲錄—張其昀·胡適·歷史學會〉（《中外雜誌》58卷1期，民84年7月）、庶謙〈孫行者和胡適〉（《讀書生活》3卷4期，民24）、朱開來〈胡適與吳敬梓〉（《中外雜誌》53卷2期，民82年2月）、東方望〈孔子與胡適〉（《文星》10卷1期，民51）、沈衛威〈胡適與末代皇帝〉（《風流一代》1989年2期）、劉太希〈莊士敦、溥儀與胡適〉（《中外雜誌》46卷3期，民78年9月）、李濤瑋〈胡適會見溥儀的真象〉（同上，24卷6期，民67

年12月）、白鍾琇〈為胡適會見溥儀說幾句話〉（同上，25卷3期，民68年3月）、陳綺君〈曹伯言和胡適研究〉（《徽州師專學報》1991年2期）、周質平〈吹不散的心頭人影─記胡適與曹珮聲的一段戀情〉（收入氏著《胡適叢論》，臺北，三民書局，民81）、白吉庵〈胡適與曹珮聲〉（《人物》1993年1期）及〈胡適和表妹的苦戀〉（《中外雜誌》54卷3期，民82年9月）、林毓生〈對於胡適、毛子水、與殷海光論「容忍與自由」的省察─兼論思想史中「理念型的分析」〉（收入氏著《政治秩序與多元社會》，臺北，聯經出版公司，民78）、張忠棟〈胡適與殷海光反共初期的異同〉（韋政通等著《自由民主的思想與文化（紀念殷海光逝世20周年學術研討會論文集）》，臺北，自立晚報社文化出版部，民79年4月）、許育哲〈胡適與徐子明〉（《中外雜誌》49卷2期，民80年2月）、張審根〈羅爾綱與胡適〉（《學海》1995年1期）、潘光哲〈胡適與羅爾綱〉（《臺大文史哲學報》42期，民84年6月）。此外逯耀東〈胡適逛公園〉（收入氏著《且做神州袖手人》，臺北，允晨文化實業公司，民78）、〈郭沫若吻了胡適之後〉（同上）、〈清算胡適的「幽靈」〉（同上）及〈胡適溯江河而行〉（同上；原載《歷史月刊》第4期，民77年5月），這四篇文章以散文方式為之，可讀性高，又不失其學術性。

5.梅光迪

　　有侯健〈梅光迪與儒家思想〉（《中國現代史專題研究報告》第7輯，民66）、宋晞〈梅光迪〉（載中華學術院編《中國文化綜合研究─近六十年來中國學人研究中國文化之貢獻》，民60）及〈梅光迪〉

（《中華民國名人傳》第2冊，臺北，近代中國出版社，民75）、周邦道
〈梅光迪・段錫朋・熊育錫－當代教育先進傳之四〉（《中外雜
誌》19卷6期，民65年6月）、林麗月〈梅光迪與新文化運動〉（載汪
榮祖編《五四研究論文集》，臺北，聯經出版公司，民68）、茅家琦
〈梅光迪與《學衡》雜志〉（《民國檔案》1989年1期）、耿雲志
〈胡適與梅光迪關於文學革命的早期爭論〉（《新文學史料》1991
年4期）、賀昌群〈哭梅迪生先生〉（《國文月刊》49期，民35年11
月）。

6.吳虞

有趙清、鄭城編《吳虞集》（成都，四川人民出版社，1985）、
中國革命博物館整理、榮孟源審校《吳虞日記》（2冊，同上，
1984）、唐振常《章太炎吳虞論集》（同上，1981）及〈吳虞研
究〉（《歷史學》1979年4期）、趙清、鄭城〈論吳虞〉（《社會科學
研究》1979年2期）、羅孟禎〈〝五四〞前夕吳虞對孔學的批判〉
（《四川師院學報》1979年2期）及〈五四時期的吳虞〉（收於《紀念
五四運動六十周年學術討論會論文選》，第2冊，北京，1980）、李焯然
〈五四時期的批孔先鋒－吳虞〉（《五四運動六十周年紀念論文
集》，香港大學中文學會，1979）、王文發〈吳虞〉（收入《中華民國
名人傳》第4冊，臺北，近代中國出版社，民75）、齋藤秋男〈吳虞〉
（載《世界歷史事典》第3卷，東京，平凡社，1956）、李景華等〈隻
手打孔家店的戰士－吳虞〉（《北京師院學報》1979年2期）、周昌
龍〈吳虞與中國近代的反儒學運動〉（載《近代中國歷史人物論文
集》，臺北，中央研究院近代史研究所，民82）、賴成蔭《吳虞反孔

思想研究》(香港大學碩士論文，1977)、伊云〈吳虞〝反孔非儒〞思想新論〉(《湘潭大學學報》1993年1期)、鍾海漠〈吳虞反儒思想分析〉(《暨南學報》1987年4期)、鄧星盈〈吳虞對儒家的批判〉(《四川大學學報》1994年4期)、華友根〈吳虞論儒家與中國舊律〉(《上海社會科學院學術季刊》1996年2期)、小野和子〈吳虞與刑法典論爭〉(《中國文化》11號，1993年春季號)、唐永進〈吳虞的進取與失落〉(《文史雜志》1995年4期)、丁楨彥〈略論吳虞反對封建孔學的批判〉(《華東師大學報》1980年5期)、賈順先〈論吳虞〝反孔〞的是非〉(《社會科學研究》1986年2期)、伍加倫〈五四吳虞文化觀的反思〉(《四川大學學報》1990年2期)、劉暢〈吳虞和他的文化觀〉(《文史雜志》1990年3期)、鄧星盈〈吳虞論管仲和韓非〉(《四川師大學報》1995年3期)、趙清等〈關於吳虞的幾個問題〉(《四川大學學報叢刊》第5輯，1980年5月)、唐永進〈吳虞的生活時代及學術思潮〉(《西南民族學院學報》1995年2期)、沈慶林〈吳虞和成都《星期日》周刊〉(《黨史研究資料》1988年5期)、倉田貞美〈吳虞の詩について〉(《香川中國學會報》第2號，1957年10月)、楊榮國〈吳虞的思想〉(《讀書與出版》第8期，民35)、唐振常〈吳虞與青木正兒〉(《中華文史論叢》1981年3期)、區佩卿《吳虞研究》(香港大學碩士論文)。

7.羅家倫

有中華民國史料研究中心編印《羅志希先生傳記暨著述資料》(臺北，民65)、陳春生〈新文化的旗手：羅家倫傳〉(臺北，近代中國出版社，民74)、劉維開編著《羅家倫先生年譜》(臺

北，國民黨黨史會，民85）、近代中國出版社〈羅家倫先生影集〉
（《近代中國》116期，民85年12月）、羅久芳〈羅家倫與北大—先父
羅家倫先生百年冥壽紀念〉（《傳記文學》69卷6期，民85年12月）、
金紹先〈羅家倫的毀譽〉（《中外雜誌》54卷1期，民82年7月）、汪
清澄〈真讀書人羅家倫〉（同上，52卷1期，民81年7月）、王成聖
〈經典人物羅家倫〉（同上，60卷6期，民85年12月）、蔣永敬〈羅
家倫先生的生平及其對中國近代史研究的貢獻〉（《中央研究院近
代史研究所集刊》第4期下冊，民63年12月）、蘇雲峰〈羅家倫與清華
大學〉（同上，16期，民76年6月）、許惠美《羅家倫的大學教育主
張及其貢獻》（政治大學教育研究所碩士論文，民69年6月）、甘承
媛、張鴻聲〈“五四”時期的羅家倫〉（《史學月刊》1987年4
期）、習五一〈羅家倫與五四運動〉（載《五四運動與中國文化建
設—五四運動七十周年學術討論會論文選》下冊，北京，1989）、何善川
〈羅家倫與國立中央大學〉（《民國春秋》1993年3期）及〈五四運
動健將：羅家倫與中大〉（《中外雜誌》54卷4期，民82年10月）、易
勁秋〈羅家倫與中大〉（同上，53卷6期，民82年6月）、裘實〈羅
家倫在中大〉（同上，49卷5期，民80年5月）、龔治黃〈長相憶：
我所知道的中大三校長—羅家倫·顧孟餘和蔣中正〉（《中外雜
誌》59卷6期，民85年6月）、李雲漢〈羅志希先生的大學時代〉
（載《羅志希先生傳記暨著述資料》，臺北，民65；亦收於李雲漢《中國
現代史論和史料》下冊，臺北，臺灣商務印書館，民68）、〈羅志希先
生的新史學觀—紀念志希先生百年誕辰〉（《近代中國》116期，民
85年12月）及〈羅志希先生與新潮雜誌〉（《傳記文學》30卷1期，民
66年1月）、陳紀瀅〈羅家倫先生與中華民國筆會〉（同上，16卷2

期，民59年2月）、蔣君章〈悼念羅志希先生〉（同上）、凌鴻勛
〈悼念羅志希先生－並記西北同行一段回憶〉（《傳記文學》16卷
4期，民59年4月）及〈生平益友之一－羅志希先生〉（同上，30卷1
期，民66年1月）、陶希聖〈我所知道志希先生的幾件事〉（同
上）、馬星野〈我所認識的羅志希先生〉（《傳記文學》30卷1期，
民66年1月）、方東美〈「但有凋謝無死亡」的羅志希先生〉（同
上）、王世杰〈我對羅先生三點特別的感想〉（同上）、黃季陸
〈勇於公義怯於私鬥的羅志希先生〉（《傳記文學》30卷1期，民66
年1月）、吳俊才〈羅志希先生在駐印大使任內的貢獻與影響〉
（同上）、毛子水〈博通中西廣羅人才的大學校長〉（同上）、羅
久芳〈追念我的父親〉（同上）、黃明山〈憶說羅家倫〉（《中外
雜誌》37卷5期，民71年5月）、王成聖〈記羅家倫先生〉（同上，7卷
2期，民59年2月）、田蘊蘭〈憶羅志希校長〉（同上）、盧月化
〈悼羅家倫校長〉（《中外雜誌》7卷6期，民59年6月）、薛人仰
〈吾愛吾師羅家倫先生〉（同上，7卷4期，民59年4月）、戴運軌
〈懷念羅家倫先生〉（同上，7卷5期，民59年5月）、王藹雲〈追隨
志公四十年〉（《傳記文學》30卷1期，民66年1月）、凌鴻勛〈隨羅
志希先生西北考察之行〉（同上）、陳紀瀅〈關於中國筆會與
「新人生觀」〉（同上）、王聿均〈羅家倫對史學與文學的貢
獻〉（《中外雜誌》40卷1、2期，民75年7、8月）、柳和城〈張元濟
與羅家倫〉（同上，56卷5期，民83年11月）。

8.傅斯年

有《傅斯年全集》（7冊，臺北，聯經出版公司，民69）、《傅

斯年選集》(10冊，臺北，文星出版社，民56)、岳玉璽等編《傅斯年選集》(天津，天津人民出版社，1996)、臺灣大學輯《傅斯年校長最後論著》(臺北，臺灣大學印行，民39)；《傅斯年選集·教育》(臺北，傳記文學出版社，民60)、傅樂成編《傅孟真先生年譜》(臺北，文星書店，民53；臺北，傳記文學出版社，民58)、〈傅斯年〉(載《中國文化綜合研究—近六十年來中國學人研究中國文化之貢獻》，臺北，民60)、〈傅孟真先生的先世（附傅斯年先生小傳）〉(《傳記文學》28卷1期，民65年1月)、〈傅孟真先生與五四運動〉(載汪榮祖編《五四研究論文集》，臺北，聯經出版公司，民68)及〈傅孟真先生的民族思想〉(《傳記文學》2卷5、6期，民52年5、6月)、徐剛《傅斯年的教育思想及其教育學術事業》(政治大學教育研究所碩士論文，民70年1月)、岳玉璽、李泉、馬亮寬《傅斯年：大氣磅礴的一代才人》(天津，天津人民出版社，1994)、蔡尚志編選《長眠傅園下的巨漢》(臺北，故鄉文化出版事業經紀公司，民68)、Wang Fan-Shen（王汎森），Fu Ssu-nien:An Intellectual Biography.(Ph D. Dissertation, Princeton University, 1993)、臺灣大學紀念傅故校長籌備委員會哀輓錄編印小組編《傅故校長哀輓錄》(臺北，臺灣大學，民40)、王汎森、杜正勝《傅斯年文物資料選輯》(臺北，中央研究院歷史語言研究所，民84)、邢義田〈傅斯年、胡適與居延漢簡的運美及返臺〉(《中研院歷史語言研究所集刊》66本第3分，民84年9月)、王汎森〈史語所藏胡適與傅斯年來往函札〉(《大陸雜誌》93卷3期，民85年9月)、韓復智〈傅斯年先生年譜〉(《臺大歷史學報》20期—傅故校長孟真先生百齡紀念論文集，民85年11月)、趙天儀〈傅斯年〉(載《中國現代思想家》第8

冊，臺北，巨人出版社，民67）、王戎笙〈論傅斯年〉（《中國史研究》1994年4期）、沈非〈思想啟蒙・學術積累・社會關懷—關於傅斯年〉（《東方》1996年3期）、岳玉璽〈傅斯年生平〉（《聊城師院學報》1987年3期）、季夏〈愛國學人傅斯年〉（《大學生活》5卷13、14期，1959）；〈中國的蟋蟀傅斯年〉（《仙人掌雜誌》1卷1期，民66）、陳克誠〈傅斯年的毀譽〉（《中外雜誌》31卷5期，民71年5月）、吳相湘〈傅斯年學行並茂〉（收入氏著《民國百人傳》第1冊，臺北，傳記文學出版社，民60）、杜正勝〈從疑古到重建—傅斯年的史學革命及其與胡適顧頡剛的關係〉（《中國文化》12期，1995年秋季號）、周朝民〈傅斯年的史學評析〉（《中國文化月刊》153期，民81年7月）、張利庠〈論傅斯年的史學貢獻〉（《齊魯學刊》1993年4期）、許冠三〈傅斯年與史料學派〉（《香港中文大學中國文化研究所學報》14期，1986）、楊海平〈傅斯年與史料學派〉（《聊城師院學報》1991年4期）、孫同勛〈談傅斯年先生的史學〉（《歷史月刊》12期，民78年1月）、呂芳上〈試論傅斯年的史學〉（《中華民國史料研究中心十周年紀念論文集》，臺北，民68）、勞榦〈傅孟真先生與近二十年來中國歷史學的發展〉（《大陸雜誌》2卷1期，民40年1月）、張書學〈傅斯年在中國現代史學上的貢獻〉（《文史哲》1995年6期）、胡映芬《傅斯年與中國近代史學的發展（1900-1950）》（臺灣大學歷史研究所碩士論文，民65年6月）、文瑾〈批判傅斯年的反動的史學研究方向〉（《新建設》1958年6期）、江心力〈傅斯年〝史學只是史料學〟思想辨析〉（《史學史研究》1996年3期）、蔣大椿〈傅斯年史學即史料學析論〉（《史學理論研究》1996年4期）、周朝民〈傅斯年的〝史學便是史料學〟觀點評

析〉（《歷史教學問題》1992年2期）、胡逢祥〈胡適、傅斯年兩家
史學方法析論〉（《華東師大學報》1996年4期）、聊城師院歷史系
等編《傅斯年》（濟南，山東人民出版社，1991）、芮逸夫〈傅所長
傳略（1886-1950）〉（《中央研究院歷史語言研究所傅所長紀念特
刊》，臺北，民40年3月）、毛子水〈傅孟真先生傳略〉（《自由中
國》4卷1期，民40）、那廉君〈故校長傅斯年先生遺容及事略〉
（《社會科學論叢》第2期，民40年1月）、莊練〈〝老虎〞傅斯年〉
（《中國文化》12期，1995年秋季號）、石興澤〈學海名流傅斯年〉
（《人物》1995年6期）、狄笙〈傅斯年：作為學派的領袖與作為個
體的史家〉（《北京大學學報》1996年4期）、蔣孟麟〈憶孟真〉
（《自由青年》第8期，民39年12月）、朱家驊〈憶傅孟真先生〉
（《臺大校刊》101期）、沈剛伯〈追念傅故校長孟真先生〉（收於
《沈剛伯先生文集》下冊，臺北，民58）、鄧廣銘〈懷念我的恩師傅
斯年先生〉（《臺大歷史學報》20期，民85年11月）、那廉君〈回憶
追隨傅斯年先生的往事點滴〉（同上）、何茲全〈憶傅孟真師〉
（《傳記文學》60卷2期，民81年2月）、黃季陸〈憶傅孟真先生〉
（同上，1卷7期，民51年12月）、那廉君〈追憶傅孟真先生的幾件
事〉（同上，14卷6期，民58年6月）、〈傅孟真先生軼事〉（《傳記
文學》15卷6期，民58年12月）、〈傅斯年的故事〉（《中外雜誌》21卷
6期，民66年6月）及〈他走得太快了—記孟真先生生前二三事〉
（《仙人掌雜誌》1卷1期，民66）、逯耀東〈一個在地圖上找不到的
地位—寫在傅孟真先生百齡誕辰〉（《歷史月刊》97期，民85年4
月）、陳之邁〈關於傅孟真先生的幾件事〉（《傳記文學》28卷3
期，民65年3月）、王永貞〈〝五四〞時期的傅斯年〉（《民國檔

案》1989年3期)、齊衞平、張林龍〈五四時期傅斯年述評〉(《華東師大學報》1996年4期)、歐陽哲生〈傅斯年與北京大學〉(《北京大學學報》1996年5期)及〈傅斯年與北京大學—紀念傅先生一百週年誕辰〉(《傳記文學》69卷2期,民85年8月)、鄭克晟〈北大復校時期的傅斯年〉(《歷史月刊》98期,民85年3月)、周鴻經〈孟真先生與中央研究院〉(《中央研究院歷史語言研究所傅所長紀念特刊》,臺北,民43年3月)、李濟〈傅孟真先生領導的歷史語言研究所〉(同上)、陳槃〈記傅孟真師在中山大學〉(《傳記文學》5卷6期,民53年12)、鍾貢勛〈孟真先生在中山大學時期的一點補充〉(同上,28卷3期,民65年3月)、那廉君〈傅斯年先生來臺大前後〉(《中外雜誌》15卷1期,民63年1月)、關貝亮〈傅斯年校長二三事〉(《傳記文學》48卷2期,民75年2月)、李東華〈勳績盡瘁,死而後已—傅孟真先生在臺大〉(《臺大歷史學報》20期,民85年11月)、吳展良〈傅斯年學術觀念中的反形式理則傾向〉(同上)、黃俊傑〈傅斯年論教育改革—原則、策略及其啟示〉(同上)、侯雲灝〈傅斯年思想散論〉(《山東大學學報》1992年1期)、胡適〈傅斯年先生的思想〉(收入《胡適作品集》第25冊,臺北,遠流出版公司,民75)、江心力〈傅斯年的國民性格論及其個性特徵初探〉(《聊城師院學報》1991年1期)、馬高寬〈一個具有獨特風格的知識分子:傅斯年社會活動述論〉(同上)、王汎森〈清末民初的社會觀與傅斯年〉(《清華學報》新25卷4期,民84年12月)、雷頤〈傅斯年學術思想初探〉(《中國文化》第5期,1991年秋季號)及〈傅斯年思想矛盾試析〉(《近代史研究》1991年3期)、那廉君〈傅斯年的教育思想〉(《中外雜誌》34卷4期,民72年10月)、李漢亭〈在東西方的夾縫中思考：傅斯年〝西學為用〞的五四文學觀〉（《當代》25期，民77年5月）、洪炎秋〈傅斯年先生和臺灣人－讀《傅孟真先生年譜》〉（《文星》14卷2期，民53年6月）、毛子水〈蔡元培－胡適－傅斯年〉（載氏著《師友記》，臺北，傳記文學出版社，民56）、蔣星煜〈胡適與傅斯年〉（《山西師大學報》1993年1期）、江心力〈傅斯年與胡適比較研究〉（《學術論叢（太原）》1992年5期）、朱宗震〈胡適欠傅斯年的人情債〉（《歷史月刊》35期，民79年12月）、王汎森〈傅斯年對胡適文史觀點的影響〉（《漢學研究》14卷1期，民85年6月）及〈傅斯年與陳寅恪〉（《中國文化》12期，1995年秋季號）、孫玉蓉〈俞平伯與傅斯年的友誼〉（《人物》1993年5期）、顧潮〈顧頡剛與傅斯年在青壯年時代的交往〉（《文史哲》1993年2期）、張書學〈顧頡剛與傅斯年治史異同論〉（《東岳論叢》1994年1期）、王民〈陳誠與傅斯年〉（《中外雜誌》45卷2期，民78年2期）、周邦道〈魯省教育先進傳略（下）：傅斯年、杜光塤、宋紹武、武訓〉（《山東文獻》3卷3期，民66年12月）及〈傅斯年·王朝俊·叢璉珠－當代教育先進傳之十二〉（《中外雜誌》22卷3期，民66年9月）、張利庠〈略論傅斯年先生的學術貢獻〉（《晉陽學刊》1989年5期）、徐高阮〈傅斯年先生的最後論著〉（《新時代》3卷3期，民52年3月）、毛子水〈傅孟真先生與文學〉（載氏著《師友記》，臺北，傳記文學出版社，民56）、李泉〈傅斯年與中國近代實證史學〉（《臺大歷史學報》20期，民85年11月）、周樑楷〈傅斯年和陳寅恪的歷史觀－從西方學術背景所作的討論（1880-1930）〉（同上）、逯耀東〈傅斯年與《歷史語言研究所集刊》〉（同上）、王戎笙〈傅斯年與明清檔案〉（同上）。

9.其他人士

如朱正威〈五四時期王光祈的思想剖析〉（《近代史研究》1988年4期）、小野信爾〈五四運動前後の王光祈〉（《花園大學文學部研究紀要》22號，1990年5月）、郭正昭、林瑞明《王光祈的一生與少年中國學會》（臺北，百傑出版社，民67）、王光祈先生紀念委員會編《王光祈先生紀念冊》（民25年刊行，臺北，文海出版社影印，民57）、郭正昭〈王光祈與少年中國學會（1918-1936）〉（《中央研究院近代史研究所集刊》第2期，民60）、黃仲蘇〈王光祈與少年中國學會〉（《傳記文學》35卷2期，民68年8月）、周淑莫〈王光祈與少年中國學會—紀念王光祈誕辰100周年〉（《蘭州學刊》1992年6期）、李安和〈近代「中國音樂學」先驅者—王光祈〉（《大學雜誌》108期，民66年6月）、韓立文、畢興編《王光祈年譜》（北京，人民音樂出版社，1987）、畢興等〈王光祈生平大事及主要著述年表（1892年10月5日—1936年1月12日）〉（《音樂探索》1985年1-3期）、韓立文等〈音樂家王光祈生平事略〉（同上，1983年創刊號）、魏時珍〈憶王光祈〉（《四川師院學報》1985年1期）、崔宗復〈王光祈的生平和著作〉（同上）、侯德礎〈王光祈史學著譯著論略〉（同上）、朱岱弘〈王光祈著作文章及有關資料目錄〉（《音樂研究》1984年3期）、郭正昭〈王光祈生平中有關復興中華文化的見解與努力〉（《中華文化復興月刊》3卷6期，民59年6月）、陳哲三〈近代人物師生情誼與求學掌故㈨：留德殉學的王光祈〉（《國教輔導》19卷8、9期，民69）、黎永泰、劉平〈王

光祈的空想社會主義思想探討〉（《重慶師院學報》1985年3期）、
呂驥〈紀念王光祈先生百年誕辰〉（《音樂研究》1992年4期）、韓
立文、畢興〈五四前後的社會活動家王光祈〉（《成都文史資料選
輯》第6輯）、周暢〈紀念王光祈先生〉（《人民音樂》1957年1
期）、許常惠〈中國現代音樂的先烈學者—王光祈〉（《東方雜
誌》復刊1卷1期，民56年7月）及〈王光祈評傳〉（《藝術學報》第3
期，民57年1月）、胥端甫〈音樂先烈學人王光祈〉（《中外雜誌》6
卷4、5期，民57年10、11月）、李安和〈近代中國音樂的先烈學者—
王光祈〉（《大學雜誌》108期，民66）、呂驥〈王光祈在音樂學上
的貢獻〉（《音樂探索》1984年4期）、馮文慈〈王光祈的音樂史學
方法和學風—為王光祈研究學術討論會而作〉（同上）、俞玉滋
等〈論王光祈的音樂思想〉（《音樂研究》1984年3期）。〈五四新
文化運動的傑出戰士錢玄同〉（《黨史資料與研究》1987年5期）、
丁伊勇〈錢玄同の漢字廢止論から中國の文字改革を考える—そ
の真意と文字改革の真の目的〉（《一橋論叢》51號，1995年3
月）、吳相湘〈錢玄同與國語運動〉（《傳記文學》46卷5期，民74
年5月）、顧學頡〈新文化運動闖將—錢玄同傳奇〉（《中外雜
誌》51卷3期，民81年3月）、周質平〈新文化運動健將錢玄同與胡
適〉（《明報》23卷6期，1988年6月）、刁培德〈為新文化衝鋒陷
陣—五四時期的錢玄同〉（收入《五四運動與北京高師》，北京師大
出版社，1984）、秉雄等〈憶五四運動前後的錢玄同〉（收入《五
四運動回憶錄》，北京，中國社會科學出版社，1979）、薛綏雲〈新文
學運動初期的劉半農和錢玄同—《中國現代文學史話》之一節〉
（《山東師大學報》1985年2期）、蘇雪林〈劉復、劉大白、錢玄

同〉(《中外雜誌》55卷2期,民83年2月)、李可亭〈錢玄同年譜簡編(1887-1939)〉(《商丘師專學報》1988年4期)、曹述敬《錢玄同年譜》(濟南,齊魯書社,1986)及〈錢玄同先生年譜〉(《北京師大學報》1982年5、6期)、吳奔星〈錢玄同年譜〉(《文教資料簡報(江蘇)》1983年7、8期)、陳敬之〈錢玄同〉(《暢流》30卷3期,民53)、殷塵〈錢玄同先生的學術思想〉(《圖書月刊》1卷3期,民35)、臧恩鈺〈錢玄同的名與人〉(《社會科學輯刊》1981年2期)、徐文珊〈懷念錢玄同老師〉(《書和人》482期,民72)、簡弓〈我的老師錢玄同先生〉(同上,482、483期,民72)、魏建功〈回憶敬愛的老師錢玄同先生〉(《國文月刊》41期,民35年3月)、徐炳昶〈我所認識的錢玄同先生〉(同上)、錢秉雄、錢三強、錢德充〈回憶我們的父親─錢玄同〉(《新文學史料》第5輯,1979年5月)、姜德明〈魯迅與錢玄同〉(同上)、葉淑穗〈關於錢玄同對魯迅的"表示"〉(同上,1984年1期)、蔣心煥〈魯迅與錢玄同的交往和鬥爭─學習魯迅札記〉(《山東師院學報》1976年1期)、李可亭〈錢玄同中西文化觀研究〉(《史學月刊》1996年5期)、任訪秋〈錢玄同論〉(《藝談》1981年4期)、陳鳳儀〈論析錢玄同的矛盾〉(《東吳中文研究集刊》第3期,民85年5月)、黎錦熙《錢玄同先生傳與手札合刊》(臺北,傳記文學出版社,民61)、吳奔星《錢玄同研究》(南京,江蘇人民出版社,1986)、方師鐸〈錢玄同先生的生平及其著作〉(《圖書館學報》第7期,民54)、林尹〈錢玄同傳略〉(《大陸雜誌》25卷12期,民51)、吳銳《錢玄同評傳》(南昌,百花洲文藝出版社,1996)。梁元棟〈國父與五四運動〉(《大華學報》第7期,民75年3月)、李守孔〈孫中山先生與五四學生愛國運動〉（《珠海學報》15期，1987年10月；亦載《中山學術論叢》第7期，民76年12月）、王德昭 "The Impact of the May Fourth Movement on the Revolution Thought of Dr. Sun Yat-sen"（《香港中文大學學報》5卷1期，1979）、高德福〈孫中山是怎樣支持五四運動的？〉（《歷史教學》1986年1期）及〈五四運動與孫中山〉（《廣東社會科學》1986年2期）、唐志勇〈五四運動對孫中山的影響〉（《山東師大學報》1986年6期）、陳福霖〈孫中山與五四運動〉（《香港中國近代史學會會刊》第4、5期合刊，1991年1月）、Josef Fass, "Sun Yat-sen and the May-4th-Movement"（Archiv Orientalni, NO.36, 1968）、何振東〈五四運動與孫中山〉（《徐州師院學報》1989年2期）、陳德湜〈孫中山與五四運動〉（《貴州師大學報》1989年4期）、邱濟舟〈五四運動與孫中山晚年的思想轉變〉（《吉林師院學報》1989年2期）、邵和平〈試論五四運動前後的孫中山〉（《河北師大學報》1992年4期）、周興樑〈五四運動與孫中山愛國民主革命思想的新發展〉（《貴州社會科學》1995年1期）、鍾榮熾、周建華〈五四時期孫中山政治思想的轉變〉（《海南大學學報》1985年4期）、馮崇義〈孫中山與五四時期的社會思潮〉（《近代史研究》1987年1期）、劉世永〈五四運動前後孫中山三民主義思想的發展〉（《河南大學學報》1989年4期）、劉福增〈五四運動前後孫中山思想的發展與轉變〉（同上）、鄭彥棻〈五四運動與國父思想〉（《文藝復興》124期，民70年7月）、林家有〈關於孫中山對新文化運動態度的探討—兼論孫中山與陳獨秀文化思想的異同〉（《中山大學學報論叢》第9期，1992）、李雲漢〈國父與新文化運動〉（收入《聯副三十年來文學大系評論卷⑤—

文學評論》，臺北，聯合報社，民70）、林蘊石《國父與新文化運動》（臺灣大學政治研究所碩士論文，民66年6月）及〈孫中山先生與新文化運動〉（《近代中國》37期，民72年10月）、杜果人〈孫中山先生對新文化運動的評論和貢獻〉（《政治評論》8卷4期，民51年4月）、望月敏弘〈五四運動をめぐる孫文グループ—胡漢民の主張を中心に〉（《慶應大學法學研究科論文集》，1983）、味岡徹〈五四運動時期における孫文の「根本解決」論〉（《中國—社會○文化》第2號，1987年6月）。張朋園〈梁啟超與五四新文化運動〉（《中央圖書館館刊》新6卷1期，民62年3月）、秦賢次〈梁啟超與〝五四運動〞〉（《傳記文學》34卷5期，民68年5月）、劉邦富〈梁啟超與五四運動〉（淡江大學中文系主編《五四精神的解咒與重塑：海峽兩岸紀念五四七十年論文集》，臺北，臺灣學生書局，民81）、趙景峰〈五四時期的張東蓀、梁啟超不是地主買辦階級代表〉（《中山大學學報》1995年1期）。陳長勝〈魯迅眼中的五四運動〉（《聯合書院學報》12‧13期，1975年2月）、劉國盈、張建業〈〝五四〞文化新軍的最偉大和最英勇的旗手—兼論〝五四〞時期魯迅的思想〉（《南開大學學報》1978年1期）、陳涌〈魯迅與五四文學運動的現實主義問題〉（《紀念五四運動六十周年學術討論會論文選》第2冊，北京，1980）、林非、曾普、劉再復〈魯迅在五四時期倡導民主和科學的鬥爭〉（同上）、陳炳良〈魯迅在五四前後的思想〉（《五四運動六十周年紀念論文集》，香港大學中文學會，1979）、張永泉〈魯迅與五四傳統〉（《晉陽學刊》1987年4期）、川上久壽〈熱風について—五四前後の魯迅〉（《人文研究》第3號，1953年1月）、葉德浴〈從《熱風‧隨感錄四十九》談起—魯迅在〝五四〞時期究竟有沒有〝和平進化觀念〞〉（《文學評論叢刊》第1輯，1978年10月）、周玉山〈魯迅與五四運動〉（《文星》107期，民76年5月；又同此題目，文載《五四文學與文化變遷》，臺北，臺灣學生書局，民79）、王學勤〈從〝五四〞新文化運動中的鬥爭看魯迅精神〉（《南陽師專學報》1981年2期）、朱克成〈從狂人等形象看魯迅〝五四〞時期的思想特點〉（《江西師院學報》1981年3期）、趙春谷〈應當實事求是地評價〝五四〞時期的魯迅〉（《思想戰線》1981年1期）、鄧必銓〈魯迅和〝五四〞文學革命運動〉（《江西大學學報》1981年3期）、王吉鵬〈談魯迅〝五四〞前夕的幾首新詩〉（《內蒙古社會科學》1981年2期）、王錦泉〈對魯迅五四時期思想的一些理解〉（《天津師院學報》1980年2期）、湯山トシ子〈魯迅五四時期における「人の創出」—女子解放構想についての一分析〉（《愛愛大學教養部紀要》24卷3號，1991年12月）。周玉山〈周恩來與五四運動〉（《中國大陸研究》29卷6期，民75年12月）、王永祥、劉品青〈周恩來同志在〝五四〞時期的革命活動〉（《天津師院學報》1978年2、3期）、天津市南開中學〈周恩來同志在〝五四〞時期〉（《人民教育》1979年3期）、周玉山〈周恩來與五四運動〉（《文星》103期，民76年1月）、胡華、王建初〈〝五四〞前後的周恩來〉（載胡華主編《五四時期的歷史人物》，北京，中國青年出版社，1979）及〈五四時期的周恩來同志〉（《紀念五四運動六十周年學術討論會論文選》第3冊，北京，1980）、魏宏運〈周恩來同志和五四新文化運動〉（同上）、黎戈〈結成團體，共求社會的改造—介紹周恩來同志在五四運動時期的幾件文物〉（《革命文物》1978年2期）、余飄〈周恩來與五四新文化運

動〉（《延安大學學報》1989年2期）。李景光〈林紓與新文化運
動〉（《社會科學輯刊》1983年4期）、張華〈吳宓與五四新文化運
動〉（《西北大學學報》1996年1期）、桑島由美子〈中國近代文學
運動の搖籃と政治社會一五四時期の茅盾についての一考察〉
（《語言文化論集（筑波大學）》39號，1994年9月）、周昌義〈茅盾
＂五四＂文學理論與＂五四＂文學〉（《湘潭大學學報》1995年3
期）、莊鍾慶〈茅盾在五四時期的文學主張〉（《文學評論叢刊》
第4輯，1979年10月）、丁柏銓〈茅盾＂五四＂時期的進化論思想及
其文藝觀〉（《南京大學學報》1983年3期）、楊揚〈五四時期茅盾
文學觀及其對文學史的影響〉（《學術季刊》1993年4期）、劉鋒杰
〈五四時期周作人與茅盾思想同異之檢視〉（《安慶師院學報》
1993年1期）、何冠彪〈王國維與五四思潮〉（載《五四運動六十周年
紀念論文集》，香港大學中文學會，1979）、馬馳原〈五四闖將劉半
農〉（《中外雜誌》47卷3期，民79年3月）、劉健明〈五四時期顧頡
剛的歷史演進觀念〉（《香港中國近代史學會會刊》第8期，1996年12
月）、朱正紅〈郁達夫與五四精神〉（《華南師大學報》1989年2
期）、曾華鵬、范伯群〈五四時期外國文化對郁達夫的影響〉
（《揚州師院學報》1989年2期）、周昌龍〈從五四反禮教思潮看郁
達夫作品中的倫理認同問題〉（載《語文、情性、義理一中國文學的
多層面探討國際學術會議論文集》，臺灣大學，民85年7月）、丘立木、
陳杰君〈矛盾而複雜的五四詩人康白情〉（《新文學史料》1990年2
期）、田子渝〈惲代英與五四新文化運動〉（《江漢論壇》1993年5
期）、姜平〈鄧中夏在五四運動中的歷史功勛〉（《蘇州大學學
報》1995年1期）、湯本國穗〈五四運動狀況と戴季陶の思想〉

（《現代中國》第6號，1987年6月）、Herman Master, "Tai Chi-t'ao, Sunism, and Marxism During the May Fourth Movement in Shanghai." （Modern Asian Studies, Vol.5, No.3, 1971）、望月敏弘〈五四時期における戴季陶の政治主張に關する一考察〉（《嘉悦女子短大研究論集》29卷2號，1986年12月）、呂芳上〈朱執信與新文化運動〉（載汪榮祖編《五四研究論文集》，臺北，民68）、高松〈曾慕韓先生與五四運動〉（《新中國評論》40卷5期，民60年5月）、鄭大華〈梁漱溟與五四時期的文化保守主義〉（《求索》1989年4期）、朱德發〈試評五四時期周作人的文學主張〉（《文學評論叢刊》第8輯，1981年3月）、王德祿〈評五四時期周作人的文學主張〉（《山西大學學報》1983年1期）、周昌龍〈傳統禮治秩序與五四反禮教思潮—以周作人為例之研究〉（收入氏著《新思潮與傳統—五四思想史論集》，臺北，時報文化出版公司，民84）、范雅清《五四時期周作人反禮教思想之研究（1918-1928）》（政治大學歷史研究所碩士論文，民83年7月）、錢理群〈周作人與五四文學語言的變革〉（《中國現代文學研究叢刊》1988年4期）、倪墨炎〈從新文化運動的驍將到漢奸文人—周作人的一生〉（《人物》1983年4期）及〈周作人在「五四」以後的編輯活動〉（《出版史料》13、14輯，1988年9月）、王駿〈近代中國知識分子的一面鏡子—論丁文江的科學文化觀和社會政治觀及對五四的一點反思〉（載湯一介編《論傳統與反傳統—五四70周年紀念文選》，臺北，民78）、陶希聖〈段書貽先生與五四運動〉（《傳記文學》30卷3期，民66年3月）、周玉山〈毛澤東與五四運動〉（《匪情月刊》27卷6期，民73年12月）、孫建娥〈論五四時期青年毛澤東的道德理想〉（《湖南師大學報》1994年5期）、曹木清〈準確領會毛澤東對五四運動的評價〉（《湘潭大學學報》1994年2期）、李銳〈五四運動中的青年毛澤東〉（《歷史研究》1979年5期）、汪澍白〈五四時期毛澤東的政治思想與活動〉（《廈門大學學報》1985年3期）、鄭邦興〈五四前後毛澤東對改造中國途徑的探索〉（《黨史研究》1983年6期）、Roxane Witke著、國雄譯〈五四時代毛澤東與婦女及自殺問題〉（《明報》12卷1期，1977年2月）、蕭效欽〈五四運動前後毛澤東同志的思想發展〉（《紀念五四運動六十周年學術討論會論文選》第3冊，北京，1980）、樓達人〈沈定一與新文化運動〉（《中國文化月刊》136期，民80年2月）、方根壽〈五四學聯會主席方豪〉（《中外雜誌》27卷1期，民69年1月）、劉笑敢《五四後人物、思想論集》（臺北，正中書局，民85）等。

㈩其他

其他與五四有關的專書或論文尚有麻玉林〈論五四時期關於〝勞動問題〞的討論〉（《吉林大學學報》1989年1期）、劉健清〈五四與中國近代政治主題的轉換〉（《歷史教學》1989年6期）、白柳〈五四運動與民主政治〉（《江西黨史研究》1989年3期）、周陽山〈五四與當代中國的民主〉（收入氏所主編《從五四到新五四》，臺北，時報文化出版公司，民78）、張晉藩等〈〝五四〞運動時期爭取民主與法制的鬥爭〉（《教學與研究》1979年3期）、笠原十九司〈五四運動期の北京政府財政の紊亂〉（《宇都宮大學教育學部紀要（I部）》30號，1980年12月）、史蓮娜（Jelena Staburova）〈五四時期克魯泡特金對中國的影響〉（《漢學研究》14卷1期，民85年6月）、牟宗三〈羅素與中國知識分子—1970年2月13日於羅素紀念會〉（《鵝湖》245期，民84年11月）、Suzanne P. Ogden, "The Sage in the Inkpot: Bertrand Russell and China's Social Reconstruction in 1920s." （Modern Asian Studies, Vol. 16, Part 4, October 1984）、黃藿〈杜威、羅素與中國「五四」運動〉（《近代中國文學與思想》第1號，中央大學中文系，民84）、張靜廬《杜威羅素演講合刊》（上海，泰東圖書館，民12）、杜威《杜威五大講演》（北京，晨報社，民9）、Cecile Bahn Dockser, John Dewey and the May Fouth Movement in China: Dewey's Social and Political Philosophy in Relation to His Encounter with China（1919-1921）（Ed. D. Dissertation, Harvard University, 1983）、吳森〈杜威思想與中國文化—紀念花甲子兼憶吳俊升先生〉（《明報》14卷5期，1979年5月）、邱有珍〈論杜威實驗主義在中國與道德教育之失敗〉（《學粹》4卷6期、5卷1、2期，民51年10、12月、52年2月）、Robert Clopton and Ou Tsuin-Chen, John Dewey: Lectures in China, 1919-1920. （Honolulu: East-West Center, 1973）、Barry Keenan, The Dewey Experience in China: Educational Reform and Political Power im the Early Republic. （Cambridge, Mass. Harvard University Press, 1977）、John E. Smith, "Pragmetism at Work: Dewey's Lectures in China." （Journal of Chinese Philosophy, Vol.12, No.3, September 1985）、Julia Ching, "Chinese Responses to Dewey." （同上）、Robert C. Neville, "Wang Yang-ming and John Deway on the Ontological Question." （同上）、陳中庸《國父與杜威教育思想之比較研究》

（中國文化大學中美關係研究所碩士論文，民69年6月）、郭博文〈杜威的評價理論〉（《美國研究》18卷4期，民77年12月）、童慶懋〈杜威與美國的進步主義教育運動〉（《臺中師專學報》第4期，民63年7月）、李燕〈杜威教育思想對近代中國教育的影響〉（《外國語科紀要（創價大學）》第5號，1995）、黃自進〈吉野作造〇中國－五四運動を中心に〉（《慶應大學法學研究科論文集》22卷，1985年10月）及〈吉野作造在五四時期的對華文化交流〉（《中央研究院近代史研究所集刊》22期上冊，民82年6月）、陳萬雄〈吉野作造與五四運動〉（《抖擻》33期，1979年5月）、陳本善〈五四時期的日本友人吉野作造〉（《吉林大學學報》1979年3期）、賈俊民〈關於五四運動第一階段參加成份之我見〉（《黨史研究與教學》1993年2期）、蕭焜燾〈〞五四〞科學精神的由來與發展〉（《江海學刊》1989年4期）、唐鴻棣〈〞五四〞科學精神考察〉（《西北大學學報》1990年4期）、王章維、衛多桂〈五四運動對中國自然科學發展的影響〉（《北京黨史研究》1994年3期）、劉恩久〈五四運動與科學〉（《科學時報》11卷5、6期，民35年7月）、徐家斌〈從〞五四〞談中國的科學化〉（《科學時代》1卷5期，民35年5月）、周德偉〈五四運動與科學化運動〉（《新天地》1卷3期，民51年5月）、戴念祖〈五四運動和現代科學在我國的傳播〉（《紀念五四運動六十周年學術討論會論文選》第3冊，北京，1980）、盧繼傳、張秉倫〈五四運動與達爾文進化論〉（同上）、鍾敬文〈〞五四〞前後的歌謠學運動〉（同上）、鄭亞寧〈〞五四〞作家的現代憂患意識〉（《貴州文史叢刊》1990年1期）、陳遼〈論〞五四〞作家的民族精神〉（《徐州師院學報》1992年4期）、李今〈〞五四〞作家自我意識的表現特徵〉(《中國現代文學研究叢刊》1992年3期)、張穎萍〈論五四作家的童心意識〉(《中州學刊》1992年2期)、陳郁〈浪漫主義的沉寂:兼析五四作家的文化心理傾向〉(《江漢論壇》1993年12期)、溫陵〈"五四"時期關於戲曲的論爭〉(《戲劇研究》1959年2期)、胡寧容、王永德〈繼承和發揚"五四"戲劇的戰鬥傳統〉(《人民戲劇》1979年5期)、陳繼會〈"人"的自覺與文學的自覺:"五四"戲劇觀念的嬗變〉(《南都學壇》1987年3期)、胡星亮〈"五四"戲劇論爭及其影響〉(《文學評論》1993年4期)及〈中國戲劇現代化的歷史性轉折—從文藝思潮視角對"五四"戲劇的比較考察〉(同上,1995年2期)、葛聰敏〈"五四"話劇創作與外國文學〉(同上,1987年1期)及〈"五四"現代派劇作與西方"現代派"作家的影響〉(《中國現代文學研究叢刊》1986年2期)、卜召林〈"五四"時期話劇創作簡論〉(《齊魯學刊》1994年2期)、Elisabeth Eide, "The Balled 'Kongque dongnan Fei' as Freudian Feminist Drama During the May Fourth Period." (Republican China, Vol. 15, NO. 1, November 1989)、周慧玲〈女演員、寫實主義、「新女性」論述—晚清至五四時期中國現代劇場中的性別表演〉(《中國婦女史研究》第4期,民85年8月)、柏彬〈"五四"時期現代話劇的劇本創作〉(《戲劇藝術》1983年2期)、袁國興〈現代中國悲劇觀的轉變和"五四"時代風格—從中西悲劇觀的比較研究中看"五四"時期的悲劇創作價值〉(《中國現代文學研究叢刊》1985年2期)、吳鳴〈五四時期的民歌採集與詩經研究〉(載《五四文學與社會變遷》,臺北,臺灣學生書局,民79)、李業道〈"五四"精神和趙元任的音樂〉（《音樂研究》1992年3期）、呂驥〈簡論〝五四〞時期的新音樂運動〉（《文藝研究》1979年創刊號）、黃遠林〈〝五四〞時期的漫畫〉（同上）、練先永〈〝五四〞時期三次論戰的意義〉（《福建黨史月刊》1989年6期）、陸耀東〈〝五四〞時代戰鬥的號角—略論〝吶喊〞〉（《武漢大學人文科學學報（語文專號）》1959年6期）、呂啟祥〈〝五四〞運動與新舊〝紅學〞〉（《北京師大學報》1979年2期）、仲敬文〈〝五四〞時期民俗文化學的興起〉（載《五四運動與中國文化建設—五四運動七十周年學術討論會論文選》下冊，北京，1989）、吳倩如〈五四運動時期對中國古史的新看法〉（《讀史箚記》第4期，星加坡南洋大學歷史學會，1970年3月）、湯志鈞〈五四運動和經學的終結〉（《中國哲學》1980年3期）、劉俐娜〈五四時期學者對史學功能的認識〉（《歷史研究》1996年3期）、胡逢祥〈〝五四〞時期的中國史壇與西方現代史學〉（《學術月刊》1996年12期）、趙德志〈〝五四〞後西方哲學的輸入及其影響〉（《中國哲學史研究》1988年1期）、周雲之〈五四運動與西方邏輯在中國的傳入和傳播〉（《五四精神的解咒與重塑：海峽兩岸紀念五四七十年論文集》，臺北，臺灣學生書局，民81）、周谷城〈五四時期的自由辯論〉（《復旦大學學報》1979年3期）、彭明輝〈古史辨運動與五四反儒學運動〉（《中國歷史學會史學集刊》20期，民77年5月）、宋雲彬〈五四時代之反儒家運動〉（《人物雜誌》2卷2期，民31年4月）、李麥麥〈論「五四」整理國故運動之意義〉（《文化建設月刊》1卷8期，民24年5月）、林安梧〈五四前後的中國儒學〉（《鵝湖》143期，民76年5月）、馬振鋒〈儒學與五四運動〉（《五四精神的解咒與重塑：海峽兩岸紀念五四七十年論文集》，臺北，臺灣學生書局，民81）、宋志明〈「五四」以來的新儒家與中國哲學現代化〉（同上）、狹間直樹〈國民革命中のニつの五四記念日〉（載《五四運動の研究》第2函附錄，京都，同朋社，1983）、朱志敏〈五四時期平民政治觀念的流行及其影響〉（《史學月刊》1990年5期）、朱鋒、陳源〈五四運動與民族主義〉（《北京大學研究生學刊》1989年3期）、須田勝敏《中國近代民族意識の形成と發展—五四運動期を中心として》（慶應大學法學研究所碩士論文，1967）、徐遠和〈〝五四〞的時代課題及其啟示〉（載《海峽兩岸紀念〝五四〞七十周年學術討論會論文集》，民80）、莊建平〈五四運動資料概述〉（《歷史教學》1988年3期）、沈家五〈五四愛國運動檔案資料〉（《歷史檔案》1981年7期）、王造時〈在五四運動中〉（《復旦學報》1981年3期）、許德珩〈五四運動的片段回憶〉（《紅旗》1979年5期）、沈志遠〈「五四」和人民世紀〉（《理論與現實》復刊3卷1期，民35年5月）、趙復三〈從五四運動看中國革命與西方對華傳教事業〉（《紀念五四運動六十周年學術討論會論文選》第3冊，北京，1980）、廖顯樹《五四運動與中國政治之變動關係》（香港珠海書院中國文史研究所碩士論文，1977年5月）、洪煥椿《五四時期的中國革命運動》（北京，三聯書店，1956）、李式相〈〝五四〞在中國青年運動史上之價值〉（《民主憲政》24卷2、3期，民52年5、6月）、張培義等〈五四運動時期的〝山東問題〞〉（《山東師院學報》1979年3期）、童力〈五四運動與少數民族〉（《中央民族學院學報》1979年1、2期）、朱允興〈金城傳播〝五四〞新文化的正本書社〉（《蘭州學刊》1983年1期）、徐有禮〈〝五四〞前後中國報刊對共產國際的介紹〉（《鄭州大

學學報》1988年1期）、森時彥《五四時期の民族紡績業》（列為
《五四運動の研究》第2函，京都，同朋舍，1983）、侯傳文〈論我國
五四時期對泰戈爾的接受〉（《東方論壇》1995年1期）、董德福
〈柏格森哲學與＂五四＂進步思潮〉（《社會科學（上海）》1996年
5期）、周策縱〈五四思潮對漢學的影響及其檢討〉（載林徐典編
《漢學研究之回顧與前瞻（新加坡大學中文系）》下冊，北京，中華書
局，1995）、中山義弘〈五四運動期における「新しき村」の試
み〉（《北九州大學外國學部紀要》40號，1979年11月）、谷方〈五四
運動的＂破＂與＂立＂：兼評＂告別革命＂論〉（《馬克思主義研
究》1996年4期）、林非〈＂五四＂・現代化・東方文明〉（《魯迅
研究月刊》1995年12期）、朱德發、賈振勇〈失落精神的民族，召
喚偉大的人格：五四時代現代文化人格建構之反思〉（《聊城師
院學報》1996年6期）、湯哲聲〈從近代到＂五四＂翻譯觀的演
變〉（《中國現代文學研究叢刊》1990年1期）、謝毅〈五四運動與近
代中國的歷史道路〉（《當代思潮》1996年3期）、余從啟〈五四與
中國〉（《七十年代》1979年5期）、胡秋原〈五四運動及中國近代
史研究綱要〉（《中華雜誌》2卷5-7期、3卷1期，民53年5-7月、54年1
月）、天憂〈五四的歷史教訓〉（收入《五四運動與自由主義》，臺
北，先知出版社，民68）、王邦雄〈浪漫情思與理性建構—五四留
給我們的歷史教訓〉（載《海峽兩岸論五四》，臺北，國文天地雜誌
社，民78）、張忠棟〈從五四看海峽兩岸民主的進程〉（同上）、
張西曼〈＂五四＂中的社會主義運動〉（《民主與科學》1卷4期，
民34年4月）、張申府〈＂五四＂紀念與新啟蒙運動〉（《認識月
刊》第1期，民26年6月）、華崗〈論五四運動與學術研究〉（《群眾

週刊》7卷8期，民31年5月）、夏徵農〈把民主的大旗插到全國去—
紀念〝五四〞〉（《生活》新5期，民35年5月）、代英〈自從五四
運動以來〉（《中國青年》26期，民13年4月）、 Leo Ou-fan Lee
（李歐梵），The Romantic Generation of Modern Chinese
Writers. （Cambridge, Mass.: Harvard University Press, 1973）、
Bonnie S. McDougall, The Introduction of Western Literary
Theoies into Modern China, 1919-1925. （Tokyo: Center for East
Asian Cultural Studies, 1971）、Sun Lung-Kee（孫隆基），〝The
Presence of the Fin-de-Siecle in the May Fourth Era.〞（In Gail
Hershatter, Emily Honing、Jonathan N. Lipman and Randall Stross, eds.,
Remapping China: Fissures in Historical Terrain, Stanford, Calif.: Stanford
University Press, 1996）、姚崧齡〈芮恩施對「五四運動」的觀感及
其辭職的理由〉（《傳記文學》17卷2期，民59年8月）。

五、護法與北伐 (1917-1928)

(一)通論

有張玉法主編《中國現代史論集·第7輯：護法與北伐》
（臺北，聯經出版事業公司，民71）、中華文化復興運動推行委員會
編《中國近代現代史論集·第24編：護法與北伐》（臺北，臺灣
商務印書館，民75）、蔣永敬〈從護法到北伐〉（《政大歷史學報》
第2期，民73年3月）。

(二)護法運動始末

民國六年（1917）七月，孫中山自上海南下廣東，以維護法
統（指中華民國臨時約法及依據此約法所召集的第一屆國會）為
號召，此後六年間，孫氏在廣州先後建立中華民國軍政府、中華
民國政府、中華民國陸海軍大元帥大本營，為此一主張而奮鬥。
有關其始末的史料集有國民黨黨史會編《革命文獻·第7輯—護
法史料》（臺中，編者印行，民43）、《革命文獻·49輯—護法與
軍政府史料》（臺北，編者印行，民58）、《革命文獻·50輯—護
法戰役及南北和議史料》（同上）、《革命文獻·51輯—重建護
法政府史料》（同上，民59）及《革命文獻·52輯—重建廣州革
命基地史料》（同上）、廣東省政協、廣州市政協文史資料研究
委員會編《孫中山三次在廣東建立政權》（北京，中國文史出版
社，1986）。公報有《軍政府公報》（臺北，國民黨黨史會影印，民
65）、《陸海軍大元帥大本營公報》（同上，民58）、中國社會科

學院近代史研究所資料編輯組《陸海軍大元帥大本營公報選編
（1923‧12-24‧4）》（北京，中國社會科學出版社，1981）。通論性
的著作以莫世祥《護法運動史》（南寧，廣西人民出版社，1991；臺
北，稻禾出版社，民80）較為著名，該書原為作者在華中師範大學
就讀時之博士論文（《護法運動史論（1917-1923）》，由章開沅
指導），論述民國六年至十二年（1917至1923）整個護法運動的
始末，鉅細靡遺，引用之資料亦甚豐富；林能士〈護法運動〉
（國立編譯館編《中華民國建國史‧第3篇之第1章》，臺北，編者印行，
民78）、陳大明《國父孫中山先生護法始末》（中國文化學院史學
研究所碩士論文，民64年6月）、陳錫璋《護法滄桑史話》（臺南，撰
者印行，民60）及《細說護法》（同上）、姚誠《孫中山與護法運
動》（政治大學三民主義研究所碩士論文，民73年6月）、毛振發《護
法戰爭史略》（上海，華東師大出版社，1989）、曾祥進《護法之戰
（1916.6-1921.9）》（孫中山先生系列傳記文學之8，1996）。其他尚
有陳欽國《護法運動—軍政府時期之軍政研究（1917-1921）》
（臺北，中央研究院三民主義研究所叢刊之14，民73；係由其民國66年6月
之臺灣大學歷史研究所碩士論文《廣州護法軍政府之研究（1917-1921）》
修訂而成）、思遂〈護法運動〉（《民潮》第8期，民36年5月）、李
希瀛〈中國國民黨護法運動〉（《臺北護專學報》第2期，民70年12
月）、張華騰〈孫中山護法運動的下限〉（《史學月刊》1987年4
期）、宋貴林〈孫中山在1917年護法運動中的革命活動及其思想
的發展〉（《韶關大學學報》1995年1期）、池田誠〈護法から革命
への孫文理論の展開—孫文理論の展開とロシア革命〉（《立命
館法學》87‧88號，1970年9月）、李守孔〈民國六年國父護法中文

史料隅錄〉（載黃季陸主編《研究孫中山先生的史料與史學》，臺北，
民64）及〈國父護法與廣州軍政府之成立〉（《中華學報》4卷2
期，民66年7月）、莫杰〈孫中山和軍政府〉（《學術論壇》1986年4
期）、蔣永敬〈軍政府公報中的國父護法新資料〉（《中華文化復
興月刊》8卷11期，民64年11月）、鄭則民〈孫中山與南方革命政權的
發展〉（《民國檔案》1986年4期）、于右任〈革命政府成立之經過
及其意義〉（《蒙藏月報》13卷5期，民30年5月）、丁身尊〈孫中山
三次在廣東建立政權的鬥爭〉（《華南師院學報》1980年3期）、高
節〈孫中山先生三次回粵〉（《幼獅（月刊）》38卷1期，民62年7
月）、郭鳳明〈國父的就任非常大總統〉（《文藝復興》122期，民
70年5月）、靜君〈中山先生就任大總統紀念〉（《新軍》2卷6期，
民29年5月）、賴澤涵〈廣州革命政府的建立（1917-1926）〉
（《中華民國初期歷史研討會論文集》上冊，民73）、〈廣州革命政府
的財政（民國6年至15年）〉（《中華民國歷史與文化討論集》第4
冊，民73）、〈廣州革命政府的對內與對外策略（民國6年至14
年）〉（《第二屆國際漢學會議論文集》第3冊，民75）及〈廣州革命
政府的社會與社會運動〉（載《國父建黨革命一百週年學術討論集》
第2冊，臺北，民84）、鄭燊〈孫中山第一次護法運動與海軍〉
（《社會科學戰線》1986年4期）、湯銳祥《孫中山與護法海軍論
集》（北京，高等教育出版社，1993）及〈海軍南下護法若干問題的
考辨〉（載《孫中山研究論叢》第5集，1987）、楊奮澤〈程璧光率海
軍南下護法略論：紀念辛亥革命80周年〉（《內蒙古大學學報》
1991年4期）、湯銳祥《護法艦隊史》（廣州，中山大學出版社，
1992）、中國第二歷史檔案館〈李厚基等關於海軍獨立參加護法

運動來往密電選〉(《民國檔案》1986年3期)、陳正茂〈廣州軍政
府與國會之研究（1917—1920）〉(《光武學報》16期，民80年6
月)、池田誠〈廣東護法政府の成立と軍閥反動⑴—國民黨改組
の一前提〉(《立命館法學》32號，1960年3月)、尚明軒〈首次護
法運動中的孫中山〉(《近代史研究》1986年6期)、楊奮澤〈孫中
山與第一次護法鬥爭〉(《內蒙古師大學報》1982年3期)、湯銳祥
〈孫中山令軍艦砲擊粵督署問題淺析〉(《孫中山研究論集》第6
集，1988)、黃國盛等〈程璧光被刺案考析〉(《內蒙古大學學報》
1984年2期)、陸星〈程璧光被刺原因初探〉(《抖擻》1982年5
期)、莫汝非編著《程璧光殉國記》(序於民8年，臺北，文海出版
社影印，民59)、程玉堂（璧光）先生追悼會籌備處編《程玉堂
先生榮哀錄》(廣州，編者印行，民7)、李明〈滇軍護法之戰之一
（1917年7月至8月）〉(《雲南檔案史料》1983年2期)、孫代興
〈孫中山與援粵滇軍〉(收於何長鳳、顧大全主編《孫中山與貴州民
主革命》，貴陽，貴州人民出版社，1987)、吳敦俊〈試析1917至1918
年孫中山護法的基本策略〉(同上)、林能士〈第一次護法運動
的經費問題（1917-1918）〉(載《國父建黨革命一百周年學術討論
會》，民83；亦載《近代中國》105期，民84年2月)、張秉均〈國父護
法第一期戰役之研究〉(《三軍聯合月刊》12卷4期，民63年6月)及
〈國父護法第二期戰役之研究〉(同上，12卷5期，民63年7月)、黃
宗炎〈論孫中山1921年援桂討賊之戰〉(《廣西社會科學》1986年3
期)、羅重實〈淺談陸榮廷二次興兵圖粵與孫中山援桂討陸之
戰〉(《玉林師專學報》1996年1期)、熊宗仁〈討桂之役與孫中山
利用軍閥反對軍閥的基本策略〉(收於何長鳳、顧大全主編《孫中山

與貴州民主革命》，貴陽，貴州人民出版社，1987）、魏關松〈《中華民國軍政府組織大綱修正案》的提出和通過〉（《河南師大學報》1988年3期）、藤井昇三〈「チャイナ・しビニー」と第2次廣東政府・孫文〉（《辛亥革命研究》第6號，1986年10月）、謝蕙風〈桂系與廣州軍政府（1917-1920）〉（《聯合學報》第7期，民79年11月）、周孝中、李堅〈南方軍政府與五四運動〉（《香港中國近代史學會會刊》第4、5期，1991年1月）、森時彥〈第二次廣東軍政府時期の孫文〉（《法經論叢（愛知大學法律學部）》113號，1987）、鹽出浩和〈第二次廣州政府時の廣州市政—特に1921年の改革について〉（《アジア發展研究》第1號，1992年11月）及〈第二次廣州政府期（1920-22年）の廣東省會議と廣東省憲法〉（同上，第2號，1994）、莫世祥〈廣州〝正式政府〞述論〉（《廣東社會科學》1991年4期）、C. Martin Wilbur, "Problems of Starting a Revolutionary Base: Sun Yat-sen and the Canton, 1923"（《中央研究院近代史研究所集刊》第4期下冊，民63年12月；其中譯文爲甘德星譯〈建立革命基地的困難：孫中山與1923年的廣州〉，載張玉法主編《中國現代史論集》第7輯，臺北，民71）、吳熙釗〈孫中山在廣東建立革命根據地的三次戰略決策及其歷史作用〉（《中山大學學報論叢》第9期，1992）、Wang Ke-wen（王克文），"Sun Yatsen, Wang Jingwei and the Guangzhou Regimes，1917-1928."（Republican China, Vol. 22, No.1, November 1996）、鄭則民〈孫中山與南方革命政權的發展〉（《民國檔案》1986年4期）、古賢〈孫中山的暫緩設立正式政府〉（《近代史研究》1993年4期）、陳錫璋《廣州樞府史話》（臺南，撰者印行，民63）、栃木利夫〈國民革命期の廣東政府〉（《法政大學教養學部紀要》62號，1987）、梁尚賢〈1922年的澳門慘案與廣東政府之交涉〉（《近代史研究》1995年6期）、丁旭光〈孫中山與廣東政權（1923-1925）內部關係簡析〉（《廣東社會科學》1991年1期）、曾慶榴、王友農〈孫中山大元帥大本營述論〉（《近代史研究》1991年3期）、湯銳祥〈1923年大本營重建前後孫中山與駐粵海軍〉（《中山大學學報叢刊》1990年7期）、張文綺〈1919到1924年廣東革命政府提用關餘和收回海關行政的鬥爭〉（《廈門大學學報》1981年增刊）、日臺礆一〈孫文の第三次廣東政府による關稅剩餘金分與要求と列國海軍による共同示威行動に關する一考察〉（《大阪經濟法科大學論集》60號，1995）、呂芳上〈廣東革命政府的關餘外交（1918-1924）〉（《中華民國歷史與文化討論集》第1冊，民73）、俞辛焞〈孫中山的反帝鬥爭策略—以關餘、商團事件為中心〉（《南開學報》1993年4期）、戴鞍鋼〈孫中山與〝關餘〞之爭〉（《近代中國》第2輯，上海社會科學院出版社，1991年11月）、陳勝鄰〈1923〝關餘事件〞和中國人民的反美鬥爭〉（《學術研究》1965年6期）、Richard C. DeAngelis, "Jacob Grould Schurman, Sun Yat-sen, and the Canton Customs Crisis." （《中央研究院近代史研究所集刊》第8期，民68年10月）、虞崇勝〈孫中山與截留粵海關關餘的鬥爭〉（《廣東社會科學》1989年4期）、賴澤涵〈廣州革命政府的對外關係（1917-1925）〉（載胡春惠主編《近代中國與亞洲學術討論會論文集》下冊，香港，珠海書院亞洲研究中心，1995）、王聿均〈加拉罕與廣州革命政府〉（《孫中山先生與近代中國學術討論集》第3冊，臺北，民74）、李雲漢〈中山先生護法時期的對美交涉（1917-1923）〉（《中華民國史料研究中心十週年紀念論文集》，臺北，民68）、王呈祥《論美國軍事情報密檔中的美國與廣州革命政府的關係（1917-1925）》（中山大學中山學術研究所碩士論文，民82年7月）、衛德琨〈評析美國國務院外交關係文書中關於美國對廣州革命政府的態度〉（載《全國三民主義研究所學生學術研討會論文集》，臺北，臺灣大學三民主義研究所，民75年12月）、沈正晃《中山先生與卜萊士（Ernest Batson Price）：駐華之美國外交人員對廣州護法政府之研究，1917-1921》（同上，民79）、張忠正〈中山先生護法前期爭取美國支持的交涉（1917-1921）〉（《近代中國》58期，民76年4月）及〈孫中山先生護法後期爭取英美兩國支持之交涉〉（同上，61期，民76年12月）、衛德焜《廣州革命政府、莫斯科與華盛頓三角關係（1919-1927）：從三角關係模式談起》（中山大學中山學術研究所碩士論文，民76）、陳政吉《華盛頓會議後至北伐前英國對南方政府之態度（1921-1926）》（中國文化大學史學研究所碩士論文，民78年1月）、李雲漢〈中山先生護法時期的對日政策〉（載《孫中山與辛亥革命》中冊，民70）、森悦子〈中國護法政府の大韓民國臨時政府正式承認問題について〉（《史林》76卷4號，1993年7月）、林能士〈經費與革命—以護法運動為中心的一些探討〉（《政大歷史學報》12期，民84年5月）及〈護法運動經費的探討—聯盟者的資助〉（《中華民國史專題論文集：第二屆討論會》，臺北，國史館，83）、林光灝〈民國九年前之粵局〉（《廣東文獻》7卷1期，民66年3月）、梁尚賢〈試述1922-1923年廣東紙幣風潮〉（《近代史研究》1995年3期）。雲南省檔案館〈護法運動中孫中山致唐繼堯電報選〉（《歷史檔案》1985年4期）、何玉菲〈談護法運動和滇系軍閥唐繼堯〉（載《辛亥革命論文集》，廣州，廣東人民出版社，1980）、段雲章〈1917-1918年的護法運動與西南軍閥〉（《西南軍閥史研究叢刊》第1輯，1982）、許海泉〈略論護法運動中李烈鈞與孫中山的關係〉（《中學歷史教學》1989年6期）、洪喜美〈李烈鈞與護法運動〉（《國史館館刊》復刊第2期，民76年6月）、徐輝琪〈李烈鈞與〝護法各省聯合會議〞〉（《近代史研究》1994年6期）、張樹勇〈吳景濂與護法運動〉（《南開史學》1985年1期）、湯銳祥〈林葆懌在護法鬥爭中的功過〉（《中山大學學報》1994年2期）、池田誠〈「工兵」的裁兵と「平民」的裁兵—孫文の護法運動と裁兵問題〉（《立命館法學》121・122・123・124號，1976年2月）、莫世祥〈中華革命黨與護法運動〉（《近代史研究》1990年2期）、余炎光〈中華革命黨和〝護法〞的幾件史實的考訂〉（《孫中山研究論叢》第6集，1988）、李雲漢〈政學會與護法運動〉（《中華民國初期歷史研討會論文集》上冊，民73）、關玲玲〈許崇智與廣東革命政府〉（《東吳文史學報》第7號，民78年3月）、陳哲三〈鄒魯與廣東革命基地的建立〉（《近代中國》第8期，民67年12月）、王聿均〈加拉罕與廣州革命政府〉（《孫中山與近代中國學術討論集》第3冊，臺北，民74）、莫世祥〈中國共產黨與孫中山的護法運動—兼論黨對西南軍閥的早期策略〉（《廣西師大研究生論文集》，1983）及〈早期共產黨人對孫中山護法運動的態度〉（《黨史研究》1984年5期）、林能士〈試論述孫中山在護法運動中的聯盟活動〉（載《三民主義學術研討專輯》13輯，臺北，政治大學，民82）、胡以欽〈護法滇軍在鄂陝〉（《雲南文史叢刊》1990年1期）及〈護法時期的駐粵滇軍〉（同上，1985年3期）、楊學東〈論湘南、湘西兩路護法軍〉（《湘潭大學學報》1989年2期）、陳

長河〈蔣尊簋與1917年寧波護法獨立〉（《歷史檔案》1994年2
期）、趙頌堯〈甘肅護法運動述評〉（《西北師院學報》1987年4
期）、王希隆〈蔡大愚其人與甘肅護法運動〉（《西北史地》1984
年2期）。其他相關者尚有廣東省檔案館編譯《孫中山與廣東—
廣東省檔案庫藏海關檔案選譯》（廣州，廣東人民出版社，1996）、
邱捷《孫中山領導的革命運動與清末民初的廣東》（同上）。

　　關於陳炯明及其與護法運動的關係，有陳定炎《陳競存（炯
明）年譜》（2冊，臺北，李敖出版社，民84），作者為陳炯明之
子，現居美國，以十年時間廣搜資料撰成此書，為有關陳氏之論
著中最詳明者，欲為其父平反。陳演生編、黃居素增訂《陳競存
先生年譜》（香港，龍門書店，1980）、陳公競存治喪委員會編
《陳公競存榮哀錄》（香港，編者印行，1934年8月）、陳炯明先生
治喪處《陳競存先生史略》（民22）、段雲章、陳敏、倪俊明
《陳炯明的一生》（鄭州，河南人民出版社，1989）、康白石《陳炯
明傳》（香港，文藝書屋，1978）、東粵浮生《陳炯明歷史》（廣
州，崇正學會，民10）、許光秋《試論軍閥陳炯明》（中山大學歷史
學碩士論文，1986年7月）、張世瑛《陳炯明研究—以孫陳關係為中
心的探討》（政治大學歷史研究所碩士論文，民83年6月）、陳曼玲
《陳炯明與粵軍（1917-1925）》（同上，民72年6月）、李睡仙、
謝盛之、魯直之合編《陳炯明叛國史》（新福建報經理部，民11；臺
北，文海出版社影印，民60；亦載吳相湘主編《中國現代史叢刊》第2、3
冊，臺北，正中書局，民50）、存萃學社編（周康燮主編）《粵軍
回師紀略》（香港，崇文書店，1973）、蔣介石《孫大總統廣州蒙
難記》（上海，民智書局，民11；南京，正中書局，民25；亦載《蔣總統

言論彙編》24卷，民45）。論文則有 Winston Hsieh（謝文孫），
"The Ideas and Ideals of a Warlord: Chén Chiung-ming（1878-
1933）"（Papers on China, NO.16, Harvard University: East Asian Re-
search Center, December, 1962），其中譯文為〈一個軍閥的思想與
理想：陳炯明〉（文載《國外中國近代史研究》第9輯，1986）、吳相
湘〈現代中國人物與政治：陳炯明〉（《文星》10卷3期，民51年7
月）及〈陳炯明造反出身〉（載氏著《民國百人傳》第3冊，臺北，傳
記文學出版社，民60）、Leslie H. Chen "Chen Jiongming（1878-
1933）and Chinese Federalist Movement"（Republican China,
Vol. 17, NO.1, 1991）、陳定炎、高宗魯〈怎樣為陳炯明在民國史上
定位－陳炯明：聯省自治的實行者〉（《傳記文學》63卷1-6期，民
82年7-12月）、吳倫霓霞、余炎光〈對評價陳炯明的一些重要史料
的初步剖析〉（《九州學刊》3卷4期，1990年9月）、張敬讓〈陳炯
明是個什麼樣的人？〉（《人物》1987年5期）、王成聖〈陳炯明反
覆無常〉（《中外雜誌》18卷5期，民64年11月）、吳相湘〈陳炯明投
機取巧〉（載氏著《民國人和事》，臺北，三民書局，民60）、〈陳炯
明與陳獨秀〉（同上）及〈陳炯明頑強到底〉（同上）、馬五先生
（雷嘯岑）〈陳炯明一大恨事〉（《中外雜誌》4卷4期，民57年10
月）、張友仁〈我所知道的陳炯明〉（《廣東文史資料》第3輯，
1963年8月）、趙宗鼎〈也談陳炯明〉（《中外雜誌》18卷6期，民64年
12月）、陳圖勳〈陳炯明晚景淒涼〉（同上，19卷2期，民65年2
月）、梁冰弦〈陳炯明與新秀才造反〉（《傳記文學》32卷2期，民
67年2月）、鍾德貽〈陳炯明在廣東〉（《近代史資料》1958年3
期）、張其光〈援閩粵軍的創建與護法艦隊〉（《中山大學學報論

叢》第9期，1992）、曹敏華〈關於援閩粵軍援閩戰役的幾個問題〉（《福建黨史月刊》1989年4月）、陳方〈關於閩南護法區的幾個問題〉（同上）及〈孫中山與閩南護法區的建立〉（《黨史研究與教學》1988年6期）、陳曼玲〈護法時期粵軍在閩南的成長〉（《中國歷史學會史學集刊》16期，民73年7月）、陳亞芳〈略論閩南護法區及其主要建樹〉（《福建史志》1989年2期）、周谷〈漳州模範小中國—列寧勾結陳炯明〉（《中外雜誌》60卷3、4期，民85年9、10月）、吳相湘〈陳炯明與俄共中共關係初探〉（載《中國現代史叢刊》第2冊，臺北，正中書局，民49）、劉德喜〈蘇俄、共產國際與陳炯明的關係〉（《孫中山研究論叢》第6集，1988）、李卓才〈陳炯明叛亂前後〉（《江淮文史》1994年6期）、陳言〈陳炯明叛變前後的革命政局（力齋談故）〉（《革命思想》1卷2期，民45年8月）、鄭星槎〈國父討伐陳炯明變亂瑣記〉（《古今談》第8期，民54年10月）、耘農（沈雲龍）〈陳炯明叛孫之由來〉（《民主潮》5卷7期，民44年4月）、譚國偉〈陳炯明叛變國父的來龍去脈〉（《浙江月刊》23卷2期，民82年3月）、王康〈李子寬談陳炯明叛變〉（《中外雜誌》1卷2期，民56年4月）、沈雲龍〈陳炯明叛變與聯俄容共的由來〉（《傳記文學》32卷2期，民67年2月）、王傳燾〈陳炯明叛變與民國十三年中國國民黨改組之關係〉（《中國歷史學會史學集刊》11期，民68年5月）、胡漢民〈六月十六日之迴顧〉（《中國現代史叢刊》第2冊，民49）、陶季邑〈陳炯明並未舉兵叛變圍攻總統府〉（《湖南師大學報》1993年3期）、張其光〈孫中山同陳炯明的鬥爭〉（《中山大學學報》1978年6期）、陳敏〈陳炯明的〝聯省自治〞及其與孫中山的衝突〉（《近代史研究》1989年1

期）、宋庭道鍾珍維、夏琢瓊〈聯省自治在廣東—試析陳炯明的
聯省自治〉（《西南軍閥史研究叢刊》第5輯，1986）、陳定炎、高宗
魯〈怎樣為陳炯明在民國史上定位—陳炯明：聯省自治的實行
者〉（《傳記文學》63卷1-6期、64卷1-6期，民82年7-12月、83年1-6
月）、段雲章〈孫中山與陳炯明的合與離〉（《民國檔案》1989年2
期）、張酴村〈陳炯明與孫中山的矛盾及其分裂〉（《廣東文史資
料》25輯，1979）、王康〈李子寬談陳炯明叛變〉（《中外雜誌》1卷
2期，民56年4月）、王友農〈試析1923年初孫中山驅陳復粵連勝的
原因〉（《廣西黨校學報》1989年5期）、喬忠榮〈陳炯明與蔣介
石〉（《民國檔案》1994年1期）、韓勝潮〈蔣介石東征討伐陳炯
明〉（《南都學壇》1993年4期）、丁身尊〈陳炯明蛻變為軍閥的剖
析〉（《廣西社會科學》1986年2期）、邱捷〈"路博將軍"及其同
孫中山、陳炯明的會見〉（《學術研究》1996年2期）、波多野善大
〈孫文と陳炯明〉（《田村博士頌壽東洋史論叢》，東京，田村博士退
官記念事業會，1968）、李彥鴻《陳炯明反孫事件之研究》（中國文
化大學中山學術研究所博士論文，民82年6月）、魏星斗〈孫中山北伐
與陳炯明叛變〉（《歷史教學與研究》1960年1期；《甘肅師大學報》
1960年1期）、鍾振君〈陳炯明背離國父之主因與檢評〉（《廣東文
獻》24卷1期，民83年2月）、劉廉法〈再看陳炯明叛變的原因〉
（《史繹》24期，民82年5月）、譚國偉〈陳炯明叛變國父的來龍去
脈〉（《廣東文獻》23卷2期，民82年4月）、平之〈陳炯明叛變與孫
中山的革命轉變〉（《歷史學習》1988年4期）、陳宏、符和積〈陳
策在孫中山廣州蒙難時的活動與作用〉（《海南師院學報》1994年3
期）、鄒魯〈恭述國父廣州蒙難經過及感想〉（《中央週刊》8卷22

期，民35年6月）、程潛〈孫中山廣州蒙難特輯〉（《革命文獻叢刊》第6期，民36年6月）、袁良驊〈國父廣州蒙難指揮海軍討逆之回憶〉（《廣東文獻》3卷2期，民62年6月）及〈國父廣州蒙難指揮海軍討逆記〉（《中外雜誌》28卷1期，民69年7月）、廣東省檔案館〈孫中山在永豐艦上親躬理財史料〉（載《孫中山研究論叢》第1集，廣州，1983）、李少華〈關於密報陳炯明叛亂密謀事件之史料選輯〉（《國史館館刊》復刊第4期，民77年6月）、郭盈宏〈中國共產黨廣州黨組織生產與陳炯明的合作與決裂〉（《嶺南文史》1994年3期）、胡春惠〈陳炯明與廣東省憲運動〉（《傳記文學》43卷1期，民72年7月）。

(三)中國國民黨改組前後

所涵蓋的時間範圍，約為民國十二年（1923）冬護法運動結束至十五年（1926）七月國民革命軍自廣州誓師北伐前夕為止，其重點為（中國）國民黨的改組及一全大會、黃埔建軍、商團事件、兩次東征、孫中山的北上和逝世、國民政府的成立，兩廣合作等。

1.改組和一大

民國八年（1919）十月，中華革命黨改名為中國國民黨（一般仍簡稱其為國民黨），有別於民初之國民黨。關於中國國民黨黨史的論著有汪兆銘《中國國民黨史概論（上篇）》（上海，光明書局，民16）、甘乃光《中國國民黨史及概論》（上海，北新書局，民16）、《中國國民黨史的研究》（真美書社，民16）及《中國國民黨的黨史》（南京，中央指導委員會，民17）、陳味涼《中國國民黨的沿革與組織》（上海，世界書局，民16）、華林一《中國國民黨史》（上海，商務印書館，民17）、顧施連編《中國國民黨的歷史》（上海，大東書局，民17）、夏含華編《中國國民黨之史的發展》（上海，泰東圖書局，民18）、李宗黃《中國國民黨黨史》（上海，民智書局，民17）、鄒魯《中國國民黨史稿》（2冊，同上，民18；增訂版爲4冊，上海，商務印書館，民36；臺北，臺灣商務印書館重印，民54）、《中國國民黨史略》（重慶，商務印書館，民34年，臺北，臺灣商務印書館，民40）及《中國國民黨概史》（長沙，商務印書館，民27；修訂版爲臺北，正中書局，民42）、陳希豪《過去三十五年之中國國民黨》（上海，商務印書館，民18）、劉詠堯、高晶齋編《中國國民黨史》（南京，中央陸軍軍官學校政治訓練處，民18）、浙江財務人員養成所《中國國民黨史》（民20）、吳錫璋《中國國民黨史略》（重慶，改進出版社，民31）、國民黨黨史會等《中國國民黨黨史概要再稿》（重慶，民33）、周曙山《中國國民黨史概論》（重慶，博文書局，民34）、鄧澤如《中國國民黨二十年史蹟》（上海，正中書局，民37）、張其昀《黨史概要（又名《近六十年中國革命史》）》（5冊，臺北，中央文物供應社，民41）、《中國國民黨六十年奮鬥史略》（臺北，中國新聞出版公司，民44年3版）及《中國國民黨黨史（簡編）》（臺北，中央文物供應社，民44年5版）、李天民《中國國民黨黨史》（北平，北平警備司令部政治訓練部）、羅家倫《六十年來之中國國民黨與中國：近代中國歷史上五大使命的回顧與前瞻》（臺北，中央文物供應社，民43）及《七十年來之中國國民黨與中國》（臺北，國民黨黨史會，民53）、馬璧編《中國國民黨黨史》（臺北，中國青年反共救國團，民43）、張鳳岐《中國國民黨奮鬥史》（臺北，黎明文化公司，民74）、李敖《國民黨研究》（臺北，李敖出版社，民77）及《國民黨研究續集》（同上）、蔣永敬《百年老店：國民黨滄桑史》（臺北，傳記文學出版社，民82）、孔慶麒《從中國國民黨的演變論其組織之生命活力（1912-1995）》（政治作戰學校政治研究所碩士論文，民85）、李達編著《誰主浮沉：國民黨七十年權力結構變遷》（3冊，香港，廣角鏡出版社，1988）、國民黨黨史會編輯《中國國民黨九十年大事年表》（臺北，編輯者印行，民73）、李雲漢主編、高純淑編輯《中國國民黨黨史論文選集》（5冊，臺北，近代中國出版社，民83）共精選中華民國臺灣地區研究國民黨歷史之相關論文一百篇（自興中會時期至中國國民黨時期），以慶祝該黨建黨一百周年，均係已發表過之論文；李雲漢《中國國民黨史述》（5冊，臺北，近代中國出版社，民83）。1949年以後中國大陸出版的有關論著有李友仁、郭傳璽主編《中國國民黨簡史（1894-1949）》（北京，檔案出版社，1988）、李松林等編《中國國民黨大事記（1894、11-1986、12）》（北京，解放軍出版社，1988）、馬齊彬、張同新等編《中國國民黨歷史事件、人物、資料輯錄》（同上）、蕭效欽主編《中國國民黨史》（合肥，安徽人民出版社，1989）、宋春主編《中國國民黨史》（長春，吉林文史出版社，1990）、苗建寅主編《中國國民黨史：1894-1988》（西安，西安交通大學出版社，1990）、彥奇、張同新主編《中國國民黨史》（哈爾濱，黑龍江人民出版社，1991）、馬尚斌《中國國民黨史綱》（瀋陽，遼寧大學出版社，1992）、郭緒印《國民黨派系鬥爭史》（2

冊,上海,上海人民出版社,1992;臺北,桂冠圖書公司,民82)、劉健清等主編《中國國民黨史》(南京,江蘇古籍出版社,1992)、陳興唐《中國國民黨大事系年(1866-1984)》(北京,中國華僑出版社,1993)及主編《中國國民黨大事典》(同上)、李松林主編《中國國民黨史大辭典》(合肥,安徽人民出版社,1993)、李松林編《中國國民黨大事記(1894、11-1986、12)》(北京,解放軍出版社,1988)、程思遠主編《中國國民黨百年風雲錄》(3冊,延邊大學出版社,1994)。日文論著有山內喜代美《中國國民黨史》(東京,巖松堂,1941)、波多野乾一《中國國民黨通史》(東京,大東出版社,1943)及〈中國國民黨成立史〉(載《アジア問題講座》第1冊,東京創元社,1939)、楊合義〈中國國民黨百年の步み〉(《問題と研究》24卷1號,1994年10月)。英文論著則以George T. Yu(于子橋),Party Politics in Republican China: The Kuomintang, 1912-1924(Berkeley: University of California Press, 1966)最為重要。John Fitzgerald, ed., The Nationalists and Chinese Society, 1923-1937: A Symposium. (Melbourne, Australia: Melbourne University History Monographys, 1989)、Milton J. T. Shieh, The Kuomintang: Selected Historical Documents, 1894-1963. (Jamaica, New York: St. John's University Press, 1970);未出版的博士論文則有Chang Hsu-hsin(張緒心),The Kuomintang's Foreign Policy, 1925-1928. (University of Wisconsin-Madison, 1967)、Wang Cheng, The Kuomintang: A Sociological Study of Demoralization. (Stanford University, 1953)、Wang Ke-wen(王克文),The Kuomintang in Transition: Ideology and

Factioalism in the "National Revolution", 1924-1932.（Stanford University, 1985）、Edmund S. K. Feng（馮兆基），"The Chinese Nationalists and the Unequal Treaties, 1924-1931."（Pacific Affairs, Vol.21, Part4, October 1987）等。其他如李雲漢《中國國民黨黨史研究與評論》（臺北，近代中國出版社，民81）及〈中國國民黨黨史研究的幾個層面〉（載《民國以來國史研究的回顧與展望研討會論文集》中冊，臺灣大學，民81年6月）、李松林〈90年代中國國民黨史研究述評〉（《教學與研究》1996年3期）、山田辰雄〈中國對國民黨史的研究─以國共合作為中心的重新探討〉（《國外中國近代史研究》第7輯，1985）、張力〈研究中國國民黨黨史的英文著作〉（載《中國國民黨黨史資料與研究》，臺北，民79）、陳鵬仁〈日本人對中國國民黨黨史的研究〉（《中華文化復興月刊》23卷1期，民79年1月）、江崎隆哉〈戰後日本における中國國民革命史の研究─中國國民黨を中心に〉（《近きに在りて》20號，1991年11月）。

專以民國十三年國民黨改組為題的有國民黨黨史會編《革命文獻‧第8輯─中國國民黨十三年改組史料》（臺中，編者印行，民44）、池田誠〈廣東における革命を反動─國民黨改組の諸前提〉（《立命館法學》29‧30號，1959年9月）、呂芳上《革命之再起─中國國民黨改組前對新思潮的回應（1914-1924）》（臺北，中央研究院近代史研究所，民78）、王傳燾《民國十三年中國國民黨改組之研究》（政治大學三民主義研究所碩士論文，民65）及〈陳炯明叛變與民國十三年中國國民黨改組之關係〉（《中國歷史學會史學集刊》11期，民68年7月）、蔣永敬〈中國國民黨改組的意義與歷史背景〉（《中華民國歷史與文化討論集》第1冊，臺北，民73）、劉世昌〈中國國民黨歷史上的兩次重建性改組〉（同上）、甲凱〈繼往開來話改組—民國十三年中國國民黨的改組與分析〉（《近代中國》43期，民73年10月）、王承璞〈論國民黨改組〉（《北京師大學報》1989年6期）、閔斗基著、青柳純一譯〈中國國民黨の「改進」と「改組」—第一次國共合作における「改進」段階の性格に關する試論〉（《東洋學報》72卷1、2號，1990年2月）、Min Tu-Ki（閔斗基），“An Inquiry Into the Nature of 1923 Renovation of the KMT”（《中華民國初期歷史研討會論文集》下冊，臺北，民73）、歐陽耕華《中國國民黨的改組及其發展（1924-1927）》（臺灣大學政治研究所碩士論文，民68年7月）、上官永吉《中國國民黨十三年改組之研究》（中國文化學院政治研究所碩士論文，民66年7月）、顏妙佳〈中國國民黨改組的時代意義與使命〉（《三民主義學報（師範大學）》第6期，民71年6月）、李堅〈國民黨改組若干史實考析〉（《中山大學學報》1982年1期）、楊振亞〈有關國民黨改組的幾件史事之我見〉（《歷史檔案》1988年1期）、李玉貞〈關於中國國民黨改組的幾個問題〉（《蘇聯問題研究資料》1985年4期）、蘇啟明〈國民黨改組與革命武力之重建〉（《中國歷史學會史學集刊》22期，民79年7月）、張振朝〈孫中山改組國民黨主觀原因淺析〉（《昭烏達盟師專學報》，1991年3期）、林家有〈試論孫中山改組國民黨的原因和目的〉（《孫中山研究論叢》第5集，1987）、孫志亮〈試論孫中山改組國民黨的思想轉變〉（《西北大學學報》1988年4期）、楊德慧〈孫中山改組國民黨〉（《雲南社會科學》1986年5期）、甲凱〈孫中山先生對革命精神的凝聚與發

揚—民國十三年中國國民黨改組的重要意義〉（《近代中國》73
期，民78年10月）、楊天石〈孫中山和中國國民黨改組〉（《民國
檔案》1985年1期）、吳福生〈從國民黨的改組看孫中山的黨務工
作〉（《江西社會科學》1992年3期）、劉以城《民初國父兩次改組
國民黨之意義評析》（臺北，幼獅文化事業公司，民74）、蔣永敬
〈鮑羅廷與中國國民黨之改組〉（《中華民國建國史討論集》第3
冊，民70）、朱敏彥〈鮑羅廷與國民黨改組〉（《上海師大學報》
1989年4期）及〈孫中山改組國民黨與共產國際的幫助〉（載《孫中
山思想新探》，北京，檔案出版社，1989）、A·卡爾圖諾娃著、姚寶
珠譯、林蔭成校〈共產國際與國民黨改組的若干問題〉（《國外
中國近代史研究》10輯，1988年4月）、李穎〈共產國際、蘇聯與國民
黨的改組〉（《中共黨史研究》1996年1期）、陳長榮《戴傳賢與中
國國民黨改組》（中國文化學院史學研究所碩士論文，民66年6月）、
李宗黃〈中國國民黨改組前後〉（《中國現代史專題研究報告》第3
輯，民62）、呂芳上〈中國國民黨改組前後的宣傳刊物〉（《歷史
學報（臺灣師大）》第2期，民63年2月）、孫世杰〈改組後的國民黨
性質初探〉（《四平師院學報》1982年2期）、羅開雲〈改組後的國
民黨性質剖析〉（《雲南民族學院學報》1988年1期）、虞崇勝〈也談
國民黨改組後的性質—兼與宋汝香同志商榷〉（《齊魯學刊》1982
年4期）、楊雲芝、朱虹〈試論1924年國民黨改組後的性質〉
（《遼寧教育學院學報》1995年2期）、王繼春等〈淺析國民黨改組
後的階級構成〉（《山東師大學報》1983年1期）、游鑑民〈中國國
民黨改組後的婦女運動〉（《歷史學報（臺灣師大）》18期，民79年6
月）。

　　民國十三年一月舉行的中國國民黨第一次全國代表大會，是中國國民黨改組過程中最為重要的一環，以此「一大」為題的有廣東省政協文史資料研究委員會，廣州市政協文史資料研究委員會、廣東省革命歷史博物館編《中國國民黨〝一大〞史料專輯》（廣州，廣東人民出版社，1984），其內容一方面是一些當事人的回憶文字，另方面是過去少見或1949年以後中國大陸未發表的有關珍貴文獻資料（如《中國國民黨全國代表大會會議錄》第1-17號等），頗有參考價值。中國第二歷史檔案館編《中國國民黨第一、二次全國代表大會會議史料》（2冊，南京，江蘇古籍出版社，1986）、中華民國史料研究中心編印《中國國民黨第一次全國代表大會史料專輯》（臺北，民73）、黃季陸等〈第一次全國代表大會的回顧〉（《中國現代史專題研究報告》11輯，民72）、蔣永敬〈第一次全國代表大會的背景、經過與成就〉（《近代中國》39期，民73年2月）及〈中國國民黨第一次全國代表大會〉（《中華學報》4卷1期，民66年1月）、似冰〈國民黨〝一大〞的歷史背景及功績〉（《北京財貿學院學報》1987年2期）、黃維慎〈論〝國民黨第一次代表大會〞召開的歷史背景〉（《寧夏教育學院銀川師專學報》1990年1期）、李殿元〈國民黨〝一大〞的歷史意義〉（《文史雜誌》1994年1期）、戴緒恭、李良明〈國民黨一大的歷史功績〉（《華中師院學報》1984年1期）、李緒基〈勇敢的決定偉大的轉變：國民黨一大的歷史意義〉（《聊城師院學報》1984年1期）、李殿元〈國民黨〝一大〞對新民主主義革命的貢獻〉（《天府新論》1995年3期）、張仲良〈關於國民黨〝一大〞的代表人數〉（《江漢論壇》1986年9期）、蔡鴻源、孫必有〈關於中國國民黨〝一大〞的代表人數問題〉（《學術月刊》1985年4期）、路海江〈國民黨〝一大〞代表中共黨員人數考〉（《史學月刊》1989年5期）、陳立明〈國民黨〝一大〞代表中國共產黨員人數新考〉（《爭鳴》1990年2期）、李加福〈國民黨〝一大〞代表中有二十四名共產黨員〉（《中山大學學報》1985年1期）、王阿壽〈江西出席國民黨〝一大〞的四個代表究竟是誰？〉（《江西大學學報》1988年1期）、黃彥〈關於中國國民黨〝一大〞宣言的幾個問題〉（《中國社會科學》1987年4期）、狹間直樹〈「中國國民黨第一次全國代表大會宣言」についての考察〉（收於狹間直樹編《中國國民革命の研究》，京都大學人文科學研究所，1992）、李吉奎〈論國民黨〝一大〞宣言的產生〉（載《孫中山研究論叢》第2集，1984）、武仲弘明〈中國國民黨一全大會宣言と孫文の思想めぐる覺書〉（《史觀》93號，1976年3月）、張立華〈國民黨第一次全國代表大會關於改組政府問題〉（《社會科學輯刊》1988年4期）、李峻〈國民黨〝一大〞與中國近代化〉（《南京社會科學》1994年8期）、周逸〈國民黨〝一大〞是否確定了〝三大政策〞〉（《江西大學學報》1983年3期）。陳錫祺〈孫中山與國民黨〝一大〞〉（載《中國國民黨〝一大〞六十周年紀念論文集》，1984）、余炎光〈廖仲愷和國民黨〝一大〞〉（同上）、余齊昭〈國民黨第一次全國代表大會期間若干史實考〉（《中山大學學報》1984年1期）、尚明軒〈第一次國共合作的回顧：紀念中國國民黨第一次全國代表大會60周年〉（《中國建設》1984年1期）、畢堅〈國民黨〝一大〞和國民黨的新生〉（《中學歷史教學》1984年1期）、蕭超然〈中國共產黨人對國民黨〝一大〞的貢獻〉（載《中國國民黨〝一大〞六十周年紀念論文集》，

1984）、陸仁〈歷史的必然，革命的需要─紀念中國國民黨第一次代表大會六十周年〉（《近代史研究》1984年2期）。其他與國民黨一大相關連的論著尚有李雲漢主編《中國國民黨歷次全國代表大會圖輯》（臺北，近代中國出版社，民82）、榮孟源主編、孫彩霞編《中國國民黨歷次代表大會及中央全會資料》（2冊，北京，光明日報出版社，1985）、華文〈中國國民黨歷次代表大會及中央全會述略〉（《中學歷史》1987年5、6期）、中央宣傳委員會編《中國國民黨一、二、三、四次全國代表大會彙刊》（臺北，文海出版社影印，民62）、黃季陸《劃時代的民國十三年》（臺北，中華民國史料研究中心，民64）、吳文津〈政黨聯合之政治─民國十三年中國國民黨總章之分析〉（載《中華民國建國八十年學術討論集》第1冊，臺北，民80）、呂芳上〈尋求新的革命策略─國民黨廣州時期的發展（1917-1926）〉（《中央研究院近代史研究所集刊》22期上冊，民82年6月）、John J. Fitzgerld, Hollow Words: Guomin-tang Propaganda and the Formation of Populor Attitudes Toward the National Revolution in Guandong Province ,1919-1926.（Ph. D. Dissertation, Australian National University, 1983）及 "A Roval to Mass and Military Politics: Parliamentary Politics and the Guomindang, 1919-1925."（Papers on Far Eastern History, No.25, 1982）、崔盛河等〈論大革命時期的國民黨〉（《克山師專學報》1986年4期）、張光宇〈國民黨在大革命時期的演變〉（《武漢大學學報》1988年6期）、石井明〈孫文歿後の中國國民黨─中國國民黨第2回全國代表大會に至るまで〉（《外國語科研究紀要》25卷4號，1978年3月）、韋慕庭（C. Martin Wilbur）〈中國國民黨第二

次全國代表大會〉（《中華民國建國史討論集》第3冊，民70）、馬雪
芹〈中國國民黨〝二大〞時全國組織發展狀況略考〉（《河南師
大學報》1996年6期）、李雲漢〈第二次全國代表大會〉（《中華學
報》4卷1期，民66年1月）、判澤純太〈中國國民革命史上における
國民黨二全大會の再檢討〉（《國際學論集（上智大學國際關係研究
所）》12號，1984年1月）等。

2.黃埔建軍

　　民國十三年（1924）六月，中國國民黨之陸軍軍官學校（因
校址在廣東之黃埔，故人稱之為黃埔軍校）開學，是為國民革命
運動史上一重要的里程碑，其後〝黃埔系〞曾主導民國軍事近二
十年。關於該校校史早期有中央陸軍軍官學校教務委員會修纂
《中央陸軍軍官學校史稿》（10冊，南京，民25；臺北，龍文出版社
翻印，民79，共12冊），惟該書流傳未廣。《陸軍軍官學校校史》
（8冊，鳳山，民58），係參閱上述民二十五年出版之校史而撰
成，體例上也多所承襲，其紀事始於民十三年六月，止於民五十
六年十二月。中國第二歷史檔案館《黃埔軍校史稿》（12冊，北
京，檔案出版社，1989），則係將上述流傳未廣民二十五年出版之
校史予以重新出版，並附以該校1至23期同學錄及北伐陣亡將士
有關資料，合為12冊。中國革命博物館編《黃埔軍校史圖冊：
1924-1927》（廣州，廣東人民出版社，1993）、廣東革命歷史博物館
編《黃埔軍校史料(1924-1927)》（同上，1982）、陸軍軍官學校印
《黃埔重要文獻》（鳳山，陸軍軍官學校黃埔出版部，民73年6月）、
國民黨黨史會編《黃埔建軍三十年概述》（臺北，中央文物供應

社，民43）、龔樂群編著《黃埔簡史》（臺北，正中書局，民60）、
王健吾等《黃埔軍校史話》（鄭州，河南人民出版社，1982）、王健
吾《黃埔軍校史論稿》（同上，1990）、黃埔建國文集編纂委員會
編《黃埔六十年》（臺北，實踐出版社，民74再版）。其他相關的尚
有《黃埔建軍史話》（重慶，拔提書店，民33）、劉峙《黃埔軍校
與國民革命軍》（南京，獨立出版社，民36；臺北，文海出版社影印，
民61）、朱瑞月編《國民革命建軍史‧第一部：黃埔建軍與東征
北伐》（臺北，國防部史政編譯局，民81）、黃振涼《黃埔軍校之成
立及其初期關係》（臺北，正中書局，民82）、Richard B. Landis,
Institutional Trends at the Whampoa Military School: 1924-1926.
（Ph. D. Dissertation, University of Washington, 1969）、Thomas M.
Williamsen, Political Training and Work at the Whampoa Mili-
tary Academy Prior to the Northern Expedition. （Ph. D. Disser-
tation, Duke University, 1975）、Richard Eugene Gillespie,
Whampoa and the Naking Decade （1924-1936）. （Ph. D. Disser-
tation, American University, 1971）、王肇宏《北伐前的黃埔軍校》
（臺北，東大圖書公司，民76）、全國政協文史資料研究委員會編
《第一次國共合作時期的黃埔軍校—紀念黃埔軍校創建六十周
年》（北京，文史資料出版社，1984）、黃埔軍校同學會編《黃埔軍
校建校六十周年紀念冊（1924-1984）》（為一攝影畫冊，長城出版
社，1984）、國防部史政編譯局編印《黃埔建校六十週年論文
集》（2冊，臺北，民73），上冊為論文部分（共16篇），下冊為
史料部分（共17篇），並附有「研究黃埔軍校有關史料索引」，
甚具參考價值；陸軍軍官學校編纂《總統蔣公與黃埔軍校》（龍

潭，陸軍總司令部，民69）、袁守謙、黃杰編《黃埔建軍》（臺北，
蔣總統對中國及世界之貢獻叢編編纂委員會，民60）、陳以沛編《黃埔
軍校史料續編》（長沙，湖南教育出版社，1994）、杜從戎《黃埔軍
校之創建暨東征北伐之回憶》（臺北，撰者印行，民64）、鄧文儀
《黃埔精神》（臺北，黎明文化事業公司，民65）、楊牧、王宗虞、
張天周、陳以沛主編《黃埔軍校名人傳》（1-4卷，共4冊，鄭州，
河南人民出版社，1986-1993陸續出版）、王永均編著《黃埔軍校三百
名將傳》（南寧，廣西人民出版社，1989）、韓冬梅編著《黃埔軍校
將帥沉浮錄》（北京，中國社會出版社，1996）、穆西彥主編《陝西
黃埔名人》（西安，陝西人民出版社，1990）、尹家民《蔣介石與黃
埔三傑》（北京，中共中央黨校出版社，1991）及《蔣介石與黃埔
「四凶」》（同上，1993）、張光宇《武漢中央軍事政治學校》
（武漢，湖北人民出版社，1987）、布柳赫爾著、高瓦譯《黃埔軍校
首席顧問布柳赫爾元帥》（北京，軍事科學出版社，1989）、陸軍軍
官學校編輯《陸軍軍官學校第一隊學生詳細調查表（民國13年7
月）》（其他第2、3、4隊各為1冊，共4冊，臺北，文海出版社影印，民
79）。

　　論文有陳以沛〈論黃埔軍校歷史研究的回顧與展望〉（《廣
州文博》1987年1期）、劉洪濤〈黃埔軍校〉（《歷史教學》1989年4
期）、Roderick L. Macarquhar, "The Whampoa Military Acad-
emy"（Harvard Paper on China, Vol. 9, 1953）、何錦洲〈國共合作
時期的黃埔軍校〉（《華南師院學報》1982年2期）、曾憲恒〈國共
合作中的黃埔軍校新探〉（《嘉應大學學報》1995年2期）及〈國共
合作中的黃埔軍校〉（《吉林師院學報》1996年1期）、劉福堂〈國

共合作中的黃埔軍校〉（《大慶師專學報》1984年3期）、李義彬
〈國共合作與黃埔建軍〉（載《中國國民黨“一大”六十周年紀念論
文集》，1984）及〈第一次國共合作時期黃埔軍校的重大貢獻〉
（《民國檔案》1985年1期）、竹內實〈現代中國への視角—黃埔軍
官學校のニと〉（《思想》635、636號，1977年5、6月）、陳以沛
〈黃埔軍校是第一次國共合作的產物〉（《中州學刊》1985年6
期）、李義彬〈第一次國共合作的碩果—論黃埔軍校創辦六十周
年〉（《黨史通訊》1984年6期）、張琨〈黃埔軍校評述〉（《松遼學
刊》1985年3期）、王肇宏〈黃埔軍校創建之研究—由倡議至開
辦〉（《中正嶺學術研究集刊》第3集，民73年6月）、柯慧珠〈黃埔
軍校籌備事宜之探討〉（《黃埔學報》21輯，民78年10月）、三石善
吉〈黃埔軍校の設立過程とリ〉（《中哲文學會報》第6號，1981）
及〈黃埔軍校の創立〉（《筑波法政》第7卷，1984年3月）、成國銀
〈黃埔軍校創建始末〉（《黨史縱橫》1995年1期）、許朗軒〈黃埔
軍校的建立及其初期發展〉（《中華民國建國史討論集》第3冊，民
70）、蔣永敬〈準備北伐聲中掀起的黃埔怒濤〉（《中華文化復興
月刊》8卷10期，民64年10月）及〈黃埔軍校創辦的時代意義與背
景〉（載國防部史政編譯局編印《黃埔建校六十週年論文集》上冊，臺
北，民73）、陳以沛〈我國革命史上的燦爛之花—論黃埔軍校的
勝利誕生〉（《廣州文博》1985年1、2期合刊）及〈國共合作的革命
學府—為黃埔軍校創立六十周年紀念而作〉（同上，1984年2
期）、梁佰群〈淺論黃埔軍校的建立與成長〉（同上）、謝秀英
〈黃埔軍校成立之背景探討〉（《黃埔學報》31輯，民85年6月）、
曹敏〈黃埔建軍的因緣和理想〉（收入氏著《曹敏七十文錄》，臺

北，黎明文化事業公司，民68）、鄧文儀〈黃埔建軍史話〉（《湖南文獻》9卷3期，民70年7月）、莊政〈黃埔建軍秘辛〉（《中外雜誌》36卷4期，民73年10月）及〈國父創辦黃埔軍校經緯〉（《三民主義教學研究叢刊》第9期，民74年8月）、范英〈國父晚期的軍事思想與黃埔軍校的創立〉（《中華民國歷史與文化討論集》第1冊，民73）、莫拔萃、張雪華〈孫中山與黃埔軍校－國共合作的卓著成果〉（《學術論壇》1987年4期）、郭景榮〈孫中山建軍思想的發展與黃埔建軍〉（《孫中山研究論叢（中山大學學報論叢）》第2集，1984）、夏琢瓊〈孫中山與黃埔軍校〉（《華南師大學報》1985年2期）、潘錫堂〈孫蔣二公的國防思想與黃埔建軍〉（《銘傳學報》22期，民74年3月）、林玲玲〈尋求建軍思想的實現－孫中山創辦黃埔軍校的經緯〉（載《第一屆三軍官校基礎暨中山學術研討會·人文社會類論文集》，民83年6月）、鄭輝麟〈蔣中正先生與黃埔創校建軍（1924-1925）〉（同上）、許朗軒〈蔣中正先生與黃埔建校建軍〉（載《蔣中正先生與現代中國學術討論集》第2冊，臺北，民75）、曾成貴〈蔣介石辭辦黃埔軍校問題之考述〉（《學術界》1995年5期）、呂芳上〈總統蔣公與黃埔軍校的創建〉（《歷史學報（臺灣師大）》第4期，民65年4月）、韓勝朝〈蔣介石與黃埔建軍〉（《南都學壇》1992年3期）、黃季陸〈蔣公與黃埔〉（《中外雜誌》36卷5期，民73年11月）、劉冰〈蔣介石與黃埔一期生〉（《文史雜志》1996年1期）、王強〈鄧演達與黃埔軍校的創建〉（《民國檔案》1994年3期）、盧寧〈鄧演達與黃埔軍校〉（《暨南學報》1995年3期）、賀耀夫〈廖仲愷與黃埔軍校〉（《江西社會科學》1985年2期）、王懷洲〈廖仲愷與黃埔建軍〉（《廣東文博》1986年1、2期合

刊）、張竟〈魯迅與黃埔軍校〉（同上，1985年1期）、黎顯衡〈黃
埔軍校在北伐戰爭中的作用〉（《廣州文博》1986年4期）、陳以沛
〈論黃埔軍校的北伐成功〉（同上，1987年2期）、鄧雪冰〈北伐
中的黃埔師生〉（《湖南文獻》16卷4期，民77年10月）、周興樑〈論
黃埔軍校的歷史地位〉（《蘇州大學學報》1994年1期）、姜廷玉
〈試論黃埔軍校在中國軍事教育史上的地位和影響〉（《黃埔》
雜誌，1988年2、3期合刊）、姜廷玉〈黃埔軍校對我軍軍事教育的
影響〉（《軍史資料》1988年6期）、王永均〈大革命時期的黃埔軍
官學校及其歷史演變述要〉（《軍史資料》1989年3期）、李義彬
〈第一次國共合作時期黃埔軍校的重大貢獻〉（《民國檔案》1985
年1期）、張天周〈黃埔精神真諦〉（《中州學刊》1986年6期）、莊
鴻鑄〈試論黃埔精神〉（《新疆大學學報》1993年1期）、陳孝義
〈從「畏死勿軍人」看黃埔精神之發揚〉（載《第一屆三軍官校基
礎暨中山學術研討會·人文社會類論文集》，民83年6月）、容鑑光〈黃
埔軍校與黃埔精神〉（《中華民國歷史與文化討論集》第1冊，民
73）、劉鳳翰〈黃埔初期組織及其人事分析〉（同上）、王肇宏
〈黃埔初期革命武力形成之研究〉（《中正嶺學術集刊》第4集，民
74年6期）、謝信堯〈黃埔軍校初期的政治教育〉（《中山學報》15
期，民83年6月）及〈黃埔建校初期思想教育內涵與運作功能之研
究（1924-1927）〉（《黃埔學報》28輯，民83年12月）、唐國球等
〈黃埔軍校初創時期培育人才經驗探析：淺析黃埔軍校初期的辦
校方針〉（《思想戰線》1985年1期）、王正華〈黃埔建校軍費初
探〉（載《黃埔建校六十週年論文集》上冊，臺北，民73）、秦惠萍
〈黃埔早期教育與訓練〉（同上）、張淑杰〈黃埔軍校的創立和

初期的一些情況〉（《歷史教學》1986年1期）、王健五等〈黃埔軍校領導集團的智力結構〉（《領導科學》1985年5期）、陳國強〈蔣介石辭黃埔校職原因考〉（《近代史研究》1993年6期）、孫子和〈從黃埔建軍到北伐前夕革命軍之餉械問題〉（《中華民國歷史與文化討論集》第4冊，民73）、楊牧〈關於黃埔軍校的教學特點〉（《中州學刊》1986年2期）、李燊芳〈學習黃埔軍校政治教育工作的經驗—紀念黃埔軍校成立62周年〉（《廣東教育學院學報》1986年2期）、王建吾〈試論黃埔軍校政治教育之特色〉（《中州學刊》1984年6期）、孔繁浩等〈大革命時期黃埔軍校的政治教育〉（《上海師院學報》1984年3期）、黃振位〈論黃埔軍校的政治工作〉（《中州學刊》1986年4期）、王永均〈周恩來在黃埔軍校創建的軍隊政治工作及其歷史意義〉（《軍史資料》1986年1期）。楊紹練、羅雨林〈中國共產黨在創建黃埔軍校中的作用〉（《近代史研究》1984年5期）、王榮德〈我黨在黃埔軍校的思想政治工作淺論〉（《湖州師專學報》1996年2期）、陳以沛〈黃埔軍校中的共產黨人〉（《中州學刊》1986年2期）、〈黃埔軍校共產黨人的歷史貢獻〉（《廣州文博》1986年1、2期合刊）及〈黃埔共產黨人歷史真象考實〉（同上，1984年3期）、卜惠英〈在第一、二次東征中犧牲的黃埔軍校共產黨員〉（《廣東史志》1995年1、2期合刊）、王宗英、王素梅〈黃埔軍校與中國共產黨〉（《歷史教學》1994年6期）、文耀奎等〈江西籍黃埔師生在江西的革命活動〉（《爭鳴》1986年3期）、江文〈黃埔軍校中的河南籍學員〉（《河南黨史研究》1990年4期）、呂何生〈對《黃埔軍校中的河南籍學員》一文的若干補正〉（同上，1990年6期）、舒國雄〈黃埔軍校與湖北籍學生〉（《武漢春秋》1984年4期）、葉長慶、程雯青〈黃埔軍校中的皖籍學員〉（《江淮文史》1995年3期）、蕭永〈黃埔軍校中的廣西籍學生名單錄〉（《玉林師專學報》1994年1期）、金鑫〈黃埔軍校及其湖南學生考〉（《湖南師院學報》1984年3期）、葉泉宏〈黃埔軍校韓籍學生考實〉（《韓國學報》14期，民85年5月）、林徵祁〈黃埔軍校第一期招生情形的分析〉（《中國現代史專題研究報告》12輯，民79）、周谷〈鐵血壯士行—談黃埔軍校第一期第六大隊的由來〉（《中外雜誌》38卷3期，民74年9月）、趙金康〈黃埔軍校一期學生入校簡況〉（《史學月刊》1994年4期）、三上諦聽〈青年軍人聯合會について—黃埔軍官學校に於ける〉（《史泉》12號，1958年10月）及〈孫文主義學會について—黃埔軍官學校に於ける〉（《龍谷史壇》44號，1958年12月）、江崎隆哉〈中國青年軍人連合會と廣州孫文主義學會の樹立に關するの一考察〉（《法學政治學論究》21號，1994年6月）、劉紅〈黃埔軍校和黃埔系〉（《民國春秋》1995年5期）及〈國民黨黃埔軍校及軍隊中的黃埔系〉（《軍史資料》1987年3期）、三石善吉〈商團事件と黃埔軍校—黃埔軍校の發展（その1）〉（《筑波法政》第8卷，1985年3月）及〈廖仲愷暗殺とバラデイーンの戰略—黃埔軍校の發展（その3）〉（同上，11卷，1988年3月）、劉妮玲〈在華外人對黃埔建軍之認識初探（1924-1926）〉（《歷史學報（臺灣師大）》12期，民73年6月）、朱敏彥、周智偉〈蘇聯顧問與黃埔軍校〉（《軍事歷史研究》1988年2期）、劉亨讓〈蘇聯對創建黃埔軍校的作用〉（《益陽師專學報》1988年4期）、饒東輝〈共產國際、蘇聯與黃埔軍校的創立〉（《華中師大研究生學報》1988年3期）、黎顯衡〈誠摯的援助患難與共的朋友－論第一次國共合作時期蘇聯顧問對黃埔軍校的援助〉(《廣州文博》1984年2期)、陳存恭〈黃埔建校前後在華南的蘇俄軍事顧問〉(《黃埔建校六十週年論文集》上冊,臺北,民73)、嚴棉〈教導團的組成與東征〉(同上)、張明凱〈黃埔軍校與廣東革命基地之奠定〉(同上)、廖京山、王付昌〈黃埔軍校與廣東革命根據地的統一〉(《廣州師院學報》1990年1期)、張鋼杰〈黃埔軍校與國民革命軍的形成和發展〉(《河南大學學報》1993年4期)、A. Yurkevich, "The Huangpu Military School and the Chinese Revolution" (Far Eastern Affairs (Moscow), No.4, 1985；其中譯文爲〈黃埔軍校和中國革命〉,載《蘇聯問題研究資料》1986年4期)、狹間直樹〈"三大政策"と黃埔學校〉(《東洋史研究》46卷2號,1987年9月)、劉毅翔〈黃埔軍校暨國民革命軍黨代表條例制度考釋〉(《貴州史學叢刊》1985年1期)、王永均〈黃埔軍校政治部組織與活動簡況〉(《黨史研究資料》1982年9期)、王列平〈黃埔軍校的六任政治部主任〉(《黨史文匯》1994年4期)、李義彬〈黃埔軍校政治部主任更迭考〉(《黨史資料叢刊》第4輯,1981)、袁章授、樓子芳〈新發現的黃埔軍校《革命畫報》〉(《杭州大學學報》1990年3期)、水野直樹〈黃埔軍官學校と朝鮮の民族解放運動〉(《朝鮮民族運動史研究》第6號,1989年12月)、郭公和〈國共合作時期的黃埔軍校及其部分畢業生簡介〉(《人物》1984年4期)、李寧〈黃埔校歌的由來、主題及作用〉(《松遼學刊》1988年4期)、史明星〈黃埔軍校遷都南京始末〉(《南京史志》1990年6期)、華路〈南京中央軍校初探〉(《史林》1996年4期)、黃學盛〈黃埔軍校潮州分校〉(《黨史研究資料》1987年8

期）、陳三鵬〈黃埔軍校潮州分校創辦原因初探〉（《韓山師專學報》1990年2期）、林德一等〈第一次國共合作時的武漢中央軍事政治學校〉（《中南民族學院學報》1986年3期）、王建吾〈黃埔軍校武漢分校女生隊歷史真相述論〉（《中州學刊》1986年2期）、王玲〈黃埔軍校（中央陸軍軍官學校）分校簡介〉（《民國檔案》1990年3期）、李盈慧〈抗戰前黃埔軍校各分校簡介〉（《黃埔建校六十週年論文集》上冊，臺北，民73）、王紀霏〈早期黃埔同學會概況〉（同上）、劉鳳翰〈黃埔軍校建校六十年年表〉（同上，下冊）、林泉〈研究黃埔軍校有關史料索引〉（同上）。

3.商團事件（變）

　　民國十三年秋冬的商團事件，是國民黨改組後面臨的重大挑戰之一，關係廣州陸海軍大元帥大本營的安危甚鉅，亦為黃埔軍校學生首次參加重大的軍事行動，惟有關這方面的資料集和論著並不多，僅有香港華字日報《廣東扣械潮》（撰者印行，1924）、周興〈試論廣州商團的性質及其演變〉（《廣州研究》1986年10期）、存萃學社編《一九二四年廣州商團事件》（香港，崇文書店，1974）、波多野善大〈商團事件の背景─1924年における廣州の現實〉（《愛知學院大學文學部紀要》第4號，1974年12月）、王肇宏〈廣州商團事件─時代背景及起因之研究〉（《中正嶺學術研究集刊》14集，民84年5月）、張家昀〈廣州商團事變前因及其經過〉（《世界華學季刊》2卷4期，民70年12月）、李達嘉〈商人與政府─1924年廣州商團事件原因之探討〉（載楊聯陞等編《國史釋論：陶希聖先生九秩榮慶祝壽論文集》上冊，臺北，食貨出版社，民76）、井泓瑩〈民國十三年廣州商團事變原委之探討〉(《聯合學報》第6期，民78年11月)、祝秀俠〈記廣州商團叛變事件—廣州大事記之一〉(《廣東文獻》14卷3期，民73年9月)、徐嵩齡〈1924年孫中山的北伐與廣州商團事變〉(《歷史研究》1956年3期)、吳坤勝〈廣東商團叛亂與孫中山的鬥爭〉(《華南師大學報》1983年3期)、馬慶忠〈孫中山與廣州商團事件〉(《中山大學學報論叢》第2集，1984)、張磊〈孫中山與1924年廣州商團叛亂〉(載《學術論文選(1979-1982)·歷史學·下卷》，廣州，廣東社會科學院出版社，1983)、袁潤芳〈孫中山平定廣州商團叛亂述略〉(《歷史檔案》1984年1期)、方毓寧〈孫中山平定廣州商團叛亂的革命措施〉(《歷史教學》1984年4期)、橫山宏章〈廣東政權の財政逼迫と孫文政治—商團軍の反亂をめぐつて〉(《社會經濟史學》42卷5號，1977年3月)、栃木利夫〈商團事件敗北の歷史的意義—1924年廣東における革命と反革命〉(《長崎造船大學研究報告(人文·社會科學篇)》11卷1號，1970年4月)、白玉等〈國共合作平定商團叛亂述略〉(《太原師專學報》1989年3期)、溫小鴻〈商團事變前後廣東商人的心理變化〉(《學術研究》1988年6期)、三石善吉〈商團事件と黃埔軍校〉(《筑波法政》第8卷，1985年3月)、俞辛焞〈孫中山的反帝鬥爭策略—以關餘、商團事件為中心〉(《南開學報》1993年4期)。

4.從東征到兩廣合作

民國十四年(1925)廣州政府的兩次東征有朱瑞月編《國民革命建軍史·第一部：黃埔建軍與東征北伐》(臺北，國防部史政編譯局，民81）、蔣君章〈東征北伐四大戰役〉（《中外雜誌》25卷6期、26卷1期，民68年6、7月）、王肇宏〈國民革命武力在兩次東征的發展〉（《中正嶺學術研究集刊》第6集，民76年6月）、曾慶榴〈蔣介石與廣東革命政府的兩次東征〉（《近代史研究》1988年6期）、劉秉粹編撰、何應欽鑒定《革命軍第一次東征戰紀》（編撰者印行，民17；臺北，文海出版社影印，民70）、曾慶榴編寫《東征演義（1925）》（南昌，江西人民出版社，1986）、劉寒〈略述1925年廣東革命政府的兩次東征〉（《歷史教學》1983年8期）、張秉均〈東征靖亂第一期戰役之研究〉（《三軍聯合月刊》12卷6期，民63年8月）及〈東征靖亂第二期戰役之研究〉（同上，12卷7期，民63年9月）、阮銀甫〈關於東征建議與兩湖議案〉（《江漢論壇》1988年6期）、陶用舒〈也評東征建議和兩湖方案〉（同上，1989年8期）、嚴棉〈教導團的組成與東征〉（《黃埔建校六十週年論文集》，臺北，民73）、王仲民〈試論加倫在第一次東征中的作用〉（《蘇聯問題研究資料》1989年2期）、鄧文儀〈參加革命軍東征散記〉（《東方雜誌》復刊10卷1號，民65年7月）、棉湖大捷五十週年紀念籌備會編《棉湖大捷五十週年紀念特刊》（臺北，編者印行，民64）、鄧文儀〈驚天動地的革命戰爭—棉湖之役〉（《三軍聯合月刊》3卷2期，民54年4月）、鄭壽華〈棉湖之役補述〉（《廣東文獻》3卷2期，民62年6月）、鄭烈波等〈決戰榕江畔，火種播潮汕（上）—國民革命軍兩次東征在潮汕的戰鬥活動〉（《韓山師專學報》1983年1期）。南征有梁伯群〈革命軍南征鄧本殷始末〉（《廣州文博》1987年1期）。

　　民國十四年七月一日，國民政府在廣州成立，大本營時代結束，這方面的資料、論著有國民黨黨史會編印《革命文獻・第20輯：國民革命軍出師北伐史料—國民政府成立前後之政治建制史料㈠》（臺北，民47）、許師慎編《國民政府建制職名錄》（臺北，國史館，民73）；《中華民國國民政府公報》（臺北，成文出版社影印，民61）、程玉鳳〈國民政府成立史料選輯〉（《國史館館刊》第2期，民76年6月）、王正華《國民政府之建立與初期成就》（臺北，臺灣商務印書館，民75）、〈國民政府初創時期之組織及黨政關係（民國14年7月至15年12月）〉（收於張玉法主編《中國現代史論集》第7輯—護法與北伐》，臺北，民71）、陳錫璋《廣州樞府史話》（臺南，撰者印行，民63；臺北，黎明文化事業公司，民68）、曾慶榴〈廣州國民政府述論〉（《近代史研究》1992年5期）、李夢堂〈試論廣州國民政府的性質〉（《河北大學學報》1989年1期）、陳詩啟〈邁向關稅自主的第一步—廣東國民政府開徵二・五附加稅〉（《近代史研究》1995年1期）、張溯崇〈廣州時期國民政府的外交〉（《中國歷史學會史學集刊》17期，民74年5月）及〈廣州時期國民政府的財政〉（《近代中國》36期，民72年8月）、賀凌虛〈廣州時期國民政府的監察院〉（《近代中國》36期，民72年8月）、莊有為〈廣州國民政府法律制度概述（1923・3—1926・12）〉（《上海師大學報》1995年4期）、吳建國〈廣州—武漢國民政府官制的特點〉（《近代史研究》1990年2期）、徐義君〈試論廣州武漢時期國民政府的反帝外交策略〉（同上，1982年3期）、劉志〈淺談廣州國民政府的幾項公務員制度〉（《中南法政學院學報》1988年1期）、栃木利夫〈廣東國民政府と民團〉（收入《講座中國近現代史》第5卷，東京，東京大學出版會，1978）及〈國民革命期の廣東政府〉（《法政大學教養學部紀要》62號，1987）、李仕德〈北伐前國民政府與英國之關係〉（《國立編譯館館刊》19卷1期，民79年6月）、胡振東《聯俄容共時期國民政府權力結構之演變（1922-1928）》（臺灣師大三民主義研究所碩士論文，民84年6月）、袁繼成等〈大革命時期國民政府的文官制度〉（《同濟醫科大學學報》1989年1期）、張溯崇〈國民政府時期中央行政組織法概述〉（《華岡法科學報》第2期，民68年5月）、高華〈國民政府權威的建立與困境〉（載許紀霖、陳達凱主編《中國現代化史》第1卷，上海三聯書店，1996）、周美華編《國民政府軍政組織史料㈠㈡：軍事委員會⑴⑵》（2冊，臺北，國史館，民85）。又劉國銘主編《中華民國政府軍政職官人物誌》（北京，春秋出版社，1989），收錄1925年7月-1948年5月國民政府時期的軍政職官人物，以及1948年5月-1949年9月中華民國政府的軍政職官，共29500餘人，極具參考價值。

其他如孫中山的東征、北伐、北上和逝世等有古應芬《孫大元帥東征日記》（上海，民智書局，民15）、呂實強〈孫中山先生之兩次北伐〉（《北伐統一六十周年學術討論集》，民77；亦載《近代中國》70期，民78年4月）、曾憲林、朱丹〈試論二十年代初孫中山的兩次北伐〉（《江漢論壇》1991年1期）、敖光旭〈論孫中山與二次北伐－兼對有關問題提出商榷〉（《廣東社會科學》1995年3期）、曾祥進《北伐與平叛（1921.10-1924.10）》（孫中山先生系列傳記文學之9，1996）、魏星斗〈孫中山北伐與陳炯明叛變〉（《歷史教學與研究》1960年1期）、黃嘉謨〈國父出巡廣西紀程〉（《廣西文獻》11期，民70年1月）、陸仰淵〈試談孫中山設北伐大本營在桂

林的原因〉(《南寧師院學報》1982年2期)、周興樑〈論孫中山的
韶關北伐〉(《貴州社會科學》1986年8期)、王凌雲〈試論孫中山
第二次北伐〉(《黨史研究資料》1988年11期)、嚴興文〈1924年孫
中山誓師北伐淺論〉(《韶關大學學報》1996年1期)、楊奎松〈孫
中山的西北軍事計畫及其夭折—國民黨謀求蘇俄軍事援助的最初
嘗試〉(載《郭廷以先生九秩誕辰紀念論文集》,臺北,中央研究院近代
史研究所,民84;亦載《歷史研究》1996年3期)、《滇軍史》編委會
〈孫大元帥指揮滇軍平叛〉(《雲南文史叢刊》1990年3期)、C·
Martin Wilbur, Forging the Weapons: Sun Yat-sen and the
Kuomintang in Canton, 1924. (New York: East Asian Institute of
Columbia University, 1966)、橫山宏章〈廣東的客軍と孫文の政治
指導〉(《アジア研究》22卷4號,1977年1月)、敖光旭〈論孫中山
在1924下半年的是是非非〉(《近代史研究》1995年6期)、紀山
〈可貴與時俱逝,可惜天不假年—記孫中山先生晚年事迹片斷〉
(《革命文物》1980年1期)、力文〈略論孫中山晚年的最後幾個
月〉(《雲南社會科學》1986年5期)、施樂伯、于子橋〈孫中山先
生的最後歲月:與變遷中世界的互動〉(載《國父建黨革命一百周
年學術討論集》第2冊,臺北,近代中國出版社,民84)、莊政〈孫中
山先生的最後一百天〉(《國史館館刊》復刊20期,民85年6月)及
〈孫中山先生最末的十週病況考述〉(《國立編譯館館刊》25卷1
期,民85年6月)、鄧衛中〈為和平統一中國而奮鬥的孫中山—評
孫中山的兩次北上〉(收於《孫中山與貴州民主革命》,貴州人民出版
社,1987),Jerome Chen(陳志讓),"Dr. Sun Yat-sen's Trip
to Peking, 1924-1925"(In Readings on Asian Topics, Scandinavian In-

stitute of Asian Studies, Monograph Series NO.1, 1970）、波多野善大
〈孫文北上の背景—孫文の晩年における「和平會議」の構想〉
（《名古屋大學文學部研究論集》53號—史學18，1971年3月）、廖永武
〈歡迎孫中山北上與國民會議運動〉（《天津師大學報》1985年1
期）、彭澤周〈中山先生的北上與大亞洲主義〉（《大陸雜誌》66
卷3期，民72年3月）、劉曼容〈孫中山北上與其實行〝中央革命〞
的設想〉（《廣東社會科學》1990年2期）及〈1924年孫中山北上與
日本的關係〉（《歷史研究》1991年4期）、李吉奎〈1924年孫中山
北上訪日史料新證〉（《中山大學史學集刊》第1集，1992）、劉曼容
〈1924年孫中山北上的幾個問題〉（《近代史研究》1993年3期）、
王列平〈評述中共對孫中山北上態度的演變〉（《黨史研究資料》
1993年5期）、陶水木〈也談中共對孫中山北上態度的演變〉（同
上，1994年1期）、吳元康〈段祺瑞對待孫中山北上的態度〉（《安
徽史學》1996年4期）、王星舟〈國父北上記—天津歡迎實況〉
（《中外雜誌》16卷6期，民63年12月）、李淑蘭〈評孫中山的三次北
京之行〉（《北京師院學報》1989年4期）、張同新〈孫中山第三次
到北京〉（《北京檔案史料》1996年1期）、黃宗漢、王燦熾編著
《孫中山與北京》（北京，人民出版社，1996）、黃昌穀《孫中山
先生北上與逝世後詳情》（上海，民智書局，民15）、狹間直樹
〈試論孫文逝世前後有關的社會評價〉（載《國父建黨革命一百周
年學術討論集》第1冊，臺北，民84）、邵培之〈孫中山逝世前後〉
（《中外雜誌》57卷6月，民84年6月）、中外雜誌資料室〈國父逝世
前後〉（同上，5卷3期，民58年3月）、陳存仁〈孫中山先生病逝經
過〉（《廣東文獻》8卷1期，民67年3月）、范體仁《孫中山先生之

生與死》（上海，光明書局，民14）、崛川哲男〈孫文の遺書めぐ
つて〉（《人文》20號，1973年3月）、沈雲龍〈孫中山先生北上逝
世與奉安大典〉（《傳記文學》33卷5期，民67年11月）、姜紹謨〈國
父逝世與奉安大典追憶〉（同上）、沈覲鼎〈國父逝世與奉安大
典拾遺〉（同上）、牟龍光〈孫中山先生靈櫬奉安典禮目擊記〉
（《貴州文史天地》1996年6期）、江蘇省政協文史資料研究委員會
編輯《孫中山奉安大典》（北京，華文出版社，1986）。南京市檔
案館中山陵園管理處編《中山陵檔案史料選編》（南京，江蘇古籍
出版社，1986）。此外如James R. Shirley, "Control of the
Kuomintang After Sun Yat-sen's Death." （The Journal of Asian
Studies, Vol. 25,No.1, November 1965）、莫華生〈廣東革命政府南征
初探〉（《廣東教育學院學報》1988年2期）、曾慶榴〈第一次國共
合作與統一廣東的戰爭〉（《理論與教學》1984年2期）、John
Fitzgerald, "Guomindang Political Work in the Armed Force
During the Guangdong Provincial Campaigns, 1925-26." （Papers
on Far Eastern History, NO.32, 1985）、國民黨黨史會編《革命文
獻·第10輯、11輯：國民革命軍建軍至統一兩廣史料㈠㈡》（臺
中，編者印行，民44）、陳祖懷〈中國國民黨軍事力量的興起與轉
型（1924-1928）〉（《史林》1990年1期）、劉鳳翰〈國民革命軍的
發展及指揮系統之建立－民國14年7月至17年7月〉（載《先總統蔣
公百年誕辰紀念論文集》，臺北，國防部史政編譯局，民75年10月）、F.
F. Liu（劉馥），A Military History of Modern China, 1924-1949.
（Princeton: Princeton University Press, 1956），其中譯本為《中國現
代軍事史（924-1949）》（臺北，東大圖書公司，民75）、蘇啟明

《近代中國軍事主義的興起及發展（1924-1932）》（政治大學歷史研究所博士論文，民83年6月）、Michael Richard Gibson, Chiang Kai-shek's Central Army,1924-1938. （Ph. D. Dissertation, George Washington University, 1985）、坂野良吉〈國民革命の展開とワシントン體制の變質—反奉戰爭の前後を中心として〉（《歷史學研究》別册特集，1983）、韋慕庭（C·Martin Wilbur）〈國民革命：從廣州到南京（1923-1928）〉（係費正清主編、章建剛等譯《劍橋中華民國史》第一部之第11章，上海人民出版社，1991）、Steven I. Levine, trans., Two Years in Revolutionary China. （Cambridge: Harvard University Press,1971）。

四北伐與統一

民國十五年（1926）七月九日，國民革命軍在廣州行北伐誓師典禮，十七年六月八日，國民革命軍開入北京，北洋政府就此終結，同年十二月二十九日東北宣布易幟，全國統一，北伐大業告成。

1.北伐史綜述

以國防部史政局《北伐戰史》（5册，臺北，撰者及中華大典編印會合作出版，民56）、蔣緯國總編《國民革命戰史·第二部—北伐統一》（4册，臺北，黎明文化事業公司，民69）、林培植主編、三軍大學戰史編纂委員會編纂《國民革命軍戰役史·第二部—北伐》（2册，臺北，編纂者印行，民82）三書最為詳盡完備，書中並附有各重要戰役經過圖，極有助於讀者之閱讀。國防部史政局編

《北伐簡史》（臺北，編者印行，民50）、《中華民國戰役大事紀要－北伐戰役》（同上，民51）及《國民革命六大戰役史輯要－北伐戰史》（同上，民49）、國防部史政編譯局編《北伐戰役大事紀要》（臺北，編者印行，民73）、文公直《國民革命軍北伐成功記》（2冊，上海，新光書局，民18）、張梓生《國民革命軍北伐戰爭之經過》（北平，華北印書局代印，民18；原載《東方雜誌》25卷15-17號，民17年8-9月）、王雲五、李聖五主編《國民革命軍北伐戰爭史》（上海，商務印書館，民22）、黃念中《北伐戰爭（中國革命故事）》（上海，上海人民出版社，1958）、中央檔案館《北伐戰爭（資料選編）》（北京，中共中央黨校出版社，1981）、胡之信《北伐戰爭》（哈爾濱，黑龍江人民出版社，1985）、范忠程《北伐戰爭史稿》（長沙，湖南人民出版社，1986）、曾成貴、江抗美《國共合作的北伐戰爭－中國革命史話》（鄭州，河南人民出版社，1986）、陳伙成《國共合作北伐記》（北京，軍事科學出版社，1996）、中國革命博物館編寫《第一次國共合作時期的北伐戰爭》（哈爾濱，黑龍江人民出版社，1986）、達尊《北伐戰爭的故事》（瀋陽，遼寧人民出版社，1986）、黃崢編《北伐戰爭》（中國革命史叢書，北京，新華書店，1990）、曾憲林等《北伐戰爭史》（成都，四川人民出版社，1991）、劉秉榮《北伐秘史》（2冊，北京，知識出版社，1995）、蘇雙碧《北伐風雲》（北京，光明日報出版社，1993）；Donald A. Jordan, The Northern Expedition: China's National Revolution of 1926-1928. (Honolulu: The University of Hawaii Press, 1976) 是第一本以北伐為主題的西文書籍，全書不僅詳述北伐的軍事行動過程，對於北伐以前廣東的內部情勢、群眾在北伐中的角色、國民革命軍的政治工作、北伐中對軍閥的招附問題都有不少篇幅加以論述，本書最重要的論點，在於肯定軍事行動在北伐中的角色，並駁斥了「群眾運動至上」的論調；張靜如主編《中國新民主主義革命史長編：北伐戰爭（1926-1927）》（上海，上海人民出版社，1994）、李新總編、楊天石主編《中華民國史·第2編第5卷：北伐戰爭與北洋軍閥的覆滅》（北京，中華書局，1996）、凌軼（則民）編《國民革命軍北伐》（上海，大成出版公司，民37）、全國政協文史資料研究委員會、廣東省政協文史資料研究委員會編《國民革命軍北伐親歷記》（北京，中國文史出版社，1994）、張其昀〈北伐戰役〉（收入張其昀等著《中國戰史論集》第2冊，臺北，中華文化出版事業委員會，民43）、《近代中國》資料室〈國民革命軍北伐史料選輯〉（《近代中國》54期，民75年8月）、程玉鳳、程玉凰〈國民革命軍北伐史料選輯〉（《國史館館刊》復刊第4期，民77年6月）、洪桂己〈北伐日本檔案選譯〉（同上）、陳舜臣《中國の歷史近·現代篇·第6卷：雲は翔ぶ—國共合作與北伐》（東京，平凡社，1986）、馬沈、楊金汀〈北伐戰爭大事記〉（《軍事史林》1987年2期）、沈家五〈國民革命北伐大事記〉（《民國檔案》1986年3期）、黃國建編〈國民革命軍北伐大事記〉（收入《國民革命軍北伐親歷記》，北京，中國文史出版社，1994）、程雨眾〈北伐戰爭概況〉（《歷史教學》1962年3期）、維什尼亞科娃等著、溫耀平譯〈北伐〉（《蘇聯問題研究資料》1984年1期）、喜入虎太郎〈國民黨の北伐〉（《アジア問題講座》第1卷，東京，創元社，1939）、秦孝儀〈對〝北伐統一〞一般歷史的綜合觀察〉（《近代中國》66期，民77年8月）、李雲漢〈北伐史的面面觀〉（同上，113期，民85年6月）。其他相關者有國民黨黨史會編《革命文獻·12-20輯：國民革命軍出師北伐史料》（臺北，編者印行，民45-47）及《革命文獻·21輯：北伐統一史料》（同上，民48）、劉秉榮《北伐秘史》（2冊，北京，知識出版社，1995）、國防部史政編譯局編輯《北伐統一五十週年特刊》（臺北，編輯者印行，民67）、北伐統一六十周年學術討論集編輯委員會編輯出版《北伐統一六十週年學術討論集》（臺北，民77）、楊天石主編《中華民國史·第2編第5卷：北伐戰爭與北洋軍閥的覆滅》（北京，中華書局，1996）、國父建黨一百週年學術討論集編輯委員會《國父建黨一百週年學術討論集·第2冊：北伐統一史》（臺北，近代中國出版社，民84）、陳訓正《國民革命軍戰史初稿》第1輯（4冊，臺北，文海出版社影印，民61）、文公直《最近三十年中國軍事史》（2冊，臺北，文星書店影印，民51）、蔣介石編著《三年來的國民革命軍（一名「國民革命軍戰史」）》（上海，光明書局，民18）、國民革命軍總司令部參謀處編《北伐陣中日記》（民15年7月至17年6月，南京，中國第二歷史檔案館藏）、歐振華《北伐行軍日記》（光東印務局，民20；臺北，文海出版社影印，民66）、項士元《北征日記》（臺北，文海出版社影印，民62）、金聲《北伐從軍雜記》（上海，現代書局，民16）、亞·伊·切列潘諾夫（Alexander Ivanovich Cherepanov）著，中國社會科學院近代史研究所翻譯室譯《中國國民革命軍的北伐——一個駐華軍事顧問的札記》（北京，中國社會科學出版社，1981），其另一中譯本為亞·伊·趙列潘諾夫著、王啟中、楊若晨合譯《蘇聯在華軍事顧問回憶錄·第3部：中國國民革命軍的北伐》（臺北，國防部情報局，民65）、孟·伏·岳列夫著、王啟中、周祉元合譯《蘇聯在華軍事顧問回憶錄·第9部：北伐前後的中國革命情勢》（同上）。C. Martin Wilbur, The Nationalist Revolution in China, 1923-1928. (Cambridge University Press, 1985）所述，與北伐也有關連。

2.北伐史事散論

曾成貴〈北伐戰爭史事雜考〉（《黨史研究資料》1989年3期）、日疋滿雄〈支那北伐國民革命論究〉（《東亞論業》第5輯，1940）、陳鵬仁〈日本外交官眼中的北伐〉（載《中國現代史專題研究報告》18輯，民85）、孫國權〈北伐戰爭史研究中的一個問題〉（《華南師大學報》1983年3期）、靛嫒〈論北伐戰爭的上下限〉（《文史知識》1993年2期）、馬沈〈北伐上下限的再探索〉（《近代史研究》1995年3期）、張鳴〈"北伐戰爭"應是多次〉（《安徽史學》1993年4期）、胡耐安〈北伐瑣碎事拾零〉（《傳記文學》9卷6期，民55年12月）、劉德軍〈辛亥、北伐、抗戰比較研究〉（《山東醫科大學學報》1995年4期）、鄭超麟〈北伐是哪方面要求的〉（《黨史研究資料》1988年3期）、王鴻飛〈北伐戰爭的歷史借鑒〉（《河南財經學院學報》1986年3期）、黃詩玉〈中國國民黨北伐決策考〉（《文史知識》1993年2期）、曾成貴〈北伐戰爭發動問題新探〉（《黨史研究與教學》1989年5期）、楊吉興〈國民革命軍出師北伐宣言發表時間考〉（《歷史教學》1992年11期）、孫子和〈由北伐前的北方政情論北伐時機〉（《北伐統一六十周年學術討論集》，臺北，民77）、張昭然〈北伐前夕國民革命軍與直系軍隊之戰力比較〉（同上）、王正華〈北伐前夕國民革命軍戰力之分析〉

（載《史政學術講演專輯(三)》，臺北，民78）及〈國民革命軍出師北伐的經緯〉（《中國歷史學會史學集刊》15期，民72年5月）、牧甫〈廣州誓師北伐記〉（《廣東文獻》19卷3、4期，民80年9、12月）、吳相湘〈北伐誓師六十週年〉（《傳記文學》48卷1期，民75年1月）、魏宏運〈北伐軍共出動幾個軍，分幾路進軍的，各路誰負責指揮，進軍的路線是怎樣的〉（《歷史教學》1954年8期）、王真等〈北伐戰爭〉（《人民中國通訊》1957年1期）、蔣緯國〈北伐統一之建軍與野戰戰略〉（《北伐統一六十周年學術討論集》，臺北，民77）。李國祁〈北伐前期的戰略與政略〉（載《蔣中正先生與現代中國學術討論集》第2冊，臺北，民75）及〈北伐的政略〉（收於《北伐統一六十周年學術討論集》，臺北，民77）、蔣永敬〈論北伐時期的一個口號—三大政策〉（收於《北伐統一六十周年學術討論集》，臺北，民77）、張波〈關於打倒帝國主義、打倒軍閥兩個口號由來的歷史過程〉（《吉林師院學報》1986年1期）。藤井高美〈北伐時の軍隊問題〉（《福岡學藝大學久留米分校研究紀要》15號，1965年3月）、夏存友〈也論北伐戰爭時期國民革命軍的性質問題〉（《南京社會科學》1996年8期）、張建基〈北伐戰爭時期國民政府集團軍組建考〉（《軍事歷史研究》1988年4期）、Ch'i Hsi-sheng（齊錫生），"Financial Contraint on Northern Expedition."（載《中華民國初期歷史研討會論文集》上冊，臺北，民73）、羅蘇文〈論北伐戰爭時期國民革命軍的青年軍官層〉（《史林》1988年3期）、羅銘〈關於北伐戰爭的軍費問題〉（《民國檔案》1992年4期）、張文達、蕭樹祥〈國民革命軍北伐戰爭中軍事思想初探〉（《軍事歷史研究》1989年2期）、劉鳳翰〈北伐時期的軍政建制與活動〉（《北伐統一六十周年學術討論集》，臺北，民77）。曹伯一〈國民革命軍與北伐〉（《人文社會科學學術論文集》一文教社會類：臺北，臺灣商務印書館，民72）、季雲飛〈論北伐戰爭時期國民革命軍的幾個問題〉（《學術月刊》1993年5期）、張光宇〈評述北伐中的第四軍〉（《武漢大學學報》1987年1期）、第四軍紀實編纂委員會編《第四軍紀實》（廣州，懷遠文化事業服務社，民38；臺北，文海出版社影印，民67）、陳立平〈北伐戰爭中〝鐵軍〞稱號的考證〉（《近代史研究》1987年5期）、蕭克〈鐵軍縱橫談〉（《近代史研究》1989年4期）、諸定立〈北伐鐵軍一雄團—葉挺獨立團戰績述評〉（《咸寧師專學報》1986年3期）、黎連榮〈葉挺獨立團的建立及發展沿革〉（《軍事資料》1985年8期）、曹立前〈大革命時期的葉挺獨立團〉（《山東師大學報》1984年4期）、柳茂坤〈北伐戰爭中的葉挺獨立團〉（《軍事史林》1986年3期）、諸家淵〈鐵軍北伐片斷〉（《史學月刊》1986年4期）、彭崇禮〈朱培德所轄駐粵滇軍在統一廣東和北伐中的戰績〉（《雲南文史叢刊》1985年3期）、趙濟〈國民革命軍第三軍北伐戰爭紀實〉（《雲南文史叢刊》1987年3期）、黃德林、吳東華〈北伐先遣隊應首推國民革命軍第七軍第八旅〉（《華中師大學報》1996年4期）及〈國民革命軍第七軍第八旅是第一支北伐先遣隊〉（《近代史研究》1996年4期）、陸春〈國民革命軍第七軍與北伐戰爭〉（《廣西社會科學》1988年3期）、梁學乾〈國民革命軍第七軍參加北伐之戰〉（《廣西文獻》31期，民74年1月）、何應欽將軍九五壽誕叢書編輯委員會編《東路軍北伐作戰紀實》（臺北，黎明文化事業公司，民73）。坂野良吉〈北伐第一階段における革命情勢—國民

革命の政治過程（その一）〉（《名古屋大學東洋史研究報告》第6
號，1980年8月）、林重太〈北伐軍長江流域進出後の軍事情勢〉
（《長崎造船大學研究報告（人文·社會科學篇）》第8號，1967年10
月）、魏宏運〈1927年武漢革命政府的北伐〉（《歷史教學》1964
年2期）、蔣相炎〈武漢政府北伐的速勝與撤軍〉（《中州學刊》
1984年3期）、王宗華、張光宇〈重評武漢政府繼續北伐的戰略決
策〉（《江漢論壇》1981年6期）、郭緒印〈評武漢政府第二期北伐
的戰略決策〉（《歷史教學》1983年7期）、謝樹坤等〈武漢政府第
二次北伐〉（《中州學刊》1983年4期）、陳澤華〈武漢國民政府北
伐是當時形勢的要求—與徐曉林、楊國民同志商榷〉（《孝感師
專學報》1985年1期）、毛磊〈對《重評武漢政府繼續北伐的戰略決
策》的商榷〉（《江漢論壇》1985年5期）、樊建瑩〈評武漢政府二
期北伐的戰策決策〉（《許昌師專學報》1989年3期）、王全營〈略
論二次北伐及其意義〉（《河南黨史研究》1987年3期）、韓信夫
〈二次北伐與東北易幟〉（《東北地方史研究》1990年1、2期）、季
雲飛〈寧漢合流後南京國民政府〝繼續北伐〞的性質及其評價〉
（《安徽史學》1993年3期）、張明凱〈北伐統一中的重重險阻〉
（《國史館館刊》復刊第4期，民77年6月）、陳光棣〈從北伐統一談
再北伐再統一〉（《近代中國》第6期，民67年6月）、王光遠〈1928
年國民革命軍占領北京前後大事記〉（《北京檔案史料》1988年1
期）、羅志田〈南北新舊與北伐成功的再詮釋〉（《新史學》5卷1
期，民83年3月）、沈雲龍〈北伐統一五十週年紀念〉（《傳記文
學》33卷1期，民67年7月）。蔣永敬〈中國國民黨與北伐〉（《政治
文化》創刊號，民74年4月）、陳祖懷〈北伐戰爭與國民黨軍事〉

（《軍事歷史研究》1987年3期）及〈論北伐前後國民黨軍政體制的
嬗變〉（《史林》1989年增刊—總第16期）。蔣永敬編《北伐時期的
政治史料—1927年的中國》（臺北，正中書局，民70）及〈北伐期
間「迎汪復職」問題〉（載《中國現代史專題研究報告》18輯，民
85）、王正華〈國民政府北遷鄂贛之爭議〉（同上；亦載《近代中
國》114期，民85年8月）、吳智、張棣〈廣州國民政府北遷和中國
共產黨的方針〉（《嶺南學刊》1991年3期）、朱劍〈北伐時期的國
民政府遷移問題〉（《南京大學學報》1986年1期）、姚守中、耿易
〈試析北伐時期的遷都之爭〉（《黨史研究資料》1990年6期）、耿
易〈略論北伐戰爭時期的〝遷都之爭〞〉（《杭州師院學報》1991
年1期）、裴京漢〈北伐軍內部矛盾與南昌軍務善後會議〉（《檔
案與史學》1996年4期）、陳惠芬〈北伐時期的政治分會—中央與地
方的權力糾葛〉（《歷史學報（臺灣師大）》24期，民85年6月）、唐
正芒〈〝北伐戰爭失敗〞一說不科學〉（《黨史研究與教學》1996
年3期）、于耀洲、徐美群〈北伐戰爭勝利的根本原因新探〉
（《北方論叢》1996年2期）。

　　蔣中正與北伐有Chen Tsong-Yao, Chiang Kai-Shek and the
Northern Expedition.（New York: New York University Press,
1992）、周開慶〈蔣總統與北伐〉（收入氏著《近代論叢》，臺北，
川康渝文物館，民72）、梁汝森〈北伐戰爭中的蔣介石〉（《廣東黨
史》1996年6期）、楊天石〈蔣介石與前期北伐戰爭的戰略策略〉
（《歷史研究》1995年2期）及〈蔣介石與北伐時期的江西戰場〉
（《中共黨史研究》1989年5期）、朱鎮華〈誰首先資助北伐到南昌
的蔣介石〉（《檔案與歷史》1986年4期）、艾松林〈大革命時期蔣

介石在南昌的活動概述〉(《江西黨史研究》1988年5期)、李明
〈1926-1928年の北伐時期における張・蔣密約について〉(《社
會科學研究（中京大學社會學部）》5卷1號，1985年1月)、陳鐵健、黃
嶺峻〈北伐戰爭時期的奉張寧蔣議和〉(《近代史研究》1995年6
期)、黃國蕩〈北伐東路軍與蔣介石叛變革命〉(《黨史研究與教
學》1989年6期)、楊天石〈北伐時期左派力量同蔣介石鬥爭的幾
個重要回合〉(《中共黨史研究》1990年1期)、牛大勇〈北伐戰爭
時期日蔣關係的演變〉(《江海學刊》1987年2期)、習五一〈國民
革命軍占領京津與蔣介石的謀略〉(《近代史研究》1990年1期)、
吳相湘〈北伐七十周年論蔣中正的歷史成就〉(《傳記文學》69卷
1期，民85年7月)。

　　中國共產黨與北伐有蔡隆漢〈中國共產黨不贊成北伐嗎？〉
(《湘潭大學學報》1987年1期)、陶水木〈中國共產黨北伐態度再
探討〉(《黨史研究與教學》1996年5期)、曾慶榴〈中國共產黨與
北伐戰爭〉(《理論與教學》1986年6期)、毛里和子〈國民革命軍
の北伐と中國共產黨〉(《お茶の水史學》13號，1970年9月)、史滇
生〈中國共產黨對北伐戰爭的貢獻〉(《黨史資料與研究》1986年5
期)、李克和〈中國共產黨與〝北伐軍〞〉(《中學歷史教學參
考》1984年2期)、蕭貴清〈試論中國共產黨在政治上對北伐戰爭
的領導〉(《歷史教學》1984年4期)、周興樑〈中國共產黨人對北
伐戰爭的貢獻〉(《中山大學學報》1992年3期)、彭敦文〈中國共
產黨與北伐軍東下問題〉(《中共黨史研究》1990年1期)、曾廣興
〈黨在二次北伐中的作用〉(《河南黨史研究》1987年3期)、政治
工作教研室〈北伐戰爭時期黨在國民革命軍的政治工作〉(《思

想戰線》1984年1期）、楊凡〈中國共產黨在北伐軍的政治工作〉
（《信陽師院學報》1986年4期）、李生校、陳廣見〈我黨從事北伐
軍政治工作的經驗教訓〉（《紹興師專學報》1988年3期）、王列平
〈簡析中共對國民政府北遷武漢態度的變化〉（《黨史研究資料》
1992年4期）、黃慰慈、陳弘君〈中共廣東區委與北伐戰爭〉
（《學術研究》1986年4期）、林鴻暖〈中共廣東區委對推動北伐的
貢獻〉（《廣州文博》1986年3期）、吳家林等〈北方區委支持北伐
戰爭的概況〉（《歷史教學》1987年9期）、錢楓〈北伐戰爭時期中
國共產黨的〝小地主〞政策分析〉（《黨史研究》1986年4期）。國
共合作與北伐有曾憲林〈國共合作與北伐戰略決策〉（《江漢論
壇》1986年8期）、毛磊等〈論國共兩黨在北伐時期的合作〉（《青
海社會科學》1986年4期）、陸衛明〈北伐戰爭時期的戰略之爭與國
共關係〉（《中共黨史研究》1994年3期）、王承璞〈黨的創立和國
共合作的北伐戰爭（1919-1927）〉（《自修大學文史哲經》1983年創
刊號）。

　　蘇俄派駐國民政府之軍事顧問團團長加倫（Gallen
Blyukher）將軍，對國民革命軍之北伐戰略決策等多所參與，其
與北伐之關係有談方《加倫將軍與北伐戰爭》（武漢大學歷史學碩
士論文，1986年10月）、〈加倫與北伐戰略計劃的制定〉（《華中師
大學報》1989年2期）及〈加倫與北伐的勝利進軍〉（《民國檔案》
1987年3期）、鍾小敏〈北伐戰爭中的加倫將軍〉（《四川師大學
報》1990年1期）、董立仁等〈加倫與北伐戰爭〉（《湖北大學學報》
1987年5期）、卡爾圖諾娃（A. I. Kartunova）著、中國社會科學
院近代史研究所翻譯室譯《加倫在中國（1924-1927）》（北京，

中國社會科學出版社，1983）、劉亨讓〈加倫與北伐戰爭中的政治工作〉（《益陽師專學報》1992年2期）、談方〈論北伐時期加倫將軍的政治主張〉（《汕頭大學報》1996年6期）、徐萬民〈加倫與蔣介石關係述論〉（《軍事歷史》1993年2期）、周祉元〈嘉倫將軍其人〉（《傳記文學》14卷1期，民58年1月）。

　　北伐時期的群眾運動有張培新《北伐時期群眾戰之研究》（政治作戰學校政治研究所碩士論文，民74年6月）、周興旺〈北伐戰爭時期農民運動探析〉（《北京師院學報》1991年5期）、陳登貴〈北伐戰爭與中國農民運動〉（《廣州文博》1986年3期）、蘇啟明〈北伐時期的農工運動〉（《北伐統一六十周年學術討論集》，臺北，民77）及《北伐期間之工運》（政治大學歷史研究所碩士論文，民73年6月）、胡春惠〈北伐前後的民眾運動〉（《政大歷史學報》第2期，民73年3月）、北山康夫〈北伐の湖南農民運動〉（《大阪教育大學紀要（社會科學・生活科學）》21號，1973年2月）、吳忠華〈論北伐戰爭中湖南成為全國農運中心的主客觀條件〉（《撫順師專學報》1991年2期）、井貫軍二〈北伐時代の湖南省における農民運動—中國人民革命の基盤に對する一考察〉（《歷史教育》9卷2號，1961年2月）、簡秋慧《北伐時期湖南農民運動研究》（政治大學歷史研究所碩士論文，民85年6月）、譚雙泉〈湖南工人農民在北伐中的偉大貢獻〉（《湖南師院學報》1959年3期）、吳禮林〈北伐戰爭時期湖北農運的幾個特點〉（《中南民族學院學報》1986年3期）、朱英〈黃石的工人運動與北伐戰爭〉（《湖北師院學報》1987年2期）、趙德教〈廣東兩湖工農群眾對北伐戰爭的支援〉（《新鄉師院學報》1982年4期）、石功彬〈北伐戰爭與大冶工農革

命運動〉（《湖北黨史通訊》1986年4期）、胡和平〈天門農民運動
對北伐戰爭的支持〉（同上）、吳賽風等〈北伐戰爭時期武漢鐵
路工人的英勇鬥爭〉（《湖北教育學院學報》1989年2期）、魏宏運
〈北伐時期兩湖人民奪取武裝、奪取政權的鬥爭〉（《歷史教
學》1965年9期）及〈北伐時工農大軍在解放兩湖和江西戰爭中的
作用〉（同上，1965年3期）、劉勉玉〈北伐戰爭中的江西工農運
動〉（《江西社會科學》1987年3期）、黃國蕩〈北伐時期的廈門工
運〉（《黨史研究與教學》1996年5期）、梁惠錦〈北伐期間國民黨
領導下的婦女運動（1926-1928）〉（《北伐統一六十周年學術討論
集》，臺北，民77）、吳怡萍《北伐前後婦女解放觀的轉變—以魯
迅、茅盾、丁玲小說為中心的探討》（政治大學歷史研究所碩士論
文，民83年6月）。

　　其他如蕭貴清〈試論共產國際在北伐戰爭中的作用〉（《河
北師院學報》1989年4期）、林承節〈北伐戰爭時期中印民族主義者
的團結與合作〉（《南亞研究》1992年4期）、陳萬安、許肖生〈北
伐戰爭與華僑〉（《學術研究》1982年5期）、胡一聲、關節〈北伐
戰爭時期的〝華僑運動講習所〞〉（《黨史研究》1983年4期）、李
資源〈少數民族在北伐戰爭中的貢獻〉（《中南民族學院學報》
1987年2期）。蕭勁光〈北伐紀實〉（《歷史研究》1984年3期）及
〈北伐記憶〉（《中華英烈》1987年4期）、方治〈北伐時期文宣工
作憶往〉（《近代中國》54期，民75年8月）、王仲廉〈北伐時期逆
區工作之追憶〉（同上）、李國祁〈北伐後期的政略〉（收入氏著
《民國史論集》，臺北，南天書局，民79）、任秀姍《北伐時期宣傳
工作之研究》（臺灣大學三民主義研究所碩士論文，民70年6月）、簡

明輝《北伐時期中國國民黨宣傳策略之研究》（中國文化大學政治研究所新聞組碩士論文，民74年1月）、邵銘煌〈新局勢，再出發：北伐後期的《新生命月刊》〉（載《中國現代史專題研究報告》18輯，民85）、張玉法〈從北伐到抗戰的報業〉（收於曾虛白編《中國新聞史》，臺北，政治大學新聞研究所，民55）。田常春〈北伐戰爭中的逆流：擁護五色國旗運動〉（《中學歷史》1987年6期）、劉繼增等〈試論北伐戰爭時期資產階級政治態度的轉變〉（《湖北黨史通訊》1986年4期）、張建基〈北伐戰爭前後的中國空軍〉（《軍事歷史研究》1990年2期）。王宣仁〈試論唐生智驅趙反吳歸附革命對北伐戰爭的影響〉（《湘潭大學學報》1988年3期）、葉惠芬《唐生智與北伐前後政局》（政治大學歷史研究所碩士論文，民81年6月）及〈唐生智與北伐時期政局的轉變〉（《中華民國史專題論文集：第二屆討論會》，臺北，國史館，民82）、歐陽雪梅〈試論北伐戰爭中的唐生智〉（《湘潭大學學報》1990年3期）、何紹緣〈北伐戰爭時期的唐生智將軍〉（《零陵師專學報》1988年1期）、韓冰〈論唐生智北伐期間的表現〉（《民國檔案》1993年4期）。王文裕《北伐前後的桂系與國民政府》（《政治大學歷史研究所碩士論文，民81年6月》）、朱浤源〈廣西與北伐〉（《現代中國軍事史評論》第6期，民79年4月）、黃嘉謨編《白崇禧將軍北伐史料》（臺北，中央研究院近代史研究所，民83）、姜平《第一次北伐期間的李濟深》（《民國檔案》1993年4期）、洪喜美〈李烈鈞與北伐政局〉（《國史館館刊》復刊第4期，民77年6月）、王曉華〈孫傳芳在北伐戰爭中失敗原因初探〉（《浙江學刊》1988年6期）、劉鳳翰〈黔軍與北伐〉（載《中國現代史專題研究報告》18輯，民85）、楊維真《雲南軍閥與北伐戰爭》（同上）、簡笙簧〈閻錫山檔案北伐史料概述〉（同上）、楊天石〈論1927年閻錫山易幟〉（《民國檔案》1993年4期），至於馮玉祥及其國民軍與北伐的關係，可參見「軍閥政治」之〈軍政派系－國民軍系（馮系）條目〉，此處不再贅舉。

3.北伐各戰場戰役

兩湖地區有丁一〈北伐戰爭的序幕－入湘援唐之戰〉（《咸寧師專學報》1986年3期）、龍秋初〈北伐戰爭在湖南〉（《求索》1984年3期）、顧群、龍秋初《北伐戰爭在湖南》（長沙，湖南人民出版社，1986）、蔡隆漢〈北伐軍在湖南初探〉（《湘潭大學學報》1987年增刊）、黃遠熾等〈北伐軍在湖南的勝利進軍〉（《軍事史林》1986年3期）、王星祿〈北伐軍兩湖戰場作戰特點初探〉（同上）、張秉均〈北伐第一期戰役之研究－攻略長沙〉（《三軍聯合月刊》12卷10期，民63年12月）、楊學東〈論北伐左翼軍及湘鄂西戰場－兼論北伐左翼軍先鋒賀龍師〉（《求索》1989年1期）、中國第二歷史檔案館〈北伐陣中日記：強渡汨羅江攻克賀勝橋〉（《民國檔案》1986年3期）、楊繼瓊〈汀泗橋戰鬥及其在北伐戰爭中的地位和作用〉（《雲南教育學院學報》1987年4期）、馬沈〈汀泗橋戰鬥考〉（《近代史研究》1992年4期）、張昭然〈汀泗橋戰役之研究〉（《國史館館刊》復刊第4期，民77年6月）、曾成貴〈汀泗橋戰役史實辨誤二則〉（《江漢論壇》1986年9期）、譚雙泉〈1926年北伐時汀泗橋、賀勝橋兩次戰役的簡單經過是怎樣的？〉（《歷史教學》1959年11期）、徐錫祺〈葉挺獨立團在汀泗橋、賀勝橋之戰中的作用〉（《黨史研究資料》1985年2期）、丁一〈也談葉挺獨立

團在汀泗橋、賀勝橋戰役中的作用〉（同上，1986年5期）及〈北
伐戰爭在咸寧〉（《咸寧師專學報》1986年1期）、武漢軍事志編寫
組〈北伐軍進攻武漢〉（《武漢春秋》1982年試刊號）、周臘元〈解
放武漢之役〉（同上）、李倩文〈北伐戰爭中武漢戰役若干史實
考〉（《武漢大學學報》1982年3期）、諸定立〈北伐戰爭中武漢戰
役的幾個問題的商榷〉（《華中師大學報》1989年3期）、張秉均
〈北伐第二期戰役之研究—武漢會戰〉（《三軍聯合月刊》12卷1
期，民64年1月）、陳芳國〈論北伐軍攻克武漢的勝利原因及歷史
意義〉（《地方革命史研究》1986年5期）。

　　東南各省有蔣曉鐘、劉東翼〈關於北伐戰爭中的東南戰場—
兼評東路軍在北伐戰爭中的作用〉（《淮北煤師院學報》1992年2
期）、龍秋初〈北伐時期的江西戰場〉（《近代史研究》1984年4
期）、周鑾書、廖信春〈北伐戰爭中的江西戰場〉（《江西師院學
報》1981年4期）、易接道、甘久生〈也談北伐戰爭中的江西戰
場〉（《南昌大學學報》1995年2期）、楊天石〈蔣介石與北伐時期
的江西戰場〉（《中共黨史研究》1989年5期）、張秉均〈北伐第二
期戰役之研究—攻略江西〉（《三軍聯合月刊》12卷12期，民64年2
月）、王順才〈北伐軍三戰南昌〉（《軍事史林》1986年3期）、易
接道、甘久生、易安萍〈論北伐戰爭中的撫州戰役〉（《撫州師
專學報》1994年4期）；陳能南〈北伐東路軍在福建的勝利進軍及
其速勝的原因〉（《福建師大學報》1988年1期）、福建省黨史工委
〈北伐軍進軍福建情況〉（《福建黨史通訊》1987年9期）、鍾健英
〈北伐軍入閩及福建軍事勢力的演變〉（《福建史志》1989年1
期）、凌衛中〈試論北伐戰爭中的福建戰場〉（《求實》1988年2

期）、高炳康〈北伐時期福建戰場的若干問題〉（《近代史研究》
1988年4期）、曹敏華〈北伐戰爭中的福建戰場試探〉（《福建黨史
通訊》1985年4期；又載《近代史研究》1987年1期）、馮奇等〈北伐戰
爭中的閩北〉（《福建黨史通訊》1987年2期）、張秉均〈北伐第二
期戰役之研究─平定閩浙〉（《三軍聯合月刊》13卷1期，民64年3
月）；龍秋初〈論北伐時期的浙江戰場〉（《近代史研究》1988年4
期）、楊光、徐義君〈北伐軍進軍浙江史略〉（《浙江學刊》1981
年2期）、馮永之〈北伐戰爭中發生在寧波地區的一次戰役：寧
海戰役述評〉（《寧波師院學報》1987年2期）、莊心田〈國民革命
軍規復東南記─浙江自治運動再度失敗〉（《浙江月刊》18卷11期，
民75年11月）、周興旺〈北伐戰爭中的浙皖蘇戰場〉（《北京師院學
報》1990年6期）；鄭翔貫〈北伐時期安徽戰場初探〉（《齊齊哈爾
師院學報》1994年4期）、龍秋初〈北伐時期的蘇皖戰場〉（《湖湘
論壇》1990年1期）、張秉均〈北伐第二期戰役之研究─收復京
滬〉（《三軍聯合月刊》13卷2期，民64年4月）、〈北伐第二期戰役
之研究─渡江北進〉（同上，13卷3期，民64年5月）、〈北伐第二期
戰役之研究─反攻徐州〉（同上，13卷5期，民64年7月）及〈北伐第
二期戰役研究─龍潭會戰〉（同上，13卷6期，民64年8月）、梁學乾
〈龍潭戰役概述〉（《廣西文獻》34期，民75年10月）、張明凱〈北
伐期間關鍵性的一次戰役─龍潭之役〉（《北伐統一六十周年學術
討論集》，臺北，民77）、費雲文〈透視龍潭之戰─北伐龍潭大捷
內幕〉（《中外雜誌》44卷2、3期，民77年8、9月）。

　　華北地區有曾廣興、王全營編《北伐戰爭在河南》（鄭州，
河南人民出版社，1985）、劉繼增等〈大革命後期革命軍北伐河

南〉（《河南師大學報》1981年5期）、熊旭華〈武漢革命軍北伐河南〉（《武漢春秋》1983年2期）、晁凌音〈武漢國民政府北伐中臨穎大決戰〉（《中州今古》1984年2期）、應時雨等〈北伐戰爭中的臨穎大捷〉（《河南黨史研究》1990年4期）；張秉均〈北伐第二期戰役之研究—進軍魯南〉（《三軍聯合月刊》13卷4期，民64年6月）、林心紅、高民、楊繼玲〈北伐戰爭對山東的影響〉（《山東教育學院學報》1987年2期）、張玉法〈北伐時期的山東戰場〉（載《蔣中正先生與現代中國學術討論集》第2冊，臺北，民75），其英文版—The Shantung Battlefield During the Northern Expedition 則刊載於Chinese Studies in History（New York: M. E. Sharpe, Winter 1987-1988）；張秉均〈北伐第二期戰役之研究—二次渡江北伐與西征〉（《三軍聯合月刊》13卷8期，民64年10月）及〈北伐第二期戰役之研究—北方軍之作戰〉（同上，13卷7期，民64年9月）、劉曼容〈北伐時期的國民軍北方戰場〉（《近代史研究》1989年6期）；劉維開〈北伐收復京津之役〉（《近代中國》54期，民75年8月）、習五一〈國民革命軍占領京津與蔣介石的謀略〉（《近代史研究》1990年1期）。

4.北伐與外交

以李恩涵《北伐前後的「革命外交」（1925-1931）》（臺北，中央研究院近代史研究所，民82）一書為其中之代表作；李守孔〈北伐前後國民政府外交政策之研究—民國13年（1924）元月至民國16年（1927）3月〉（《中華民國初期歷史研討會論文集》上冊，臺北，民73）、閻沁恒、蔣永敬〈北伐時期的對外交涉〉（《政大歷史學報》第5期，民76年5月）、王中平《北伐時期國民政府外交政策之研究》（中國文化學院政治研究所碩士論文，民56）、陳湘芬《北伐時期國民政府外交政策與對外關係》（政治大學外交研究所碩士論文，民84）、張棋炘《民族主義、排外與近代中國外交—以「北伐」時期為例》（同上，民85年6月）、閻沁恒等〈北伐時期的對外政策與國際反應〉（《中國現代史專題研究報告》第8輯，民67）、細井昌治〈1925-27年の中國革命と列國の態度〉（《歷史學研究》162號，1953年3月）、高承元編《廣州武漢革命外交文獻》（上海，神州國光社，民22年2版）、唐啟華〈北京政府與國民政府對外交涉的互動關係（1925-1928）〉（《興大歷史學報》第4期，民83年5月）、李恩涵〈北伐前後（民國14年至20年）廣州、武漢、南京國民政府的「革命外交」〉（《國父建黨革命一百週年學術討論集》第2冊，民84）及〈北伐前後收回關稅自主權的交涉—國民政府「革命外交」的研究之一〉（載《中華民國建國史論集》第3冊，臺北，民70）、閻沁恒〈北伐前後廢除治外法權交涉〉（《北伐統一六十周年學術討論集》，臺北，民77）、習五一編譯〈國民革命軍進軍京津時列強的對華政策〉（《黨史研究資料》1990年12期）、David Clive Wilson, Britain and the Kuomintang, 1924-1928: A Study of the Interaction of Official Policies and Perceptions in Britain and China. (Ph. D. Dissertation, University of London, School of Oriental and African Studies, 1973）、Peter Gaffney Clark, Britain and the Chinese Revolution, 1925-1927. (Ph. D. Dissertation, University of California-Berkeley, 1973）、William James Megginson, Britain's Response to Chinese Nationalism, 1925-1927. (Ph. D.

Dissertation, George Washington University, 1973）、Edmund S. K.
Fung（馮兆基），The Diplomacy of Imperial Retreat: Britain's
South China Policy, 1924-1931（Oxford: Oxford University Press,
1991）及 "The Sino-British Rapprochement, 1927-1931."（Mod-
ern Asian Studies, Vol. 17, Part 1, February 1983）、Martyn Atkins, In-
formal Empire in Crisis: British Diplomacy and the Chinese Cus-
toms Succession, 1927-1929.（Ithaca, N. Y.: Cornell University, East
Asian Program, 1995）、陳瑞祥，Diplomatic Relations Between
China and Great Britain Since 1927.（Master's Thesis, University of
Hong Kong, 1961）、李仕德《北伐前後中英外交關係之研究》（中
國文化大學史學研究所碩士論文，民78年6月）、〈北伐初期英國對國
民政府之態度〉（《中國歷史學會史學集刊》22期，民79年7月）及
〈從漢口協定到關稅自主─北伐後期的中英外交關係〉（《國立
編譯館館刊》21卷1期，民81年6月）、李恩涵〈北伐期間收回漢口九
江英國租界的交涉─國民政府「革命外交」的研究之一〉（《歷
史學報（臺灣師大）》10期，民71年6月）、Lee En-han（李恩涵），
"China's Recovery of British Hankow Kiukiang Concessions in
1927."（In Philip Yueng-sang Leung〔梁元生〕& Edwin Pak-wah
Leung〔梁伯華〕eds., Modern China in Transition: Studies in Honor of
Immanuel C. Y. Hsü, Claremont, California: Regina Books, 1995）、湖北
省社會科學院歷史研究所編《漢口九江收回英租界資料選編》
（武漢，湖北人民出版社，1982）、為今〈漢潯英租界的收回與帝國
主義的武裝干涉〉（《歷史教學》1965年4期）、丁寧〈英國放棄漢
潯租界的歷史背景〉（《中國社會科學院研究生學院學報》1986年5

期）、華崗〈一三慘案與漢口、九江租界之奪取〉（《江西黨史資料》總第12期，1990）、潘治富〈收回漢口、九江英租界鬥爭大事記（1927、1-3）〉（同上）及〈試論中國共產黨在收回漢、潯英租界鬥爭中的地位與作用〉（《黨史文苑》1990年1期）、陳世英〈武漢、九江工人階級收回英租界的鬥爭〉（《北京師院學報》1979年1期）、黎少岑《武漢工人收回〝英租界〞的故事》（長沙，湖南人民出版社，1958）、倪忠文〈關於收回漢口英租界問題的一點異議〉（《武漢師院學報》1982年1期）、曾憲林〈也談收回漢口英租界鬥爭的領導權問題〉（同上）、黃德林〈重評收回漢口英租界的領導權問題〉（《華中師大研究生學報》1987年2期）、瀧口太郎〈1927年漢口英租界回收の指導權問題〉（《法學政治研究（成蹊大學）》第4號，1984年3月）、曾憲林〈收回漢口英租界鬥爭中的鐵腕外交〉（《地方革命史研究》1986年1期）及〈收回漢口、九江英租界鬥爭的鐵腕外交述論〉（《華中師大學報》1988年2期）、許冠亭〈收回漢口英租界外交鬥爭策略述論〉（《蘇州大學學報》1995年1期）、陳國清〈收回漢口英租界與武漢國民政府的外交鬥爭〉（《外交學院學報》1988年4期）、潘治富〈試論收回漢口英租界的四個因素〉（《九江師專學報》1990年1期）及〈當年蘇聯《真理報》有關收回漢口、九江租界的論述〉（《地方革命史研究》1989年3期）、劉勉玉〈九江工人收回英租界的鬥爭〉（《史學月刊》1983年3期）、中共九江市委黨史資料徵集辦公室〈收回九江英租界的鬥爭〉（《江西黨史資料》總12號，1990）、野史氏〈記北伐時九江英租界的收回〉（《中國公論》3卷5期，民29年8月）、康之同〈論陳友仁在收回漢、九英租界事件中的歷史作用〉（《許

昌師專學報》1993年4期）、方春生〈陳友仁在收回漢口、九江英租
界鬥爭中的貢獻〉（《泰安師專學報》1996年4期）、唐啟華〈英國
與北伐時期的南北和議（1926-1928）〉（《興大歷史學報》第3期，
民82年4月）。李恩涵〈北伐時期美國之對華政策〉（《新思潮》83
期，民47年3月）、王綱領〈北伐時期美國對華政策（1926-
1928）〉（載《蔣中正先生與現代中國學術討論集》第2冊，臺北，民
75）、沈予〈論北伐戰爭時期美國對華政策〉（《近代史研究》
1986年3期）、姚金果〈四一二政變前英美日破壞中國革命的策
略〉（《黨史研究與教學》1996年3期）、牛大勇〈美國對華政策與
四一二政變的關係〉（《歷史研究》1985年4期）及〈北伐戰爭時期
美國分化政策與美蔣關係的形成〉（《近代史研究》1986年6期）、
王綱領〈美國與北伐前後關稅自主與廢除領事裁判權的交涉〉
（《珠海學報》16期，1988年10月）、Luo Zhitian（羅志田），The
Dynamics of Nationalism: Chinese Revolution and Sino-
American Relation, 1926-1931.（Ph. D. Dissertation, Princeton Uni-
versity,1993）、Dorothy Borg, American Policy and the Chinese
Revolution, 1925-1928.（New York: American Institute of Pacific
Relations, 1947）、Warren W. Tozer, Response to Nationalism
and Disunity: United States Relations With the Chinese
Nationalists, 1925-1938.（Ph. D. Dissertation, University of Oregon,
1972）、河合秀和〈北伐へのイギリスの對應—「クリスマス・
メッヤーヅ」中心として〉（載《ワシントン體制と日米關係》東京
大學出版會，1978）。張水木〈北伐期間國民政府與德國外交關係
之建立〉（《近代中國》54期，民75年8月）、〈從北伐到抗戰時期

之中德關係〉（《中華民國歷史與文化討論集》第2冊，臺北，民73）
及〈北伐前後孫中山先生與蔣中正先生的聯德政策〉（《北伐統
一六十周年學術討論集》，臺北，民77）。祝曙光〈試析北伐戰爭時
期的日本對華政策〉（《民國檔案》1994年1期）、王升〈試論北伐
戰爭時期日本對華政策演變的原因〉（《社會科學戰線》1996年6
期）、臼井勝美著、陳鵬仁譯〈北伐時期日本對華外交—幣原外
交的「不干涉主義」〉（《近代中國》66期、67期，民77年8月、10
月）、陳鵬仁〈北伐統一與日本〉（《中華文化復興月刊》21卷10
期，民77年10月）、陳鵬仁編譯《中日外交史：北伐時代》（臺
北，水牛出版社，民78）、吉井研一〈第一次北伐の進展と日本陸
軍—張作霖爆炸事件の一前提〉（《新潟大學人文科學研究》26號，
1989年12月）、牛大勇〈北伐戰爭時期日蔣關係的演變〉（《江海
學刊》1987年2期）、郭曉曦〈評蔣介石1927年秋訪日〉（《近代史
研究》1988年4期）、郎維成〈1927年蔣介石與田中義一會談的內
容及後果〉（《東北師大學報》1988年5期）、樂炳南〈北伐期間日
本田中內閣對華之「積極」政策〉（《近代中國》第6期，民67年6
月）、中華民國外交問題研究會編《中日外交史料叢編之1：國
民政府北伐後中日外交關係》（臺北，編者印行，民53）、臼井勝
美《日中外交史—北伐の時代》（東京，墙書房，1971）、
Gennaro Sylvester Falconeri, Reactions to Revolution: Japanese
Attitudes and Foreign Policy Toward China, 1924-1927. (Ph. D.
Dissertation, University of Michigan-Ann Arbor, 1967) 、馮兆基
"Chinese Nationalist Policy on the Unequel Treaties, 1924-
1931." （《第二屆國際漢學會議論文集》第3冊，民75）。藤井高美

〈北伐與莫斯科〉（載《中華民國建國史討論集》第3冊，民70）。又曾在「軍閥政治」專題中舉述之軍閥政治時期外交的論著及資料，其中有部分與北伐時期之外交有所關連，可參閱之。

　　民國十六年（1927）三月二十四日發生震驚中外的南京事件，其致成的原因，至今仍頗多爭議，關於此事件的資料和論著甚少，國民黨黨史會編《革命文獻》14輯（臺北，民45）中有一些「中英交涉及南京事件」之史料；中支被難者連合會《南京漢口事件真相：揚子江流域邦人遭難實記》（東京，岡田日榮堂，1927）、劉玉琢、閻小波〈關於1927年〝南京事件〞的幾個問題〉（《南京大學學報》1990年2期）、高興祖〈論南京大慘案〉（同上，1985年3期）、牛大勇〈對1927年南京事件的再探討〉（《江海學刊》1986年6期）、郭曉曦〈對1927年南京事件幾種評論的剖析〉（《近代史研究》1990年2期）及〈寧案與中美外交〉（《歷史研究》1992年5期）、Ku Hung-ting（古鴻廷），"The U. S. A. Versus China: The Nanking Incident（南京事件）"（《東海學報》25期，民73年6月）、Jacques Guillermaz, "The Nanchang Uprising."（The China Quarterly, No.11, July—September, 1962）、小谷豪冶郎〈幣原外交與第一遣外艦隊—關於南京事件與漢口事件〉（《北伐統一六十周年學術討論集》，臺北，民77）、岸野博光〈南京事件と漢口事件〉（《軍事史學》13號，1968年5月）、大山梓〈南京事件と幣原外交〉（《政經論叢》40卷，3・4號，1971年12月）、城山三郎〈南京事件と廣田弘毅〉（《潮》159號，1972年10月）、衛藤瀋吉《南京事件と日・米》（東京，東京大學出版會，1959，「高木八尺先生古稀記念論文集」別刷；又收於英修道、入江啟四

郎監修《朝鮮・中國の民族運動と國際環境》，東京，嚴南堂書店，
1967）、施曉峰、李廣智〈國民黨政府在〝寧案〞、〝濟案〞上
最後妥協的原因新探〉（《益陽師專學報》1989年4期）、Kemp
Tolley, Yangtze Patrol: The U. S. Navy in China.（Annapolis,
Maryland: Naval Institute Press, 1971）書中對於南京事件亦有所述
及。

　　民國十七年（1928）五月，日本為阻撓北伐而製造的濟南慘
案（即五三慘案、濟南事件、濟南事變），有國民黨黨史會編
《革命文獻》19輯（臺北，民46）內所收錄之「五三事變」史料，
及22輯、23輯（臺北，民49）內所收錄之「濟南事件」史料；魯
振祥、楊群編著《濟南・五三慘案》（毋忘國恥歷史叢書，北京，
中國華僑出版社，1993）、大木《濟案》（北平，莽蒼社，民17）、痛
心人編《濟南慘案全書》（上海，國民擴大宣傳社，民17）、濟南慘
案被難家屬聯合會編印《濟南慘史》（民17年出版）、袁廷鏞《濟
南慘案史》（漢口，新昌書局，民19）、無袈和尚《日本出兵山東
濟南慘案》（亞洲出版社，民17）、中國國民黨河北省黨務指導委
員會宣傳部編印《五三血跡：五三慘案週年紀念》（宣傳叢書之
6，民18）；《濟南五三慘案親歷記》（北京，中國文史出版社，
1987）、蔣永敬編《濟南五三慘案》（臺北，正中書局，民67）、李
家振〈濟南慘案－〝九一八〞事變的序幕〉（《山東社會科學》
1988年2期）、〈濟南慘案〉（《發展論壇》1995年2期）及《濟南慘
案》（北京，中國法政大學出版社，1987）、田克梁、張悅〈〝濟南
慘案〞述評〉（《石油大學學報》，1995年2期）、陳鵬仁〈一段悲
痛史事－五三慘案真相〉（《中外雜誌》54卷6期，民81年12月）、王

同起〈〝濟南事變〞始末〉(《歷史教學》1989年5期)、樂炳南〈濟南事變之真相〉(《中國歷史學會史學集刊》第4期,民61年5月)、李家振等〈濟南慘案述論〉(《近代史研究》1985年5期)、朱利義等〈絕不容許為侵略罪行翻號:重析濟南慘案發生原因〉(《荷澤師專學報》1988年4期)、查建瑜〈日帝一手製造的濟南慘案〉(《外國史知識》1983年4期)、努向〈濟南事件之前因後果〉(《貢獻旬刊》3卷4期,民17年7月)、島津忠男編《濟南事件調查書》(增補訂正版,青島日本商工會議所,1928)、小川雄三編著《濟南事件を中心として》(濟南,山東新報社,1928)、內山光市《濟南事件實記(第1輯)》(濟南,山東協會濟南支部,1928)、滿蒙協會編印《濟南事件の真相と支那の興論》(1928年序)、神戶商工會議所《濟南事件に對する支那側の逆宣傳》(神戶,1928,對露支貿易時報號外第16輯)、臼井勝美著、陳鵬仁譯《中日「濟南事件」的回顧》(《近代中國》64期,民77年4月)、臼井勝美〈泥沼戰爭への道標-濟南事件〉(《朝日ジャーナル》7卷5號,1965年1月)、ウイソフム・F・モートン〈濟南事變-1928〜1929〉(《日本外交史研究》,1961)、邵建國〈濟南事件の再檢討〉(《九州史學》93號,1988)、Luo Zhitian(羅志田),"The Chinese Rediscovery of the Special Relationship: The Jinan Incident as a Turning Point in Sino-American Relations." (The Journal of American-East Asian Relations, Vol.3, No.4 1994),羅氏另用中文撰有〈濟南事件與中美關係的轉折〉(《歷史研究》1996年2期)、王憲章〈蔡公時與濟南〝五三〞慘案〉(《縱橫》1993年6期)、半賓〈濟南慘案,蔡公時遇害〉(《歷史月刊》21期,民78年

10月）、邵建國〈〝濟南事件〞交涉と蔣介石〉（《國際政治》104
號，1993年10月）、鹿錫俊〈濟南慘案前後蔣介石的對日交涉〉
（《史學月刊》1988年2期）、楊天石〈濟南交涉與蔣介石對日妥協
的開端─讀黃郛檔案之一〉（《近代史研究》1993年1期）、謝國興
〈黃郛與濟案交涉〉（《中國歷史學會史學集刊》13期，民70年5
月）、張群〈濟南慘案的交涉〉（《傳記文學》37卷1期，民69年7
月）、李家振〈濟南慘案之國際法規〉（《東岳論叢》1987年5
期）、謝雪橋〈日本三次出兵山東和〝濟南慘案〞述論〉（《檔
案與歷史》1990年2期）、日高六郎〈山東出兵と濟南事件〉（《昭
和日本史》第1冊，晚教育圖書，1976）、宇田川、知己〈濟南事件と
排日運動〉（《史學研究集錄》18號，1993年3月）、韓嘉玲《濟南慘
案後的反日運動之研究（1928年5月-1929年5月）》（臺灣大學歷
史研究所碩士論文，民73年6月）及〈濟南慘案後國民政府的對日政
策〉（《近代中國》48期，民74年8月）、施曉峰、李廣智〈國民黨
政府在〝寧案〞、〝濟案〞上最後妥協的原因新探〉（《益陽師
專學報》1989年4期）、查建瑜〈濟南慘案史料辨正〉（《近代史研
究》1981年1期）、李祚民〈濟南慘案山東交涉員公署殉難人員
考〉（《歷史檔案》1982年1期）；〈濟南慘案死傷人數及財物損失
統計資料〉（《中國工運史料》1982年2期）、立言〈中外記者關於
五三慘案之調查〉（《新聞研究資料》43輯，1988年5月）、楊從禹等
選編〈濟南慘案紀實和北京各界聲援濟案活動有關資料〉（《北
京檔案史料》1988年1期）、重光葵著、渡邊行男解題〈濟南事件解
決〉（《中國研究月報》488號，1988年10月）、齊覺生〈從五三事件
憶及日寇的罪行〉（《東北文獻》23卷1期，民81年9月）。與濟南慘

案相關的有樂炳南《日本出兵山東與中國排日運動》（臺北，國史館，民77）及〈日本第一次出兵山東〉（《史原》第2期，民61年9月）、馬場明〈第一次山東出兵と田中外交〉（《アジア研究》10卷3號，1963年10月）、徐梁伯〈日本出兵山東的動因新探〉（《江海學刊》1985年6期）、李家振〈1928年日本出兵山東人數淺見〉（《東岳論叢》1985年6期）、（日本）參謀本部《昭和三年支那事變出兵史》（東京，巖南堂，1930）、上海日本商業會議所編印《山東出兵と排日貨運動》（上海，1927）、佐藤元英〈在留邦人の現地保證政策と日本陸軍－山東出兵（1927-28年）をめぐる〉（《書陵部紀要》44號，1993年3月）、（日本）鐵道省運輸局編印《第一次及第二次山東出兵と膠濟鐵道》（東京，1930）、半賓〈出兵山東和「田中奏摺」－簡談日本侵華外交之二〉（《歷史月刊》19期，民78年8月）。

5.東三省易幟

民國十七年（1928）十二月二十九日、張學良通電服從國民政府，改懸青天白日滿地紅之國旗，是為東北易幟，全國統一。這方面的論著·資料有趙中孚〈東三省易幟對全國統一的歷史意義〉（《近代中國》45期，民74年2月）、朱漢國〈東北〝易幟〞探析〉（《江海學刊》1986年1期）及〈東北易旗原因初探〉（《齊齊哈爾師院學報》1986年1期）、土田哲夫〈東三省易幟の政治過程（1928年）〉（《東京學藝大學紀要（3部門·社會科學）》44號，1993年1月）、韓信夫〈二次北伐與東北易幟〉（《東北地方史研究》1990年1、2期）、杜連慶〈東北易幟－張學良的歷史功績〉（《遼寧師大學報》1990年6期）、胡國順〈試論張學良〝東北易幟〞的歷史意義〉（《瀋陽師院學報》1981年3期）、畢萬聞〈張學良、蔣介石和東北易幟〉（《歷史月刊》第9期，民77年10月）、唐維信〈張學良將軍〝東北易幟〞的歷史性意義—紀念〝東北易幟〞六十五周年〉（《華夏》1993年5期）、杜連慶〈東北易幟：南北妥協與對日鬥爭〉（《遼寧師大學報》1989年3期）、臼井勝美著、陳鵬仁譯〈中日關係與滿洲易幟〉（《現代中國軍事史評論》第3期，民77年4月）、王也平〈日本干涉與張學良東北〝易幟〞〉（《社會科學輯刊》1990年5期）、常城〈略論東北〝易幟〞與〝槍斃楊常〞〉（《社會科學戰線》1982年3期）、尾形洋一〈易幟後の東北に於ける國民黨の活動に就て〉（《史觀》91號，1975年3月）。

六、早期的國共關係（1921-1927）

㈠中國共產黨的成立

1.關於中共黨史

　　以中共第一次全國代表大會代表之一的陳公博（Ch'en Kung-Po）所撰The Communist Movement in China （Master's Thesis, Columbia University, 1924）為最早，該論文一直收藏在哥倫比亞大學，至1966年方由韋慕庭C. Martin Wilbur教授編輯，並撰導言，紐約Octagen Books Inc. Press出版。（日本）參謀本部《支那共產黨運動史》（東京，1931）、波多野乾一（榛原茂樹）《中國共產黨概觀》（東京，東亞研究會，1932）、《支那共產黨史》（東京，外務省情報部，1932）、《中國共產黨史（1932-1935年，1937年）》（5冊，同上，1933-1938）及《資料集成中國共產黨史》（7冊，東京，時事通信社，1961）。黃偉涵《中國共產黨之發展及其沒落》（學術研究社，民24）、平凡編《十年來的中國共產黨》（上海，華南出版社，民27）、李致工編《中國共產黨史略》（重慶，統一出版社，民29）、大塚令三《支那共產黨史》（2冊，東京，生活社，1940）、中保與作《最近支那共產黨史》（東京，東亞同文會，1940；其改訂增補版，則係1944年出版）；《中國共產黨史略》（公論出版社，民30）、日森虎雄《中共二十年史：自1920年至1940年》（上海，日森研究所，1942）；《十年來之中國共產黨》（民34）、中西功《中國共產黨史：「ソヴェート革命」時代》

（東京，北斗書院，1946）及《中國共產黨史》（東京，白都社，1949）。《三十年來的中國共產黨》（濟南，山東人民出版社，1951）、皖北文教社《中國共產黨黨史學習提綱》（著者印行，1951）、胡喬木《中國共產黨的三十年》（北京，人民出版社，1951）、學習雜誌初級版資料室《中國共產黨簡史》（同上）、萬亞剛《中國共產黨簡史》（香港，中國問題研究所，1951）、劉祖春《中國共產黨簡史（通俗本）》（漢口，中南人民出版社，1952）、陝西人民出版社編輯《中國共產黨歷史學習提要》（西安，編輯者印行，1952）、自學導報社《中國共產黨歷史學習提要》（西安，西北人民出版社，1952）、赤津一二《中國共產黨の史的發展》（慶應大學法學研究所碩士論文，1954）、古貫郊《三十年來的中共》（香港，亞洲出版社，1955）、繆楚黃《中國共產黨簡要歷史（初稿）》（北京，學習雜志社，1956；其修訂本爲北京，中國青年出版社，1962）、黃河《中國共產黨三十五年簡史》（北京，通俗讀物出版社，1957）、中共中央第三中級黨教中共黨史教研室《中國共產黨歷史教學大綱（草稿）》（北京，1957）、森岡皋《中國共產黨概史》（國際善鄰俱樂部アジア資料室，1957）、張永義等《中共黨史講話》（南昌，江西人民出版社，1958）、王實等《中國共產黨歷史簡編》（上海，上海人民出版社，1958）、尚汗〈中國共產黨的光榮歷史〉（杭州，浙江人民出版社，1958）、中國人民大學中共黨史系中共黨史教研室《中共黨史函授學習提示（初稿）》（北京，中國人民大學出版社，1958）。沈雲龍《中國共產黨之來源》（臺北，自由中國社，民48），從民國10年（1921）中共成立，寫至民國16年（1927）國民黨清黨，為臺灣史學界第一本有關中共歷史的書。北京高等學校黨史編寫組《中國共產黨歷史講義（初稿）》（北京，中國人民大學出版社，1961）、徐元冬《中國共產黨歷史講話》（北京，中國青年出版社，1962）。王健民《中國共產黨史稿》（3冊，臺北，正中書局，民54），使用珍貴原始文件甚多（如陳誠私人所藏、國府司法行政部調查局所藏等），敘事止於民國38年（1949），為臺灣所出版中共黨史中的代表作。劉珍《中共史綱》（臺北，自由太平洋文化公司，民54）、郭華倫《中共史論》（4冊，臺北，國際關係研究所，民58）、鄭學稼《中共興亡史》（已出版第1、2卷，共4冊，臺北，中華雜誌社，民59及68）、大久保泰《中國共產黨史》（2冊，東京，原書房，1971）、宇野重昭《中國共產黨史序說》（2冊，東京，日本放送出版協會，1973及1974）、俞諧《中共史略》（臺北，正中書局，民65）、曾永賢《中共黨史》（同上）、浙江省高等學校中共黨史編寫組《中國共產黨歷史講義》（杭州，浙江人民出版社，1978：其修訂本，則出版於1980）、江西省高等學校中共黨史講義編寫組《中國共產黨歷史講義》（南昌，江西人民出版社，1980）、山東省高等學校中共黨史講義編寫組《中國共產黨歷史講義》（濟南，山東人民出版社，1980）、廣東省高等院校《中國共產黨史講義》編寫組《中國共產黨簡史講義（1919-1956）》（廣州，廣東人民出版社，1980）、鄭德榮等主編《中國共產黨歷史講義》（長春，吉林人民出版社，1980；修訂再版，1981）、上海市高校《中國共產黨歷史講義》編寫組《中國共產黨歷史講義》（2冊，上海，上海人民出版社，1980；其修訂再版，1981）、《中國共產黨歷史教學大綱》編寫組《中國共產黨歷史教學大綱·上編－民主革命部分》（北京，中國人民大

學出版社，1980）、徐元冬《中國共產黨歷史講話》（北京，中國青
年出版社，1981；其續編於1988年出版）、湖北省《中國共產黨歷史
講義》編寫組《中國共產黨歷史講義》（2冊，武漢，湖北人民出版
社，1982）、馬雲《中共黨史講義（高等學校理工科試用教
材）》（瀋陽，遼寧人民出版社，1982）、何沁、王家勛《中共黨史
講授綱要（新民主主義革命部分）》（北京，北京大學出版社，
1982）、何泌等《中共黨史講義（新民主主義革命時期）》（北
京，中國人民大學出版社，1982）、中共中央黨校黨史教研室編《中
國共產黨史稿》（北京，人民出版社，1983）、中共黨史簡明講義
編寫組《中共黨史簡明講義》（西安，陝西人民出版社，1983）、馮
懷璧、鄭健民、宋豫君主編《中國共產黨歷史講義》（天津，天
津人民出版社，1983）、《中共黨史自學綱要》編寫組《中共黨史
自學綱要》（上海，上海教育出版社，1984）、馬建離等《中共黨史
（供黨政幹部基礎科使用）》（武昌，武漢大學出版社，1984）、王
福年等《中共黨史（初中教師進修用書）》（杭州，浙江教育出版
社，1984）、教育部政治思想教育司《中國共產黨歷史教學大綱
（試用本）》（北京，中國人民大學出版社，1984）、邵鵬文等《中
國共產黨歷史講義》（長春，吉林大學出版社，1984）、郝國興等
《中國共產黨歷史講義（上冊）》（濟南，山東人民出版社，
1984）、郝夢筆、段浩然主編《中國共產黨六十年》（2冊，北
京，解放軍出版社，1984）、孫敦璠等《中國共產黨歷史講義（下
冊）》（同上，1985）、胡邦寧、田子渝等《中共黨史（中國教師
進修高等師範政治教育專業教材）》（2冊，武漢，湖北教育出版
社，1985）、劉景富等《中國共產黨歷史（中文演講刊授教

材）》（瀋陽，東北師大出版社，1985）、張靜如、王朝美《中共黨史自修講義（新民主主義革命時期）》（北京，光明日報出版社，1985）、《簡明中共黨史》編寫組《簡明中共黨史（幹部教育中專教材）》（南昌，江西人民出版社，1985）、張天義《中共黨史（黨政幹部基礎理論專修科講義）》（瀋陽，遼寧人民出版社，1985）、何東、楊先材等《中共黨史（全國高等教育自學考試輔導叢書）》（北京，中國青年出版社，1985）、戰殿學主編《中國共產黨歷史講義》（長春，吉林人民出版社，1985）、《中共黨史簡明讀本》編寫組《中共黨史簡明讀本（試用本）》（鄭州，河南人民出版社，1986）、七省區八院校教材編寫組編《中國共產黨歷史》（廣州，廣東高等教育出版社，1986）、何沁等編《中國共產黨史綱》（北京，北京大學出版社，1986）。蔡國裕《中共黨史》（2冊，臺北，國史館，民77）、王漁主編《中共黨史簡編》（北京，中共中央黨校出版社，1988）、曹屯裕主編《中國共產黨歷史簡編》（南京，南京大學出版社，1989）、郭維儀等主編《中共黨史綱要》（蘭州，甘肅人民出版社，1990）、劉憲章、王淑增主編《中國共產黨歷史講義》（濟南，濟南出版社，1990）、何泌主編、梁柱等編寫《中共黨史》（北京，高等教育出版社，1990）、譚紀、胡隆鏷主編《中共黨史教程》（南寧，廣西教育出版社，1990）、中共中央文獻研究室《中共黨史風雲錄》（北京，人民出版社，1990）、李踐為主編《中國共產黨歷史》（3冊，北京，人民出版社，1990）、中共中央黨史研究室《中國共產黨歷史（上、下卷）》（2冊，同上，1991）、劉孝良《中國共產黨史》（合肥，安徽教育出版社，1991）、中共中央黨史研究室一室編著《中國共產黨歷史·上卷：若干問

題說明》（北京，中共黨史出版社，1991）及《中國共產黨歷史‧上
卷：註釋集》（同上）、伊達宗義《中國共產黨略史》（東京，拓
殖大學後援會，1991）、馬齊彬、陳義斌等主編《中國共產黨創業
三十年（1919-1949）》（北京，中共黨史出版社，1991）、中共中央
黨校黨史教研室《中國共產黨七十年的歷程和經驗（1921-
1991）》（北京，中共中央黨校出版社，1991）、陳至立主編《中國
共產黨建設史》（上海，上海人民出版社，1991）、胡繩主編、中共
中央黨史研究室編《中國共產黨的七十年》（北京，中共黨史出版
社，1991）、中共中央黨史研究室等編《中國共產黨的七十年，
1921-1991（歷史圖集）》（同上）、沙健孫主編《中國共產黨的
七十年學習大綱》（同上，1992）、廖蓋隆主編《中國共產黨的光
輝七十年》（北京，新華書店，1991）、陳明顯《中國共產黨七十
年》（2冊，石家庄，河北人出版社，1991）、田克勤等《中國共產黨
七十年（1921-1991）》（長春，吉林文史出版社，1991）、劉吉主編
《中國共產黨七十年（1921-1991）》（上海，上海人民出版社，
1991）、何理主編《中國共產黨七十年史話》（天津，天津人民出版
社，1991）、楊欽良《中國共產黨建設史》（北京，中國人民大學出
版社，1993）、鄭惠《中國共產黨通志（3卷）》（3冊，中文文獻出
版社，1996）、朱佳木主編《飄揚的黨旗—中國共產黨歷史畫
卷》（北京，未來出版社，1996）。西文書籍則有Jacques
Guillermaz, A History of the Chinese Communist Party, 1921-
1949. （Translated by Anne Destenny, New York: Random House,
1968）、Stephen Jr. Uhalley, A History of the Chinese Commu-
nist Party. （Stanford: Hoover Institution Press, 1988）、James

Pinckney Harrison, The Long March to Power: A History of the Chinese Communist Party, 1921-1972. （Praeger Library of Chinese Affairs, New York: Praeger, 1972）、Chang Kuo-t'ao（張國燾），The Rise of the Chinese Communist Party, 1921-1927……1928-1938. （2 Vols, Lawrence: University of Kansas Press, 1971-1972）、Chiu Sin-ming, A History of the Chinese Communist Party （Ann Arbor: University Microfilms, 1958）等。

其他相關的專書尚有任建樹主編《中國共產黨七十年大事本》（上海，上海人民出版社，1991）、中共中央黨史研究室《中共黨史大事年表》（北京，人民出版社，1987）及《中國共產黨歷史大事記（1919.5-1987.12）》（同上，1989）、政治學院中共黨史教研室編《中國共產黨六十年大事簡介》（北京，國防大學出版社，1986）、王思誠主編、中國大陸問題資料研究中心編印《中共禍國史實年表》（臺北，民65；增訂本，民71）、趙牖文《中共禍國史綱》（臺北，三民書局，民62）、王覺源《中共叛國實錄》（臺北，黎明文化事業公司，民68）、葛永祥、蘇運華《中共叛亂史》（臺北，蘇俄問題研究社，民62）、何迺黃、何鼎新編撰、鄧文儀校訂《共匪禍國始末》（臺北，中華反共抗俄出版社，民41）、阮芳華《中國赤禍四十年》（2冊，臺北，撰者印行，民56）；《共匪四十年來之罪行》（臺北，亞聯出版社，民51）、大久保泰《中共三十年：勝利の死鬥》（東京，ニコース社，1949）、Pavel Miff, Heroic China: Fifteen Years of the Communist Party of China. （New York: Worker's Library, 1937）、Hsueh Chun-tu（薛君度），Comp., Chinese Cimmunist Movement, 1921-1937. （Stanford,

Calif.: Hoover Institution, 1960)、岩村三千夫《中共のけなし》（東京，勞働教育協會，1949）、朝日新聞社東亞部《中國共產黨》（東京，月曜書房，1946）、國際調查社公安調查室《中國共產黨》（東京，1956）、長野朗《中共：アジアの怪奇》（東京，國民教育社，1951）、《最近の支那共產黨》（東京，支那問題研究所，1930）及《中國共產黨の誤謬》（東京，協友社，1949）、外務省調查局第五課《中共概論》（東京，1949）、吉川重藏《中共總覽》（東京，時事通信社，1950）、小島祐馬《中國共產黨》（東京，弘文堂，1950）、朝日新聞社東亞部編《中國共產黨》（東京，月曜書房，1946）、殷海光《中國共產黨之觀察》（上海，獨立出版社，民37）、余振邦《中國共產黨的透視》（臺北，中央文物供應社，民43）、楊輝《中國共產黨真面目》（人民出版社，民35）、王一士《抗戰以前的共產黨》（重慶，勝利出版社，民31）、方曉主編《中共黨史辨疑錄》（太原，山西教育出版社，1991）、戴向青、施鳳堂主編《中共黨史知識問答》（北京，中國文史出版社，1990）、郝景泉《黨史風雲實錄》（2冊，北京，紅旗出版社，1996）、福本勝清《中國共產黨外傳：歷史の涙する時スーパ・エツヤイ》（東京，蒼蒼社，1994）、胡之信主編《中國共產黨統一戰線史（1921-1987）》（北京，華夏出版社，1988）、中國革命博物館編《中國共產黨七十年圖集》（上海，上海人民出版社，1991）、張天榮等主編《黨的建設七十年（1921-1991）》（北京，中共黨史出版社，1991）、馮文彬主編《中國共產黨建設全書》（9冊，太原，山西人民出版社，1991）、廖蓋隆主編《中國共產黨歷史大辭典：新民主主義革命時期》（北京，中共中央黨校出版社，1991）、王東主

編《中國共產黨大辭典》（北京，中國廣播電視出版社，1991）、景
彬主編《中國共產黨大辭典》（同上）、蕭超然等編《中共黨史
簡明詞典》（上冊，北京，解放軍出版社，1986）、德辰主編《光榮
與輝煌－中國共產黨大典》（北京，紅旗出版社，1996）、李盛平
主編《中國共產黨歷史大事典》（北京，中國國際廣播出版社，
1991）、季平主編《中國共產黨大事典》（哈爾濱，哈爾濱出版社，
1991）、張予一編《中國共產黨大事典》（北京，人民出版社，
1991）、姚守中、王福年《黨史名詞簡釋》（成都，四川人民出版
社，1983）、張廣信、楊樹禎《中共黨史事件名詞人物簡釋》（西
安，陝西人民出版社，1985）、Conard Brandt、Bengamin
Schwartz & John K. Fairbank, eds., A Documentary History of
Chinese Communism （Cambridge: Harvard University Press,
1952）、Tony Saich, ed, The Rise to Power of Chinese Commu-
nist Party: Documents and Analysis／With A Contribution by
Benjamin Yang. （Armonk, New York, London: M. E. Sharpe,
1996）、中華民國開國文獻編委會、政治大學國際關係中心編印
《共匪禍國史料彙編》（3冊，臺北，民65）、日本國際問題研究
所中國部會編《中國共產黨史資料集（1-12）》（12冊，東京，勁
草書房，1970-1975）、中共中央書記處編《六大以前－黨的歷史資
料》（北京，人民出版社，1980）；《赤匪反動文件彙編》（6冊，民
24）；《共匪重要文件彙編》（中聯出版社，民37）；《共匪反動
文件彙編》（5冊，臺北，國防部新聞局，敵情研究叢刊1-5）；《共匪
重要資料彙編》（9冊，臺北，中央文物供應社，民41）、中共中央黨
校黨史教研室編《中共黨史資料（1-6）：民主革命時期》（6

冊，北京，人民出版社，1979）、中國國民黨中央組織部調查科《中國共產黨之透視》（民24年初版，臺北，文星書店影印，民51）、中國新民主主義青年團中央團校編印《中國共產黨光榮的三十周年》（1960）、人民日報、紅旗雜誌、解放軍報編輯部編《紀念中國共產黨五十周年》（南寧，廣西人民出版社，1971）、新華通訊社《紀念中國共產黨五十周年》（北京，人民出版社，1971）、北京大學社會科學處《北京大學紀念中國共產黨六十周年論文集》（北京，北京大學出版社，1982）、中共中央黨校中共黨史研究室《中共黨史論集（社會主義時期）》（北京，求實出版社，1982）、中國社會科學院近代史研究所編《中共黨史革命史論集》（北京，中共中央黨校出版社，1982）、朱成甲《中共黨史研究論文選》（3冊，長沙，湖南人民出版社，1983）、石川忠雄《中國共產黨史研究》（東京，慶應通信，1959）、牛廣和、李柏林主編《中共史專題》（海潮出版社，1993）、范沛然等主編《中共黨史專題論綱》（石家庄，河北人民出版社，1990）、胥佩蘭、梁振江主編《中共黨史專題新論》（北京，北京出版社，1990）、中央檔案館《中共黨史報告選編》（中共黨史資料叢書，北京，中共中央黨校出版社，1983）、福建省中共黨史學會編《中共黨史論文集》（福州，福建人民出版社，1992）、郭德宏《中共黨史論集》（北京，經濟日報出版社，1989）、中共中央黨史資料徵集委員會徵集研究室編《中共黨史資料專題研究─黨的創立和第一次國內革命戰爭時期》（北京，中共黨史資料出版社，1989）、戴雨田等主編《中共黨史專題研究》（2冊，哈爾濱，黑龍江人民出版社，1988）、中共黨史研究室科研局編譯處編《國外中共黨史中國革命史研究譯文集》

（北京，中共黨史出版社，1991）、馬克思主義著作選編組編《中共黨史文獻選編：新民主主義革命時期》（同上，1992）、中共上海市委宣傳部理論處編《黨史黨建論文集：紀念中國共產黨成立七十周年學術討論會專輯》（上海，上海人民出版社，1992）、中國革命博物館黨史陳列研究部編《中共黨史主要事件簡介（1919-1949）》（成都，四川人民出版社，1982）、王健英編著《中國共產黨組織史資料匯編：領導機構沿革和成員名錄》（北京，中共中央黨校出版社，1994）、吉積清（筆名：森建をも見よ）《中國共產黨の細胞活動》（東京，社會書房，1949）、張靜如、唐曼珍主編《中共黨史學史》（北京，中國人民大學出版社，1990）、Laszlo Ladany, The Communist Party of China and Marxism, 1921-1985: A Self-Portrait. (Stanford: Calif.: Hoover Institution Press, 1988) 、Michael Y. L. Luk, The Origins of Chinese Bolshevism: An Ideology in the Making, 1920-1928. (Oxford: Oxford University Press, 1990) 、James Chieh Hsiung（熊玠），Ideology and Practice: The Evolution of Chinese Communism. (New York: Praeger, 1970) 、Michael H. Hunt, The Genesis of Chinese Communist Foreign Policy. (New York: Columbia University Press, 1996) 、Jane L. Price, Cadres, Commanders and Commissar: The Training of the Chinese Communist Leadership, 1920-1925. (Boulder, Colorado: Westview Press) 、Dun J. Li, The Road to Communism: China Since 1912. (New York: Van Nostrand Reinhold Company, 1970) 、Adrian Chan, Development and Nature of Chinese Communism to 1925. (Ph. D. Dissertation, Australian National University, 1974) 、Michael H. Hunt and Niu Jun, eds., Toward A History of Chinese Communist Foreign Relations, 1920s-1960s: Personalities and Interpretive Approaches. (Washington, D. C.: Woodrow Wilson International Center for Scholar, 1995) 、Christina Kelley Gilmartin, Mobilizing Communist Party, 1920-1927. (Ph. D. Dissertation, University of Pennsylvania, 1986) 、Mariam Darce Frenier, Women and the Chinese Communist Party, 1921-1952. (Ph. D. Dissertation, University of Iowa, 1978) 、Thomas Kampen, "The CCP's Central Committee Department (1921-1991) : A Study of Their Evolution." (China Report, Vol.29, No.3, 1993) 、Gregory Louis Kondrek, "The Ideological Development of the Chinese Communist Party, 1921-1925." (Asian Forum, Vol.10, No.3, 1981) 。與其相關的論著和資料尚多（如臺灣之政治作戰學校政治研究所的學位論文、政治大學東亞研究所的學位論文等），不再一一舉述。

2.中共黨史研究動態

周一平、張靜如主編《中共黨史研究七十年》（長沙，湖南出版社，1991）、宇野重昭等編《中國共產黨史研究の現階段》（東京，アジア政經學會，1974）、衛藤瀋吉《中共史研究ノート》（東京，東洋學術協會，1961；亦載《東洋學報》43卷2號，1960年9月）、蔣永敬〈中共問題研究及其有關資料〉（《人與社會》2卷5期，民63年12月）、Kuo Tai-Chun & Romon H. Myers, Understanding Communist China: Communist China Studies in the

United States and the Republic of China, 1949-1979. （Stanford: Hoover Institution Press, 1986）、李楣〈最近幾年黨史研究的情況〉（《電大文科園地》1983年4期）、上海中醫學院馬列教研室〈1981年中共黨史有關問題研究動態〉（《黨史資料叢刊》1982年2期）、嚴冰〈1982年黨史研究的新進展〉（《黨史通訊》1983年3、4期）、孫啟泰〈近幾年對建國頭七年黨史研究的情況綜述〉（《黨史研究與教學》1988年1期）、唐曼珍〈三中全會以來黨史研究的新進展〉（《教學與研究》1989年1期）、關志翔〈《六大以前》、《六大以來》與中共黨史研究〉（《黨的文獻》1990年3期）、胡華、林代昭〈臺港和國外中共黨史研究述評〉（《近代史研究》1982年1期）、郭亮〈臺港地區與國外研究中共黨史的趨勢〉（《黨史研究》1986年5期）、張注洪〈八十年代國外對中共黨史的研究〉（《北京黨史研究》1990年3期）、素〈國外研究中共黨史簡況〉（《社會科學》1981年1期）、野原四郎〈アメリカの中共研究〉（《中國》第9號，1964年8月）、向青〈對美國研究中共黨史、共產國際和中國革命問題的印象〉（《近代史研究》1985年6期）、中共中央黨史研究室編譯組編《國外中共黨史中國革命史論著目錄大全：1919-1989》（北京，中共黨史出版社，1993）、R·麥克尖考爾著、楊夏鳴譯〈美國中共黨史研究資料來源及存在的問題〉（《國外中共黨史研究動態》1994年1期）、江田憲治〈最近10年間における日本の中國共產黨史研究について〉（《近きに在りて》29號，1996年5月），其中譯文為薛鳳琴譯〈近十年來日本的中共黨史研究〉（載《國外中共黨史研究動態》1996年6期）、喬山〈中西功和他在獄中寫成的《中國共產黨史》〉（《國外中共黨史研究動

態》1996年5期）、瑰珍等〈蘇聯研究中共黨史情況述評〉（《社會
科學述評》1988年2、3期）、馬貴凡編譯〈蘇聯學者對中共黨史講
義社會主義部分的評價〉（《黨史通訊》1986年2期）、梁怡〈澳大
利亞的中國革命史、中共黨史研究〉（《國外中共黨史研究動態》
1995年4期）、張注洪〈關於國外研究中共黨史、中國革命史的文
獻史料及其利用〉（《近代史研究》1981年1期）、藤田正典〈中國
共產黨史研究文獻ノート〉（《東洋學報》47卷3、4號，1964年12
月，1965年3月）、德田教之〈中共黨史關係資料目錄(1)(2)〉（《近
代中國研究センター彙報》第9號，1967年10月）、許慶樸主編《中共
黨史中國革命史中國現代史研究綜述資料集（1978-1988）》（濟
南，山東大學出版社，1989）、宇野重昭〈中國共產黨史研究資料
ついて〉（《政治經濟論叢（成蹊大學）》14卷4號，1965年2月）。邢
賁思〈對中共黨史研究的幾點意見〉（《中共黨史研究》1992年1
期）、張天榮〈關於黨史研究改革的思索〉（《黨史研究》1987年5
期）、楊開煌〈中共研究中的內容分析法及其爭議與反省〉
（《東亞季刊》20卷2期，民77年10月）、禹德〈略論黨史研究的科學
性〉（《北京政法學院學報》1981年2期）、張嘉選〈關於加強黨史宏
觀研究的思考〉（《社會科學（甘肅）》1986年3期）、陳榮華〈對
黨史宏觀研究與微觀研究問題的若干思考〉（《江西社會科學》
1990年6期）、陳日增〈系統方法在黨史研究中的應用試探〉
（《福建黨史月刊》1990年6期）、李穎等〈關於系統科學與中共黨
史研究若干問題的探討〉（《成都黨史通訊》1990年2期）、陳浮
〈加強黨史研究的科學性，徹底貫徹唯物史觀〉（《湖南黨史月
刊》1990年5期）、毅民〈關於中共黨史研究的幾個問題〉（《四川

社聯通訊》1990年2期）、胡喬木〈加強黨史的研究、宣傳和教育〉
（《中共黨史研究》1990年3期）、沙健孫〈進一步加強黨史工作〉
（同上）、李銳〈深入研究一些有關黨史的問題〉（同上，1996年4
期）、高樹森、孟國祥〈論中共黨史研究的方法論〉（《南京社會
科學》1990年3期）、侯且岸〈略論黨史學的研究對象與研究內
容〉（《北京黨史研究》1989年4期）、張靜如、侯且岸〈中共黨史
學理論和方法論綱〉（《中共黨史研究》1989年1期）、王仲清〈關
於中共黨史學科的建設問題〉（《河南黨史研究》1989年3期）、王
京生〈中共黨史學概說〉（《黨史通訊》1987年1期）、鍾建英〈黨
史科學的失落與回歸〉（《福建黨史月刊》1990年4期）、吳仲炎
〈當前黨史應注重研究與若干問題〉（同上，1990年7期）、周一
平〈中共黨史研究批評芻議〉（《黨史研究與教學》1990年6期）、
關志鋼〈中共黨史研究的困惑〉（《深圳大學學報》1996年2期）、
田酉如〈加強對中共黨史學基本理論的研究〉（《黨史文匯》1990
年6期）、任華明〈社會經濟統計指標在黨史研究中的運用〉
（《四川黨史月刊》1990年9期）、大學文科園地編輯部〈對黨史中
幾個問題的研究綜述〉（《大學文科園地》1987年6期）、小河〈中
共黨史和中國革命史研究中提出的一些問題〉（《河南黨史研究》
1987年2、3期）、戴鹿鳴〈加強社會主義時期黨史研究的幾個問
題〉（《黨史通訊》1984年10期）、蕭克〈黨史研究中的幾個問題〉
（《近代史研究》1982年1期）、丁守和、方孔木〈關於黨史研究中
的幾個問題〉（同上，1980年2期）、陳浮〈中共黨史研究的困惑
與希望〉（《求索》1980年4期）、華永正、孫大明〈利用電腦提高
黨史研究的效率〉（《黨史研究》1983年6期）、陳日增〈模糊數學

與黨史研究〉(《福建黨史通訊》1987年1期)、黨史通訊編輯部
〈黨史研究中一個值得注意的問題〉(《黨史通訊》1987年6期)、
馬齊彬〈黨史研究中的幾個問題〉(《黨史研究》1980年2期)、張
注洪〈加強對國外中共黨史研究的信息了解和成果評析〉(《中
共黨史研究》1992年1期)、王廷科〈黨史研究選題漫議〉(同上，
1993年2期)、易豪精、林強〈要加強中共黨史史學理論的研究—
中共史學基本理論問題研討會綜述〉(《福建黨史月刊》1988年9
期)、蔣伯英〈略論中共黨史史料的收集與研究〉(《學習月刊》
1987年5期)、張注洪〈中共黨史史料的考證與校勘〉(《黨史研究
資料》1996年12)、李坷〈談談在黨史研究中運用數量分析法的問
題〉(《常德師專學報》1987年2期)、黨史研究編輯部〈關於中共
黨史理論研究的幾個問題〉(《黨史研究》1987年3期)、楊燕杰
〈研究黨史必須忠於史實〉(《江西大學學報》1979年3期)、林強
〈黨史研究必須為現實服務〉(《福建黨史月刊》1990年6期)、歐
漢英〈黨史研究與現實〉(《黨史研究與教學》1990年5期)、閣平
雲〈黨史工作為現實服務大有可為〉(《理論學刊》1990年4、5
期)、吳其樂〈黨史工作必須為現實服務〉(《福建黨史月刊》
1990年10期)、王朝美〈略論中共黨史理論和方法的若干問題〉
(《黨史研究》1987年5期)、周振剛〈中共黨史是理論科學嗎？—
關於中共黨史性質的商榷〉(《黨政論壇》1987年2期)、孫達芳
〈實事求是地研究黨史〉(《群眾》1980年10期)、召海〈研究中
共黨史學史應注意區分的幾個概念〉(《黨史縱橫》1988年12期)、
宋俊生〈關於黨史科學的分類與黨史科學研究中存在的問題〉
(《江西黨史研究》1988年1期)、曹宗博〈黨史工作要面對新形

勢・承擔新任務〉(《黨史博采》1995年8期)、王同起〈中共黨史科學的研究亟待加強〉(《黨史研究資料》1993年1期)、夏道漢〈第二次國內革命戰爭時期黨史研究新進展綜述〉(《江西黨史研究》1988年6期)、馬俊玲〈關於中國共產黨組織史研究的幾個問題〉(《黨史研究》1986年4期)、余應彬〈蔡和森與中共黨史研究〉(同上)、周朝民〈論蔡和森的中共黨史研究和貢獻〉(《歷史教學問題》1986年3期)、唐曼珍〈毛澤東論中共黨史研究〉(《教學與研究》1993年3期)、楊親華〈毛澤東與中共黨史研究〉(《信陽師院學報》1994年3期)、中共中央文獻研究室綜合研究組編《老一代革命家論黨史與黨史研究》(西安,陝西人民出版社,1993)、劉志強等〈研究大革命時期黨史中的幾個問題〉(《北京黨史研究》1992年1期)、沙健孫〈關於學習和研究民主革命時期黨史的若干問題〉(《中共黨史研究》1988年5期);〈郭恒鈺教授談中共黨史中的一些問題〉(《黨史研究資料》1980年19期)、富華〈胡繩同志談黨史工作〉(《湖南黨史通訊》1984年3期)、胡繩〈談談黨史研究工作〉(《黨史通訊》1984年1期)、張慶斌〈地方黨史研究初探〉(《黨史縱橫》1989年6期)、王仲清〈中共黨史同中國革命史的關係問題〉(《安徽黨史研究》1989年5期)、麥農〈有關黨史上幾個學術問題的個人淺見〉(《杭州師院學報》1985年4期)、孫劍純〈黨史研究若干社會功能探討〉(《求是》1990年8期)、林強〈淺議黨史的社會功能〉(《福建黨史通訊》1986年4期)、傅驥〈談談黨史工作者的才、德、識問題〉(《湖北黨史通訊》1985年2期);〈胡繩談黨史編寫問題〉(《黨史通訊》1986年1期)、李洪林〈打破黨史禁區〉(《歷史研究》1979年1期)、霍培正〈黨史教

材中若干史實問題探討〉(《南寧師院學報》1982年2期);〈對劃
分黨史各歷史時期的新見〉(《黨史資料與研究》1986年2期)、梅
長冬、柳磊〈中共黨史分期新探〉(《中共黨史研究》1993年2
期)、秦隴晟〈中共黨史分期新論〉(《甘肅理論學刊》1995年5
期)、史文清〈對黨史學界一個爭議問題的淺見〉(《蕪湖師專學
報》1983年2期)、郭恒鈺〈中共黨史的新詮釋〉(《歷史月刊》64
期,民82年5月)。

3.中共的醞釀和成立

　　民國九年(1920),中共建黨之籌備工作展開,次年七月,
召開第一次全國代表大會,中國共產黨遂正式成立。這方面的論
著·資料甚多,其中以中共誕生或創建為題的有田夫、王沛《中
國共產黨是怎樣誕生的》(武漢,湖北人民出版社,1986)、莊有為
等《開天闢地的大事變—中國共產黨的誕生》(上海,上海人民出
版社,1988)、張洪祥等《五四運動與中國共產黨的誕生》(天
津,天津社會科學院出版社,1991)、黃崢編寫《中國共產黨的誕
生》(北京,新華出版社,1990)、上海人民出版社編印《中國共
產黨的成立》(上海,1958)、張靜如等《中國共產黨的創立》
(石家庄,河北人民出版社,1981)、司馬璐編著《中共的成立與初
期活動》(香港,自聯出版社)、任武雄主編《中國共產黨創建史
研究文集》(上海,百家出版社,1991)、Arif Dirlik, The Origins
of Chinese Communism (New York: Oxford University Press,
1989)、Yeh Wen-hsin (葉文心),Provincial Passages: Cul-
ture, Space, and the Origins of Chinese Communism. (Berkeley:

University of California Press, 1996）、Franz Schurmann and Orville Schell, eds., Republican China: Nationalism, War and the Rise of Communism, 1911-1949. （New York: Vintage Books, 1967）、Robert william McColl, The Rise of Territorial Communism in China, 1921-1934: The Geography Behind Politics. （Ph. D. Dissertation, University of Washington, 1964）、Ip Hung-yok, "The Origins of Chinese Communism"（Modern China, Vol. 20, No.1, January 1994）、Christina Gilmartin, "Gender in the Formation of A Communist Body Politic."（Modern China, Vol. 19, No.3, 1993）、Van de Ven Hans J., From Friend to Comrade: The Founding of the Chinese Communist Party, 1920-1927. （Berkeley: University of California Press, 1991）係其1988年之哈佛大學博士論文：The Founding of the Chinese Communist Party and the Search for A New Political Order 修訂而成；易平《中共史・第1卷：產生與跨黨》（臺北，黎明文化事業公司，民84）、藤井高美《中國革命史─中國共產黨の形成と發展》（東京，世界思想社，1967）、伊藤武雄〈中國共產黨の誕生前後〉（《東洋文化》20號，1956年1月）、李光泰〈中國共產黨興起原因之探討〉（《東南學報》第6期，民71年12月）、吳文昌〈中國共產黨成立之背景〉（《革新》36期，民75年6月）、劉柏登《中共建立時期的社會與文化背景（1911-1921年）》（政治大學東亞研究所碩士論文，民65年6月）、江躍龍《「共產主義」移植中國之研究》（中國文化大學大陸問題研究所碩士論文，民66年2月）、陳家驥〈簡論中國共產黨創建的歷史必然性〉（《安徽教育學院學報》1991年2期）、韓一德〈從歷史必然

性談中國共產黨的產生〉(《河北學刊》1982年3期)、蕭超然〈關
於中國共產黨成立的必然性與偶然性〉(《北京黨史研究》1991年1
期)、尹成〈中國共產黨誕生的歷史必然性及其特點〉(《昆明
師專學報》1991年2期)、胡華〈中國共產黨的誕生〉(《人民中國》
1954年9期)、劉紹文〈中國共產黨是怎樣產生的〉(《中國工人》
1959年12期)、史鑒〈中國共產黨的成立〉(《政治學習》1990年6
期)、林田〈關於中國共產黨的建立〉(《新建設》1961年7期)、
夏祖恩譯〈中國共產黨的建立〉(《福建師大福渚分校學報》1988年
2期)、李永強〈中國共產黨的創立〉(《四川黨史月刊》1990年7
期)、三浦徹明〈中國共產黨の創立とモスクワ〉(《海外事情》
27卷8號,1979年8月)、高軍〈關於中國共產黨的發起〉(《革命史
資料》1982年7輯)、陳壽熙〈共產黨在中國降生之探討〉(《中正
嶺學術研究集刊》第6集,民76年6月)、胡華、蕭效欽〈中國共產黨
創建史實〉(《百科知識》1979年2期)、任武雄〈中共創建史上兩
個問題的探索〉(《上海黨史研究》1996年3期)、周子信〈中國共
產黨創立的歷史史實〉(《江淮論壇》1980年5期)、K.舍維廖夫
〈中國共產黨成立史〉(《遠東問題》1981年1期)及〈中國共產黨
成立史摘記〉(《國外中國近代史研究》第3輯,1982年6月)、李雪英
〈中國共產黨的成立〉(《自修大學》1983年2期)、蕭效欽〈中國
共產黨創建的歷史情況〉(《歷史教學》1981年7期)、王才忠〈論
中國共產黨誕生的文化機制〉(《中南民族學院學報》1991年5期)、
陳昌華等〈試論中國共產黨成立的特點〉(《貴州師大學報》1995
年1期)、張靜如等〈中國共產黨建立時期形成的特點〉(《北京
師大學報》1981年4期)、張靜如〈再論中國共產黨成立時形成的特

點〉（《東岳論叢》1991年4期）、曾玉芬〈談談中國共產黨的創建
的歷史特點〉（《九江師專學報》1988年2期）、李勇華〈中國共產
黨創建過程的一個重大歷史特點〉（《浙江社會科學》1995年2
期）、楊天宗〈中國共產黨誕生的文化條件探析〉（《社會科學
家》1989年4期）、蒙子良〈黨的成立是新舊民主革命的分界線〉
（《理論學習月刊》1990年3期）、田夫〈中國共產黨建立的社會基
礎〉（《黨史資料通訊》1982年14期）、王燕士〈中國共產黨是中國
近代社會發展的必然產物〉（《中學歷史教學》1959年6期）、張注
洪〈〝中國共產黨的創立〞史籍概述〉（《歷史教學》1991年7
期）、K. B.謝維列夫〈中國共產黨建立的歷史片斷〉（《龍江社
會科學》1994年3期）、蘇開華〈關於中國共產黨創立幾個問題的
辨證〉（《中共黨史研究》1992年4期）、大塚令三〈中國共產黨の
成立期に就て〉（《滿鐵支那月誌》7卷1號，1930）、曾長秋〈中國
共產黨成立時期幾個史實的考證〉（《歷史檔案》1992年3期）、李
玉貞譯〈中共成立前後的一些情況〉（《黨的文獻》1996年4-6
期）、伊藤武雄〈中國共產黨の誕生前後〉（《東洋文化》20號，
1956）、楊偉、金人〈中國傳統文化與中國共產黨的誕生〉
（《長沙水電師院學報》1991年2期）、蔣建農〈工讀主義的興衰與中
國共產黨的創建〉（《史學集刊》1995年1期）、張偉良、王憲明
〈社會主義在中國的演進與中國共產黨的誕生〉（《清華大學學
報》1991年2期）、張銓〈二十年代前後的中國與中國共產黨的誕
生〉（《史林》1991年3期）、宋亞平〈辛亥革命與中國共產黨的產
生〉（《湖北社會科學》1991年9期）、張洪祥等編《五四運動與中
國共產黨的誕生》（天津，天津人民出版社，1991）、周玉山〈五四

運動與中共之成立〉（《東亞季刊》19卷3期，民77年1月）、鄭載一
〈第三國際和中共的成立〉（同上，17卷1期，民74年7月）、史習章
〈中國共產黨的創建和共產國際的關係〉（《史學月刊》1982年1
期）、陳漢楚〈試論共產國際在中國共產黨創建時期的歷史作
用〉（《江淮論壇》1981年6期）、向青〈中國共產黨創建時期的共
產國際和中國革命〉（《近代史研究》1980年4期）、許俊基〈共產
國際與中國共產黨的創建〉（《北京師院學報》1980年3期）、王俊
杰〈論共產國際與中國共產黨的創建〉（《北京大學研究生學刊》
1988年2期）、吳能〈論中國共產黨的創建和共產國際〉（《蘇聯問
題研究資料》1991年3期）、陳金榜〈共產國際在中國共產黨創建時
期的作用〉（《江西大學學報》1983年4期）、宇野重昭〈中國共產
黨成立前後とコミンテルン—最近の研究狀況と若干の論點をめ
ぐつて〉（載《石川忠雄教授還曆紀念論集：現代中國と世界—その政
治的展開》，東京，慶應通信，1982）、V. Glunin, "The Comintern
and the Rise of the Communist Movement in China:（1920-
1927）." （In R. A. Ulyanovsky, ed., The Comintern and the East: The
Struggle for the Leninist Strategy in National Liberation Movement,
Moscow: Progress, 1979）、朵魯尚茨著、雷雲峰譯〈俄共在中共創
建過程中的作用〉（《黨史研究與教學》1994年1期）、韓承業〈列
寧與中國共產黨的建立〉（《天津教育》1981年7期）、張乃〈中國
共產黨是按照列寧的建黨原則建立起來的黨〉（《思想戰線》1981
年4期）、劉傑泉〈蘇俄對華政策和中共的誕生（1917-1920）〉
（《史潮（香港中文大學聯合書院歷史學會編印）》新刊號第6期，1980年
9月）、李增光〈從中俄兩黨的創建特點之比較看中國共產黨成

立的歷史必然性〉(《黨史研究》1987年5期)、劉貴田〈革命知識
分子在中國共產黨創建中的作用〉(《理論界》1990年8期)、焦艷
芹、姜福潤〈先進知識分子在中國共產黨創立時期的探索與實
踐〉(《河北師大學報》1995年2期)、莊有為〈早期共產主義者關
於建黨思想的探討〉(《上海師大學報》1985年3期)、王列平〈國
民黨人參與中共建黨活動述評〉(《檔案史料與研究》1993年3期)
及〈評述國民黨人參與中共的建黨活動〉(《黨史研究資料》1992
年12期)、伍婉萍〈馬克思主義傳播與中國共產黨的創建〉(《廣
西師院學報》1983年2期)、石川禎浩〈マルクス主義の傳播と中國
共產黨の結成〉(載狹間直樹編《中國國民革命の研究》,京都大學人
文科學研究所,1992)、趙德教〈中國共產黨創立時期馬克思主
義、國家主義的鬥爭〉(《理論與實踐》1980年4期)、天野元之助
〈中國共產黨の成立より二七慘案まで—中國近代史の一齣〉
(《人文研究(大阪市立大學)》11卷9號,1960年9月)、吉村五郎
〈中國共產黨史—結黨から建國まで〉(《東洋研究》47號,1977
年10月)、曹木清〈中國共產黨的誕生和我國政黨運動的轉折〉
(《湘潭大學學報》1991年3期)、向志進〈論中共建黨與奪權鬥
爭〉(《復興崗學報》34期,民74年12月)、蕭超然〈中國共產黨的
創立與北京大學〉(《北京大學學報》1981年6期)、王章陵〈中共
建黨策略分析〉(《共黨問題研究》17卷11、12期,民80年11、12月)、
司虎春、劉誠〈《共產黨》月刊在建黨中的作用〉(《揚州師院
學報》1983年2期)、張秀英〈《共產黨》月刊對建黨的理論貢
獻〉(《河南大學學報》1992年1期)、段啟咸〈《共產黨》月刊的
歷史作用〉(《江漢論壇》1981年1期)、周宏府〈中國早期工人運

動的發展和中國共產黨的誕生〉(《湘潭大學學報》1981年3期)、
B·尼基福羅夫〈中國工運與中共的誕生－蘇聯有關研究述評〉
(《國外中國近代史研究》第5輯，1984)、皮海峰〈新民學會與中國
共產黨的創立〉(《華中師大研究生學報》1989年4期)、茅生榮〈試
論創建中國共產黨的革命領袖集團〉(《寧波師院學報》1987年2
期)、戴鹿鳴〈中國共產黨的創始人是哪些人〉(《新時期》1980
年1期)、虞崇勝〈南陳北李相約建黨的時期和地點〉(《江漢論
壇》1986年5期)、楊軍武〈試論南陳北李在建黨活動中的地位和
作用〉(《湖南教育學院學報》1988年4期)、韓忠〈陳獨秀在建黨
初期的歷史作用〉(《黨的生活》1981年6期)、周子信〈李大釗與
中國共產黨的創立〉(《江淮論壇》1981年3期)；其他陳獨秀、李
大釗與中共創立之關係的論著，已在「五四人物」中舉述，可參
閱之；張克敏〈試論毛澤東對創建中國共產黨的貢獻〉(《瀋陽
師院學報》1994年4期)、陳榮勛、楊勤為、袁之舜〈毛澤東同志初
期建黨活動的特點及其重要貢獻〉(《益陽師專學報》1984年1
期)、Bejamin I. Schwartz, Chinese Communism and the Rise of
Mao.（Cambridge, Mass: Harvard University Press, 1951）、Robert A.
Scalapino, "The Evolution of a Young Revolutionary: Mao
Zedong in 1919-1921."（The Journal of Asian Studies, Vol.42, No.1,
Nov.1982)、田子渝〈李漢俊在創建中國共產黨過程中的歷史功
業〉(《湖北大學學報》1990年4期)、金英豪〈試述李漢俊對創建
中國共產黨的重要貢獻〉(《黨史研究與教學》1992年3期)、甘子
久〈中國共產黨創建時期的李漢俊同志〉(《社會科學（上海）》
1981年2期)、李其駒、陶德麟等〈建黨前後的李達同志〉(《歷史

研究》1979年8期)、徐曉林〈李達也是黨的創始人之一〉(《蘇州大學學報》1992年4期)、范兆琪〈李達對創建中國共產黨的重大貢獻〉(《學習與研究》1983年11期)、李其駒〈中國共產黨創始人之一李達的建黨活動〉(《河南師大學報》1981年2期)、Nick Knight, Li Da and Marxist Philosophy in China. (Boulder, Colorado: Westview Press, 1996)、張光宇〈董必武同志早期在武漢的革命活動〉(《武漢大學學報》1978年3期)、石川禎浩〈若き日の施存統—中國共產黨創立期の「日本小組」を論じてその建黨問題におよぶ〉(《東洋史研究》53卷2號,1994)及〈施存統と中國共產黨〉(《東方學報》68冊,1996年3月)、劉健清、張洪祥〈蔡和森在中國共產黨創建中的地位〉(《南開大學學報》1980年3期)、李樹恩〈蔡和森最早提出系統的建黨思想〉(《毛澤東思想研究》1987年7期)、張偉良〈蔡和森建黨思想的形成及其理論淵源〉(《清華大學學報》1992年2期)、夏同義、陳家驥〈蔡和森的建黨理論和活動〉(《安徽省委黨校學報》1987年1期)、張學義〈論蔡和森對創建中國共產黨的理論貢獻〉(《天津黨校學刊》1996年1期)、蔡明裕《張國燾與中共》(政治大學東亞研究所碩士論文,民64年6月)、朴貞薰《張國燾與中國共產黨》(臺灣師大歷史研究所碩士論文,民76年5月)、杜梅生《張國燾與早期的中共》(政治大學歷史研究所碩士論文,民73年6月)、張國燾《我的回憶》(3冊,香港,明報月刊社,1971)、周永祥〈瞿秋白與中國共產黨的創建〉(《學術季刊》1991年3期)、Bernadette Yu-ning Li(李又寧),A Biography of Ch̆u Ch'iu-Pai: From Youth to Party Leadership(1899-1928). (Ph. D. Dissertation, Columbia University,

1967）、劉福勤《從天香樓到羅漢嶺—瞿秋白綜論》（桂林，廣西師大出版社，1995）、陳鐵健《從書生到領袖：瞿秋白》（上海，上海人民出版社，1995）及《瞿秋白傳》（同上，1986）、王士菁編著《瞿秋白傳》（北京，人民出版社，1985）、瞿秋白等《瞿秋白自傳》（南京，江蘇文藝出版社，1996）、司馬璐《瞿秋白傳》（香港，自聯出版社，1962）、王觀泉《一個人和一個時代：瞿秋白傳》（天津，天津人民出版社，1989）、丁守和《瞿秋白思想研究》（成都，四川人民出版社，1985）、蔡國裕《瞿秋白政治思想之研究》（政治大學東亞研究所碩士論文，民62年6月）、Paul Gene Pickowicz, Chu-Ch'iu-Pai and the Origins of Marxist Literary Criticism in China.（Ph. D. Dissertation, University of Wisconsin-Madison, 1973）及 "Ch'u Ch'iu-Pai and the Chinese Marxist Conception of Revolutionary Popular Literature."（The China Quarterly, No.70, June 1977）、江田憲治〈瞿秋白と國民革命〉（狹間直樹編《中國國民革命の研究》，京都大學人文科學研究所，1992）、陳正醍〈上海大學時期の瞿秋白について〉（《茨城大學人文學部紀要》26-28號，1993-1995）、翁文利《瞿秋白與中共》（政治大學政治研究所碩士論文，民68年5月）、楊奎松〈瞿秋白與共產國際〉（《近代史研究》1995年6期）、姜新立《瞿秋白的悲劇》（臺北，幼獅文化事業公司，民71）、K. Shevelyov, "The 50th. Anniversary of the Death of Qu Qiabo."（Far Eastern Affairs, No.1, 1986）；其他如中共創黨時的重要人物沈定一，以R. Keith Schoppa, Blood Road: The Mystery of Shen Dingyi in Revolutionary China.（Berkeley: University of California Press, 1995）一書最為重要、蔡洛

〈譚平山在廣東建黨中所起的作用〉（《廣東黨史》1996年4期）、
包惠僧《包惠僧回憶錄》（北京，人民出版社，1983）。其他相關
者有陳志讓（Jerome Chén）〈1927年以前中國的共產主義運
動〉（係費正清主編、章建剛等譯《劍橋中華民國史》第一部之第10章，
上海人民出版社，1991）、余世誠〈關於楊明齋早期的一些情況〉
（《齊魯學刊》1983年4期）。

　　關於中共第一次全國代表大會正式建黨的資料和論著有《一
大回憶》（內部發行，北京，知識出版社，1980）、中國社會科學院
現代史研究室中國革命博物館黨史研究室《一大前後—中國共產
黨第一次代表大會資料選編(一)(二)》（內部發行，北京，人民出版社，
1980）、李芳清〈中共一大近期研究成果綜述〉（《黨史研究與教
學》1993年4期）、李玲〈中國共產黨第一次全國代表大會幾個問
題的考證〉（《黨史研究》1983年5期）、張鐘、陳志瑩〈中國共產
黨第一次全國代表大會召開的經過〉（《上海師院學報》1981年2
期）、梁國瑋〈中國共產黨第一次代表大會的召開及其歷史意
義〉（《南寧師院學報》1980年2期）；〈中國共產黨第一次代表大
會〉（《黨史研究》1980年1期）；〈中國共產黨第一次代表大會〉
（《黨史資料叢刊》1980年1輯）、魏克威〈中國共產黨之建立與第
一次代表大會〉（《匪情月報》13卷8、9期，民59年9、10月）、邵維
正〈黨的誕生紀念日與「一大」的召開〉（《紅旗》1981年13
期）、陳紹康、邱作建〈黨的〝一大〞前後〉（《紅旗飄飄》23
期，1981年6月）、鄭學稼〈關於「中共一全大會」各問題〉（《第
一屆中美中國大陸問題研討會專輯》，臺北，民59）、丸山松幸〈中共
一全大會存疑〉（《中國研究月報》1991年12月號）、蜂屋亮子〈中

國共產黨第一次全國代表大會文獻の重譯と大會會期・代表についての論考〉（《お茶の水史學》31號，1988年12月）、藤田正典〈中國共產黨第一次全國代表大會の參加代表、會期について〉（《近代中國》第8卷，1980年10月）、邵維正〈中國共產黨第一次全國代表大會召開日期和出席人數的考證〉（《中國社會科學》1980年1期）、宮玉書〈關於中國共產黨第一次代表大會代表人數的探討—與邵維正同志商榷〉（《求是學刊》1981年2期）、解光一〈對中共〝一大〞代表人數的新質疑〉（《上海師院學報》1981年2期）、浚輯〈關於出席黨的〝一大〞南湖會議的人數〉（《嘉興師專學報》1982年2期）、陳謙〈中共一大代表應是13人〉（《哲學社會科學通訊》1981年1期）、常建國〈參加中國共產黨第一次全國代表大會的13人簡介〉（《紅旗飄飄》23期，1981年6月）、陸平〈黨的〝一大〞代表簡介〉（《今昔談》1981年2期）、邵維正〈一大出席者生平簡介〉（《黨的生活叢刊》1980年3期）、葉愚〈一大人物志〉（《甘肅青年》1981年7期；《青海社會科學》1981年紀念建黨專刊）、劉世平〈選擇與考驗：中共一大代表人生經歷的啟示〉（《黨史文苑》1996年5期）、任武雄等〈一大代表有關問題的異議〉（《黨的生活叢刊》第3輯，1981）、張帆〈大江東去浪淘沙—中共〝一大〞代表中的湖北人〉（《黨史天地》1996年7期）、楊波〈關於包惠僧的中共一大代表身份問題〉（《許昌師專學報》1986年3期）、張鐘、陳志瑩〈包惠僧出席中共〝一大〞身份問題考證〉（《江漢論壇》1982年3期）、索世暉〈包惠僧〝一大〞代表資格考辨〉（《爭鳴》1982年3期）、永之〈包惠僧是否黨的〝一大〞代表〉（《上饒師專學報》1982年1期）、劉培瓊、吳恩壯〈包惠僧

不是中共〝一大〞廣東代表〉（《學術研究》1981年4期）、趙洪濤
〈應承認包惠僧的中共一大代表資格〉（《理論內參》1986年8
期）、徐新〈〝一大〞代表包惠僧的遭遇〉（《傳記文學》1995年1
期）、邵維正〈黨的誕生紀念日與〝一大〞的召開日期〉（《紅
旗》1981年13期）、李樾〈關於黨的誕生紀念日和黨的一大開幕日
期〉（《黨史通訊》1983年19期）、張樹宣〈中國共產黨的生日是哪
一天〉（《青海社會科學》1981年紀念建黨專刊）、李國繼〈關於中
共一大預定開會時間的探究〉（《黨的文獻》1993年1期）、李斷華
〈中共〝一大〞預定開幕日期探疑〉（《山東師大學報》1994年增
刊）、張澤〈中國共產黨的成立和七一〉（《天津師專學報》1981年
2期）；〈七一的由來〉（《黨史研究》1980年1期）、蔡聞等〈對
《七一的由來》一文提點不同看法〉（同上，1980年5期）；〈黨
的一大南湖會議日期〉（《嘉興師專學報》1983年2期）、陳德和
〈中共一大南湖會議舉行於8月1日考〉（《紹興師專學報》1984年2
期）、榮維木〈關於中共一大閉幕日期的幾種意見〉（《黨史研
究》1986年3期）、曹仲彬〈黨的一大閉幕日期考〉（《近代史研
究》1987年2期）；〈關於中共一大閉幕日期問題的考證〉（《廣西
黨史研究通訊》1984年2期）、王國榮〈中共一大結束日期新探〉
（《浙江學刊》1984年3期）、沈海波〈中共一大8月1日閉幕考〉
（《上海黨史》1990年7期）、周子信〈黨的一大閉幕日期是8月2
日〉（《教學與研究》1986年3期）、邵維正〈黨的一大議題初探〉
（《黨史資料叢刊》第2輯，1980）、張文亮〈正確認識〝一大〞時
中國共產黨的隊伍〉（《聊城師院學報》1983年3期）、董令儀〈論
黨的一大確定中心任務的原因〉（《山東師大學報》1991年1期）、

管懷倫〈中共〝一大〞綱領第十一條是民主集中制〉（《南京社會科學》1996年8期）、中共一大會址紀念館《中國共產黨第一次全國代表大會會址》（上海，上海人民出版社，1981）、蕭公聞〈黨的〝一大〞與馬林—馬林使華活動述評之一〉（《衡陽師專學報》1982年1、2期）、藤田正典〈中國共產黨の初期全國代表大會關係文書について〉（《東洋學報》45卷3號，1962年12月）、宇野重昭〈中國における統一戰線理論の受容と變質—中國共產黨一全大會から二全大會を例として〉（《政治經濟論叢》18號，1968年11月）。

關於中共旅歐支部（含勤工儉學運動）的資料和論著有陳三井《勤工儉學的發展》（臺北，東大圖書公司，民77）及〈勤工儉學運動初探〉（《中央研究院漢學會議論文集》，臺北，民70）、陳三井編《勤工儉學運動》（臺北，正中書局，民70）、黃利群編著《留法勤工儉學簡史》（北京，教育科學出版社，1982）、張洪祥、王永祥《留法勤工儉學運動史》（哈爾濱，黑龍江人民出版社，1982）、鮮于浩《留法勤工儉學運動史稿》（成都，巴蜀書社，1994）、清華大學中共黨史教研組編《赴法勤工儉學運動史料》（3冊，北京，北京出版社，1979-1981）、張允侯等《留法勤工儉學運動》（2冊，上海，上海人民出版社，1980-1986）、鄭明楨編著《留法勤工儉學運動》（太原，山西高校聯合出版社，1994）、森時彥著、史會來、尚信譯《留法勤工儉學運動小史》（鄭州，河南人民出版社，1985）、中國共產主義青年團中央青運史研究室編《留法勤工儉學運動與旅歐共青團的創建專題論文集》（中國青運史研究叢書之三，福州，福建人民出版社，1986）、John Kong-Cheng Leung,

The Chinese Work-study Movement: The Social and Political Experience of Chinese Students and Student-workers in France, 1913-1925（Ph. D. Dissertation, Brown University, 1982）、賀培真《留法勤工儉學日記》（長沙，湖南人民出版社，1985）、何長工《勤工儉學生活回憶》（北京，工人出版社，1958）、森時彥〈中國における勤工儉學運動研究の動向〉（《東洋史研究》40卷4號，1982）、陳三井〈法國所藏勤工儉學運動史料介紹〉（《中央研究院近代史研究所集刊》12期，民72年6月）、寺廣映雄〈留法勤工儉學運動について〉（《歷史研究》11號，1974年3月）、Paul Bailey, "The Chinese Work-study Movement in France."（The China Quarterly, No.115, September 1988：其中譯文〈中國留法勤工儉學運動〉，載《福建黨史月刊》1989年5期）、Ganevieve Barman and Nicole Dulioust: The Communists in the Work and Study Movement in France. "（Republican China, Vol.13, No.2, April 1988）、森時彥〈フランス勤工儉學運動小史〉（《東方學報》50、51冊，1978年2月、1979年3月）、董恩林〈留法勤工儉學運動初探〉（《中南民族學院學報》1990年6期）、滕純〈勤工儉學初探〉（《教育研究》1982年9期）、王永均〈留法勤工儉學運動概況〉（《歷史教學》1984年6期）、黃乃隆〈留法勤工儉學運動首創民間推動留學教育新模式析論〉（《文史學報（中興大學）》21期，民80年3月）、白而曼〈民國初年的留法勤工儉學運動〉（《歷史月刊》71期，民82年12月）、張洪祥〈五四時期旅法勤工儉學運動的興起〉（《南開大學學報》1979年3期）、張雲鵬〈勤工儉學的演變及其概念界定〉（《遼寧師大學報》1990年1期）、戴礪〈"五四"時期的留學運動—赴法勤工儉學述論〉（《福建學刊》1988年2期）、周祺征〈留法勤工儉學運動的社會背景和歷史淵源〉（《史志文萃》1989年4期）、張英南〈五四愛國運動對留法勤工儉學的影響及其作用〉（《江西黨史研究》1989年3期）、Marilyn Levine, "The Diligent-Work, Frugal-Study Movement and the New Culture Movement." （Republican China, Vol.12, No.1, November 1986）、趙原壁〈留法儉學會和勤工儉學會的形成及其指導思想〉（《黨史研究》1986年3期）、李璜〈留法勤工儉學的理論與實際〉（《傳記文學》16卷6期，民59年6月）、石曉群〈中國近代教育史上的勤工儉學〉（《新疆教育》1983年3期）、裘實〈留法勤工儉學運動的歷史作用〉（《學習與研究》1982年1期）、張莉莉等〈一份留法勤工儉學會的文獻〉（《北京檔案》1987年1期）、曾昭順〈留法勤工儉學運動及其在中國革命史中的地位〉（《河北大學學報》1987年4期）、陳敬堂《留法勤工儉學與中國政治黨派》（香港珠海書院中國文史研究所碩士論文，1978年5月）、楊孝臣〈留法勤工儉學運動與中國現代化〉（《東北師大學報》1995年3期）、趙原壁〈留法勤工儉學運動領導權轉移過程初探〉（《黨史研究》1987年3期）、王元年〈留法勤工儉學運動與馬克思主義傳播〉（《吉林省社會科學優秀論文集》，長春，吉林人民出版社，1983）、江澤民〈留法、比勤工儉學回憶〉（《南開學報》1980年6期）及〈在法國、比利時勤工儉學的日子〉（《革命史資料》1981年3期）、霍益萍〈20年代勤工儉學生在法受教育實況〉（《近代史研究》1996年1期）、林修敏、唐純良〈論留法勤工儉學中的勞動學會〉（《北方論叢》1985年3期）、張洪祥〈"五四"時期留法勤工儉學學生在法國的勞動與

學習〉（《歷史教學》1981年10期）、鮮于浩〈新民學會與留法勤工
儉學運動〉（《求索》1993年5期）、歐陽楚龍等〈新民學會與留法
勤工儉學運動〉（《湖南黨史通訊》1986年4期）、公孫訇〈李石曾
與留法勤工儉學運動〉（《近代史研究》1992年4期）、陳三井〈張
繼與勤工儉學〉（《中央研究院近代史研究所集刊》15期上冊，民75年6
月）、中共雙峰縣委會〈蔡和森同志在留法勤工儉學中的貢獻〉
（《湖南師院學報》1980年1期）、程文〈吳玉章與留法勤工儉學〉
（《南方局黨史資料》1988年4期）、符哲文〈羅聞喜與湖南留法勤
工儉學〉（《近代史研究》1989年2期）、謝建明〈湖南留法勤工儉
學人員略考〉（《湖南師院學報》1983年4期）、寶愛芝〈新民學會
組織湖南青年參加旅法勤工儉學的情況〉（《歷史教學》1980年11
期）、羅紹志〈試述湖南女子留法勤工儉學運動〉（《湖南黨史通
訊》1985年7期）、張靖若〈旅歐勤工儉學運動中的湖北青年〉
（《湖北黨史通訊》1987年1期）、侯德礎〈四川留法勤工儉學運動
初探〉（《四川師大學報》1989年5期）及〈留法勤工儉學運動中的
四川青年〉（《文史雜誌》1989年6期）、張至皋〈四川青年學生與
留法勤工儉學〉（《社會科學研究》1981年4期）、陳敬堂〈五四時
期四川青年在法國的組黨活動〉（《東亞季刊》19卷1期，民76年7
月）、潘清雍〈四川留法勤工儉學生與旅歐團組織〉（《成都黨史
資料通訊》1986年1期）、陳三井〈河南與留法勤工儉學運動〉
（《中國歷史學會史學集刊》16期，民73年7月）、路海江、法利民
〈留法勤工儉學運動中的河南青年〉（《河南黨史研究》1988年1
期）、吳國安〈赴法勤工儉學運動在福建〉（《黨史資料與研究》
1986年5期）、黎顯衡〈廣東青年赴法勤工儉學初探〉（《廣州文

博》1985年1、2期合刊）、周炳華〈浙江赴法勤工儉學運動初探〉
（《杭州師院學報》1985年4期）、易人〈巴黎豆腐公司與留法勤工
儉學〉（《史學集刊》1993年2期）、王永均〈留法勤工儉學生進占
里昂中法大學的鬥爭〉（《社會科學（上海）》1985年2期）、王元
年〈留法勤工儉學和旅歐支部的地位和作用〉（《吉林大學社會科
學學報》1981年5期）、祁建民〈試論旅歐勤工儉學運動和旅歐黨團
組織的歷史作用和特點〉（《天津師大學報》1985年6期）、蕭三
〈記巴黎戈德弗魯瓦街17號—最早一批中國共產黨員在法國勤工
儉學片斷〉（《百科知識》1980年9期）、王永祥〈勤工儉學及旅歐
黨團組織研究概況〉（《香港中國近代史學會會刊》第6期，1993年7
月）。Marlyn A. Levine, The Found Generation: Chinese
Communists in Europe During the Twenties. (Seattle: University of
Washington Press, 1993)、Nora Wang, "Some Relections on the
Emergence of CCP European Branch Studies." (Republican
China, Vol.13, No.2, April 1988)、Chan King-tong, "Review of
Reference Materials on the History of the European Communist
Organizations." （同上）、王永祥等《中國共產黨旅歐支部史
話》（北京，中國青年出版社，1985）、森時彥〈中國共產黨旅歐支
部の成立〉（《愛知大學國際問題研究所紀要》80號，1986）、吳時起
〈對有關旅歐建黨幾個問題的探討〉（《求是學刊》1982年2期）、
俞東濱〈中共旅歐支部建立於何時〉（《黨史研究資料》1986年8
期）、薛銜天等〈旅歐華人共產黨組織及其在華建黨問題〉
（《近代史研究》1989年5期）、孔繁豐〈旅歐黨組織和旅法華工〉
（《周恩來青年時代》1983年4期）及〈中共旅歐支部和旅法華工〉

（《南開學報》1985年3期）、王佩蓮、周興旺〈中共旅歐支部與華工〉（《北京師院學報》1982年3期）；〈旅歐中國黨團組織的建立經過〉（《黨史研究》1981年1期）、王永祥〈關於中共旅法小組和旅歐支部〉（《史學月刊》1983年3期）及〈中共旅法小組和旅歐支部〉（《歷史教學》1981年10期）、王永祥等〈中共旅歐支部反對國家主義派的鬥爭〉（《南開學報》1981年6期）、王永祥〈中共旅歐支部和旅歐共青團是怎樣學習革命理論的〉（《天津師院學報》1982年1期）、〈〝旅歐總支部〞光輝歷程片斷〉（同上，1980年2、3期）及〈關於旅歐中國少年共產黨幾個問題的商榷〉（《南開學報》1980年4期）、楊世釗等〈建黨初期旅歐中國共產黨主義者反對無政府主義的鬥爭〉（同上，1982年6期）、俞東濱〈關於中國共產黨旅歐組織的名稱〉（《黨史資料叢刊》1983年1期）、陳敬堂〈中共旅歐黨團名稱考異〉（《東亞季刊》19卷1期，民76年7月）、王永祥〈關於20年代旅歐黨團組織名稱問題〉（《黨史研究》1986年2期）、吳時起執筆〈中國共產黨旅歐總支部及其在我黨創建中的地位〉（《黑龍江大學學報》1979年1期）、陳敬堂〈論中共旅歐總支部的發起組〉（《中國歷史學會史學集刊》19期，民76年5月）、譚冬梅〈旅歐中國共產主義青年團的創建初探〉（《湖南黨史月刊》1988年1期）、趙云云〈中國共產主義青年團旅歐臨時執行委員會及非常執行委員會組織始末〉（《黨史研究資料》1994年2期）、孫玉玲等編譯《日本學者論述中國共產主義青年團旅歐支部的成立時間和名稱》（《國外社會科學情報》1980年2期）、森時彥〈旅歐中國共產主義青年團の成立〉（《東方學報》52冊，1980年3月；其中譯文爲宋紹柏譯，文載《國外中國近代史研究》第3輯，1982

年6月）。王元年〈趙世炎與〝中國少年共產黨〞〉（《史學集刊》1983年4期）、李楓〈赴法勤工儉學時期的趙世炎〉（《湖南師大學報》1992年1期）、吳志葵〈試論以周恩來為代表的旅歐共產主義者同無政府主義的鬥爭〉（《淮北煤師院學報》1984年1、2期）、張良友〈周恩來旅歐期間的建黨建團活動〉（《黨史博采》1995年7期）、王列平〈里昂飄起中華大旗：周恩來旅歐與第一次國共合作〉（《黨史縱橫》1994年1期）、廖永武〈周恩來同志在旅歐時期的革命活動〉（《天津師院學報》1978年1期）、羅真容〈寶貴的文獻─介紹周恩來同志的旅歐通信〉（《新聞戰線》1978年1期）、松濤〈〝理愈明、信愈真〞─介紹周恩來同志在旅歐期間的幾件文物〉（《革命文物》1978年2期）、周恩來著、天津人民圖書館、中國革命圖書館編《周恩來同志旅歐文集（正・續編）》（2冊,北京,文物出版社,1979及1982）、王永祥〈周恩來同志領導的旅法華人反"共管"鬥爭〉（《南開大學學報》1979年3期）、胡華、王建初〈試述周恩來同志從旅歐到大革命時期的理論貢獻〉（《社會科學戰線》1980年2期）、林代昭、胡華〈周恩來同志與《赤光》雜誌〉（《百科知識》1980年2期）、陳三井〈周恩來旅歐時期的政治活動（1921-1924）〉（《中央研究院近代史研究所集刊》14期,民74年6月）、Marilyna Levine and Chen San-Ching（陳三井）,"Communist-Leftist Control of European Branch of the Guomindang, 1923-1927."（Modern China, Vol.22, No.1, January 1996）、陳三井、廖淑宜、林月蓮合譯〈留法歸來的中共黨徒〉（《東亞季刊》6卷1期,民63年7月）、Canrad Brandt, The French-Returned Elite in Chinese Communist Party.（Berkeley: University of California, Center for Chinese Studies, Reprint No.13）。

㈡國民黨的聯俄容共

以聯俄容共為題的資料和論著有謝信堯《國父聯俄容共政策
研究》（臺北，帕米爾書店，民70）及〈國父聯俄容共政策背景之
研析〉（《博愛雜誌》3卷5、6期，民69年9、11月）、簡易《聯俄容共
政策之解析》（臺灣大學三民主義研究所碩士論文，民70年7月）、楊
粹《聯俄容共與反共抗俄》（臺北，正中書局，民49）、呂清培
《聯俄容共析論》（臺北，中國書局，民69）、謝信堯〈聯俄容共
時期共黨陰謀及中共勢力擴張之研究（1917-1927）〉（同上，第5
期，民73年2月）、史劍非〈國民黨聯俄容共經過—國共第一次合
作〉（《東西風》1卷8期，1973年6月）、包奕洪《孫中山先生聯俄
容共政策之研究》（《中國文化學院史學研究所碩士論文，民60年6
月）、宇野重昭〈孫文の思想轉換をめぐつて—連ソ容共の發
端〉（《東亞時論》8卷1、8號，1966年1、8月）、饒立風〈聯俄容共
之始末〉（《華夏學報》第5期，民66年10月）、林欣欣〈國父聯俄
容共政策之始末〉（載《國父百年誕辰紀念論文專輯—臺灣大學學生集
體創作》，臺北，民54年11月）、柏青〈國父聯俄容共政策之探討〉
（《共黨問題研究》11卷12期，民74年12月）、南天行〈國父「聯俄容
共」意向的探索〉（同上，12卷10期，民75年10月）、孫劍青〈國父
的聯俄容共政策之研究〉（《臺北護專學報》第3期，民75年3月）、
陳世昌〈國父聯俄容共政策的研究〉（《南臺工專學報》第4期，民
73年12月）、孫修睦《論中共對中山先生「聯俄容共」政策的曲
解》（政治作戰學校政治研究所碩士論文，民75年6月）、羅湘茵〈國

父「聯俄容共」的策略運用〉（《三民主義學報（臺灣師大）》第3期，民68年6月）、王健民〈國父的聯俄容共政策〉（載《國父百年誕辰紀念論文集》第5冊，民54）、樂炳南〈孫中山先生之「聯俄容共」政策及其影響〉（《臺灣海洋學院學報》20期，民75年1月）及〈國父孫中山先生與聯俄容共政策〉（收入蔣一安主編《中山學術論集》下冊，臺北，正中書局，民75）、顏喜樂〈國父聯俄容共政策背景之研究〉（《蘭女學報》創刊號，民77年4月）、王湘〈對中山先生「聯俄容共」政策背景的探討〉（《文藻學報》第6期，民81年3月）、林能士〈試論孫中山聯俄容共的經濟背景〉（《政大歷史學報》11期，民83年1月）、涂子麟〈國父聯俄容共的背景及其策略運用〉（《學宗》4卷1期，民52年3月）、余金樹〈國父聯俄容共策略運用之研究〉（《黃埔學報》20輯，民77年6月）、思恩〈國父聯俄容共政策誤解之澄清〉（《幼獅學誌》15卷3期，民68年6月）、孟瑛如〈根據國父聯俄容共的策略運用以澄清世人對聯俄容共政策的誤解〉（《革新》33期，民72年6月）、吳清林〈中共聯合戰線與聯俄容共〉（《近代中國》第6期，民67年6月）、沈雲龍〈陳炯明叛變與聯俄容共的由來〉（《傳記文學》32卷2期，民67年2月）、韓劍華〈中山先生制定聯俄容共政策之初探〉（《東亞季刊》12卷2期，民69年10月）、呂清培〈聯俄容共與「三民主義」關係之研究〉（《中山學報（國父遺教研究會高雄市分會）》16期，民84年6月）、韓祥麟〈從史學觀點探討孫中山先生「聯俄容共」政策之真相〉（同上，17期，民85年6月）、桂崇基〈中山先生為什麼會聯俄容共〉（《傳記文學》32卷2期，民67年2月）、王綱領〈美國與孫逸仙博士之聯俄容共〉（《珠海學報》15期，1987年10月）、王金吉〈國父〝聯俄容共〞與蔣公〝反共抗俄〞政策之研究〉(《中華文化復興月刊》20卷3期,民76年3月)。與其相關的資料和論著有京師警察廳《蘇聯陰謀文證彙編》(10冊,北京,民16),計324件,為自蘇俄駐華大使館搜出之原始文件,亦有英譯本的發行(共4冊);周之鳴編《蘇俄征服中國密件》(2冊,臺北,蘇俄問題研究所,民42)、章進編《聯俄仇俄問題討論集》(北京,北新書局,民16;臺北,文海出版社影印,民71)、王聿均《中蘇外交的序幕—從優林到越飛》(臺北,中央研究院近代史研究所,民52)、胡再德〈中蘇關係的序幕—優林使團來華的前前後後〉(《蘇聯問題研究資料》1989年1期)、Allen S. Whiting, Soviet Policies in China, 1917-1924. (New York: Columbia University Press, 1954)、Conrad Brandt, Stalin's Failure in China, 1924-1927. (Cambridge: Harvard University Press, 1958)、張梅駒〈共產主義運動從蘇聯到中國〉(《復興崗學報》39期,民77年6月)、Leong Sow-theng(冷紹烇),The Soviet and China: Diplomacy and Revolution, 1917-1923. (Ph. D. Dissertation, Harvard university, 1968)、徐相文《蘇俄對華政策與中國共產黨的早期發展(1917-1923)》(政治大學歷史研究所碩士論文,民85年6月)、金神保《1917-1927年之中蘇關係》(臺北,嘉新水泥公司文化基金會,民55)、周春風《列寧時代蘇俄對國共兩黨政策之研究(1917-1924)》(政治大學東亞研究所碩士論文,民65)、黃修榮主編《蘇聯、共產國際與中國革命的關係新探》(北京,中共黨史出版社,1995)、郭恒鈺《俄共中國革命秘檔(1920-1925)》(臺北,東大圖書公司,民85)、陳玉美《蘇聯與中國革命(1925-1927):「美國軍事情報密檔」專題研究》(中

山大學中山學術研究所碩士論文，民78）、孫耀文《風雨五載—莫斯
科中山大學始末》（北京，中央編譯出版社，1996）、中央檔案館
《莫斯科中山大學》（北京，中共中央黨校出版社，1981）、Yu
Min-ling（余敏玲），Sun Yat-sen University in Moscow, 1925-
1930.（Ph. D. Dissertation, New York University, 1995）、Sheng Yueh,
The Sun Yatsen University in Moscow and the Chinese Revol-
ution: A Personal Account（Lawrence:University of Kansas Press,
1972）、盛岳《莫斯科中山大學和中國革命》（現代史料編輯社，
1980）、余敏玲〈國際主義在莫斯科中山大學〉（《中央研究院近
代史研究所集刊》26期，民85年12月）、曹仲彬、戴茂林《莫斯科中
山大學與王明》（哈爾濱，黑龍江人民出版社，1988）、劉志青〈試
述大革命時期中國青年留蘇學校〉（《甘肅社會科學》1996年6
期）、何正清〈孫中山晚年的國際主義傾向〉（收於《孫中山與貴
州民主革命》，貴州，人民出版社，1987）、周谷〈國父全書全集年
譜各說各話—孫中山晚年與蘇俄及第三國際史料的探索與重估
㈠〉（《傳記文學》57卷5期，民79年11月）、〈馬克思幽靈東來神州
瑣記—孫中山晚年與蘇俄及第三國際史料的探索與重估㈡〉（同
上，57卷6期，民79年12月）、〈新俄的笑臉在北中國的活動—孫中
山晚年與蘇俄及第三國際史料的探索與重估㈢〉（同上，58卷1
期，民80年1月）、〈加拉罕與中俄協定—孫中山晚年與蘇俄及第
三國際史料的探索與重估㈣〉（《傳記文學》58卷2期，民80年2月）
及〈孫中山早期與俄國革命黨人的來往—孫中山晚年與蘇俄及第
三國際史料的探索與重估㈤〉（同上，58卷3期，民80年3月）、陳
世英、鄭應信〈《孫文、越飛宣言》初探〉（《暨南學報》1987年1

期）、邱捷〈孫中山「聯俄」過程中的一段插曲－從《孫文越飛宣言》關於中東路的條款談起〉（載胡春惠主編《近代中國與亞洲學論討論會論文集》上冊，香港，1995）、林軍〈越飛與孫中山－蘇俄與中國國民黨關係的一頁〉（《近代中國史研究通訊》21期，民85年3月）、周谷〈不符外交慣例的〝孫越宣言〞－孫中山晚年與蘇俄關係史料的探索與重估〉（《傳記文學》60卷5期，民81年5月）、劉蜀永〈關於孫中山與越飛會談時間的探討〉（《近代史研究》1980年2期）、徐光普《蘇俄早期對華外交關係：從加拉罕宣言至孫越宣言（1919-1923）》（淡江大學歐洲研究所碩士論文，民70年9月）、Bruce Allen Elleman, The Soviet Union's Scret Diplomacy in China, 1919-1925. (Ph. D. Dissertation, Columbia University, 1993)、David Karl McQuilkin, Soviet Attitudes Toward China, 1919-1927. (Ph. D. Dissertation, Kent State University, 1973)、Conrad Brandt, Soviet Failure in China, 1920-1927. (Ph. D. Dissertation, Harvard University, 1955)、Xenia Jouroff Eddin and Robert C. North, Soviet Russia and the East, 1920-1927. (Stanford, California: Stanford University Press, 1957)、Robert A. Scalapino, "China in the Late Leninist Era." (The China Quarterly, No.136, Dec.1993)、傅啟學〈中山先生對蘇俄的外交關係〉（《傳記文學》48卷3、4期，民75年3、4期）、楊振亞〈孫中山在聯俄政策上的曲折論析〉（《南京大學學報》1991年1期）、單寶〈孫中山聯俄述略〉（《中學歷史教學》1985年3期）、張天任〈從近代歷史探述應否聯俄的問題〉（《中正嶺學術研究集刊》第2集，民72年6月）、陸建洪〈共產國際與孫中山聯俄思想的形成〉（《江海學刊》1990年1期）、葉昌

友〈孫中山聯俄思想的發展過程〉(《安慶師院學報》1994年3期)、陳淵源《孫中山先生聯俄政策之研究》(臺灣大學三民主義研究所碩士論文，民77年6月)、于傳富《國父聯俄政策之研究》(中國文化學院三民主義研究所碩士論文，民56年2月)、林家有〈試論孫中山聯俄的主要原因和目的〉(《(中山大學學報)孫中山研究論叢》第1集，1983；亦收入《孫中山研究論文集(1949-1984)》下冊，成都，四川人民出版社，1986)、劉立凱〈孫中山歡迎十月革命和他的聯俄主張〉(《歷史研究》1954年5期)、謝·列·齊赫文斯基〈孫中山與蘇俄〉(《世界歷史》1987年1期)、吳學明〈孫中山與蘇俄〉(載張玉法主編《中國現代史論集·第10輯：國共鬥爭》，臺北，聯經出版事業公司，民71)、C. Martin Wilbur, Sun Yat-sen and Soviet Russia, 1922-1924. (New York: Columbia University Press, 1965)及〈孫中山與蘇俄〉(《中國現代史專題研究報告》第7輯，民66)、李玉貞譯〈新發現的孫中山與蘇俄政府間的往來函電〉(《近代史研究》1988年2期)、G. K. Kinderman The Sino-Soviet Entents Policy of Sun Yat-Sen, 1923-1925. (Ph. D. Dissertation, University of Chicago, 1959)、周谷〈孫中山與列寧—孫中山晚年與蘇俄關係史料的探索與重估〉(《傳記文學》60卷1期，民81年1月)、車成滿〈孫中山先生對蘇俄外交關係之探究〉(《光復大陸》279期，民79年3月)、鄭則民〈孫中山同蘇俄關係的建立與發展〉(《北京檔案史料》1994年1期)、岩村三千夫〈孫文時代の中ソ關係〉(《歷史教育》7卷1號，1959年1月)、Ishii Akira, "Sun Yat-sen's Policy Toward Soviet." (In Etó Shinkichi and Harold Z. Schiffrin, eds., China's Republican Revolution, Tokyo: University of Tokyo

Press, 1994）、C. Martin Wilbur, Sun Yat-sen: Frustrated Patriot（New York: Columbia University Press, 1976），其中譯本為韋慕庭著、楊慎之譯《孫中山－壯志未酬的愛國者》（廣州，中山大學出版社，1986），其主要內容為探討孫中山之聯俄容共的決策與措施。Tsui Shu-Chin（崔書琴），The Influence the Canton-Moscow Entente Upon Sun. Yat-sen's Revolutionary Tractics.（Ph. D. Dissertation, Harvard University, 1933）、（俄）A. M.格里戈里耶夫著、馬貴凡譯〈關於國民黨使團訪問莫斯科結果的評價問題〉（《黨史研究資料》1996年8期）、杜夫平〈孫中山先生與史大林〉（《東亞季刊》5卷3期，民63年1月）、余敏玲〈蘇聯對中國的軍事援助（1923-1925）〉（載《中國現代史專題研究報告》18輯，民85）、蔣中正《蘇俄在中國》（臺北，中央文物供應社，民46），其英文本為Chiang Kai-shek, Soviet Russia in China.（New York: Farrar, Straus and Cudahy, 1957）、Tai Tin-jian, The Contemporary Chinese Theatre and Soviet Influence, 1919-1960.（Ph. D. Dissertation, Southern Illinois University-Carbondale, 1974）。李雲漢《從容共到清黨》（2冊，臺北，中國學術著作獎助委員會，民55）、陳宜安《中國國民黨改組前後的容共與反共》（臺北，正中書局，民81）、判澤純太〈孫文の容共に至る過程と日本の對應〉（《政治經濟史學》181號，1981）、吳恒宇〈容共時期中共聯合戰線形成因素之研究〉（《復興崗學報》36期，民75年12月）、楊生運〈〞容共〞與〞聯共〞辨析〉（《遼寧師院學報》1983年3期）、胡繩玉〈孫中山聯共思想芻議〉（《鐵道師院學報》1987年3期）、林初耀《孫中山先生的容共經緯之研究》（臺北，黎明文化公司，民81）、

周興樑〈論孫中山與〝聯共〞的思想〉(《中共黨史研究》1993年4
期)、李殿元〈論孫中山〝聯共〞政策的思想基礎〉(《天府新
論》1992年3期)及〈論孫中山對〝聯共〞政策的表述〉(《四川師
大學報》1993年1期)、劉永明〈論孫中山等國民黨人制定〝聯共〞
政策的內因〉(《中共黨史研究》1988年4期)、井泓瑩〈張繼在聯
俄容共中扮演的角色〉(《近代中國》24期,民70年8月)、陳克華
《中國現代革命史實:從聯俄容共到西安事變》(3冊,香港,春
風雜誌社,1965)、郭紫竣《容共問題之回顧與展望》(重慶,奮鬥
出版社,民29)。

　　對於早期的國共關係,中國大陸的學者多以第一次國共合作
稱之,以此為題的有黃崢編《第一次國共合作》(北京,新華書
店,1989)、黃修榮《第一次國共合作》(上海,上海人民出版社,
1986)、中共廣東省委黨史研究委員會、中共廣東省委黨史資料
徵集委員會編《第一次國共合作研究資料》(廣州,編者印行,
1984)、張永安〈和平、奮鬥、與中國─試析促成第一次國共合
作的諸因素〉(《湖北教育學院文集》1984年1期)、孫竟昊〈第一次
國共合作動因探析〉(《理論學刊》1996年2期)、Wu Tien-wei
(吳天威),The Chinese Nationalist and Communist Alliance,
1923-1927. (Ph. D. Dissertation, University of Maryland-College Park,
1965)、Bruce A Elleman, "Soviet Diplomacy and the First
United Front in China." (Modern China, Vol.21, No.4, October
1995)、北村稔〈第一次國共合作について〉(《史林》63卷3號,
1980)及〈第一次國共合作の展開について〉(同上,66卷4號,
1983年7月)、黃干周〈第一次國共合作的形成〉(《江西大學學

報》1983年3期）、張超〈第一次國共合作是怎樣形成的〉（《唐山師專學報》1981年4期）、周養儒〈第一次國共合作是怎樣建立的〉（《中國青年》1981年11、12期）、王獻民〈略論第一次國共合作的建立〉（《石家庄市教育學院學院學報》1984年2期）、蕭甡、姜華宣〈第一次國共合作統一戰線的形成〉（《歷史研究》1981年2期）、宋士堂〈論中國共產黨第一次國共合作統一戰線策略的形成〉（《東岳論叢》1991年3期）、藤井高美〈第一次國共合作の成立〉（《福岡學藝大學紀要》第7號－第二部社會系統，1957年12月）、李佩良〈對第一次國共合作幾個問題的辨析〉（《南京政治學院學報》1994年1期）、曾憲林〈略論第一次國共合作實現中有關的幾個問題〉（載胡春惠主編《中國的過去、現在與未來－國際學術討論會論文集》，香港，珠海書院亞洲研究中心，1994）、張敏〈略論第一次國共合作問題的提出和經過〉（《遼寧大學學報》1985年5期）、姜華宣、蕭甡〈第一次國共合作的歷史序幕〉（《學習與研究》1983年8期）、關捷〈首次國共合作的作用與特點〉（《學術月刊》1990年6期）、常立成〈略論第一次國共合作的特點及其歷史經驗〉（《聊城師院學報》1986年4期）、潘洪彥〈第一次國共合作歷史經驗淺議〉（《通化師院學報》1983年2期）、許廣芬〈第一次國共合作的建立及其意義〉（《學習與探索》1984年3期）、李光隆〈試論第一次國共合作的歷史作用〉（《華南師大學報》1984年1期）、巫忠〈試論第一次國共合作的歷史作用〉（《佛山師專學報》1984年1期）、徐玉珍〈第一次國共合作的歷史作用及其深遠意義〉（《河南財經學報》1986年1期）、陳彥烽〈對第一次國共合作的歷史隨想〉（《黨史研究與教學》1994年6期）、張鑫昌〈第一次國共合作的歷史回顧—紀念孫中山誕辰一百二十周年〉(《史學論壇》1987年2期)、曾憲林〈第一次國共合作的歷史啟示〉(《理論月刊》1994年2期)、張艷國〈論第一次國共合作的歷史切合點〉(《廣東社會科學》1994年1期)、陳旭麓、齊衛平〈論第一次國共合作的歷史必然性〉(《中國國民黨"一大"六十周年紀念論文集》,1984)、黃振位、羅尚賢〈論第一次國共合作〉(《學術研究》1983年3期)、孫欲聲〈試論第一次國共合作〉(《青海民族學院學報》1982年3期)、郭恒鈺〈第一次國共合作辨〉(《明報(月刊)》178期,1980年10月)、陳金龍〈論第一次國共合作的文化基礎〉(《青海師大學報》1996年4期)、宋寶華〈第一次國共合作為何要舉國民黨的旗幟?〉(《中學歷史》1984年4期)、林家有〈試論國共第一次合作的基礎問題—兼論孫中山晚年對中國反帝反封建革命鬥爭的認識〉(《近代史研究》1984年3期)、曹屯裕、丁曉強〈試論第一次國共合作中"黨內聯合"的形式〉(《寧波師院學報》1984年3期)、葉昌友〈"黨內合作"是第一次國共合作的最好形式〉(《安慶師院學報》1985年2期)、陶用舒〈重評"黨內合作"的形式〉(《江漢論壇》1996年6期)、馮春明〈第一次國共合作形式問題探討〉(《南京師院學報》1982年3期)、宋志中〈第一次國共合作的形式與經驗探討〉(《佳木斯師專學報》1989年2期)、丁曉強〈中共第一次國共合作的策略演變〉(《近代史研究》1990年5期)、蔡銘澤〈論黨在第一次國共合作中的策略〉(《湘潭大學學報》1986年4期)、劉其發、錢楓〈第一次國共合作的策略問題〉(《江漢論壇》1981年4期)、宋汝香〈關於第一次國共合作時期國民黨的兩重性〉(《齊魯學刊》1981年5期)、李友剛

〈論第一次國共合作對國民黨的影響〉（《湖北社會科學》1987年2
期）、金沖及〈第一次國共合作和大革命〉（《求是》1991年14
期）、馬菊英〈第一次國共合作和革命軍的創建〉（《中山大學學
報》1984年1期）、孟仁〈共產國際與第一次國共合作〉（《晉陽學
刊》1984年3期）、黃小華〈共產國際與第一次國共合作〉（《廣州
文博》1986年1、2期合刊）、黃修榮〈共產國際和第一次國共合作
的形成〉（《學習與思考》1981年4期；《江漢論壇》1983年1期）及
〈共產國際和第一次國共合作的形成〉（北京，求實出版社，
1983）、郭恒鈺《共產國際與中國革命—「第一次國共合作」》
（臺北，東大圖書公司，民78）、李淑〈共產國際和第一次國共合
作〉（《南京師院學報》1981年1期）、姚洪亮〈共產國際的東方戰
略與第一次國共合作〉（《首都師大學報》1994年3期）、劉忠義、
田相林〈共產國際〝重國輕共〞與國共黨內合作的形成〉（《殷
都學刊》1995年2期）、遆國英、趙京〈試論列寧和共產國際對第
一次國共合作的積極影響〉（《統戰理論研究》1987年1期）、宇野
重昭〈第一次國共合作成立をめぐるコミンチルンと中國共產
黨〉（《アジア研究》6卷3號、7卷1號，1960年3月、10月）、石川忠雄
〈第一次國共合作とコミンテルン〉（《法學研究》28卷11號，1955
年11月）、高瀨薰〈第一次國共合作崩壞期におけるコミンテル
ンの宛て密電について〉（《お茶の水史學》21號，1978年3月）、李
俊彥〈孫中山與第一次國共合作〉（《西北大學學報》1990年1
期）、張磊〈孫中山與第一次國共合作研究述評〉（《回顧與展
望—國內外孫中山研究述評》，北京，中華書局，1986）、周興樑等
《孫中山與第一次國共合作》（成都，四川人民出版社，1989）、唐

術義〈孫中山與第一次國共合作〉(《唐山師專唐山教育學院學報》
1987年3期)、張磊〈孫中山與第一次國共合作〉(《學術研究》
1984年1期)、野澤豐〈第一次國共合作と孫文〉(載《菊池貴晴先
生悼論集》,東京,汲古書院,1985)、陸文彬《孫中山與第一次國
共合作》(香港中文大學碩士論文,1978)、尚明軒〈孫中山和首次
國共合作〉(載《中國國民黨"一大"六十周年紀念論文集》,
1984)、張磊〈英明的決策、光輝的業績—孫中山與第一次國共
合作〉(同上)、段雲章〈孫中山的國家統一觀和國共合作〉
(同上)、山田辰雄〈第一次國共合作形成過程における孫文思
想の變化と展開,1919-1925年〉(《法學研究》50卷9號,1979年9
月)、蔣文華〈中國革命史上的豐碑—淺談孫中山改組國民黨創
立首次國共合作的偉大貢獻〉(《廣西師大學報》1987年2期)、崇
慶餘、夏洪春〈孫中山反帝封建思想的發展與第一次國共合作的
形成〉(《徐州師院學報》1986年3期)、王中茂〈孫中山在第一次
國共合作中的作用〉(《洛陽師專學報》1984年2期)、朱崇演〈孫
中山在第一次國共合作中的偉大功績〉(收於《孫中山與貴州民主
革命》,貴州人民出版社,1987)、唐少卿、張篤勤〈適乎世界之潮
流,合乎人群之需要—孫中山對首次國共合作的偉大貢獻〉
(《蘭州大學學報》1985年1期)、Doc Bring, "Dr. Sun Yat-sen,
Mr. Dalin and C C P/KMT Alliance"(Journal of Oriental
Studies, Vol.13, Center of Asian Studies, University of Hong Kong,
1975)、胡邦寧〈孫中山與國共合作〉(《湖北大學學報》1986年6
期)、池田誠〈孫文と國共合作〉(載《現代中國と孫文思想》,東
京,講談社,1967)、王晬宇〈國共合作的楷模孫中山〉(《社會科

學家》1987年2期）、楊榮華〈略論孫中山的歷史經驗與國共合
作〉（《學術界》1987年2期）、崔盛河、閻樹恒〈論孫中山的國共
合作思想〉（《東北師大學報》1981年5期）、池克〈孫中山實行國
共合作的思想政治基礎〉（《錦州師院學報》1988年2期）、劉昭豪
等〈第一次國共合作中的孫中山與李大釗—紀念第一次國共合作
六十周年〉（《湘潭大學學報》1984年2期）、中共北京市委黨史研
究室編《李大釗與第一次國共合作》（北京，北京出版社，
1989）、方式光〈廖仲愷與第一次國共合作〉（《廣東社會科學》
1987年2期）、鄭則民〈廖仲愷對第一次國共合作的貢獻〉（《近
代史研究》1987年6期）、山田辰雄《第一次國共合作と汪精衛—汪
精衛（もしくは國民黨左派）による孫文思想繼承の問題〉（慶
應大學法學研究所碩士論文，1964）、張雪峰〈宋慶齡與第一次國共
合作〉（《文史雜志》1996年6期）、寧方〈宋慶齡與首次國共合
作〉（《學術界》1995年1期）、朱凱〈于右任與首次國共合作〉
（《人文雜志》1986年6期）、張光宇〈毛澤東與第一次國共合作〉
（《武漢大學學報》1983年6期）、金英豪〈毛澤東與第一次國共合
作的促成〉（《黨史研究與教學》1994年6期）、周興樑〈毛澤東對
第一次國共合作的貢獻〉（《中山大學學報》1993年4期）、蔡釗珍
〈毛澤東與第一次國共合作〉（《中國國民黨"一大"六十周年紀念
論文集》，1984）、張光宇〈董必武對第一次國共合作的貢獻〉
（《武漢大學學報》1986年2期）、范忠誠〈瞿秋白與第一次國共合
作〉（《求索》1984年4期）、陳鐵健〈瞿秋白與首次國共合作〉
（《齊魯學刊》1984年3期）、〈首次國共合作初期的瞿秋白和孫中
山〉（《中國社會科學院研究生院學報》1988年2期）及〈國共合作初

期的瞿秋白〉（《中國國民黨＂一大＂六十周年紀念論文集》，
1984）、劉自省〈瞿秋白與第一次國共合作〉（《唐都學刊》1988年
1期）、劉長徽〈惲代英和第一次國共合作〉（《上海師大學報》
1985年1期）、陳登貴、葉洪添〈周恩來對第一次國共合作的偉大
貢獻〉（《廣州文博》1984年3期）、何錦州〈第一次國共合作時期
周恩來同志和孫中山先生在廣東〉（《嶺南學刊》1988年3期）、元
邦建〈譚平山與第一次國共合作〉（《華南師大學報》1983年3
期）、黃振山、陳弘君〈第一次國共合作中的譚平山〉（《暨南
學報》1990年2期）、馬連儒〈蔡和森與第一次國共合作〉（《求
索》1985年2期）、李曉明、孫武安〈張太雷與第一次國共合作的
形成〉（《湖北師院學報》1990年4期）、周祖羲、劉樹發〈陳毅在
第一次國共合作中〉（《北京黨史研究》1989年4、5期）、魯振祥
〈第一次國共合作中的鄧演達〉（《中國國民黨＂一大＂六十周年紀
念論文集》，1984）、莫志斌〈國民黨左派與第一次國共合作〉
（《湖南師大學報》1994年1期）、陶季邑〈早期國民黨人對社會主
義的探索與首次國共合作〉（《益陽師專學報》1993年4期）、賀淵
〈第一次國共合作中的中國共產黨與孫文學說〉（《中國人民大學
學報》1991年4期）、周建華〈中共廣東區委與第一次國共合作〉
（《嶺南學刊》1991年4期）、張敬秀〈第一次國共合作及知識分子
協同的初始機制〉（《內蒙古大學學報》1994年2期）、陳善光〈第
一次國共合作與工人運動的新發展〉（《學術研究》1985年1期）、
許光秋〈第一次國共合作與廣東工人運動〉（《中山大學研究生學
刊》1984年4期）、趙雅琴、田正慧〈第一次國共合作推動了少數
民族革命鬥爭〉（《中央民族學院學報》1985年2期）、馬菊英〈第

一次國共合作和革命軍的創建〉（《中山大學學報》1984年1期）、
杜君〈《嚮導》周刊對第一次國共合作的貢獻〉（《信陽師院學
報》1993年4期）。中共北京市委黨史研究室編《第一次國共合作
在北京》（北京，北京出版社，1989）、陳鶴錦〈第一次國共合作
在江蘇〉（《民國檔案》1994年4期）、鮑和平〈第一次國共合作在
安徽的特點及其成因〉（《安徽史學》1995年2期）、趙清泉〈第一
次國共合作在遼寧〉（《黨史縱橫》1989年6期）、譚譯〈論大革命
時期國共兩黨在東北的合作〉（《遼寧大學學報》1990年6期）、莫
志斌〈何叔衡與湖南第一次國共合作〉（《求索》1991年5期）、唐
潤明〈四川第一次國共合作研究述評〉（《重慶黨史研究資料》
1996年2期）、常雲平〈四川第一次國共合作特點研究述評〉（同
上）、陳牧汀〈惠州第一次國共合作的回顧〉（《惠陽師專學報》
1985年1期）、北村稔〈北伐開始後の第一次國共合作の實態〉
（載狹間直樹編《中國國民革命の研究》，京都大學人文科學研究所，
1992）、天野元之助〈國民大革命—第一次國共合作より分裂ま
で〉（《松山商大論集》4卷3‧4號，1953年12月）、野澤豐〈中國に
おける統一戰線の形成過程—第一次國共合作と國民會議〉
（《思想》477號，1964）、趙曉呼〈戴季陶主義與第一次國共合作
的破裂〉（《內蒙古師大學報》1989年1期）、吳九占〈土地問題上
的分歧與國共第一次合作的破裂〉（《史學月刊》1993年4期）、王
承璞〈論第一次國共合作的破裂和中國資產階級的歷史命運〉
（《北京師大學報》1991年5期）、王海琳等〈第一次國共合作破裂
前後的八件大事〉（《黨史研究資料》1989年6期）、璩忠友〈試論
第一次國共合作最終破裂的必然性〉（《河南黨史研究》1991年2

期）、張瑛〈第一次國共合作破裂的社會後果〉（《近代史研究》1992年5期）、吳國鈞〈關於第一次國共合作破裂後莆田中共黨員延期退出國民黨問題〉（《黨史研究與教學》1993年3期）、安東尼·塞奇〈斯內夫利特和第一次國共統一戰線的由來（1921-1923）〉（《國外中國近代史研究》14輯，1989年10月）、張關釗〈試論第一次國共統一戰線的形成及其破裂〉（《浙江師院學報》1981年3期）。關於李大釗、陳獨秀與第一次國共合作之關係的其他論著，已在前「五四人物」之李、陳二人的條目中舉述，可參閱之。至於廖仲愷及在華俄共人士（如馬林、鮑羅廷等人）與第一次國共合作為題的論著、資料，則在本專題中稍後再行舉述。

其他以「國共合作」或「兩次國共合作」為題的論著、資料有林家有主編《國共合作史》（重慶，重慶出版社，1987）、馬健《國共合作史》（北社，民35）及《論國共合作》（同上，民30）、波多野善大《國共合作》（東京，中央公論社，1973；其中譯本為羅可群譯，列為廣東檔案史料叢刊—增刊，1982）、李淑英、蕭學信編《國共合作簡史》（南昌，江西人民出版社，1987）、李志良、王順生《國共合作歷史與展望》（福州，福建人民出版社，1990）、李桂芬〈國共合作的回顧與展望〉（《河北師大學報》1988年1期）、侯本臻〈國共合作的歷史回顧與展望〉（《徐州師院學報》1987年3期）、王志凡〈談談國共兩黨合作的幾個問題〉（《長白學刊》1990年2期）、宇野重昭〈國共合作論—中國政黨史理解のために〉（《歷史教育》11卷1號，1963年1月）、〈國共合作問題と中國ナショナリズム〉（《外務省調查月報》5卷9號，1964年9月）及〈國共合作の思想的前提—近代中國における外來思想と傳統〉

（《思想》581號，1972年11月）、F. Gilbert Chan （陳福霖），
"An Alternative to Kuomintang-Communist Collaboration: Sun
Yat-sen and Hong Kong, January-June 1923." （Modern Asian
Studies, Vol.13, Part 1, February 1979），其中譯文為〈國共合作以
外：孫中山與香港〉（載《國外中國近代史研究》第5輯，1984）、蕭
甡〈國共合作關係始於何時？—與唐純良商榷〉（《中共黨史研
究》1990年4期）、魯蘭洲〈國共合作與黨的思想路線〉（《紹興師
專學報》1987年1期）、張永安〈國共合作的諸因素〉（《湖北教育學
院文集》1984年1期）、曹前〈淺談國共合作與海外華僑的作用〉
（《華僑大學學報》1987年2期）、草野文男《國共論：國共兩黨の
合作と相剋》（東京，世界思潮社，1947）、橫山宏章〈國共合作
の立役者・マーリンの再檢討〉（《アジア研究》37卷2號，1991年3
月）；〈國共合作の歷史資料(1)(2)〉（《中國資料》第2、3號，1947
年6、8月）、土井章〈第一次新民主主義革命と國共合作—中國
社會主義と毛澤東思想の研究(1)〉（《東洋研究》97號，1991年1
期）、蕭學信〈略論毛澤東關於國共合作的思想與實踐〉（《福
建學刊》1993年4期）、關志鋼〈試論〝一戰〞時期中國共產黨國
共合作策略方針的形成〉（《東北師大學報》1987年3期）、徐光壽
〈共產國際關於國共合作方針的醞釀和確立〉（《安徽教育學院學
報》1990年4期）、本庄比佐子〈國共合作とコミンテルン—最近
の中國における研究から〉（《近きに在りて》第4號，1983）、金
子肇〈武漢における商民運動と國共合作—商民協會の動向を中
心に〉（《下關市立大學論集》34卷1號，1990）、蔣國海、臧德志、
王榮珍〈鄧小平與國民合作〉（《信陽師院學報》1996年3期）、楊

天石〈柳亞子與國共合作〉(《復旦學報》1984年1期)、唐培吉、
王關興、鄒榮庚《兩次國共合作史稿》(杭州，浙江人民出版社，
1989)、張必忠〈第一、二次國共合作〉(《新時期》1981年12
期)、王朝贊〈對國共兩次合作的回顧和第三次合作的展望〉
(《海南大學學報》1986年1期)、海振忠〈兩次國共合作的歷史經
驗〉(《社會科學輯刊》1983年6期)、劉誠〈論兩次國共合作的歷
史經驗〉(《揚州師院學報》1995年1期)、楊程〈兩次國共合作之
比較〉(《承德師專學報》1986年2期)。與此主題相關的論著尚有
汪謙干〈國共兩黨在實現〝黨內合作〞前的協作〉(《安徽史
學》1993年2期)、楊振亞〈評國共〝黨內合作〞的形成〉(《晉陽
學刊》1993年5期)、陳文等〈國共兩黨大革命時期的黨內合作〉
(《毛澤東思想研究》1985年4期)、戴鹿鳴、程璇〈略論大革命時
期國共兩黨的黨內合作〉(《教學與研究》1983年4期)、梁伯群
〈試論大革命時期國共兩黨黨內合作〉(《廣州文博》1985年1、2期
合刊)、陶用舒〈中共四大和〝黨內合作〞策略的形成〉(《益
陽師專學報》1992年1期)及〈略論黨內合作策略的失敗〉(同上，
1992年4期)、葛仁鈞〈〝黨內合作〞形成論析〉(《遼寧大學學
報》1993年5期)、劉杰〈論我黨大革命時期關於實行〝黨內合
作〞的策略問題〉(《瀋陽師院學報》1991年2期)、鄭應洽〈關於
〝黨內合作〞問題的探討〉(《近代史研究》1984年1期)、孟慶春
〈中國共產黨在西湖會議上具有黨內聯合的思想準備和理論準
備〉(《中共黨史研究》1989年2期)、劉忠義、田相林〈共產國際
〝重國輕共〞與國共黨內合作的形式〉(《殷都學刊》1995年2
期)、陶用舒〈共產國際和〝黨內合作〞〉(《長沙水電師院社會

科學學報》1995年4期）、吳九占〈共產國際的策略路線與國共〝黨內合作〞的邏輯發展〉（《河南師大學報》1996年6期）、楊熙曼、何仲山〈簡析孫中山的黨內合作思想〉（《黨史研究》1987年1期）、蕭甡〈關於中共三大對加入國民黨問題的爭論〉（《中共黨史研究》1992年1期）、蔡國裕〈中共早期聯合戰線的建立與結束〉（《共黨問題研究》14卷7、8期，民77年7、8月）、王邦佐主編《中國共產黨統一戰線史》（上海，上海人民出版社，1991）、張自民《中共建黨初期聯合戰線之研究（1921-1926）》（中國文化大學大陸問題研究所碩士論文，民65年7月）、曲國蕃《中共「統一戰線」之研究》（政戰學校政治研究所碩士論文，民61）。

　　與聯俄容共有關而為中國大陸學者所強調的孫中山主張「聯俄、聯共、扶助農工」三大政策（臺灣學者蔣永敬曾多次撰文予以駁斥），這方面的論著、資料有史月廷〈孫中山的聯俄聯共扶助農工三大政策〉（《杭州大學學報》1981年3期）、廖偉章〈孫中山聯俄聯共扶助農工三大政策的形成〉（《中山大學學報》1979年4期）、鄭應洽〈孫中山聯俄、聯共、扶助農工三大政策的形成〉（《暨南學報》1984年3期）、禹振俠、楊承武〈試論孫中山實行三大政策和改組國民黨的主觀因素〉（《遼寧大學學報》1988年4期）、王耿雄〈孫中山在上海和三大政策的形成〉（《社會科學（上海）》1986年1期）、李益然〈論孫中山三大政策思想的形成及其歷史意義〉（《晉陽學刊》1981年5期）、張揚等〈孫中山與三大政策〉（《西北大學校刊》1956年6期、12期）、王學啟〈三大政策這概念的產生和作用〉（《黨史資料通訊》1982年15期）、閔戈〈孫中山〝三大政策〞是怎樣提出的〉（《瞭望》1984年11期）、秦興洪

〈對孫中山三大政策確立過程的探討〉（《華南師大學報》1984年2期）、楊勤為、陳榮勛、袁之舜〈孫中山三大政策及其科學概念的提出〉（《益陽師專學報》1986年3期）、夏洪躍〈三大政策概念的提出有一個過程〉（《學術研究》1987年3期）、王杰〈論〝三大政策〞的時代性〉（同上，1986年5期）、姜義華、吳根梁〈孫中山與三大政策的制定〉（《中國國民黨〝一大〞六十周年紀念論文集》，1984）、魯振祥〈孫中山三大政策研究中的幾個問題〉（《北京師大學報》1986年6期）、周興樑〈試論孫中山的〝聯俄、聯共、扶助農工〞政策的具體內涵〉（《中共黨史研究》1990年3期）、狹間直樹〈孫文と三大政策〉（《東洋史研究》46卷3號，1987）、蔣永敬〈孫中山先生與「三大政策」〉（《珠海學報》15期，1987年10月）、〈孫中山先生與所謂「三大政策」〉（收入蔣一安主編《中山學術論集》下冊，臺北，正中書局，民75）、〈論北伐時期的一個口號：「三大政策」〉（《北伐統一六十周年學術討論集》，臺北，民77）、〈「三大政策」探源〉（《傳記文學》54卷3期，民78年3月）及〈關於孫中山「三大政策問題」－兩岸學者解釋的比較〉（《國史館館刊》復刊12期，民81年6月）、Chiang Yung-ching（蔣永敬），"Sun Yat-sen's Three Great Policies: A Comparative Analysis of Guomintang and Communist Interpretations." (In Etó Shinkichi and Harold Z · Schiffrin, eds., China's Republican Revolution, Tokyo: University of Tokyo Press, 1994)、劉永明《試論國民黨人實行三大政策的思想基礎》（北京師大歷史學碩士論文，1986年6月）、周逸〈國民黨〝一大〞確定了〝三大政策〞〉（《江西大學學報》1983年3期）、李宏文〈大陸

15

學界研究中山先生思想的全局性觀點述評—關於「三大政策」〉
（《共黨問題研究》19卷9期，民82年9月）、陳寧生〈大革命後期圍
繞三大政策的一場嚴重鬥爭〉（《黨史資料與研究》1987年1期）、
吳劍杰〈孫中山的三大政策與新三民主義的內在聯繫〉（《武漢
大學學報》1996年3期）、吳時起、鄭曉青〈關於孫中山三大政策中
的〝聯共〞問題〉（《社會科學戰線》1987年3期）、金德群〈試論
孫中山晚年扶助農民的思想〉（《中國人民大學學報》1987年4
期）。

（三）國共關係的發展演變

1.國共關係史

　　以「國共關係」為題的有唐純良、徐首軍主編《國共關係史
論》（哈爾濱，黑龍江教育出版社，1991）、張鎮邦等《國共關係簡
史》（臺北，政治大學國際關係研究中心，民72）、王功安、毛磊
《國共兩黨關係通史》（武昌，武漢大學出版社，1991）及《國共兩
黨關係史》（武漢，武漢出版社，1988）、蘇仲波、楊振亞主編
《國共兩黨關係史》（南京，江蘇人民出版社，1990）、田克勤《國
共關係論綱》（長春，東北師大學出版社，1992）、張廣信等主編
《國共關係研究》（西安，陝西人民出版社，1989）、張廣信主編
《國共關係史略》（同上，1989）、李成山、馬力主編《國共關係
過去、現在與未來》（同上）、劉建武編《國共關係七十年：
1921.7-1991.7》（北京，中國國際廣播出版社，1991）、任元〈近年來
國共兩黨關係史研究綜論〉（《首都師大學報》1996年2期）、張鐵

勇、宋春主編《國共兩黨關係歷史與現狀研究：全國第四屆國共
關係史研討會文集》（長春，東北師大出版，1992）、蔣永敬〈早期
國共關係的研究〉（載《六十年來中國近代史研究》上册，臺北，中央
研究院近代史研究所，民78）、羅開雲〈國共關係的歷史軌迹及其
時期劃分〉（《雲南民族學院學報》1993年4期）、田克勤〈對國共
兩黨關係幾個問題的探討〉（《中共黨史研究》1994年5期）、唐純
良〈論國共兩黨關係的歷史特點〉（同上，1993年1期）、張廣信
〈國共關係史研究對象探討〉（《陝西師大學報》1989年2期）、毛
磊、楊存厚〈全面系統研究國共兩黨關係的迫切性〉（《中南財
經大學學報》1987年6期）、大久保泰〈國共關係の歷史的考察〉
（載《新階段に立フ中國政治》，東京，月曜書房，1947）、呂芳上
〈早期國共關係的新解釋〉（《歷史月刊》20期，民78年9月）、唐
純良〈論中共二大前的國共兩黨關係〉（《中共黨史研究》1989年6
期）、T'ang Te-kang（唐德剛），The Kuomingtang-Commu-
nist Relations and the Russian Influence, 1924-1927（Master's The-
sis, Columbia University,1952）、祁瑞清〈也談國共兩黨的最初關
係〉（《牡丹江師院學報》1991年1期）、安倍源基《國民黨と支那革
命：共產黨との關係》（東京，人格社，1930）、中谷英雄〈初期
に於ける國共關係について〉（《和歌山縣立桐蔭高等學校紀要—
1953年度》1954年7月）、曾成貴〈也談孫中山關於國共關係的主
張：兼與吳時起、鄭曉青二同志商榷〉（《社會科學戰線》1988年2
期）、蕭甡〈大革命時期中共對國民黨的關係和策略〉（《近代
史研究》1987年3期）、藤井高美〈北伐—國民大革命中における
國共關係の一考察〉（《法學論叢》62卷2號，1956年6月）及〈武漢

政府時代における國共關係〉（同上，62卷6號，1957年3月）、李易
達《國共兩黨的地下鬥爭：以中共特務工作為例，1921年-1949
年》（中山大學中山學術研究所碩士論文，民80）、張錦堂《動員婦
女：國共兩黨在廣東省的婦女運動（1924-1927）》（臺灣師大歷
史研究所碩士論文，民82年3月）。與此主題相關的論著則有桂崇基
原著、沈世平譯《中國國民黨與中國共產黨》（臺北，臺灣中華書
局，民67）、波多野乾一《中國の國民黨と共產黨：世界歷史ミ
リーズ(6)》（東京，弘文堂，1955）、高橋勇治《中國國民黨と中
國共產黨》（東京，白日書院，1948）、金井清《國民黨と共產派
の離合》（1927年出版）、滿鐵上海事務所編《國共兩黨の提攜よ
リ分裂まで—國民革命の現勢其一》（上海，編者印行，1927）、
崔書琴《孫中山與共產主義》（香港，亞洲出版社，1954）、崔書
琴等《孫中山與共產主義》（臺北，文星書店，民54）、吉澤南
〈孫文の晚年の革命活動と中國共產黨〉（《月刊アジア・アフリ
カ 研 究》96 卷4、5 號，1969 年4、5 月）、Robert C. North,
Kuomintang and Chinese Communist Elites. （Stanford: Stanford
University Press, 1952）、吳恒宇〈聯俄容共時期中共對中國國民黨
擴張策略之研究〉（《復興崗學報》39期，民77年6月）、杰柳辛
著、曾憲權譯〈大革命時期的中國共產黨與國民黨〉（《國外中
國近代史研究》16輯，1990年10月）、克思明〈中國共產主義運動史
上的「左」與右—概念的歷史考察和反省〉（《輔仁歷史學報》第
6期，民83年12月）、楊乃良〈大革命時期我黨如何區分對待國民
黨中的左中右派別〉（《廣西社會科學》1996年6期）、山田辰雄
《中國國民黨左派の研究》（東京，慶應通信，1980）、So Wai-

Chor（蘇維初），The Kuomintang Left in the National Revolution, 1924-1931。（Hong Kong: Oxford University Press, 1992）、尚明軒《孫中山與國民黨左派研究》（北京，人民出版社，1986）、Michael Elliot Lestz, The Meaning of Revival: The Kuomintang "New Right" and Party Building in Republican China, 1925-1936. （Ph. D. Dissertation, Yale University, 1982）、陳壽熙〈赤潮東漸之音訊〉（《中正嶺學術研究集刊》第3集，民73年6月）。

2.早期的反共風潮─廖案與西山會議

　　民國十四年（1925）八月二十日，廖仲愷被刺身亡，是國民黨內自容共以來最具震撼性的反共事件，此案內幕重重，迄未完全釐清，惟有關廖案的研究論著並不多見，僅有蕭牲〈〝廖案〞（廖仲愷被刺殺事件）的臺前與幕後〉（《黨史研究資料》1993年1期）、陶季邑〈廖（仲愷）案之謎〉（《湖南師大學報》1992年3期）、劉佐良〈廖案新探〉（《雷州師專學報》1989年1期）、蒙光勵〈廖仲愷被刺案〉（《歷史大觀園》1986年9期）、三石善吉〈廖仲愷暗殺とバラデイーンの戰略─黃埔軍校の發展〉（《筑波法政》11卷，1988年3月）、雷嘯岑〈廖仲愷被刺及胡漢民遊俄〉（《中外雜誌》8卷6期，民59年12月）、李光一〈廖仲愷先生的主要革命事跡有哪些？怎樣被暗害、凶手是誰？〉（《史學月刊》1957年2期）、李佩良〈廖仲愷被刺原因探析〉（《江海學刊》1991年2期）、胡耐安〈狙擊喪生廖仲愷〉（《中外雜誌》17卷5期，民64年5月）、蘇東國編輯《廖仲愷殉難資料及哀思錄》（臺北，文海出版社影印,收於近代中國史料叢刊第3編第3輯內,民74)。對於廖仲愷及其妻何香凝的研究論著和資料則為數不少,如Fook-lam Gilbert Chan（陳福霖）,A Chinese Revolutionary: The Career of Liao Chung-k'ai, 1878-1925（Ph. D. Dissertation, Columbia University, 1975）、"Liao Chung-K'ai and the Labor Movement in Kwang-tung, 1924-1925"（《中央研究院近代史研究所集刊》第10期,民70;其中譯文〈廖仲愷與1924-1925年廣東勞工運動〉,載《國外中國近代史研究》第5輯,1984）、〈社會主義與單稅法—廖仲愷在廣東〉（《中華民國建國史討論集》第2冊,臺北,民70）、〈廖仲愷—一個中國革命家〉（《中國現代史專題研究報告》第1輯,民60）、"Liao Chung-K'ai（1878-1925）: The Career of a Chinese Revolution."（載《壽羅香林教授論文集》,香港,萬有圖書公司發行,1969）、〈廖仲愷（1878-1925）—一個中國革命者的生平〉（《香港大學羅香林教授退休紀念論文集》,香港,1970）、〈撰寫〝廖仲愷先生年譜〞引用的重要史料〉（《傳記文學》40卷6期,民71年6月）、〈廖仲愷在中國革命史上的地位〉（《廣東社會科學》1987年3期）、〈孫中山與廖仲愷的關係及其對中國革命的影響〉（《孫中山研究國際學術研討會》,廣州,中山大學,1986年11月）、〈1905-1925年廖仲愷與中國革命的領導〉（《中山大學研究生學刊》1983年3期,原係以英文撰寫,由桑兵譯成中文）及《孫中山廖仲愷與中國革命》（廣州,中山大學出版社,1990）、Jonathan C. M. Wang, Sun Yat-Sen's New Policy in 1924: The Role of Liao Chung-K'ai.（Ph. D. Dissertation, St. John's University, 1974）、陳福霖、余炎光《廖仲愷年譜》（長沙,湖南人民出版社,1991）、尚明軒《廖仲愷傳》（北京,北京出版

社，1982）、尚明軒、尚烈《廖仲愷》（北京，中國青年出版社，
1994）、尉素秋編《廖仲愷先生》（江西省文化運動委員會，民
32）、朱星鶴《黨軍師袱－廖仲愷傳》（臺北，近代中國出版社，民
72）、何伯言編《朱執信·廖仲愷》（南京，青年出版社，民35）、
姜義華《國民黨左派的旗幟－廖仲愷》（上海，上海人民出版社，
1985）；《廖仲愷集》（上海，三民出版社，民18）、中國科學院廣
州科學研究所編《廖仲愷集》（北京，中華書局，1963）、廣東社
會科學院歷史研究室編《廖仲愷集》（廣州，1983）、國民黨黨史
會編輯《廖仲愷先生文集》（臺北，編輯者印行，民72）、政治訓
練部印《廖仲愷先生訓練官兵講演集》（南京，民17）、中國共產
黨廣東區執行委員會《紀念廖仲愷先生》（廣州，國光書店，民
15）；《廖仲愷哀思錄》（三民出版部，民15）、仲愷先生紀念籌
備委員會編印《廖仲愷先生紀念哀思錄》（出版時地不詳）；《廖
仲愷研究（廖仲愷國際學術研討會論文集）》（廣州，廣東人民出
版社，1989）、何香凝《回憶孫中山和廖仲愷》（北京，中國青年出
版社，1957）、廖仲愷、何香凝著、尚明軒、余炎光編《雙清文
集》（北京，人民出版社，1985）、為廖、何二氏之合集，所收上
起廖、何早期留日時期，下迄廖遇害前夕及何所發表的最後文章
凡863件，共130餘萬字、馬文綺編《廖仲愷何香凝詩選》（北
京，三聯書店，1980）、暨南大學歷史系·廣東省文物管理委員會
廖仲愷、何香凝紀念館編《紀念廖仲愷何香凝（圖片集）》（北
京，文物出版社，1987）、周興樑《廖仲愷與何香凝》（鄭州，河南
人民出版社，1989）、吳雁南等《廖仲愷何香凝之研究－廖仲愷何
香凝學術討論會論文集》（廣州，廣東高等教育出版社，1993）、尚

明軒〈試論廖仲愷何香凝的革命情誼及其發展〉(《天津社會科學》1985年6期)、〈廖仲愷與何香凝的戰友情誼─紀念廖仲愷殉難六十周年〉(《中國建設》1985年8期)及〈廖仲愷、何香凝事略〉(《歷史教學》1985年9期)、余炎光〈為振興中華而奮鬥終生─廖仲愷何香凝革命事迹述略〉(《暨南學報》1983年4期)、慰南〈廖仲愷和何香凝〉(《文物天地》1982年4、5期)、近溪〈革命風範啟後人─辛亥風雲中的廖仲愷、何香凝〉(載《辛亥風雲》,1982)、蒙光勵〈史料翔實·開拓新見·評論公允─《廖仲愷和何香凝》讀後〉(《廣東社會科學》1993年2期)、林玲玲《廖仲愷與廣東革命政府(1911-1925)》(東海大學歷史研究所碩士論文,民79;臺北,國史館,民84)、〈民國初建時期廖仲愷在粵改革財政研究〉(《國史館館刊》復刊12期,民81年6月)、〈廖仲愷贊同〝聯俄容共〞政策之探討〉(《近代中國》90期,民81年8月)及〈廖仲愷與中國國民黨的改組〉(同上,82期,民80年4月)、黃史民〈民主革命活動家─廖仲愷〉(《歷史知識》1982年3期)、吳恩壯、林邦光〈孫中山的好助手廖仲愷〉(《今昔談》1982年2期)、沈平〈我國民主革命的先驅─廖仲愷傳略〉(《革命烈士傳通訊》1984年1期)、章深〈著名的民主革命家廖仲愷〉(載《廣州名人傳》,暨南大學出版社,1991)、廖夢醒〈緬懷遺愛話當年─懷念父親廖仲愷〉(《中國建設》1984年1期)及〈回憶我親愛的父親─廖仲愷〉(《中國工人》1957年8期)、何香凝〈回憶廖仲愷〉(《集萃》1982年5期)、吳相湘〈廖仲愷是國民黨人〉(《傳記文學》43卷2期,民72年8月)、唐德剛〈調和共和,敬悼先賢─華僑烈士廖仲愷的人品和遭遇〉(《文星》116期,民77年2月)、余炎光〈略論廖仲愷〉（《歷史教學》1964年1期）、黃海泉〈簡論廖仲愷〉（《北方論叢》1980年5期）及〈廖仲愷評傳〉（同上，1987年1-4期）、北村稔〈廖仲愷について〉（《問題と研究》24卷1號，1994年10月）、尚明軒、王蘭鎖〈廖仲愷傳略〉（《武漢師院漢口分部校刊》1980年1-2期）、丁身遵〈廖仲愷事略〉（《中學歷史教學》1981年3期）、尚明軒、石磊〈無產階級的好朋友—廖仲愷〉（《人文雜誌》1981年5期）、龍裔禧等〈廖仲愷事跡記述〉（載《孫中山與辛亥革命史料專輯》，1981）、李益然〈堅定的革命民主主義者廖仲愷〉（載《中國近代史研究論叢》，1980）、尚明軒〈廖仲愷〉（載《民國人物傳》第2卷，北京，中華書局，1980）、王懷州〈廖仲愷〉（載《中共黨史人物傳》第36卷，陝西人民出版社，1988）、蒙光勵〈廖仲愷〉（載《廣州英烈傳》，廣東人民出版社，1991）、衛發洲〈廖仲愷〉（收入《黃埔軍校名人傳》第1卷，鄭州，河南人民出版社，1986）、賴澤涵〈廖仲愷〉（載《中華民國名人傳》第8冊，臺北，近代中國出版社，民77）、莫志斌〈廖仲愷研究新見〉（《湖南師大社會科學學報》1994年2期）、曉光〈廖仲愷研究的新進展〉（《廣東社會科學》1987年3期）、齊福霖〈日本學者在廖仲愷研究中的新發現〉（《近代史研究》1988年2期）、唐秀蘭〈美國學者論廖仲愷研究中的幾個分歧點〉（《黨史研究》1987年3期）、熊呂茂〈近十年來廖仲愷研究綜述〉（《嶺南學刊》1996年4期）、尚明軒〈甲午風雲與廖仲愷的覺醒〉（《江漢大學學報》1996年2期）、戴學稷〈廖仲愷何香凝與辛亥革命〉（載《廖仲愷何香凝研究》，廣州，1993）、陳華興〈廖仲愷與辛亥革命〉（《廣州師院學報》1982年3-4期）、余炎光〈廖仲愷和中國革命〉（《暨南學報》1985年1期）、吳雁南〈廖仲愷與近

代中國社會主義思潮〉（《學術研究》1993年5期）、宋士堂〈論
〝五四〞前廖仲愷對社會主義的探索〉（《歷史檔案》1991年4
期）、朱允興〈試析廖仲愷對近代中國歷史的一些反思〉（《蘭
州學刊》1988年5期）、陳華新〈廖仲愷與《民報》〉（《廣東社會
科學》1987年2期）、孟東風〈廖仲愷先生在吉林〉（《史學簡報》
1984年9期）、陳旭麓〈歷史轉折年代的光輝形象—〝五四〞前後
的廖仲愷〉（收入氏著《陳旭麓學術文集》，上海人民出版社，
1990）、周興樑〈廖仲愷辛亥革命時期的理財活動〉（《貴州社會
科學》1988年1期）及〈廖仲愷協助孫中山進行捍衛民主共和的鬥
爭〉（《孫中山研究論叢》第6集，1988）、陳錫祺〈國民黨改組前
後的廖仲愷與孫中山〉（載《孫中山與辛亥革命論集》，1984）、黃
彥〈略論廖仲愷與孫中山的關係〉（《廣州研究》1987年7期）、陶
季邑〈辛亥革命時期廖仲愷與黃興的比較〉（《黔南民族師專學
報》1990年1期）、莫世祥〈護法運動中的廖仲愷〉（載《廖仲愷何
香凝研究—廖仲愷何香凝學術研討會論文集》，廣州，1993）、周興樑
〈廖仲愷與廣東〉（同上）、余炎光〈廖仲愷和廣東革命根據地
的鞏固〉（《嶺南文史》1988年1期）、吳熙釗〈廖仲愷的歷史地位
及其對創建廣東革命根據地的貢獻〉（載《廖仲愷何香凝研究》廣
州，1993）、山田辰雄〈廖仲愷の二度の訪日について—1922·
1923年〉（《法學研究（慶應大學）》60卷1號，1987）及〈關於廖仲
愷1922年1923年的兩次訪日〉（《紀念廖仲愷先生誕生一百一十周年
國際學術討論會》，1988）、王聿均〈關於蔡元培訪越飛日期及廖
仲愷越飛會談的時間問題〉（《傳記文學》46卷6期，民74年6月）、
關國煊〈有關廖仲愷與越飛會談的時間問題〉（同上，46卷5期，

民74年5月）及〈關於廖仲愷越飛會談再表示一點意見〉（同上，
47卷3期，民74年9月）、方式光〈廖仲愷與第一次國共合作〉
（《廣東社會科學》1987年2期）、王懷州〈廖仲愷與第一次國共合
作〉（《歷史知識》1986年1期）、菊池英夫〈廖仲愷と第一次國共
合作(上)、（中）、（下）—孫文をめぐる人マ〉（《アジア經濟旬
報》648-650號，1966年5、6月）、余炎光〈廖仲愷和第一次國共合
作〉（《暨南學報》1982年4期）、王榮〈第一次國共合作中的廖仲
愷〉（《教學與研究》1982年1期）、周興樑〈廖仲愷與首次國共合
作的建立〉（載《國共兩黨關係問題》，武漢出版社，1988）、鄭則民
〈廖仲愷對第一次國共合作的貢獻〉（《近代史研究》1987年6
期）、尹書博〈廖仲愷對第一次國共合作的重大貢獻〉（《許昌
師專學報》1985年4期）、閻樹恒〈廖仲愷與首次國共合作〉（《蒲
峪學刊》1988年1期）、何香凝〈第一次國共合作時期的廖仲愷〉
（收入《第一次國共合作時期的黃埔軍校》，北京，文史資料出版社，
1984）、蒙光勵〈廖仲愷一家兩代人促進國共合作的歷史貢獻〉
（《黨史縱橫》1991年1期）、鄒振庚、張玉玲〈廖仲愷何香凝與國
共合作方式〉（載《廖仲愷何香凝研究》，廣州，1993）、李夢堂
〈廖仲愷與國共合作〉（《歷史教學》1990年1期）、余炎光〈廖仲
愷和＂三大政策＂〉（《廣東文博》1984年1期）、劉玉娥〈廖仲愷
是忠實執行三大政策的楷模〉（載《廖仲愷何香凝研究》，廣州，
1993）、文愷〈廖仲愷力贊三大政策原因探〉（《貴州師大學報》
1990年3期）、周興樑〈廖仲愷維護國共聯合戰線的努力與貢獻〉
（《貴州社會科學》1989年10期）、閻樹恒〈廖仲愷是同中國共產黨
人真誠合作的典範〉（《東北師大學報》1985年5期）、余炎光〈廖

仲愷和國民黨〝一大〞〉（載《中國國民黨〝一大〞六十周年紀念文集》，1984）、賀躍夫〈廖仲愷與國民黨內的黨爭〉（《廣州研究》1987年7期）及〈廖仲愷與黃埔軍校〉（《江西社會科學》1985年2期）、王懷州〈黃埔軍校的慈母—廖仲愷〉（《歷史大觀園》1986年2期）、佩蕭〈〝黃埔慈母〞廖仲愷的歷史功績〉（《廣州文博》1984年2期）、王懷州〈廖仲愷與黃埔建軍〉（《廣東文博》1986年1、2期合刊：亦載《民國檔案》1987年1期）、蒙光勵〈廖仲愷創辦黃埔軍校的功績〉（《黃埔》1989年6期）、陳登貴、林錦文〈廖仲愷與農民運動〉（《廣州文博》1987年2期及《廣州師院學報》1987年1期）、余炎光〈廖仲愷與工農運動〉（《學術月刊》1980年3期）、閻朦〈廖仲愷與工農運動〉（《理論研究》1987年10期）、山田辰雄〈廖仲愷と勞農運動〉（《近代中國人物研究》，慶應大學地域研究ヤンター一，1988），其中譯文為馬寧譯〈廖仲愷與工農運動〉（載《國外中國近代史研究》20輯，1992年1月）、吳恩壯〈廖仲愷對大革命初期廣東農民運動的傑出貢獻〉（載《廖仲愷何香凝研究》，廣州，1993）、李益然〈廖仲愷在平定廣州商團叛亂中的革命立場和態度初探〉（《江西社會科學》1982年6期）、王懷州〈廖仲愷與鎮壓商圈叛亂的鬥爭〉（《廣州文博》1986年4期）及〈孫中山北上後的廖仲愷〉（《廣州研究》1986年10期）、司馬文韜〈廖仲愷1924年若干史實考〉（《近代史研究》1992年4期）、吳恩壯、譚溢民〈大革命初期的廖仲愷〉（《理論與教學》1986年8期）、李益然〈廖仲愷與省港大罷工〉（《中學歷史教學》1982年6期）、古賢〈廖仲愷在工農兩大會聯合開幕式上的演説考〉（《近代史研究》1993年6期）、李益然〈廖仲愷對中國經濟發展道路的探索〉

（《學術研究》1987年4期）、張作權〈試論廖仲愷對民生主義的宣
傳、實踐和發展〉（《近代史研究》1987年5期）、蒙光勵〈廖仲愷
晚年的革命生涯〉（《縱橫》1992年1期）。張作權〈廖仲愷思想芻
論〉（載《近代中國人物》第2輯，1985年9月）、張光宇〈論廖仲愷
的政治思想〉（《武漢大學學報》1990年1期）、須立〈略論廖仲愷
及其政治思想〉（《江淮論壇》1982年5期）、李良玉〈廖仲愷政治
思想簡論〉（《學術界》1989年6期）、莫志斌〈廖仲愷的愛國主義
思想〉（《衡陽師專學報》1990年1期）、秦興洪〈略論廖仲愷的愛
國主義思想〉（載《廖仲愷何香凝研究》，廣州，1993）、李益然
〈廖仲愷何香凝的愛國主義思想和民族自強精神〉（同上）、余
炎光〈試論廖仲愷的反帝思想〉（《暨南大學學報》1981年4期）、
姚家華〈廖仲愷經濟思想述評〉（《學術月刊》1985年1期）、李敬
晶〈廖仲愷經濟思想初探〉（《北方論叢》1995年4期）、徐青松
〈廖仲愷經濟思想特徵初探〉（《南京政治學院學報》1992年6
期）、周興樑〈論廖仲愷強國富民的經濟思想〉（《中山大學史學
集刊》，廣州，廣東人民出版社，1992年9月）、羅正齊等〈論廖仲
愷、朱執信的貨幣思想〉（《經濟學術資料》1983年12期）、張灝
〈試論廖仲愷的人口思想〉（《西北人口》1984年3期）、黎顯衡
〈廖仲愷建軍思想及其建立革命軍的貢獻〉（《廣州文博》1987年2
期）、陶季邑〈論大革命時期廖仲愷的社會主義思想〉（《廣東
社會科學》1993年6期）及〈對廖仲愷社會主義思想性質的再認識〉
（載《廖仲愷何香凝研究》，廣州，1993）、馮鑒川〈試論廖仲愷的
社會主義思想〉（《華南師大學報》1987年3期）、吳偉華〈也談廖
仲愷社會主義思想發展之分期〉（《南京政治學院學報》1996年1

期）、吳雁南〈廖仲愷與近代中國社會主義思潮〉（載《廖仲愷何香凝研究—廖仲愷何香凝學術研討會論文集》，廣州，1993）、張圻福、王李蘇〈廖仲愷的＂新國家建設＂思想初探〉（《史學月刊》1985年1期）、陳璐、夏琢瓊〈試論廖仲愷晚年思想的根本轉變〉（《華南師大學報》1987年4期）、姚家華〈廖仲愷的中國貧富論〉（《財經研究》1987年9期）、龔友德〈廖仲愷歷史觀的唯物主義傾向〉（《齊齊哈爾師院學報》1985年2期）、馬樹林〈廖仲愷的進化歷史觀〉（《社會科學戰線》1984年1期）、姚家華〈廖仲愷與孫中山的民生主義〉（載《廖仲愷何香凝研究》，廣州，1993）、潘榮〈1919年夏秋廖仲愷對孫中山民權理論的發展〉（同上）。賀躍夫〈新發現的廖仲愷佚文介紹〉（《中山大學研究生學刊》1984年特刊）、段雲章、倪俊明〈廖仲愷佚文《農政與農業團體之相互作用》介紹〉（《中山大學學報》1987年4期）、劉維開〈關於廖仲愷詞兩種版本的異同〉（《傳記文學》47卷1期，民74年7月）、中國第二歷史檔案館〈廖仲愷致蔣介石一組函電〉（《民國檔案》1987年1期）、王耿雄〈孫中山給廖仲愷六封信質疑〉（同上，1991年3期）及〈金佐治是廖仲愷的化名〉（《民國春秋》1992年1期）、陳立夫〈追念廖仲愷—希望廖承志能「承」其父「志」覺悟來歸〉（《近代中國》30期，民71年8月）、曹聖芬〈虎父與犬子—論廖仲愷、廖承志父子〉（同上）、雷嘯岑〈廖仲愷‧胡漢民‧張人傑〉（《中外雜誌》9卷2期，民60年2期）、何純芬〈羅翼群與廖仲愷交誼紀實〉（《嶺南文史》1994年3期）、蒙光勵〈廖仲愷與周恩來〉（《嶺南文史》1992年4期）及〈周恩來與廖仲愷一家兩代人的友誼〉（《黨史縱橫》1993年1期）、雷嘯岑〈廖仲愷‧胡漢民‧張

人傑〉（《中外雜誌》9卷2期，民60年2月）、吳彬〈略論廖仲愷與
胡漢民〉（載《廖仲愷何香凝研究》，廣州，1993）、余齊昭〈廖仲
愷的若干圖片考析〉（同上）、王懷州〈廖仲愷的《革命與反革
命派》一文的來龍去脈〉（同上）。尚明軒〈何香凝傳〉（北京，
北京出版社，1994）、李永、溫樂群、汪雲生《何香凝傳》（北
京，中國華僑出版社，1993）、何香凝等著、北京出版社編《回憶
與懷念：紀念革命老人何香凝逝世十周年》（北京，編者印行，
1982）、廖夢醒《我的母親何香凝》（香港，朝陽出版社，1976）及
〈我的母親何香凝〉（《集萃》1982年6期）、陳鳳兮〈憶何香凝老
人〉（同上，1981年4期）、尚明軒〈何香凝傳略〉（載《孫中山與國
民黨左派研究》，北京，人民出版社，1986）、盛永華〈何香凝傳〉
（載《中國婦女領袖傳》，北京，海洋出版社，1989）、蒙光勵〈何香
凝傳略〉（載《南粵英烈傳》第5輯，廣東人民出版社，1989）、談史
〈雙清樓主何香凝〉（載《廣州名人傳》，暨南大學出版社，1991）、
李湜〈革命者與藝術家：何香凝先生逝世二十周年紀念〉（《美
術》1992年11期）、陳得驊〈留得中華史上名—何香凝傳略〉
（《婦女》1980年7期）、萬枚子〈憶何香老〉（《文史通訊》1982年
3-4期）、尚明軒〈何香凝〉（載《民國人物傳》第2卷，北京，中華書
局，1980）、吳恩壯〈何香凝—愛國主義和民主主義的偉大戰
士〉（《廣州師院學報》1982年3、4期）、竹之內安巳〈孫文革命の
展開と何香凝(1)-(3)〉（《鹿兒島經大論集》9卷3·4號，10卷1號及2
號，1969年2月、7月及10月）、蒙光勵、陳流章〈何香凝年譜簡編〉
（《暨南學報》1987年2、3期）、Ｙ·Ｔ〈何香凝女士訪問記〉（《珊
瑚》4卷6期，民23）、蔡若虹〈人間最美是心花—紀念愛國畫家何

香凝先生〉（《美術》1978年6期）、尚明軒等〈何香凝同志的革命活動〉（《中學歷史》1980年4期）、樂正維〈充滿鬥爭之意的詩畫—記何香凝的藝術活動〉（《美術》1982年9期）、樂雪飛〈何香凝與國共合作〉（《中共黨史研究》1993年1期）及〈何香凝與中國共產黨〉（《東北師大學報》1992年4期）、曹國智等《何香凝先生與中國婦女運動》（香港，婦女知識叢書出版社，1941）、蒙光勵〈大革命時期的何香凝〉（《廣東社會科學》1993年5期）、〈傲雪鬥霜志更堅—記大革命時期的何香凝〉（《名人傳記》1988年8期）及〈何香凝與大革命時期的婦女運動〉（《暨南學報》1986年3期）、姚文娟〈何香凝與大革命時期的廣東婦女運動〉（《中國人民警官大學學報》1994年1期）、吳淑珍〈人間一女傑—大革命前後何香凝在廣州的鬥爭〉（《廣州研究》1985年1期）、尚明軒〈何香凝反對國民黨右派破壞三大政策的鬥爭〉（《江海學刊》1984年5期）、賀世友〈何香凝、柳亞子投票反對〝整理黨務案〞史實辨正〉（《黨史研究資料》1992年5期）、尚明軒〈何香凝在大革命後的一段曲折經歷〉（《人物》1994年2期）及〈何香凝與國民黨革命委員會的創建〉（《廣東社會科學》1996年1期）、蒙光勵〈何香凝痛斥陳炯明〉（《女性》1991年2期）、蔡鴻源、孫必有〈關於何香凝同志贈蔣介石先生詩一首之商榷〉（《學術月刊》1985年3期）、周興樑〈從何香凝為蔣介石證婚說起〉（《歷史研究》1994年4期）、蒙光勵〈何香凝為何拒絕為蔣介石、宋美齡證婚〉（《歷史大觀園》1990年8期）、傅紹昌〈救亡女傑—〝一二八〞淞滬抗戰中的何香凝〉（《歷史教學問題》1995年4期）及〈〝一·二八〞事變前後的何香凝〉（同上，1982年6期）、中國第二歷史檔案館

〈何香凝為營救七君子致宋子文孫科函〉（《歷史檔案》1982年3期）、尚明軒〈何香凝與抗日戰爭〉（《歷史教學》1995年9期）、程紹珍〈何香凝與抗日民族解放戰爭〉（《鄭州大學學報》1992年2期）、蒙光勵〈抗日戰爭時期的何香凝〉（《廣東文博》1986年1、2期）及〈抗日戰爭洪流中的何香凝〉（載《廣東抗戰史研究》，廣東人民出版社，1987）、羅義俊〈何香凝和中國婦女抗敵後援會〉（《歷史教學》1987年9期）、胡輝〈抗戰期間何香凝在昭平賀縣〉（《廣西黨史》1995年5期）、陳其明〈何香凝、柳亞子香港脫險記〉（《福建黨史月刊》1995年9期）、劉士璋等《宋慶齡與何香凝》（北京，中國和平出版社，1991）、尚明軒〈論宋慶齡與何香凝〉（《近代史研究》1993年1期）、蒙光勵〈論宋慶齡與何香凝的戰鬥友誼〉（《暨南學報》1993年3期）、吳彬〈緬懷何香凝創建仲愷農工學校的歷史功績〉（《仲愷農業技術學院校報》1992年7月）、關國煊〈廖夢醒隨母何香凝弟承志而去〉（《傳記文學》52卷2期，民77年2月）。

　　關於民國十四年（1925）十一月至十五年一月在北京城外西山所舉行的國民黨一屆四中全會─即西山會議（含西山會議派）有韓劍華《西山會議之研究》（政治大學東亞研究所碩士論文，民69）、劉瑛〈西山會議參加人員考〉（《黨史研究》1987年2期）、李國祁〈鄒魯與西山會議〉（載《中華民國建國八十年學術討論集》第1冊，臺北，民80）、沈雲龍〈林森、鄒魯、謝持與西山會議〉（《傳記文學》32卷3期，民67年3月）、蔣君章〈西山會議與戴季陶先生〉（同上，33卷2期，民67年8月）、廖和永〈戴傳賢與西山會議之關係〉（《復興崗學報》32期，民73年12月）、吳相湘〈西山會

議二健將：謝持與覃振〉（《傳記文學》8卷4期，民55年4月）、黃
季陸〈胡先生與西山會議派〉（同上，28卷6期，民65年6月）、江
崎隆哉〈第一次國共合作と西山會議派の形成〉（《法學政治學論
究（慶應大學法學部）》24號，1995年3月）、唐德剛〈論西山會議
派〉（《傳記文學》32卷3期，民67年3月）、王光遠、蕭滋生〈西山
會議派概述〉（《黨史研究》1986年2期）、胡耐安〈談西山會議派
與改組派〉（《傳記文學》10卷6期，民56年6月）、沈雲龍〈西山會
議派反共之經過〉（《民主潮》7卷5、6期）、楊維真〈容共？反
共？－西山會議派與國民黨中央的分合〉（《歷史月刊》67期，民
82年8月）、周子信〈西山會議派召開的兩次反動會議〉（《黨史
研究資料》1984年4期）、So Wai-chor（蘇維初），The Western
Hills Group in the National Revolution, 1924-1928: A Study of
Ideology and Politics Within the Kuomintang."（Master's Thesis,
University of Hong Kong, 1982）、趙德教〈西山會議派的政治思
想－兼論毛澤東對它的鬥爭〉（《中州學刊》1985年6期）、程佩玉
〈試析西山會議派的政治思想〉（《太原師專學報》1987年1期）、
倪仲俊〈孫文主義學會與西山會議派〉（《史繹》22期，民80年5
月）、R. Keith Schoppa, "Shen Ding-yi（沈定一）and the
Western Hills Group: What's A Man Like You Doing in Group
Like This"（Republican China, Vol.16, NO.1, November 1990）、高德
福〈反對西山會議派的鬥爭〉（《河北大學學報》1986年2期）、上
海市檔案館選編〈西山會議派關於清黨等問題致蔣介石、吳稚暉
等人的四封函〉（《檔案與歷史》1987年3期）。其他相關的論著尚
有海振忠〈第一次國共合作建立後圍繞〝彈劾共產黨案〞的一場

鬥爭〉（《黨史研究》1983年5期）、司馬文韜〈略論國民黨改組後否認〝赤化〞的闢謠聲明〉（《民國檔案》1993年4期）、吳文津〈異議的處理—國民黨改組後之早期反共浪潮〉（《國父建黨革命一百週年學術論集》第2冊，民84）、李雲漢〈孫文主義學會與早期反共運動〉（《中華學報》1卷1期，民63年1月）、王章陵〈孫文主義學會成立之經過及其影響〉（《中國現代史專題研究報告》第3輯，民62）、郭緒印〈第一次國內革命戰爭時期的反帝組織—孫文主義協會〉（《歷史教學》1964年7期）等。

3.糾紛與衝突—中山艦事件及汪、蔣關係

民國十五年（1926）三月二十日發生的中山艦事件（亦稱3月20日事件），其真相至今猶撲朔迷離，未有定論，尤其國共兩方的認知差距甚大。關於此事件的資料集有中共廣東省委黨史研究委員會辦公室、廣東省檔案館編《中山艦事件》（廣東，東莞縣印刷，1981）；論著有三上諦聽〈中山艦事件の一考察〉（載《石濱先生古稀記念東洋學論叢》，1958）、波多野善大〈中山艦事件おぱえがき〉（《名古屋大學文學部研究論集》44號—史學15，1967年3月）、Wu Tien-wei（吳天威），"Chiang Kai-Shek's March Twenties Coup d'etat of 1926." （The Journal of Asian Studies, Vol. 27, NO.3, May 1968）、張敬讓〈中山艦事件剖析〉（《安慶師院學報》1989年3期）、蔣永敬〈中山艦事件原因的考察〉（《歷史月刊》21期，民78年10月）及〈三月二十日事件之研究〉（《中華民國初期歷史研討會論文集》上冊，臺北，中央研究院近代史研究所，民73）、陳孝義〈中山艦事變之研究〉（《黃埔學報》29輯，民84年6

月）、汪澎瀾〈中山艦事件前後蔣介石汪精衛關係述略〉（《山東師大學報》1996年增刊）、趙旭〈蔣汪矛盾與〝中山艦事件〞〉（《上海師大學報》1987年4期）及〈汪精衛出走原因剖析—〝中山艦事件〞新探之一〉（《歷史教學問題》1987年4期）、李之龍《汪主席被迫離職之原因經過與影響》（漢口，中央人民俱樂部，民16）、茅盾（沈雁冰）〈中山艦事件〉（載《我走過的道路》，北京，人民文學出版社，1981）、劉建國〈試論〝中山艦事件的必然性〞〉（《溫州師院學報》1996年4期）、中國第二歷史檔案館〈蔣介石檔案中的〝中山艦事件〞〉（《民國檔案》1996年1期）、廣東省檔案館藏、鄭澤福輯譯〈粵海關檔案有關中山艦事件情報〉（同上）、Yang Tianshi（楊天石），"The Hidden Story of the Zhongshan Gunboat Incident."（Trans. by Lee McIsaac, Modern China, Vol.16,No.2, April 1991）、楊天石〈中山艦事件之謎〉（《歷史研究》1988年2期）及〈中山艦事件之後〉（同上，1992年5期）、趙洪濤〈〝三·二〇〞事變真相探究〉（《黨史研究資料》1994年1期）、王光遠、姜中秋〈汪蔣矛盾與三二〇事件〉（《中央黨史研究》1992年1期）、羊夏〈蕭牆之變—〝三·二〇〞風雲紀實〉（《黨史博覽》1993年1-6期）、楊雨青〈中山艦事件之謎〉（《民國春秋》1990年5期）、韓勝朝〈中山艦事件起因再談〉（《南都學壇》1991年3期）、方慶秋〈蔣介石是怎樣製造三二〇事件的〉（《歷史教學》1984年9期）、史輝華〈蔣介石篡權的前哨戰—中山艦事件〉（《黨史文匯》1987年3期）、盧冕持〈中山艦事件發生的歷史原因和蔣介石的兩面派策略〉（《近代史研究》1986年1期）、宋志勇譯〈日本外交檔案中的中山艦事件〉（《黨史研究資料》

1990年3期）、吳賜祿〈中山艦事件的主謀是誰〉（《廣州師院學報》1983年2期）、朱德新、尚慧然〈蔣介石雙重政治態度的演變與中山艦事件〉（《安徽史學》1992年4期）、宇野重昭〈蔣介石の連ソ政策—ソ連旅行から中山艦事件まで〉（收於高木誠一郎、石井明編《中國の政治と國際關係》，東京，東京大學出版會，1984）、劉煉、戴鹿鳴整理〈沈雁冰同志談關於中山艦事件〉（《歷史教學》1981年6期）、石川忠雄〈中山艦事件・「黨務整理案」問題に關する中國共產黨關係資料〉（《法學研究》33卷10號，1960年10月）、黃德林〈對中山艦事件後的妥協誰應負主要責任〉（《華中師大研究生學報》1985年4期）及〈中山艦事件後的妥協退讓蘇聯顧問應負主要責任〉（《華中師大學報》1986年5期）、張世峰、雷紹鋒〈蘇聯顧問在中山艦事件上對蔣介石的妥協政策初探〉（《史學月刊》1986年4期）、劉亨讓〈中山艦事件以後妥協政策根源新析〉（《益陽師專學報》1988年2期）、王學勤〈陳獨秀與中山艦事件〉（《復旦大學學報》1988年5期）、田式祖〈陳獨秀與〝中山艦事件〞〉（《合肥教育學院學報》1984年1期）、黃衛民〈是武力反擊，還是積極退讓—中共處理中山艦的對策〉（《江西師大學報》1996年1期）、趙軍祥〈關於〝中山艦事件〞後中國共產黨的策略方針問題〉（《河南師大學報》1992年2期）、李福鐘《〝中山艦事變〞之後的蔣介石先生與〝國共合作〞》（《史原》18期，民80年6月）；〈在中山艦事件前後毛澤東對蔣介石的分析〉（《教學與研究》1983年5期）、湯勝利〈毛澤東在中山艦事件前後〉（《黨史文苑》1996年3期）、楊平、高曉星〈中山艦事件中的中山艦〉（《新時期》1981年7期）、金泰〈記〝三月廿日中山艦事變〞

之中山艦〉(《大風半月刊》86期,民30年3月)、程浩《中山艦傳奇》(廣州,廣東旅遊出版社,1990)、李踐為主編《中山艦長李之龍》(北京,中國青年出版社,1992)、雷錦章、廖元龍〈關于李之龍的幾個史實考辨〉(《武漢師院學報》1984年1期)、Harold R. Isaacs, The Tragedy of the Chinese Revolution. (Stanford, California:Stanford University Press, 1951)其中第6章為 "Canton: The Coup of March 20, 1926";裴京漢《蔣介石研究－國民革命時期の軍事的·政治化臺頭過程》(韓國,一潮閣,1995),其中第1編第2章為「中山艦移動の真相」。

關於汪精衛、蔣中正的離合關係,以此為題材的論著較少,僅有王關興〈蔣介石、汪精衛五次離合的緣由和性質〉(《上海師大學報》1989年1期)、夏潮〈大革命時期的汪蔣之爭〉(《歷史教學》1989年9期)、山田辰雄〈中國國民黨第二回全國代表大會をめぐる汪精衛路線と蔣介石路線〉(《法學研究》42卷12號,1969年12月)、汪澎瀾〈中山艦事件前後蔣介石汪精衛關係述略〉(《山東師大學報》1996年增刊)、黃美真〈十年內戰時期蔣介石與汪精衛的離合變幻〉(《中國現代史學會通訊(河南)》1983年3期)、馮春明〈關於1927年4月蔣介石汪精衛上海會談〉(《歷史檔案》1983年3期)及〈四一二前夕蔣介石、汪精衛上海會談始末〉(《史學月刊》1984年3期)、李慶東〈從一封電報看「四·一二」反革命政變前夕蔣、汪上海會談的內幕〉(《黨史研究》1987年4期)、趙旭〈"四一二"前夕蔣汪上海會談真相再探〉(《民國檔案》1990年1期)、中國第二歷史檔案館〈1927年蔣介石等聯汪制桂函電選〉(《歷史檔案》1984年1期)、李松林、史桂芳〈論一

二八事變前後蔣介石、胡漢民、汪精衛圍繞對日政策之爭〉
（《黨史研究資料》1992年9期）、So Wai-Chor, "The Origins of
the 'Wang-Chiang Cooperation' in 1931." （Modern Asian
Studies, Vol.25, Part 1, February 1991）、土屋光芳〈汪精衛ほ何故に
「反蔣運動」から蔣汪合作に轉換したか？〉（《政經論叢（明治
大學政治經濟研究所）》61卷1號，1992年9月）、李君山〈默守待援—
「汪蔣合作」下的外交政策及汪兆銘的評價問題〉（《歷史月
刊》74期，民83年3月）、馬振犢〈蔣汪關係與華北危局〉（《黨史
研究資料》，1990年2期）、王樹蔭〈試論抗戰開始後蔣、汪矛盾激
化分道揚鑣的原因〉（同上，1992年2期）、蔡德金〈抗戰期間蔣
汪關係及所謂曲線救國問題〉（《傳記文學》53卷2期，民77年8
月）、陳木杉〈從函電史料觀抗戰時期的蔣汪關係〉（臺北，臺灣
學生書局，民84）、陳瑞雲《蔣介石和汪精衛》（長春，吉林文史出
版社，1994）、王朝柱《汪精衛和蔣介石》（北京，中國青年出版
社，1993）、王立、李穎〈權力狂與領袖之爭—蔣介石與汪精
衛〉（程舒偉、雷慶主編《蔣介石的人際世界》，長春，吉林人民出版
社，1994）、頭山滿〈孫文，蔣介石，汪精衛〉（《改造》22卷8
號，1940）、蔣永敬〈胡汪蔣分合關係之演變〉（載《近代中國歷史
人物論文集》，臺北，中央研究院近代史研究所，民82）及〈國民黨三
巨頭胡汪蔣的分合〉（《傳記文學》62卷3期，民82年3月）。

　　此外及前述中山艦事件而外，有關蔣中正的論著和資料，
中、日文專書方面有東亞無我子編著《蔣介石全書》（民眾協作
社，民16）、秦瘦鵑編《蔣介石全集》（上海，三民公司，民16）、
沈石麟編《蔣介石先生小史》（上海，大東書局，民17）、文砥

（公直）《蔣介石的革命工作》（2冊，上海，太平洋書店，民18年4版）、中央軍官學校編《蔣介石先生演説集》（5冊，上海，民智書局，民18）、近賢女士《蔣介石言行錄》（上海，廣益書局，民22）、胡樸安《校長的新生活》（正中書局，民23）、毛思誠編《民國十五年以前之蔣介石先生》（民24年初版；香港，龍門書店影印出版，1965；臺北，中央文物供應社修訂本，民60）、徐覺生編《蔣委員長祝壽蒙難詳記》（青島，平民月刊社，民25）、石丸藤太著、施洛英譯《蔣介石傳》（上海，啟明書局，民25）、劉百川《蔣委員長西安蒙難記》（上海，汗血書店，民26）、劉炳藜〈蔣介石先生思想研究集〉（上海，前途書局，民26）、黃杰編著《蔣介石先生傳記》（上海，中庸書店，民26）、郭中襄編《蔣介石的生平與思想》（上海，中流書店，民26）、林藹洲編著《偉大的蔣介石》（上海，大地書局，民26）、張治中《蔣委員長究竟是怎樣的一個人物》（漢口，新時代書店，民27）、韋弦編著《我們的抗戰建國領袖蔣委員長奮鬥史》（建國書店，民27）、劉大元《五十年來蔣先生與中國》（漢口，建國出版社，民27）、潘公展《我們的抗戰領袖》（長沙，商務印書館，民27）、陳伯達〈人民公敵蔣介石〉（華東新華書店總店，民27；北京，人民出版社，1949及1965）；《蔣總裁戰時畫集》（香港，良友（復興）圖書印刷公司，民28；書後附：蔣夫人戰時生活）、黃涵之編《抗戰以來的蔣委員長》（建社，民28）、胡秋原、李建明《領袖與抗戰建國》（重慶，獨立出版社，民28）、蔣廷黻等譯《蔣介石》（長風書店，民28）、張治中《蔣先生之人格與修養》（南京，拔提書店，民29；上海，軍事學會，民29）、郭大惠《領袖之生活與思想》（重慶，拔提書店，民29

年3版）、軍事委員會政治部編印《領袖言行》（重慶，民30）、
周開慶《蔣介石先生的思想體系》（重慶，正中出版社，民32）、
張鐵君《蔣主席的哲學思想》（重慶，中國出版社，民33）、張群
《領袖之生活》（人我出版社，民33）、陶百川編《蔣主席的生活
和生活觀》（重慶，中國文化服務社，民33）、全成《蔣中正年譜》
（鉛印本，民34）；《蔣總裁─偉大的奮鬥史》（文風出版社，民
34）、史諾著、張雪懷譯《委員長生活漫記》（上海，建國圖書
館，民34；復旦出版公司，民35）、鄧文儀《偉大的蔣主席》（上
海，國防部新聞局，民35）、李旭主編《六十年來的中國與蔣主
席》（南京，中國國民文化社，民35）、陳蝶衣等《六十年來之蔣主
席》（上海，老爺雜誌社，民35）、李旭《蔣主席傳略》（民35年出
版）；《蔣介石言行對照錄》（現代史料社，民35；遼東新華書店，
民35；佳木斯東北書店，民36；中原新華書店，民38；華東新華書店，民
38）、盧烈《蔣委員長蒙難記》（上海，經緯書局，民36年再版）、
啟華《蔣介石賣國罪行》（華中新華日報社，民35）、文史研究會
《蔣主席軼事》（上海，長風書店，民36）、光未然《蔣介石絞殺
文化》（華北新華書店，民36）、方克《蔣介石賣國真相─美帝國
主義侵略下急劇殖民地化的中國》（佳木斯東北書店，民36）、趙
東明《蔣介石賣國傳》（冀南書店，民36）、石家莊日報編印《罪
惡滔天殺人犯─二十年來的蔣介石》（民37年出版）、蔣星德
《蔣主席的生平》（南京，新中國出版社，民37）、鍾器聲《大財
閥蔣介石》(香港，自由世界出版社，1948)、越生《蔣介石、蔣經
國、蔣緯國》（上海，大同出版社，民38）；天津市紀念〝七七〞
籌備會宣傳部編印《蔣介石賣國罪狀》（民38年出版）、朱嬰

〈蔣介石反革命史〉（西北解放軍軍官教導團，民38）、馮玉祥《我所認識的蔣介石》（上海，文化出版社，民38；香港，七十年代雜誌社，1957；哈爾濱，黑龍江人民出版社，1980）。鄧文儀《蔣總統傳略》（臺北，民生出版社，民39）、何定藩、章志毅《反共抗俄中的蔣總統》（臺北，新中國文化出版社，民39）、榮孟源《國賊蔣介石》（北京，三聯書店，1950）、黃光學《總統言行》（臺北，中國政治書刊出版合作社，民40）、曹聖芬〈從日用常行中認識蔣總統〉（臺北，革命實踐研究院，民40）、董顯光《蔣總統傳》（3冊，民25年初版；臺北，中華文化出版事業委員會，民41）、吳一舟《蔣總統行誼》（臺北，正中書局，民42）、陳布雷《蔣介石先生年表》（臺北，民42年初版；傳記文學出版社翻印，民67）、秦孝儀編《總統言論選集》（4冊，臺北，中華文化出版事業委員會，民42）及《總統言論選集續編》（同上，民43）；《蔣總統傳略》（臺北，中央文物供應社，民43）；《蔣總統年表》（同上）、黃光學《領袖與國民革命軍》（臺北，民43）、王德勝《蔣總統年表》（臺北，世界書局，民44；增訂版，民71）、萱昭洋著、馬國梁譯《蔣總統反共奮鬥史》（臺北，新世紀出版社，民44）、蔣經國《我的父親》（臺北，中央印刷廠，民45）、王昇《我們的蔣總統》（臺北，海外文庫出版社，民45）、張其昀《國父與總統》（臺北，中國新聞出版公司，民45）、周開慶《總裁思想體系研究》（臺北，正中書局，民45）、蔣總統畫傳編輯委員會《蔣總統畫傳》（同上）、吳環吉編《蔣總統言論大辭典》（2冊，臺北，撰者印行，民49）、鄧文儀《蔣總統少年時代》（臺北，兒童出版社，民50）、湖南人民出版社編印《大賣國賊蔣介石》（長沙，1962）及《中國人民的死敵蔣介石》（同上）、解放軍報社《人民公敵蔣介石》（西寧，青海人民出版社，1962；武漢，湖北人民出版社，1962）、浙江人民出版社編印《人民公敵蔣介石》（杭州，1962）、內蒙古人民出版社編印《禍國殃民的蔣介石》（呼和浩特，1962）、解文《禍國殃民的蔣介石》（北京，中國青年出版社，1962）、芮晉《我們的總統》（臺北，德明出版社，民52）、王他行《蔣總統行誼》（民53年出版）、何鼎新主編、朱梅雋英譯《蔣總統與中華民國》（中英對照，臺北，華文出版公司，民53）、王昇《總統黃埔與國軍》（臺北，黎明文化事業公司，民53）、馬壁《蔣總統政治思想》（臺北市三民主義教學研究會，民54）、吳曼君《蔣總統哲學思想》（同上）、李忠禮《蔣總統經濟思想》（同上）、中央執行委員會訓練委員會輯《總裁言行》（臺北，正中書局，民54）、李同何《禍國殃民的蔣家王朝》（北京，中國少年兒童出版社，1965）、張鐵君主編《總統思想研究叢書》（16冊，臺北，三民主義研究所，民55）；《蔣總統與臺灣》（臺北，民54）、鄧文儀等《蔣總統學術思想研究》（臺北，國父遺教研究會，民55）、張弦《蔣總統的經濟思想》（臺北，帕米爾書店，民55）、王冠英《蔣總統與中國》（臺北，華南書局，民55）、張其昀《總統學說要旨》（臺北，中國文化學院出版部普及文庫編委會，民55）、郭壽華《蔣總統思想要義》（臺北，民56）、秦孝儀《我們的領袖》（臺北，幼獅文化事業公司，民56）；《領袖教育思想》（臺北，民55）、馮岳《蔣總統與中華文化復興》（臺北，岳廬書室，民58）、蔣總統勳業畫輯編輯委員會編《蔣總統勳業畫輯》（臺北，行政院新聞局，民58）、吳寄萍《蔣總統的教育思想》（臺北，正中書局，民58）、蔣緯國《蔣委員長如何戰勝日本》（臺北，黎明文化事業公司，民58年3版）、羅剛《蔣總統與國父的革命關係演進史略》（臺北，國民圖書出版社，民59）、白勒德編《蔣總統畫傳》（香港，現代出版公司，1970）、林森木《總裁軍事思想之研究》（中興山莊，民59）、丁迪《領袖思想與中國道統》（臺北，三軍大學政治研究所，民59）、張世祿《蔣總統傳》（正大書局，民59年再版）、人文出版社編印《蔣總裁傳》（臺北，民60）、盧振江等《總統軍事思想專輯》（臺北，民60）、蔡挺中《總統蔣公之事跡及思想》（臺北，華興書局，民61）、杜松柏《蔣總統處變慎謀的歷史回顧》（臺北，黎明文化事業公司，民62）、劉中和《蔣總統傳》（群益書店，民62）、鄧坤元《總統言行》（臺北，中央警官學校，民62）、林桂圃《蔣總統的政治思想》（臺北，中華大典編印會，民62）、虞奇《蔣總統與中國》（臺北，浙江月刊社，民62年再版；臺北，黎明文化事業公司，民64）；《總統蔣公哀思錄》（3冊，臺北，黎明文化事業公司，民64）、張泰祥《總統蔣公的政治哲學和政治思想》（臺北，中央文物供應社，民64）、朱養民等《論蔣介石的生前死後》（香港，七十年代雜誌社，1975）、亞東關係協會東京辦事處編印《總統蔣公逝世新聞攝影彙輯：日本報章雜誌刊載》（東京，1975）、譚慧生《總統蔣公傳》（高雄，百成書店，民64）、吳一舟《蔣總統的一生》（臺北，正中書局，民64）、王藍等《蔣總統與中國》（臺北，黎明文化事業公司，民64）、吳經熊《蔣總統的精神生活》（臺北，華欣文化事業公司，民64）、張其昀等《蔣總統八十晉九誕辰紀念論文集》（臺北，華岡出版公司，民64）、右屋奎二著、中央日報社譯《蔣總統秘錄─中日關係八十年之證言》（15冊，臺北，中央日報社，民

64-67)、鍾器聲等《蔣介石》(香港,廣角鏡出版社,1975)、馮文質《蔣公中正評傳》(學恒出版社,民65)、蔣經國《梅臺思親》(臺北,黎明文化事業公司,民65)及《領袖、慈父、嚴師》(同上)、蔣緯國《蔣總統與國防》(同上,民65年增訂本)、黎東方《蔣公介石序傳》(臺北,聯經出版事業公司,民65)、中華民國史料研究中心編印《蔣總統與現代中國》(臺北,民65)、中央日報社輯編《永懷偉大的民族救星:總統蔣公九秩誕辰紀念專輯》(臺北,編輯者印行,民65)、萬大鈞《蔣總統與海軍建軍之研究》(政戰學校政治研究所碩士論文,民65)、馮文質《蔣總統傳》(學恒出版社,民66)、周世輔等《蔣總統學術思想研究論集(第1集)》(臺北,政治大學三民主義研究所,民66)、唐華《蔣總統哲學思想源流》(臺北,燕京文化事業公司,民66)、黃奏勝《蔣總統倫理思想之研究》(臺北,中央文物供應社,民66年)、林裕祥《蔣總統哲學思想體系研究》(同上);《總統蔣公逝世三周年紀念集》(臺北,近代中國出版社,民67)、秦孝儀主編《總統蔣公大事長編初稿》(12冊,臺北,國民黨黨史會,民67)、郭桐《蔣介石秘錄之秘錄》(香港,廣角鏡出版社,1978;北京,檔案出版社,1988)、吳寄萍《蔣中正》(臺北,臺灣商務印書館,民68年再版)、陸軍軍官學校編纂《總統蔣公與黃埔軍校》(龍潭,陸軍總司令部,民69)、湯承業《先總統蔣公的父道與師道》(2冊,臺北,國立編譯館,民69)、單培祥《蔣中正先生與早期的中共(1921-1927)》(中國文化大學大陸問題研究所碩士論文,民69年6月)、閻慧如《先總統蔣公社會思想之研究》(臺北,正中書局,民70)、陳賢雄《先總統蔣公經濟思想之研究》(同上);《先總統蔣公與中華文化》（國康出版社，民70）、張載宇《先總統蔣公思想研究論集》（中國文化大學出版部，民70）、劉禮信《先總統蔣公革命志業之研究》（臺北，幼獅文化事業公司，民70）、臺北市政府公務人員訓練中心《總統蔣公行誼》（臺北，民70）、中華民國史料研究中心編印《先總統蔣公有關論述與史料》（臺北，民71）、楊思真《蔣公》（臺北，名人出版事業公司，民71）、鍾器聲《蔣介石》（香港，廣角鏡出版社，1983）、張其昀主編《先總統蔣公全集》（3冊，中國文化大學出版部，民73）、秦孝儀主編《先總統蔣公思想言論總集》（共40卷（冊），臺北，國民黨黨史會，民73）、秦棟、李政《蔣介石在大陸的最後日子》（南京，江蘇人民出版社，1985）、秦棟、羅岩《魂斷武嶺—蔣介石在大陸的最後日子》（北京，黃河文藝出版社，1985）、方靖口述、方知今整理《六見蔣介石》（長沙，湖南人民出版社，1985）、國民黨黨史會編印《蔣中正先生與現代中國》（5冊，臺北，民75）一為紀念蔣中正百年誕辰，民國七十五年（1986）10月26日至30日，於臺北舉行蔣中正先生與現代中國學術討論會，與會之中外學者共提出一百篇論文，分五組（蔣中正先生之思想學說與行誼組、蔣中正先生與國民革命組、蔣中正先生與中國現代化組、蔣中正先生與世界組、蔣中正先生與復興基地建設組）同時開會，進行宣讀討論，會後予以彙集出版，因有百篇，在此不擬一一舉述；李敖《蔣介石研究》（4冊，臺北，李敖出版社，民75-76）、國立中央圖書館編目組編《蔣中正先生論著目錄》（臺北，國民黨黨史會孫逸仙博士圖書館、國立編譯館、國立中央圖書館聯合出版，民75）、艾愷（Guy S. Alitto）《西方史學論著中的蔣介石》（中英對照，臺北，民75）、

Bruno Zorato著、辛達謨譯《蔣介石—現代中國的建造者》（臺北，黎明文化事業公司，民75）、宋志文、嚴如平、鄭則民等編《蔣介石》（北京，中國社會科學院近代史研究所，1987）、謝信堯《清黨以前蔣中正先生護黨及反共運動之研究（1922-1927）》（臺北，帕米爾書店，民76）、單培祥《蔣中正先生與早期的中共，1921-1927》（中國文化大學大陸問題研究所碩士論文，民76）、吳榮根《領袖蔣公空軍建軍思想之研究》（政治作戰學校政治研究所碩士論文，民76）、鍾器聲等《蔣介石》（香港，廣角鏡出版社，1987年4版）、臺灣師大公民訓育學系編印《蔣總統思想之研究》（臺北，民76）、李敖《李敖論蔣介石（1-5集）》（5冊，臺北，全能出版社，民76）、《蔣介石為何遲遲不抗日》（同上，民77）及《蔣介石與張學良》（臺北，鄭楠榕發行，民77）、風雲出版社《蔣介石別傳》（臺北，編者印行，民77）、當代文壇出版社編《蔣介石外傳》（海口，海南人民出版社，1988）、宋平《蔣介石生平》（長春，吉林文史出版社，1988）、徐甦編著《蔣宋大家族》（瀋陽，遼寧人民出版社，1988）、浙江省政協文史資料研究委員會編《蔣介石家世》（杭州，浙江人民出版社，1988）、宋平《蔣介石：總司令、委員長、總裁、主席、總統》（香港，利文出版社，1988）、鴻鳴《蔣家王朝》（九龍，中原出版社，1988年7版）、楊樹標《蔣介石傳》（北京，團結出版社，1989）、王俯民《蔣介石傳》（北京，經濟日報出版社，1989）、易勞逸（Lloyd Eastman）著、王建朗、王賢知譯《蔣介石與蔣經國》（北京，中國青年出版社，1989）、郝雪卿《蔣中正先生外交政策之研究》（臺灣大學三民主義研究所碩士論文，民78）、林文傑《中正先生與中國式管理之互助》（中國文化大學三民主義研究所碩士論文，民78）、鄭潤道《蔣中正先生與韓國獨立問題》（臺灣師大三民主義研究所碩士論文，民78）、王維禮《蔣介石的文臣武將》（鄭州，河南人民出版社，1989；臺北，巴比倫出版公司翻印，民81）、冀定洲《蔣家父子》（鄭州，河南人民出版社，1989）、匡長福等編《權與錢－蔣宋孔陳聚財錄》（北京，清華大學出版社，1989）、王朝柱《少帥與蔣介石》（北京，解放軍出版社，1989）、簡潔、孟忻福編著《蔣介石和宋美齡》（長春，吉林文史出版社，1989）、簡潔、孟忻編著《蔣介石和宋美齡》（長春，吉林文史出版社，1990）、謝本書、牛鴻賓《蔣介石與西南地方實力派》（鄭州，河南人民出版社，1990）、李敖編《侍衛官談蔣介石》（臺北，李敖出版社，民79）、司馬既明《蔣介石國大現形記》（2冊，同上）、王朝柱《龍雲、盧漢與蔣介石》（北京，中國青年出版社，1990）及《宋美齡與蔣介石》（同上，1991）、Ｂ·沃隆佐夫《蔣介石評傳》（北京，社會科學文獻出版社，1991）、林衡道《蔣中正先生與中國現代化》（臺北，黎明文化公司，民80）、陳志奇《蔣中正先生與中國之獨立和平等》（同上）、楊逢泰《蔣中正先生與中國之統一》（同上）、殷昌國《蔣中正先生與《蘇俄在中國》：以近代中國知識分子反俄意識為中心探討》（同上）、蔣永敬《蔣中正先生與抗日戰爭》（臺北，黎明文化公司，民80）、黃繼樹《大對抗：蔣李恩怨國共鬥爭》（2冊，臺北，風雲時代出版公司，民80）、團結報編輯部編《蔣介石家世春秋》（北京：中國青年出版社，1991）、尹家民《蔣介石與黃埔三傑》（北京，中共中央黨校出版社，1991）、李雲漢主編、吳伯卿、林養志編《蔣委員長中正抗戰方策手稿匯編(1)(2)》（臺北，國民黨黨史會，民81）、李本京《蔣中正先生與中美關係》（臺北，黎明文化公司，民81）、梁升俊《蔣李鬥爭內幕》（臺北，新新聞文化公司，民81）、張雪雲《蔣中正的革命建國思想》（臺灣大學三民主義研究所碩士論文，民81）、嚴如平、鄭則民《蔣介石傳稿》（北京，中華書局，1992）、B. B.沃龍佐夫《蔣介石之命運》（北京，中共中央黨校出版社，1992）、陳鐵健、黃道炫《蔣介石與中國文化》（香港，中華書局，1992）、王朝柱《張學良和蔣介石》（北京，中國青年出版社，1992）、中國第二歷史檔案館編《蔣介石年譜初稿》（北京，檔案出版社，1992）、張瑛編著《蔣介石清黨內幕》（北京，國防大學出版社，1992）、秦彤、屈小強等《蔣介石在大陸的最後時刻》（海口，南海出版社，1992）、劉紅《蔣介石的幕僚們》（武漢，武漢出版社，1992）、志久、鋒濤主編《蔣介石之謎》（烏魯木齊，新疆大學出版社，1993；臺北，風雲時代出版公司，民84）、宋平《蔣介石和他的對手們》（臺北，風雲時代出版公司，民82）、高屹《蔣介石與西北四馬》（北京，警官教育出版社，1993）、尹家民《蔣介石與黃埔「四凶」》（北京，中共中央黨校出版社，1993）、葉永烈《毛澤東與蔣介石》（2冊，臺北，風雲時代出版公司，民82）、王朝柱《汪精衛和蔣介石》（北京，中國青年出版社，1993）及《馮玉祥和蔣介石》（同上）、尹家民《蔣介石與十三太保－黃埔紀實系列之三》（北京，中央黨校出版社，1993）、王俯民《蔣介石詳傳》（2冊，北京，中國廣播電視出版社，1993）、李松林《蔣氏父子在臺灣》（北京，中國友誼出版社，1993）、《蔣介石晚年》（合肥，安徽人民出版社，1993）及《蔣介石的臺灣時代》（臺北，風雲時代出版公司，民82）、趙宏等《蔣介石家族的女人們》（北京，團結出版社，1993）、馬之驌《雷震與蔣介石》（臺北，自立晚報社文化出版部，民82）、周盛盈《孫中山和蔣介石交往紀實》（石家莊，河北人民出版社，1993）、李光大《蔣中正先生戰略思想之研究》（中國文化大學中山學術研究所博士論文，民82）、趙勇民、解柏偉《蔣介石夢斷金三角》（北京，華元出版社，1993）、陳敦德《毛澤東與蔣介石》（北京，八一出版社，1993）、尹家民《蔣介石和他的特務們》（臺北，新新聞文化公司，民83）、翁元《我在蔣介石父子身邊的日子》（臺北，書華出版社，民83）、黃仁宇《從大歷史的角度讀蔣介石日記》（臺北，時報文化出版公司，民83）、墨爾（Ernest Gunther Mohr）著、張采欣譯《蔣介石的功過：德使墨爾駐華回憶錄》（臺北，臺灣學生書局，民83）、邵銘煌編《孫中山先生與蔣中正先生》（臺北，近代中國出版社，民83）、王維禮、范廣杰《蔣介石和張學良》（長春，吉林文史出版社，1994）、萬仁元《蔣介石與國民政府》（3冊，上海，商務印書館，1994）、中國第二歷史檔案館編《中國近代珍藏圖片庫－蔣介石與國民政府》（3冊，臺北，臺灣商務印書館，民83）、齊鵬飛《蔣介石家世》（北京，團結出版社，1994）、李敖《蔣介石其人》（北京，人民文學出版社，1994）及《蔣介石其事》（同上）、程舒偉、雷慶主編《蔣介石的人際世界》（長春，吉林人民出版社，1994）共收錄62篇文章，其撰者及題名，在此不再一一列舉。李理、夏潮《一世梟雄－蔣介石》（蘭州，金城出版社，1994）、朱建華《蔣介石和閻錫山》（長春，吉林文史出版社，1994）、陳瑞雲《蔣介石和汪精衛》（同上）、王俊彥《浪人與蔣介石》（北京，中國華僑出版社，1994）、張希賢等編著《蔣介石和他的六個秘書》（烏魯木齊，新疆人民出版社，1994）、尹家民《蔣介石與八大金剛—黃埔紀實系列之四》（北京，中共中央黨校出版社，1994）、嚴如平主編《蔣介石與結拜兄弟》（北京，團結出版社，1994）、袁小倫《周恩來與蔣介石》（北京，光明日報社，1994）、尹家民《歷史漩渦中的蔣介石與周恩來》（北京，中共中央黨校出版社，1994）、周玉和《蔣介石和馮玉祥》（長春，吉林文史出版社，1994）、王學慶《蔣介石和陳立夫、陳果夫》（同上）、郭彬尉《蔣介石和李宗仁》（同上）、潘嘉釗等編《康澤與蔣介石父子》（北京，群眾出版社，1994）、程舒偉、孫啟泰、王東方《蔣介石外傳》（北京，團結出版社，1994）、河陽等編《蔣介石揭秘》（北京，中共中央黨校出版社，1994；臺北，巴比倫出版社翻印，民84）、薛家柱、王月羲《蔣介石在西安事變中：一位貼身侍衛官目擊記》（北京，中共中央黨校出版社，1994；臺北，先智出版公司，予以翻印，民84年出版，易名為《西安兵變情恨—蔣介石貼身侍衛官目擊記》）、郭寶平《從孫中山到蔣介石：民國最高權力的交替與爭奪》（上海，上海人民出版社，1995）、陳宇《蔣介石在大陸最後一百天》（臺北，巴比倫出版社，民84）、張令澳《我在蔣介石侍從室的日子》（臺北，周知文化出版公司，民84）、李勇、張仲田編著《蔣介石年譜》（北京，中共黨史出版社，1995）、王朝柱《蔣介石和他的密友與政敵》（3冊，北京，中國青年出版社，1995）、宋平《蔣介石和他的掌權術》（哈爾濱，黑龍江人民出版社，1995）、王曉華《蔣介石的六面謎雲》（臺北，先智出版公司，民84）、嚴如平《政治掌中戲—蔣介石的兄弟情結》（臺北，日臻出版社，民84）、張禹清《民國梟雄—論蔣介石功與過》（2冊，臺

北，漢寧出版社，民84）、陳敦德《毛澤東與蔣介石的最後交手》
（臺北，風雲時代出版公司，民84）、李敖、汪榮祖《蔣介石評傳》
（2冊，臺北，商周文化公司，民84）、郭寶平《蔣介石三次下野秘
錄》（北京，中國檔案出版社，1995）、王曉華、張慶軍主編《多棱
鏡下的蔣介石》（南京，南京大學出版社，1995）、張憲文、方慶秋
主編《蔣介石全傳》（2冊，鄭州，河南人民出版社，1996）、羅時敍
《祈禱的王朝：1926-1949年蔣介石政治生涯》（成都，四川人民出
版社，1996）、蔣套鎖等主編《蔣介石厚黑謀略》（北京，華文出版
社，1996）、王朝彬《蔣介石和宋美齡》（蔣介石政治關係大系，長
春，吉林文史出版社，1996）、鄭顯文、王喆《蔣介石和蔣經國》
（同上）、田毅鵬《蔣介石和孫中山》（同上）、趙洪昌、王學慶
《蔣介石和陳誠》（長春，吉林文史出版社，1996）、陳言《蔣介石
和李濟深》（同上）、李瑗《蔣介石和何應欽》（同上）、王朝柱
《李宗仁和蔣介石》（北京，中國青年出版社，1996）、解力夫、馮
光《蔣氏家族》（北京，社會科學文獻出版社，1996）、唐漢《蔣宋
孔陳四大家族》（蘭州，金城出版社，1996）。日文專書有古莊國
雄《蔣介石：人及び事業》（東京，社會教育協會，1929）、中山優
《蔣介石の轉向と日支關係》（東京，日本講演通信社，1935）、吉
岡文六《蔣介石と現代支那》（東京，東百堂書房，1936）及《蔣
介石氏を繞ぐる支那政局》（東京，東亞同文會研究編纂部，1936）、
藤川京介《張學良と蔣介石》（東京，森田書房，1936）、石丸藤
太《蔣介石》（東京，春秋社，1937）、高山洋吉著譯《蔣介石と
國民黨政府》（東京，育生社，1940）、東亞研究所《蔣介石ノ北
伐完了以後全支統一ノタメ採リタル對策二關スル研究》（東

京，1943）、松本鎗吉《蔣介石の橫顏》（東京，社會教育協會，
1946）、三船三郎《蔣介石》（東京，協同出版社，1947）、渡邊茂
雄《蔣介石と毛澤東》（東京，講談社，1949）、日本外政學會出
版局編集《蔣介石》（東京，日本外政學會，1955）、中川信夫《李
承晚‧蔣介石》（京都，三一書房，1960）、楊逸舟（為楊杏庭之
筆名）《臺灣と蔣介石》（同上，1970）、松本曉英《蔣介石の中
國史》（東京，參玄社，1975）、裴京漢《蔣介石研究－國民革命
時期の軍事的政治化臺頭過程》（韓國，一潮閣，1995）、野村浩
一《蔣介石と毛澤東：世界戰爭のなかの革命》（東京，岩波書
店，1996）。

　　英文專書約有Tong Hollington, Chiang Kai-Shek, Soldier
and Statesman. (London: Hurst and Blackett, 1938）、Robert
Berkov, Strong Man of China: The Story of Chiang Kai-Shek.
（Boston:Houghton Mifflin, 1938）、Emily Hahn, Chiang Kai-Shek:
An Unauthorized Biography（Garden City, New York: Doubleday &
Company, Inc. 1955）、Walter E. Gourlay, The Kuomintang and
the Rise of Chiang Kai-shek, 1920-1924. (Ph D. Dissertation,
Cambridge: Harvard University, 1966）、Robert Payne, Chiang Kai-
Shek. (New York: Weyleright and Talley, 1969）、Loh Pinchon Pei
Yung, The Early Chiang Kai-Shek: A Study of His Personality
and Politics, 1887-1924. (New York: Columbia University East Asian
Institute, 1971）、Brian Crogier, The Man Who Lost China: The
First Full Biography of Chiang Kai-Shek. (London: Angus and
Robertson, 1977）、Chook Edward K., Chiang Kai-Shek Close-up.

(Oakland: United California University Press, 1977) 、Chen Tsong-yao, Chiang Kai-Shek and the Northern Expedition. (New York: New York University Press, 1992) 、Furuya Keiji（古屋奎二），Chiang Kai-Shek: His Life and Times. (Abridged and Translate by Chang Chun- ming, New York: St. John's University Press, 1981) 、Owen Lattimore, China Memoirs: Chiang Kai-Shek and the War Against Japan (Tokyo: University of Tokyo Press, 1990) 、Lloyd E. Eastman, ed., Chiang Kai-Shek's Secret Past: The memoir of His Second Wife, Ch'en Chieh-ju. (Boulder: Westview Press, 1993) 。

論文方面有鄒紀萬、熊自慶等〈近三十年來國人研究故總統蔣公著作論文目錄初編稿〉（《中華文化復興月刊》8卷10期，民64年10月）、陳哲三〈有關總統蔣公傳記的評述〉（《幼獅月刊》45卷4期，民66年4月）、嚴如平〈提高蔣介石研究的科學性〉（《民國研究》第3輯，1996年1月）、陸培湧〈研究蔣介石先生意識型態的史料與門徑〉（《中國現代史專題研究報告》第9輯，民68）、胡元福、王舜祁〈蔣介石身世新證〉（《民國春秋》1993年5期）、曹屯裕〈蔣介石身世之我見〉（《寧波師院學報》1988年5期）、劉文松〈蔣介石身世之謎又一證〉（《許昌師專學報》1996年3期）、王舜祁、胡元福〈有關蔣介石身世的幾個主要問題〉（《河南大學學報》1993年1期）、崔萬興〈蔣介石身世考〉（《北京鋼鐵學院學報》1987年2期）、王舜祁〈關於蔣介石的姓氏籍貫〉（《文史通訊》1983年2期）、鍾和〈為蔣介石先生考證家世—證實唐人小說〝鄭三發子〞之說錯誤〉（《源流》1985年1期）、周慕瑜〈蔣介石不是鄭三發子〉（《傳記文學》65卷3期，民83年9月）、李耕五〈關於鄭發和蔣介石關係的調查訪問〉（《民國春秋》1987年6期）、王文相〈先總統蔣公生平述略〉（《華夏學報》第9期，民68年9月）、何應欽〈蔣總統的生平〉（《暢流》4卷6期，民40）、宮崎龍介〈蔣介石論〉（《再建評論》第1號，1935）、太田宇之助〈蔣介石論〉（《大同》第1卷─夏季號，1947年7月）、張亞澐〈蔣介石之歷史定位〉（載胡春惠主編《近代中國與亞洲學術討論會論文集》下冊，香港，珠海書院亞洲研究中心，1995）、林歲德〈蔣介石は愛國者か？─默視できれ朝日・讀賣の禮讚〉（《日中》5卷6號，1975年5月）、藏居良造〈悲劇の英雄─蔣介石，波らんの生涯〉（《月刊自由民主》232號，1975年4月）、山口一郎〈蔣介石─中國近代史研究の手引〉（《大安》5卷11號，1959年11月）；〈蔣主席年譜〉（《中國資料》第2號，1947年6月）、苗培時〈蔣介石傳〉（《名人傳記》1985年1、2期）、劉文松〈蔣介石身世之謎又一證〉（《許昌師專學報》1996年3期）、王慕民〈蔣介石早年家境考析〉（《寧波師院學報》1994年1期）、王彥婷〈蔣中正先生的少年時代與初期革命經歷〉（《國史館館刊》復刊第5期，民77年12月）、張玉法〈蔣公與辛亥革命〉（《中華文化復興月刊》8卷10期，民64年10月）、李雲漢〈總統蔣公與辛亥革命─蔣總統早期革命經歷研究之一〉（《歷史學報（臺灣師大）》第4期，民65年4月）、陳梅龍〈蔣介石與辛亥革命〉（《寧波師院學報》1994年1期）、莫永明〈評辛亥革命前後的蔣介石〉（《學術月刊》1989年6期）、王慕民〈辛亥革命與反袁護法時期蔣介石評析〉（《寧波師院學報》1991年2期）、卓遵宏〈總統蔣公民初維護共和的奮鬥〉（《東方雜誌》復刊10卷9期，民66年3月）、郭緒印〈蔣介石早年與幫會的關係〉（《歷史教學問題》

1989年2期）、顧生霖〈蔣介石投帖黃金榮〉（《縱橫》1993年1
期）、李守孔〈蔣中正先生與討袁運動〉（載《蔣中正先生與現代
中國學術討論集》第2冊，民75）、卓遵宏〈總統蔣公與討袁之役〉
（《中國現代史專題研究報告》第6輯，民65）、黃季陸〈蔣總統與現
代中國〉（同上）、黃永金〈略論蔣介石早年的政治生涯〉
（《雲南師大學報》1990年5、6期）、史全生〈關於蔣介石早期歷史
的幾個問題〉（《南京大學學報》1991年3期）、張其昀〈總裁早年
革命歷史〉（《中國一周》50期，民40）、季雲飛〈孫中山與蔣介
石關係述論〉（《江海學刊》1994年6期）、虞寶棠〈蔣介石與孫中
山〉（《民國檔案》1990年4期）、王東方〈試論蔣介石與孫中山〉
（《史學集刊》1986年3期）、賴海泉〈淺談蔣介石受到孫中山信任
的歷史原因〉（《歷史教學》1989年4期）、蕭林〈〝閩南護法區〞
時期蔣介石五進漳州始末〉（《福建史志》1988年6期）、鍾康模
〈陳炯明叛變前後的蔣介石〉（《廣州研究》1988年6期）、喬忠榮
〈陳炯明與蔣介石〉（《民國檔案》1994年1期）、楊天石〈蔣介石
1923年計劃從蒙古南部進攻北京〉（《傳記文學》69卷1期，民85年7
月）、姜中秋、王光遠〈蔣介石訪蘇之行〉（《南京史志》1990年4
期）、Eugene W. Wu（吳文津），Divergence in Strategic Plan-
ning: Chiang Kai-Shek's Mission to Moscow, 1923.〞（Republican
China, Vol.16, No.1, November 1990）、鮑羅金著、李玉貞譯〈蔣介
石訪蘇前後〉（《黨史研究資料》1990年9期）、楊天石〈蔣介石的
赴蘇使命及其軍事計劃〉（載《中國現代史專題研究報告》18輯，民
85）、王聿均〈蔣中正先生訪俄及其觀感〉（載《蔣中正先生與現
代中國學術討論集》第2冊，臺北，民75）、吳文津〈戰略上之分歧：

民國十二年蔣中正先生赴俄報聘之研討〉（同上）、李玉貞〈關
於蔣介石蘇聯之行的幾個問題〉（《黨史研究資料》1996年6、7
期）、李國祁〈先總統蔣公早年對共產主義及蘇俄的認識〉（收
入氏著《民國史論論集》，臺北，南天書局，民79）、波多野善大〈黃
埔軍校以前の蔣介石〉（《鐮田博士還曆記念歷史學論叢》，
1969）、許朗軒〈蔣中正先生與黃埔建校建軍〉（載《蔣中正先生
與現代中國學術討論集》第2冊，民75）、韓勝朝〈蔣介石與黃埔建
軍〉（《南都學壇》1992年3期）、呂芳上〈總統蔣公與黃埔軍校的
創建〉（《歷史學報（臺灣師大）》第4期，民65年4月）、潘錫堂〈孫
蔣二公的國防思想與黃埔軍校的創建〉（《銘傳學報》22期，民74
年3月）、曾慶榴、謝鵬飛〈蔣介石在黃埔軍校的政治思想的矛
盾及其演變〉（《史學月刊》1986年5期）、陳國強〈蔣介石辭黃埔
校職原因考〉（《近代史研究》1993年6期）及〈〝黃埔〞籌建時蔣
介石為何掛冠而去〉（《民國春秋》1994年2期）、曾慶榴〈蔣介石
與廣東革命政府的兩次東征〉（同上，1988年6期）、陳三鵬〈蔣
介石1925年在潮梅〉（《汕頭大學學報》1988年4期）、杜少牧〈蔣
總統在廣東〉（《廣東文獻》5卷1期，民64年3月）。陳伯達〈〝五
卅〞前後的蔣介石〉（《群眾》3卷23期，民38）、王承璞〈對北伐
戰爭前的蔣介石政治活動剖析〉（《北京師大學報》1996年6期）。
史鋒〈蔣介石是怎樣起家的〉（《學習與批判》1976年3期）及〈蔣
介石上臺的頭十年〉（同上，1976年4期）、Pichon P. Y. Loh,
"The Politics of Chiang Kai-Shek: A Reappraisal."（The
Journal of Asian Studies, Vol.25, No.3 May 1966）、Steven J. Hood,
"The Kuomintang and the Rise of Chiang Kai-Shek."

（American Journal of Chinese Studies, Vol.1, No.2, October 1992）、北
村稔〈廣東國民政府における政治抗爭と蔣介石の抬頭〉（《史
林》68卷6號，1985）、王檍君等〈江浙財閥與蔣介石的上臺〉
（《河北師院學報》1984年2期）、魏宏運〈蔣介石的上臺與垮臺〉
（《南開大學學報》1975年2期）、董國強〈蔣介石定都南京經過〉
（《南京史志》1996年1期）、嚴靜文〈蔣介石的興衰〉（《明報月
刊》10卷5期，1975年5月）、黃國蕩〈蔣介石與第一次國共合作的
福建省政府〉（《黨史研究與教學》1993年2期）及〈試論蔣介石在
福州發動的＂四・三＂政變〉（《福建論壇》1986年4期）、李光祥
〈蔣介石與廣州事變〉（《黔南民族師專學報》1996年4期）、楊天
石〈蔣介石與前期北伐戰爭前的戰略策略〉（《歷史研究》1995年2
期）、艾松林〈大革命時期蔣介石在南昌的活動概述〉（《江西
黨史研究》1988年5期）、朱鎮華〈誰首先資助北伐到南昌的蔣介
石〉（《檔案與歷史》1986年4期）、楊天石〈蔣介石與北伐時期的
江西戰場〉（《中共黨史研究》1989年5期）及〈北伐時期左派力量
同蔣介石鬥爭的幾個重要回合〉（同上，1990年1期）、王穎〈北伐
時期蔣介石反革命的幾個重要步驟〉（《廣東教育學院學報》1996年
4期）、陳萬安〈陰謀家（蔣介石）假左真右真面目的暴露〉
（《華南師院學報》1978年3期）、羅夫〈＂四一二＂反革命政變前
蔣介石的反革命兩手〉（《歷史教學》1966年4期）、鄭兆安〈蔣介
石在國民革命時期的兩重轉變〉（《益陽師專學報》1989年4期）、
盧冕持〈蔣介石大革命中的基本策略〉（《史學情報》1986年4
期）、湯應武〈大革命時期中國共產黨對蔣介石的認識和策略〉
（《中共黨史研究》1988年2期）、孔慶泰〈蔣介石反共清黨自何時

始〉（《歷史檔案》1993年1期）、張學繼〈1927年蔣介石下野的原因〉（《近代史研究》1991年6期）、柯有華〈蔣介石第一次下野的原因探析〉（《湖北師院學報》1993年5期）、蔣永敬〈蔣中正「第一次下野」的原因〉（《傳記文學》54卷2期，民78年2月）、吳雪晴〈蔣介石的三次下野與復職〉（《南京史志》1993年3期）、卞杏英〈淺析蔣介石三次下野的緣由〉（《上海師大學報》1990年1期）、李光正〈蔣介石的三次下野與新桂系勢力的消長〉（《河池師專學報》1986年2期）、陸仰淵〈蔣介石三次〝引退〞〉（《民國春秋》1988年2期）、郭曉曦〈評蔣介石1927年秋訪日〉（《近代史研究》1989年4期）、郎維成〈1927年蔣介石與田中義一會談的內容及後果〉（《東北師大學報》1988年5期）、趙英蘭〈蔣介石的〝統一〞戰略和田中義一的〝滿蒙積極政策〞〉（《國際文化論集（西南學院大學）》11卷1號，1996年9月）、王光遠〈蔣介石皈依基督教〉（《文史精華》1996年9期）、汪半山〈蔣介石結婚記〉（《東海》1985年2期）、趙家銘輯〈為何只見故人哭，不見新人笑—蔣介石宋美齡結婚的「明日」「今日」「昨日」〉（《傳記文學》61卷1期，民81年7月）、羅岩、蕭軍〈蔣介石與宋美齡〉（《名人傳記》1985年3期）、蒙光勳〈大革命時期的宋慶齡與蔣介石〉（《暨南學報》1995年2期）、劉本恭〈北伐戰爭後期蔣介石是怎樣奪權上臺的〉（《史學月刊》1987年6期）、張安東〈1928年蔣介石再起考論〉（《安徽教育學院學報》1996年1期）、判澤純太〈蔣介石の二次四中全會における決定の陷阱(I)(II)—滿洲事變直前的中國政局〉（《政治經濟史學》212、213號，1984年3、4月）、王運來〈蔣介石兼任中央大學校長始末記〉（《民國春秋》1996年3期）、邵建國

〈〝濟南事件〞交涉と蔣介石〉（《國際政治》104號，1993年10月）、楊天石〈濟南交涉與蔣介石對日妥協的開端－讀黃郛檔案之一〉（《近代史研究》1993年1期）、鹿錫俊〈濟南慘案前後蔣介石的對日交涉〉（《史學月刊》1988年1期）、李明〈1926-1928年の北伐時期における張・蔣密約について〉（《社會科學研究（中京大學）》5卷1號，1985年1月）、習五一〈國民革命占領京津與蔣介石的謀略〉（《近代史研究》1990年1期）、梁平〈論蔣介石的〝削藩〞〉（《民國檔案》1993年4期）、袁竟雄、李啟賢〈論蔣桂矛盾的產生和發展〉（《廣西大學學報》1990年2期）、劉基奎〈蔣介石討桂戰略述略〉（《軍事歷史研究》1986年1期）、薛謀成〈論蔣桂戰爭〉（《廈門大學學報》1982年4期）、蘇鑫鴻〈蔣桂戰爭與中央革命根據地的形成〉（同上，1985年3期）、李靜之〈試論蔣馮閻中原大戰〉（《近代史研究》1984年1期）、孔天熹、段治文〈蔣介石與桂系、馮系、閻系－專論蔣氏取勝的原因〉（《民國檔案》1993年4期）、鄭志廷〈中原大戰期間蔣介石對張學良引誘相爭取〉（《歷史教學》1989年9期）、石川忠雄〈中華民國訓政時期約法の制定と蔣介石〉（《法學研究》37卷7號，1964年7月）、吳天威〈蔣介石與九一八事變〉（《抗日戰爭研究》1992年2期）、宋學文等〈論蔣介石對〝九一八〞事變的不抵抗政策〉（《江蘇社會科學》1992年5期）、楊曉榕〈東北淪陷與蔣介石、張學良的〝不抵抗主義〞〉（《史林》1988年3期）、孫向遠、孟森〈〝九一八〞事變前後的蔣介石與張學良〉（《遼寧大學學報》1991年6期）、李雲漢〈九一八事變後蔣總統的對日政策〉（《師大學報》21期，民65年4月）、楊天石〈從毛思誠著《蔣介石日記類鈔》觀察九一八

事變後的蔣介石〉（《傳記文學》67卷4期，民84年10月）、陳鳴鐘
〈9·18事變爆發至《淞滬停戰協定》簽字期間的蔣日關係〉
（《民國檔案》1988年2期）、吳美珍〈〝一二八〞到〝八一三〞蔣
介石對日態度變化之客觀原因〉（《上海師大學報》1996年1期）、
宇野重昭〈廣田弘毅の對華政策と蔣介石—自護體外交の限界
性〉（載《1930年代の日本外交》，東京，日本國際政治學會，1977）、
丁耀洲〈張學良、蔣介石對解決錦州危機態度的差異〉（《遼寧
師大學報》1995年4期）、馬熙群〈何日出關共生死？：熱河抗戰與
蔣介石北上〉（《黨史縱橫》1995年9期）、陳長河〈〝閩變〞後蔣
介石曾坐鎮浦城指揮〉（《學術月刊》1986年9期）、左玉河〈論蔣
介石發動的新生活運動〉（《史學月刊》1990年4期）、劉慶旻〈略
評蔣介石與國民精神總動員〉（《龍江社會科學》1993年6期）、楊
逢泰〈蔣中正先生與中國統一〉（《中華戰略學刊》84年春季號，民
84年3月）、晏道剛〈蔣介石謀劃追堵紅軍長征的失敗〉（《縱
橫》1996年9期）、晏道剛〈蔣介石追堵長征紅軍的內幕〉（《文史
精華》1996年10期）、李明山〈蔣介石何時提出〝攘外必先安內〞
的政策〉（同上，1986年6期）、吳傳秀〈蔣介石政府〝攘外必先
安內〞政策的歷史考察〉（《江蘇論壇》1994年3期）、周建超〈蔣
介石與〝攘外必先安內〞〉（《黨史研究與教學》1994年2期）、季
雲飛〈蔣介石〝攘外必先安內〞政策之剖析〉（《河北學刊》1995
年3期）、薛鈺〈蔣介石〝攘外必先安內〞政策研究綜述〉（《民
國檔案》1995年2期）、伊藤信之〈蔣介石における集權化的思想
と〝安內攘外〞政策〉（《法學政治學研究（成蹊大學）》第9號，
1990年3月）、劉培平〈〝安內攘外〞與〝反蔣抗日〞〉（《文史

哲》1995年5期）、高存信〈張學良、蔣介石在〝攘外〞與〝安內〞問題上的分歧〉（《抗日戰爭研究》1992年1期）、李蓓蓓〈1935年前後的蔣日關係〉（《上海大學學報》1988年3期）、王維宜〈淺論〝華北事變〞後蔣介石對日態度策略轉化的經濟原因〉（《甘肅理論學刊》1991年1期）、梁廣裁〈論陳濟棠與蔣介石的矛盾鬥爭〉（《民國檔案》1991年3期）、黃燕青〈略論蔣介石與李宗仁的第一次合作與分裂〉（《上海大學學報》1989年5期）及〈略論蔣介石與李宗仁的第二次合作與分裂〉（同上，1990年5期）、謝本書〈蔣介石與西南地方實力派〉（《檔案史料與研究》1989年1期）、趙德教〈李宗仁對蔣介石不抵抗政策的揭露和抨擊〉（《河南師大學報》1985年2期）、李靜之、申曉雲〈李、白和蔣介石之間〉（《民國春秋》1987年2期）、程思遠〈白崇禧和蔣介石之間〉（《人物》1985年6期）、陳鳴鐘〈蔣介石解決〝兩廣事變〞的方針和策略〉（《歷史檔案》1983年2期）、錢根娣〈〝兩廣事變〞期間蔣介石與李宗仁、白崇禧等來往電文選輯〉（《檔案與歷史》1989年5期）、劉心皇〈西安事變兩主角：蔣介石與張學良〉（《傳記文學》53卷2、3、4、6期，民77年8、9、10、12月）、張魁堂〈蔣介石同張、楊矛盾激化與西安事變〉（《抗日戰爭研究》1992年4期）、蔣文祥〈蔣介石與西安事變〉（《人文雜志》1996年5期）、羅玉明〈西安事變扣蔣成功的原因〉（《懷化師專學報》1994年4期）、王青山〈論西安事變中蔣介石轉變的主觀因素〉（《社會科學家》1988年6期）、米鶴都〈關於蔣介石在西安事變中的諾言問題〉（《黨史研究》1986年6期）、張化東〈華清池扣蔣回憶〉（《黨史文獻》1995年5期）、李良志〈關於西安事變後我黨處置蔣介石的方針問題〉(《黨史徵集通訊》1987年1期)、葉永烈〈毛澤東在〝西安事變〞中主張殺蔣與釋蔣的過程〉(《傳記文學》65卷6期，民83年12月)、鄧家培、黃建權〈試論西安事變中改審蔣為放蔣的原因〉(《中學歷史教學》1987年3期)、羅玉明〈張學良送蔣回寧的原因及其影響〉(《懷化師專學報》1994年3期)、林雲生〈張學良送蔣回寧初探─紀念愛國將領張學良將軍90誕辰〉(《人文雜志》1990年5期)、魚汲勝〈〝滄海橫流，方顯出英雄本色〞：試析張學良送蔣回寧的思想動機〉(《黨史研究與教學》1990年6期)、李傳信〈論張學良送蔣〉(《江漢大學學報》1987年4期)、魚汲勝〈千古功臣的千古奇冤─張學良陪送蔣介石回寧問題新探〉(《黨史文匯》1987年1期)、楊澤民〈西安事變的一個曲折─也評張學良陪蔣回寧〉(《黨史資料與研究》1987年1期)、谷麗娟〈西安事變一個令人遺憾的結尾─也評張學良陪蔣回寧〉(同上)、張友坤〈對張學良送蔣返寧的再認識〉(《近代史研究》1994年1期)、汪榮祖〈蔣介石的《西安半月記》透視〉(《傳記文學》64卷3期，民83年3月)、祝偉坡〈蔣介石由〝剿共〞不抗日到聯共抗日的轉變〉(《河北師院學報》1995年1期)、宋瑋明〈西安事變前後蔣介石由剿共內戰到聯共抗日的政策轉變〉(《湖南師大學報》1986年6期)、施巨流〈抗戰前後我黨對蔣介石態度的演變〉(《探索》1994年2期)、謝·列·齊赫文斯基（婁杰、左鳳榮整理）〈1937-1939年蔣介石同斯大林、伏羅希洛夫的通信〉(《民國檔案》1996年3期)、徐友春〈蔣介石與德國法西斯的勾結〉(《江海學刊》1983年4期)、劉健清〈國民黨內法西斯主義的泛起與蔣介石獨裁統治的建立〉(《南開學報》1983年5

期）、李慎兆〈蔣介石法西斯主義的思想淵源〉（《史學論衡》第2集，北京師大出版社，1992年8月）、李體煜、王兆良〈蔣介石法西斯主義的政治綱領及其特徵〉（《聊城師院學報》1987年4期）、馬振犢譯〈蔣介石與意大利特使斯坦法尼會談紀要〉（《民國檔案》1994年3期）、Parks M., Jr Coble, "Chiang Kai-Shek and the Anti-Japanese Movement in China: Zou Tao-fen and the National Salvation Association, 1931- 1937."（The Journal of Asian Studies, Vol. 44, No.2, 1985）、Gottfried Karl Kindermann, "Chiang Kai-Shek's Role in World History."（Asian Culture, Vol.14, No.4, Winter 1986）、秦力〈評蔣介石盧山談話〉（《唐都學刊》1996年4期）、綦長青〈也談蔣介石被迫接受抗日主張〉（《牡丹江師院學報》1988年4期）、黃遂清、孫海〈論蔣介石消極抗戰的原因〉（《許昌師專學報》1996年1期）、胡再德〈蔣介石的消極抗戰策略剖析〉（《上海教育學院學報》1995年3期）、陳在俊〈蔣中正先生抗日戰爭的持久戰略（1933-1938）〉（《近代中國》111期，民85年2月）、李守孔〈總統蔣公領導對日抗戰的全盤戰略〉（《中華文化復興月刊》8卷10期，民64年10月）、蔣永敬〈蔣中正先生與抗日戰爭〉（《中華戰略學刊》84年春季號，民84年3月 ）、傅亢〈蔣委員長抗日戰爭指導與「中道」精神之體認〉（同上）、今井駿〈對日抗戰と蔣介石〉（載中國現代史研究會編《中國國民政府史の研究》，東京，汲古書院，1986）、張德鵬、張明武〈蔣介石抗戰態勢動因淺析〉（《華中理工大學學報》1995年3期）、李璜〈蔣委員長在抗戰中〉（《四川文獻》161期，民65年12月）、嚴如平、鄭則民〈試論抗日戰爭中的蔣介石〉（《民國檔案與民國史學術討論會論文集》,北京,檔案出版社,1988)、關志鋼〈抗戰時期蔣介石哲學思想點評〉(《民國研究》第3輯,1996年1月)、孟彭興〈蔣介石上海抗戰決策研究〉(《軍事歷史研究》1994年1期)、曾景忠〈蔣介石與徐州會戰〉(《近代史研究》1994年6期)、毛磊、馬德茂〈論武漢抗戰時期的蔣介石〉(《檔案史料與研究》1990年3期)、朱峰〈試析武漢抗戰時期的蔣介石〉(《四川師大學報》1993年2期)、張生〈棗宜會戰中蔣介石水淹日軍計畫的破產〉(《軍事歷史》1992年4期)、范崇山〈豫湘桂戰役和蔣介石〉(《北京檔案史料》1992年3期)、蔣順興、范崇山〈衡陽戰役與蔣介石〉(《蘇州大學學報》1986年1期)、汪頂勝〈抗戰中期蔣、桂財政紛爭之一瞥〉(《歷史教學》1986年12期)、高崇雲〈蔣中正先生對太平洋戰爭的貢獻〉(《中華戰略學刊》84年春季號,民84年3月)、史會來〈抗戰時期日本誘降蔣介石的〝桐工作〞〉(《求是學刊》1985年6期)、耿玉發〈淺析日本誘降蔣介石的〝桐工作〞〉(《歷史教學》1989年5期)、劉守仁〈日寇誘降蔣介石集團未遂之原因〉(《唯實》1990年2期)、劉明鋼〈蔣介石發動皖南事變原因探析〉(《史志文萃》1989年4期)、黃敏〈淺析抗戰中後期蔣介石沒有破裂第二次國共合作的原因〉(《惠州大學學報》1995年2期)、元江〈抗戰時期蔣介石上峨眉山的考究〉(《四川師大學報》1989年1期)、曾祥和〈蔣中正先生與對日抗戰期間的高等教育〉(《近代中國》78期,民79年8月)、王爾敏〈先總統蔣公在抗戰後期的實業建國理想〉(同上,61期,民76年10月)、謝增壽〈蔣介石在抗日戰爭時期的政黨理論與實踐〉(《四川師院學報》1995年4期)、張偉良〈論蔣介石在抗日戰爭中的政治表現〉(《河北學刊》1994年6

期）、張京育〈從抗戰時期我國外交談蔣公對民族主義之實踐〉
（《湖南文獻》24卷1期，民85年1月）、劉受初、黃惠運〈如何評價
抗日戰爭中的蔣介石〉（《吉安師專學報》1985年4期）、John W.
Garver, "Chiang Kai-Shek's Quest for Soviet Eenty into the
Sino-Japanese War." （Political Science Quarterly, No.102, 1987；其
中譯文爲谷世宇譯〈蔣介石要求蘇聯參加中國抗日戰爭〉《南京大學學
報》1988年3期）、楊允元〈蔣公訪印與印度獨立〉（《珠海學報》
16期，1988年10月）、李華〈蔣介石與開羅會議〉（《社會科學戰
線》1995年2期）、伊勝利、張巨清〈論抗戰後期史迪威與蔣介石
的矛盾〉（《理論探討》1988年5期）、徐暢〈試論史迪威與蔣介石
的矛盾〉（《淮北煤師院學報》1990年4期）、胡秀勤、陳莉〈試論
史迪威與蔣介石的關係〉（《武漢教育學院學報》1988年2期）、劉
建德〈史迪威與蔣介石的矛盾和衝突〉（《黨史研究資料》1988年4
期）、李學文、謝鵬〈試析蔣介石要求召回史迪威的根本原因〉
（《史學月刊》1988年1期）、李湘敏〈從〝史迪威事件〞看蔣介石
的消極抗戰〉（《福建師大學報》1996年1期）、董興林〈抗戰後期
蔣介石的〝大國夢〞及其實質〉（《山東師大學報》1995年增刊）、
閻文濱〈蔣介石何時得悉雅爾塔協定〉（《民國春秋》1992年6
期）、孫子和〈蔣中正先生抗戰勝利前後之扶日防俄主張及其功
用〉（載《國父建黨革命一百週年學術討論集》第3冊，民84）、湛成貴
〈試析蔣介石放棄對日賠償要求的原因〉（《山東師大學報》1995
年增刊）、陳勤、周為號〈蔣介石〝以德報怨〞政策探析〉
（《社會科學家》1992年5期）、力文〈蔣介石策動的雲南〝倒龍事
變〞〉（《民國春秋》1989年6期）、陳瑞峰〈蔣介石重慶談判動機

新論〉（《廣西黨校學報》1991年1期）、丁永隆〈國民黨蔣介石關
於重慶談判的方針〉（《揚州師院學報》1985年2期）、陳明〈蔣中
正先生與戰後東北亞國際秩序之重建〉（《近代中國》55期，民75
年10月）、劉公武〈蔣介石當上總統的一幕鬧劇〉（《文史通訊》
1982年5、6期）、林徵祁〈先總統蔣公與聯合國之創建〉（《近代
中國》49、50期，民74年10、12月）、方仁〈先總統蔣公與制憲國民
大會〉（同上，80期，民79年12月；81期，民80年2月）、羅春茂〈膠
東之役序幕戰：1947年蔣介石青島活動刺探紀實〉（《黨史縱橫》
1995年1期）、中文〈蔣介石在東北渡過的最後一夜〉（《地名叢
刊》1987年1期）、張皓〈北平行轅與蔣介石李宗仁之間矛盾〉
（《北京檔案史料》1996年3期）、楊玲、謝燕〈評天津戰役中的蔣
介石和傅作義〉（《黨史資料研究》1989年1期）、璩忠友〈論蔣介
石在歷史上的第三次下野〉（《南京政治學院學報》1990年2期）、
張瑞祺〈民國三十八年蔣介石下野之探討〉（《史繹》25期，民83
年5月）、張廣立〈冬天飲寒水，雪衣渡斷橋—論蔣介石之“引
退”〉（《湖北大學學報》1988年6期）、宮崎世龍〈蔣介石下野の
後に來るもの〉（《新星》2卷6號，1949年2月）、黃偉〈大軍壓境
日惆悵別長洲：蔣介石南逃廣州在黃埔的活動〉（《嶺南文史》
1994年3期）、李松林〈蔣介石談國民黨在大陸失敗的原因及相應
對策〉（《國外社會科學情況》1990年6期）、洪樵榕〈蔣總統與臺
灣〉（《臺灣文獻》16卷1期，民54年3月）、張其昀〈蔣總統與臺
灣〉（《中國一周》865期，民55）、周開慶〈蔣總統與臺灣〉（收
入氏著《近史論叢》，臺北，川康渝文物館，民72）、李雲漢〈蔣中
正先生與臺灣〉（載《中華民國史專題論文集：第三屆討論會》，臺北，

國史館，民85）、呂芳上〈蔣中正先生與臺灣光復〉（《近代中國》79期，民79年10月）、曾銳生主講、陳淑銖整理紀錄〈1950年代蔣中正先生反攻大陸政策〉（《國史館館刊》復刊19期，民84年12月）、山田康博〈蔣介石の死と今後の臺灣〉（《アジア經濟旬報》973號，1975年6月）、許世楷〈蔣介石の死と今後の臺灣〉（《臺灣青年》177號，1975年7月）、小林文男〈蔣介石の死と「三民主義」―その〝反共〞執念を支元えたもの〉（《世界》355號，1975年6月）。李雲漢〈蔣中正先生的思想和勳業〉（《近代中國》106期，民84年4月）、秦英君〈蔣介石思想研究〉（《民國檔案》1990年2期）及〈蔣介石政治思想論〉（《史學月刊》1990年4期）、鄭輝麟〈蔣中正先生民主憲政思想之探討〉（《黃埔學報》21輯，民78年10月）、秦英君〈論蔣介石的〝訓政〞思想〉（《史學月刊》1988年4期）、謝曉鵬〈蔣介石與孫中山訓政思想之比較〉（同上，1994年2期）、賀凌虛〈蔣中正先生的政治哲學〉（《近代中國》79期，民79年10月）、陸培湧〈蔣中正先生之民族思想與《中國之命運》〉（《近代中國》104期，民83年12月；亦載《國父建黨革命一百週年學術討論集》第3冊，民84）及〈蔣介石的早期民族思想（1912-1913）〉（《民國檔案與民國史學術討論會論文集》，北京，檔案出版社，1988）、朱諶〈先總統蔣公的民族主義思想〉（《近代中國》44期，民73年12月）、鄔昆如〈先總統蔣公的哲學思想進程〉（《近代中國》49、50期，民74年10、12月）、詹明棧〈先總統蔣中正先生與清初經世思想―紀念蔣中正先生逝世十七週年〉（同上，88期，民81年4月）、繆全吉〈蔣中正先生的行政思想初探〉（同上，73期，民78年10月）、林凌秀〈先總統蔣公的經濟思想及

其實踐〉（《近代中國》82期，民80年4月）、周開慶〈先總統蔣公
的經濟思想〉（收入氏著《近史論叢》，臺北，川康渝文物館，民
72）、佐久間貞大〈蔣總統的「中國經濟論」〉（《中國》第2
號，1948年6月）、張士杰〈蔣介石的農村合作化思想〉（《檔案史
料與研究》1992年4期）、楊朝良〈先總統蔣公教育思想之研究〉
（《復興崗學報》43期，民79年6月）、葉存洪〈蔣介石教育思想述
評〉（《江西教育學院學報》1993年3期）、周善化〈國父與總統蔣
公教育思想之研究〉（《華夏學報》第9期，民68年9月）、劉子明
〈蔣介石軍事思想初探〉（《軍事歷史研究》1993年2期）、閻沁恒
〈蔣中正先生的新聞傳播思想〉（《中華民國建國八十年學術討論
集》第3集，臺北，民80）、秦英君〈蔣介石〝力行哲學〞思想論〉
（《雲南大學學報》1990年4期）、宋錦繡〈蔣介石力行哲學述評〉
（《遼寧商專學報》1984年2期）、吳伯卿〈先總統蔣公的歷史地理
觀〉（《近代中國》73期，民78年10月）、蕭樺〈1927-1937蔣介石抗
日思想的形成及其特點〉（《民國檔案》1995年2期）、柏青〈先總
統蔣公的反共戰略思想〉（《共黨問題研究》12卷5期，民75年5
月）、江沛〈蔣介石新專制主義探源〉（《山西財專學報》1991年2
期）、山口一郎〈蔣介石主義の體系〉（《中國研究所所報》15號，
1948年7月）、呂士朋〈蔣中正先生的忠貞氣節與革命薪傳〉
（《近代中國》82期，民80年4月）、趙際良〈先總統蔣公對中華文
化的傳承和發揚〉（同上，76期，民79年4月）及〈先總統蔣公對中
國民主憲政的努力與貢獻〉（同上，73期，民78年10月）、呂實強
〈先總統蔣公對三民主義本質的闡釋〉（《近代中國》64期，民77
年4月）、江浩華〈先總統蔣公的生命精神〉（同上，79期，民79年

10月）、王培育〈淺議蔣介石所受的儒家教育〉（《寧波師院學報》1994年1期）、庹平〈蔣介石力倡倫理建設之初探〉（《貴州社會科學》1994年2期）、王子輝〈對蔣中正先生「三分軍事，七分政治」文獻之探討〉（《筧橋學報》第3期，民85年9月）、胡哲峰〈對蔣介石〝三分軍事、七分政治〞方針的剖析〉（《史學月刊》1988年2期）。艾愷（Guy S. Alitto）〈蔣介石在西方之形象〉（《珠海學報》16期，1988年10月）、辛達謨譯〈西德學者對先總統後期的實業建國理想〉（《近代中國》61期，民76年10月）、雲中君〈法國官方檔案裡對蔣公的推崇〉（同上，49期，民74年10月）、王文相〈美國傳記辭典中所載蔣故總統傳〉（《傳記文學》36卷4、5期，民69年4、5月）、陳鵬仁〈日本文獻中的蔣中正先生〉（載《中華民國建國八十年學術討論集》第3冊，臺北，民80）、古屋奎二〈默察蔣介石先生之日本觀〉（《中國現代史專題研究報告》第6輯，民65）、黃仁宇〈蔣介石的歷史地位〉（載楊聯陞等編《國史釋論：陶希聖先生九秩榮慶論文集》下冊，臺北，食貨出版社，民76）及〈關於蔣介石日記之二三事〉（《歷史月刊》78期，民83年7月）、王御風〈平反蔣介石—評《從大歷史的角度讀蔣介石日記》〉（同上）、吳相湘〈蔣公「自反錄」的珍貴史料〉（收入氏著《民國史縱橫談》，臺北，時報文化出版公司，民69）、畢國平〈《多角鏡下的蔣介石》之一瞥〉（《民國檔案》1995年1期）、高木健夫〈蔣介石氏への公開狀〉（《中央公論》78卷8號，1963年8月）、辛達謨〈蔣介石先生與中國現代化—摩爾（Ernest Mohr）著「中國大陸淪共前被埋沒的年代」之一章〉（《近代中國》58期，民76年4月）、孫修福〈蔣介石與中國農民銀行〉（《民國檔案》1996年1

期）、陸丹林〈國賊蔣介石做交易所經紀人的罪證〉（《歷史教學》1952年9月號）、橫山宏章〈蔣介石と上海交易所—株式仲質人時代について〉（《中國研究月報》46卷1號，1992年1月；其中譯文為殷梅譯〈蔣介石與上海交易所—股票經紀人時期〉（《史林》1996年1期）、孫修福〈蔣介石與鴉片特稅〉（《近代史研究》1996年1期）、胡春惠〈蔣中正先生與大韓民國政府之建立〉（《近代中國》55期，民75年10月）、任東未〈1940年蔣介石擬向美國出租臺灣海南的文件與說明〉（《民國檔案》1995年1期）、黃季陸〈總統蔣先生與四川革命同志〉（《四川文獻》165期，民66年12月）、陳翰珍〈蔣總統何以深受川人愛戴〉（同上）、羅永揚〈四川是蔣總統的第二故鄉〉（同上）、羅才榮〈與四川同胞共患難—民國三十八年總統兩次涖川記〉（《四川文獻》165期，民66年12月）、周開慶〈蔣委員長兼理川政經過〉（同上，74期，民57）、華生（周開慶）〈蔣總統與四川〉（同上，51期，民55）、陸仰淵〈江浙財閥與蔣介石的恩恩怨怨〉（《南京史志》1993年4期）、李偉〈蔣介石的心腹將領策劃扣蔣起義〉（同上，1993年1、2期）、雨木〈蔣介石對紅軍將領的一次未遂策反〉（《周末》1988年4期）、楚崧秋〈蔣總統兼長中大回憶〉（《中外雜誌》18卷1期，民64年7月）、李國祁〈孫中山與蔣中正先生用人風格的比較研究〉（載《國父建黨革命一百週年學術討論集》第4冊，民84）、王光遠〈張靜江與蔣介石的恩恩怨怨〉（《南京史志》1992年6期）、杜國士〈馮玉祥與蔣介石〉（《陰山學刊》1991年3期）、楊天石〈蔣介石刺殺陶成章的自白〉（《近代史研究》1987年4期）及〈從「中正自述」看蔣介石為何刺殺陶成章〉（《傳記文學》67卷2期，民84年8月）、張宗高

〈蔣介石密殺李宗仁內幕〉（《黨史縱橫》1995年4期）、謝永雄〈試論李宗仁與蔣介石〉（《廣西社會科學》1996年3期）、陶季邑〈蔣介石〝軟禁〞鄧演達質疑〉（《近代史研究》1995年4期）、曾成貴〈鄧演達在大革命時期與蔣介石的關係探析〉（《學術月刊》1989年2期）、魯輝〈閻錫山與蔣介石的政治關係〉（《晉陽學刊》1992年5期）、葉永烈〈毛澤東和蔣介石〉（《黨史博覽》1993年6期）、川合貞吉〈蔣介石と毛澤東─大陸の先驅者二部（1-8）〉（《世界政經》5卷1-8號，1976年1-8月）、新井寶雄〈毛澤東と蔣介石〉（《潮》73號，1966年7月）、王文成〈蔣介石與毛澤東─為毛澤東百歲周年而作〉（《傳記文學》63卷6期，民82年12月）、杜國士、杜越〈抗日戰爭中的毛澤東和蔣介石〉（《陰山學刊》1995年3期）、藤井高美〈蔣介石と毛澤東の政策〉（《愛媛法學》第2號，1970年3月）、楊穎奇〈陳嘉庚與蔣介石、毛澤東〉（《江淮文史》1995年3期）、袁小倫〈周恩來與蔣介石〉（《黨史天地》1994年1期）、段治文〈論鮑羅廷對蔣介石策略的雙向發展〉（《廣東社會科學》1989年5期）、吳伯卿〈先總統蔣公與魏德邁將軍〉（《近代中國》76期，民79年4月）、于興衛〈宋子文與蔣介石關係演變、探析〉（《黨史研究與教學》1996年6期）、林家有〈試論宋慶齡與蔣介石關係的演變〉（《中山大學學報》1996年2期）、蒙光勵〈大革命時期的宋慶齡和蔣介石〉（《暨南學報》1995年2期）、沈醉〈蔣介石陰謀謀害宋慶齡〉（《文史精華》1996年4期）、于興衛〈宋子文與蔣介石關係演變探析〉（《黨史研究與教學》1996年6期）、楊天石〈蔣孔關係探微─讀孔祥熙致蔣介石書〉（《民國檔案》1992年4期）、刑建榕〈〝四・一二〞前後的陳光甫與蔣介石〉（《史林》1988年1期）、卜桂林〈論龍雲與蔣介石關係的演變〉（《上海師大學報》1990年4期）、潘先林〈滇西抗戰中的龍雲與蔣介石〉（《雲南大學哲學社會科學學報》1995年4期）、菊池一隆〈雲南省の戰時經濟建設：軍閥龍雲と蔣介石〉（載野口鐵郎編《中國史における中央政治と地方社會》科研報告書，1986）、萬揆一〈蔣介石與龍雲最初幾次會面〉（《民國春秋》1994年2期）、汪烈九〈在岡村寧次與蔣介石之間〉（《人間》1986年6期）、余湛邦〈張治中與蔣介石〉（《人物》1990年4期）、張宗高〈戴笠與蔣介石〉（《福建黨史月刊》1995年7期）、王光遠〈蔣介石與竺紹康父子〉（《縱橫》1994年2期）及〈蔣介石與竺紹康鳴濤父子〉《傳記文學》69卷2期，民85年8月）、胡國民〈蔣介石對蘇關係的關鍵人物—邵力子〉（《傳記文學》1994年4期）、安懷音〈蔣總統與報人張季鸞〉（《革命思想》9卷4期，民49）、羅永常〈翦伯贊與蔣介石的一場誤會〉（《名人傳記》1993年10期）、石學勝〈胡適與蔣介石—從最近出版的胡適日記手稿看胡蔣關係〉（《傳記文學》57卷6期，民79年12月）、徐輝琪〈李烈鈞與蔣介石〉（《民國研究》第3輯，1996年1月）、陳紅民〈蔣介石與希特勒關係論〉（《史學月刊》1996年4期）、陳麗鳳〈蔣介石為什麼要殺史量才〉（《上海黨史研究》1996年4期）、陳潔如著、金忠立譯〈蔣介石陳潔如的婚姻故事—改變民國歷史的《陳潔如回憶錄》〉（《傳記文學》60卷1-6期，民81年1-6月）、周谷〈蔣介石的感情世界〉（《中外雜誌》57卷3-6期，民84年3-6月）、華平康〈從《吳國楨傳》看蔣介石的治術〉（《傳記文學》67卷6期，民84年12月）、周仲超〈贛人對先總統父子歷史性之貢獻考〉（《江西文獻》139、140期，民79年3月）、魏國鼎〈東方創造歷史三偉人—孫中山、蔣中正、蔣經國〉（同上，130期，民76）等。其他以蔣氏生平史事和思想的博碩士論文為數尚多，在此不再一一舉述。

　　關於汪精衛有時希聖編《汪精衛言行錄》（2冊，上海，廣益書局，民22年4版）、《汪精衛演講錄》（中國印書館，民15）、汪精衛《汪精衛先生最近言論集》（中華日報館，民26）、《汪精衛先生最近言論集續編》（香港，南華日報社，民27）、《汪精衛先生抗戰言論集》（重慶，獨立出版社，民27）、《汪精衛集》（上海，上海書店，1992）、《汪精衛文集》（上海，群眾圖書公司）、《汪精衛演講錄》（中國印書館，民15）、《汪精衛文選》（臺北，古楓出版社翻印，民75）、〈自述〉（《東方雜誌》31卷1號，民23年1月）及《雙照樓詩詞稿》（3卷，民19年排印本）、雪澄《汪精衛詩存》（上海，光明書局，民23）。張江裁《汪精衛先生行實錄》（東莞張氏拜衷堂民32年校印本）及《汪精衛先生行實續錄》（松筠閣代書）、新民月刊社〈汪兆銘家世〉（《新民月刊》5卷12期，民33年12月）及〈汪兆銘年譜〉（同上）、張江裁〈汪精衛先生年譜〉（附載於氏著《汪精衛先生行實錄》一書之內）、朱景正、方鏗〈汪精衛日記㈠—關於《汪精衛日記》（《檔案與歷史》1988年1期）、馬長林、趙剛〈汪精衛日記〉（同上）、蔡德金〈談談《汪精衛日記》〉（《黨史研究資料》1988年1期）。聞少華《汪精衛傳》（長春，吉林文史出版社，1988）、蔡德金《汪精衛評傳》（成都，四川人民出版社，1988）、李理、夏潮《汪精衛評傳》（武漢，武漢出版社，1988）、雷鳴《汪精衛先生傳》（南京，政治月刊社，民33；上海，上海書店翻印，1989）、李致書《汪精衛傳》（北京，中國友誼出版社，1994）、王美真《汪精衛傳》（臺北，國際文化出版公司，民77）、蔡德金、王升編著《汪精衛生平紀事》（北京，中國文史出版社，1993）、譚天河《汪精衛生平》（廣州，廣東人民出版社，1996）、李白沙編著《汪精衛的傳奇故事》（臺北，新衛文化出版社，民84）、山中峰太郎《汪精衛》（東京，潮文閣，1942）、民國風雲秘錄叢書編寫組編寫《汪精衛秘錄》（北京，團結出版社，1994）、浦生子、韻稔《汪精衛財寶之謎》（長沙，湖南文藝出版社，1986）、森田正夫《汪兆銘》（東京，興亞文化協會，1939）、澤田謙《敘傳汪兆銘》（東京，春秋社，1939）、東京書房編印《汪兆銘を語る》（東京，1939）、何卓改編《汪精衛浮沉記》（成都，四川人民出版社，1988）、李燄生《汪精衛戀愛史》（香港，萬友出版社，1961）、杜英穆編《韓復榘、汪精衛、馮玉祥》（臺北，名望出版社，民77）、程舒偉編《汪精衛與陳璧君》（長春，吉林文史出版社，1988）、王光遠、姜中秋《陳璧君與汪精衛》（北京，中國青年出版社，1992）、朱庸齋〈汪精衛與陳璧君〉（《文史集萃》總第2期，1983）、田中忠夫〈汪兆銘と陳璧君〉（《中央公論》55年7號，1940）、陳言〈汪精衛與陳璧君〉（《中外雜誌》18卷1期，民64年7月）、Akira Odani, Wang Ching-Wei and the Fall of the Chinese Republic, 1905-1935.（Ph. D. Dissertation, Brown University, 1975）、Howard L. Boorman, "Wang Ching-wei: China's Romantic Radical."（Political Science Quarterly, Vol. 79, No.4, December 1964）、陶菊隱〈汪精衛這個人〉（《中外雜誌》10卷6期、11卷1期，民60年12月、61年1月）、關志昌〈汪兆銘其人其事〉（《傳記文學》51卷5期，民76年11月）、康莊〈悲劇人物汪精

衛〉（《中外雜誌》42卷3期，民76年9月）、費雲文〈汪精衛的一生
（1-3）〉（同上，20卷1-6期，民65年10-12月）及〈汪精衛新傳〉（收
入氏著《民國人物新傳》內，臺北，聖文書局，民75）、陳致遠〈也談
汪精衛〉（《中外雜誌》38卷5期，民74年11月）、田炯錦〈我對汪精
衛馮玉祥的印象—四十年來我的自述之四〉（同上，10卷4期，民60
年10月）、司徒重石〈汪精衛二、三事〉（《春秋》9卷4期，民57年
10月）、王雲翀〈大刺客小插曲—汪精衛的故事（上）〉（《中外
雜誌》60卷6期，民85年12月）、李國祁〈從個性談汪精衛的歷史功
過〉（《歷史月刊》68期，民82年9月）、宋維東〈自古多情空遺
恨：淺談汪精衛的詩與詞〉（《中外雜誌》38卷1期，民64年7月）、
王邦華〈汪精衛與方君瑛的戀情及其化身〉（《傳記文學》52卷5
期，民80年4月）、沈雲龍輯注〈胡適與汪精衛來往書信：「從遺
落在大陸暨晚年書信看胡適先生的為人與治學」〉（同上，41卷6
期，民71年12月）。波多野善大〈辛亥革命期の汪兆銘〉（《愛知學
院大學文學部紀要》12號，1983年3月.）、楠瀨正明〈辛亥革命期にお
ける汪精衛の「國民主義」〉（《史學研究（廣島史學研究會）》152
號，1981年7月）、饒懷民《試論《民報》時期汪精衛的民族主義
思想》（華中師大歷史學碩士論文，1982）、張江裁〈汪精衛先生庚
戌蒙難實錄〉（《越風》2卷3、4期，民26）、永井算巳〈汪兆銘の
庚戌事件とその政治背景〉（《信州大學文理學部紀要》11號，1961年
12月）、壹〈銀錠橋案之史料〉（原載《中和明刊》3卷7期，收入沈
雲龍輯《中和月刊史料選集》第2冊，臺北，文海出版社影印，民59）、
中國第一歷史檔案館〈清末汪兆銘被捕後的供單及有關史料〉
（《歷史檔案》1983年2期）、聞少華、丁賢俊〈從刺客到被刺的汪

精衛〉（《文物天地》1982年5期）、楚任〈汪精衛—從志士到賣國賊〉（《人物》1982年6期）、趙矢元等〈辛亥革命時期的孫中山與汪精衛〉（《社會科學戰線》1986年4期）、聞少華〈汪精衛與〝國事共濟會〞〉（《南開學報》1985年3期）、周新〈汪精衛勾結袁世凱的一段史實：辛亥革命一位北方革命領袖著述之析介〉（《傳記文學》40卷6期，民71年6月）及〈辛亥革命兩大公案：「辛亥革命係何人發出第一槍」、「汪精衛與袁世凱陰謀勾結、破壞革命」〉（《聯合月刊》10期，民71年5月）、沈雲龍〈汪兆銘與袁世凱〉（《傳記文學》49卷5期，民75年11月）、林光灝〈袁世凱與汪精衛〉（《中外雜誌》49卷3期，民80年3月）、劉民山〈汪精衛在辛亥革命前後的叛變活動〉（《歷史教學》1985年4期）、梁榮華《中年汪精衛之研究（1917-1932）》（東海大學歷史研究所碩士論文，民81年6月）、劉方榘〈溥儀晤汪精衛—木偶奇遇記〉（《中外雜誌》12卷2期，民61年8月）、李景武〈我的家庭教師汪精衛〉（同上，19卷4、5期，民65年4、5月）、朝日新聞社東亞問題調查會《中國國民黨と汪兆銘コース》（東京，1939）、朱寶琴〈從國民黨改組到孫中山逝世前後的汪精衛〉（《民國檔案》1995年3期）、山田辰雄〈孫文獨裁下における汪精衛の役割—1924年1月〜1925年3月〉（《法學研究（慶應大學）》41卷8號，1968年8月）及《第一次國共合作と汪精衛—汪精衛（もしくは國民黨左派）による孫文思想繼承の問題》（日本慶應大學法學研究所碩士論文，1964）、李國祁〈民國十四年汪精衛的爭權〉（《中央研究院近代史研究所集刊》17期上冊，民77年6月）及〈國父去世後汪精衛的爭權〉（收入氏著《民國史論集》，臺北，南天書局，民79）、市古尚三〈國父孫文の遺稿と汪兆銘の「國事遺書」に思ウ〉（《海外事情》18卷11號，1970年11月）、鄧飛鵬〈一生忠佞說胡、汪〉（《廣東文獻》12卷3、4期，民71年9、12月）、王升〈汪精衛與第一次國共合作研究中的幾個問題〉（《近代史研究》1991年1期）、中國國民黨廣東省執行委員會宣傳部編印《汪精衛與共產黨》（廣州，民19）、曾慶榴〈北伐時期的〝迎汪〞運動和中國共產黨的方針〉（《近代史研究》1988年1期）、王光遠〈北伐時期的〝迎汪活動〞〉（《北京檔案史料》1994年4期）、周春雲〈以陳獨秀為首的中共中央對〝迎汪復職〞運動的態度及其教訓〉（《東北師大學報》1995年1期）、李雲漢〈武漢政權的兩個首腦人物—徐謙與汪精衛〉（《傳記文學》32卷5期，民67年5月）、Wang Ke-wen（王克文），"After the United Front: Wang Jing-wei and the Left Guomindong."（Republican China, Vol.18, Issue 2, 1993）、夏潮〈也談大革命時期汪精衛的右轉〉（《教學與研究》1986年3期）、瞿秋白等《反對汪精衛與改組派》（民18年印行）、朱寶琴〈試析從九‧一八到八‧一三前後的汪精衛〉（《南京大學學報》1988年3期）、蔣永敬〈汪精衛、張學良、宋子文—「九一八」事變後的熱河防守問題〉（《中外雜誌》52卷5期，民81年11月）、李君山〈默守待援—〝汪蔣合作〞下的外交政策及汪兆銘的評價問題〉（《歷史月刊》74期，民83年3月）、土屋光芳〈汪精衛の「刺し達え」電報をめぐつて：「一面抵抗・一面交涉」の試練〉（《政經論叢》61卷2、3號，1994）、吳紹華〈汪精衛兩度遇刺記〉（《中外雜誌》56卷4期，民83年10月）、強劍衷〈1935年刺汪案真相〉（《江海學刊》1983年2期）、強劍衷編《刺汪內幕》（長春，吉林文史出版社，

1986）；〈汪精衛被刺〉（《書林》1981年5期）、杜松林〈在貴陽
了結的〝刺汪案〞〉（《貴州文史叢刊》1988年2期）、陳木杉〈汪
精衛與第一屆國民參政會關係探討〉（《中華民國史專題論文集：
第二屆討論會》，臺北，國史館，民83）、蔣永敬〈汪精衛〝舉一個
例〞所涉抗戰〝機密〞之真象〉（《珠海學報》16期，1988年10
月）、韋青編《汪精衛與日本》（民28年出版，出版地不詳）、吳雁
南〈汪精衛的民主革命觀與心學〉（《黔東南民族師專學報》1993年
4期）、褚問鵑〈汪精衛的最後一個謎〉（《中外雜誌》38卷3期，民
74年9月）、許育銘《汪兆銘與國民政府（1931-1936）》（政治大
學歷史研究所碩士論文，民83年6月）。至於抗戰期間汪精衛之叛國
及汪政權（偽國民政府）有關之論著和資料，則容後在「八年抗
戰」中再行舉述。

4.寧漢分裂與清黨分共

以蔣永敬《鮑羅廷與武漢政權》（臺北，中國學術著作獎助委
員會，民52；臺北，傳記文學出版社翻印，民61）及李雲漢《從容共到
清黨》（2冊，臺北，中國學術著作獎助委員會，民55）二書為其中之
代表作。該二書作者，因任職國民黨黨史會工作之便，得以參閱
該黨史會所藏之檔案、文件、會議紀錄等珍貴史料，撰成是書，
雖立場較傾向於國民黨，其學術貢獻和參考價值，當無庸置疑。
其他關於武漢國民政府（因應北伐軍事的進展，廣州的國民政府
北遷武漢，民國十六年（1927）三月國民黨二屆三中全會在漢口
召開，黨政人事有所調整，此一容共的政府即武漢國民政府，亦
有人稱之為武漢政權，八月因其分共、遷寧─南京，而告結束）

的論著和資料有劉繼增、毛磊、袁繼成《武漢國民政府史》（武漢，湖北人民出版社，1986）、武漢國民政府資料選編輯組編《武漢國民政府資料選編》（同上，1985）、坂野良吉〈武漢國民政府序論〉（載中國現代史研究會編《中國國民政府史》，東京，汲古書院，1986）、曾憲林〈論武漢國民政府的性質〉（《近代史研究》1982年1期）、魏宏運〈關於1927年武漢革命政府的幾個問題〉（《歷史教學》1958年5期）、鄭志廷〈論武漢政府的幾個問題〉（《河北大學學報》1985年2期）、朱培民〈武漢國民政府不是新民主主義性質的政權〉（《近代史研究》1983年3期）、毛磊等〈武漢國民政府大事紀要〉（《湖北財經學院學報》1980年1-3期）、白浪〈武漢國民政府始末〉（《檔案資料》1982年3期）、T.謝爾蓋也夫〈武漢政府的政策〉（《國外中國近代史研究》第6輯，1984）、吳建國〈廣州─武漢國民政府官制的特點〉（《近代史研究》1992年2期）、毛磊等〈武漢國民政府法制評介〉（《法學雜志》1981年1期）、〈武漢國民政府的法制建設〉（《江漢論壇》1981年2期）、胡超〈武漢國民政府法制簡介〉（《武漢春秋》1983年1期）、徐凱希〈武漢國民政府集中現金風潮述略〉（《歷史檔案》1992年2期）及〈武漢政府財政金融危機內在原因探析〉（《史學月刊》1989年1期）、魏宏運〈1927年武漢革命政府反經濟封鎖的鬥爭〉（《歷史教學》1963年9期）、袁繼成、劉繼增、毛磊〈武漢國民政府時期的新聞事業〉（同上，1987年4期）、袁繼成等〈第一次國內革命戰爭時期武漢國民政府的革命報刊和教育事業〉（同上，1981年2期）、郭根山〈試論武漢政府後期土地方案流產之原因〉（《河南師大學報》1990年4期）、徐義君〈試論廣州、武漢時期國民政府的反帝外交

策略〉（《近代史研究》1982年3期）及〈中國共產黨對廣州、武漢
時期國民政府反帝外交的影響與幫助〉（《北方論叢》1994年6
期）、蔣永敬〈羅易與武漢政權的反帝國主義運動〉（《傳記文
學》12卷1期，民57年1月）、楊允元〈MN羅易與武漢政權〉（《傳
記文學》11卷4期，民56年10月）、牛大勇〈武漢國民政府外交兩重
性析論〉（《歷史檔案》1990年3期）、黃德林〈大革命緊急時期武
漢國民政府的外交政策調整述評〉（《江漢論壇》1996年5期）、三
上諦聽〈武漢時代に於けるニミンテルソの中共指導〉（《關西
大學文學論集（創立七十周年記念特輯）》，1955）、夏盛元〈試論我
黨在武漢時期的歷史教訓〉（《紹興師專學報》1990年1期）、
Herbert Owen Chapman, The Chinese Revolution, 1926-1927: A
Record of the Period Under Communist Control as Seen from
the Nationalist Capital, Hankow. （London: Constable, 1928）、山
田辰雄〈武漢政府における國民黨左派の黨權にかんする一考
察〉（《法學研究（慶應義塾大學）》45卷1號，1972年1月）及〈武漢
政府における國民黨左派―1926～1927年〉（載氏著《中國國民黨
左派の研究》，爲該書之第5章，東京，慶應通信，1980）、小杉修二
〈大戰間における民族運動の內外條件―中國の武漢政府と南京
政府を例として〉（《歷史學研究》別冊特集，1977年11月）、魏宏運
〈1927年蔣介石匪幫對武漢革命政府的顛覆活動〉（《歷史教學》
1964年4期）及〈1927年武漢政府為什麼不去鎮壓蔣介石的叛變〉
（《南開大學學報》1964年2期）、周尚文、賀世友〈從〝國際指
示〞到〝汪陳宣言〞〉（《檔案與歷史》1987年2期）、栗山喜博
〈武漢政府の崩壞過程―四·一二クーヂターまで〉（《近代中

國研究》第6卷，1964年5月）、楊天石〈〝四‧一二〞政變前後武漢政府的對策〉（《黨史研究資料》1986年10期）、藤井高美〈武漢政府時代における 國共關係〉（《法學論叢》62卷2號，1957年3月）、狹間直樹〈武漢時期國共兩黨關係與孫中山思想〉（《近代史研究》1995年1期）、張光宇〈武漢政府時期的反蔣運動〉（《武漢春秋》1982年試刊2號）、劉長蓀〈漢陽發現1927年時反蔣標語〉（《文物》1964年5期）、謝顯清等〈武漢政府在革命領導權問題上的鬥爭〉（《江漢學報》1964年5期）、陶用舒〈重評武漢國民政府北上與東下之爭〉（《益陽師專學報》1983年1期）、郭緒印〈評武漢政府第二期北伐的戰略決策〉（《歷史教學》1983年7期）、王宗華、張光宇〈重評武漢政府繼續北伐的戰略決策〉（《江漢論壇》1981年6期）、毛磊〈對《重評武漢政府繼續北伐的戰略決策》的商榷〉（《江漢論壇》1985年5期）、魏宏運〈1927年武漢革命政府的北伐〉（《歷史教學》1964年2期）、謝樹坤、陳瑾〈武漢政府第二次北伐〉（《中州學刊》1983年4期）、陳澤華〈武漢國民政府北伐是當時形勢的要求—與徐曉林、楊國民同志商榷〉（《孝感師專學報》1985年1期）、坂野良吉〈武漢政府時期における革命の轉機：國民革命の政治過程(2)〉（《埼玉大學人文學部紀要》29號，1980年9月）、栃木利夫〈中國における國民革命史の研究—武漢政府の「左傾」と「右傾」〉（《近きに在りて》第4號，1983年10月）、何世芬〈武漢國民政府軍事戰略決策的搖擺與大革命後期的國共關係〉（《長白學刊》1992年4期）、石川忠雄〈武漢政府時代における中國共產黨について〉（《研究》1卷3號，1955年3月）及〈大革命敗退直後における中國共產黨につい

て 〉（《法學研究》27卷8號，1954年8月）、中西功、西里龍夫《武漢における革命と反革命》（東京，民主評論社，1948）。張光宇〈武漢政府時期反擊夏斗寅的鬥爭〉（《歷史教學》1981年3期）、孔慶泰〈關於夏斗寅叛亂的兩個問題〉（《歷史檔案》1989年1期）、宜昌地委黨史辦公室〈宜昌人民反對夏斗寅的鬥爭〉（《湖北黨史通訊》1985年3期）、鄭桓武〈夏斗寅的一生〉（《縱橫》1986年4期）、繼馨等〈關於夏斗寅的叛變〉（《黨史研究資料》1981年4期）、華生〈北伐期中楊森東征武漢記〉（《四川文獻》160期，民65年9月）。

　　至於民國十六年五月二十一日（即馬日）由國民革命軍第35軍（軍長何鍵）33團團長許克祥等人在長沙所發動對武漢國民政府打擊甚大的馬日事變，其論著、資料約有湖南社會科學研究所現代史研究室編《馬日事變》（長沙，湖南人民出版社，1979）、中國革命博物館、湖南省博物館編《馬日事變資料》（北京，人民出版社，1983）、許克祥《馬日剷共回憶錄》（臺北，中央文物供應社，民45）、應未遲〈「馬日事變」與何鍵〉（《湖南文獻》4卷2期，民65年4月）、井貫軍二〈馬夜（馬日・長沙）事變について〉（《兵庫縣歷史學會誌》第1號，1956年5月）、朱令名〈馬日事變〉（《湖南師院學報》1978年、1、2期）；〈馬日事變〉（《湖南黨史通訊》1984年3期）；〈簡傳良關於馬日事變的報告〉（《黨史研究資料》1980年24期）；〈馬日事變資料兩則〉（《國外中國近代史研究》第6輯，1984）、黃孟顯〈新發現有關馬日事變的兩則史料〉（《黨史資料徵集通訊》1985年1期）、徐修宜〈簡論馬日事變的指使者〉（《阜陽師院學報》1989年1期）、坂野良吉〈馬日事變覺書〉（靜岡大學教育學部研究報告—人文・社會科學篇〉27號，1977年3月）、楊天石〈論馬日事變及其解決〉（《安徽史學》1996年1期）、周錐〈長沙「馬日事變」及其影響〉（《共黨問題研究》2卷10期、6卷2期，民65年10月、67年4月）、陳志凌〈馬日事變和湘東農軍進攻長沙〉（《北方論叢》1980年2期）及〈再談馬日事變和所謂十萬農軍圍攻長沙問題〉（同上，1983年5期）、吳傳義〈關於〝馬日事變〞後農軍攻長沙的兩個歷史佐證〉（《黨史研究》1985年3期）、唐振南、顧群〈馬日事變與十萬農軍圍攻長沙的若干史實—兼與陳志凌同志商榷〉（《求索》1982年1期）、湖南省哲學社會科學研究所現代史組〈陳獨秀的投降主義與馬日事變〉（《歷史研究》1975年6期）、余求校〈〝馬日事變〞前後中共湖南省委的變遷〉（《常德師專教學與研究》1981年1-2期）、夏立平〈試談馬日事變時的湖南臨委—談柳直荀的〝馬日事變〞之回憶〉（《黨史研究資料》1980年22期）、李仲凡〈馬日事變前後湖南省委秘密工作情況〉（《湖南黨史通訊》1985年11期）、陳致遠〈常德的馬日事變—敬日事變〉（《常德師專學報》1986年2期）。

章克昌〈朱培德〝禮送〞共產黨人〝離贛〞〉（《爭鳴》1990年3期）、馮崇義〈叛賣還是忠誠—評羅易將共產國際緊急指示送交汪精衞的動機和後果〉（《廣州研究》1987年10期）、金怡順〈如何全面評價共產國際五月指示〉（《漢中師院學報》1987年2期）、曲厚芳〈共產國際〝五月指示〞是挽救中國革命的正確意見嗎？〉（《山東大學文科論文集刊》1982年2期）、三上諦聽〈コミンテルンの秘密指令について—ロイの汪精衞に提示せる〉（《史泉》第3號，1955年11月）。

關於民國十六年六月武漢國府要人（汪精衛、孫科等）與馮
玉祥舉行的鄭州會議及南京國府要人（蔣中正，胡漢民等）與馮
玉祥舉行的徐州會議有周樹德〈1927年的〝鄭州會議〞〉（《史
學月刊》1984年4期）、陳哲三〈鄭州會議與徐州會議初探〉（《逢
甲學報》17期，民73年7月）及〈鄭州會議與徐州會議：馮玉祥在兩
次會議所扮演的角色〉（《傳記文學》45卷4期，民73年10月）、王禹
廷〈鄭州會議與徐州會議－馮玉祥與西北軍之二十六〉（《中外
雜誌》24卷6期，民67年12月）、常建國、郭洛〈鄭州會議和徐州會
議〉（《黨史研究資料》1983年1期）、陳寧生〈鄭州會議與徐州會
議－寧漢合流的醞釀〉（《近代史研究》1984年2期）、李良玉〈馮
玉祥敦促武漢分共〝馬電〞有關鄭州會議內容考釋〉（《學術
界》1996年5期）、中國國民黨中央宣傳部駐滬辦事處編《徐州會
議與國民革命》（上海，民智書局，民16）。

關於武漢方面的東征與分共（16年7月）有徐曉林、楊國民
〈武漢國民政府東征討蔣的有利條件〉（《孝感師專學報》1983年3
期）、向青〈共產國際和東征討蔣戰略〉（《近代史研究》1984年6
期）、Robert C. North and Xenia J. Eudin, M.N. Roy's Mission
to China: The Communist-Kuomintang Split of 1927.（Berkeley
and Los Angeles: University of California Press, 1963）、Wu Tien-
wei（吳天威），"A Review of the Wuhan Debacle: The
Kuomintang-Communist Split of 1927."（The Journal of Asian
Studies, No.29, NOV. 1969）、松本善海講〈1927年における國共分
裂をめぐつで〉（《東洋文化研究所紀要》11號，1956年11月）、李龍
芬、王祖元〈試析〝八月失敗〞〉（《黨史研究》1987年5期）、汪

兆銘〈武漢分共之經過〉（《貢獻旬刊》1卷1期，民16年12月）、魏宏運〈1927年武漢革命政府是怎樣走向反動的〉（《歷史教學》1963年11期）、橘樸〈武漢政府是怎樣走向反動的〉（《歷史教學》1963年11期）、橘樸〈武漢政府失敗の二大因由〉（《中國研究》第1卷，東京，橘樸著作委員會，1966）、張善楠〈武漢政權崩潰的原因〉（《臺東師專學報》13期，民74年4月）、栗山喜博〈武漢政府の崩壞過程─四‧一二クーテターまで〉（《近代中國研究》第6卷，東京，東洋文庫近代中國研究委員會，1964）、楊國民〈試論武漢國民政府的解體〉（《孝感師專學報》1983年2期）、沈雲龍〈從武漢分共到廣州暴動〉（《傳記文學》33卷6期，民67年12月）。其他與其（武漢國民政府）相關者有孫彩霞〈國民黨二屆三中全會述論〉（《近代史研究》1984年6期）、關志鋼〈國民黨二屆三中全會研究〉（《四川師大學報》1989年4期）、魏洪運〈1927年南昌武漢之爭的實質〉（《歷史教學》1964年6期）、宇光〈江西「四二事變」六十週年紀念特輯〉（《江西文獻》124期，民75年4月）、李雲漢〈武漢政權的兩個首腦人物─徐謙與汪精衛〉（《傳記文學》32卷5期，民67年5月）、趙曉琳〈武漢國民政府時期的徐謙〉（《武漢學刊》1988年5期）、土肥義明〈武漢における革命の展開と鄧演達〉（《新潟史學》18號，1985）。

　　關於南京國民政府的成立（民國16年4月18日）、清黨（16年4月展開）絕俄（16年12月）及寧漢合流（16年9月）的論著和資料有史全生、高維良等《南京政府的建立》（鄭州，河南人民出版社，1987；臺北，巴比倫出版社翻印，民81）、林頌華、劉磊〈國民黨南京政權確立述評〉（《南昌職技師院學報》1990年3期）、史全

生〈江浙財團與蔣介石政權的建立〉（《江海學刊》1984年4期）、
王璦君等〈江浙財閥和蔣介石的上臺〉（《河北師院學報》1984年2
期）。中國國民黨廣西省執行委員會宣傳部編〈清黨叢書〉（民
16年印行）、中山書店〈清黨運動概論〉（上海，群眾圖書公司，民
16）、JE編〈國民黨清黨運動論文集〉（新中國社，民16）、居正
編〈清黨實錄〉（民17年序，臺北，文海出版社影印，民74）、清黨
運動急進會編印《清黨運動》（民16年6月印行）、中央軍事政治
學校政治部編印《清黨運動》（黃埔小叢書之一，民16）、陳培坤
〈中國國民黨清黨政策之研究〉（政治作戰學校政治研究所碩士論
文，民75年6月）、吳秀玲《中國國民黨清黨政策之研究》（臺灣大
學三民主義研究所碩士論文，民78）、張瑛《蔣介石清黨內幕》（北
京，國防大學出版社，1992）、桂崇基〈清黨運動的歷史意義〉
（《近代中國》第2期，民66年6月）、黃季陸〈清黨運動始末及其歷
史意義〉（《中國現代史專題研究報告》第7輯，民66）、蕭甡〈從
〝四一二〞到〝七一五〞國民黨的清黨運動〉（《近代史研究》
1991年4期）、陳祥雲〈清黨與奪權—寧漢分裂始末〉（《歷史月
刊》67期，民82年8月）、李雲漢〈清黨絕俄的一段過程〉（《傳記
文學》33卷6期，民67年12月）及〈清黨運動的再評價〉（《蔣中正先
生與現代中國學術討論集》第2冊，臺北，民75）、蔣永敬〈胡漢民與
清黨運動〉（《中華民國史料研究中心十周年紀念論文集》，臺北，民
68）、曹伯一〈寧漢分裂與清共〉（《東亞季刊》16卷3期，民74年10
月）、井貫軍二〈魯迅と清黨慘案（4·15）について魯迅の革命
生活〉（《史學研究》159號，1983年6月）、孔慶泰〈蔣介石反共清
黨自何時始〉（《歷史檔案》1993年1期）、李雲漢〈「上海中央」

與北伐清黨〉（《北伐統一六十周年學術討論集》，臺北，民77）、喬家才〈黃埔清黨辯誣—附方鼎英「黃埔軍校清黨始末」〉（《中外雜誌》49卷1期，民80年1月）。《四一二反革命政變資料選編》（內部發行，北京，人民出版社，1987）、沈予〈四一二反革命政變的醞釀和發動〉（《檔案與歷史》1987年2期）、萬農〈＂四·一二＂的來由〉（《知識》3卷2期，民36年4月）、孫武霞等〈＂四·一二＂反革命政變始末紀事（1927.2-1927.4）〉（《上海師院學報》1980年1期）、Wu Tien-wei（吳天威），"Chiang Kai-Shek's April 12 Coup of 1927."（In Gilbert F. Chan and Thomas H. Etzold, eds., Chian in the 1920s: Nationalism and Revolution., New York: New Viewpoints, 1976）、傅彬甫〈牢記＂四一二＂大血債〉（《歷史教學》1951年4期）、北村稔〈破綻した國共合作—1927年「四·一二」事件再考〉（《東亞》1993年9-11月號）、張圻福〈＂四·一二＂反革命政變與帝國主義〉（《江蘇師院學報》1979年1、2期）、沈予〈＂四·一二＂反革命政變與帝國主義關係再探討〉（《歷史研究》1984年4期）、牛大勇〈美國對華政策與＂四·一二＂政變的關係—兼與沈予同志商榷〉（同上，1985年4期）、劉玉琢等〈南京事件與＂四·一二＂反革命政變〉（《南京史志》1984年3期）、謨研〈＂四·一二＂反革命政變與資產階級〉（《歷史研究》1977年2期）、金子肇〈上海資本家と上海商業連合會—四·一二クーデターをめぐつて〉（《史學研究》168卷，1985年8月）、伍文浩等〈談新桂系與＂四·一二＂政變〉（《廣西師大學報》1984年3期）、顧建鍵〈新桂系軍閥在四一二政變中的作用〉（《史林》1990年3期）、蔣鐵初〈吳稚暉與四·一二政變〉（《江蘇歷史檔案》1996年6期）、姚守中〈黃郛與〝四·一二〞反革命政變〉（《黨史研究與教學》1986年5期）、蘇智良〈上海流氓勢力與〝四·一二〞政變〉（《近代史研究》1988年2期）、顧祥盛〈〝四一二〞上海工人糾察隊繳械析因〉（《中共黨史研究》1992年3期）、施巨流〈評〝四一二〞後的民族資產階級〉（《四川師大學報》1987年3期）、宋東〈簡論〝四一二〞後的民族資產階級—兼與施巨流同志商榷〉（《南充師院學報》1987年4期）。張愛平選編〈孔祥熙調停寧漢分裂史料一則〉（《檔案與歷史》1989年6期）、張學繼〈1927年蔣介石下野的原因〉（《近代史研究》1991年6期）、柯有華〈蔣介石第一次下野的原因探析〉（《湖北師院學報》1993年5期）、蔣永敬〈蔣中正「第一次下野」的原因〉（《傳記文學》54卷2期，民78年2月）、吳德華〈關於寧漢合流的幾個問題〉（《中學歷史》1987年3期）及〈寧漢合流與紛爭〉（《武漢春秋》1984年3期）、高維良〈1927年國民黨中央特別委員會剖析〉（《近代史研究》1988年3期）、張建基〈西征討唐（生智）戰役述評〉（《軍事歷史研究》1992年4期）、梁學乾〈討唐戰役〉（《廣西文獻》45期，民78年7月）、傳記文學社〈從聯俄容共到絕俄清黨大事記〉（《傳記文學》33卷6期，民67年12月）。

㈣其他

1.中共「二大」至「五大」

時光、周承恩等選編《〝二大〞和〝三大〞—中國共產黨第二、三次代表大會資料選編》（北京，中國社會科學出版社，

1985）、蔡國裕〈關於中共「二大」若干問題〉（《共黨問題研究》8卷3期，民71年3月）、黃達人〈中國共產黨第二次代表大會及其歷史意義〉（《南寧師院學報》1980年2期）、蒲德生〈黨的二大〉（《新時期》1980年5期）、徐世華〈關於中共〝二大〞代表和中央委員會名單的考證〉（《歷史研究》1981年2期）、邵維正　徐世華〈〝二大〞的召開和民主革命網領的制定〉（《黨史研究》1980年10期）、許小軍、馮淑英〈對中共〝二大〞提出徹底的民主革命綱領問題的質疑〉（《《北京師院學報》》1989年1期）、吳風琴〈試論黨的二大綱領〉（《佳木斯師專學報》1990年4期）、李蘊華〈中共〝二大〞沒有提出中國革命〝分兩步走〞的思想〉（《齊魯學刊》1986年3期）、陳根榮〈也談中共二大關於〝中國革命分兩步走〞思想的提出〉（《史學月刊》1987年5期）、冉啟明〈探索中國革命分兩步走的開端—對黨的二大綱領的認識〉（《貴州師大學報》1985年3期）、陳章干〈對評價我黨二大的民主革命綱領的一點看法〉（《廈門大學學報》1984年2期）、宣家源〈二大綱領是徹底反帝反封建的民主綱領〉（《安徽教育學院學報》1988年3期）、陶金峰〈黨的二大關於民主革命綱領的制定是毛澤東思想萌芽之始〉（《朝陽師專學報》1984年3期）、王新生〈簡論中共二大提出的〝真正民主共和國〞方案〉（《河南師大學報》1988年1期）、廣東革命歷史博物館編《中共〝三大〞資料》（廣東現代史料叢刊，廣州，廣東人民出版社，1985）、何錦洲〈在廣州召開的〝三大〞〉（《華南師院學報》1981年3期）；〈在廣州舉行的中共「三大」〉（《黨的生活》1980年9期）、徐梅坤〈我參加中共〝三大〞的回憶〉（《黨史資料徵集通訊》1986年3期）、楊敏〈中國共

產黨第三次全國代表大會及其歷史意義〉(《南寧師院學報》1980
年2期)、周承恩〈關于中國共產黨第三次全國代表大會的探
討〉(《北京大學學報》1982年2期)、馮永之〈關於中國共產黨第
三次全國代表大會〉(《上饒師專學報》1981年2、3期);〈中國共
產黨第三次全國代表大會〉(《黨史研究》1980年2期)、楊敏〈中
國共產黨第三次全國代表大會及其歷史意義〉(《南寧師院學報》
1980年2期);〈完成祖國統一的歷史道路:紀念中國共產黨第三
次全國代表大會召開60周年〉(《紅旗》1983年12期)、陳標〈再
論中共〝三大〞的召開時間〉(《黨史研究資料》1994年10期);
〈中國共產黨第三次代表大會〉(《革命文物》1980年2期)、陳萬
安、陳善光〈黨的〝三大〞和革命青年〉(《華南師大學報》1983
年3期)、黃干周〈黨的〝三大〞批評錯誤傾向問題〉(《江西大
學學報》1983年2期)、董令儀〈關於〝三大〞提出的國民革命問
題〉(《黨史研究資料》1990年7期)、歐陽輝〈試評述中共〝三
大〞爭論的主要問題〉(《廣州師院學報》1983年3期)、易兵〈黨
的三大不存在以張國燾為代表的〝左〞傾錯誤〉(《黨史研究資
料》1980年22期)、冉啟明〈為什麼說黨的〝三大〞對無產階級領
導權缺乏應有的認識〉(《貴陽師院學報》1983年4期)、蕭甡〈關
於出席中央〝三大〞的代表問題〉(《黨史研究》1980年4期)、姜
華宣〈關於中共〝三大〞的中央領導構構及其成員問題〉(同
上)、蕭甡〈從馬林檔案看中共〝三大〞的召開日期〉(《黨史
研究資料》1995年2期)、蕭公聞〈中共〝三大〞與馬林離華〉
(《衡陽師專學報》1987年2期)、何貴麟〈關於〝四大〞評價中兩
個具體問題的探討〉(《黨史研究》1983年1期)、傅尚文〈中共

〝四大〞提出無產階級領導權問題的探討〉(《歷史教學》1983年12期)、何一成〈也談我黨在四大以前對革命領導權的認識〉(《湖南師院學報》1983年3期)、董令儀〈〝四大〞為什麼能夠解決無產階級領導權問題〉(《山東師院學報》1981年4期)、V. Glunin, "The Part Played the Proletariat in the Chinese Revolution (to the 50th Anniversary of the 4ht Congress of the CPC)." (Far Eastern Affairs, No.2, 1975)、李玲〈黨的第五次全國代表大會開會日期考〉(《黨史研究》1983年2期)、張光宇〈關於黨的第五次代表大會的評價問題〉(同上,1983年5期)、朱鳳鳴〈對《關於黨的第五次代表大會的評價問題》一文中幾個問題的商榷〉(《孝感師專學報》1986年2期)、陶用舒〈論中國共產黨第五次全國代表大會〉(《零陵師專學報》1994年4期)、林雄輝〈是中共〝五大〞首先提出進行土地革命〉(《黨史縱橫》1989年6期)、齊衛平〈關於中共五大評價之我見—二十年代後期黨內〝左〞傾思想的顯露〉(《華東師大學報》1993年3期)、謝毅〈略論中共五大的歷史作用〉(《中共黨史研究》1988年3期)、唐正芒〈黨的五大歷史功蹟試探〉(《湘潭大學學報》1987年7期)、王列平〈國民黨中央代表團曾出席中共〝五大〞〉(《黨史研究資料》1994年2期)、V. Glunin, "The Fifth Congress of the CPC and the Lessons of the Revolution of 1925-1927." (Far Eastern Affairs, No.3, 1977),其中譯文為丁如筠譯、林蔭成校〈中共〝五大〞與大革命的教訓〉(載《國外中國近代史研究》第3輯,1982年6月)、賀秦華、劉桂香〈中國共產黨第一次至第七次全國代表大會〉(《文物天地》1981年3期)、賈揚德《中共歷屆黨章之比較研究》(政治作戰學校政治研究所碩士論文，民64年8月）。

其他相關者有藤田正典〈中國共產黨の初期全國代表大會關係文書について〉（《東洋學報》45卷3號，1962年12月）、魏關松〈1922年沒有召開過兩次西湖會議〉（《中學歷史教學》1982年1期）、鄒身城、韋章堯〈〝西湖特別會議〞在黨史上的重要地位〉（《杭州師院學報》1991年4期）、周建超〈關於中共杭州西湖會議的兩則辨正〉（《黨史研究資料》1994年12期）、鄭天貴〈西湖會議與第一次國共合作〉（《四川黨史月刊》1989年9期）、雲敏〈西湖會議時間考〉（《黨史資料叢刊》1982年4輯）、童志強等〈對1922年4月中共中央西湖會議質疑〉（《鐵道師院學報》1987年1期）、孟慶春〈中國共產黨在西湖會議上具有黨內聯合的思想準備和理論準備〉（《中共黨史研究》1989年2期）、楊振亞〈關於杭州西湖會議的一場爭論〉（《黨史資料叢刊》1983年2輯）、朱坤泉〈1922年第一次杭州中央全會議質疑〉（《鐵道師院學報》1987年1期）、王檜林等〈如何評價中共四屆三次擴大會議〉（《近代史研究》1983年1期）、王榮科〈如何評價黨的四屆三次擴大會議對農民運動的分析和規定〉（《安徽大學學報》1983年3期）、王學啟〈1926年7月中國共產黨第三次中央擴大執委會述評〉（《杭州大學學報》1985年4期）、肇甫〈試論中國共產黨四屆中央七月擴大會的歷史作用〉（《近代史研究》1982年1期）、陶新〈中共四屆三中全會和黨內合作的策略〉（《益陽師專學報》1993年4期）。

2.中國社會主義青年團（中國共產主義青年團）

俞樂濱〈共青團史冊的第一頁─記上海社會主義青年團的創

建〉(《檔案與歷史》1988年2期)、印紅標〈青年共產國際與中國社會主義青年團的建立〉(《史學集刊》1986年4期);〈稽直談中國社會主義青年團早期情況〉(《青運史資料與研究》1983年2期)、林光夏《中國社會主義青年團之研究(1920-1925)》(中國文化大學大陸問題研究所碩士論文,民77年1月)、中國共產主義青年團中央青運史研究室編《中國社會主義青年團創建問論文集》(中國青運史研究叢書之一,福州,福建人民出版社,1984)、黃志榮、黃妙珍〈1920年至1927年上海地區青年團組織與發展概況〉(《檔案與歷史》1986年2期)、薛國愿〈南京社會主義青年團早期活動簡況〉(《青運史資料與研究》1983年2期)、沙東迅〈廣東社會主義青年團建團史實〉(同上)、張志強、陳文秀〈太原社會主義青年團的建立及其活動〉(《青運史研究》1983年5期)、郭曉平主編《中國共青團史(1922-1990)》(武昌,華中師大出版社,1991)、王章陵《中國共產主義青年團史論》(臺北,政治大學東亞研究所,民62)、唐勃《中共共青團之研究》(政治大學東亞研究所碩士論文,民73)、中國青少年研究中心青運史研究所編《中國共產主義青年團史辭典》(瀋陽,遼寧人民出版社,1993)、共青團中央青運史研究室《第二次國內革命戰爭時期蘇區共青團專題論文集》(中國青運史研究憲書之四,福州,福建人民出版社,1986)及《第一次國共合作時期的共青團專題論文集》(同上之二,1985)、共青團中央辦公廳編《共青團基本知識答問》(北京,中國青年出版社,1979)、滿鐵上海事務所《中國共產青年團,過去及現在:民國17年初迄》(上海,民17)、井貫軍二〈中國の初期共產主義青年團について〉(《兵庫史學研究》22號,1976年11

月）、秦雲〈共青團歷次全國代表大會簡介〉（《歷史教學》1964
年6月）、Klaus H. Pringsheim, "The Functions of the Chinese
Communist Youth Leagues, 1920-1949." （The Chinese Quarterly,
No.12, October-December 1962）、Ronald Nicholas Montaperto,
The Chinese Communist Youth League and the Political
Socialization of Chinese Youth. （Ph D. Dissertation, University of
Michigan-Ann Arbor, 1977）、蘇海波〈中國社會主義青年團1921年5
月解散的問題—兼論外國語學社結束的時間〉（《黨史研究資料》
1990年8期）、實田〈青年團名稱的幾次改變〉（《人民鐵道》1981年
11期）、鄭洸、羅成全〈中國共產主義青年團的光榮道路〉（《歷
史教學》1982年4期）、鄭洮等〈中國共產主義青年團的光輝歷
程〉（《團校學報》1982年3期）、趙有奇〈共青團在陝西的創建〉
（《青運史研究》1983年5期）、蕭甡〈黨成立以前的建團活動〉
（《歷史教學》1982年1期）、盛明〈對中國YC團的研究評析〉
（《黨史研究資料》1988年10期）、管文虎〈試論中國YC團的幾個
問題〉（《四川師大學報》1989年1期）。

3.共產國際（第三國際）與中國革命（1927年及其以前）

孫武霞、許俊基等選編《共產國際與中國革命資料選輯
（1919-1924）》（北京，人民出版社，1985）及《共產國際與中國革
命資料選輯（1925-1927）》（同上）、郭恒鈺《共產國際與中國
革命—第一次國共合作》（臺北，東大圖書公司，民80），該書另
一中譯本，為李達六譯《共產國際與中國革命—1924-1927年中

國共產黨和國民黨統一戰線》（北京，三聯書店，1985）、黃修榮
《共產國際與中國革命關係史》（2冊，北京，中共中央黨校出版
社，1989）、向青《共產國際和中國革命關係史稿》（北京，北京
大學出版社，1988）、楊雲若、楊奎松《共產國際和中國革命》
（上海，上海人民出版社，1988）、李超鋼、李江編《共產國際與中
國革命》（中國革命史小叢書，北京，新華書店，1990）、中國社會科
學院近代史研究所翻譯室編譯《共產國際與中國革命的文獻資料
（1936-1943、1921-1936補編，第3輯）》（北京，中國社會科學出版社，
1990），其1、2輯係1981及82年出版、孫武霞《共產國際和中國
革命關係史綱》（鄭州，河南人民出版社，1988）、朱鈴、張先智主
編《共產國際與中國革命關係史略》（峨眉，西南交通大學出版
社，1988）、王廷科《共產國際與中國革命研究述評》（成都，四
川省社會科學院出版社，1988）、郭德宏主編、中共中央黨史研究室
第一研究部編《共產國際、蘇聯與中國革命關係研究述評》（北
京，中共黨史出版社，1996）、孫武霞等編著《指令與自主：共產
國際·蘇聯·中國革命》（上海，上海社會科學院出版社，1990）、
楊雲若《共產國際和中國革命關係紀事（1919-1943）》（北京，
中國社會科學出版社，1983）、向青《共產國際和中國革命關係的
歷史概述》（廣州，廣東人民出版社，1983）及《共產國際與中國革
命關係論文集》（上海，上海人民出版社，1985）、共產國際著、民
志書局編《共產國際對中國革命決議案》（上海，民志書局，民
19）、共產國際《國際路線：共產國際對中國問題議決案》（民
20年序）、孫福坤《共產國際擾亂中國記》（臺北，國防部總政治作
戰部，民63）、譚溯澄〈共產國際在中國之活動（1921-1927）〉

（載《國父百年誕辰紀念論文專輯－臺灣大學學生集體創作》，臺北，民54年11月）、Lydia Holubychy, The Comintern and China, 1919-1923. (M. A. Thesis, Columbia University, 1968)、黃修榮《共產國際和第一次國共合作的形成》（北京，求實出版社，1983）、Robert C. North, Moscow and Chinese Communist. (Stanford: Stanford University Press, 1953；其中譯本《莫斯科與中共》，香港，亞洲出版社，1956），劉世林《共產國際與中共》（政治作戰學校政治研究所碩士論文，民61）、曾祥鐸《第三國際與中國共產黨（1919-1923）》（臺灣大學歷史研究所碩士論文，民59）、蔡熙俊《中國共產黨與共產國際關係之研究（1920-1943年）》（政治大學東亞研究所博士論文，民82年1月）、周文琪、諸良如《特殊而複雜的課題－共產國際、蘇聯和中國共產黨關係編年史，1919-1991》（武漢，湖北人民出版社，1993）；《共匪重要資料彙編續編：第1輯－國際、蘇俄篇》（臺北，中央文物供應社，民42）、鄭學稼《第三國際史》（3冊，臺北，臺灣商務印書館，民66）及《第三國際興亡史》（香港，亞洲出版社，1954；臺北，國防部總政戰部，民63）、中共中央編譯局國際共運史研究所編《共產國際大事記（1914-1943）》（哈爾濱，黑龍江人民出版社，1989）、Jane Degras, The Communist International, 1919-1943：Document. (3Vols., London: Frank Cass, 1956-1971)、C. L. R. James, World Revolution 1917-1936: The Rise and Fall of the Communist International (New Jersey: Humanities Press, 1993)。李果仁整理〈關於共產國際和中國革命關係的研究〉（《黨史研究資料》1992年1期）、臧具林〈共產國際和中國革命關係研究述略〉（《吉林大學社會科學學報》1985年3期）、

Hendrik Maring, "Document on the Comintern and the Chinese
Revolution."（Introduced by Harold R. Issacs; China Quarterly, No.45,
January-March, 1971）、諾思（Robert C. North）〈共產國際與中
國革命（1926-1927）〉（《國外中國近代史研究》第9輯，1986）、A.
N.卡爾圖諾娃〈中國革命：共產國際的討論〉（同上，17輯，1990
年10月）、童金懷〈試論共產國際1924-1927年對中國革命的指
導〉（《社會科學參考》1983年13期）、廖蓋隆〈共產國際和中國大
革命〉（《馬克思主義研究》1986年1期）、李文義〈共產國際和大
革命的領導權問題〉（《四川師院學報》1985年1期）、向青〈關於
共產國際和中國革命問題〉（《北京大學學報》1979年6期）、李宏
〈共產國際內部對中國革命問題的爭論（1926-1927）〉（《黨史
文匯》1989年1期）、孫艷紅、朱選功〈對共產國際與中國革命關
係歷史分期的再探討〉（《河南師大學報》1992年3期）、楊雲若、
楊奎松〈1921-1927年共產國際和中國革命關係的若干研究課題〉
（《教學與研究》1985年3期）、楊奎松〈關於蘇聯、共產國際與中
國大革命關係的幾個問題〉（《近代史研究》1992年1期）、廖蓋隆
〈關于共產國際、蘇聯和中國革命〉（《黨史通訊》1983年11、12
期）、馬貴凡〈共產國際有關中國革命的檔案文件選譯〉（《國
外中共黨史研究動態》1996年5、6期）、松元幸子〈コミンテルンと
中國革命〉（《講座中國近現代史・第5卷》，東京，大學出版會，
1978）、周文琪〈近十年關於共產國際、蘇聯與中國共產黨關係
研究述評〉（《中共黨史研究》1992年2期）、姜進等〈共產國際對
中國大革命的影響〉（《社會科學（上海）》1981年1期）、向青〈中
國共產黨創建時期的共產國際和中國革命〉（《近代史研究》1980

年4期）、陳漢楚〈試論共產國際在中國共產黨創建時期的歷史作用〉（《江准論壇》1981年6期）、許俊基〈共產國際與中國共產黨的創建〉（《北京師院學報》1980年3期）、王俊杰〈論共產國際與中國共產黨的創建〉（《北京大學研究生學刊》1988年2期）、吳能〈論中國共產黨的創建和共產國際〉（《蘇聯問題研究資料》1991年3期）、陳金榜〈共產國際在中國共產黨創建時期的作用〉（《江西大學學報》1983年4期）、鄭載一〈第三國際與中共之成立〉（《東亞季刊》17卷1期，民74年7月）、史習章〈中國共產黨的創建和共產國際的關係〉（《史學月刊》1982年1期）、張世峰〈關於共產國際和中國共產黨確立組織關係的探討〉（《信陽師院學報》1986年2期）、魏春芹〈共產國際幫助中國建立了共黨〉（《齊齊哈爾師院學報》1990年3期）、楊奎松〈從共產國際檔案看中共上海發起組建立史實〉（《中共黨史研究》1996年4期）、徐光壽〈共產國際關於國共合作方針的醞釀和確立〉（《安徽教育學院學報》1990年4期）、本庄比佐子〈國共合作とコミンテルン—最近の中國における研究かる〉（《近き在りて》第4號，1983年9月）、黃修榮〈共產國際和第一次國共合作的形成〉（《學習與思考》1981年4期）、李淑〈共產國際和第一次國共合作〉（《南京師院學報》1981年1期）、孟仁〈共產國際與第一次國共合作〉（《晉陽學刊》1984年3期）、遆國英、趙京〈試論列寧和共產國際對第一次國共合作的積極影響〉（《統戰理論研究》1987年1期）、宇野重昭〈第一次國共合作をめぐるコミンテルンと中國共產黨(1)〉（《アジア研究》6卷3號、7卷1號，1960年3月、10月）、高瀨薫〈第一次國共合作崩壞期におけるコミンテルンの方針とロイ宛て密電につい

て〉（《お茶の水史學》21號，1978年3月）、石川忠雄〈第一次國共
合作とコミンテルン〉（《法學研究》28卷11號，1955年11月）、判澤
純太〈第一次國共合作期におけるコミンテルンの對中國共產黨
革命指導の蹉跌〉（《政治經濟史學》204號，1983年7月）、楊奎松
〈大革命前期的國共關係與共產國際〉（《文史哲》1990年6期）、
尹立功〈中國共產黨與共產國際〉（《黨史文苑》1993年3期）、周
玉山〈第三國際與中共〉（《東方雜誌》復刊21卷12號，民77年6
月）、A. 列茲尼科夫〈共產國際與中國共產黨（1925-1927年國
民革命時期）〉（《國外中國近代史研究》11輯，1988）、Richard
Chester Thornton, The Comintern and the Chinese Communists,
1928-1931. （Ph D. Dissertation, University of Washington, 1966）、Kim
Sooyoung, The Comintern and the Far Eastern Communist
Movement in Shanghai, 1919-1922: The Meaning of International-
ism. （Ph D. Dissertation, University of Wisconsin-Madison, 1996）、V.
I. Gliunin, "The Comintern and the Rise of the Communist
Movement in China, 1920-1927." （In R. A. Ulynovsky ed., The
Comintern and the East, Moscow: Progress Publisheers, 1979）、鹿寶璋
《中共國際統一戰線之研究》（政戰學校政治研究所碩士論文，民64
年8月）、施哲雄〈共產國際對中共的影響〉（《東亞季刊》19卷3
期，民77年1月）、薛銜天〈共產國際的建黨策略與中共建黨途
徑〉（《世界歷史》1989年4期）、張喜德〈共產國際與中共獨立自
主原則的艱難確立〉（《中共黨史研究》1996年4期）、姚恒〈共產
國際與我黨早期的幾部黨章〉（《黨史文匯》1989年1期）、E. Ф.
科瓦廖夫著、曾憲權譯〈共產國際在思想理論上對中國共產黨的

援助〉(《國外中國近代史研究》13輯，1989年9月)、陳鴻壽〈斯大林與共產國際和共產黨情報局─《共產主義運動》一書簡介〉(同上，第5輯，1984)、陳先初〈共產國際、中共與中國第三黨〉(《求索》1990年6期)、席杰整理〈中共同共產國際建立、中斷和恢復無線電聯絡經過〉(《軍事史林》1990年1期)、謝文〈論中國共產黨正確處理與共產國際關係的歷史經驗〉(《近代史研究》1988年4期)、梁尚賢〈共產國際、中共中央論中國革命發展不平衡問題〉(同上，1988年2期)、周文琪〈試論中國共產黨駐共產國際代表團與國內臨時中央的關係〉(《河南黨史研究》1990年5期)、曾憲林〈建黨時期共產國際與中國共產黨關於農民運動的理論和實踐〉(《江漢論壇》1994年3期)、李淑蘭〈八七會議前後共產國際與我黨的政策轉變〉(《黨史文苑》1990年4期)、陸建洪、朱敏彥〈共產國際對中共提出〝工農武裝割據〞思想的影響〉(《學術月刊》1996年4期)、謝易達《第三國際對國共兩黨政策之研究─從國共聯合戰線的形成到破裂 (1921-1927)》(淡江大學俄羅斯研究所碩士論文，民84年1月)、王開良〈1921-1927年共產國際對國民黨性質的認識〉(《黃淮學刊》1990年2期)、王喜成〈大革命時期的共產國際與國民黨〉(《河南大學學報》1990年4期)、張建輝〈大革命時期共產國際對國民黨及其政府性質的估計和政治策略〉(《咸陽師專學報》1987年1期)、張紅印、張殿興〈試論大革命前蘇聯領導下的共產國際與中國國民黨的關係〉(《洛陽師專學報》1988年3期)、松元幸子〈中國國民革命期におけるコミンテルンの政策─郭恒鈺の著作をめぐつて〉(《歷史學研究》495號，1981年8月)、伊藤秀一〈「國民革命」の危機とコミンテルン〉（《神户大學文學部紀要》第3號，1974）、鍾海謨〈大革命時期共產國際指導中國軍隊的得失〉（《廣州研究》1986年10期）、吳元耕〈第一次國內革命戰爭時期共產國際對中國土地鬥爭的指導〉（《政治教學與研究》1991年1期）、史習章〈共產國際和中國第一次國內革命戰爭〉（《史學月刊》1982年2期）、李彥福〈試論大革命時期共產國際對陳獨秀的影響〉（《河池師專學報》1981年1期）、劉德喜〈蘇俄、共產國際聯合吳佩孚政策的發生和發展〉（《近代史研究》1986年4期）、陸建洪〈共產國際前期對中國資產階級特點分析的歷史考察〉（《蘇州大學學報》1992年3期）、李玉貞〈關於參加共產國際第一、二次代表大會的中國代表〉（《歷史研究》1979年6期）、徐覺哉〈共產國際會議上的中國代表〉（《黨的生活叢刊》1982年3期）、向青等〈中共代表等在共產國際的活動介紹〉（《黨史資料叢刊》1981年2-4期，1982年1期）、劉國華〈共產國際的中國大革命戰略之評述〉（《安徽師大學報》1988年4期）、劉亨讓〈試述共產國際的政策對大革命失敗的嚴重影響〉（《益陽師專學報》1989年3期）、吳傳秀〈共產國際對大革命失敗的影響〉（《高師函授學刊》1994年5期）、曲厚芳〈中國大革命的失敗與共產國際〉（《文史哲》1987年3期）、史也夫〈淺談共產國際和大革命失敗〉（《北方論叢》1987年1期）、周啟先〈共產國際和中國大革命的失敗〉（《江漢大學學報》1987年1期）、田子渝、陳芳國〈共產國際領導失誤是大革命失敗主觀原因的主要因素〉（《中南民族學院學報》1989年1期）、理查德・C.索頓（Richard C. Thornton）〈1927年國共分裂後共產國際關於中國革命戰略的一場爭論〉（《國外中國近代史研究》第1輯，1980年12

月）、B. 格魯寧〈共產國際對華政策〉（同上，第4輯，1983）、
Georg Benton, Bolshevising China: From Lenin to Stalin to Mao,
1921-1944.（Leeds: East Asian Paper, No.22, Department of East Asian
Studies, University of Leeds, 1994）。其他關於民國十六年（1927）
及其以後第二次國內革命戰爭時期（即土地革命戰爭時期，
1927-1937）之共產國際與中國的論著、資料，容後在「十年建
國」中再行舉述。

4.來華外籍人士與早期國共關係

概括性的論著或資料集有于俊道編著《中國革命中的共產國
際人物》（成都，四川人民出版社，1986）、何玉林、劉群《國際友
人在中國革命中》（上海，上海人民出版社，1985）、王啟中、呂律
譯《蘇俄在華軍事顧問回憶錄》（4冊，臺北，國防部情報局，民64-
66），其第一冊為第一部：亞·伊·趙列潘若夫著《中國國民革
命初期戰史回憶（1924-1927）》（民64年出版）；第2冊為第三
部：亞·伊·趙列潘若夫著《中國國民革命軍的北伐（1926-
1927）》（民65）；第3冊為第四部：魏西梁科娃·阿吉莫娃
（Veravladimirovna Vishnyakova）著《中國兩年回憶錄（1925-
1927）》（民65：此書另有中譯係郭榮趙譯《蘇俄在華軍事顧問回憶
錄》，臺北，中國研究中心出版社，民60）；第4冊為第六部：伏·
孟·普列瑪科夫著《中國內戰志願兵回憶錄（1925-1926）》（民
66）、C. Martin Wilbur and How Julie Lien-ying, eds., Docu-
ment on Communism, Nationalism and Soviet Adviser in China,
1918-1927.（New York: Columbia University Press, 1956; Reprint ed., New

York: Octagon Books, 1976）及Missionaries of Revolution: Soviet Advisers and Nationalist China, 1920-1927.（Cambridge, Mass and London: Harvard University Press, 1989）、Yu. V. Chudodeew, ed., Soviet Volunteers in China, 1925-1945.（Moscow: Progress Publishers, 1980）、中國社會科學院近代史研究所翻譯室《蘇聯顧問在中國（1923-1927）》（北京，中國社會科學出版社，1980）、姬田光義《中國革命に生きる—コミンテルン軍事顧問の運命》（東京，中央公論社，1987）、瓦‧伊‧崔可夫著、萬成才譯、陳啟明校《在華使命——個軍事顧問的筆記》（北京，新華出版社，1980）、賈比才（M. S. Kapitsa）等著、張靜譯《中國革命與蘇聯顧問：1920-1935年》（北京，中國社會科學出版社，1981）、韓迪德〈蘇俄軍事顧問與中國國民黨（1923-1927）〉（載《中華民國建國史討論集》第3冊，民70）、駱拓〈蘇聯顧問在中國第一次國內革命戰爭中的地位和作用〉（《零陵師專學報》1987年1期）、瀧本可紀〈第一次國共合作期におけるコミンテル、軍事顧問の役割（1-15）〉（1-8，載《幾德工業大學研究報告A‧人文科學編》第5-12卷，1981-1988年3月；9-15，載《神奈川工科大學研究報告A‧人文社會科學編》13-19卷，1989-1995年3月）、陳存恭〈黃埔建校前後在華南的蘇俄軍事顧問〉（《黃埔建校六十週年論文集》，臺北，民73）、朱敏彥、周智偉〈蘇聯顧問與黃埔軍校〉（《軍事歷史研究》1988年2期）、A. I. Kartunova, "Sun Yat-sen and Russian Advisers: Based on the Documents from 1923-1924."（In Sun Yat-sen, 1866-1966, Moscow, 1966）、韋慕庭（C. Martin Wilbur）〈孫中山的蘇聯顧問（1920-1925）〉（《中央研究院近代史研究所集刊》16期，民76

年6月）、陳存恭〈蔣公中正與俄籍軍事顧問〉（載《先總統蔣公百年誕辰紀念論文集》下冊，臺北，國防部史政編譯局，民75年10月）、孫果達等〈近代在華外國軍事顧問〉（《軍事史林》1987年2期）。

關於民國九年（1920）春來華促成中共成立的第三國際東方局書記G. N. Voitinsky（吳廷康或維經斯基）有《維經斯基在中國的有關資料》（北京，中國社會科學出版社，1983）、劉亨讓〈維經斯基與第一次國共合作〉（《益陽師專學報》1995年1期）、柳建輝〈維經斯基1920年4月到達濟南嗎？〉（《黨史研究》1986年5期）、馬貴凡〈維經斯基第一次來華的身份不是共產國際代表〉（《黨史通訊》1985年11期）。關於民國十年（1921）春來華的第三國際代表G. Maring（即Hank Sneevliet，中譯名馬林）有《馬林在中國的有關資料》（《中國現代革命史料叢刊，內部發行；北京，人民出版社，1980）中國社會科學院馬列所、近代史研究所編《馬林與第一次國共合作》（北京，光明日報社，1989）、李剛宮義〈馬林與第一次國共合作〉（《廣西師院學報》1982年4期）、任武雄〈馬林與第一次國共合作〉（《民國春秋》1988年1期）、王仲義〈馬林來華與第一次國共合作〉（《河北師大學報》1994年4期）、劉貴山〈略論馬林在第一次國共合作中的作用〉（《佳木斯師專學報》1994年4期）、初曉〈馬林與第一次國共合作統一戰線〉（《遼寧師院學報》1983年3期）、Tony Saich，"Hank Sneevliet and the Origin of the First United Front（1921-1923）"（《第二屆中歐學術會議論文》，臺北，民74）及The Origins of the First United Front in China: The Role of the Sneevliet（alias Maring）（Leiden: E. J. Brill, 1991）、侯德範〈馬

林對第一次國共合作形成的貢獻〉(《鄭州大學學報》1993年4
期)、師連枝、高新戰〈馬林對第一次國共合作的重大貢獻〉
(《許昌師專學報》1996年4期)、王忠志〈馬林—第一次國共合作
的開路先鋒〉(《遼寧教育學院學報》1989年4期)、姚維斗、丁則
勤〈馬林在華活動紀要〉(《北京大學學報》1980年3期)、佟桂琴
〈馬林國共合作思想形成的條件〉(《昭烏達蒙族師專學報》1995年
1期)、常秀娥〈試論馬林在國共合作中的重大貢獻〉(《撫順師
專學報》1990年3期)、周文順〈國共合作中的馬林〉(《鄭州大學
學報》1989年1期)、毛丹、趙泉鈞〈評馬林關於國共合作的思想
主張〉(《黨史研究》1985年5期)、Dov Bing, Revolution in
China: Sneevlietan Strategy. (Master's Thesis, University of Auckland,
N. J., 1968)、"Was There a Sneevlietan Strategy?" (The China
Quarterly, No.54, April-June 1973) 及 "Sneevliet and the Early
Years of the Chinese Communist Party." (The China Quarterly,
No. 48, October-December 1971)、王聿均〈馬林、越飛來華史實之
再考訂〉(《國史館館刊》復刊10期,民80年6月)、段雲章等〈孫中
山在桂林首次會見馬林的意義〉(《學術論壇》1981年5期)、楊振
亞〈馬林與孫中山桂林會晤諸事析〉(《民國檔案》1989年3期)、
陳偉芳〈孫中山和馬林在桂林—兼論孫中山思想政治綱領的新發
現〉(《廣西師院學報》1981年4期)、Dov Bing, "Chang Chi and
Ma-lin's First Visit to Dr. Sun Yat-sen." (Issues and Studies, Vol.9,
No.6, March 1973)、劉學俠〈馬林與孫中山及其國民黨〉(《北京
大學研究生學刊》1991年3、4期)、荊忠湘〈馬林與陳獨秀的關係述
略〉(《東岳論叢》1994年6期)、蕭公聞〈黨的〞一大〞與馬林—

馬林使華活動述評之一〉（《衡陽師專學報》1982年1、2期）、〈馬
林與西湖會議〉（同上，1986年3期）及〈中共〝三大〞與馬林離
華〉（同上，1987年2期）、蔡樂蘇〈馬林在華活動的國際主義性
質及其貢獻〉（《教學與研究》1987年2期）、姜秀英〈淺析馬林給
共產國際執委會的報告對陳獨秀右傾錯誤的影響〉（《哈爾濱師
專學報》1988年1期）、牛玉峰〈〝馬林報告〞對中國革命的影響〉
（《東北師大學報》1991年5期）、姚洪亮、張健、劉延賓〈馬林對
中國革命的特殊貢獻〉（《北京師院學報》1987年3期）。

關於民國十二年（1923）八月抵華的蘇俄政府外交全權代表
Adolf A. Joffe（越飛）有王聿均《中蘇外交的序幕—從優林到
越飛》（臺北，中央研究院近代史研究所，民52）及〈馬林、越飛來
華史實之再考訂〉（《國史館館刊》復刊10期，民80年6月）、陳世
英、鄭應信〈《孫文、越飛宣言》初探〉（《暨南學報》1987年1
期）、周谷〈不符外交慣例的〝孫越宣言〞—孫中山晚年與英俄
關係史料的探索與重估〉（《傳記文學》60卷5期，民81年5月）、劉
蜀永〈關於孫中山與越飛會談時間的探討〉（《近代史研究》1980
年2期）。其他幾篇已在稍前「國民黨的聯俄容共」中舉述，可
參閱之。

關於民國十二年（1923）十月抵達廣州參與國民黨改組在國
民黨中權勢甚盛的Michael M. Borodin（鮑羅廷）有張注洪等編
輯《鮑羅廷在中國的有關資料》（北京，中國社會科學出版社，
1983）、蔣永敬前揭書《鮑羅廷與武漢政權》、C. Martin
Wilbur, "Review of Borodin and Wuhan Regime."（The Journal
of Asian Studies, No.24, August 1965）、Dan Jacobs, Borodin:

Stalin's Man in China. （Cambridge: Harvard University Press, 1981）、Lydia Holubnychy , Michael Borodin and the Chinese Revolution, 1923-1925. （Publish for East Asian Institution, Columbia University, by University of Michigan Microfilms International, 1979）Dorothy Shirtzinger, Borodin in China, 1923-1927. （Master's Thesis, University of South California, 1964）、Jonathan Spence, To Chang China: Western Advisers in China, 1620-1960. （Penguin Book, 1979）中有一專題論述鮑羅廷：Bruce Gibson Van Vleck, Mikhail Borodin: Soviet Adviser to Sun Yat-Sen. （Ph. D. Dissertation, Florida Atlantic University, 1977）、丹·N·雅各布斯（Dan N. Jacobs）〈鮑羅廷來華前的革命活動〉（《國外中國近代史研究》第6輯，1984）、蔣永敬〈鮑羅廷使華始末記〉（《傳記文學》32卷5、6期，民67年5、6月）、費迅〈鮑羅廷使華經過〉（《蘇聯問題研究資料》1992年10期）、丹·N·雅各布斯〈鮑羅廷來到廣州〉（《國外中國近代史研究》第5輯，1984）、朱坤泉〈關於鮑羅廷抵達廣州時間的訂正〉（《學術研究》1987年2期）、元邦建〈鮑羅廷在廣東的幾個問題〉（《近代史研究》1984年4期）、曾成貴〈鮑羅廷與第一次國共合作的建立〉（《中學歷史》1986年4期）、劉亨讓〈鮑羅廷對建立第一次國共合作的貢獻〉（《益陽師專學報》1987年2期）、蔣永敬〈鮑羅廷與中國國民黨之改組〉（《中華民國建國史討論集》第3冊，民70）、彭厚文〈鮑羅廷與國民黨的改組〉（《黨史研究資料》1992年10期）、朱敏彥〈鮑羅廷與國民黨改組〉（《上海師大學報》1989年4期）、蔡有芳〈鮑羅廷視察桂東南史實考〉（《廣西黨史研究通訊》1988年2期）、郭盈宏〈鮑羅廷與蔣介

石在廣東的崛起〉（《安徽史學》1996年1期）、段治文〈試論大革命時期鮑羅廷對蔣介石策略的雙向發展〉（《廣東社會科學》1989年3期）、劉亨讓〈試評鮑羅廷和大革命時期的土地革命〉（《益陽師專學報》1988年4期）、曾成貴〈試評鮑羅廷關於中國土地問題的主張〉（《江漢論壇》1988年11期）、張文琳〈鮑羅廷土地革命思想初探〉（《寧夏大學學報》1988年1期）、秦曉波、馬蘭〈大革命時期鮑羅廷土地革命思想變化的原因〉（《瀋陽師院學報》1991年3期）、鮑興明譯、傅也俗校〈譚平山與鮑羅廷的談話（1924.1.10）〉（《黨的文獻》1990年5期）、王禹廷〈馮玉祥和鮑羅廷〉（《中外雜誌》24卷3期，民67年9月）、劉學使〈鮑羅廷與馮玉祥〉（《安徽史學》1992年1期）、孫善根、曹屯裕〈鮑羅廷與武漢國民黨關係初探〉（《寧波師院學報》1988年1期）、雅各布斯（Dan N. Jacobs）〈嚴酷的事實—鮑羅廷在武漢〉（《國外中國近代史研究》第7輯，1985）、李國祁〈鮑羅廷策劃下中共勢力的快速擴張〉（收入氏著《民國史論集》，臺北，南天書局，民79）、姚洪亮〈鮑羅廷在中國活動述評〉（《北京師院學報》1991年3、4期）、張家康〈鮑羅廷的中國使命〉（《黨史博採》1995年1期）、蔡珊娣〈鮑羅廷離開中國前後〉、孟慶春、張福林〈鮑羅廷功過芻議〉（《俄羅斯研究》1993年2期）、丹·N·雅各布斯〈鮑羅廷回到現實〉（《國外中國近代史研究》第5輯，1984）、黎兆春〈陰毒頑強的鮑羅廷〉（《共黨問題研究》13卷4、5期，民76年4、5月）、陳寶珠〈鮑羅廷〉（《民國檔案》1996年2期）、白瑜〈我亦談鮑羅廷〉（《傳記文學》32卷5期，民67年5月）、郭學虞〈鮑羅廷的生死下落〉（同上）、張寶生譯〈鮑羅廷生死之謎〉（《中外雜誌》23卷4

期，民67年4月）、楊樹人〈鮑羅廷雜記〉（同上，21卷6期，民66年6月）。

　　關於民國十六年（1927）來華的第三國際代表M. N. Roy（羅易），其本人撰有Revolution and Counter-Revolution in China. （Westport, Connecticut: Hyperion Press, 1973）、My Experiences in China. （Bombay: Renaissance Publishing Co.,1938）及（山東師院外文系等合譯）《羅易回憶錄》（2冊，內部發行，上海，商務印書館，1978）；Robert C. North and Xenia J. Eudin, M. N. Roy's Mission to China: The Communist-Kuomintang Split of 1927. （Berkeley: University of California Press, 1963；其中譯文為王淇合譯《羅易赴華使命》，北京，中國人民大學出版社，1981）、王劍龍〈我所知道的羅易〉（《黨史研究資料》1989年4期）、Samaren Roy, "M. N. Roy and China: A Testing Ground for Global Revolution." （China Roport〔India〕, Vol.24, No.4, 1988）、Sunil Bhattacharya, "Comintern, M. N. Roy and the Chinese Revolution." （同上）、李盛平〈羅易與中國大革命〉（《近代史研究》1984年3期）、楊允元〈M.N.羅易與武漢政權〉（《傳記文學》11卷4期，民56年10月）、蔣永敬〈羅易與武漢政權的反帝國主義運動〉（同上，12卷1期，民57年1月）、Zhang Guangyu, "M. N. Roy in Wuhan." （China Report〔India〕, Vol.24, No.1, 1988）、Feng Chongyi, "Betrayal or Loyalty?: A Comment on Roy's Revealing a Secret Comintern Message to Wang Jing-wei. 〔同上〕、Tan Chung, "China-M. N. Roy's Paradise Lost." 〔同上〕、劉志強〈共產國際代表羅易與中共〝五大〞的〝左〞傾〉

（《北京黨史研究》1992年6期）、劉亨讓〈羅易和大革命緊急時期的土地革命問題〉（《益陽師專學報》1996年3期）、Huang I-shu, "Chinese Source Materials on M. N. Roy: A Report." （China Report〔India〕, Vol.24, No.1, 1988）、Zhao Shumian, "A List of M. N. Roy's Writings on China." （同上）。

其他如Dov Bing, "Dr. Sun Yat-sen and S. A. Dalin's Mission to China in the Early Twenties" （由王健民譯成中文，刊於《東亞季刊》5卷3期，民63年1月）、董立仁〈羅明納茲和中國革命〉（《湖北大學學報》1989年1期）、R・Mirovitskaya, "First Soviet Advisers in China." （Far Eastern Affairs, No.1, 1984）；至於曾任駐華蘇俄軍事顧問團團長，對初期北伐多所擘劃的加倫（Gallen Blyukher）將軍，其資料和研究成果，已在前「護法與北伐」中列舉，此處不再贅述。另外，中國社會科學院近代史研究所翻譯室《近代來華外國人名辭典》（北京，中國社會科學出版社，1981），亦有其參考價值。

5.容共時期的工運

這方面的論著和資料極多而瑣細，茲祇舉其較重要者；又本主題與北伐時期的工運，在發生時期上有部分重疊之處，在內涵方面亦難以明白區分，故可參見在「護法與北伐」中舉述之以北伐時期工運為題的論著和資料。關於中國工運史，專書方面以中國勞工運動史編纂委員會編《中國勞工運動史》（5冊，臺北，中國勞工福利出版社，民48）最為重要，該書為資料性的通史，內容豐富，時間範圍由晚清至民國46年（1957），主持該書審議工作

的馬超俊，為國民黨工運元老，早年曾撰有《中國勞工運動史
（上冊）》（重慶，民31）一書及《中國勞工運動史》（南京，民
34）小冊子。中共早期重要人物多次從事工運的鄧中夏，則撰有
《中國職工運動簡史》（北京，新華書店，1950），所述之時間範
圍為1919-1926年。Huang Khai-loo（黃開祿），A Theory of the
1927 Chinese Labor Movement.（Ph D. Dissertation, University of
Wisconsin-Madison, 1938）、許聞天《中國勞工運動史（初稿）》
（重慶，民29）、Lin Tung-hai, The Labor Movement and Labor
Legislative in China.（Shanghai: China and United Press, 1932）、
Nym Wales（Helen F. Snow），The Chinese Labor Movement.
（New York: The John Day Company, 1945）、Sheldon S. K., The
Labor Movement in China.（Shanghai: Commercial Press, 1928）、
Jean Chesneaux, The Chinese Labor Movement, 1919-1927.
（Translated by H. M. Wright, Stanford: Stanford University Press,
1968）；《工人運動》（上海，泰東圖書局，民16）、瞿秋白編《中
國職工運動材料彙錄：1927至1928年》（莫斯科，中央出版局，
1931）、柏格森《中國勞動運動的現狀》（上海，樂山書店，民
19）、中華全國總工會編《中國職工運動文獻》（北京，工人出版
社，1949）、人民出版社《第一次國內革命戰爭時期的工人運
動》（北京，撰者印行，1954）、史兵《中國工人運動史話·第1、
2集》（北京，工人出版社，1985）、唐玉良《中國民主革命時期工
人運動史略》（同上）、劉立凱、王真《1919至1927年的中國工
人運動》（同上，1953）、錢傳水《中國工人運動簡史》（合肥，
安徽人民出版社，1986）、李景華等《中國工人運動史綱》（長春，

吉林文史出版社，1990）、鹽脇幸四郎《中國勞働運動史》（2冊，東京，白揚社，1949）、長野朗《支那の勞働運動》（東京，行地社出版部，1927）、末光高義《支那の勞働運動》（大連，南滿洲警察協會，1930）、向山寬夫《中國勞働運動の歷史的考察》（東京，1965）、Chan Ming K.（陳明銶），Historiography of the Chinese Labor Movement, 1895-1949: A Critical Survey and Bibliography of Selected Chinese Source Materials at the Hoover Institution.（Stanford: Hoover Institution Press, 1981）、Peter Karnin Chen（陳嘉年），The Labor Movement in China, 1840-1984.（Hong Kong, 1985）、卜世奇《中國過去和現在的職工運動》（莫斯科，孫逸仙大學，1928）、花俊雄《民國八年到民國十四年的中國勞工運動》（臺灣大學歷史研究所碩士論文，民57）、黃松義《中共職工運動之研究，1919至1927年》（政治大學東亞研究所碩士論文，民64）、薛曉陽《中共職工運動之理論與實際（1920-1949）》（中國文化大學大陸問題研究所碩士論文，民71年6月）、唐玉良、王瑞峰主編《中國工運大事記─民主革命時期》（瀋陽，遼寧人民出版社，1990）、木村郁二郎編《中國勞働運動史年表》（2冊，東京，中國勞働運動史研究會，1966-1967）及《中國勞働問題勞働運動史文獻目錄》（同上，1978）、常凱主編《中國工運史辭典》（北京，勞動人事出版社，1990）、宮脇賢之介《現代支那社會勞働運動研究》（東京，平凡社，1932）、在上海日本總領事館警察部第二課《中國勞働運動狀況》（上海，1934）、司法行政部調查局編印《中共「工人運動」原始資料彙編》（4冊，臺北，1980-1982）及《共匪的工人運動》（臺北，1962）、尚世昌《中國國民

黨與中國勞工運動：以建黨至清黨為主要範圍》（臺北，幼獅文化
事業公司，民81）、工人出版社《中國工人運動的經驗教訓與任
務》（北京，撰者印行，1949）、楊紹英《中國工人的罷工鬥爭》
（南京，江蘇人民出版社，1957）、賀僧嶽《中國罷工史》（上海，
世界書局，民16）、S. Bernard Thomas, Labor and the Chinese
Revolution: Class Strategies and Contradictions of Chinese Com-
munism, 1928-48. (Ann Arbor: Center for Chinese Studies, The Uni-
versity of Michigan, 1983）、蔡昌瑞《中國工人運動的第一次高潮》
（中國現代革命運動史叢書，哈爾濱，黑龍江人民出版社，1985）、金風
編寫《中國第一次罷工高潮》（北京，新華出版社，1990）、楊文
福主編《中國鐵路工運史資料選編（第1輯）》（鄭州，河南人民
出版社，1990）、中國海關學會編《海關職工革命鬥爭史文集》
（北京，中國展望出版社，1990）、中國革命博物館《北方地區工人
運動資料選編》（北京，北京出版社，1981）、Ko Yiu-Chung, The
Labor Movement in North China, 1900-1937. (Ph D. Dissertation,
University of California-Santa Barbara, 1981）、邱淑芬《清黨前後上
海勞工運動之研究》（臺灣師大三民主義研究所碩士論文，民75）、
Tsao King T. （曹景渡），The Shanghai Labor Movement，
1928-1932. (Master's Thesis, University of California-Santa Cruz,
1983）、Edward Hammond, Organized Labor in Shanghai, 1927-
1937. (Ph D. Dissertation, University of California-Berkeley, 1978）、張
祺《上海工運紀事》（北京，中國大百科全書出版社，1991）、上海
總工會文教部《三十年來的上海工運》（上海，上海勞働出版社，
1951）、Ko Yiu-chung （高耀中），The Labor Movement in

Tientsin, 1911-1949. (Ph D. Dissertation, University of California-Santa Barbara, 1981)、Lynda N. Schafer, Mao Tse-tung and the Hunan Labor Movement (Ph. D. Dissertation, Columbia University, 1974；該 博士論文於1982年出版，易名爲Mao and the Workers: The Hunan Labor Movement, 1920-1923. New York & London: M. E. Sharpe)、寧波市總 工會編《寧波工人運動史》(北京，中國工人出版社，1994)、中共 萍鄉市委宣傳部《安源工人運動》編寫組《安源工人運動》(上 海，上海人民出版社，1978)、長沙市革命紀念地辦公室安源路礦 工人運動紀念館合編《安源路礦工人運動史料》(長沙，湖南人民 出版社，1980)、張振初等《安源大罷工前後》(同上，1981)、中 共水口山礦務局委員會宣傳部《水口山礦工運動資料》(同上， 1978)、河南省總工會工運史研究室《焦作煤礦工人運動史資料 選編》(鄭州，河南人民出版社，1984)、薛世孝《中國煤礦工人運 動史》(同上，1986)、Chan Ming K. (陳明銶)，Labor and Empire: The Chinese Labor Movement in Canton Delta, 1895-1927. (Ph. D. Dissertation, Stanford University, 1975)、李伯元、任公 坦《廣東機器工人奮鬥史》(臺北，中國勞工福利出版社編印，民 44)、陳明銶等《香港與中國工運回顧》(香港，基督教工業會， 1982)、馬虹等《石家庄工人運動史 (1902-1949)》(北京，工人 出版社，1985)、黑龍江省總工會運動史志研究室《東北工人運動 大事記 (1860-1954)》(編者印行，內部發行，1992)。

　　論文方面有陳明銶〈民國初年勞工運動的再評估〉(載《中 華民國初期歷史研討會論文集》下冊，臺北，民73)、賴澤涵〈戰前我 國的勞工運動〉(載《抗戰前十年國家建設史研討會論文集》上冊，臺北,民73)、陳明銶〈中國勞工運動史研究〉(載《六十年來的中國近代史研究》下冊,臺北,民78)、關素賢〈建國以來中國工運史文獻史料的整理和利用〉(《中國工運學院學報》1990年4期)、劉功成〈簡述中國工運史學科的形成過程〉(同上,1988年3期)、菊池敏夫〈補論中國勞働史の研究動向〉(收於野澤豐、田中正俊編《講座中國近現代史·第5卷:中國革命の展開》,東京,東京大學出版會,1978)、裴宜理(Elizabeth C. Perry)〈對中國工運史研究的初步認識〉(《南京大學學報》)、尹風〈國外研究中國工運史狀況〉(《上海黨史資料通訊》1989年12期)、古廐忠夫〈中國における初期勞働運動の性格〉(《歷史評論》275、276號,1973年4、5月)、陳賢芳〈試論中國工人運動的特點〉(《華東師大學報》1982年4期)、劉立凱、王真〈中國共產黨成立後和第一次國內革命戰爭時期的工人運動〉(《學習》1952年1-3期)、王永生〈大革命時期工人運動的低潮、高潮及挫折〉(《中國工運學院學報》1989年2期)、陳善學〈第一次國共合作與工人運動的新發展〉(《學術研究》1985年1期)、島一郎〈1918-25年における中國勞働運動の展望〉(《經濟學論叢(同志社大學)》14卷5號、15卷1號,1965年4月、7月)、T. 阿卡托娃(T. Akatova)〈民族因素在中國工人運動中的作用(1919-1927)〉(《國外中國近代史研究》第6輯,1984)、周宏府〈1921-1927年我國工人運動發展的原因〉(《求索》1985年4期)及〈中國早期工人運動的發展和中國共產黨的誕生〉(《湘潭大學學報》1981年3期)、魏春芳〈試論中國工人運動的發展與建黨的階級基礎〉(《齊齊哈爾師院學報》1989年2期)、陸象賢〈中國共產黨成立和中國工人運動的高潮〉(《遼寧工人》1980年創刊號）、劉立凱〈中國共產黨發起組織領導的最早的工人運動〉（《歷史研究》1955年2期）、王健英〈我黨工運領導機構的沿革〉（《黨史研究資料》1983年10期）、劉德軍等〈中國共產黨初期注重工運及宣傳的原因探析〉（《石油大學學報》1994年4期）、陳寶松〈黨在初創時期爭取工運領導權的基本策略與實踐〉（《黨史研究與教學》1994年2期）、蕭牲〈中國共產黨對早期工人運動的理論指導〉（《黨史研究資料》1986年3期）、吳興燦〈工人運動·中國共產黨·革命知識分子〉（《湖南師院學報》1984年2期）、翁堅〈中國共產黨是中國工人運動和馬克思列寧主義相結合的產物〉（《南京師院學報》1980年2期）、T. Akatova, "Comintern's Role in Elaborating CPC Policy in Working-Class Movement." （Far Eastern Affairs, No.3, 1983）；其中譯文為〈共產國際對研究制定中共工運策略所起的作用〉（載《國外中國近代史研究》第7輯，1985）、A. И. 卡爾圖娃著、楊繼東譯〈紅色工會國際與中國職工運動（相互關係史簡介）〉（同上，20輯，1992）、王貴書〈馬克思主義和早期工人運動結合的若干歷史情況〉（《天津社會科學》1983年專號）、姚守真〈試論馬克思主義與中國工人運動相結合〉（《遼寧大學學報》1983年6期）、李洪鈞〈試論馬克思主義與中國工人運動相結合的道路〉（《瀋陽師院學報》1981年2期）、王永璽〈關於民主革命時期工運的歷史回顧及對當代工運的啟示〉（《中國工運學院學報》1990年5期）、汪洋〈中國工人運動第一次高潮的基本特點和意義〉（《工會幹部教育》1990年4期）、田素文〈中國工人運動第一次高潮的新特徵〉（《山東師大學報》1994年2期）、劉忠群〈中國工人運動史上的一個里程碑─為紀念〝五一〞國際勞動節100周年而作〉(《綿陽師專教學與研究》1986年1期)、杜萬啟等〈試論中國工運史上對經濟主義問題的批判〉(《中國工運學院學報》1981年1期)、項立嶺〈試論中國工人運動由自發到自覺的轉變〉(《學術月刊》1961年7期)、黃藝農〈〝一戰〞時期工人運動中〝左〞的傾向〉(《湖南師大社會科學學報》1987年5期)、劉傳政〈論大革命時期工人運動中的〝左〞傾盲動〉(《江西黨史研究》1989年1期)、蕭甡〈大革命時期中共領導的工人糾察隊〉(《黨史研究資料》1996年2期)、曾憲林〈武漢政府時期工人運動中的〝左〞傾錯誤有關問題之商榷〉(《黨史資料通訊》1982年3期)、劉繼增、毛磊、袁繼臣〈武漢政府時期工人運動中的〝左〞傾錯誤〉(《江漢論壇》1981年4期)、程濤平〈怎樣看待武漢政府時期工人運動中的〝左〞傾錯誤〉(《黨史研究》1982年3期)、龔研〈武漢工人運動大事紀略〉(《武漢春秋》1983年5期)、蘇東海〈〈武漢工人運動講習所課程表〉〉(《黨史研究資料》1980年13期)、張光宇〈武漢工人糾察隊〉(《武漢大學學報》1978年2期)、劉繼增等〈武漢工人糾察隊交槍事件的考察〉(《歷史研究》1980年6期)、閻鐵成〈解散武漢工人糾察隊的決定應該肯定嗎?─與劉繼增等同志商榷〉(《黨史研究》1982年2期)、張光宇〈淺論武漢工人糾察隊交槍事件的性質─與劉繼增等同志商榷〉(《武漢大學學報》1982年4期)、劉繼增等〈用歷史的態度考察武漢工人糾察隊交槍問題─答張光宇問題〉(同上)、黃浩〈回憶大革命時期的上海工人運動及其它〉(《黨史資料叢刊》1980年2輯)、張繼楨〈1928年以前上海工運的一些情況〉(《革命史資料》1980年3期)、陳衛民〈中

國共產黨創立初期的上海工人運動評估〉(《史林》1989年4期)、
金應熙〈從〝四一二〞到〝九一八〞的上海工人運動〉(《中山
大學學報》1957年2期)、沈以行〈1922年上海工運高潮狀況－紀念
上海海員大罷工勝利60周年〉(《上海工運史研究資料》1982年4
期)、馮伯東〈1922年帝國主義者破壞上海工運的罪證〉(《學
術月刊》1958年3、4期)、小杉修二〈上海工團連合會と上海の勞
働運動〉(《歷史學研究》392號，1973年1月)、陳衛民〈1922年上
海罷工運動的興起〉(《史林》1986年1、2期)、董振修〈馬克思
主義的傳播與天津早期工人運動〉(《天津社會科學》1983年專
號)、梁志成〈光輝的道路－北京共產主義知識分子與長辛店早
期工人運動〉(《首都博物館叢刊》1983年2期)、郭亮〈湖南工人
運動過去與現在〉(《湖南歷史資料》1958年1期)、周宏府〈湖南
早期工人運動的若干特點〉(《湘潭大學學報》1985年4期)、劉仲
良〈1922至1923年湖南工人運動的主要經驗淺探〉(《馬列主義教
學研究》1985年3期)、Lynda Shaffer, "Mao and the Workers:
The Hunan Labor Movement, 1920-1923. (Armonk, N. Y.: M. E.
Sharpe, 1982) 及 "Mao Ze-dong and the October 1922 Changsha
Construction Workers' Strike." (Modern China, No.4, October
1978)、許光秋〈第一次國共合作與廣東工人運動〉(《中山大學
研究生學刊》1984年4期)、陳善光〈第一次國共合作與廣東工人運
動的新發展〉(《工運史研究資料》1987年4期)、木村郁二郎〈廣
東を中心とする勞働運動〉(《中國近代思想史研究會會報》47、48
號，1967年10月、1968年1月)、廣田寬治〈廣東勞働運動の諸潮流
(下)〉(《中國勞働運動史研究》第9號，1980)、〈廣東工人運動

的各種思潮－廣東省總工會成立經過〉（《國外中國近代史研究》23、24輯，1994）及〈廣東勞働運動の黎明と機械工〉（《中國近代史研究會通信》第6號，1977）；〈北伐軍進抵安徽，工人運動蓬勃興起〉（《安徽工運史研究資料》1981年5輯）、羅占元等〈黨對早期遼寧工人運動的領導〉（《遼寧工人》1981年6期）、曉白、方阡〈瀋陽工人早期運動簡述〉（《東北地方史研究》1989年4期）、辛玉英〈中國共產黨早期對大連工人運動的領導〉（同上，1987年2期）、唐進〈略論大連工人運動〉（《遼寧師大學報》1984年4期）、呂曦晨等〈大連中華工學會及其領導的工人運動〉（《吉林大學人文科學學報》1959年3期）、唐韻超〈回憶東北地區的工人運動〉（《工運史研究資料》1981年3期）；〈大同工人運動史大事記（1919-1949.9）〉（《山西工運史研究資料》1984年6期）、溫州市工運編寫小組〈大革命時期的溫州工人運動〉（《浙南革命鬥爭史資料》1983年18期）、蔣文華等〈大革命時期的梧州工人運動與廣西黨組織的建立〉（《廣西師院學報》1981年3期）、吳繼華〈試論早期的成都工人運動〉（《社會科學研究》1988年1期）、梁凌〈大革命時期成都工人運動特點初探〉（《四川黨史月刊》1988年4期）、劉愛軍〈關於大革命時期南充工人運動若干史實的補正〉（《四川黨史研究資料》1987年2期）；〈鄭州工人的反馮運動〉（《河南工運研究資料》1981年2期）、李春泉〈回憶開封早期工運一些情況〉（同上，1981年4期）、劉子久〈對濟南早期工人運動情況的回憶〉（《工運史研究資料》1981年3期）、武漢大學歷史系〈第一次國內革命戰爭時黃陂工人運動的高潮〉（《武漢大學學報》1959年4期）、劉善文〈科學社會主義和安源工人運動結合的獨特道路〉(《湘潭師專學報》1983年3期)、李昌學〈安源工人運動是中國工人運動的典範:紀念秋收起義六十周年〉(《萍鄉教育學院學報》1987年3期)、鄧啟沛〈安源工運是我黨集體奮鬥的光輝範例〉(《爭鳴》1981年2期)、吳直雄〈試論1925年9月安源工人運動受挫的原因和教訓〉(《江西社會科學》1983年4期)及〈試論安源工人運動走上武裝鬥爭道路的必然性及其對根據地鬥爭的貢獻〉(《贛南師院學報》1985年3期)、陳作善〈安源團在工人運動中的歷史功績〉(《青運史研究》1986年1期)、元邦建〈香港工人運動歷史的幾個特點〉(《近代史研究》1989年1期)、雷光鵬〈第一次國內革命戰爭時期的港、窰、湖地區工人運動〉(《武漢師院學報》1979年4期)、陳明銶〈孫中山先生與華南勞工運動之發展—民族主義、地方主義和革命動員〉(《孫中山先生與代近中國學術討論集》第1冊,臺北,民74)、Ku Hung-ting(古鴻廷),Urban Mass Politics in the Southern China, 1923-1927: Some Case Studies.(Ph. D. Dissertation, Ohio State University-Columbus, 1973)。

　　專談鐵路工人工運及「二七」運動(「二七」慘案)的論著、資料則有葉向欽、杜萬啟、白云亭主編《中國鐵路工人運動史講義》(北京,工人出版社)、高綱博文〈中國鐵道勞働運動の發展とその構造〉(《歷史評論》328號,1977年8月)、張家口市總工會工運史小組〈1922年的京綏路車務工人罷工〉(《工運史研究資料》1981年2期)、龐守信〈隴海鐵路首次大罷工與第一次全國工運高潮〉(《河南師院學報》1981年5期)、趙社民〈隴海鐵路工人大罷工時間考〉(《黨史研究》1986年4期)、楊鵬〈隴海鐵路工人首次大罷工特點及其歷史地位〉（《中州學刊》1988年6期）、薛世孝〈1921年隴海鐵路大罷工〉（《河南工運史研究資料》1982年2期）；〈1921年隴海鐵路工人罷工鬥爭：隴海路大激戰〉（同上，1981年1期）、梁旭毅等〈京漢鐵路早期工人運動大事紀要〉（《北京工運史料》1982年3期）、王火《京漢鐵路工人大罷工》（上海，華東人民出版社，1953）、北京工人週刊社《京漢工人流血記》（北京，民12）、羅章龍《京漢鐵路工人流血記》（長沙，湖南人民出版社，1981）及〈憶"京漢工人流血記"的寫作和印行〉（《新時期》1981年4期）、林德龍〈試論京漢鐵路工人大罷工〉（《鄭州大學學報》1980年1期）、楊鵬、陳素秀〈中共領導的早期京漢鐵路工人運動〉（《北京黨史研究》1995年2期）、楊鵬〈試析京漢鐵路大罷工的原因〉（《河南黨史研究》1989年1期）、孔祥征〈試論京漢鐵路工人大罷工的意義及其經驗教訓〉（同上，1986年1期）、周濂康〈芻議京漢鐵路工人大罷工教訓〉（《黨史研究資料》1989年7、8期）、張寶池〈領導京漢鐵路大罷工的我黨主要領導人〉（《河南黨史研究》1988年1期）、房文祖〈關於京漢鐵路工人大罷工的領導問題〉（《黨史研究資料》1981年1期）、蕭牲〈也談京漢鐵路大罷工的領導問題〉（同上，1981年11期）、許德良〈上海支援京漢鐵路工人大罷工的點滴情況〉（《黨史資料叢刊》1981年2輯）及〈京漢鐵路工人大罷工後援活動的點滴回憶〉（《上海工運史研究資料》1981年1期）、中華全國總工會工運史研究室等編《二七大罷工資料選編》（北京，工人出版社，1983）、楊紀英〈二七罷工鬥爭〉（北京，通俗讀物出版社，1955）、胡象《二七大罷工》（上海，上海人民出版社，1955）、樓梧老人（包惠僧）《二七回憶

錄 》 (北京，人民出版社，1957)、上海人民出版社《二七大罷
工－中國革命故事》 (上海，撰者印行，1958)、鄭州大學政治歷
史系《二七大罷工鬥爭史》 (鄭州，河南人民出版社，1960)、鐵道
部鄭州鐵路局政治部《二七罷工鬥爭史話》 (長沙，湖南人民出版
社，1978)、李斌〈二七罷工親歷記〉(《黨史研究資料》1981年3
期)、人民鐵路報編輯部《〝二七〞老工人訪問記》 (鄭州，河南
人民出版社，1958)、樓梧老人 (包惠僧)〈二七罷工回憶〉
(《新觀察》1957年2、3期)；〈包惠僧回憶二七罷工〉(《河南工
運史研究資料》1982年1期)；〈羅章龍回憶二七罷工〉(同上)；
〈張國燾回憶二七罷工〉(同上)、馬健群等〈二七大罷工回
憶〉(《北京文藝》1959年4期)、陶德思〈回憶二七革命鬥爭〉
(《鐵道週刊》1959年5期)、黃大發〈江岸〝二七〞慘案〉(《新
華月報》1950年3期)、張煥卿〈「二七」慘案的真象〉(《東亞季
刊》9卷1、2期，民66年7、10月)、武漢市總工會〈二七大罷工始
末〉(《武漢春秋》1983年1期)、鄭州二七紀念堂〈二七大罷工〉
(《文物天地》1983年1期)、來新夏〈紀念二七工人運動三十周
年〉(《歷史教學》1953年2期)、高延昌〈新時代的接班人－紀念
二七鬥爭三十五周年〉(《中國工人》1958年1期)、姜沛南等〈鬥
爭、失敗、再鬥爭－紀念二七大罷工六十周年〉(《社會科學 (上
海)》1983年2期)、陽光射〈二七罷工鬥爭〉(《歷史教學》1955年
2期)、劉弄潮〈悲壯的二七流血鬥爭記〉(同上，1954年2期)、
楊存厚〈二七罷工概述〉(《政治與經濟》1959年2期)、呂慎有
〈二七大罷工〉(《北方交通大學學報》1978年2期)、曹建民〈二
七大罷工鬥爭簡史〉(《河南工運史研究資料》1982年1期)、孔祥征

等〈中國共產黨領導下的二七大罷工〉（《武漢春秋》1983年1
期）、孔蘊浩〈二七大罷工是我黨單獨領導的〉（《近代史研究》
1984年2期）、黃松義〈中共「二七」工運之研究〉（《東亞季刊》
4卷3期，民62年1月）、薛國愿、郭秀茹〈聲援〝二七〞大罷工的
兩浦風潮〉（《群眾》1983年3期）、蘇芬〈兩浦工人響應二七大罷
工〉（《江海學刊》1961年2期）、任秉良〈〝二七大罷工〞的提法
不夠準確〉（《黨史研究》1983年5期）、何學善〈二七大罷工、黃
花崗起義的稱謂應該更正〉（《江漢論壇》1987年11期）、傅荷生等
〈從〝爭自由，爭人權〞的鬥爭看二七罷工的歷史地位〉（《歷
史教學》1984年7期）、錢楓〈二七大罷工對第一次國共合作的影
響〉（《江漢論壇》1982年3期）、曾憲林〈二七鬥爭的革命精神〉
（同上，1990年6期）、王大同〈二七慘案與國際聲援〉（《福建黨
史月刊》1994年4期）、唐菊英〈試論〝二七〞慘案對黨的第一次
革命策略轉變的影響與作用〉（《黨史研究與教學》1996年3期）、
曾憲林〈二七革命鬥爭精神及其歷史意義和現實意義〉（《地方
革命史研究》1990年1期）、二七紀念館〈二七烈士永垂不朽—二七
烈士名單〉（《武漢春秋》1983年1期）。

　　關於民國十一年（1925）的香港海員大罷工及民國十四至十
五年（1925-1926）的省港大罷工，有宜彬《香港海員大罷工》
（上海，上海人民出版社，1955）、章洪《香港海員大罷工》（廣
州，廣東人民出版社，1979）、Gary Glick, The Chinese Seamen's
Union and the Hong Kong Seamen's Strike of 1922.（Master's
Thesis, Columbia University, 1969）、禤倩紅、盧權〈香港海員大罷
工是國民黨領導的嗎？〉（《近代史研究》1987年5期）、劉麗〈香

港海員大罷工是國民黨領導的〉（同上，1986年2期）、莫世祥
〈也談國共兩黨和香港海員大罷工—兼訂正馬林報告中的不實之
詞〉（同上，1987年5期）、陳善光〈共產黨領導了香港海員大罷
工〉（《華南理工大學學報》1987、1988年27期合刊）、葛坤英、周文
順〈國共關係史上劃時代的一頁—香港海員大罷工探論〉（《鄭
州大學學報》1992年4期）、張愛平選編〈中華海員工會與香港海員
大罷工回憶〉（《檔案與史學》1995年2期）。蕭超然《省港大罷
工》（北京，人民出版社，1956）、上海人民出版社《省港大罷
工》（上海，撰者印行，1958）、廣東哲學社會科學研究所歷史研
究室編《省港大罷工資料》（中國現代革命史資料叢刊，廣州，廣東
人民出版社，1980）、蔡洛、盧權《省港大罷工》（同上）、王玉
平編《省港大罷工》（中國革命史小叢書，北京，新華出版社，
1990）、甘田《省港大罷工》（北京，通俗讀物出版社，1956）、
Earl John Motz, Great Britain, Hong Kong, and Canton: The
Canton-Hong Kong Strike and Boycott of 1925-6. （Ph D. Disser-
tation, Michigan State University, 1972）、Rosemary L. Chung（鍾露
茜）, A Study of 1925-26 Canton-Hong Kong Strike-Boycott.
（Master's Thesis, University of Hong Kong, 1969）、Virgil K. Y. Ho
（何傑堯），Hong Kong Governments Attitude to the Canton-
Hong Strike and Boycott of 1925-1926. （Master's Thesis, Oxford
University, 1985）、中國第二歷史檔案館《五卅運動與省港罷工》
（中華民國史檔案資料叢刊，南京，江蘇古籍出版社，1985）、曹平
《五卅運動和省港大罷工》（中國現代革命運動史叢書，哈爾濱，黑
龍江人民出版社，1985）、劉明憲《省港大罷工、封鎖及抵制英貨

運動之研究》（中國文化大學史學研究所碩士論文，民83年6月）、任
振池、劉寒主編《省港大罷工研究：紀念省港大罷工六十五周年
論文集》（廣州，中山大學出版社，1991）；黃平〈回憶省港大罷
工〉（《黨史資料叢刊》1980年1期）、Ku Hung-ting（古鴻廷），
"Urban Mass Movement in Action: The Canton-Hongkong
Strike."（載《中華民國初期歷史研討會論文集，1912-1927》下冊，臺
北，中央研究院近代史研究所，民73年4月）、紀萬春〈鄧中夏同志論
省港大罷工〉（《瀋陽師院學報》1983年2期）、藤井高美〈五卅事
件と省港罷工〉（《福岡學藝大學久留米分校研究紀要》第8號，1958年
2月）、Т・Н・阿卡托娃〈1925-1926年的省港大罷工〉（《歷史教
學》1956年8期）、池田誠〈省港の罷工—1925-26年における勞働
運動の高揚と革命情勢の發展〉（《東洋史研究》13卷1、2號合刊，
1954年4期）、盧權〈略述省港大罷工的幾個問題〉（《學術研究》
1979年4期）、巫忠〈淺論香港大罷工的歷史作用：紀念省港大罷
工六十周年〉（《佛山師專學報》1985年1期）、錢月鄉〈省港大罷
工的歷史作用〉（《教學與研究》1980年6期）、饒衛華〈省港大罷
工中的幾個策略問題〉（《《廣東黨史通訊》1986年1期）、禤倩
紅、盧權〈省港大罷工中破壞與反破壞的鬥爭〉（《學術研究》
1995年3期）及〈統一戰線在香港罷工中的作用〉（同上，1985年3
期）、譚天度〈回憶省港大罷工時的統戰工作〉（《廣東黨史通
訊》1986年1期）、沈宏禮〈共產國際、蘇聯顧問與省港罷工：紀
念省港罷工六十五周年〉（《史林》1990年4期）、張修全〈試論國
民黨在省港罷工中的作用〉（《南都學壇（南陽師專學報）》1991年3
期）、李曉勇〈國民黨與省港大罷工〉（《近代史研究》1987年4

期）、韓效芳〈關於省港罷工領導問題探源〉（《中國工運學院學報》1991年3期）、徐青松〈試論我黨領導省港大罷工的鬥爭策略〉（《廣東黨史》1993年3期）、牛大勇〈英國的兩手政策與省港罷工之收束〉（《北京大學學報》1991年2期）、黎顯衡〈省港罷工委員會黨團的建立及其作用〉（《廣州文博》1985年3期）、張希坡〈省港罷工委員會與革命法制〉（《法學雜志》1980年1期）、蔡偉平〈略論省港大罷工工人的組織機構建設問題〉（《嶺南學刊》1991年3期）、劉文娟〈省港大罷工的廉政建設〉（《華中師大學報》1994年4期）、溫小鴻〈省港罷工與廣東商人〉（《廣東社會科學》1987年1期）、江敏銳〈鄧中夏與省港大罷工〉（同上，1985年2期）、廣東省檔案館〈香港大罷工及沙基慘案電報選擇〉（《歷史檔案》1988年2期）、William Ayers, "The Hong Kong Strikes, 1920-1926"（Papers on China-Harvard University, No.4, 1950）。

關於民國十六年（1927）中共所主導的上海工人三次武裝「起義」，有周尚文、賀世友《上海工人三次武裝起義史》（中國革命史叢書，上海，上海人民出版社，1987）、王玉平編《上海工人三次武裝起義》（中國革命史小叢書，北京，新華出版社，1991）、章遇凡編《上海工人武裝起義》（北京，通俗讀物出版社，1956）、周國強述、姜沛南整理《回憶上海工人的三次武裝起義》（上海，上海人民出版社，1957）、上海市檔案館編《上海工人三次武裝起義》（上海檔案史料叢編，同上，1983）；姜維新〈回憶上海工人三次武裝起義及其它〉（《黨史資料叢刊》1980年2輯）、徐梅坤〈回憶上海工人三次武裝起義的一些情況〉（同上，1981年3輯）、劉保民〈回憶上海工人第三次武裝起義〉（《上海工運史研究資料》1981

年3期）、謝慶齋〈我所經歷的第一次武裝起義〉（同上）、鄭慶
聲編寫〈上海工人三次武裝起義簡況〉（同上）、馬洪林〈上海
工人三次武裝起義〉（《史學月刊》1965年9期）、坂野良吉〈上海
三次暴動と中國共產黨〉（《東洋史研究》39卷3號，1981；其中譯文
〈上海工人三次武裝起義與中國共產黨〉，載《工運史研究》1987年2
期）、張統模〈上海工人三次武裝起義新論〉（《軍事歷史研究》
1990年2期）、張銓〈上海工人三次武裝起義新證〉（《上海社會科
學院學術季刊》1987年3期）、唐培吉〈上海工人武裝起義新議〉
（《上海大學學報》1989年1期）、白度〈怎樣評價上海工人三次武
裝起義〉（《檔案與歷史》1987年2期）、劉曉武〈上海工人第三次
武裝起義勝利的客觀條件〉（《教學與研究》1987年4期）、陳世萱
〈上海工人三次武裝起義大事記〉（《歷史教學問題》1987年2
期）、金再及〈上海工人三次武裝起義紀事〉（《工運史研究》
1987年2期）、張注洪〈上海工人三次武裝起義研究述評〉（《檔
案與歷史》1987年2期）、任武雄〈上海工人三次武裝起義若干問題
之我見〉（同上）、楊熙曼〈淺析上海工人第三次武裝起義的指
導思想—兼論右傾投降主義在黨內占統治地位的時間〉（同
上）、周尚文、賀世友〈試論黨在上海工人三次武裝起義中的政
權思想〉（《華東師大學報》1989年4期）、浦志良〈上海工人三次
武裝起義中的吳淞起義〉（《上海黨史研究》1992年3期）、查秉樞
〈北洋海軍部分人員參加上海工人三次武裝起義始末〉（《軍事
資料》1988年2期）、柳定〈學生運動與上海工人三次武裝起義〉
（《檔案與歷史》1987年2期）、任建樹〈上海工人三次武裝起義與
市民自治運動〉（同上，1987年3期）、王立銘等〈上海工人第三

次武裝起義及周恩來在此期間活動的片斷回憶〉（《上海黨史資料
通訊》1982年2期）、胡安〈黃埔江畔風雲吼—敬愛的周總理領導
上海工人武裝起義片斷〉（《南開大學學報》1978年1期）、朱同順
〈周恩來與上海第三次武裝起義〉（《檔案與歷史》1987年2期）、
任建樹〈陳獨秀與上海工人第三次武裝起義〉（《黨史資料叢刊》
1982年4輯）、路海江〈上海第三次武裝起義時工人糾察隊指揮是
侯鏡如〉（《黨史研究資料》1988年12期）、張光宇等〈試論黨對上
海工人三次武裝起義領導問題認識的發展〉（《工運史研究》1987
年2期）、黃火青〈參加上海工人三次武裝起義的幾位工人的簡
況〉（《黨史通訊》1984年12期）、王槐昌〈上海學生參加工人三次
武裝起義史實初探〉（《上海青運史資料》1983年1輯）；〈中共上
海區委有關上海工人三次武裝起義的文獻〉（《檔案與歷史》1987
年1期）、金立人等〈上海工人起義的歷史意義及失敗原因淺析〉
（《工運史研究》1987年2期）。其他如民國十四年（1925）的五卅
運動已在「軍閥政治」中列舉，可參閱之。

6.容共時期的農運

較重要的論著和資料，其專書方面有人民出版社《第一次國
內革命戰爭時期的農民運動》（北京，撰者印行，1953）及《第一
次國內革命戰爭時期的農民運動資料》（同上，1983）、曾憲林、
譚克繩主編《第一次國內革命戰爭時期農民運動史》（濟南，山
東人民出版社，1990）、Roy McHofheninz Jr., The Broken Wave:
The Chinese Communist Peasant Movement, 1922-1928.（Harvard
East Asian Series, No.90, Cambridge: Harvard University Press, 1977）係

就其博士論文—Peasant Movement and Rural Revolution: Chinese Communists in the Countryside, 1923-1927. (Harvard University, 1966) 修訂而成、James P. Harrison, The Communist and Chinese Peasant Rebellions: A Study in the Rewriting of Chinese History. (New York: Atheneum Press, 1969)、角豬之助《支那の農民運動》(東京,東方通信社,1928)、長野朗《支那農民運動觀》(東京,建設社,1933);《支那に於ける農民運動》(東京,1930)、林柏宏《中共農民運動之研究》(政治作戰學校政治研究所碩士論文,民70年6月)、高熙《中國農民運動紀事,1921-1927》(北京,求實出版社,1988)、馬子堅《中共初期的農民運動(1922-1927)》(同上,民64年8月)、克思明《論中共之農民運動與土地政策(1921-1949)》(政治大學東亞研究所碩士論文,民69)、林柏宏《中共的農民運動之研究》(政戰學校政治研究所碩士論文,民70年6月)、Carol Corder Andrews, The Policy of the Chinese Communist Party Towards the Peasant Movement, 1921-1927: The Impact of Nationalist on Social Revolution. (Ph. D. Dissertation, Columbia University, 1978)、Gerald W. Berkley, The Revolutionary Peasant Movement in China During the Period of the First United Front, 1924-1927. (Ph D. Dissertation, University of Hong Kong, 1977)、高熙《中國農民運動紀事(1921-1927)》(北京,求實出版社,1988)、中國革命博物館、湖南省博物館編《湖南農民運動資料選編》(北京,人民出版社,1988)、楊紹練、余炎光《廣東農民運動:1922-1927》(廣州,廣東人民出版社,1988)、廣州農民運動講習所舊址紀念館編《廣東農民運動資料

選編》(中國現代革命史資料叢刊，北京，人民出版社，1986)、中共
河南省委黨史工作委員會編《一戰時期河南農民運動》(鄭州，
河南人民出版社，1988)、中共陝西省委黨史資料徵集研究委員會
編《大革命時期的陝西地區農民運動》(西安，陝西人民出版社，
1986)、陸秀祥編《東蘭農民運動 (1921-1927)》(南寧，廣西民
族出版社，1986)、群馬章吾、杉山明《支那革命と農民運動》
(東京，極東通信社，1929)、佐田治郎《支那國民革命に於ける
農民運動》(大連，滿鐵庶務部調查課，1929)、Angus W.
McDonald, Jr. The Urban Origins of Rural Revolution: Elites
and the Masses in Hunan Province, China, 1911-1927. (Berkeley,
Los Angeles and London: University of California Press, 1978)、廣州農
民運動講習所紀念館編寫《毛澤東同志主辦農民運動講習所》
(上海，上海人民出版社，1979)、葉篤初編寫《中央農民運動講習
所》(同上)、廣東省農民運動講習所舊址紀念館編《廣東農民
運動講習所資料選編》(北京，人民出版社，1987)。

　　論文方面有成漢昌〈中國現代農民運動最早發生於何時何
地？〉(《教學與研究》1980年4期)、金怡順〈論大革命時期國共
兩黨在農民運動中的合作〉(《青海社會科學》1994年2期)、曾憲
林〈建黨時期共產國際與中國共產黨關於農民運動的理論和實
踐〉(《江漢論壇》1994年3期)、王宗華等〈第一次國內革命戰爭
時期農民運動中兩條路線的鬥爭〉(《江漢歷史學叢刊》1979年1
期)、Gerald W. Berkley, "The Evolution of A Peasant Move-
ment Policy Within the Chinese Communist Party." (Republican
China, Vol. 10, No.3, April 1985)、陳永階〈中國共產黨與中國現代

農民運動〉（《中山大學學報》1991年3期）、周偉玲〈中共早期的農民運動〉（《東亞季刊》4卷4期，民62年4月）、曾憲樹《大革命時期農民運動有關問題論綱》（《地方革命史研究》1988年5期）、王永貞〈大革命時期黨對農民運動的領導〉（《聊城師院學報》1990年3期）、趙恒烈〈中國共產黨領導的初期農民運動〉（《史學月刊》1964年10期）、易飛先〈一戰時期農民運動中的〝左〞傾錯誤初探〉（《黨的文獻》1989年1期）、任全才〈關於大革命時期工農運動中的〝左〞傾錯誤問題之管見〉（《四川師大學報》1988年2期）、王付昌等〈是撰寫、還是臆造：與司馬璐商榷大革命時期農民運動的幾個問題〉（《廣東教育學院學報》1986年2期）、郭呈祥〈中國農民運動的第一次高潮〉（《哲學社會科學通訊》1982年2期）、葉炳南〈新型農民運動的〝最先發軔者〞〉（《黨史研究》1984年1期）、坂野良吉〈轉換期の農民運動と革命權力〉（《講座中國近現代史・第5卷》，東京大學出版會，1978）、李彥宏〈大革命時期農民運動中心再認識〉（《湘潭師院學報》1996年5期）、Ralph Thaxton, "On Peasant Revolution and National Resistance Towards a Theory of Peasant Mobilization and Revolutionary War with Special Reference to Modern China." (World Politics, No. 30, October 1977）、唐蘇妍〈1920年至1926年湖南農業經濟狀況與農民運動的興起〉（《湖南師大學報》1986年4期）、李銳〈第一次國內革命戰爭時期的湖南農民運動〉（《學習》4卷9期，1981年8月）、湖南哲學社會科學研究所現代史組〈第一次國內革命戰爭時期的湖南農民運動〉（《歷史研究》1976年6期）、郭利民〈1923年至1927年湖南農民運動發展形勢圖及說明〉(《湖南師院學報》1978年3期);〈第一次國內革命戰爭時期湖南農民運動史料選輯(1-5)〉(《湖南歷史資料》1979年1期,1980年1-2期,1981年1-2期);〈第一次國內革命戰爭時期湖南工農運動的史料(1-2)〉(同上,1958年3-4期)、坂野良吉〈湖南における國民革命と農民運動—湖南農民運動再論〉(《埼玉大學人文學部紀要》33號,1984年11月)、成田保廣〈湖南農民運動における鬥爭形態と指導について—岳北農工會設立から馬日事變まで〉(《名古屋大學東洋史研究報告》第5號,1978年12月)、中共衡山縣委宣傳部〈湖南農民運動的第一面紅旗—岳北農工會〉(《革命文物》1977年3期)、蘇杭、姚金果〈大革命時期湖南農民運動中的〝洗會〞運動〉(《山西師大學報》1990年4期)、松林俊一〈湖南農民運動と民食問題〉(《史學研究》124號,1974)、Suguru Yokoyama, "The Peasant Movement in Hunan." (Modern China, Vol.1, No.2, April 1975)、Angus W. McDonald, Jr., "The Hunan Peasant Movement: Its Urban Origins." (Modern China, Vol.1, No.2, April 1975)、張建軍〈毛澤東與北伐戰爭時期的湖南農民運動〉(《毛澤東思想研究》1990年2期)、志山、雷平〈毛澤東同志寫作《湖南農民運動考察報告》的偉大實踐〉(《武漢師院學報》1981年專號)、歷史系74級學員〈偉大的真理光輝的歷程—《湖南農民運動考察報告》發表的前前後後〉(同上,1977年2期)、先軫〈用革命的態度對待革命的群眾運動—讀《湖南農民運動考察報告》〉(《前線》1964年17期)、方海〈一場聲勢浩大的群眾性批孔運動—學習《湖南農民運動考察報告》中的批孔論述〉(《學習與批判》1974年7期)、張希坡〈《湖南農民運動考

察報告》中關於人民民主專政思想的幾個基本問題〉(《法政研
究》1963年2期)、聶祖海執筆〈大革命後期湘西農民運動初考〉
(《吉首大學學報》1985年1期)、單竹溪〈大革命時期益陽地區的
農民運動〉(《益陽師專學報》1989年1期)、桃江縣委黨史辦〈大
革命時期桃江農民運動〉(同上,1984年2期);譚克繩等〈試述
第一次國共合作和湖北農民運動〉(《華中師大學報》1986年2
期)、吳禮林〈北伐戰爭時期湖北農運的幾個特點〉(《中南民族
學院學報》1986年3期)、譚克繩〈略論第一次國內革命戰爭時期湖
北農民運動的主要特點〉(《黨史研究》1984年5期)、曾成貴〈大
革命時期湖北農民運動的基本經驗〉(《湖北師院學報》1986年2
期)、〈試論大革命時期黨領導湖北農民運動的經驗與教訓〉
(《黨史研究》1986年4期)及〈大革命時期湖北農民運動幾個問題
的探討〉(《咸寧師專學報》1990年1期)、孫少衡〈論1927年湖北
農民起義的地位和戰爭時期的湖北農民運動〉(《歷史教學》1964
年9期)、譚克繩〈土地政策和湖北農運〉(《武漢春秋》1984年4
期)、諶宗仁〈第一次國內革命戰爭時期鄂東南地區的農民運
動〉(《武漢師院學報》1982年4期)、武漢大學歷史系黨史調查隊
黃岡小隊〈黃岡農民運動的暴風與驟雨〉(《武漢大學學報》1959
年4期);余炎光〈第一次國內革命戰爭時期的廣東農民運動〉
(《歷史研究》1958年9期)、陳登貴〈試論第一次國內革命戰爭時
期廣東農民運動的歷史地位〉(《學術研究》1979年6期)、陳萬安
〈全國農民運動的先導廣東農民運動〉(《華南師院學報》1980年3
期)及〈第一次國內革命戰爭時期的廣東農民運動〉(同上,1980
年1期)、北村稔〈第一次國共合作時期の廣東省農民運動〉

（《史林》58卷6號，1975年11月）、C. Martin Wilbur, "The Beginnings of the Farmers Movement in Kwangtung, 1924-1926." （《中央研究院近代史研究所集刊》17期上冊，民77年6月）、吉澤南〈1920年代廣東省の農民社會と農民運動の發展—國共合作から北伐にいたる廣東省農民運動の意義について〉（《歷史評論》243、247、248號，1970年10月-1971年4月）、蒲豐彥〈地域史のなかの廣東農民運動〉（狹間直樹編《中國國民革命の研究》，京都大學人文科學研究所，1992）、余炎光〈阮嘯仙和廣東農民運動的高漲〉（《暨南學報》1986年1期）、Robert B. Marks, "The World Can Change!: Guangdong Peasants in Revolution." （Modern China, Vol.3, No.1, January 1977）、江鐵軍〈大革命前後廣東中路的農民運動〉（《廣州文博》1985年1、2期合刊）、鄧榮詩、阮應祺〈北伐開始後的廣東南路農民運動〉（《雷州師專學報》1987年1期）及〈第一次國內革命戰爭時期廣東南路農運興起的歷史條件〉（同上，1984年2、3期）、廖桂洲等〈一、二戰時期的北江農民運動〉（《韶關師專學報》1985年1期）、永井守〈1920年代廣東省海豐地區における農民運動について〉（《東洋史研究報告（東洋大學）》第2號，1983年3月）、二夕川忠弘《國民革命期における廣東省農民運動—海豐を中心として》（關西大學史學·地理學科畢業論文，1981年度）、松林俊一〈國民革命期廣東省廣寧縣の農民運動について〉（《史學研究（廣島大學文學部）》140號，1978年7月）、陳登貴〈廣州農民運動講習所的創辦及其歷史功績〉（《廣州研究》1983年2期）及〈國共合作與廣州農講所的創辦〉（《廣東黨史》1994年3期）、黃振位〈論廣州農講所的建立發展及

其歷史作用〉（《暨南大學學報》1981年3期）、佐伯靜治〈廣州農
民運動講習所〉（載《革命のなかの中國》，東京，勞働旬報社，
1966）、林錦文〈第一次國共合作與廣州農民運動講習所〉
（《廣州文博》1984年2期）及〈廣州農民運動講習所概論〉（同
上，1986年1、2期合刊）、江鐵軍〈也談彭湃與農講所的創立〉（同
上，1984年2期）、郭紹儀〈回憶廣州第六屆農民運動講習所〉
（《黨史研究》1980年5期）、王少普、吳雲鄉〈記廣州、武昌農民
運動講習所〉（《學習與批判》1976年3期）、王首道〈革命的搖
籃－回憶毛主席在廣州主辦農民運動講習所〉（《歷史研究》1977
年4期）、陳登貴、林錦文〈毛澤東在廣州辦農民運動講習所的
歷史功績〉（《嶺南文史》1993年4期）、劉松濤〈毛澤東同志在農
民運動講習所的教育實踐〉（《教育研究》1979年3期）、Gerald
W. Berkley, "Practice of Peasant Recruitment, A Case in Point:
The Training of Peasant Orginization at the Canton Peasant
Movement Training Institute (1924-26)"（《香港中文大學學
報》第1期，1973年3月）；庾新順〈大革命時期的廣西農民運動〉
（《廣西黨史研究通訊》1989年2期）、〈試述大革命時期黨對廣西
農民運動的領導〉（《玉林師專學報》1986年1期）及〈試論大革命
時期廣西農民運動與黨的發展〉（《梧州地區教師進修學院學報》
1986年1期）、譚慶著、徐杰舜校〈大革命時期左江農民運動述
略〉（《廣西民族學院學報》1995年1期）、沈君積〈論右江農民運動
的興起和發展（1922-1929）〉（同上，1984年2期）及〈右江農民
運動的特點〉（同上，1985年1期）、黎國軸〈第一次國內革命戰爭
時期廣西右江的農民運動〉（《南寧師院學報》1981年3期；又載《廣

西社會科學》1986年2期)、關立雄〈大革命時期的容縣農民運動〉
(《玉林師專學報》1982年3期)、楊敏〈試論東蘭農民運動發生的
社會原因及其意義〉(《南寧師院學報》1980年1期)、黃雨山〈回
憶東蘭農民運動講習所〉(《廣西黨史研究通訊》1984年3期)、陳
天擇〈右江革命搖籃—東蘭農民運動講習所〉(《廣西大學學報》
1981年1期) 及〈大革命時期廣西兩個農講所〉(《黨史研究資料》
1983年10期);于建章〈大革命時期四川農民運動概述〉(《四川
文物》1984年創刊號)、郭全〈大革命時期的營山農運〉(《四川黨
史研究資料》1984年8期);〈內江縣東鄉農民運動 (1925-1930)〉
(同上);黃麗生〈雲南地下黨初期的農民運動〉(《雲南現代史
料叢刊》1983年1期);張叔靜〈大革命時期的江西農民運動〉
(《江西農業大學學報》1982年增刊)、潘純〈1927年春江西農運兩
件事〉(《江西社會科學》1983年2期)、龐守信〈第一次國內革命
戰爭時期的河南農民運動〉(《河南黨史研究》1986年2期)、吳芝
圃〈回憶豫東農民運動〉(同上)、劉英賢〈大革命時期的鄭、
滎、密農民運動〉(《中州學刊》1984年5期)、龐守信〈商城縣早
期的農民運動〉(《中州今古》1984年4期)、陳萬安〈不可磨滅的
奇勛—第一次國內革命戰爭時期廣寧農民運動的作用〉(《鄭州
大學學報》1979年2期)、陳萬安等〈民運先聲—第一次國內革命戰
爭時期的廣寧農民運動〉(《學術研究》1979年4期)、李澄〈1927
年玉田農民武裝起義記略〉(《唐山師專唐山教育學院學報》1988年2
期);凌雲〈中國國民黨中央農民運動講習所始末〉(《史志文
萃》1988年3期)、鄒時炎等〈武昌中央農民運動講習所概述〉
(《湖北教育史志資料》1985年5、6期)、張季任〈中央農民運動講

習所的生活〉(《革命史資料》1983年13輯)、中央農民運動講習所舊址紀念館、武漢大學歷史系73級學員〈農民革命的大本營一記中央農民運動講習所〉(《武漢大學學報》1976年5期)、劉征〈難忘的教誨一回憶在武昌中央農民運動講習所的戰鬥生活〉(同上,1977年2期)、武昌農講所紀念館、武漢大學歷史系〈毛澤東同志主辦的中央農民運動講習所〉(《歷史研究》1977年5期)、王瑞敏供稿〈一份珍貴的革命歷史文獻一中央農民運動講習所《規約》〉(《武漢師院學報》1981年專號);楊樹楨、張廣信〈大革命時期陝西地區的農民運動〉(《陝西師大學報》1986年4期)及〈大革命時期陝西農民運動經驗初探〉(《人文雜志》1987年4期)、菊池一隆〈陝西省における軍閥支配とアヘン一1920年代から30年代前期における農民鬥爭と關連して〉(《近代中國》第4卷,1978年10月)。至於以北伐時期農民運動為題的著作、資料,已在前「護法與北伐」中舉述,可參閱之。

其他與其相關的論著和資料有Chalmers Johnson, Peasant Nationalism and Communist Power(Stanford: Stanford University Press, 1962)、Huang Philip C.(黃宗智),Lynda Schaeffer Bell, and Kathy Lemons Walker, Chinese Communist and Rural Society, 1927-34.(Chinese Research Monogrph, No. 13, Berkeley: University of California Press, 1978)、克思明〈析論中共早期在農村摸索的經驗:武裝工農〉(《共黨問題研究》13卷2期,民76)及〈未完成的任務:國民革命與農民問題〉(《輔仁學誌》16期,民76)、劉宗〈黨在幼年時期對農民問題的重大認識和分歧〉(《甘肅理論學刊》1994年2期)、Kau Ying-mao, "Urban and Ru-

ral Stategies in the Chinese Communist Revolution"（In Peasant
Rebellion and Communist Revolution in Asia, edited by John Wilson
Lewis, Stanford University Press, 1974）、李申〈中國共產黨和中國農
民〉（《學習與思考》1981年4期）、熊宗仁〈中國共產黨與農民問
題〉（《貴州文史叢刊》1992年2期）、張志光、胡百靈〈農民問題
是中國革命的基本問題—中國共產黨農民問題理論的歷史回顧〉
（《遼寧大學學報》1992年1期）、教軍章〈第一次國內革命戰爭時
期中國共產黨農民問題的理論和實踐初探〉（《求是學刊》1988年
歷史專刊）、沙友林〈黨在大革命時期對農民問題的認識〉（《河
北大學學報》1987年2期）、陶用舒〈試論我黨早期對農民問題理論
的探索〉（《益陽師專學報》1985年2期）、張彥靈、蔣鐵生〈中國
共產黨第一次國內革命戰爭時期對農民問題的認識〉（《泰安師
專學報》1990年1期）、L. P. Deliusin, Agrarian-Peasant Question
in the Policy of the CCP, 1921-1928.（Moscow: Nauku, 1972）、李永
芳〈論我黨領導的早期農民協會〉（《河南師大學報》1990年2
期）、李吉〈農民協會—我黨領導的革命史上最早的農民自治性
組織〉（《零陵師專學報》1984年2期）、侯志遠〈北伐戰爭時期農
民協會的貨幣〉（《徐州師院學報》1985年4期）、曾成貴〈全國臨
時農協述論〉（《黨史資料與研究》1986年6期）、鄧榮詩等〈廣東
省農協南路辦事處的成立及其初期的主要活動〉（《雷州師專學
報》1985年1期）、陳如楠〈陽山縣農民協會〉（《廣東黨史通訊》
1989年2期）、孫啟康〈大革命時期湖北省的農民協會〉（《檔案資
料》1982年8期）、曾成貴〈大革命時期湖北省成立了哪些農協〉
（《黨史研究資料》1986年5期）、孫啟蒙〈第一次國內革命戰爭時

期陝西農民協會會員究竟有多少？〉（《人文雜志》1980年6期）、
邵文超〈1921年的浙江蕭山縣衙前農民協會〉（《歷史知識》1984
年4期）、劉淑珍〈對〝1926年4月20日全國第一次農民代表大會
在廣州舉行〞一說質疑〉（《黨史研究資料》1989年7、8期）、唐純
良〈第一次全國農民大會召開了嗎？〉（《教學與研究》1963年1
期）、譚克繩〈第一次全國農民代表大會沒有開成〉（《黨史研究
資料》1984年4期）、蔡火勝〈第一次全國農民大會並沒有開成〉
（《教學與研究》1963年2期）、吳家林〈全國農民代表大會究竟開
過沒有〉（《歷史研究》1979年12期）、張日新〈大革命時期全國農
代會召開過沒有〉（《江西師大學報》1984年1期）、譚克繩〈湖北
省第一次農民代表大會簡介〉（《黨史研究資料》1981年11期）、王
德京〈江西省第一次全省農民代表大會〉（《研究·資料與譯文》
1985年4期）、陳隨源〈略述河南全省武裝農民代表大會的歷史作
用〉（《河南黨史研究》1987年3期）、周文琪、褚良如〈全陝第一
次農民代表大會簡介〉（《歷史教學》1983年5期）、譚克強〈湖南
省第一次農民代表大會簡介〉（《黨史資料研究》1981年11期）、當
事人回憶、文鍼整理〈湖南第一個農會－岳北農會〉（《湖南歷
史資料》1980年1期）、柳孔泉〈〝岳北農工會〞創建原因初探〉
（《湖南師院學報》1984年6期）及〈岳北農工會兩件史實之辨證〉
（《黨史研究資料》1984年5期）、張曉立〈岳北農工會兩件史事校
補〉（《湖南師專學報》1982年1期）、成田保廣〈湖南農民運動に
おける鬥爭形態と指導について－岳北農工會設立から馬日事變
まで〉（《名古屋大學文學部東洋史研究報告》第5號，1978年12月）、
何錦州〈大革命時期的廣東農團軍〉（《黨史研究》1985年9期）、

蒲豐彥〈1920年代廣東の民團と農民自衛軍〉(《京都橘女大研究
紀要》19號，1992年12月)、龐守信〈大革命時期的一支農民起義
軍—豫北天門會〉(《河南黨史研究》1988年1期)、姚守中等〈以
毛澤東為代表的中國共產黨人在大革命時期對農民問題的探索與
實踐〉(《杭州師院學報》1983年3期)、克思明〈試論毛澤東早期
對中國革命與農民問題的意見〉(《共黨問題研究》13卷6期，民76
年6月)、林要三〈初期毛澤東の農民認識〉(《帝塚山大學紀要》
第5號，1969年3月)、Philip C. Huang (黃宗智)，"Mao Tse-
tung and the Middle Peasant, 1925-1928." (Modern China, Vol. 1,
No.3, July 1975)、小林多加士〈中國革命と反權力的宗教思想—
農民起義の哲學と毛澤東革命〉(《季刊東亞》16號，1972年3
月)、坂野良吉〈中國における農民革命の傳統と近代革命〉
(《中國—社會と文化》第3號，1988年6月)、劉培平〈論中國共產
黨關於劃分農村階級標準的形成〉(《山東大學學報》1992年3
期)、馮崇義〈略論第一次國內革命戰爭時期中國共產黨對農村
階級的分析〉(《中山大學研究生學刊》1984年1期)、錢楓〈北伐戰
爭時期中國共產黨的〝小地主〞政策分析〉(《黨史研究》1986年4
期)、李明斌〈淺析大革命後期不能進行土地革命的原因〉
(《信陽師院學報》1989年2期)、顧群〈試論大革命後期兩湖未能
展開土地革命的根本原因〉(《求索》1988年3期)、趙頌堯〈只有
共產黨才能解決中國農民的土地問題〉(《歷史教學與研究》1984
年1期)、楊勤為等〈第一次國內革命戰爭時期黨的土地政策問
題〉(《新疆大學學報》1985年2期)、曾成貴〈略論大革命時期湖
北農村的土地問題〉(《湖北黨史通訊》1985年4期)、劉國相〈略

論大革命後期我黨領導的工農武裝起義的歷史地位〉（《湘潭大學學報》1988年4期）、小島朋之〈中國共產黨創設期の中央と地方—1920年代における地方の自立と農民大眾の發見〉（《京都產業大學論集》13卷2號，1984年2月）。

國家圖書館出版品預行編目資料

中國現代史書籍論文資料舉要(二)

胡平生/編著.—初版.— 臺北市:臺灣學生,1999-[民88]

ISBN 957-15-0934-5 (第一冊;精裝)
ISBN 957-15-0935-3 (第一冊;平裝)
ISBN 957-15-0976-0 (第二冊;精裝)
ISBN 957-15-0977-9 (第二冊;平裝)

1. 中國-歷史-現代(1900-　)-目錄
2. 中國-歷史-現代(1900-　)-專題研究

016.628　　　　　　　　　　　　　　　　88000805

中國現代史書籍論文資料舉要(二)

編　著　者:胡　　　　平　　　　生
出　版　者:臺　灣　學　生　書　局
發　行　人:孫　　　善　　　治
發　行　所:臺　灣　學　生　書　局
　　　　　　臺 北 市 和 平 東 路 一 段 一 九 八 號
　　　　　　郵 政 劃 撥 帳 號 0 0 0 2 4 6 6 8 號
　　　　　　電　話　:(0 2)2 3 6 3 4 1 5 6
　　　　　　傳　真　:(0 2)2 3 6 3 6 3 3 4
本書局登
記證字號:行政院新聞局局版北市業字第玖捌壹號
印　刷　所:宏　輝　彩　色　印　刷　公　司
　　　　　　中 和 市 永 和 路 三 六 三 巷 四 二 號
　　　　　　電　話　:(0 2)2 2 2 6 8 8 5 3

定價:精裝新臺幣七六〇元
　　　平裝新臺幣六八〇元

西 元 一 九 九 九 年 八 月 初 版

01608　　　有著作權‧侵害必究
　　　　ISBN 957-15-0976-0 (精裝)
　　　　ISBN 957-15-0977-9 (平裝)

臺灣學生書局出版

史學叢刊（叢書）